ごうかく力をそだてる350問と予想模試!

2025 年版

ユーキャンの

社労士

過去&予想問題集

ユーキャン
自由国民社

JN029608

はじめに

　令和6年度試験においては、難問なども散見されますが、それにとらわれずに、通常の学習者がしっかりと押さえておくべき「**易しいレベル**」と「**普通レベル**」の問題を確実に得点することができたかがポイントでした。例年、択一式では、**普通レベル以下の問題が全体の6～7割を占めている**ことを考えると、**基本に忠実な問題や法改正に関する問題の取りこぼしこそが致命傷**となります。つまり、社労士試験では、**過去の出題傾向と法改正にしっかり対応した学習**が最も大切なのです。

　本書は、生涯学習のユーキャンが、通信教材の制作や、添削・質問指導、講義で培った合格のためのノウハウを活かして制作・編集しています。そのため、**初めて学習する方にも分かりやすく、問題を解きながら合格に必要な知識を効率的に身につけられる**問題集となっています。構成と主な特長は以下のとおりです。

- ●**論点別問題**……過去問題・予想問題を「**論点別**」に掲載していますので、自分が学習した論点から、問題演習を行うことができます。出題の意図を確実に押さえた**平易な文章**と、**豊富な補足解説**により、**詳しく分かりやすい解説**を追求しています。基本書で学習した知識を着実に理解するとともに、**応用力を身につけることが可能**です。
- ●**予想模擬試験**……本試験と同レベル、同一の問題数で作成した**予想模擬試験**を収載していますので、**本試験のシミュレーションに最適**です。

　また、本書は、基本書の学習→問題集での演習→基本書の再確認という流れで、姉妹書である「2025年版　ユーキャンの社労士速習レッスン」と併用していただきますと、効率良く、かつ、最大限の効果が得られます。

　社労士試験は、**基本をしっかり学習**し、地道に努力すれば合格できることが多くの例により立証されています。そのためには、**いかに効率良く学習するか**が最大のポイントなのです。本書は、社労士試験における多くの的中実績があり、まさにそのような皆様のご期待に応えるものと自負しています。本書の精選問題を繰り返し学習され、よい結果を勝ち取られますことを心から念願する次第です。

　令和6年10月

監修　ユーキャン社労士試験研究会 主宰　常深孝英

本書の使い方

本書の特長

ここが狙われる！頻出・重要事項を凝縮した巻頭コーナー

❶徹底的な過去問分析で充実の試験対策

「出題傾向の分析と対策」は、**過去5年分の出題実績**と、それに基づいた頻出・重要事項をまとめています。社労士試験はおおむね過去の出題傾向に沿った出題となりますので、ここを確実に押さえることが合格への第1歩となります。また、令和7年度試験に向けて特に注意しておくべき点についても「**令和7年度試験対策**」として挙げていますので、ご活用ください。

❷重要な法改正をピックアップ

「**主な法改正内容**」は、令和6年4月13日以降の主な改正事項のうち、原則として令和6年9月1日までに公布され、及び令和7年4月までに施行されることが確定しているものを掲載しています。試験では改正事項は出題の可能性が高いので、ここでピックアップした重要事項はしっかりと押さえておきましょう。

1. 労働基準法

出題傾向表

※【該当レッスン】は『2025年版 ユーキャンの社労士速習レッスン』のレッスン番号を表します。

学習項目	出題分析（過去5年分）					主な改正の状況	該当レッスン
	R2	R3	R4	R5	R6		
基本7原則（1〜7条）	4	4	4	4	4		1
適用・労働者・使用者の定義	5②		6	1	3		1
労働契約（解雇関係を除く。）	2	4①	4②	3	1	R6:労働条件の明示事項等	2
解雇関係	2		1	2			3
退職時等の証明等		1	1	1			3
賃金の定義と平均賃金	1	1		1			4
賃金支払5原則		4	2	2	1	R5:賃金のデジタル払いの開始	4
非常時払い、休業手当等			1				4
労働時間・休憩・労働の原則	1		6	7①			5
労働時間制度の適用除外者				1			5
みなし労働時間制					1	R6:協定・決議事項の追加、同意要件等	6
変形労働時間制			1				7
時間外・休日労働		1	4	1			7
労使協定		2	1		1		8
割増賃金					1	R5:中小企業への特例（時間外労働）の適用	8
年次有給休暇	1	1	1	1①	5		9

---

1 労働基準法（労基）

令和7年度本試験で初めて出題対象となる最新改正

　この科目独自のポイントとなる改正は、本書の編集時点では、特にありません。

2 労働安全衛生法（安衛）

令和7年度本試験で初めて出題対象となる最新改正

【1】化学物質規制に関する改正（(1) R7.4.1施行、(2) R6.7.1施行）

(1) 表示対象・通知対象・リスクアセスメント対象物となる対象物質の追加

　ラベル表示等の対象物質に、国による分類の結果、有害性が確認されたすべての物質を順次追加する（分類済約2,900物質＋新たに「分類する物質」）という考え方に基づく、令和7年4月からは約700物質が追加されました（改正前は約900物質）。

(2) 新規化学物質の名称公表方法の変更

　新規化学物質の名称の公表は、3か月以内ごとに1回、定期に、インターネットの利用その他の適切な方法（従来は官報への掲載）により行われるものとされました。

厳選された問題＆わかりやすさにこだわった解説！

❶「論点別問題」350問で合格ライン突破

厳選された過去問題と、最新の出題傾向を踏まえて作成した予想問題、あわせて350問を**論点別**に編集し、掲載しています。ユーキャンの通信講座で培ったノウハウを活かし、「**わかりやすいこと**」、「**暗記ではなく、理解できること**」に重点を置いた解説をしていますので、その論点のポイントをしっかりと理解することができます。また、解答に至るまでの切り口や、解答を導き出すために必要な知識の再確認にも役立ちます。

❷「予想模擬試験」（78問）で 本試験前の最終チェック！

本試験と同様の問題構成・レベルの予想模擬試験を収載しています。時間を計って解くことにより、本番さながらの実践学習が可能です。本番直前のシミュレーションや実力チェックとして是非ご利用ください。

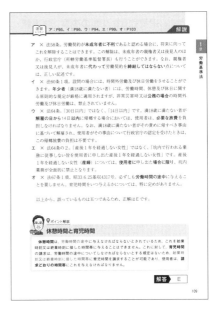

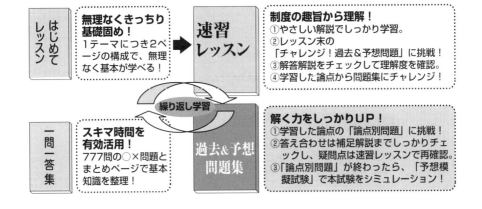

本書を用いた学習の進め方

論点別になっているので、学習が終わった論点から問題を解くことができます。
選択式はタイトルの先頭に「選択式」と表示しています。

問題の難易度と重要度を確認し、メリハリのある学習を心がけましょう。

難易度

易　普　難

易しい　　　　難しい

◀ 難易度 ▶

合格するためには確実に正解しなければならない基本レベルの易から、発展的な内容を含む難まで、易・普・難の3段階で表示しています。

重要度

Ⓐ Ⓑ Ⓒ

高い　　　　低い

◀ 重要度 ▶

必ず押さえておきたい重要問題から、出題頻度は低いが本試験までに2回程度は目を通しておくべき問題まで、A・B・Cの3段階で表示しています。

●チェック欄の利用で効率的な復習

繰り返し学習にあたり、問題を解いた日付や、正誤を記入するなど、自分にあった方法でご利用ください。解いてから時間の経過した問題や、間違えた問題から優先的に再チャレンジすると、効率的に復習ができます。

●出典＆改題を明記 •----------

過去問題については、何年度に出題されたものかを表示しています。

| 過令6 | この場合は、令和6年度試験で出題された問題を表しています。 |

| 予想 | オリジナル問題です。 |

過去問題を改題したものについては、以下のとおり表示しています。

改正　本試験実施後の法改正により内容が不適切になった問題は、現行の法令に適するように修正しています。
※なお、省庁再編成や法改正によって単に名称・条文番号が変更されたものについては表示していません。

| 改正A・B | 選択肢AとBを法改正により修正 |

変更　本試験問題をベースに、今後の出題可能性が高い問題に変更しているものです。
※なお、本試験の順番を単に並び替えたものについては表示していません。

| 変更A〜C | 選択肢AとBとCを変更 |

	1	2	3
チェック欄

問題 **034**

法令等の周知義務

▶予想

難易度 普　重要度 Ⓑ

労働基準法第106条第1項の規定により、使用者が労働者に対し周知させなければならないとされている法令等及びその対象として、誤っているものは次のうちどれか。

A　企画業務型裁量労働制の実施に係る労使委員会の決議 ―― その全文を当該制度の対象労働者のみに周知。

B　女性労働基準規則（厚生労働省令）―― その要旨をすべての労働者に周知。

C　労働者に一斉休憩を付与しない旨を定めた労使協定書（行政官庁への届出義務はないもの）―― その全文をすべての労働者に周知。

D　賃金の一部を控除して支払う旨を定めた労使協定書（行政官庁への届出義務はないもの）―― その全文をすべての労働者に周知。

E　年次有給休暇中の賃金を健康保険法に規定する標準報酬月額の30分の1相当額で支払う旨を定めた労使協定書（行政官庁への届出義務はないもの）―― その全文をすべての労働者に周知。

118

択一式を解く場合、解答解説を見る前に自分がその肢を選んだ根拠を明確にしておくと、間違えた理由がはっきりするため、解説がしっかりと頭に入ります。選択式を解く場合は、選択肢を見る前に、まず空欄に当てはまる語句を自分なりに考えましょう。そうすることで、自分がどの程度この論点を理解しているかが明確になります。

択一式では、おおむね選択肢ごとに正誤表示があり、図解等で詳しく解説しています。正解肢や、自分が正解と思った肢だけでなく、その他の肢の解説もよく読み、知識を再確認しましょう。選択式では、設問の解説だけでなく、関連事項についても解説しています。また、通常の穴埋め形式以外の問題を、知識の確認のために織り込んでいます。

※一部順不同でも正解となる問題がある場合もあります。

「論点別問題」が終わったら、別冊の「予想模擬試験」にチャレンジ！時間を計るなど、本試験と同様の条件で実施すると効果的です。終了後に「解答・解説」で採点しましょう。苦手な論点や弱点を発見したら、再度、関連する「論点別問題」に取り組むと、さらに知識が深まります。

『2025年版 ユーキャンの社労士速習レッスン』の当該科目の参照ページを示しています。問われている論点が同じ場合はA〜C：P167、論点が異なる場合はA：P167、B：P167、C：P167のように表記しています。速習レッスンと併せて、知識の定着にご活用ください。なお、❶❷❸は分冊を表し、参照ページが当該科目掲載分冊以外の場合に記載しています。

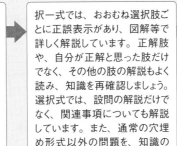

速習 A〜E：P115

解説

Ａ ✕ 法106条1項、平12.1.1基発1号。企画業務型裁量労働制の実施に係る労使委員会の決議は、その全文をすべての**労働者**に周知させなければなりません。対象労働者のみに周知させるのでは、足りません。

Ｂ 〇 法106条1項。女性労働者に係る命令（厚生労働省令）の1つですから、その要旨を**すべての労働者**に周知させなければなりません。

Ｃ 〇 法106条1項。一斉休憩を付与しない旨を定めた労使協定書も労使協定の1つですから、その全文を**すべての労働者**に周知させなければなりません。当該労使協定について行政官庁への届出義務があるかどうかは、問題となりません。

Ｄ 〇 法106条1項。賃金の一部を控除して支払う旨を定めた労使協定書も労使協定の1つですから、その全文を**すべての労働者**に周知させなければなりません。

Ｅ 〇 法106条1項。年次有給休暇中の賃金を健康保険法に規定する標準報酬月額の30分の1相当額で支払う旨を定めた労使協定書も労使協定の1つですから、その全文を**すべての労働者**に周知させなければなりません。

1章 労働基準法

基本まとめ 法令等の周知義務

周知義務事項	周知の程度	周知対象者
①労働基準法	その要旨	全労働者
②労働基準法に基づく命令（労働基準法施行規則、年少者労働基準規則、女性労働基準規則、事業附属寄宿舎規程等）		
③就業規則	その全文	
④労働基準法に規定する労使協定		
⑤労使委員会の決議		
⑥労働基準法及びこれに基づいて発する命令のうち寄宿舎に関する規定	その全文	寄宿労働者
⑦寄宿舎規則		

※周知方法
①〜⑤→ ・常時各作業場の見やすい場所に掲示し、又は備え付けること
　　　　 ・書面を労働者に交付すること
　　　　 ・使用者の使用に係る電子計算機に備えられたファイル又は電磁的記録媒体をもって調製するファイルに記録し、かつ、各作業場に労働者が当該記録の内容を常時確認できる機器を設置すること
⑥⑦→ 寄宿舎の見やすい場所に掲示し、又は備え付けること等

解答　Ａ

●豊富な図表＆補足解説

周辺知識や要点整理に役立つ補足解説が充実しています。

基本まとめ　中丸講師

まぎらわしい数値などの重要事項を、図表等にしてまとめています。

ポイント解説　窪田講師

合格するために覚えておくべき基本的な事項について解説しています。

横断チェック

関連する論点を横断的に理解できるようにまとめています。科目内の論点横断や科目を越えての横断もあります。

STEP UP

本試験レベルの応用力を身につけるために、発展的な内容を解説しています。

本書における論点の並び順について

「論点別問題」は、「択一式」→「選択式」の順となっており、それぞれの出題方式の中で『2025年版 ユーキャンの社労士速習レッスン』の順番と対応しています。

※一部論点が複数重なっている問題等についてはこの限りではありません。

119

資格について

(1) 社会保険労務士法により法制化された資格

　社会保険労務士（以下「社労士」という。）は昭和43年（1968年）に施行された「社会保険労務士法」によって法制化された資格です。この法律が成立してから現在に至るまでに、社会保障制度は巨大化・複雑化が進み、企業では労働者の高齢化や労働時間の弾力的な運用、年俸制の導入など、さまざまな労務管理の問題を抱え込むようになりました。このような状況の中、労務、雇用、福利厚生、社会保険のエキスパートとして脚光を浴びているのが社労士です。

(2) 社労士の業務

　社労士は、企業に勤める以外に独立開業もできる資格です。主な業務は以下の3つです。

1号業務：行政機関への申請書類の作成と、これらの書類の提出の代行・事務代理などの業務を行います。

2号業務：労働社会保険関係諸法令に基づく帳簿書類の作成業務を行います。

3号業務：労務管理などに関するコンサルタント（相談・指導）業務を行います。

※以下は令和6年度の試験実施要領をもとに記述しています。令和7年度試験につきましては、必ず試験センター（P10参照）にご確認ください。

受験資格

区分：1～6学歴、7～11実務経験、12～14試験合格、15～16過去受験

1. 学校教育法による大学、短期大学、専門職大学、専門職短期大学若しくは高等専門学校（5年制）を卒業した者又は専門職大学の前期課程を修了した者
2. 上記の大学（短期大学を除く）において62単位以上の卒業要件単位を修得した者。上記の大学（短期大学を除く）において一般教養科目と専門教育科目等との区分けをしているものにおいて一般教養科目36単位以上を修得し、かつ、専門教育科目等の単位を加えて合計48単位以上の卒業要件単位を修得した者
3. 旧高等学校令による高等学校高等科、旧大学令による大学予科又は旧専門学校令による専門学校を卒業し、又は修了した者
4. 前記1.又は3.に掲げる学校等以外で、厚生労働大臣が認めた学校等を卒業し又は所定の課程を修了した者
5. 修業年限が2年以上で、かつ、課程の修了に必要な総授業時間数が1,700時間（62単位）以上の専修学校の専門課程を修了した者
6. 全国社会保険労務士会連合会において、個別の受験資格審査により、学校教育法に定める短期大学を卒業した者と同等以上の学力があると認められる者（各種学校等）

7. 労働社会保険諸法令の規定に基づいて設立された法人の役員（非常勤の者を除く）又は従業者として同法令の実施事務に従事した期間が通算して３年以上になる者
8. 国又は地方公共団体の公務員として行政事務に従事した期間及び行政執行法人、特定地方独立行政法人又は日本郵政公社の役員又は職員として行政事務に相当する事務に従事した期間が通算して３年以上になる者。全国健康保険協会、日本年金機構の役員（非常勤の者を除く）又は従業者として社会保険諸法令の実施事務に従事した期間が通算して３年以上になる者（社会保険庁の職員として行政事務に従事した期間を含む）
9. 社会保険労務士若しくは社会保険労務士法人又は弁護士、弁護士法人若しくは弁護士・外国法事務弁護士共同法人の業務の補助の事務に従事した期間が通算して３年以上になる者
10. 労働組合の役員として労働組合の業務に専ら従事（専従）した期間が通算して３年以上になる者。会社その他の法人（法人でない社団又は財団を含み、労働組合を除く。以下「法人等」という。）の役員として労務を担当した期間が通算して３年以上になる者
11. 労働組合の職員又は法人等若しくは事業を営む個人の従業者として労働社会保険諸法令に関する事務に従事した期間が通算して３年以上になる者
12. 社会保険労務士試験以外の国家試験のうち厚生労働大臣が認めた国家試験に合格した者
13. 司法試験予備試験、旧法の規程による司法試験の第一次試験、旧司法試験の第一次試験又は高等試験予備試験に合格した者
14. 行政書士試験に合格した者
15. 直近の過去３回のいずれかの社会保険労務士試験の受験票又は成績（結果）通知書を所持している者
16. 社会保険労務士試験 試験科目の一部免除決定通知書を所持している者

※ご不明な点は、試験センター（P10参照）にお問い合わせください。

試験概要

［試験科目と出題数］

試験科目	選択式出題数	択一式出題数	章
①労働基準法	1問	7問	1
労働安全衛生法		3問	2
②労働者災害補償保険法	1問	7問	3
③雇用保険法	1問	7問	4
④労働保険の保険料の徴収等に関する法律※		6問	5
⑤労務管理その他の労働に関する一般常識	1問	5問	6
⑥社会保険に関する一般常識	1問	5問	10
⑦健康保険法	1問	10問	7
⑧厚生年金保険法	1問	10問	9
⑨国民年金法	1問	10問	8

※労働保険の保険料の徴収等に関する法律については、選択式の出題はない。

［出題形式］

選択式８問と択一式70問が出題されます。選択式は、１問につき５つの空欄に20個の語群からそれぞれにあてはまるものを選びます。択一式は５つの肢から正解肢１つを選びます。いずれも、マークシート方式です。

［試験までのスケジュール］

4月中旬	受験案内の公表
4月中旬～5月末日	受験申込みの受付期間
8月の第4日曜日	試験日　選択式　80分　択一式　210分
10月上旬	合格発表

[受験申込み等]

受験申込みは、「**インターネット申込み**」が原則であり、当面、「郵送申込み（別途「受験案内の請求」が必要）」でも受け付けることとされています。

令和6年度の受験申込みの受付期間は4月15日〜5月31日、受験手数料は15,000円（払込みに係る手数料は受験申込者負担）でした。

受験申込みの際の必要書類は、①顔写真、②受験資格証明書、③免除資格証明書（免除資格に該当する者）その他の必要書類です。

[試験地]

　1 北海道　2 宮城県　3 群馬県　4 埼玉県　5 千葉県　6 東京都　7 神奈川県　8 石川県　9 静岡県　10 愛知県　11 京都府　12 大阪府　13 兵庫県　14 岡山県　15 広島県　16 香川県　17 福岡県　18 熊本県　19 沖縄県

受験申込み時に、上記の都道府県から「希望試験地」を選びます。

[配点と合格基準点]

配点は、選択式が各空欄1点で、1科目5点満点、合計で40点満点、択一式が各問1点で、1科目10点満点、合計で70点満点となります。

合格基準点は、以下のとおりです（令和5年度）。なお、合格基準点は試験の難易度に応じて、実施年度ごとに変動します。

選択式：総得点26点以上かつ各科目3点以上

択一式：総得点45点以上かつ各科目4点以上

[受験者数と合格率]

	令和元年度	令和2年度	令和3年度	令和4年度	令和5年度
受験申込者数	49,570名	49,250名	50,433名	52,251名	53,292名
受験者数	38,428名	34,845名	37,306名	40,633名	42,741名
合格者数	2,525名	2,237名	2,937名	2,134名	2,720名
合 格 率	6.6%	6.4%	7.9%	5.3%	6.4%

受験に関するお問い合わせ

受験手続などでご不明な点は、**全国社会保険労務士会連合会 試験センター**にお問い合わせください。

〒103-8347　東京都中央区日本橋本石町3-2-12　社会保険労務士会館　5階
電　話：03-6225-4880〔受付時間は9:30〜17:30（土日祝日は除く）〕
FAX：03-6225-4883（お問い合わせの際は必ず連絡先を明記してください）
WEB 社会保険労務士試験オフィシャルサイト：https://www.sharosi-siken.or.jp

出題傾向の
分析と対策

1. 労働基準法

※［該当レッスン］は『2025年版　ユーキャンの社労士速習レッスン』のレッスン番号を表します。

出題傾向表

学習項目	出題分析（過去5年分）					主な改正の状況	該当レッスン
	R2	R3	R4	R5	R6		
基本7原則（1～7条）	4	4	4	4	3		1
適用、労働者・使用者の定義	5②		6	1	3		1
労働契約（解雇関係を除く。）	2	4①	4②	3	5	R6:労働条件の明示事項等	2
解雇関係	2		①	2			3
退職時等の証明等	1		1	1	1		3
賃金の定義と平均賃金	1	1	1		1		4
賃金支払5原則		4	2	2	5①	R5:賃金のデジタル払いの開始	4
非常時払い、休業手当等		6	2	7			4
労働時間・休憩・休日の原則	1		6	7①	1①		5
労働時間等の適用除外者			1		1		5
みなし労働時間制					2	R6:協定・決議事項の追加、同意要件等	6
変形労働時間制等	1	1		1	1		7
時間外・休日労働	1		4	1			8
労使協定		2	1	1			8
割増賃金	1	②	2			R5:中小企業への特例（時間外労働）の適用	8
年次有給休暇	1	1	1	1①	5		9
年少者等		1		1	①		10
妊産婦等	5	6		3			11
就業規則	5	5			4		12
寄宿舎・技能者・災害補償	①				1		12
監督機関、雑則	5			①		R2:記録の保存、時効、付加金	13
罰則							13
その他							―

［出題分析］1・2・3……択一式の選択肢単位での出題個数です。①・②・③……選択式の空欄単位での出題個数です。
［改正の状況］数字は改正施行年次を示しています。

●出題の特徴

　労働基準法は、労働安全衛生法と合わせて1科目として出題されます。選択式では、1問5つの空欄のうち3つが労働基準法からの出題です。近年は、基本事項と判例を組み合わせた出題が多くなっています。見たことのない判例の出題は、選

択肢をよく見て、常識的な判断で解答することが大切です。

　択一式では、1 科目10問のうち 7 問が労働基準法からの出題です。判例や通達からの出題が多いのが労働基準法の特徴です。近年は、事例での出題があり、学習した内容を実務に活かすための「理解」が問われるようになっています。また、個数問題や組合せ問題など、出題形式によって難度を上げている問題も見られます。基本事項については、数字要件等の正確な記憶とともに「理解」を意識して学習する必要があります。

出題傾向の分析と対策

●頻出／重要項目

　特に重要なものは、次の 7 項目です。

①**労働契約**……労働条件の明示・労働契約の期間・解雇制限・解雇予告等・退職時等の証明。

②**賃金**……賃金支払 5 原則とその例外・休業手当・平均賃金。

③**労働時間・休憩・休日**……原則と特例・休憩 3 原則とその例外・みなし労働時間制・変形労働時間制等・適用除外者。

④**時間外・休日労働と割増賃金**……36協定と時間外労働の上限規制・割増賃金。

⑤**年次有給休暇**……出勤率・付与日数・比例付与・計画的付与・付与義務。

⑥**年少者・妊産婦等**……児童の保護規定・年少者の保護規定・妊産婦の保護規定。

⑦**就業規則**……作成等の手続き・制裁規定の制限・労働協約等との優先劣後関係。

　これらに次ぐものは、⑧**基本 7 原則**、⑨**労働者・使用者の定義**、⑩**雑則**（労働者名簿と賃金台帳・法令等の周知義務）となります。

●令和 7 年度試験対策

　労働基準法は、他の科目に比べ、通達や判例からの出題が多い傾向にあります。令和 7 年度もこの傾向は不変でしょうが、次のような対策を講じましょう。

　本科目の出題対象には、①労働基準法（**法律**）→②労働基準法施行規則（**厚生労働省令**）→③その他の施行規則（年少則、女性則等）・告示（指針等）→④行政解釈（**通達**）→⑤重要判例（**最高裁判例**）の各レベルがあります。一気に全レベルを学習するのは混乱の原因となりますので、まず①②を優先的に理解しましょう。

法改正のポイント　令和 6 年 4 月施行の改正により、①労働条件の明示**のルールの変更**（明示事項の追加等）、②裁量労働制の**導入手続等**の改正（協定・決議事項の追加、専門型の本人同意要件、企画型の定期報告の頻度の変更など）が行われています。

2. 労働安全衛生法

出題傾向表　※[該当レッスン]は『2025年版 ユーキャンの社労士速習レッスン』のレッスン番号を表します。

学習項目	出題分析（過去5年分）					主な改正の状況	該当レッスン
	R2	R3	R4	R5	R6		
総則	3	2	①	①			1
労働災害防止計画							1
安全衛生管理体制（一般）	1	5	5	5	5	R6:化学物質管理者等の新設	2
安全衛生管理体制（委員会）			5	5			2
安全衛生管理体制（下請混在）			3	3			2
労働者の危害防止の措置	①	1①	2	2		R4:作業面の照度基準等	3
機械等に関する規制					①	R5:特定機械等（移動式第1種圧力容器）	4
危険物及び有害物に関する規制		2				R5:情報伝達・リスクアセスメント関係	5
安全衛生教育	5		①	①		R6:雇入れ時等の教育の拡充 R5:職長等教育の対象業種の追加	6
就業制限等		①					6
作業環境測定等							6
健康診断、面接指導等	5①				5	R4:歯科健康診断の実施報告	7
免許							8
事業場の安全又は衛生に関する改善措置等							8
監督等		5			5①	R5:疾病の報告義務の追加 R7:労働者死傷病報告等の原則電子申請化	8
罰則	1						8
その他							ー

[出題分析] 1・2・3……択一式の選択肢単位での出題個数です。①・②・③……選択式の空欄単位での出題個数です。
[改正の状況] 数字は改正施行年次を示しています。

●出題の特徴

　択一式では、「**安全衛生管理体制**」、「**安全衛生教育**」、「**健康診断**」といったテーマごとに1問を構成する場合がほとんどで、まれに「**機械等及び有害物**」のように、2つ以上の単元の混合問題となることもあります。また、「深夜業等」というテーマで、「安全衛生管理体制」や「健康診断」などの異なる項目から出題されることもあるので、**科目内の横断理解**も必要となるでしょう。毎年、600ヵ条以上もある施行規則の中で過去出題のなかったものが出題されたり、指針のように見落としがちなものから何肢か出題されたりと、試験対策の難しい科目ですが、そのよう

な奇をてらった問題にはあまり神経質にならずに、まずは**重要項目から出題される問題を落とさない**ことが大切です。また、過去に出題のあった論点を再び使っている場合もありますので、過去問演習は必ず行う必要があります。見慣れない問題が出題された場合でも、落ち着いて文意を把握するようにしましょう。

選択式では、テキストで取り上げている条文、規則、通達から出題されています。労働安全衛生法独特の語句、用語に注意しておきましょう。

●頻出／重要項目

①**安全衛生管理体制**……過去の出題が最も多い項目です。特に、「一般事業場の安全衛生管理体制」の出題が目立ちます。また、1問中の5肢すべてを同じ論点（たとえば「作業場の巡視義務」、「資格」など）で問うものもあり、同じ論点について、比較・整理しておくことが有効です。

②**健康診断・面接指導**……①の次に出題の多い項目です。健康診断の種類、対象となる労働者、実施回数や**実施後の措置**などを正確に覚える必要があります。**面接指導**と**心理的な負担の程度を把握するための検査**（ストレスチェック）にも注意しましょう。

③**機械・有害物等に関する規制**……有害物等に関する規制は、あまり出題されていませんが、近年の改正点には注意が必要です。機械等に関する規制は、機械等の名称なども一通り確認してください。

④**その他**……「労働者の危害防止措置」、「安全衛生教育」から比較的出題されていますが、これら以外の項目でも、『2024年版　ユーキャンの社労士速習レッスン』で強調されている基本事項は、確実に押さえてください。

●令和7年度試験対策

頻出項目である「一般事業場の安全衛生管理体制」と「健康診断、面接指導等」については、十分な学習が必要でしょう。また、注意しておくべき項目としては、「総則」「労働者の危害防止の措置」「安全衛生教育」があります。こうした**頻出項目と改正点**からの出題を取りこぼさないように対策してください。

法改正のポイント

細かな改正は頻繁に行われています。比較的大きな令和6年度・5年度の改正としては、**化学物質管理者・保護具着用管理責任者**の新設などのほか、「危険物及び有害物に関する規制」などにおける化学物質による労働災害の防止に関する改正が行われています。たとえば、化学物質の危険性・有害性に関する**情報伝達の強化**（通知方法の柔軟化等）、**リスクアセスメント**に基づく自律的な**化学物質管理の強化**（記録の作成・保存の義務等）、化学物質に起因する**がんの把握の強化**（疾病の報告義務）などです。

3. 労働者災害補償保険法

出題傾向表 ※ [該当レッスン] は『2025年版 ユーキャンの社労士速習レッスン』のレッスン番号を表します。

学習項目	出題分析（過去5年分）					主な改正の状況	該当レッスン
	R2	R3	R4	R5	R6		
目的、労災保険事業、管掌		②	4			R2:複数事業労働者	1
適用事業、適用労働者							1
業務災害等		15	12	10	5	R2:複数業務要因災害	2
通勤災害	⑤	5	8		10		3
給付基礎日額				5	3	R2:複数事業労働者の給付基礎日額	4
療養（補償）等給付							5
休業（補償）等給付	1			③	3	R2:部分算定日の支給額	5
傷病（補償）等年金	1						5
障害（補償）等給付	6	5	②	5	②		6
遺族（補償）等給付	1	5②		5	6①		7
葬祭料等（葬祭給付）							7
介護（補償）等給付	1						8
二次健康診断等給付							8
保険給付の通則	10	①		5	3②	R4:担保提供禁止の例外廃止	9
社会復帰促進等事業（その他）			5	②		R2:施行規則に根拠明記	10
社会復帰促進等事業（特別支給金）	4						10
費用の負担							11
不服申立て				5			11
雑則	1					R2:時効	11
罰則	5						11
特別加入	5	5	5③		5	R3・4・6:第2種特別加入者の範囲拡大	12

［出題分析］1・2・3……択一式の選択肢単位での出題個数です。①・②・③……選択式の空欄単位での出題個数です。
［改正の状況］数字は改正施行年次を示しています。

●出題の特徴

　択一式に関していうと、近年は、適用事業・適用労働者、業務災害・通勤災害及び保険給付の通則の内容を中心に幅広い項目から出題されます。テーマが設定された問題が多いですが、混合形式の問題も増えてきています。また、数は多くありませんが、近年は、判例からの出題もあります。

全体の難易度は、選択式も択一式も「普通～やや難しい」レベルです。これは、法令の条文からの出題だけではなく、業務災害・通勤災害の具体的判断等の通達を出典とした出題があるためです。しかし、通達よりも基本規定からの出題が多くを占めるため、基本事項（テキスト等の赤字・太字）をしっかりと押さえた学習者は、ある程度の得点をあげることができるはずです。

●頻出／重要項目

①**業務災害と通勤災害**……**業務災害**については、業務起因性と業務遂行性の判断基準を理解し、**通勤災害**については、通勤の定義を逸脱・中断とともに理解しましょう。業務災害及び通勤災害の具体的判断に関する出題については、問題演習を重ねることで正確な判断ができるようにしたいところです。

②**傷病の治ゆ前の保険給付**……**療養（補償）等給付**は、給付の範囲、給付を行う病院等について健康保険法の療養の給付と比較し、相違点を確認しながら学習を進めましょう。**休業（補償）等給付**と**傷病（補償）等年金**は、支給要件、支給額、支給期間等について正確に理解しましょう。

③**障害（補償）等給付**……障害等級の決定に関する規定を確実に理解しましょう。特に、併合（繰上げ）、加重、再発等の取扱いに関する規定が重要です。

④**遺族（補償）等給付**……学習の中心は、**遺族（補償）等年金**です。まず受給資格者と受給権者の意味の違いを正確に理解し、次に年金額、失権を押さえましょう。労災保険に特有の制度である「転給」の理解も重要です。

⑤**給付の通則**……死亡の推定、未支給の保険給付、支給制限が問われやすいです。ややマイナーな学習テーマですが、基本事項を中心に学習しましょう。

●令和７年度試験対策

労災保険法の出題の特徴として、「**業務災害**」と「**通勤災害**」の出題が多いことが挙げられます。また、「**保険給付関係**」及び「**保険給付の通則事項**（保険給付に関する共通ルール）」からもよく出題されています。以上から、次の項目を徹底的に理解することが有効です。

> ①業務災害、②通勤災害、③治ゆ前の保険給付、④障害（補償）等給付、
> ⑤遺族（補償）等給付、⑥保険給付の通則、⑦社会復帰促進等事業（特別支給金）

法改正のポイント 令和２年９月から複数業務要因災害に関する保険給付が創設され、**複数事業労働者**について法全般にわたり各種の規定が整備されています。

4. 雇用保険法

出題傾向表　　※［該当レッスン］は『2025年版　ユーキャンの社労士速習レッスン』のレッスン番号を表します。

学習項目	R2	R3	R4	R5	R6	主な改正の状況	該当レッスン
目的、管掌、定義						R2:保険事故（育児休業）の追加 R7:保険事故の変更（育児休業等）	1
給付の体系・通則		5			2	R7:育児休業等給付への変更・給付追加	1
適用事業・被保険者・届出	4⑤	5	10	5	5①	R2:特定法人の届出の電子申請化 R4:特例高年齢被保険者の創設	2
基本手当の受給資格・手続	5	⑤	1	5	9	R2:被保険者期間の計算方法の特例創設 R4:個人番号カードによる認定手続等	3
特定受給資格者・特定理由離職者		5					3
基本手当の日額・受給期間・待期			③	5①		R4:受給期間の特例の創設	3
基本手当の所定給付日数		5	5			R7:特定理由離職者に係る暫定措置延長	3
基本手当の延長給付	5			5	①	R7:地域延長給付の暫定措置延長	3
基本手当の給付制限	2				2	R7:離職理由による給付制限の見直し	3
技能習得手当・寄宿手当				②			4
傷病手当	5			5			4
高年齢求職者給付金			4				5
特例一時金		5					5
日雇労働求職者給付金	1			②			5
就職促進給付	1			5		R7:就業手当の廃止 R7:就業促進定着手当の上限引下げ	6
教育訓練給付		5	②	5		R6:教育訓練給付金の給付率の拡充 R7:教育訓練支援給付金の見直し	7
高年齢雇用継続給付				5	5	R7:給付率の引下げ	8
介護休業給付							8
育児休業等給付	1	5	5	5	③	R7:出生後休業支援給付の創設 R7:育児時短就業給付の創設	9
雇用保険二事業	5				6		10
費用の負担						R6:育児休業給付の国庫負担暫定措置廃止 R6:介護休業給付の国庫負担暫定措置延長	10
不服申立て	2				1		10
雑則・罰則	4		5				10

［出題分析］1・2・3……択一式の選択肢単位での出題個数です。①・②・③……選択式の空欄単位での出題個数です。
［改正の状況］数字は改正施行年次を示しています。

●出題の特徴

　択一式では、「基本手当」に関する諸規定を中心に、「被保険者」、「雇用保険事務」、「その他の失業等給付」などが、ほぼ、テーマごとに1問を構成しています。近年では、行政手引（通達）からの出題が多くなってきており、やや細かい知識が問われることもあります。また、給付の通則事項などについては、同じ内容が繰り返し出題される傾向にありますので、過去問をしっかりこなすことが必要でしょう。

●頻出／重要項目

　次の①～③の出題頻度が高くなっています。

①**被保険者の範囲**……まず、**適用除外**として定められている者をきちんと押さえ、次に、いわゆるグレーゾーンとなる者（労働者性の有無、労働時間の短い者）等の判断ができるよう訓練をしていきます。過去問等の利用が効果的です。

②**基本手当**……受給資格から給付制限に至るまで、**幅広く丁寧に**学習することが必要です。なお、3種類に分けられている**所定給付日数**の数字は、必須暗記事項となります。

③**介護休業給付・育児休業給付**……介護休業給付又は育児休業給付のいずれかが出題される傾向にあります。これらについては、支給要件、支給額、支給申請手続に注意してください。

●令和7年度試験対策

　この科目の特徴として、給付の中では、「基本手当」が群を抜いて多く出題されています。また、近年の傾向としては、「育児休業等給付（従前の育児休業給付）」からの出題が増えています。さらに、「被保険者」と「雇用保険事務（届出・手続関係）」は、毎年のようにコンスタントに出題されています。これらの学習テーマについては、徹底した対策を講じておく必要があるでしょう。なお、**その他の給付**については、年度によって出題数にバラつきがありますが、直近の法改正の状況を勘案しますと、「教育訓練給付」については、当分の間、注意が必要です。

●重点学習項目

①被保険者	②雇用保険事務	③基本手当
④教育訓練給付	⑤育児休業等給付	⑥その他の給付（基本事項中心）

法改正のポイント

　多岐にわたる改正が行われています（※前頁の「主な改正の状況」を参照）。注目すべきものを取り上げると、令和6年10月施行の改正により、①**教育訓練給付金の給付率が拡充**（最大で受講費用の80％を支給等）されました。また、令和7年4月施行の改正により、②**就職促進給付の見直し**（就業手当の廃止等）が行われ、③子ども・子育て支援法の改正に伴い、育児休業給付が「**育児休業等給付**」となり、出生後休業支援給付**及び**育児時短就業給付**が創設**されました。

5. 労働保険徴収法

※［該当レッスン］は『2025年版　ユーキャンの社労士速習レッスン』のレッスン番号を表します。

学習項目	出題分析（過去5年分）					主な改正の状況	該当レッスン
	R2	R3	R4	R5	R6		
総則・定義等	1		2	1			1
適用事業				1	1		1
保険関係の成立・消滅		5	3		5		2
保険関係の一括	5	5	1	5	6		2
労働保険料の決定・一般保険料率	1		3	4		R7:雇用保険率の引上げ等 R2:労災保険率の考慮事項等見直し	3
特別加入保険料	5			4		R3・R4:第2種特別加入 　　　保険料率の区分追加	3
賃金総額	1		6				3
メリット制	5		6				3
労働保険料の申告・納付手続	2	1	1		5		4
概算保険料、認定決定		6	5				4
延納	3	3		2			4
確定保険料、認定決定、還付請求			1	1	3		4
印紙保険料	3			3	5		5
特例納付保険料		5					5
追徴金、督促・延滞金等	2		2	2	1		5
労働保険事務組合		5		5			6
雑則・罰則等	2			1	4		6

［出題分析］1・2・3……択一式の選択肢単位での出題個数です。①・②・③……選択式の空欄単位での出題個数です。
［改正の状況］数字は改正施行年次を示しています。

●出題の特徴

　択一式で、労災保険法及び雇用保険法とそれぞれ抱き合わせで3問ずつ、あわせて6問出題されます。これまでのところ、選択式での出題はありません。

　「保険関係の一括」、「労働保険事務組合」のように、1つのテーマで1問を構成する形式が一般的です。納期限や申告・納付先など手続きに関して細かい点が出題されますが、科目自体のボリュームも少な目で、同じ論点の繰り返しの出題も多い

so、試験対策を講じやすい科目といえます。問題を繰り返し解いて正確な知識を身につければ、高得点を狙うことも可能です。

●頻出／重要項目

①**保険関係**……「**保険関係の成立・消滅**」と「**保険関係の一括**」があります。「保険関係の成立・消滅」では、保険関係の成立日と消滅日、**任意適用**及び任意適用の取消しの要件がよく出題されています。「保険関係の一括」では、「**有期事業の一括**」「**請負事業の一括**」「**継続事業の一括**」について、それぞれの特徴や相違点を丁寧に学習しましょう。

②**労働保険料の申告・納付手続**……範囲が広いテーマですが、まず、「**概算保険料の申告・納付**」のうち、年度更新の考え方をしっかり理解し、申告・納期限を押さえましょう。**増加概算保険料、概算保険料の追加徴収、概算保険料の認定決定**については、それぞれの要件・納期限を整理しておきましょう。「**概算保険料の延納**」は難しく感じるかもしれませんが、重要なテーマですので、繰り返し学習して仕組みを理解しましょう。「**確定保険料**」については、申告・納期限のほか、**還付**と**充当**の関係もしっかり理解しておきましょう。

●令和７年度試験対策

コンスタントに出題されているのは、前記の「**保険関係の成立・消滅**」「**保険関係の一括**」「**概算保険料の申告・納付**」「**概算保険料の延納**」「**確定保険料の申告・納付**」です。概算保険料の延納では、具体例による問題が出題されることもありますので、問題演習で慣れておく必要があります。上記のテーマ以外では、「**印紙保険料**」「**追徴金、督促・延滞金等**」「**労働保険事務組合**」からよく出題されています。なお、「**メリット制**」は数年おきに出題されていますが、難しいテーマですので、最低限、基本的な仕組みを理解しておけばよいでしょう。

法改正のポイント

令和７年４月施行の改正により、**雇用保険率**（法本来の雇用保険率）は３種の率を合計して得た率とされました。事業の種類に応じた雇用保険率は、それぞれ1,000分の１ずつ引き上げられました。また、雇用保険率の弾力的変更の仕組みについても改正されています。実際の雇用保険率は、最新の情報に注意をしてください。このほか、令和２年９月施行の労災保険法の改正（複数業務要因災害に関する保険給付の創設）に伴い、労災保険率の決定の際に考慮する事項等が見直されました。

6. 労務管理その他の労働に関する一般常識

学習項目	出題分析（過去5年分）					主な改正の状況	該当レッスン
	R2	R3	R4	R5	R6		
労働組合法	4		1	1	②		1
労働関係調整法・個別労働関係紛争解決促進法	2						1
労働契約法		5	②	②	5		2
最低賃金法				②	1		2
賃金支払確保法							2
労働施策総合推進法		1①			1	R2: パワーハラスメント防止措置等	3
職業安定法				1			3
労働者派遣法			1	①		R2: 不合理な待遇の禁止等	3
高年齢者雇用安定法		1				R3: 高年齢者就業確保措置	3
障害者雇用促進法	1	1	1③		1	R2: 認定制度の創設 R6: 障害者雇用率の引上げ	3
パートタイム・有期雇用労働法	1	1	1		1	R2: 改称、不合理な待遇の禁止等	4
男女雇用機会均等法		1			①		4
育児・介護休業法	1		1	1		R4: 出生時育児休業、育児休業の分割取得等 R7: 子の看護等休暇、介護両立支援の強化等	4
次世代育成支援対策推進法						R6: 法の有効期限延長 R7: 行動計画策定時等の状況把握	4
女性活躍推進法						R2: 特例認定制度、情報公表項目の区分 R4: 計画の策定義務・情報公表義務の対象拡大	4
若者雇用促進法	1			1			4
職業能力開発促進法							4
その他の法令・判例等							—
労務管理の用語・理論・沿革							5
各種調査（雇用・失業・雇用管理）	5	5	5	10			6
各種調査（賃金・就労条件・労使関係等）	5⑤		5	5	10		6
白書（労働経済・女性労働・厚生労働）		5④			②		—
その他の動向・雇用政策等		5					—

［出題分析］1・2・3……択一式の選択肢単位での出題個数です。①・②・③……選択式の空欄単位での出題個数です。
［改正の状況］数字は改正施行年次を示しています。

●出題の特徴

　選択式は、近年では、法令分野と労働経済分野が出題の中心となっています。かつては、労務管理分野からの出題が非常に多かったのですが、近年この分野からの出題は抑え目となっています。

　択一式はその出題範囲が非常に広いものとなっています。この傾向は従来から変わっていません。さらに1問（A〜Eの5肢）ごとにみても、1つの法律だけで構成しているものもあれば、5つの法令のものもあります。2つの法令に、労働経済に関する調査結果を組み合わせたものなどもあり、1問の構成のしかたも多岐にわたります。さらに、A〜Eの1肢ごとにみた難易度も、易しいものから難しいものまで、ランダムに並んでいます。

●頻出／重要項目

　①**労働関係諸法令**……**労働組合法**と**労働契約法**が、出題率の高い重要な法律です。この次のグループに位置するものは、最低賃金法、労働施策総合推進法、職業安定法、労働者派遣法、高年齢者雇用安定法、障害者雇用促進法、パートタイム・有期雇用労働法、男女雇用機会均等法、育児・介護休業法でしょう。

　②**労務管理**……近年はあまり出題されていませんが、選択式で恐い分野です。特に際立った項目はなく、むしろ全体的にまんべんなく出題されています。

　③**労働経済**……労務管理に比べれば、雇用・失業の動向、賃金の動向は頻出といえます。労働時間の動向にも注意すべきでしょう。

●令和7年度試験対策

　労働関係諸法令の中で特に注意しておきたいものは、**労働組合法**と**労働契約法**の2つです。また、労務管理と労働経済は、「**若年者の雇用状況**」や「**高齢者・女性の就業**」に関することに注意しましょう。

法改正のポイント

育児・介護休業法において、①子の看護等休暇（従来の子の看護休暇から改称）の取得目的及び対象となる子の範囲拡大等、②所定外労働の制限の対象となる子の範囲拡大、③育児休業の取得状況の公表義務の対象拡大、④介護休業制度・介護両立支援制度等に関する個別の周知・意向確認、早期の情報提供、雇用環境の整備の義務化等が行われました（令和7年4月1日施行）。

このほか、近年では、**障害者雇用促進法**において、障害者雇用率が引き上げられるとともに、就労時間が特に短い重度身体障害者、重度知的障害者及び精神障害者について実雇用率の算定を可能とする特例の創設等が行われています（令和5年4月1日施行・令和6年4月1日施行）。

7. 健康保険法

学習項目	出題分析 (過去5年分)					主な改正の状況	該当レッスン
	R2	R3	R4	R5	R6		
総則等	1	2	4		4		1
通則・給付制限	4	3	4	3	3		1
保険者	4	5	4	4①	8		2
適用事業所	1			3	1	R4:適用業種の範囲拡大等	3
被保険者 被保険者資格の得喪等	8	7	5①	6	5	R4:任意継続被保険者の資格喪失事由 R6:被保険者証等の廃止	3
被扶養者	4	2	2	1	1	R2:国内居住要件を追加	3
標準報酬月額及び標準賞与額	3	7②	8		3	R4:任意継続被保険者の標準報酬月額	4
療養の給付 保険医療機関等の指定等	3②	2		2	9	R2:電子資格確認の導入	5
入院時食事療養費 入院時生活療養費		1		4		R6:食事・生活療養標準負担額の引上げ	5
保険外併用療養費	1	1	1②		①		5
療養費	1	1	1	2	1		5
訪問看護療養費	2	2	1	1	2		5
移送費			2				5
傷病手当金	3	2	3	4		R4:支給期間の通算化	5
被保険者の死亡に関する給付			1				6
被保険者の出産に関する給付	1	2		1①	2	R5・R4:出産育児一時金の額	6
被扶養者に関する給付			1	2	③		6
高額療養費・高額介護合算療養費	2①			3③			7
資格喪失後の保険給付	1	2	2	1	1①		8
日雇特例被保険者	1	1	1	1			9
国庫負担等		1		1	1		10
保険料	5①	3③	5	7	3	R4:育児休業等期間中の保険料免除	10
督促、滞納処分等 日雇特例被保険者の保険料			1		2		10
不服申立て、届出	2①	1	3②				11
時効等	3	4	1	2	4		11

［出題分析］1・2・3……択一式の選択肢単位での出題個数です。①・②・③……選択式の空欄単位での出題個数です。
［改正の状況］数字は改正施行年次を示しています。

●出題の特徴

　近年は難問・奇問がやや多くなっていますが、平均的にみれば基本事項及び改正事項中心の出題となっています。選択式では、「**数字**」がよく問われます。保険料率などの各種の数字は確実に覚えておきましょう。択一式では、難解な**通達**からの出題もありますが、その反面、**基本条文**からも数多く出題されています。

●頻出／重要項目

　①**保険者**……協会と組合について、バランスよく学習していきましょう。

　②**被保険者**……被保険者の具体例を押さえましょう。また、任意継続被保険者と特例退職被保険者の相違点を押さえることが大切です。

　③**被扶養者**……被扶養者となる者の範囲及び認定要件を押さえましょう。本試験では「被扶養者と認められないもの」が問われます。

　④**標準報酬**……**標準報酬月額**の決定及び改定方法の要件や有効期間をそれぞれ比較しながら横断的に押さえましょう。

　⑤**被保険者の傷病に関する給付**……**療養の給付**と**傷病手当金**が中心ですが、近年ではこのほかの給付についても細かな規定からの出題が目立ちます。

　⑥**高額療養費・高額介護合算療養費**……高額療養費は70歳未満と70歳以上の者に係る仕組みの違いを、高額介護合算療養費は全体的な仕組みを捉えましょう。

　⑦**資格喪失後の保険給付**……傷病手当金の継続給付が最も重要です。通達を含めて学習しておきましょう。

　⑧**費用の負担**……協会管掌健康保険と組合管掌健康保険における国庫負担・補助や**保険料**についての取扱いの違いに注意して学習を進めてください。

●令和7年度試験対策

　比較的難易度が高い問題も出題されることがあり、そのほとんどが**通達**からの出題となります。しかし、通達ばかりを押さえても基本事項が理解できていなければ本試験で得点することはできません。まずは、重要テーマである**保険者**、**被保険者**、**標準報酬**、**被保険者の傷病に関する給付**、**費用の負担**の基本事項を押さえたうえで、過去に出題された問題に目を通していきましょう。

**法改正の
ポイント**

令和6年6月から**食事療養標準負担額**及び**生活療養標準負担額**が引き上げられました。また、令和6年12月から現行の被保険者証及び高齢受給者証は発行されなくなります。このほか、近年の改正として、令和5年4月から**出産育児一時金**及び**家族出産育児一時金**の支給額が引き上げられています。具体的な支給額は、1児につき48万8,000円（産科医療補償制度に加入する病院等で出産したときは、1児につき50万円）です。

8. 国民年金法

※［該当レッスン］は『2025年版 ユーキャンの社労士速習レッスン』のレッスン番号を表します。

出題傾向表

学習項目	出題分析（過去5年分）					主な改正の状況	該当レッスン
	R2	R3	R4	R5	R6		
目的、沿革、保険者、用語の定義	5	1	1	④	1		1
被保険者	2	6	1	2①	5	R2:第3号被保険者の要件等	2
資格の得喪	1	2	3	1	1		2
被保険者期間	1	1		3			3
届出、国民年金原簿	6	3	7②			R4:国民年金手帳の廃止	3
給付の通則、給付制限	4	7②	3	9	4		4
年金額等の自動改定	1②	③		1	1	R3:自動改定の方法	4
老齢基礎年金（支給要件・額）	1	1	4	3			5
老齢基礎年金（振替加算）	1	3	1	1			5
老齢基礎年金（繰上げ・繰下げ等）	2			2	5	R4:繰上げ減額率・繰下げ上限年齢 R5:5年前繰下げ申出みなし増額	5
障害基礎年金	3	6	4①	6	7		6
遺族基礎年金	2②	3	5	3	5①		7
付加年金	2		1	3			8
寡婦年金	2		2①	2		R3:支給要件	8
死亡一時金	3	2	1	1	1①		8
脱退一時金	2	1	1			R3:脱退一時金の額	8
積立金の運用、国庫負担等	①	3	2		3		9
保険料	3	1	3	4	5③	R6:納付受託者	9
保険料免除	2	1	3	4	4	R3:申請免除の所得基準 R3:納付猶予の時限措置の期間	9
保険料の前納・追納等	2			2	2		9
督促、滞納処分等		1	1		1		9
不服申立て、雑則、罰則	3	1	5	2	1		10
国民年金基金	2	6	2①	1	4		11

［出題分析］1・2・3……択一式の選択肢単位での出題個数です。①・②・③……選択式の空欄単位での出題個数です。
［改正の状況］数字は改正施行年次を示しています。

●出題の特徴

　被保険者に関する規定（強制被保険者、任意加入被保険者、届出）と第1号被保険者の独自規定（付加年金、寡婦年金、死亡一時金、脱退一時金、保険料の免除規定）からの出題が多いのが特徴です。この傾向はほとんど変わっていません。基礎年金については、保険料免除期間の取扱い、振替加算や支給の繰上げ・繰下げ、支給停止と失権などについて細かく問われることもありますので、注意が必要です。

　難易度については、普通レベルといえるでしょう。基本事項を確実に理解し、過去問などの問題演習で解答力をつけていけば、得意科目とすることができます。

●頻出／重要項目

①**被保険者**……**強制**被保険者と**任意加入**被保険者の要件がよく問われています。資格の得喪時期、届出とあわせて理解しておく必要があるでしょう。甘く見ると落とし穴になりますので、よく整理して理解するようにしてください。

②**第1号被保険者の独自給付**……**付加年金**については、付加保険料とあわせて理解するようにしてください。**寡婦年金、死亡一時金、脱退一時金**については、要件の比較をぜひ行ってください。

③**保険料の免除**……免除の要件、申請の要否、免除期間の取扱いの違いを押さえるようにしましょう。申請免除の遡及適用や所得要件など細かな部分にも目を配る必要があります。また、前納や追納との関係についても理解しておきましょう。

④**老齢基礎年金**……振替加算、支給の繰上げ・繰下げからの出題が目立ちます。細かな部分ですが、制度趣旨から理解するようにしてください。

⑤**給付の通則**……併給の調整と財政の均衡に関する諸規定に注意が必要です。

●令和7年度試験対策

　出題の傾向にあまり変化はないものと考えます。したがって、従来からの頻出項目である被保険者に関する規定（強制被保険者、任意加入被保険者、届出）、3つの基礎年金、第1号被保険者の独自給付、保険料の免除規定をしっかり押さえましょう。老齢基礎年金の中では、振替加算、支給の繰上げ・繰下げに注意が必要です。

法改正のポイント

　令和4年4月から、老齢基礎年金の支給を繰り上げた場合の減額率が1ヵ月あたり0.5％から**0.4％**に引き下げられました。また、老齢基礎年金の支給を繰り下げた場合の増額率の計算に係る上限月数が60から**120**に引き上げられ、繰下げ受給の上限年齢が70歳（5年繰下げ）から**75歳（10年繰下げ）**に引き上げられました。これに関連して、**令和5年4月**から、**5年前繰下げ申出みなし増額**の仕組みが導入されました。このほか、**令和4年4月**から、国民年金手帳が廃止され、**基礎年金番号通知書**が交付されることとなりました。

9. 厚生年金保険法

※［該当レッスン］は『2025年版 ユーキャンの社労士速習レッスン』のレッスン番号を表します。

出題傾向表

学習項目	出題分析（過去5年分）					主な改正の状況	該当レッスン
	R2	R3	R4	R5	R6		
目的、管掌、用語の定義	2	①		②	3		1
適用事業所、被保険者	11	1②	13	5	2	R4:適用除外等 R6:特定適用事業所	2
被保険者期間の計算		1	1	1	1		3
届出等	8①	4		5	3		3
標準報酬月額・標準賞与額		5	2	6	2①	R3:標準報酬月額等級	4
保険給付の通則、給付制限	4		6	1	3①		5
年金額等の自動改定				2①		R3:自動改定の方法	5
老齢厚生年金（要件・年齢）		3		2	1		6
老齢厚生年金（繰上げ・繰下げ）	②	1	5	3	5	R4・R5:支給の繰上げ・繰下げ	6
老齢厚生年金（年金額）	1	2	1	3	1	R4:在職定時改定	6
老齢厚生年金（加給年金額）	1	3	5	3			7
老齢厚生年金（在職老齢年金）	1	1	4①	1	2	R4:60歳代前半	7
老齢厚生年金（雇用との調整）		1	1	1			7
障害厚生年金	6	5	4①	4①	2①		8
障害手当金	1	1	1①	1	1		8
遺族厚生年金	7	11		10①	7①		9
脱退一時金	1	3			1	R3:支給率	9
合意分割制度・3号分割制度	2②	4		1			10
一元化に係る特例	2	4	1		4		10
積立金の運用、国庫負担		②			①		11
保険料	2		5②	1	6	R4:育児休業等期間中の保険料免除	11
不服申立て	1				5		12
雑則・罰則				1			12

［出題分析］1・2・3……択一式の選択肢単位での出題個数です。①・②・③……選択式の空欄単位での出題個数です。
［改正の状況］数字は改正施行年次を示しています。

●出題の特徴

　保険給付関係の出題が全体の6割程度を占めています。その内訳も、**老齢・障**

害・遺族という給付ごとにしっかりと出題されています。特に、**老齢厚生年金**の出題数は、択一式で1問～2問程度あるため、いかにしてこの項目を理解していくかが鍵となりそうです。保険給付関係以外では、**適用事業所と被保険者、届出、費用**といった項目が多く出題され、出題傾向が把握しやすい科目といえます。

全体的な難易度は、選択式が普通レベル、択一式が普通レベルからやや難しいレベルといえそうです。重要テーマをしっかりと消化していけば、ある程度の得点は可能である科目といえます。**国民年金法と合わせて20問中15点程度**得点することができれば、合格がグッと近づくでしょう。

●頻出／重要項目

①**適用事業所と被保険者**……**適用事業所**、被保険者の**適用除外**は、健康保険法とほぼ同じです。被保険者については、任意加入の被保険者である**任意単独被保険者**と**高齢任意加入被保険者**の要件を確実に理解しましょう。

②**老齢厚生年金**……**支給開始年齢、年金額**の計算方法、加給年金額、在職老齢年金制度、**雇用保険の給付との調整**といったように幅広く学習する必要があります。国民年金の老齢基礎年金を前提として理解しておく必要もあります。

③**障害厚生年金**……事後重症、基準障害、併合認定といった支給パターンの理解を最優先とすべきです。年金額の計算では、最低保障額の適用や300月みなしという、特徴ある措置をしっかりと学習しましょう。

④**遺族厚生年金**……国民年金の遺族基礎年金や労災保険の遺族（補償）等年金との相違点を中心に学習しましょう。支給停止や失権に関する規定も重要です。

●令和7年度試験対策

従来からの傾向を踏まえ、令和7年度試験対策を考えた場合に、次の項目が択一式で1問程度の出題が予想されます。徹底理解を心がけてください。

①被保険者、②老齢厚生年金、③障害厚生年金、④遺族厚生年金、
⑤合意分割・3号分割制度、⑥費用

法改正のポイント

令和6年10月から、**短時間労働者**の適用に係る**特定適用事業所の範囲が拡大**されました（健康保険法と共通）。近年の改正では、**令和5年4月**から、老齢厚生年金の支給繰下げに関し、国民年金法と同様に、「5年前繰下げ**申出みなし増額**」の規定が新たに設けられています。

10. 社会保険に関する一般常識

学習項目	出題分析(過去5年分)					主な改正の状況	該当レッスン
	R2	R3	R4	R5	R6		
国民健康保険法	1①	6②	4		6①	R6:特別療養費・保険料滞納者への措置	1
高齢者医療確保法	1	1	8	5①	1②	R4:後期高齢者の窓口負担割合の見直し R6:出産育児支援金等	1
船員保険法	6	1①	3	5①	1	R4:疾病任意継続被保険者制度の見直し 傷病手当金の支給期間の通算化	1
介護保険法	1①	6	3②	5			2
社会保険審査官・会法	5			5			2
確定給付企業年金法	5	①		①	5	R2:老齢給付金の支給要件年齢の引上げ	2
確定拠出年金法		①	5	①	5	5	R4:加入可能年齢の引上げ等 R6:拠出限度額の見直し	2
社会保険労務士法	5	5	5	5	5	R5:欠格事由、登録拒否事由	3
児童手当法	6	①	2①	①		R6:児童の範囲・支給額等	3
公的年金に関する特例法							3
その他の法令 (健保、国年、厚年等)		1			2		3
社会保障と社会保険の理論関係					2		4
社会保険の共通要素							4
社会保険の沿革・改正・統計	②		①		②		5
厚生労働白書		5		①	3		4・5

[出題分析] 1・2・3……択一式の選択肢単位での出題個数です。①・②・③……選択式の空欄単位での出題個数です。[改正の状況] 数字は改正施行年次を示しています。

(注) 令和2年度～令和6年度の択一式「労務管理その他の労働及び社会保険に関する一般常識」では、「社会保険に関する一般常識」の分野から6問が出題されました。

●出題の特徴

　択一式では、介護保険法などの個別法で1問を構成する場合と、健康保険法などの独立科目も含めて、社会保険の共通要素を取り上げて、混合問題として、1問を構成する場合とがあります。いずれについても、法令の基本事項をきちんと押さえることで、ほぼ対応することができます。

　医療保険制度・年金制度の沿革・動向などは、厚生労働白書等を出典として、選択式を中心に出題される可能性があります。重要な年（たとえば、年金制度における昭和36年や昭和61年など）は、近接する前後の年の動きも含めてしっかり押さえておきましょう。

●頻出／重要項目

①**社会保険諸法令（個別法）**……**国民健康保険法、介護保険法、確定給付企業年金法、確定拠出年金法、社会保険労務士法**が多く出題されています。このほか、**高齢者医療確保法**も重要です。

②**社会保険に関する理論**……個別法以外の分野では、社会保険に関する理論からの出題があり、特に、選択式を意識した学習が必要になります。

③**医療保険制度・年金制度の沿革・動向**……大きな流れを押さえておく必要があります。ポイントは、「**費用の負担**」です。医療保険制度・年金制度の改変は、多くの場合、社会保障給付費に占める高齢者に係る費用の増大に対する対策として行われています。したがって、その費用の負担がどのようになっているのかを押さえると効率的に制度の理解が得られます。

●令和7年度試験対策

法令分野については、本書に記載されている内容を完全にマスターすることで本試験には十分対応できるでしょう。

なお、選択式試験では、厚生労働白書から出題されることがありますが、近年の出題テーマをみると、主に、①法令分野、②直近の改正事項及び③社会保険の沿革となっています。したがって、他の科目と同様に、択一式の学習がそのまま選択式対策になるといえます。

**法改正の
ポイント**

国民健康保険法では、保険料滞納者に係る**被保険者資格証明書**の交付の仕組みが**廃止**されたことに伴い、**特別療養費**の支給の仕組みが改正され、保険料納付の勧奨等を行ってもなお保険料を納付しない場合に特別療養費の支給対象とすることとされました（令和6年12月2日施行）。また、児童手当法では、児童手当の抜本的拡充（**所得制限を廃止**、支給対象を**高校生年代まで延長**、**第3子以降**の支給額を**3万円**に増減、支払期月を**年6回**に変更等の改正）が行われました（令和6年10月1日施行）。このほか、確定拠出年金法において、掛金の**拠出限度額**が見直されています（令和6年12月1日施行）。

出題傾向の分析と対策のまとめ

●全体的な傾向と対策

　社労士試験では、毎年のように行われる法改正に、いかに対処するかが最大の課題となります。この点については、正確で早い改正情報を把握すること、そして重要な部分を徹底的に理解することが必要です。改正以外の基本的な対策としては、本書に掲載している重要度の高い問題を繰り返し解くことです。特に過去問は反復出題されます。覚えてしまうぐらい、徹底的に解きましょう。

●合格基準点を見据えた学習

　社労士試験は60％〜70％の正解を得れば合格です。ただし、「科目ごとの合格基準点」を確保しなければなりません。選択式で5点中の3点以上、択一式で10点中の4点以上（標準）です。これを突破するためには、全科目にわたる均質な理解が絶対条件となります。いいかえますと、苦手を作らない学習こそが合格への近道となるのです。

●選択式について

　全8問が出題されます。1問につき5つの空欄に20個の語群からそれぞれ適当な語句を選択する形式です。その対策は、日ごろから条文又はこれに近い解説文を徹底的に読み込むことにつきます。条文に含まれるひとかたまりの表現が、自分にとって一種の定型句になるまで、繰り返して読むことです。これは、同時に択一式における基礎力の強化にもつながる効率的な方法です。

●択一式について

　全70問が出題されます。科目ごとに10問で構成され、1問につき5個の選択肢から1個の正解を選択する形式です。択一式については、科目ごとの特徴に留意した対策が効果的です。たとえば、労基・安衛法は長文問題となる可能性が高いことから、ポイントを見抜く訓練が欠かせません。多数を占める社会保険科目では、共通項について『2025年版 ユーキャンの社労士速習レッスン』で先行理解し、これとの比較で各科目に当たると効率的です。常識科目は法令からの出題に注意すればよいでしょう。

主な法改正内容

●ここでは、令和6年4月13日以降の主
な改正事項のうち、原則として令和6
年9月1日までに公布され、及び令和7
年4月までに施行されることが確定してい
るものを取り上げています。

1 労働基準法（労基）

この科目独自のポイントとなる改正は、本書の編集時点では、特にありません。

2 労働安全衛生法（安衛）

【1】化学物質規制に関する改正（(1) R7.4.1施行、(2) R6.7.1施行）

(1) 表示対象物・通知対象物・リスクアセスメント対象物となる対象物質の追加

ラベル表示等の対象物質に、国による分類で危険性・有害性が確認された**すべての物質を順次追加**する（分類済約2,900物質＋新たに分類する物質）という考え方に基づき、令和7年4月からは約700物質が追加されました（改正前は約900物質）。

(2) 新規化学物質の名称公表方法の変更

新規化学物質の名称の公表は、3ヵ月以内ごとに1回、定期に、**インターネットの利用**その他の適切な方法（従来は官報への掲載）により行うものとされました。

【2】労働者死傷病報告等の電子申請の原則義務化（R7.1.1施行）

事業者からの次の報告は、**電子情報処理組織**を使用して報告する（原則電子申請による）ものとされました（経過措置として、当分の間、書面による報告も可能）。

①**総括安全衛生管理者・安全管理者・衛生管理者・産業医**の選任報告
②**定期健康診断**及び特定業務従事者の健康診断（定期のもの）の結果報告
③**歯科医師による健康診断**（定期のもの）の結果報告
④特殊健康診断のうち有機溶剤等健康診断（定期のもの）の結果報告
⑤心理的な負担の程度を把握するための検査（**ストレスチェック**）の結果等の報告
⑥労働者死傷病報告
⑦じん肺健康管理実施状況報告（じん肺則）・事業の附属寄宿舎内での災害報告（労基則）

3 労働者災害補償保険法（労災）

一人親方等の特別加入の対象事業（特定フリーランス事業）の追加（R6.11.1施行）

加入対象事業に「フリーランス法に規定する**特定受託事業者（フリーランス）**が業務委託事業者（企業等）から**業務委託を受けて行う事業（特定受託事業）**又は特定受託事業者が業務委託事業者以外の者（消費者）から委託を受けて行う特定受託事業と同種の事業（他の特別加入が可能な事業等を除く。）」が追加されました。

4 雇用保険法（雇用）

【1】 育児休業等給付への変更に関する改正 *(R7.4.1施行)*

(1) 給付体系と目的条文の改正

① 「育児休業給付」が「**育児休業等**給付」となり、出生後休業支援給付及び育児時短就業給付が**新設**され、給付体系が次のようになりました。

② 目的条文に掲げる保険事故のうち、「労働者が子を養育するための休業をした場合」が「労働者が子を養育するための休業及び所定労働時間を短縮することによる就業をした場合」に改正されました。

(2) 出生後休業支援給付金と育児時短就業給付金の概要

出生後休業支援給付金と育児時短就業給付金の概要は、次のとおりです。

出生後休業支援給付金	支給要件	被保険者が、対象期間内（原則、男性は子の出生後8週間以内、女性は産後休業後8週間以内）にその子を養育するための休業（出生後休業）をした場合に、次の要件に該当するときに支給される。 ①休業開始日前2年間にみなし被保険者期間が通算12ヵ月以上 ②対象期間内にした出生後休業の日数が通算14日以上 ③配偶者が同一の子について通算14日以上の出生後休業を取得 ※③の要件……配偶者がない者や配偶者が専業主婦である者等は不問。
	支給額	**休業開始時賃金日額×出生後休業の日数（上限28日）×100分の13** ※育児休業給付（給付率67%）とあわせて給付率80%の額を支給。
育児時短就業給付金	支給要件	被保険者が、その2歳未満の子を養育するための所定労働時間を短縮することによる就業（育児時短就業）をした場合に、原則として育児時短就業の開始日前2年間にみなし被保険者期間が通算12ヵ月以上であったときに、支給対象月について支給される。 ※支給対象月……「育児時短就業の開始月〜終了月」の期間内にある月。
	支給額	**支給対象月に支払われた賃金の額×100分の10** ※賃金の額が育児時短就業開始前の賃金月額の90％以上……減額支給

【2】 所定給付日数及び地域延長給付に係る暫定措置の延長 *(R7.4.1施行)*

① 特定理由離職者（正当な理由のある自己都合離職者を除く。）である受給資格者について、**特定受給資格者と同じ所定給付日数**を適用する暫定措置が2年延長され、**令和9年3月31日**までに離職した者に適用するものとされました。

② 所定の要件を満たした特定理由離職者（正当な理由のある自己都合離職者を除

く。）及び特定受給資格者を対象として**地域延長給付**を行う暫定措置が２年延長され、**令和９年３月31日までに離職した者**を対象とするものとされました。

【3】離職理由による給付制限の見直し（R7.4.1施行）

離職理由による給付制限について、公共職業安定所長の指示した公共職業訓練等を受ける受給資格者に加えて、**正当な理由がなく自己の都合により退職した者**のうち、次の①②に該当する者は、**給付制限の対象としない**ものとされました。

①教育訓練給付の対象となる教育訓練その他の厚生労働省令で定める教育訓練（**対象教育訓練**）を**離職日前１年以内に受けた**ことがある受給資格者
　➡当初から給付制限の対象としない。
②**対象教育訓練**を**離職日以後に受ける**受給資格者（①に該当する者を除く。）
　➡訓練を受ける期間及び受け終わった日後の期間は、給付制限が解除される。

【4】就業促進手当の見直し（R7.4.1施行）

①非常用型の職業に就いた場合に支給されていた**就業手当**が**廃止**されました。
②**就業促進定着手当**の上限額が、「**基本手当の日額×支給残日数×10分の２**（従来は10分の４又は10分の３）」に引き下げられました。

【5】教育訓練給付金の給付率等の引上げ等（R6.10.1施行）

教育訓練給付金について、次の改正が行われました。
①**特定一般教育訓練給付金**……**資格を取得し、就職等をしたこと**を要件とする追加給付が新設され、給付率が**最大100分の50**（**上限25万円**）となりました。
②**専門実践教育訓練給付金**……**訓練後の賃金が５％以上上昇したこと**を要件とする追加給付が新設され、給付率が**最大100分の80**（**年間上限64万円**）となりました。

※以下、図表においては、給付率や割合などは「％」で表記する。

	専門実践教育訓練給付金	特定一般教育訓練給付金
本体給付	50％（年間上限40万円）	40％（上限20万円）
追加給付① （資格取得等）	20％（年間上限16万円）	10％（上限５万円）　◀新設
追加給付② （賃金上昇）	10％（年間上限８万円） ➡追加給付①の支給が前提　◀新設	――
最大給付率	80％（年間上限64万円）　◀改正	50％（上限25万円）　◀改正

③**専門実践教育訓練給付金**の**支給限度期間**（訓練開始日から10年間）における支給

額の上限……**192万円**（長期専門実践教育訓練の場合は256万円）となりました。

【6】 教育訓練支援給付金に関する改正 *(R7.4.1施行)*

①教育訓練支援給付金の制度の**暫定措置が2年延長**され、**令和9年3月31日までに**45歳未満で専門実践教育訓練を開始した者に支給するものとされました。

②教育訓練支援給付金の額（日額）が、「基本手当の日額×100分の60（従来は100分の80）」に引き下げられました。

【7】 高年齢雇用継続給付の給付率の引下げ *(R7.4.1施行)*

高年齢雇用継続基本給付金及び高年齢再就職給付金の**最大給付率**が100分の10（従来は100分の15）に引き下げられました。また、最大給付率が適用される場合の賃金低下割合（60歳時等の賃金月額に対する支給対象月に支払われた賃金額の割合）が**100分の64未満**（従来は100分の61未満）となりました。

賃金低下割合	高年齢雇用継続給付の支給額
64％未満	支給対象月に支払われた賃金額×10％
64％以上75％未満	支給対象月に支払われた賃金額×10％から逓減する率
75％以上	不支給

【8】 国庫負担等に関する改正 *(①②R6.5.17施行、③R7.4.1施行)*

①**育児休業給付**に係る国庫負担引下げの暫定措置（法本来の額の100分の10水準とする措置）が**廃止**されました（法本来の**8分の1**の割合による額を国庫負担）。

②**介護休業給付金**に係る国庫負担引下げの暫定措置が**令和8年度末まで継続**されました（「法本来の**8分の1**の割合による額×100分の10」を国庫負担）。

③**出生後休業支援給付及び育児時短就業給付**に要する費用並びにこれらの給付に関する事務の執行に要する経費については、その財源として、子ども・子育て支援法の規定により政府が徴収する**子ども・子育て支援納付金**をもって充てることとされました（令和10年度までは経過措置あり）。

5 労働保険徴収法（徴収）

令和7年度本試験で初めて出題対象となる最新改正

【1】 労災保険法の改正に伴う特別加入保険料率に関する改正 *(R6.11.1施行)*

改正で追加された特定フリーランス事業（前記**3**参照）の第2種特別加入保険料率は、**1,000分の3**とされました（第2種特別加入保険料率は26区分となった。）。

【2】雇用保険率に関する改正 （R7.4.1施行）

①法定の雇用保険率が、**失業等給付費等充当徴収保険率**（失業等給付及び就職支援法事業に要する費用に係る率）、**育児休業給付費充当徴収保険率**（育児休業給付に要する費用に係る率）及び**二事業費充当徴収保険率**（雇用安定事業及び能力開発事業に要する費用に係る率）を**合計した率**と規定されました。

事業の種類	法定の雇用保険率 （右記の合計率）	失業等給付費等 充当徴収保険率	育児休業給付費 充当徴収保険率	二事業費 充当徴収保険率
一般の事業	1,000分の16.5	1,000分の8	一律1,000分の5	1,000分の3.5
農林水産業 清酒製造業	1,000分の18.5	1,000分の10		1,000分の3.5
建設の事業	1,000分の19.5	1,000分の10		1,000分の4.5

　　　　　　　　　　　　　　　事業主・被保険者が折半負担　　　　事業主のみ負担

②厚生労働大臣は、所定の要件に該当する場合に必要があると認めるときは、労働政策審議会の意見を聴いて、1年以内の期間を定め、**育児休業給付費充当徴収保険率を1,000分の4**に引き下げることができる旨の弾力条項が新設されました。

6 労務管理その他の労働に関する一般常識（労一）

令和7年度本試験で初めて出題対象となる最新改正

【1】 育児・介護休業法の改正 （R7.4.1施行）

(1) 子の看護休暇の見直し

①「子の看護休暇」が「**子の看護等休暇**」となり、子の負傷・疾病・予防接種・健康診断の場合のほか、**学校の休業**（学級閉鎖等）や**行事参加**（入園式・卒園式・入学式等）の場合にも休暇を取得できるものとされました。

②対象となる子の範囲（従来は「小学校就学前の子」）が拡大され、**小学校第3学年修了前の子**（**9歳到達年度末**までの子）とされました。

③労使協定により適用除外とすることができる者から「事業主に引き続き雇用された期間が**6ヵ月未満の労働者**」が**削除**されました（介護休暇においても同様）。

(2) 所定外労働の制限（残業免除）の対象拡大

小学校就学前の子（従来は「3歳未満の子」）を養育する労働者について、残業免除の請求をすることができるものとされました。

(3) 育児・介護のためのテレワーク導入の努力義務化

3歳未満の子を養育する労働者又は**要介護状態**にある対象家族を介護する労働者（一定の者を除く。）が、在宅勤務等の措置（**テレワーク**）を選択することができる措置を講ずることが事業主の**努力義務**とされました。

(4) 介護休業等を取得しやすい環境の整備等

次の措置を講ずることが事業主に義務づけられました。

> ①対象家族の介護に直面した旨の申出をした労働者に対する介護休業に関する制度、介護両立支援制度等の**個別の周知**及びその利用の**意向確認**（面談等）の措置
> ②介護に直面する前の早い段階（40歳到達年度等）での上記①の制度等の**情報提供**
> ③介護休業申出等が円滑に行われるようにするための**雇用環境の整備**

(5) 育児休業の取得状況の公表義務の対象拡大

常用労働者数が**300人を超える**（従来は「1,000人を超える」）事業主に、年1回、男性労働者の育児休業等の取得状況を公表することが義務づけられました。

【2】 次世代育成支援対策推進法の改正 （①R6.5.31施行、②R7.4.1施行）

①法律の有効期限が**令和17年3月31日**までとなり、**10年延長**されました。
②常用労働者数が**100人を超える**一般事業主に、一般事業主行動計画の策定・変更の際、育児休業等の取得状況及び労働時間の状況の**把握・分析**とこれらの状況に関する**数値目標の設定**が義務づけられました（100人以下の場合は努力義務）。

【3】 障害者雇用促進法の改正 （R7.4.1施行）

建設業などの除外率設定業種ごとに定められている除外率（雇用労働者数の計算の際に除外率に相当する労働者数を控除するための率）が、それぞれ10ポイント引き下げられました（改正後の除外率は5％〜70％。今後も段階的に縮小される。）。

7 健康保険法（健保）

令和7年度本試験で初めて出題対象となる最新改正

【1】 資格確認書の仕組みの整備 （R6.12.2施行）※他の医療保険各法も同様

いわゆる「マイナンバーカードと健康保険証の一体化」に伴い、**被保険者証を廃止**するとともに、被保険者又はその被扶養者（被保険者等）が電子資格確認を受けることができない状況にあるときは、当該被保険者等は、保険者に対し、当該状況にある被保険者等の資格に係る情報を記載した書面（**資格確認書**）の交付等を**求めることができる**ものとされました。

※被保険者等は、保険医療機関等において資格確認書を提示することにより、療養の給付等を受けることができる。なお、従来の被保険者証は、改正法施行後1年間（先にその有効期間が満了する場合は有効期間まで）は有効とされている。

※当分の間、保険者は、必要と認めるときは、職権で資格確認書の交付等が可能。

【2】 短時間労働者に対する適用拡大 *(R6.10.1施行)* ※厚年も同様

　４分の３基準を満たさない短時間労働者に対する適用要件（４要件）のうち、**特定適用事業所**の企業規模の要件が**常時50人を超える**（従来は「100人を超える」）ものとされました。

		改正前	改正後
４分の３基準を満たさない短時間労働者	すべて満たせば → 被保険者となる	①週所定労働時間20時間以上 ②報酬の月額8.8万円以上 ③学生等でない ④常時100人超の企業等	①週所定労働時間20時間以上 ②報酬の月額8.8万円以上 ③学生等でない ④常時50人超の企業等 ◀改正

【3】 標準負担額の改正 *(R6.6.1適用)* ※他の医療保険各法も同様

　食事療養標準負担額及び生活療養標準負担額の**食費に係る負担額**が10円～30円引き上げられました（生活療養標準負担額の居住費に係る負担額（１日370円）は変更なし。）。たとえば、一般所得者に係る食事療養標準負担額は、原則「**１食につき490円**（従来は460円）」となりました。

8　国民年金法（国年）

令和７年度本試験で初めて出題対象となる最新改正
国民年金保険料の納付受託者に関する改正 *(R6.12.2施行)*

　国民健康保険の短期被保険者証の仕組みが廃止されたこと（後記⑩【1】①参照）に伴い、国民年金保険料の納付受託者から「厚生労働大臣に対し、納付事務を行う旨の申出をした**市町村**」が**削除**されました。

9　厚生年金保険法（厚年）

令和７年度本試験で初めて出題対象となる最新改正
高年齢雇用継続給付との調整に関する改正 *(R7.4.1施行)*

　雇用保険の高年齢雇用継続給付の給付率の引下げ（前記④【7】参照）に伴い、高年齢雇用継続給付と在職老齢年金の併給調整に係る調整率（年金の支給停止率）も、**最大で標準報酬月額**の100分の４（従来は100分の６）に引き下げられました。

- ●賃金低下割合**64％未満**…………「標準報酬月額×４％」を支給停止
- ●賃金低下割合**64％以上75％未満**…「標準報酬月額×4%から逓減する率」を支給停止
- ●賃金低下割合**75％以上**……………調整（支給停止）されない

10 社会保険に関する一般常識（社一）

令和7年度本試験で初めて出題対象となる最新改正

【1】国民健康保険法の改正 (R6.12.2施行) ※②は高確も同様

①被保険者証の廃止に伴い、保険料滞納者に係る**短期被保険者証**（1～6ヵ月の特別の有効期間を定める被保険者証）の仕組みが**廃止**されました。

②保険料滞納者に係る被保険者証の返還及び**被保険者資格証明書の交付**の仕組みも廃止され、保険料滞納者について、保険料納付の勧奨等を行ってもなお保険料を納付しない場合においては、被保険者資格証明書の交付に代えて、**特別療養費の支給に変更する旨の事前通知を行う**規定が整備されました。

【2】児童手当法の改正 (R6.10.1施行)

児童手当法の主な改正点は、次表の①～⑤のとおりです。

改正点	改正前			改正後		
①支給対象となる児童	15歳到達年度末までの児童 （中学校修了前の児童）			18歳到達年度末までの児童 （高校生年代までの児童）		
②所得制限	あり（特例給付あり）			なし（特例給付は廃止）		

③支給額〔1人あたりの月額〕

	第1子・第2子	第3子以降
3歳未満	15,000円	
3歳以上小学校修了前	10,000円	15,000円
小学校修了後中学校修了前	10,000円	

※所得制限の対象者で所得が一定額未満…一律5,000円の特例給付を支給。

	第1子・第2子	第3子以降
3歳未満	15,000円	30,000円
3歳以上高校生年代	10,000円	

※特例給付の廃止により、個人受給資格者全員に上記の児童手当を支給。
※法人・施設等受給資格者は一律に3歳未満15,000円、3歳以上10,000円。

改正点	改正前	改正後
④第3子以降の算定対象〔子の数のカウント対象〕	18歳到達年度末までの児童	18歳到達年度末までの児童　＋　22歳到達年度末までの者のうち個人受給資格者により**監護相当の世話**と**生計費負担**が行われている者
⑤支払期月	2月、6月及び10月（年3期） ※各前月までの4ヵ月分を支給。	偶数月（**年6期**） ※各前月までの2ヵ月分を支給

【3】確定拠出年金法の改正 (R6.12.1施行)

公平化の観点から、他制度（確定給付企業年金、私学共済制度等）の加入者に係る掛金の**拠出限度額**について、次の改正が行われました。

①企業型年金 ➡ 月額5.5万円から他制度掛金相当額を控除した額
②個人型年金 ➡ 月額5.5万円から事業主の拠出額※を控除した額（**上限を月額2万円で統一**）
　　※事業主の拠出額：企業型年金の事業主掛金(企業型年金加入者である場合)＋他制度掛金相当額

41

目 次

易 普 難 ……難易度　　A B C ……重要度

第3章　労働者災害補償保険法

第4章　雇用保険法

第5章 労働保険徴収法

第6章 労務管理その他の労働に関する一般常識

第7章　健康保険法

第10章 社会保険に関する一般常識

予想模擬試験 解答・解説

略記一覧

必要に応じて、略称を使用しています。その他の略称は以下の基準に準じています。なお、科目の該当法である場合は、単に「法」あるいは「本法」と記しています。(第1章で出てきた場合には、労働基準法を指します。)

略称	正式名称	略称	正式名称
憲法	日本国憲法	職安法	職業安定法
安衛法	労働安全衛生法	職能法	職業能力開発促進法
育介法 育児・介護休業法	育児休業、介護休業等育児又は家族介護を行う労働者の福祉に関する法律	整備法	失業保険法及び労働者災害補償保険法の一部を改正する法律及び労働保険の保険料の徴収等に関する法律の施行に伴う関係法律の整備等に関する法律
介保法	介護保険法		
確給法	確定給付企業年金法		
確定給付法		船保法	船員保険法
確拠法	確定拠出年金法	測定法	作業環境測定法
確定拠出法		中退法 中退金法	中小企業退職金共済法
均等法 男女雇用機会均等法	雇用の分野における男女の均等な機会及び待遇の確保等に関する法律	徴収法 労働保険徴収法	労働保険の保険料の徴収等に関する法律
健保法	健康保険法	賃確法 賃金支払確保法	賃金の支払の確保等に関する法律
厚年法	厚生年金保険法		
高年法 高年齢者雇用安定法	高年齢者等の雇用の安定等に関する法律	派遣法 労働者派遣法	労働者派遣事業の適正な運営の確保及び派遣労働者の保護等に関する法律
高齢者医療確保法	高齢者の医療の確保に関する法律		
高確法		パ労法 パートタイム・有期雇用労働法	短時間労働者及び有期雇用労働者の雇用管理の改善等に関する法律
国年法	国民年金法		
国保法	国民健康保険法		
個別紛争法 個別労働関係紛争解決促進法	個別労働関係紛争の解決の促進に関する法律	労基法	労働基準法
		労契法	労働契約法
		労災法 労災保険法	労働者災害補償保険法
雇保法	雇用保険法	労審法	労働保険審査官及び労働保険審査会法
最賃法	最低賃金法		
次世代支援法	次世代育成支援対策推進法	労組法	労働組合法
児手法	児童手当法	労調法	労働関係調整法
社審法 社保審法	社会保険審査官及び社会保険審査会法	労働時間等設定改善法	労働時間等の設定の改善に関する特別措置法
社労士法	社会保険労務士法	労働施策総合推進法	労働施策の総合的な推進並びに労働者の雇用の安定及び職業生活の充実等に関する法律
障雇法 障害者雇用促進法	障害者の雇用の促進等に関する法律		
女性活躍推進法	女性の職業生活における活躍の推進に関する法律	若者雇用促進法	青少年の雇用の促進等に関する法律

● 判例の表記は、右の例のとおりです……最判昭29.1.21：昭和29年1月21日に下された最高裁判所の判決

● 一部改正法の表記は、右の例のとおりです……（国民年金法）平16法附則23条1項2号：国民年金法等の一部を改正する法律（平16.6.11法律104号）附則23条1項2号

●本書の解答・解説において「コンメンタール」とは、次の略称のことです。

・労働基準法……厚生労働省労働基準局編『労働基準法［令和3年版］』（労務行政,2022年）
・労働安全衛生法……（財）労務行政研究所編『労働安全衛生法』（労務行政,2017年）
・労働者災害補償保険法……厚生労働省労働基準局労災管理課編『労働者災害補償保険法［八訂新版］』（労務行政,2022年）
・労働保険徴収法……（財）労務行政研究所編『労働保険徴収法［改訂14版］』（労務行政,2018年）

第1章

［論点別問題］
労働基準法

さあ、ここから学習スタートです！

常深講師

基本7原則（1）

過令2

難易度 **普**　重要度 **A**

労働基準法の総則（第1条～第12条）に関する次の記述のうち、誤っているものはどれか。

A　労働基準法第3条に定める「国籍」を理由とする差別の禁止は、主として日本人労働者と日本国籍をもたない外国人労働者との取扱いに関するものであり、そこには無国籍者や二重国籍者も含まれる。

B　労働基準法第5条に定める「精神又は身体の自由を不当に拘束する手段」の「不当」とは、本条の目的に照らし、かつ、個々の場合において、具体的にその諸条件をも考慮し、社会通念上是認し難い程度の手段をいい、必ずしも「不法」なもののみに限られず、たとえ合法的であっても、「不当」なものとなることがある。

C　労働基準法第6条に定める「何人も、法律に基いて許される場合の外、業として他人の就業に介入して利益を得てはならない。」の「利益」とは、手数料、報償金、金銭以外の財物等いかなる名称たるかを問わず、また有形無形かも問わない。

D　使用者が、選挙権の行使を労働時間外に実施すべき旨を就業規則に定めており、これに基づいて、労働者が就業時間中に選挙権の行使を請求することを拒否した場合には、労働基準法第7条違反に当たらない。

E　食事の供与（労働者が使用者の定める施設に住み込み1日に2食以上支給を受けるような特殊の場合のものを除く。）は、食事の支給のための代金を徴収すると否とを問わず、①食事の供与のために賃金の減額を伴わないこと、②食事の供与が就業規則、労働協約等に定められ、明確な労働条件の内容となっている場合でないこと、③食事の供与による利益の客観的評価額が、社会通念上、僅少なものと認められるものであること、の3つの条件を満たす限り、原則として、これを賃金として取り扱わず、福利厚生として取り扱う。

A ◯ コンメンタール上76頁参照。法３条の「均等待遇」では、国籍、信条又は**社会的身分**を理由とする労働者の差別待遇を禁止しています。国籍を理由とする差別が我が国で問題となるのは、主として日本人労働者と日本国籍をもたない**外国人労働者**との取扱いに関してであり、**無国籍者**又は**二重国籍者**についても、国籍を理由として差別する場合には、法３条に違反するものと解されています。

B ◯ 昭22.9.13発基17号。法５条（強制労働の禁止）に定める「**精神又は身体の自由を不当に拘束する手段**」の「**不当**」とは、法５条の目的に照らし、かつ、個々の場合において、具体的にその諸条件をも考慮し、**社会通念上是認し難き程度の手段**の意味と解され、必ずしも「**不法**」なもののみに限られません。合法的なものであっても不当なものとなることがあり、たとえば、賃金との相殺を伴わない前借金が周囲の具体的事情により労働者に明示又は黙示の威圧を及ぼす場合などが、これに該当します。

C ◯ 昭23.3.2基発381号。法６条（中間搾取の排除）における「利益」とは、「手数料、報償金、金銭以外の財物等**いかなる名称**たるかを問わず、また**有形無形**たるとを問わない。」とされています。また、この利益は、「使用者より利益を得る場合のみに限らず、労働者又は第三者より利益を得る場合をも含む。」と考えられています。

D ✕ 昭23.10.30基発1575号。就業規則において、使用者が特定の選挙における選挙権の行使を労働時間外に行うべき旨を定めても、直ちに公民権の行使に係る請求を拒んだことにはなりませんが、その定めに基づいて、労働者が労働時間中に公民権の行使のための時間を請求したのを（現実に）拒否すれば、法７条（公民権行使の保障）に**違反する**こととなります。

E ◯ 昭30.10.10基発644号。**食事の供与**については、その支給のための代金を徴収すると否とを問わず、設問の**３つの条件**を満たす限り、原則として、賃金として取り扱わず、**福利厚生**として取り扱うものとされています。なお、実物給与について、福利厚生の範囲は、「なるべく広く解釈すること」とされています。

解答　D

基本7原則（2）

過令元

難易度 **普**　重要度  **A**

労働基準法の総則に関する次のアからオの記述のうち、誤っているものの組合せは、後記AからEまでのうちどれか。

ア　労働基準法第4条が禁止する「女性であることを理由」とした賃金についての差別には、社会通念として女性労働者が一般的に勤続年数が短いことを理由として女性労働者の賃金に差別をつけることが含まれるが、当該事業場において実際に女性労働者が平均的に勤続年数が短いことを理由として女性労働者の賃金に差別をつけることは含まれない。

イ　労働基準法第5条は、使用者は、労働者の意思に反して労働を強制してはならない旨を定めているが、このときの使用者と労働者との労働関係は、必ずしも形式的な労働契約により成立していることを要求するものではなく、事実上の労働関係が存在していると認められる場合であれば足りる。

ウ　労働基準法第7条に基づき「労働者が労働時間中に、選挙権その他公民としての権利を行使」した場合の給与に関しては、有給であろうと無給であろうと当事者の自由に委ねられている。

エ　いわゆる芸能タレントは、「当人の提供する歌唱、演技等が基本的に他人によって代替できず、芸術性、人気等当人の個性が重要な要素となっている」「当人に対する報酬は、稼働時間に応じて定められるものではない」「リハーサル、出演時間等スケジュールの関係から時間が制約されることはあっても、プロダクション等との関係では時間的に拘束されることはない」「契約形態が雇用契約ではない」のいずれにも該当する場合には、労働基準法第9条の労働者には該当しない。

オ　私有自動車を社用に提供する者に対し、社用に用いた場合のガソリン代は走行距離に応じて支給される旨が就業規則等に定められている場合、当該ガソリン代は、労働基準法第11条にいう「賃金」に当たる。

A　（アとウ）　　　B　（アとエ）　　　C　（アとオ）

D　（イとエ）　　　E　（イとオ）

ア　✕　昭22.9.13発基17号。設問後半の「実際に女性労働者が平均的に勤続年数が短いこと」を理由とした賃金の差別も含まれます。法4条は、労働者が**女性であること**を理由として、賃金について、男性と**差別的取扱い**をすることを禁止しています。賃金に係る差別について、①社会通念として女性労働者が一般的に勤続年数が短いことや、②当該事業場において実際に女性労働者が平均的に勤続年数が短いことを理由とすることは、いずれも女性であることを理由としたものと解されます。

イ　◯　法5条、コンメンタール上90頁参照。法5条では、労働を強制する使用者と強制される労働者の間に労働関係があることを前提として、使用者が労働者に**強制労働**をさせることを禁止しています。この場合の労働関係は、**事実上の労働関係**が存在していると認められれば足ります。

ウ　◯　昭22.11.27基発399号。法7条は、労働者の公的活動の保障のため、**公民権の行使**や**公の職務**のために**必要な時間**を労働時間中に認めなければならないことを定めています。ただし、その時間に応ずる給与（**賃金**）については、何も触れておらず、有給とするか無給とするかは、**当事者の自由**に委ねられます。

エ　◯　昭63.7.30基収355号。いわゆる芸能タレントは、次のいずれにも該当する場合は、労働基準法上の**労働者**には**該当しない**ものとされています。

①当人の提供する歌唱、演技等が基本的に他人によって代替できず、芸術性、人気等当人の個性が重要な要素となっていること。

②当人に対する報酬は、稼働時間に応じて定められるものではないこと。

③リハーサル、出演時間等スケジュールの関係から時間が制約されることはあっても、プロダクション等との関係では時間的に拘束されることはないこと。

④契約形態が雇用契約ではないこと。

オ　✕　昭28.2.10基収6212号。設問の**ガソリン代**は、実費弁償であり、「賃金」にはあたりません。

以上から、誤っているものの組合せは、**C**（アとオ）です。

解答　C

基本7原則（3）

予想

難易度 **難**　重要度 **B**

次の記述のうち、正しいものはどれか。

A　労働者が女性であることを理由として賃金について男性と差別的に取り扱うことは、労働基準法に違反するが、この場合における差別的取扱いには、女性を不利に取り扱う場合のみが該当する。

B　労働基準法第3条では、使用者が、労働者の国籍、信条又は社会的身分を理由として、労働条件について、差別的取扱いをすることを禁止しているが、ここでいう信条とは、特定の宗教的又は政治的信念をいう。

C　公職に就任することが会社業務の遂行を著しく阻害するおそれのある場合においては、公職の就任を使用者の承認にかからしめ、その承認を得ずして公職に就任した者を懲戒解雇に付する旨の就業規則の条項を適用して従業員を懲戒解雇に付することも許されるとするのが最高裁判所の判例である。

D　公民権の行使とは、国家又は公共団体の公務に参加する資格のある国民がこれに参加する行為をいうから、憲法により認められた訴権の行使も該当する。このため、民事訴訟の提起に要する時間を労働者が請求したときは、それが労働時間中であっても、使用者において拒んではならない。

E　労働契約を締結するにあたり、精神又は身体の自由を不当に拘束する手段が取られていたとしても、結果においてこれに基づく労働の提供が行われなかった場合は、強制労働を禁止した労働基準法の規定に違反することはない。

A　×　法4条、昭22.9.13発基17号。女性を不利に取り扱う場合のみが該当するのではありません。設問の規定（男女同一賃金の原則）に反する差別的取扱いには、女性を男性より**不利に取り扱う**ことだけではなく、**有利に取り扱う**ことも含まれます。

B　○　法3条、昭22.9.13発基17号。法3条（均等待遇）では、労働者の国籍、信条（特定の**宗教的**若しくは**政治的**信念）又は社会的身分（生来の身分）を理由とする労働条件の差別的取扱いを禁止しています。

C　×　最判　昭38.6.21十和田観光電鉄事件。設問の者を懲戒解雇に付することは許されません。最高裁判所の判例によれば、使用者の承認を得ないで公職（公の職務）に就任した者を懲戒解雇に付する旨の就業規則の条項は、法7条（公民権行使の保障）の趣旨に反し、無効と解すべきであるとされています。また、公職に就任することが会社業務の遂行を著しく阻害するおそれがある場合においても、普通解雇に付することは別として、**懲戒解雇**に付することは**許されない**と解されています。

D　×　法7条、昭63.3.14基発150号。設問の場合は、使用者は拒むことができます。民事訴訟の提起は、一般に特定の人の利益を追求する目的であるため、公民権の行使には**該当しない**ものと解されています。したがって、労働者が労働時間中に、民事訴訟の提起に要する時間を請求したときは、使用者はこれを拒むことができます。なお、行政事件訴訟法に規定する**民衆訴訟**は、広く国民・住民の利益のために行政機関を相手として行う訴訟であるため、公益性が高く公民権の行使に**該当する**ものと解されています。

E　×　法5条、昭23.3.2基発381号。設問の場合にも、強制労働を禁止した労働基準法の規定に違反します。法5条では「労働者の意思に反して**労働を強制すること**」を禁じていますから、結果的に労働者が労働したかどうかは問題とならないものと解されています。

解答　B

使用者等の定義

過令2 　　　　　　　　　　　　　　　　難易度 難　重要度 B

労働基準法第10条に定める使用者等の定義に関する次の記述のうち、正しいものはどれか。

A 「事業主」とは、その事業の経営の経営主体をいい、個人企業にあってはその企業主個人、株式会社の場合は、その代表取締役をいう。

B 事業における業務を行うための体制が、課及びその下部組織としての係で構成され、各組織の管理者として課長及び係長が配置されている場合、組織系列において係長は課長の配下になることから、係長に与えられている責任と権限の有無にかかわらず、係長が「使用者」になることはない。

C 事業における業務を行うための体制としていくつかの課が設置され、課が所掌する日常業務の大半が課長権限で行われていれば、課長がたまたま事業主等の上位者から権限外の事項について命令を受けて単にその命令を部下に伝達しただけであっても、その伝達は課長が使用者として行ったこととされる。

D 下請負人が、その雇用する労働者の労働力を自ら直接利用するとともに、当該業務を自己の業務として相手方（注文主）から独立して処理するものである限り、注文主と請負関係にあると認められるから、自然人である下請負人が、たとえ作業に従事することがあっても、労働基準法第9条の労働者ではなく、同法第10条にいう事業主である。

E 派遣労働者が派遣先の指揮命令を受けて労働する場合、その派遣中の労働に関する派遣労働者の使用者は、当該派遣労働者を送り出した派遣元の管理責任者であって、当該派遣先における指揮命令権者は使用者にはならない。

A × コンメンタール上150頁参照。株式会社の場合は、その代表取締役ではなく、「法人（株式会社）そのもの」が事業主となります。労働基準法の「**使用者**」とは、①**事業主**、②**事業の経営担当者**、③その事業の労働者に関する事項について、**事業主のために行為をするすべての者**をいいます。このうち①の「事業主」とは、その事業の経営の主体をいい、個人企業にあってはその**企業主個人**、会社その他の法人組織の場合は**法人そのもの**をいいます。

B × 昭22.9.13発基17号、コンメンタール上167頁参照。係長が「使用者」になることもあります。設問の係長を含めて、労働基準法の「使用者」には、企業内で比較的地位の高い取締役、工場長、部長、課長等の者から、作業現場監督員、職場責任者等といわれる比較的地位の低い者に至るまで、その**権限と責任に応じて**該当することとなります。

C × 昭22.9.13発基17号。権限外の事項について命令を受けて単にその命令を部下に対して伝達した場合の伝達は、使用者として行ったこととはされません。労働基準法の「使用者」とは、同法各条の義務についての履行の責任者をいい、各事業において、その義務について**実質的に一定の権限を与えられているか否か**により判断されます。このような権限が与えられておらず、単に上司の命令の伝達者にすぎない者は、使用者とはみなされません。

D ○ 昭23.1.9基発14号。請負とは、本来、**仕事の完成**を目的とする契約関係であり、請負人（下請負人）が請け負った仕事を自己の雇用する労働者に行わせる場合についても、請負人（下請負人）が**自らの責任**において当該労働者を指揮命令するものです。そして、設問のように、請負関係にある（下請負人が法10条の事業主に該当する）と判断されるためには、下請負人が、①その雇用する労働者を**自ら直接利用**すること、②当該業務を自己の業務として注文主から独立して処理することが必要とされます。

E × 派遣法44条、コンメンタール上156頁参照。派遣先における指揮命令権者も使用者に該当する場合があります。派遣労働者に関する労働基準法の適用にあたり、労働者派遣の実態から**派遣元に責任を問い得ない事項**、派遣労働者の保護の実効を期する上から**派遣先に責任を負わせることが適切な事項**については、派遣先に使用者としての責任を負わせています。

解答　D

労働契約の期間、労働条件の明示等

予想

難易度 **普**　重要度 **A**

労働基準法に定める労働契約等に関する次の記述のうち、誤っているものはどれか。なお、本問において「有期労働契約基準」とは、労働基準法第14条第2項に基づく「有期労働契約の締結、更新、雇止め等に関する基準（平成15年厚生労働省告示第357号）」のことである。

A　契約期間の上限を5年とする労働契約を締結することができる「高度の専門的知識等を有する労働者」には、情報処理システムの分析又は設計の業務に就こうとする者であって、労働契約の期間中に支払われることが確実に見込まれる賃金の額を1年あたりの額に換算した額が1,075万円を下回らないものが含まれている。

B　有期労働契約基準によると、契約期間が3ヵ月である有期労働契約を3回更新し、4回目に更新しないこととしようとする使用者は、あらかじめ当該契約を更新しない旨明示した場合を除き、少なくとも当該契約の期間の満了する日の30日前までに、その予告をしなければならない。

C　有期労働契約基準によると、使用者は、有期労働契約の締結後、当該有期労働契約の変更又は更新に際して、労働契約法第18条第1項に規定する通算契約期間又は有期労働契約の更新回数について、上限を定め、又はこれを引き下げたときは、遅滞なく、その理由を労働者に説明しなければならない。

D　有期労働契約であって当該契約の期間の満了後に当該契約を更新する場合があるものの締結の場合には、使用者は、労働者に対して有期労働契約を更新する場合の基準に関する事項を明示しなければならないが、当該事項には、労働契約法第18条第1項に規定する通算契約期間又は有期労働契約の更新回数に上限の定めがある場合には、当該上限が含まれる。

E　その契約期間内に労働者が労働契約法第18条第1項の無期転換申込みをすることができることとなる有期労働契約の締結の場合においては、使用者は、労働者に対して同項の無期転換申込みに関する事項及び当該申込みに係る期間の定めのない労働契約の内容である労働条件のうち所定の事項（いわゆる無期転換後の労働条件）を明示しなければならない。

A ◯ 法14条1項1号、平15厚労告356号。情報処理システムの分析又は設計の業務（**システムエンジニアの業務**）に就こうとする者であって、労働契約の期間中に支払われることが確実に見込まれる賃金の額を1年あたりの額に換算した額が1,075万円を下回らないものは、「高度の専門的知識等を有する労働者」に該当します。当該高度の専門的知識等を必要とする**業務に就く者**については、契約期間の上限を**5年**とする労働契約を締結することが可能です。

B ◯ 有期労働契約基準2条。使用者は、次の①又は②の**いずれか**に該当する有期労働契約（あらかじめ更新しない旨明示されているものを除く。）を更新しないこととしようとする場合には、少なくとも契約期間満了日の30日前までに、その**予告**をしなければなりません。設問は①に該当するため、予告が必要です。

> ①当該契約を**3回以上更新**しているもの
> ②雇入れの日から起算して**1年を超えて継続勤務**している者に係るもの

C ✕ 有期労働契約基準1条。「引き下げたときは、遅滞なく」（＝事後に）ではなく、「引き下げようとするときは、あらかじめ」（＝事前に）が正しい記述です。いわゆる**更新上限**（有期労働契約の通算契約期間又は更新回数の上限）**を新設又は短縮**しようとする使用者は、あらかじめ（更新上限を新設又は短縮する前のタイミングで）、その**理由**を労働者に**説明**する**義務**があります。

D ◯ 法15条1項、則5条1項1号の2。**有期労働契約を更新する場合の基準に関する事項**は、労働条件の絶対的明示事項に該当します。当該事項には、通算契約期間又は有期労働契約の更新回数に上限（**更新上限**）の定めがある場合には、当該上限が**含まれます**。具体的には、有期労働契約の締結時と更新時において、更新上限の内容（年数・更新回数の上限）の明示が必要です。

E ◯ 則5条5項。同一の使用者との間で通算契約期間が5年を超えるときは、労働者は、労働契約法の規定により無期転換申込みをすることができます（**無期転換申込権が発生する**。）。無期転換申込権が発生する有期労働契約の更新時においては、使用者は、労働者に対して、①**無期転換申込みに関する事項**（**無期転換申込機会**）及び②無期転換後の労働条件を明示しなければなりません。

解答　**C**

労働契約の禁止事項等

予想

難易度 普　重要度 B

次の記述のうち、誤っているものはどれか。

A　労働基準法第13条の規定によれば、同法で定める基準に達しない労働条件を定める労働契約において無効となるのは、当該基準に達しない部分についてのみであり、当該無効となった部分は、同法で定める基準による。

B　使用者以外の第三者たる商店会又はその連合会等が労働者の毎月受けるべき賃金の一部を積み立てたものと使用者の積み立てた金銭を財源として行っている退職積立金制度は、労働者の意思に反して加入せざるを得ないようになっている場合には、労働基準法第18条第1項において禁止するいわゆる強制貯金に該当する。

C　いわゆる通帳保管によって労働者の貯蓄金を管理する場合には、使用者は、貯蓄金の管理に関する規程を定め、これを労働者に周知させなければならないが、この場合には、いわゆる貯蓄金管理協定を締結する必要はない。

D　使用者は、前借金その他労働することを条件とする前貸の債権と賃金を相殺してはならないが、ここでいう「労働することを条件とする前貸の債権」には、労働者が使用者から人的信用に基づいて受ける金融、弁済期の繰上げ等で明らかに身分的拘束を伴わないものは含まれない。

E　使用者は、労働契約の不履行について違約金を定め、又は損害賠償額を予定する契約をしてはならないが、労働者の責めに帰すべき事由により発生した現実の損害について賠償を請求することまでは禁止されていない。

A　○　法13条。労働条件のうち労働基準法で定める**基準に達しない**部分は、たとえ労働者との間に合意があっても**無効**となり、その無効となった部分は、同法で定める基準の内容に自動修正されます。このような強制力のある労働基準法の性質を「**強行法規的性質**」といいます。なお、この場合に無効となるのは労働基準法で定める基準に達しない部分のみであり、これ以外の部分は有効です。

B　○　法18条1項、昭25.9.28基収2048号。設問の退職積立金制度は、労働者の賃金をその委託を受けて保管管理する貯蓄金と考えられます。このため、労働者が強制的にその制度に加入せざるを得ないようになっている場合には、**労働契約に附随する貯蓄の契約**となり、強制貯金に該当すると解されています。

C　×　法18条2項・3項。「通帳保管」の場合にも、「社内預金」の場合と同様に、貯蓄金管理協定を締結する必要があります。**貯蓄金管理協定**の締結及び届出並びに**貯蓄金管理規程**の作成及び周知は、「社内預金」及び「通帳保管」の別を問わず**必要**となります。

D　○　法17条、昭22.9.13発基17号。「**労働することを条件**とする前貸の債権」とは、金銭貸借関係と労働関係が密接に関係し、身分的な拘束が伴うものを指すと解されています。したがって、これに該当するものについては、賃金との**相殺**は認められません。

E　○　法16条、昭22.9.13発基17号。法16条では、金額を予定することを禁止しています。したがって、金額を予定しなければ、労働者の責めに帰すべき事由により発生した**現実の損害**について、その賠償を請求することや、これを賠償させる旨の契約をすることは禁止されていません。

解答　C

解雇（1）

過平26

難易度 **易**　重要度 **A**

労働基準法に定める解雇に関する次の記述のうち、誤っているものはどれか。

A　就業規則に定めた定年制が労働者の定年に達した日の翌日をもってその雇用契約は自動的に終了する旨を定めたことが明らかであり、かつ、従来この規定に基づいて定年に達した場合に当然労働関係が終了する慣行になっていて、それが従業員にも徹底している場合には、その定年による雇用関係の終了は解雇ではないので、労働基準法第19条第1項に抵触しない。

B　労働基準法第20条に定める解雇の予告の日数は、1日について平均賃金を支払った場合においては、その日数を短縮することができる。

C　試みの使用期間中の労働者を、雇入れの日から起算して14日以内に解雇する場合は、解雇の予告について定める労働基準法第20条の規定は適用されない。

D　労働基準法第19条第1項に定める産前産後の女性に関する解雇制限について、同条に定める除外事由が存在しない状況において、産後8週間を経過しても休業している女性の場合については、その8週間及びその後の30日間が解雇してはならない期間となる。

E　平成26年9月30日の終了をもって、何ら手当を支払うことなく労働者を解雇しようとする使用者が同年9月1日に当該労働者にその予告をする場合は、労働基準法第20条第1項に抵触しない。

A ○ 昭26.8.9基収3388号。定年制は、労働者が所定の年齢に達したときに**当然に労働契約が終了**する制度であり、解雇（使用者が労働契約を将来に向かって一方的に解除すること）とは異なります。したがって、労働基準法に定める解雇に関する規定（解雇制限等）の適用は受けません。ただし、定年制は、個々の企業における労働協約又は就業規則で定めるものであり、その取扱い等が企業によって異なるため、解雇に関する規定の適用を受ける定年制も存在します。そこで、解雇に関する規定の適用を受けない定年制の解釈として、設問の内容が通達により示されています。

B ○ 法20条2項。使用者は、労働者を解雇しようとするときは、所定の場合を除き、①解雇の予告（**少なくとも30日前の予告**）、②30日分以上の**平均賃金**（**解雇予告手当**）の支払い、③上記①②の併用（上記①の予告日数は、1日について平均賃金を支払った場合は、その日数の**短縮が可能**）のいずれかをする必要があります。設問は、上記③について問うています。

C ○ 法21条4号。試みの使用期間中の者については、「14日を超えて引き続き使用されるに至った場合」に解雇の予告等の規定が適用されます。

D ○ 法19条1項、コンメンタール上288頁参照。産前産後の女性に関する解雇制限期間は、**産前産後の休業期間**（原則として、**産前6週間及び産後8週間**）及び**その後の30日間**です。ここでいう産後の休業期間には、「産後8週間を超える休業期間」は**含まれない**ため、設問の場合であっても、産後8週間及びその後の30日間が、設問の女性に係る解雇制限期間となります。

E ✕ 法20条1項。設問の場合は、労働基準法20条1項に抵触します。何ら手当（解雇予告手当）を支払うことなく労働者を解雇しようとする場合には、少なくとも30日前にその予告をしなければなりません。この30日間（解雇予告期間）の**起算日は、解雇予告をする日の翌日**です。したがって、平成26年9月1日に解雇予告をする場合には、その日の翌日である同年9月2日から10月1日までの30日間が解雇予告期間となり、「10月1日」が最短での解雇日となります。つまり、同年9月30日の終了をもって、解雇予告手当を支払うことなく労働者を解雇することはできません（この場合には、平均賃金の1日分の解雇予告手当の支払いが必要）。

解答 E

解雇 (2)

予想

難易度 **難**　重要度 **A**

解雇等に関する次の記述のうち、正しいものはどれか。

A　使用者がある年の３月１日に労働者に対し、３月31日をもって解雇する旨の予告をした場合において、当該労働者が業務上負傷し、その療養のために３月25日及び26日の両日を休業したときは、当該解雇の効力は、改めての予告を要することなくして、当該休業後30日間の経過とともに発生する。

B　使用者は、労働基準法第65条の規定によって産後８週間を経過しない女性労働者が休業する期間中に、当該女性労働者との労働契約が期間満了となる場合において、これを更新しないこととするときは、所轄労働基準監督署長の認定を受けなければならない。

C　使用者は、労働者が育児・介護休業法第２条第１号に規定する育児休業をする期間及びその後30日間は、天災事変その他やむを得ない事由のために事業の継続が不可能となった場合を除き、解雇してはならない。

D　業務上の傷病による療養のために休業していた労働者が、当該傷病が稼動し得る程度に回復したため出勤し、就業後30日を経過した場合であっても、当該傷病が完全に治ゆしていないときは、使用者は、当該労働者を解雇してはならない。

E　郵送等の手段によって解雇予告手当を労働者あてに発送した場合であっても、労働者本人がこれを受領しない限り、使用者は、当該労働者を即時に解雇することはできない。

A ○ 法19条1項、昭26.6.25基収2609号。業務上負傷し、療養のために休業する労働者については、**解雇制限**の規定が適用されます。その解雇制限期間は、当該療養のための**休業期間及びその後30日間**です。この期間中は、たとえ事前に解雇の予告をし、その予告期間が満了したとしても労働者を解雇することができません。しかし、この場合には、**解雇の効力発生が停止**されるだけであって、解雇の予告自体は無効となりません。したがって、解雇制限期間の経過とともに解雇の効力が発生します。なお、この場合には、解雇制限期間が長期にわたり解雇予告としての効力を失うと認められるときを除き、改めて解雇予告をする必要はありません。

B × 昭23.1.16基発56号。設問の場合には、所轄労働基準監督署長の認定を受ける必要はなく、期間満了とともに労働契約は当然に終了します。

C × 法19条1項。設問の育児休業をする期間及びその後30日間は、解雇制限の対象となる期間ではありません。本法で解雇制限の対象としているのは、①労働者が**業務上負傷**し、又は疾病にかかり療養のために**休業する期間及びその後30日間**、②産前産後の女性が法65条の規定によって**休業する期間及びその後30日間**です。なお、育児・介護休業法では、「労働者が育児休業の申出をし、又は育児休業をしたことを理由とする解雇」を禁止していますが、これは、育児休業期間中の解雇を全面的に禁止したものではありません。したがって、他に理由があれば、育児休業期間中の労働者を解雇することができます。

D × 法19条1項、昭24.4.12基収1134号。就業後30日を経過した場合は、解雇することができます。**業務上**の傷病によって療養する労働者の解雇制限期間は、当該療養のために**休業する期間及びその後30日間**です。傷病が稼動し得る程度に回復したため出勤している労働者については、傷病が完全に治ゆしていない場合であっても、就業後**30日**を経過したときから解雇が可能となります。

E × 法20条1項、昭63.3.14基発150号。設問の場合は、解雇予告手当が労働者の**生活の本拠地**に到達したときに、これを支払ったものと認められ、即時解雇が可能となります。この場合に、労働者本人が解雇予告手当を受領したかどうかや労働者の存否は問題となりません。なお、労働者を即時解雇する場合における解雇予告手当は、**解雇の申渡しと同時**に支払う必要があり、支払わない限り、解雇の効力は生じません。

解答 A

問題 009

解雇予告制度の適用除外者

予想　　　　　　　　　　　　　　　　　難易度 難　重要度 A

次の記述のうち、誤っているものはいくつあるか。なお、本問において、「予告等」とは、労働基準法第20条第1項に基づく解雇の予告又は解雇予告手当のことをいう。

ア　恒久的に同一内容の作業に従事させている労働者について、例えば7月1日に採用し同月31日に満了、8月1日に採用し同月31日に満了というように1ヵ月ごとに雇用契約を更新して長期間にわたり継続勤務させている場合は、当該労働者は、労働基準法第21条第2号の「2ヵ月以内の期間を定めて使用される者」に該当しない。

イ　「日々雇い入れられる者」として使用していた労働者を、使用し始めてから数日が経過した後に2ヵ月の期間を定めて雇い入れ、その2ヵ月の期間が満了する前に当該労働者を解雇する場合には、使用者は、予告等をしなければならない。

ウ　日々雇い入れられる労働者については、1ヵ月を超えて引き続き使用されるに至った場合には、使用者は、予告等をしてその労働者を解雇することができるが、ここでいう「1ヵ月」とは、休日を除く労働日のみの1ヵ月と解されている。

エ　試みの使用期間中の労働者については、14日を超えて引き続き使用されるに至った場合には、使用者は、予告等をしてその労働者を解雇することができるが、ここでいう「14日」とは、当該労働者に申し渡した試みの使用期間の経過後14日と解されている。

オ　使用者は、季節的業務に8月20日から11月30日までの期間を定めて使用する労働者を当該期間が経過する前に解雇する場合には、予告等をする必要はない。

A　一つ
B　二つ
C　三つ
D　四つ
E　五つ

ア　〇　昭24.9.21基収2751号。形式的に労働契約が更新されても、設問のように短期の契約を数回にわたって更新し、かつ、同一作業に引き続き従事させる場合は、実質において**期間の定めのない契約**と同一に取り扱うべきものですから、設問の労働者は「2ヵ月以内の期間を定めて使用される者」に**該当しません**。

イ　✕　法21条2号、昭27.4.22基収1239号。設問の場合には、予告等をする必要はありません。設問のように、日々雇い入れられる者に係る労働契約が2ヵ月の期間を定める労働契約に更新された場合には、当該更新された労働契約が反復継続して行われたものでなく、かつ、当該更新された労働契約の期間が「2ヵ月以内」に該当する限り、予告等をする必要はありません。

ウ　✕　法21条1号、昭24.2.5基収408号。設問は、後半が誤っています。ここでいう「1ヵ月」とは、休日も含む**暦による**1ヵ月と解されています。

エ　✕　法21条4号、昭24.5.14基収1498号。設問は、後半が誤っています。ここでいう「14日」とは、「**雇入れ後**14日」と解されています。つまり、試みの使用期間の長さにかかわらず、雇入れの日から引き続き使用された期間が14日を超えるに至った場合には、たとえ試みの使用期間中であったとしても、そのときから（15日目以後）、当該労働者を解雇するにあたって、予告等が必要となります。

オ　〇　法21条3号。設問の労働者は、「**季節的業務**に**4ヵ月以内**の期間を定めて使用される者」に該当するため、使用者は、その期間内に解雇するのであれば、予告等をしないで当該労働者を解雇することができます。

以上から、誤っているものは三つであるため、正解はＣです。

解答　　Ｃ

賃金（1）

過平27

難易度 普　重要度 B

労働基準法第12条に定める平均賃金の計算に関する次の記述のうち、正しいものはどれか。

A　平均賃金の計算の基礎となる賃金の総額には、3か月を超える期間ごとに支払われる賃金、通勤手当及び家族手当は含まれない。

B　平均賃金の計算において、労働者が労働基準法第7条に基づく公民権の行使により休業した期間は、その日数及びその期間中の賃金を労働基準法第12条第1項及び第2項に規定する期間及び賃金の総額から除外する。

C　労働災害により休業していた労働者がその災害による傷病が原因で死亡した場合、使用者が遺族補償を行うに当たり必要な平均賃金を算定すべき事由の発生日は、当該労働者が死亡した日である。

D　賃金締切日が毎月月末と定められていた場合において、例えば7月31日に算定事由が発生したときは、なお直前の賃金締切日である6月30日から遡った3か月が平均賃金の算定期間となる。

E　賃金締切日が、基本給は毎月月末、時間外手当は毎月20日とされている事業場において、例えば6月25日に算定事由が発生したときは、平均賃金の起算に用いる直前の賃金締切日は、基本給、時間外手当ともに基本給の直前の締切日である5月31日とし、この日から遡った3か月が平均賃金の算定期間となる。

A　×　法12条4項。平均賃金の計算の基礎となる賃金の総額には、通勤手当及び家族手当は含まれます。平均賃金の計算の基礎から除外するものは、次のとおりです。設問は、「除外賃金」について問うていますが、「通勤手当及び家族手当」はこれに該当しないため、平均賃金を計算する場合には、これらの手当をその計算の基礎となる賃金の総額に**含めて**計算する必要があります。

●平均賃金の控除期間と除外賃金

控除期間	平均賃金の計算式の分母と分子（総日数と賃金の総額）から控除
①業務上負傷し、又は疾病にかかり療養のために休業した期間	
②産前産後の女性が労働基準法65条の規定によって休業した期間	
③使用者の責めに帰すべき事由によって休業した期間	
④育児・介護休業法による育児休業又は介護休業をした期間	
⑤試みの使用期間	

除外賃金	平均賃金の計算式の分子（賃金の総額）のみから除外
⑥臨時に支払われた賃金	
⑦3ヵ月を超える期間ごとに支払われる賃金	
⑧通貨以外のもので支払われた賃金で一定の範囲に属しないもの	

B　×　法12条3項。平均賃金の計算において、公民権の行使により休業した期間の日数及びその期間中の賃金を除外する旨の規定は、存在しません（Aの解説における表の「控除期間」参照）。

C　×　則48条。設問の場合の平均賃金の算定事由発生日は、「死傷の原因たる**事故発生の日**又は診断によって疾病の発生が**確定した日**」です。

D　○　法12条2項、昭24.7.13基収2044号、コンメンタール上186頁参照。賃金締切日がある場合の平均賃金の算定期間は、算定事由発生日の**直前の賃金締切日**からさかのぼった3ヵ月間ですが、これは、賃金締切日当日に算定事由が発生した場合であっても、同様です。

E　×　法12条2項、昭26.12.27基収5926号。賃金ごとに賃金締切日が異なる場合は、平均賃金の起算に用いる直前の賃金締切日も賃金ごとに異なります。したがって、設問の場合に用いる直前の賃金締切日は、基本給については直前の月末である「5月31日」、時間外手当については直前の月の20日である「6月20日」となり、これらの日からそれぞれさかのぼった3ヵ月を算定期間として計算した金額の合計額が平均賃金となります。

解答　D

賃金 (2)

予想

難易度 **易** 重要度 **A**

労働基準法に定める賃金に関する次の記述のうち、正しいものはどれか。

A 使用者は、賃金を、労働者の指定する銀行その他の金融機関に対する当該労働者の預金又は貯金への振込みによって支払うためには、労働協約にその旨を定めた上で、当該労働者の同意を得なければならない。

B 使用者は、労使協定がある場合においても、一賃金支払期の賃金について、その10分の1を超える額を控除して支払うことはできない。

C 賃金の計算において、5分の遅刻を30分の遅刻として賃金カットをするような処理は、就業規則に定める減給の制裁として、労働基準法第91条の制限内で行う場合を除き、賃金全額払いの原則を定めた同法第24条第1項に違反する。

D 新たに給与規程を定め、過去に遡及して賃金を支払うことを取り決める場合において、その支払対象を在職者のみとすることは、退職者について在職期間に係る差額賃金の支払いを受ける権利を奪うものであり、違法である。

E 出来高払制その他の請負制で使用する労働者については、労働者が就業しなかった場合であっても、使用者は労働基準法第27条の保障給を支払わなければならない。

A ✕ 法24条1項、則7条の2第1項。労働協約にその旨を定める必要はありません。金融機関の預貯金口座への**振込み**により賃金を支払うことは、確実な支払いの方法として**厚生労働省令で定める方法**に該当します。したがって、当該振込みにより賃金を支払うにあたって、**労働者の同意**は必要ですが、労働協約に別段の定めは不要です。

B ✕ 法24条1項、昭29.12.23基収6185号。控除額について、設問のような制限はありません。使用者は、**労使協定**がある場合には、賃金の**一部**を**控除**して支払うことができます。この場合に控除される金額は、賃金の一部である限り、労働基準法上、特に限度はないものとされています。

C ◯ 法24条1項、昭63.3.14基発150号。賃金は、その**全額**を支払わなければなりません（賃金全額払いの原則）。設問のような処理は、労働の提供のなかった**限度を超える**（25分の）カットの部分が、賃金全額払いの原則に違反します。これに対して、遅刻等により労働の提供がなかった部分については、賃金債権自体が発生しませんので、その限度で賃金を支払わないことは、賃金全額払いの原則に違反しません。

D ✕ 昭23.12.4基収4092号。設問のような取扱いは、違法ではないと解されています。設問のような場合において、その支払対象を在職者のみとするか、退職者をも含めるかは**労使当事者の自由**とされています。

E ✕ 法27条、昭23.11.11基発1639号。労働者が就業しなかった場合には、保障給を支払う必要はありません。**出来高払制その他の請負制**で使用する労働者については、使用者は、**労働時間に応じ**一定額の賃金の保障をしなければなりません。これにより使用者に保障給の支払いが義務づけられるのは、労働者が就業したにもかかわらず、材料不足のため多くの待ち時間を費やした場合や材料粗悪のために出来高が減少した場合のように、その実収賃金が低下した場合です。

解答 C

賃金 (3)

過平29

難易度 普　重要度  A

労働基準法に定める賃金に関する次の記述のうち、誤っているものはどれか。

A　労働協約の定めによって通貨以外のもので賃金を支払うことが許されるのは、その労働協約の適用を受ける労働者に限られる。

B　労働基準法第25条により労働者が非常時払を請求しうる事由は、労働者本人に係る出産、疾病、災害に限られず、その労働者の収入によって生計を維持する者に係る出産、疾病、災害も含まれる。

C　1か月の賃金支払額（賃金の一部を控除して支払う場合には控除した額。）に100円未満の端数が生じた場合、50円未満の端数を切り捨て、それ以上を100円に切り上げて支払う事務処理方法は、労働基準法第24条違反としては取り扱わないこととされている。

D　賃金の過払を精算ないし調整するため、後に支払われるべき賃金から控除することは、「その額が多額にわたるものではなく、しかもあらかじめ労働者にそのことを予告している限り、過払のあつた時期と合理的に接着した時期においてされていなくても労働基準法24条1項の規定に違反するものではない。」とするのが、最高裁判所の判例である。

E　労働基準法第26条に定める休業手当は、同条に係る休業期間中において、労働協約、就業規則又は労働契約により休日と定められている日については、支給する義務は生じない。

A ○ 法24条1項、昭63.3.14基発150号。労働協約の定めにより、賃金を通貨以外のもので支払うことが許されるのは、当該**労働協約の適用を受ける労働者**（原則として、労働協約を締結した労働組合の組合員）に限られます。したがって、使用者は、当該労働協約の適用を受けない労働者に対して、通貨以外のもので賃金を支払うことはできません。

B ○ 法25条、則9条。法25条に規定する非常時払いの対象となる「非常の場合」とは、労働者本人の出産、疾病、災害等に限られず、その労働者の収入によって生計を維持する者の**出産、疾病、災害等**も含まれます。

C ○ 昭63.3.14基発150号。**1ヵ月の賃金支払額**における端数処理の方法として、次の①②のものが認められています。これらの方法は、賃金支払いの便宜上の取扱いと認められるため、法24条**違反として取り扱わない**ものとされています。設問は、①についてです。

①100円未満の端数が生じた場合に、**50円未満の端数を切り捨て、それ以上を100円に切り上げること。**

②1,000円未満の端数を**翌月の賃金支払日に繰り越して支払うこと。**

D × 最判 昭44.12.18福島県教組事件。設問は、「接着した時期においてされていなくても」という記述が誤っています。設問のような過払額の控除（調整的相殺）について最高裁判所は、「許されるべき相殺は、過払いのあった時期と賃金の清算調整の実を失わない程度に**合理的に接着した時期**においてされ、また、あらかじめ労働者にそのことが予告されるとか、その額が多額にわたらないとか、要は労働者の**経済生活の安定をおびやかすおそれのない場合**でなければならないものと解される」と判示しました。

E ○ 昭24.3.22基収4077号。**労働協約、就業規則又は労働契約**に定める休日は、「使用者の責めに帰すべき事由による休業」に該当しません。したがって、使用者の責めに帰すべき事由による休業期間中に、当該休日と定められている日がある場合であっても、当該休日と定められている日について、使用者に休業手当を支払う**義務は生じません。**

解答　D

チェック欄

1	2	3

賃金（4）

過平30

難易度 普　重要度  A

労働基準法に定める賃金等に関する次の記述のうち、誤っているものはどれか。

A　派遣先の使用者が、派遣中の労働者本人に対して、派遣元の使用者からの賃金を手渡すことだけであれば、労働基準法第24条第1項のいわゆる賃金直接払の原則に違反しない。

B　使用者が労働者の同意を得て労働者の退職金債権に対してする相殺は、当該同意が「労働者の自由な意思に基づいてされたものであると認めるに足りる合理的な理由が客観的に存在するときは」、労働基準法第24条第1項のいわゆる賃金全額払の原則に違反するものとはいえないとするのが、最高裁判所の判例である。

C　労働基準法では、年俸制をとる労働者についても、賃金は、毎月一回以上、一定の期日を定めて支払わなければならないが、各月の支払いを一定額とする（各月で等分して支払う）ことは求められていない。

D　ストライキの場合における家族手当の削減が就業規則（賃金規則）や社員賃金規則細部取扱の規定に定められ異議なく行われてきている場合に、「ストライキ期間中の賃金削減の対象となる部分の存否及びその部分と賃金削減の対象とならない部分の区別は、当該労働協約等の定め又は労働慣行の趣旨に照らし個別的に判断するのを相当」とし、家族手当の削減が労働慣行として成立していると判断できる以上、当該家族手当の削減は違法ではないとするのが、最高裁判所の判例である。

E　労働安全衛生法第66条による健康診断の結果、私傷病のため医師の証明に基づいて使用者が労働者に休業を命じた場合、使用者は、休業期間中当該労働者に、その平均賃金の100分の60以上の手当を支払わなければならない。

A　○　昭61.6.6基発333号。賃金直接払いの原則については、法文上の例外はありませんが、通達では、次の支払いを認めています。設問は、②に該当します。

①使者に支払うこと（代理人への支払いは不可）。

②派遣労働者の賃金を派遣先の使用者を通じて支払うこと。

B　○　最判 平2.11.26日新製鋼事件。設問の判例では、使用者が労働者に対して有する債権と労働者の賃金債権の相殺は、「労働者がその自由な意思に基づき当該相殺に同意した場合においては、当該同意が労働者の自由な意思に基づいてされたものであると認めるに足りる合理的な理由が客観的に存在するときは」、法24条1項の賃金全額払いの原則に違反するものとはいえないと判示されました。

C　○　法24条、昭22.9.13発基17号。賃金は、年俸制により支払う場合であっても、毎月1回以上、一定の期日に支払わなければなりません。ただし、各月の支払いを一定額とする（各月で等分して支払う）ことは求められていません。賃金の額をどのように配分して支払うかについては特段の定めがされておらず、当事者の自由とされています。

D　○　最判 昭56.9.18三菱重工長崎造船所事件。設問の判例では、「ストライキ期間中の賃金削減の対象となる部分の存否及びその部分と賃金削減の対象とならない部分の区別は、当該労働協約等の定め又は労働慣行の趣旨に照らし個別的に判断するのを相当」とし、ストライキ期間中の家族手当の削減が就業規則（賃金規則）や社員賃金規則細部取扱の規定に定められ異議なく行われてきている場合には、それが労働慣行として成立していると判断できる以上、当該家族手当の削減は違法ではないと判断されました。

E　×　法26条、昭23.10.21基発1529号。設問の場合には、平均賃金の100分の60以上の手当（休業手当）を支払う必要はありません。設問のような法令を遵守することによって生ずる休業は、事業外部の不可避的な事由により生じたものであり、「使用者の責めに帰すべき事由による休業」に該当しないためです。

解答　　E

賃金（5）

過令5

難易度 **易**　重要度 **B**

労働基準法に定める賃金等に関する次の記述のうち、正しいものはどれか。

A　労働基準法第24条第1項に定めるいわゆる直接払の原則は、労働者と無関係の第三者に賃金を支払うことを禁止するものであるから、労働者の親権者その他法定代理人に支払うことは直接払の原則に違反しないが、労働者の委任を受けた任意代理人に支払うことは直接払の原則に違反する。

B　いかなる事業場であれ、労働基準法に規定する協定等をする者を選出することを明らかにして実施される投票、挙手等の方法による手続により選出された者であって、使用者の意向に基づき選出された者でないこと、という要件さえ満たせば、労働基準法第24条第1項ただし書に規定する当該事業場の「労働者の過半数を代表する者」に該当する。

C　賃金の所定支払日が休日に当たる場合に、その支払日を繰り上げることを定めることだけでなく、その支払日を繰り下げることを定めることも労働基準法第24条第2項に定めるいわゆる一定期日払に違反しない。

D　使用者は、労働者が出産、疾病、災害その他厚生労働省令で定める非常の場合の費用に充てるために請求する場合においては、支払期日前であっても、既往の労働に対する賃金を支払わなければならないが、その支払いには労働基準法第24条第1項の規定は適用されない。

E　会社に法令違反の疑いがあったことから、労働組合がその改善を要求して部分ストライキを行った場合に、同社がストライキに先立ち、労働組合の要求を一部受け入れ、一応首肯しうる改善案を発表したのに対し、労働組合がもっぱら自らの判断によって当初からの要求の貫徹を目指してストライキを決行したという事情があるとしても、法令違反の疑いによって本件ストライキの発生を招いた点及びストライキを長期化させた点について使用者側に過失があり、同社が労働組合所属のストライキ不参加労働者の労働が社会観念上無価値となったため同労働者に対して命じた休業は、労働基準法第26条の「使用者の責に帰すべき事由」によるものであるとして、同労働者は同条に定める休業手当を請求することができるとするのが、最高裁判所の判例である。

A　✕　昭63.3.14基発150号。直接払いの原則は、「労働者と無関係の第三者」ではなく、「労働者本人以外の者」に賃金を支払うことを禁止するものです。このため、「**労働者の親権者その他法定代理人**」に賃金を支払うことも直接払いの原則に**違反**します。

B　✕　則6条の2第1項・2項。「いかなる事業場であれ」とする記述が誤りです。設問の要件を満たすことによって「労働者の過半数を代表する者」に該当するのは、労働基準法41条2号に規定する監督又は管理の地位にある者（管理監督者）でない者が**いない**事業場（**管理監督者のみの事業場**）においてです。管理監督者でない者が**いる**事業場においては、設問の要件に加え、その者が**管理監督者でないこと**という要件も満たさなければなりません。

C　○　コンメンタール上368頁。賃金（臨時の賃金等を除く。）は、毎月1回以上、一定の期日を定めて支払わなければなりません。ただし、所定支払日が休日に当たる場合に、その支払日を繰り上げ、**又は繰り下げる**ことを定めることは差し支えありません。

D　✕　法25条、コンメンタール上375頁。「非常時払い」による賃金の支払いについても、労働基準法24条1項（**通貨払い・直接払い・全額払い**）の規定が適用されます。

E　✕　最判 昭62.7.17ノース・ウエスト航空事件。最高裁判所は、「本件ストライキは、もっぱら被上告人らの所属する労働組合が自らの主体的判断とその責任に基づいて行ったとみるべきであって、上告会社側に起因する事象ということはできない。」として、一部営業所における本件ストライキの結果、使用者側が他営業所の労働者（労働組合所属のストライキ不参加労働者）に対して命じた休業は、「使用者側に起因する経営、管理上の障害によるものということはできず、休業手当を請求することはできない。」と判示しました。

解答　C

休業手当

労働基準法第26条（以下本問において「本条」という。）に定める休業手当に関する次の記述のうち、正しいものはどれか。

A　本条は、債権者の責に帰すべき事由によって債務を履行することができない場合、債務者は反対給付を受ける権利を失わないとする民法の一般原則では労働者の生活保障について不十分である事実にかんがみ、強行法規で平均賃金の100分の60までを保障しようとする趣旨の規定であるが、賃金債権を全額確保しうる民法の規定を排除する点において、労働者にとって不利なものになっている。

B　使用者が本条によって休業手当を支払わなければならないのは、使用者の責に帰すべき事由によって休業した日から休業した最終の日までであり、その期間における労働基準法第35条の休日及び労働協約、就業規則又は労働契約によって定められた同法第35条によらない休日を含むものと解されている。

C　就業規則で「会社の業務の都合によって必要と認めたときは本人を休職扱いとすることがある」と規定し、更に当該休職者に対しその休職期間中の賃金は月額の2分の1を支給する旨規定することは違法ではないので、その規定に従って賃金を支給する限りにおいては、使用者に本条の休業手当の支払義務は生じない。

D　親会社からのみ資材資金の供給を受けて事業を営む下請工場において、現下の経済情勢から親会社自体が経営難のため資材資金の獲得に支障を来し、下請工場が所要の供給を受けることができず、しかも他よりの獲得もできないため休業した場合、その事由は本条の「使用者の責に帰すべき事由」とはならない。

E　新規学卒者のいわゆる採用内定について、就労の始期が確定し、一定の事由による解約権を留保した労働契約が成立したとみられる場合、企業の都合によって就業の始期を繰り下げる、いわゆる自宅待機の措置をとるときは、その繰り下げられた期間について、本条に定める休業手当を支給すべきものと解されている。

A　✕　昭22.12.15基発502号。法26条は、民法の規定を排除するものではないから、民法の規定に比して**不利なものとはなっていません**。設問前半の法26条の趣旨に関しては、正しい記述です。賃金債権を全額確保しうる民法の規定は、両当事者の合意によって排除することができるなど、労働者の保護として不十分であることから、法26条が設けられています。

B　✕　昭24.3.22基収4077号。休業手当を支払わなければならない日に、休日は**含まない**ものと解されています。休業手当は、請求することができたはずの賃金のうち一定額の支払いを保障しようとする趣旨の規定であるためです。

C　✕　昭23.7.12基発1031号。法26条に定める額に満たない額の賃金（月額の2分の1）を支給することを就業規則に規定しても無効であり、使用者に休業手当の支払義務が生じます。就業規則の規定にかかわらず、使用者の責めに帰すべき事由による休業に対しては、**平均賃金の100分の60以上**の休業手当を支払わなければならないためです。

D　✕　昭23.6.11基収1998号。設問の事由は、「使用者の責に帰すべき事由」となります。「使用者の責めに帰すべき事由」は、使用者の**故意**、**過失**又は信義則上これと同視すべきものよりも広いもの（不可抗力によるものを除く。）とされています。生産に必要な資材等は使用者が常に調達しておくべきものであり、設問の場合も、その事由は、「使用者の責めに帰すべき事由」に該当します。

E　〇　昭63.3.14基発150号。設問のような新規学卒者のいわゆる採用内定においては、本来の就労の始期から、労働者には労働義務が、使用者にはこれに対する賃金支払義務が生じます。その中で、企業の都合によっていわゆる**自宅待機**の措置をとることは、「使用者の責めに帰すべき事由による休業」といえるため、その期間については、使用者が**休業手当を支給**すべきものと解されています。

STEP UP

休業手当の算定

　7月1日から4日までの4日間について、休業手当の支払いが必要になったとしましょう。この場合は、4月1日から6月30日までの3ヵ月間が平均賃金の算定期間となります。7月1日に平均賃金が確定するため、休業手当（の最低額）は4日間とも同じ額です。なお、賃金締切日があって、直前のそれが6月20日である場合は、6月20日からさかのぼる3ヵ月間が平均賃金の算定期間となります。

解答　E

労働時間（1）

予想

難易度 普　重要度 B

次の記述のうち、正しいものはどれか。

A　派遣労働者が一定期間に相前後して複数の事業場に派遣された場合には、労働基準法の労働時間に関する規定の適用については、それぞれの派遣先の事業場において労働した時間が通算されることとなる。

B　映画の製作の事業であって常時使用する労働者の数が10人未満であるものにおける法定労働時間は、1週間について44時間、1日について8時間である。

C　坑内作業における入坑前の準備時間は、労働時間ではない。

D　労働時間とは、拘束時間から、休憩時間及び手待時間を除いたものをいう。

E　始業時刻前及び終業時刻後において、作業着の着脱を事業場内において行うことを使用者から義務づけられた場合であっても、当該作業着の着脱に要する時間は、労働時間ではない。

A ○　法38条1項、昭61.6.6基発333号。労働時間は、事業場を異にする場合において も、労働時間に関する規定の適用については**通算**されます。これは、派遣 労働者についても同じです。したがって、設問の場合における派遣労働者の労働 時間については、各派遣先における労働時間が通算されることとなります。

B ×　法32条、40条、則25条の2第1項。**映画の製作**の事業であって常時使用 する労働者の数が10人未満であるものについては、法定労働時間は、原則のとお り適用されます。したがって、1週間について40時間、1日について8時間で す。なお、映画の製作の事業を除く映画・演劇の事業であって常時使用する労 働者の数が10人未満であるものにおける法定労働時間は、1週間について44時 間、1日について8時間です。

C ×　昭23.10.30基発1575号。坑内作業における入坑前の**準備時間**及び出坑後 の**整理整頓時間**は、労働時間です。

D ×　法32条、昭33.10.11基収6286号。手待時間は、労働時間です。労働時間 とは、**拘束時間から休憩時間を除いた時間**であり、**手待時間は労働時間**に算入 しなければなりません。

E ×　最判 平12.3.9三菱重工長崎造船所事件。設問の時間は、労働時間に該当 します。設問の場合には、作業着を着脱する行為が**使用者の指揮命令下**に置か れたものと評価することができ、当該行為に要した時間は、労働基準法上の労働 時間に該当するというのが判例における判断です。

ポイント解説
休憩時間、実労働時間、手待時間、労働時間、拘束時間

①**休憩時間** …… 労働者が権利として**労働から離れることを保障**されている時間のこと をいいます（昭22.9.13発基17号）。
②実労働時間 …… 労働者が現実に就労している時間をいいます。
③**手待時間** …… 労働者が**使用者**の指揮命令下にあるが、現実には就労していない状態 にある時間をいいます。たとえば、長距離の貨物運送業において、荷物の積込みのた めに待機している時間や、運行中に助手が仮眠している時間などはこれにあたります （昭33.10.11基収6286号）。
④**労働時間** …… **使用者**の指揮命令下にある時間（**実労働時間、手待時間等**）をいいます。
⑤拘束時間 …… 労働時間に休憩時間を加えた時間をいいます。

解答　A

問題 017

労働時間（2）

過令4

難易度 普　重要度 A

労働基準法の労働時間に関する次の記述のうち、正しいものはどれか。

A 労働安全衛生法により事業者に義務付けられている健康診断の実施に要する時間は、労働安全衛生規則第44条の定めによる定期健康診断、同規則第45条の定めによる特定業務従事者の健康診断等その種類にかかわらず、すべて労働時間として取り扱うものとされている。

B 定期路線トラック業者の運転手が、路線運転業務の他、貨物の積込を行うため、小口の貨物が逐次持ち込まれるのを待機する意味でトラック出発時刻の数時間前に出勤を命ぜられている場合、現実に貨物の積込を行う以外の全く労働の提供がない時間は、労働時間と解されていない。

C 労働安全衛生法第59条等に基づく安全衛生教育については、所定労働時間内に行うことが原則とされているが、使用者が自由意思によって行う教育であって、労働者が使用者の実施する教育に参加することについて就業規則上の制裁等の不利益取扱による出席の強制がなく自由参加とされているものについても、労働者の技術水準向上のための教育の場合は所定労働時間内に行うことが原則であり、当該教育が所定労働時間外に行われるときは、当該時間は時間外労働時間として取り扱うこととされている。

D 事業場に火災が発生した場合、既に帰宅している所属労働者が任意に事業場に出勤し消火作業に従事した場合は、一般に労働時間としないと解されている。

E 警備員が実作業に従事しない仮眠時間について、当該警備員が労働契約に基づき仮眠室における待機と警報や電話等に対して直ちに対応することが義務付けられており、そのような対応をすることが皆無に等しいなど実質的に上記義務付けがされていないと認めることができるような事情が存しないなどの事実関係の下においては、実作業に従事していない時間も含め全体として警備員が使用者の指揮命令下に置かれているものであり、労働基準法第32条の労働時間に当たるとするのが、最高裁判所の判例である。

A ✕ 昭47.9.18基発602号、コンメンタール上411頁参照。健康診断の種類にかかわらず、すべて労働時間として取り扱うものとはされていません。労働安全衛生法の定めによる**一般健康診断**（定期健康診断、特定業務従事者の健康診断等）は、業務遂行との関連で行われるものではないため、その実施に要する時間は必ずしも**労働時間として取り扱う必要はありません**。一方、同法の定めによる特殊健康診断（有害業務従事者の健康診断）は、事業の遂行にからんで当然実施されなければならない性格のものであるため、その実施に要する時間は**労働時間として取り扱わなければならない**ものとされています。

B ✕ 昭33.10.11基収6286号。設問のトラック業者の運転手に係る「現実に貨物の積込を行う以外の全く労働の提供がない時間」（いわゆるトラック運転手の荷待ち時間）は、手待時間に該当し、出勤を命ぜられ、一定の場所に拘束されている以上、**労働時間と解されています**。

C ✕ 昭26.1.20基収2875号、昭47.9.18基発602号。労働安全衛生法に基づく**安全衛生教育**については、所定労働時間内に行うことが原則とされており、その実施に要する時間は**労働時間と解されています**。一方、**使用者が自由意思によって行う教育**であって、就業規則上の制裁等の不利益取扱いによる**出席の強制がなく自由参加**のものについては、所定労働時間内に行うことが原則とはされていません。労働者が所定労働時間外に使用者の実施する当該教育に参加する場合は、**時間外労働にはならない**とされています。つまり、当該教育を実施した時間は、労働時間とは解されておらず、時間外労働時間として取り扱う必要もありません。

D ✕ 昭23.10.23基収3141号。事業場に火災が発生した場合において、任意に出勤して従事した消火作業の時間は、**労働時間と解されています**。

E ○ 最判 平14.2.28大星ビル管理事件。警備員が実作業に従事しない仮眠時間（不活動仮眠時間）であっても、労働からの解放が保障されていない場合には、使用者の指揮命令下に置かれているものとして、**労働時間に該当する**とされています。

解答　E

問題 018

休憩時間等

過令5

難易度 普　重要度 B

労働基準法第34条（以下本問において「本条」という。）に定める休憩時間に関する次のアからオの記述のうち、正しいものの組合せは、後記AからEまでのうちどれか。

ア　休憩時間は、本条第2項により原則として一斉に与えなければならないとされているが、道路による貨物の運送の事業、倉庫における貨物の取扱いの事業には、この規定は適用されない。

イ　一昼夜交替制勤務は労働時間の延長ではなく二日間の所定労働時間を継続して勤務する場合であるから、本条の条文の解釈（一日の労働時間に対する休憩と解する）により一日の所定労働時間に対して1時間以上の休憩を与えるべきものと解して、2時間以上の休憩時間を労働時間の途中に与えなければならないとされている。

ウ　休憩時間中の外出について所属長の許可を受けさせるのは、事業場内において自由に休息し得る場合には必ずしも本条第3項（休憩時間の自由利用）に違反しない。

エ　本条第1項に定める「6時間を超える場合においては少くとも45分」とは、一勤務の実労働時間の総計が6時間を超え8時間までの場合は、その労働時間の途中に少なくとも45分の休憩を与えなければならないという意味であり、休憩時間の置かれる位置は問わない。

オ　工場の事務所において、昼食休憩時間に来客当番として待機させた場合、結果的に来客が1人もなかったとしても、休憩時間を与えたことにはならない。

A　（アとイとウ）　　　B　（アとイとエ）　　　C　（アとエとオ）

D　（イとウとオ）　　　E　（ウとエとオ）

ア　✕　法34条2項、40条1項、法別表第1第4号・5号、則31条。設問の事業のうち、倉庫における貨物の取扱いの事業（**貨物取扱業**）には、休憩の一斉付与の原則の規定が**適用されます**。この規定が適用除外となるのは、次の**8種類**の事業です。設問の事業のうち、道路による貨物の運送の事業（運輸交通業（運送業））は①に該当しますが、貨物取扱業はこれらの事業に該当しません。

休憩の一斉付与の 原則の適用除外	①運輸交通業	②商業	③金融・広告業
	④映画・演劇業	⑤郵便通信業	⑥保健衛生業
	⑦接客娯楽業	⑧非現業の官公署の事業	

イ　✕　昭23.5.10基収1582号。一昼夜交替制勤務（1勤務16時間隔日勤務制における勤務等）においても、労働基準法上は労働時間の途中に「1時間」の休憩を与えれば適法とされます。1勤務において「8時間を超える時間」がどのように長時間に及んでも、1時間の休憩を与えれば法違反とはなりません。

ウ　〇　昭23.10.30基発1575号。休憩時間中の**外出**について**所属長の許可**を受けさせることも、「事業場内において自由に休息し得る場合」には、必ずしも**違法とはなりません**。なお、このような外出許可制をとった場合には、使用者は、正当な理由なく許可しないことはできないと解されています。

エ　〇　コンメンタール上484頁参照。休憩時間は、労働時間の「途中に」与えられるものであれば、その置かれる位置は問われません。なお、労働時間の長さに応じて付与すべき休憩時間は、次のとおりです。

労働時間（1勤務の実労働時間）の長さ	付与すべき休憩時間
①6時間以下	休憩付与は不要
②6時間を超え8時間以下	少なくとも45分
③8時間を超える（どのように長時間でも）	少なくとも1時間

オ　〇　昭23.4.7基収1196号。昼食休憩時間に来客当番として待機させた時間（いわゆる**手待時間**に該当する。）は、「**労働時間**」であるため、**休憩時間には該当しません**。休憩時間とは、手待時間を含まず、労働者が権利として労働から離れることを保障されている時間をいいます。

以上から、正しいものの組合せは、**E**（ウとエとオ）です。

解答　**E**

労働時間等に関する規定の適用除外

予想　　　　　　　　　　　　　　　　　　　難易度 **普**　重要度 **B**

労働基準法第41条及び第41条の２に定める「労働時間等に関する規定の適用除外」に関する次の記述のうち、誤っているものはどれか。なお、本問において「高度プロフェッショナル制度」とは、同法第41条の２に基づき労働時間等に関する規定が適用除外とされる制度のことをいう。

A　労働基準法第41条第２号に規定する「監督若しくは管理の地位にある者」とは、一般的には、部長、工場長等労働条件の決定その他労務管理について経営者と一体的な立場にある者の意であり、名称にとらわれず、実態に即して判断すべきものであるとされている。

B　労働基準法第41条第３号に規定する「監視又は断続的労働に従事する者」に関して、タクシー運転については、相当の精神的緊張を要する業務であることから、断続的労働として労働時間等に関する規定の適用除外に係る許可をすべきではない業務とされている。

C　高度プロフェッショナル制度が適用される労働者は、労働契約により使用者から支払われると見込まれる賃金の額を１年間あたりの賃金の額に換算した額が基準年間平均給与額の３倍の額を相当程度上回る水準として厚生労働省令で定める額以上でなければならないが、この「厚生労働省令で定める額」は1,075万円とされている。

D　書面その他の厚生労働省令で定める方法により同意を得た対象労働者でなければ高度プロフェッショナル制度を適用することはできず、この同意の対象となる事項は、労働基準法第４章で定める労働時間、休憩、休日及び深夜の割増賃金に関する規定が適用されないこととなる旨並びに同意の対象となる期間及びその期間中に支払われると見込まれる賃金の額とされている。

E　高度プロフェッショナル制度の対象業務に従事する対象労働者に対して、使用者は、１年間を通じ104日以上、かつ、４週間を通じ４日以上の休日を労使委員会の決議及び就業規則その他これに準ずるもので定めるところにより与えなければならないが、年次有給休暇を与えた日を除き、１年に１回以上の継続した２週間について休日を与えた場合は、当該義務がなくなる。

A ○ 昭22.9.13発基17号。労働時間等に関する規定が適用除外となる「監督若しくは管理の地位にある者（**管理監督者**）」には、労働条件の決定その他労務管理について経営者と一体的な立場にある者が該当します。企業が任命する職制上の役付者（係長、課長、部長等）であればすべて管理監督者に該当するものではなく、**重要な職務と責任**を有し、現実の勤務態様も労働時間等の規制になじまないような立場にある者に限って、管理監督者として労働時間等に関する規定の適用を除外することが認められます。

B ○ 昭23.4.5基収1372号。タクシー運転は、たとえ実働時間が3時間から5時間程度と短い場合であっても、**相当の精神的緊張**を要する業務であり、断続的労働として許可をすべきではない業務とされています。

C ○ 法41条の2第1項2号ロ、則34条の2第6項。高度プロフェッショナル制度の対象労働者については、いわゆる年収要件が設けられています。具体的には、現在、年収の額が**1,075万円以上**であることがその要件とされています。

D ○ 法41条の2第1項本文、則34条の2第2項。高度プロフェッショナル制度が適用されると**労働時間**、**休憩**、**休日**及び**深夜の割増賃金**に関する規定が適用除外となるため、当該事項を含んだ同意を対象労働者から得なければなりません。なお、対象労働者は、この同意を**撤回**することもできます。

E ✕ 法41条の2第1項4号・5号。設問後半の場合でも、義務はなくなりません。**1年間を通じ104日以上**、かつ、**4週間を通じ4日以上の休日の付与**（休日確保措置）は、使用者が必ず講じなければならない措置とされています。

📍ポイント解説

高度プロフェッショナル制度の年収要件

　「1,075万円」という年収の額は、厚生労働省令で定められますが、これには法律上「**基準年間平均給与額**の3倍の額を相当程度上回る水準」でなければならないという歯止め規定が設けられています。なお、「**基準年間平均給与額**」とは、厚生労働省において作成する**毎月勤労統計**における毎月きまって支給する給与の額の1月分から12月分までの各月分の合計額のことです。

解答　**E**

問題 020

変形労働時間制等（1）

予想

難易度 **難**　重要度 **B**

変形労働時間制等に関する次の記述のうち、誤っているものはどれか。

A　1年単位の変形労働時間制に係る対象期間における労働日数の限度は、対象期間が3ヵ月を超える場合は対象期間について1年あたり280日とされており、具体的には、対象期間が3ヵ月を超え1年未満である場合の当該対象期間における労働日数の限度は、「280日×対象期間の暦日数÷365日」によって計算する。

B　1年単位の変形労働時間制に係る対象期間における労働時間は、対象期間が3ヵ月を超えるときは、①対象期間において、その労働時間が48時間を超える週が連続する場合の週数が3以下であること及び②対象期間をその初日から3ヵ月ごとに区分した各期間（3ヵ月未満の期間を生じたときは、当該期間）において、その労働時間が48時間を超える週の初日の数が3以下であることのいずれにも適合しなければならない。

C　1週間単位の非定型的変形労働時間制を採用することができる事業は、小売業、旅館、料理店及び飲食店の事業であって、常時使用する労働者の数が30人未満のものである。

D　フレックスタイム制を採用するためには、就業規則その他これに準ずるものにより、始業及び終業の時刻の両方を労働者の決定に委ねる旨を定める必要があり、いずれか一方の時刻のみを労働者の決定に委ねる旨を定めることでは足りない。

E　清算期間が1ヵ月を超えるフレックスタイム制を採用する事業場において、清算期間を1ヵ月ごとに区分した各期間を平均し1週間あたり50時間を超えて労働させた場合であっても、清算期間における総実労働時間が当該清算期間の法定労働時間の総枠を超えていないときは、時間外労働とはならず、割増賃金の支払いは不要である。

A ○ 法32条の4第3項、則12条の4第3項、平11.1.29基発45号。1年単位の変形労働時間制については、対象期間が**3ヵ月を超える**場合には労働日数の限度が定められています。この労働日数の限度は、**1年あたり**280日であり、具体的には、対象期間の長さに応じて、次の計算式によって計算します。

> **280日×（対象期間の暦日数÷365日）** ※小数点以下の端数は切捨て

B ○ 法32条の4第3項、則12条の4第4項。1年単位の変形労働時間制については、労働時間の限度が定められており、対象期間の長短に関係なく、**1日につき10時間、1週間につき52時間**とされています。この場合において、対象期間が**3ヵ月を超える**ときは、次の①②のいずれにも適合しなければなりません。

> ①対象期間において、その労働時間が48時間を超える週が連続する場合の週数が3以下であること。
> ②対象期間をその初日から**3ヵ月ごとに区分した各期間**（3ヵ月未満の期間を生じたときは、当該期間）において、その労働時間が48時間を超える週の初日の数が3以下であること。

C ○ 法32条の5第1項、則12条の5第1項・2項。1週間単位の非定型的変形労働時間制の対象事業は、**小売業、旅館、料理店及び飲食店**の事業であって、**常時使用する労働者の数が30人未満**のものに限られます。

D ○ 法32条の3第1項、昭63.1.1基発1号。フレックスタイム制の採用の要件は、①**就業規則その他これに準ずるもの**により始業及び終業の時刻を労働者の決定に委ねる旨を定めた上で、②所定の事項を定めた**労使協定**を締結することです。このうち①については、**始業・終業の両方**の時刻の決定を労働者に委ねる必要があり、いずれか一方のみを委ねるものは、フレックスタイム制には該当しません。

E × 法32条の3第2項、平30基発1228第15号。設問の場合には、時間外労働となるため、割増賃金を支払わなければなりません。清算期間が1ヵ月を超えるフレックスタイム制においては、次の時間が時間外労働となります。

> ①清算期間を**1ヵ月ごとに区分**した各期間における実労働時間のうち各期間を平均し1週間あたり**50時間を超えて**労働させた時間
> ②清算期間における総実労働時間のうち、当該清算期間の法定労働時間の**総枠を超えて**労働させた時間（上記①で算定された時間外労働時間を除く。）

解答 E

変形労働時間制等（2）

過令元

難易度 普　重要度 B

労働基準法第32条の２に定めるいわゆる１か月単位の変形労働時間制に関する次の記述のうち、正しいものはどれか。

A １か月単位の変形労働時間制により労働者に労働させる場合にはその期間の起算日を定める必要があるが、その期間を１か月とする場合は、毎月１日から月末までの暦月による。

B １か月単位の変形労働時間制は、満18歳に満たない者及びその適用除外を請求した育児を行う者については適用しない。

C １か月単位の変形労働時間制により所定労働時間が、１日６時間とされていた日の労働時間を当日の業務の都合により８時間まで延長したが、その同一週内の１日10時間とされていた日の労働を８時間に短縮した。この場合、１日６時間とされていた日に延長した２時間の労働は時間外労働にはならない。

D １か月単位の変形労働時間制は、就業規則その他これに準ずるものによる定めだけでは足りず、例えば当該事業場に労働者の過半数で組織する労働組合がある場合においてはその労働組合と書面により協定し、かつ、当該協定を所轄労働基準監督署長に届け出ることによって、採用することができる。

E １か月単位の変形労働時間制においては、１日の労働時間の限度は16時間、１週間の労働時間の限度は60時間の範囲内で各労働日の労働時間を定めなければならない。

A ✕ 則12条の２第１項。設問後半の「期間を１か月とする場合は、毎月１日から月末までの**暦月による**」との制限はありません。たとえば、暦月によらずに、毎月16日から翌月15日までの１ヵ月を単位とすることも可能です。なお、１ヵ月単位の変形労働時間制に係る期間（変形期間）の起算日を定める必要があるとする点は、正しい内容です。

B ✕ 法60条１項、66条１項、則12条の６。適用除外を請求した**育児を行う者**について適用しないとする規定はありません。育児を行う者については、育児に必要な時間を確保できるような配慮をしなければならない旨のみが定められています。なお、設問のうち、満18歳に満たない者については、原則として、１ヵ月の単位変形労働時間制は適用されません。

C 〇 昭63.1.1基発１号。まず、①所定労働時間が「１日６時間とされていた日」（所定労働時間が８時間以内の日）については、法定労働時間である**８時間を超えて**労働した時間が時間外労働となります。設問では、８時間を超えて労働していません。また、②この日の労働時間を２時間延長していますが、同一週内の１日10時間とされていた日の労働を８時間とし、２時間短縮しているため、１週間の労働時間も法定労働時間又はその週につき定めた時間内となります。したがって、①と②により、延長した２時間の労働は時間外労働にはなりません。

D ✕ 法32条の２、則12条の２の２第２項。**就業規則**その他これに準ずるものによる定めだけでも採用することができます。１ヵ月単位の変形労働時間制は、**労使協定又は就業規則**その他これに準ずるもののいずれかにより、採用することができるためです。なお、労使協定により採用した場合には、当該労使協定を所轄労働基準監督署長に届け出なければなりません。

E ✕ 法32条の２第１項。１ヵ月単位の変形労働時間制については、**労働時間の限度**は定められていません。１日16時間や１週間60時間を超えるような極端に長い労働時間を設定することも可能です。１ヵ月以内の変形期間を平均し１週間あたりの労働時間が法定労働時間（40時間又は44時間）超えない範囲内で、各労働日及び各週の労働時間を定めれば足ります。

解答 C

時間外労働等

過令4

難易度 難　重要度 Ⓐ

労働基準法第36条（以下本問において「本条」という。）に定める時間外及び休日の労働等に関する次の記述のうち、誤っているものはどれか。

A　使用者が労働基準法施行規則第23条によって日直を断続的勤務として許可を受けた場合には、本条第1項の協定がなくとも、休日に日直をさせることができる。

B　小売業の事業場で経理業務のみに従事する労働者について、対象期間を令和4年1月1日から同年12月31日までの1年間とする本条第1項の協定をし、いわゆる特別条項により、1か月について95時間、1年について700時間の時間外労働を可能としている事業場においては、同年の1月に90時間、2月に70時間、3月に85時間、4月に75時間、5月に80時間の時間外労働をさせることができる。

C　労働者が遅刻をし、その時間だけ通常の終業時刻を繰り下げて労働させる場合に、一日の実労働時間を通算すれば労働基準法第32条又は第40条の労働時間を超えないときは、本条第1項に基づく協定及び労働基準法第37条に基づく割増賃金支払の必要はない。

D　就業規則に所定労働時間を1日7時間、1週35時間と定めたときは、1週35時間を超え1週間の法定労働時間まで労働時間を延長する場合、各日の労働時間が8時間を超えずかつ休日労働を行わせない限り、本条第1項の協定をする必要はない。

E　本条第1項の協定は、事業場ごとに締結するよう規定されているが、本社において社長と当該会社の労働組合本部の長とが締結した本条第1項の協定に基づき、支店又は出張所がそれぞれ当該事業場の業務の種類、労働者数、所定労働時間等所要事項のみ記入して所轄労働基準監督署長に届け出た場合、当該組合が各事業場ごとにその事業場の労働者の過半数で組織されている限り、その取扱いが認められる。

A ○ 昭23.6.16基収1933号。労働基準法施行規則23条では、**宿直又は日直の勤**
務で断続的な業務について、使用者が**所轄労働基準監督署長の許可を受けた場**
合は、法32条（労働時間）の規定にかかわらず、労働者を使用することができる
と規定しています。また、この場合には、当該労働者は、労働時間、休憩及び
休日に関する規定の適用除外者に該当するものと解されています。このため、使
用者がこの許可を受けた場合には、法36条1項の協定（以下「36協定」という。）
がなくとも、**休日に日直をさせることができます。**

B × 法36条5項・6項、コンメンタール上502頁参照。設問のように時間外労
働をさせることはできません。36協定に特別条項がある場合であっても、時間外
労働と休日労働の合計は、①**1ヵ月（単月で）100時間未満**、②2ヵ月、3ヵ
月、4ヵ月、5ヵ月及び6ヵ月のそれぞれの**平均がすべて1ヵ月あたり80時間**
以内としなければなりません。設問では、「1月（90時間）、2月（70時間）及び
3月（85時間）」の3ヵ月の時間外労働の平均が1ヵ月あたり「81.666…時間」
となっており、**80時間を超えているため**、法違反（上記②の違反）となり認めら
れません。

C ○ 昭29.12.1基収6143号。**遅刻時間に相当する時間**だけ通常の終業時刻を繰
り下げて労働させる場合において、1日の実労働時間を通算して法32条及び法
40条の（法定）労働時間を**超えないとき**は、36協定及び割増賃金の支払いは**必**
要ありません。

D ○ コンメンタール上505頁参照。36協定が必要となるのは、1週間若しくは
1日の**法定**労働時間を超えて労働（時間外労働）をさせる場合又は**法定休日**に
労働（休日労働）をさせる場合です。したがって、設問のように、時間外労働及
び休日労働を行わせない場合には、36協定は必要ありません。

E ○ 昭24.2.9基収4234号。本社の代表者と労働組合本部の長が締結した36協
定に基づく場合には、当該労働組合が各事業場ごとに**その事業場の労働者の過**
半数で組織されている限り、支店又は出張所において、設問の取扱い（**所要事**
項のみを記入した届出）が認められています。

解答   **B**

チェック欄

割増賃金

予想

難易度 普　重要度 Ⓐ

労働基準法に定める割増賃金に関する次の記述のうち、正しいものはどれか。

A　就業中の停電により労働者の作業を一時中止して自由に休憩させ、送電の回復をまって作業を続開し、停電で休憩させた時間だけ終業時刻を繰り下げた場合においては、その労働時間が前後通算して8時間以内であっても、使用者は、通常日の終業時刻以後の労働について、時間外労働の割増賃金を支払わなければならない。

B　出来高払制その他の請負制によって定められた賃金についての割増賃金の基礎となる「通常の労働時間又は通常の労働日の賃金の計算額」は、その賃金算定期間（賃金締切日がある場合には、賃金締切期間）において、出来高払制その他の請負制によって計算された賃金の総額を当該賃金算定期間における総所定労働時間数で除した金額に、時間外労働、休日労働又は深夜労働の時間数を乗じた金額となる。

C　使用者は、時間外労働が1ヵ月について60時間を超えた場合においては、その超えた時間の労働については、通常の労働時間の賃金の計算額の5割以上の率で計算した割増賃金を支払わなければならないが、中小事業主の事業については、この規定は適用されない。

D　労働基準法第37条第3項の休暇（以下「代替休暇」という。）を実施する場合には、事業場において労使協定を締結する必要があるが、この労使協定は、個々の労働者に対して代替休暇の取得を義務づけるものではなく、個々の労働者が実際に代替休暇を取得するか否かは、労働者の意思によるものとされている。

E　代替休暇を与えることができる期間については、特に長い時間外労働が行われた月から一定の近接した期間に与えられることによって労働者の休息の機会とする観点から、労働基準法施行規則第19条の2第1項第3号において、時間外労働が1ヵ月について60時間を超えた当該1ヵ月の初日から2ヵ月以内とされており、労使協定では、この範囲内で定める必要がある。

A　×　昭22.12.26基発573号。時間外労働の割増賃金の支払いを**要しません**。時間外労働の割増賃金は、**法定労働時間を超えて**労働させた場合に支払わなければなりません。したがって、設問のように作業を一時中止して休憩させた時間だけ終業時刻を繰り下げた場合に、その労働時間が前後通算して８時間以内（法定労働時間以内）であれば、時間外労働の割増賃金の支払いは不要です。

B　×　則19条１項６号。「総所定労働時間数」ではなく、「総労働時間数（実際の総労働時間数）」です。出来高払制その他の請負制によって定められた賃金については、１時間あたりの賃金額である「その賃金算定期間（賃金締切日がある場合には、賃金締切期間）における**賃金の総額**÷当該賃金算定期間における**総労働時間数**」に、時間外労働、休日労働又は深夜労働の時間数を乗じた金額が、割増賃金の基礎となる「通常の労働時間又は通常の労働日の賃金の計算額」となります。

C　×　法37条１項。中小事業主の事業にも適用されます。月60時間を超える時間外労働に係る割増賃金率は５割以上の率となりますが、この規定は、**企業の規模にかかわらず、適用されます**（令和５年４月１日施行の改正により、中小事業主に対する適用猶予の規定は削除されている。）。なお、この規定については、①**休日労働**の時間は**含まれない**こと、②**深夜時間帯**に時間外労働が行われた場合には、**７割５分以上**の割増賃金率となる点も押さえておきましょう。

D　○　平21基発0529001号。労使協定は、個々の労働者に対して**代替休暇の取得を義務づける**ものではなく、実際に代替休暇を取得するか否かは、**労働者の意思**によるものとされています。なお、代替休暇の取得日について、労働者が希望した日を使用者が一方的に変更・拒否することは認められていません。

E　×　則19条の２第１項３号、平21基発0529001号。「１ヵ月の初日」ではなく、「１ヵ月の末日の翌日」から２ヵ月以内です。代替休暇を与えることができる期間は、時間外労働が１ヵ月について60時間を超えた当該**１ヵ月の末日の翌日**から**２ヵ月以内**とされています。たとえば、時間外労働が60時間を超えた月が４月である場合には、４月末日の翌日（５月１日）から２ヵ月以内（６月30日まで）の範囲内で定める必要があります。このほかは、正しい内容です。

解答　D

年次有給休暇（1）

過令6

難易度 普　重要度 Ⓐ

労働基準法に定める年次有給休暇に関する次の記述のうち、正しいものはどれか。

A　月曜日から金曜日まで１日の所定労働時間が４時間の週５日労働で、１週間の所定労働時間が20時間である労働者が、雇入れの日から起算して６か月間継続勤務し全労働日の８割以上出勤した場合に労働基準法第39条（以下本問において「本条」という。）の規定により当該労働者に付与される年次有給休暇は、５労働日である。

B　月曜日から木曜日まで１日の所定労働時間が８時間の週４日労働で、１週間の所定労働時間が32時間である労働者が、雇入れの日から起算して６か月間継続勤務し全労働日の８割以上出勤した場合に本条の規定により当該労働者に付与される年次有給休暇は、次の計算式により７労働日である。

〔計算式〕　10日×４日／5.2日≒7.69日　端数を切り捨てて７日

C　令和６年４月１日入社と同時に10労働日の年次有給休暇を労働者に付与した使用者は、このうち５日については、令和７年９月30日までに時季を定めることにより与えなければならない。

D　使用者の時季指定による年５日以上の年次有給休暇の取得について、労働者が半日単位で年次有給休暇を取得した日数分については、本条第８項の「日数」に含まれ、当該日数分について使用者は時季指定を要しないが、労働者が時間単位で取得した分については、本条第８項の「日数」には含まれないとされている。

E　産前産後の女性が労働基準法第65条の規定によって休業した期間及び生理日の就業が著しく困難な女性が同法第68条の規定によって就業しなかった期間は、本条第１項「使用者は、その雇入れの日から起算して６か月間継続勤務し全労働日の８割以上出勤した労働者に対して、継続し、又は分割した10労働日の有給休暇を与えなければならない。」の適用においては、これを出勤したものとみなす。

A ✕ 法39条1項・3項、則24条の3第1項。設問の労働者に付与される年次有給休暇は、「5労働日」ではなく、「10労働日」です。設問は、比例付与についてですが、比例付与の対象となるのは、次の①②の**いずれにも該当**する労働者です。設問の者は、週所定労働日数が「5日」であるため、①に該当しません。したがって、この者に付与される年次有給休暇の日数は、原則どおりの「10労働日」となります。

①**週所定労働日数が4日以下**（週以外の期間によって所定労働日数が定められている場合は、年間所定労働日数が216日以下）

②**週所定労働時間が30時間未満**

B ✕ 法39条1項・3項、則24条の3第1項。設問の労働者に付与される年次有給休暇は、「7労働日」ではなく、「10労働日」です。設問の者は、週所定労働時間が「32時間」であるため、比例付与の要件である解答**A**の②に該当しません。したがって、この者に付与される年次有給休暇の日数は、原則どおりの「10労働日」となります。

C ✕ 則24条の5第1項、平30基発0907第1号。令和7年「9月30日」ではなく、「3月31日」です。設問の場合には、法定の基準日（令和6年10月1日）より前の日であって、**10労働日以上の年次有給休暇を与えることとした日**（第1基準日＝令和6年4月1日）から**1年以内**の期間、つまり、令和7年3月31日までに、使用者は、その時季を定めることにより、5日の年次有給休暇を与えなければなりません。

D 〇 平30基発1228第15号。使用者の時季指定による年次有給休暇については、労働者が自らの時季指定や計画的付与により取得した「日数」分については、これを**与えることを要しません**。この規定に関し、労働者が**半日単位**で年次有給休暇を取得した日数分については、**0.5日**として上記の「日数」に含まれ、当該日数分について使用者は時季指定を**要しません**。これに対し、労働者が**時間単位**で取得した日数分については、上記の「日数」には**含まれません**。

E ✕ 法39条10項、昭23.7.31基収2675号。設問の「生理日の就業が著しく困難な女性が同法第68条の規定によって就業しなかった期間」（**生理休暇の期間**）は、年次有給休暇の出勤率の算定において、出勤したものとはみなされません。なお、設問冒頭の**産前産後休業の期間**は、出勤したものと**みなされます**。

解答 D

年次有給休暇（2）

予想　　　　　　　　　　　　　　　　難易度 普　重要度 B

労働基準法に定める年次有給休暇に関する次の記述のうち、誤っているものはどれか。

A　勤務割による勤務体制がとられている事業場において、使用者としての通常の配慮をすれば、勤務割を変更して代替勤務者を配置することが客観的に可能な状況にあると認められるにもかかわらず、使用者がそのための配慮をしないことにより代替勤務者が配置されないときは、必要配置人員を欠くものとして労働基準法第39条第5項の「事業の正常な運営を妨げる場合」にあたるということはできないと解するのが相当であるとするのが最高裁判所の判例である。

B　労働者が、ある日の午前9時から午前10時までの1時間という時間を単位として年次有給休暇の請求を行った場合において、使用者は、そのような短時間であっても、その時間に年次有給休暇を与えることが事業の正常な運営を妨げるときは、いわゆる時季変更権を行使することができる。

C　年次有給休暇の付与に係る出勤率の算定にあたり、労働者が所定の休日に労働した日は、全労働日に含まれない。

D　使用者は、年次有給休暇を与えたときは、年次有給休暇管理簿を作成し、当該年次有給休暇を与えた期間中及び当該期間の満了後5年間（当分の間、3年間）保存しなければならない。

E　使用者は、労使協定により、年次有給休暇のいわゆる計画的付与に関する定めをした場合であっても、当該労使協定に定められた日に計画的付与の対象となっている労働者を就労させる必要が生じたときは、時季変更権を行使することができる。

A　○　最判 昭62.7.10弘前電報電話局事件。使用者が**時季変更権**を行使すること
ができるのは、労働者から請求された時季に年次有給休暇を与えることが「**事業
の正常な運営を妨げる場合**」に限られます。設問のように勤務割による勤務体制
がとられている事業場においては、使用者としての**通常の配慮**をすれば、勤務割
を変更して**代替勤務者の配置**をすることが可能であるにもかかわらず、使用者が
それをしない場合には、「事業の正常な運営を妨げる場合」には該当しないもの
とされています。

B　○　法39条５項、平21基発0529001号。**時間単位年休**についても、使用者の**時
季変更権**の行使が認められています。ただし、日単位での請求を時間単位に変更
することや、時間単位での請求を日単位に変更することは、認められません。

C　○　昭33.2.13基発90号。出勤率の算定にあたり、①**不可抗力**による休業日、
②**使用者側に起因**する経営、管理上の障害による休業日、③正当な同盟罷業そ
の他**正当な争議行為**により労務の提供が全くなされなかった日、④所定の休日
に労働した日、⑤**代替休暇**を取得して終日出勤しなかった日は、いずれも全労
働日から除外されます。

D　○　則24条の７、則附則71条。使用者は、年次有給休暇を与えたときは、**年次
有給休暇管理簿**を作成し、保存しなければなりません。年次有給休暇管理簿に
おいては、年次有給休暇の時季、日数及び基準日を労働者ごとに記載します。
また、年次有給休暇管理簿の保存期間は、**５年間**（当分の間、**３年間**）です。

E　×　法39条６項、昭63.3.14基発150号。時季変更権を行使することはできませ
ん。年次有給休暇の計画的付与が行われた場合には、その分の年次有給休暇に
ついて、労働者の**時季指定権**及び使用者の**時季変更権**の行使は、いずれも認め
られません。

解答　E

年次有給休暇（3）

予想

難易度 普　重要度 A

労働基準法に定める年次有給休暇に関する次のアからオまでの記述のうち、正しいものの組合せは、後記AからEまでのうちどれか。

ア　就業規則で「年次有給休暇は翌年度に繰り越してはならない」と定められている場合には、年次有給休暇の権利が発生した当該年度において労働者がその権利を行使せずに残った日数分の年次有給休暇の権利は、当該年度が経過した時点で消滅するため、労働者は、当該年度の翌年度において、その残った日数分の年次有給休暇を請求することができない。

イ　年次有給休暇の買上げの予約をし、これに基づいて労働基準法第39条の規定により労働者が請求することができる年次有給休暇の日数を減じ、又は請求された日数を与えないことは、同条に違反する。

ウ　年次有給休暇は、労働義務のある日についてのみ請求することができるものであるから、労働者は、育児休業申出後には、育児休業期間中の日について年次有給休暇を請求することはできない。

エ　使用者は、請求された時季に年次有給休暇を与えることが事業の正常な運営を妨げる場合においては、他の時季にこれを与えることができるが、この事業の正常な運営を妨げるかどうかの判断は、派遣中の労働者の年次有給休暇に関しては、派遣先の事業についてなされる。

オ　労働者がその所属の事業場においてその業務の正常な運営の阻害を目的として一斉に年次有給休暇を請求して職場を放棄する場合であっても、それは年次有給休暇権の行使であると認められる。

A　（アとウ）　　B　（アとオ）　　C　（イとウ）
D　（イとエ）　　E　（エとオ）

ア　✕　法115条、昭22.12.15基発501号、昭23.5.5基発686号。年次有給休暇の権利が発生した当該年度（以下「権利発生年度」という。）の翌年度においても、その残った日数分の年次有給休暇を請求することができます。年次有給休暇の請求権は、**2年**を経過したときは、**時効により消滅**します。言い換えれば、権利発生年度の翌年度までは、時効により消滅しないため、その残った日数分の年次有給休暇を**繰り越す**ことが認められます。したがって、労働者は、権利発生年度の翌年度において、その残った日数分の年次有給休暇を請求することができます。

イ　〇　昭30.11.30基収4718号。年次有給休暇の**買上げの予約**をし、これに基づいて法定の年次有給休暇（労働基準法39条の規定による年次有給休暇）の日数を減じ、又は請求された日数を与えないことは、同条に**違反**します。ただし、法定の年次有給休暇の日数を超えて付与している場合のその超える日数分を買い上げることは、差し支えないものとされています。

ウ　〇　平3.12.20基発712号。**労働義務のない**育児休業期間中の日について年次有給休暇を請求する余地はありません。これに対して、育児休業**申出前**に育児休業期間中の日について年次有給休暇の時季指定や労使協定に基づく計画的付与が行われた場合には、当該日には年次有給休暇を取得したものと解されます。

エ　✕　法39条5項、昭61.6.6基発333号。**派遣元**の事業について判断がなされます。派遣中の労働者が派遣先の事業において就労しないことが派遣先の事業の正常な運営を妨げる場合であっても、派遣元の事業との関係においては、事業の正常な運営を妨げる場合にあたらない場合もあり得るので、代替労働者の派遣の可能性も含めて、派遣元の事業の正常な運営を妨げるかどうかを判断することになります。

オ　✕　昭48.3.6基発110号。設問の場合は、年次有給休暇権の行使とは認められません。労働者がその所属する**事業場**においてその業務の正常な運営の阻害を目的として一斉に年次有給休暇を請求して職場を放棄することは、年次有給休暇に名を借りた同盟罷業にほかならないため、年次有給休暇権の行使とは**認められません**。なお、他の事業場における争議行為に年次有給休暇をとって参加するような場合は、年次有給休暇権の行使であると認められます。

以上から、正しいものの組合せは、**C（イとウ）**です。

解答　C

問題 027

年次有給休暇（4）

予想

難易度 難　重要度 Ⓐ

年次有給休暇に関する次の記述のうち、正しいものはどれか。

A　年次有給休暇の権利は、労働基準法第39条第1項及び第2項の要件が充足されることによって法律上当然に労働者に生ずる権利ではなく、同条第3項〔現第5項に相当〕にいう労働者の「請求」をまってはじめて生ずるものであり、当該請求によって具体的な休暇の始期と終期を特定したときは、使用者が時季変更権を行使しない限り、年次有給休暇が成立し、当該労働日における就労義務が消滅するものと解するのが相当であるとするのが最高裁判所の判例である。

B　1週間の所定労働日数が3日であり、かつ、1週間の所定労働時間が21時間である労働者が、その雇入れの日から起算して6ヵ月間継続勤務し全労働日の8割以上出勤した場合において、当該6ヵ月間継続勤務した日の翌日に1週間の所定労働日数が5日に変更されたときは、使用者は、当該労働者に対して、10労働日の年次有給休暇を与えなければならない。

C　労働基準法第39条第1項に規定する年次有給休暇の付与要件である継続勤務の判断において、定年退職による退職者を引き続き嘱託等として再雇用している場合には、退職と再雇用との間に相当期間があり、客観的に労働関係が断続していると認められるときを除き、勤務年数を通算しなければならないが、その者に退職手当規程に基づいて所定の退職手当を支給したときは、勤務年数を通算しなくても差し支えない。

D　使用者が、労使協定で定めるところにより時間を単位として年次有給休暇を与えることができるものとした場合において、当該労使協定に定める「時間を単位として与えることができることとされる有給休暇1日の時間数」は、1日の所定労働時間数を下回らないものでなければならない。

E　年次有給休暇の付与要件である出勤率の算定にあたって、基準日の斉一的取扱い（全労働者について一律の基準日を定めて年次有給休暇を与える取扱いをいう。）によりその算定期間が短縮された労働者については、その短縮された期間は8割の出勤があったものとしなければならない。

A ✕　最判 昭48.3.2白石営林署事件。最高裁判所の判例によれば、年次有給休暇の権利は、法39条1項・2項の要件（継続勤務及び出勤率）が充足されることによって**法律上当然**に**労働者**に**生ずる権利**であって、労働者の**請求をまってはじめて生ずるものではない**としています。なお、法39条5項の「請求」の趣旨は、年次有給休暇の時季の「指定」にほかならないものと解すべきであるとしており、労働者が具体的な休暇の始期と終期を特定して時季指定をしたときは、使用者が時季変更権を行使しない限り、当該時季指定によって年次有給休暇が成立し、当該労働日における就労義務が消滅するものと解するのが相当であるとしています。

B ✕　法39条3項、昭63.3.14基発150号。設問の労働者に対しては、10労働日の年次有給休暇を与える必要はありません。設問の労働者は**比例付与**の対象となる（週所定労働日数が4日以下であり、**かつ**、週所定労働時間が**30時間未満**である。）ため、5労働日（≒原則的な付与日数(10日)×週所定労働日数(3日)÷5.2日（小数点以下の端数は切捨て））の年次有給休暇を付与すれば足ります。年次有給休暇の権利は基準日（設問の場合は、雇入れの日から起算して6ヵ月間継続勤務した日）において発生するため、その翌日に所定労働日数が変更されたとしても、付与しなければならない日数は**変更されません**。

C ✕　昭63.3.14基発150号。設問後半の場合にも、勤務年数を通算しなければなりません。定年退職による退職者を引き続き嘱託等として再雇用している場合には、退職手当の支給の有無にかかわらず、**実質的**に**労働関係**が**継続**している限り、**勤務年数を通算**しなければなりません。

D 〇　法39条4項、則24条の4第1号。設問の事項は、言い換えれば、1日分の年次有給休暇が何時間分の時間単位年休に相当するかです。この時間数は、所定労働時間数を基に、**1時間に満たない端数がある場合は時間単位に切り上げて計算します。たとえば、所定労働時間が7時間30分である労働者については、この時間数を8時間とします。これにより、時間単位年休として取得可能な日数が5日分であれば、時間に換算して40時間分（＝8時間×5日）となります。

E ✕　平6.1.4基発1号。設問の労働者については、**短縮された期間**は全期間出勤したものとみなして、出勤率を算定しなければなりません。たとえば、本来の基準日がある年の6月1日である労働者について、斉一的取扱いにより基準日が同年4月1日とされた場合には、4月1日から5月31日までの期間（短縮された期間）は全期間出勤したものとみなして、出勤率を算定しなければなりません。

解答　**D**

問題 028

年少者、妊産婦等（1）

過平29

難易度 普　重要度 B

労働基準法に定める年少者及び妊産婦等に関する次の記述のうち、正しいものはどれか。

A 労働基準法第56条第1項は、「使用者は、児童が満15歳に達するまで、これを使用してはならない。」と定めている。

B 使用者は、児童の年齢を証明する戸籍証明書を事業場に備え付けることを条件として、満13歳以上15歳未満の児童を使用することができる。

C 労働基準法第56条第2項の規定によって使用する児童の法定労働時間は、修学時間を通算して1週間について40時間、及び修学時間を通算して1日について7時間とされている。

D 使用者は、すべての妊産婦について、時間外労働、休日労働又は深夜業をさせてはならない。

E 使用者は、生理日の就業が著しく困難な女性が休暇を請求したときは、その者を生理日に就業させてはならないが、請求にあたっては医師の診断書が必要とされている。

A　× 法56条1項。「満15歳に達するまで」ではなく、「満15歳に達した日以後の最初の3月31日が終了するまで」です。つまり、原則として、**満15歳到達年度末**（義務教育終了）までは、使用が禁止されます。

B　× 法56条2項。児童の年齢を証明する証明書を備え付けることは、使用者に義務づけられていますが、設問の児童を使用するための条件ではありません。設問の児童を使用するためには、**行政官庁の許可を受けること**等が条件となります。

C　○ 法60条2項。児童の労働時間の限度は、**修学時間を通算**して、1週間について**40時間**、1日について**7時間**とされています。なお、修学時間とは、授業開始時刻から同日の最終授業終了時刻までの時間から休憩時間（昼食時間を含む。）を除いた時間をいいます。

D　× 法66条2項・3項。すべての妊産婦について、時間外労働、休日労働及び深夜業をさせてはならないのではありません。妊産婦について、**時間外労働、休日労働**及び**深夜業**が禁止されるのは、使用者に**請求**をした妊産婦に限られます。

E　× 法68条、昭23.5.5基発682号。生理休暇の請求にあたり、医師の診断書は必要とされていません。使用者は、**生理日の就業が著しく困難**な女性が休暇を請求したときは、その者を生理日に就業させてはなりません。「生理日の就業が著しく困難」であるとは、医師の診断書のような厳格な証明は不要であり、**同僚の証言程度**でも足りると解されています。

解答　C

年少者、妊産婦等 (2)

予想

難易度 **難**　重要度 **B**

労働基準法に定める年少者及び妊産婦等に関する次の記述のうち、誤っているもの
はいくつあるか。

ア　親権者又は後見人は、未成年者に代って労働契約を締結してはならず、また、
当該労働契約が未成年者に不利であると認める場合においても、これを解除するこ
とができない。

イ　使用者は、満18歳に満たない者については、災害その他避けることができない事
由によって、臨時の必要がある場合においても、時間外労働及び休日労働をさせる
ことができない。

ウ　使用者は、満18歳に満たない者を使用者の責めに帰すべき事由に基づき解雇す
る場合において、その者が解雇の日から30日以内に帰郷するときは、必要な旅費を
負担しなければならない。

エ　使用者は、妊娠中の女性及び産後1年を経過しない女性については、坑内で行わ
れるすべての業務に就かせてはならない。

オ　生後満1年に達しない生児を育てる女性が請求した場合においては、使用者は、
労働基準法第34条の休憩時間のほかに、1日2回各々少なくとも30分の育児時間
を労働時間の途中に与えなければならない。

A　一つ
B　二つ
C　三つ
D　四つ
E　五つ

ア　✕　法58条。労働契約が**未成年者に不利**であると認める場合に、**将来に向って**これを**解除**することはできます。この解除は、未成年者の親権者又は後見人のほか、行政官庁（所轄労働基準監督署長）も行うことができます。なお、親権者又は後見人が、未成年者に**代わって**労働契約を**締結してはならない**点については、正しい記述です。

イ　✕　法60条1項。設問の場合には、時間外労働及び休日労働をさせることができます。**年少者**（満18歳に満たない者）には、労働時間、休憩及び休日に関する原則的な規定が厳格に適用されますが、**非常災害時**又は**公務の場合**の時間外労働及び休日労働は、禁止されていません。

ウ　✕　法64条。「30日以内」ではなく、「14日以内」です。満18歳に満たない者が**解雇の日から14日以内**に帰郷する場合においては、使用者は、**必要な旅費**を負担しなければなりません。なお、満18歳に満たない者がその責めに帰すべき事由に基づいて解雇され、使用者がその事由について行政官庁の認定を受けたときは、この帰郷旅費の負担は不要です。

エ　✕　法64条の2。「産後1年を経過しない女性」ではなく、「坑内で行われる業務に従事しない旨を使用者に申し出た産後1年を経過しない女性」です。産後1年を経過しない女性（**産婦**）については、**使用者に申し出た**場合に限り、坑内業務が全面的に禁止となります。

オ　✕　法67条1項、昭33.6.25基収4317号。必ずしも**労働時間の途中**に与えることを要しません。育児時間をいつ与えるかについては、特に定めがありません。

以上から、誤っているものは五つであるため、正解はEです。

ポイント解説

休憩時間と育児時間

　休憩時間は、労働時間の途中に与えなければならないとされているため、これを始業時刻又は終業時刻に接した時間帯に与えることはできません。これに対して、**育児時間**の請求は、労働時間の途中についてしなければならないとする規定はないため、始業時刻又は終業時刻に接した時間帯に育児時間を請求することが可能であり、使用者は、**請求どおりの時間帯**にこれを与えなければなりません。

解答　E

妊産婦等

過令3

難易度 **易**　重要度 **B**

労働基準法第65条に関する次の記述のうち、誤っているものはどれか。

A　労働基準法第65条の「出産」の範囲は、妊娠4か月以上の分娩をいうが、1か月は28日として計算するので、4か月以上というのは、85日以上ということになる。

B　労働基準法第65条の「出産」の範囲に妊娠中絶が含まれることはない。

C　使用者は、産後8週間（女性が請求した場合において、その者について医師が支障がないと認めた業務に就かせる場合は6週間）を経過しない女性を就業させてはならないが、出産当日は、産前6週間に含まれる。

D　6週間（多胎妊娠の場合にあっては、14週間）以内に出産する予定の女性労働者については、当該女性労働者の請求が産前の休業の条件となっているので、当該女性労働者の請求がなければ、労働基準法第65条第1項による就業禁止に該当しない。

E　労働基準法第65条第3項は原則として妊娠中の女性が請求した業務に転換させる趣旨であるが、新たに軽易な業務を創設して与える義務まで課したものではない。

A ○ 昭23.12.23基発1885号。法65条の「出産」の範囲は、妊娠4ヵ月以上の分娩をいい、1ヵ月は**28日**として計算されます。したがって、妊娠4ヵ月以上とは、**85日**（＝28日×3ヵ月＋1日）**以上**ということになります。

B × 昭23.12.23基発1885号、昭26.4.2婦発113号。**妊娠中絶**も、妊娠4ヵ月以上で行ったものであれば、「出産」の範囲に**含まれます**。法65条の「出産」については、正常出産、早産、流産、人工妊娠中絶（人工流産）、死産等は**問われません**。なお、妊娠中絶の場合においては、産前休業の問題は発生しませんが、妊娠4ヵ月以上で行ったものであるときは、産後休業の問題は発生します。これは、産前休業の期間は**自然の出産予定日**を基準として計算するものであり、産後休業の期間は**現実の出産日**を基準として計算するものであるためです。

C ○ 法65条2項、昭25.3.31基収4057号。使用者は、産後休業の期間にある女性については、労働者の**請求の有無を問わず**、就業させてはなりません。産後休業の期間は、原則として、産後8週間ですが、女性が請求した場合において、医師が**支障がない**と認めた業務に就かせるときは、産後6週間となります。また、出産当日は、**産前休業**の期間（産前6週間）に含まれます。

D ○ 法65条1項、コンメンタール下838頁参照。使用者は、6週間（多胎妊娠の場合にあっては、14週間）以内に出産する予定の女性が休業を請求した場合においては、その者を就業させてはなりません。産前休業については、当該女性の**請求**が条件となっており、女性の請求がなければ、この期間にある女性を就業させても差し支えありません。

E ○ 昭61.3.20基発151号・婦発69号。使用者は、**妊娠中の女性**が**請求**した場合においては、**他の軽易な業務**に転換させなければなりません。これは、妊娠中に就業する女性を保護するためのものであり、原則として、当該女性が請求した業務に転換させる趣旨ですが、新たに軽易な業務を創設して与える義務までを**使用者に課したものではない**と解されています。

解答 **B**

就業規則（1）

過平30

難易度 普　重要度 B

労働基準法に定める就業規則等に関する次の記述のうち、正しいものはどれか。

A　同一事業場において、パートタイム労働者について別個の就業規則を作成する場合、就業規則の本則とパートタイム労働者についての就業規則は、それぞれ単独で労働基準法第89条の就業規則となるため、パートタイム労働者に対して同法第90条の意見聴取を行う場合、パートタイム労働者についての就業規則についてのみ行えば足りる。

B　就業規則の記載事項として、労働基準法第89条第1号にあげられている「休暇」には、育児介護休業法による育児休業も含まれるが、育児休業の対象となる労働者の範囲、育児休業取得に必要な手続、休業期間については、育児介護休業法の定めるところにより育児休業を与える旨の定めがあれば記載義務は満たしている。

C　常時10人以上の労働者を使用する使用者は、就業規則に制裁の定めをする場合においては、その種類及び程度に関する事項を必ず記載しなければならず、制裁を定めない場合にはその旨を必ず記載しなければならない。

D　労働基準法第91条による減給の制裁に関し平均賃金を算定すべき事由の発生した日は、制裁事由発生日（行為時）とされている。

E　都道府県労働局長は、法令又は労働協約に抵触する就業規則を定めている使用者に対し、必要な助言、指導又は勧告をすることができ、勧告をした場合において、その勧告を受けた者がこれに従わなかったときは、その旨を公表することができる。

A ✕ 昭23.8.3基収2446号。就業規則の本則とパートタイム労働者についての就業規則は、それぞれが単独で法89条の就業規則となるわけではありません。これらを**合わせたもの**が法89条の就業規則となります。また、意見聴取については、これらを合わせた**就業規則全体**について、パートタイム労働者ではなく、当該事業場の全労働者の**過半数で組織する労働組合**（このような労働組合がない場合は、全労働者の**過半数を代表する者**）の意見を聴くことが必要です。

B ○ 平3.12.20基発712号。「**休暇**」に関する事項は、就業規則の絶対的**必要記載事項**です。これには、育児・介護休業法による**育児休業**も含まれます。ただし、同法の定めるところにより育児休業を与える旨の定めがあれば記載義務は満たしていると解されています。

C ✕ 法89条9号。制裁の定めをしない場合には、その旨を記載する必要はありません。**制裁**の種類及び程度に関する事項は、就業規則の相対的**必要記載事項**です。したがって、その**定めをする場合**に限り、就業規則に記載すれば足ります。

D ✕ 昭30.7.19基収5875号。「制裁事由発生日（行為時）」ではなく、「減給の制裁の意思表示が相手方に到達した日」です。減給の制裁については、1回の事案に対する減給額は**平均賃金の1日分の半額**を超えてはならないものとされています。この場合の平均賃金に係る算定事由発生日は、減給の制裁の**意思表示が相手方に到達した日**となります。

E ✕ 参考：法92条2項。設問のような規定はありません。法令又は労働協約に抵触する就業規則については、**行政官庁**は、その**変更を命ずる**ことができます。この就業規則の変更命令は、**文書**で**所轄労働基準監督署長**が行います。

ポイント解説

就業規則の作成・変更時における意見聴取

　事業場の一部の労働者に適用される就業規則も当該事業場の就業規則の一部分であるため、その作成・変更に際しては、当該事業場の全労働者の**過半数で組織する労働組合**（このような労働組合がない場合には、全労働者の**過半数を代表する者**）の意見を聴くことが必要とされています。

　なお、パートタイム・有期雇用労働法では、短時間労働者又は有期雇用労働者に係る事項についての就業規則の作成・変更に際して、事業主は、当該事業所において雇用する**短時間労働者又は有期雇用労働者の過半数を代表すると認められるもの**の意見を聴くように努めるものとされています。

解答 B

就業規則（2）

過平28

難易度 **普** 重要度 **B**

労働基準法に定める就業規則等に関する次の記述のうち、正しいものはどれか。

A 労働基準法第89条所定の事項を個々の労働契約書に網羅して記載すれば、使用者は、別途に就業規則を作成していなくても、本条に規定する就業規則の作成義務を果たしたものとなる。

B 労働基準法第41条第3号に定める「監視又は断続的労働に従事する者で、使用者が行政官庁の許可を受けたもの」については、労働基準法の労働時間、休憩及び休日に関する規定が適用されないから、就業規則に始業及び終業の時刻を定める必要はない。

C 退職手当制度を設ける場合には、適用される労働者の範囲、退職手当の決定、計算及び支払の方法、退職手当の支払の時期に関する事項について就業規則に規定しておかなければならないが、退職手当について不支給事由又は減額事由を設ける場合に、これらを就業規則に記載しておく必要はない。

D 服務規律違反に対する制裁として一定期間出勤を停止する場合、当該出勤停止期間中の賃金を支給しないことは、減給制限に関する労働基準法第91条違反となる。

E 行政官庁が、法令又は労働協約に抵触する就業規則の変更を命じても、それだけで就業規則が変更されたこととはならず、使用者によって所要の変更手続がとられてはじめて就業規則が変更されたこととなる。

A ✕ コンメンタール下1001頁参照。個々の労働契約書に網羅して記載しても、就業規則の作成義務を果たしたものとはなりません。常時10人以上の労働者を使用する使用者は、労働基準法89条所定の事項について就業規則を作成し、行政官庁に**届け出なければなりません**。この所定の事項を個々の労働契約書に網羅して記載してあっても、使用者は、就業規則の作成義務を**免れるものではありません**。

B ✕ 昭23.12.25基収4281号。設問の者についても、就業規則に始業及び終業の時刻を定めなければなりません。労働時間、休憩及び休日に関する規定の適用が除外される者（監視又は断続的労働に従事する者等）についても、就業規則の作成及び届出の義務を定めた法89条の規定は**適用されます**。したがって、就業規則に**始業及び終業の時刻を定めなければなりません**。

C ✕ 法89条3号の2、昭63.1.1基発1号。設問は、後半部分の記述が誤りです。退職手当の不支給事由又は減額事由を設ける場合には、これらも就業規則に記載する**必要があります**。退職手当に関する事項は、就業規則の**相対的必要記載事項**であり、その定めをする場合には、①適用される労働者の範囲、②退職手当の決定、計算及び支払いの方法、③退職手当の支払いの時期に関する事項を就業規則に記載する必要があります。退職手当の不支給事由又は減額事由を設ける場合には、これは前記②に該当するため、就業規則に記載する必要があります。

D ✕ 昭23.7.3基収2177号。出勤停止期間中の賃金を支給しないことは、労働基準法91条違反とはなりません。労働者が出勤停止の制裁を受けたことによって、出勤停止期間中の賃金を受けられないことは、制裁としての**出勤停止の当然の結果**であり、減給の制裁には**該当しない**ためです。

E 〇 コンメンタール下1029頁参照。法92条2項の規定により、行政官庁は、法令又は労働協約に抵触する就業規則の変更を命ずることができますが、この変更命令は、就業規則の**変更義務**を使用者に課するにとどまるものです。したがって、変更命令が出されたとしても、それだけで就業規則が変更されたこととはならず、**使用者**によって**所要の変更手続**がとられてはじめて変更されたこととなります。

解答 E

寄宿舎、監督機関、雑則

予想

難易度 **普**　重要度 **C**

次の記述のうち、正しいものはどれか。

A　行政官庁は、労働基準法第104条の2第1項の規定に基づき使用者又は労働者に対して出頭を命ずるときは、その理由を通知しなければならないが、聴取しようとする事項を通知する必要はない。

B　使用者は、寄宿舎に寄宿する労働者の私生活の自由を侵してはならないため、寄宿舎に寄宿する労働者の面会の自由を制限することは、いかなる時間及び場所であっても、認められない。

C　常時50人以上の労働者を寄宿舎に寄宿させる場合においては、衛生に関し経験のある者を、それらの労働者の衛生に関する相談に応ずるための担当者として定めるよう努めなければならない。

D　労働基準監督官は、職務上知り得た秘密を漏らしてはならないが、労働基準監督官を退官した後においては、この限りでない。

E　労働基準法第114条の付加金の支払いに関する規定は、同法第24条第1項に規定する賃金の全額払いの義務に違反して賃金の一部を支払わなかった使用者に対しては適用されない。

Ａ　×　則58条、平6.1.4基発１号。設問の出頭を命ずる場合には、聴取しようとする事項も通知しなければなりません。設問前半の「その理由を通知しなければならない」という点は正しい記述です。つまり、行政官庁が法104条の２第１項の規定に基づき**出頭を命ずる場合**は、その理由及び聴取しようとする事項を**通知しなければならない**ということです。なお、設問前半の理由の通知は、使用者又は労働者に対して必要な事項を報告させる場合にも行わなければなりません。

Ｂ　×　法94条１項、事業附属寄宿舎規程４条３号。いかなる時間及び場所であっても、認められないわけではありません。共同の利益を害する**場所及び時間**について**面会の自由**を制限することは、禁止されていません。

Ｃ　×　事業附属寄宿舎規程34条。設問の労働者の衛生に関する相談に応ずるための担当者については、定めるよう努めなければならないのではなく、**定めておかなければなりません**。つまり、設問の担当者を定めておくことは、努力義務ではなく、義務とされています。

Ｄ　×　法105条。設問の労働基準監督官の義務は、退官した後においても同様です。つまり、**退官した後においても、職務上知り得た秘密を漏らしてはなりません**。

Ｅ　〇　法114条。付加金の対象となるのは、①解雇予告手当、②休業手当、③割増賃金及び④年次有給休暇中の賃金に限られています。これら以外の通常の賃金（単に賃金の全額払いの原則に違反した場合の当該違反に係る賃金等）は、付加金の**対象外**です。

解答　**Ｅ**

法令等の周知義務

予想

難易度 **普** 重要度 **B**

労働基準法第106条第１項の規定により、使用者が労働者に対し周知させなければならないとされている法令等及びその対象として、誤っているものは次のうちどれか。

A 企画業務型裁量労働制の実施に係る労使委員会の決議 ── その全文を当該制度の対象労働者のみに周知。

B 女性労働基準規則（厚生労働省令）── その要旨をすべての労働者に周知。

C 労働者に一斉休憩を付与しない旨を定めた労使協定書（行政官庁への届出義務はないもの）── その全文をすべての労働者に周知。

D 賃金の一部を控除して支払う旨を定めた労使協定書（行政官庁への届出義務はないもの）── その全文をすべての労働者に周知。

E 年次有給休暇中の賃金を健康保険法に規定する標準報酬月額の30分の１相当額で支払う旨を定めた労使協定書（行政官庁への届出義務はないもの）── その全文をすべての労働者に周知。

A　×　法106条１項、平12.1.1基発１号。企画業務型裁量労働制の実施に係る労使委員会の決議は、その**全文**を**すべての労働者**に周知させなければなりません。対象労働者のみに周知させるのでは、足りません。

B　○　法106条１項。女性労働基準規則は命令（厚生労働省令）の１つですから、その**要旨**を**すべての労働者**に周知させなければなりません。

C　○　法106条１項。一斉休憩を付与しない旨を定めた労使協定書も労使協定の１つですから、その**全文**を**すべての労働者**に周知させなければなりません。当該労使協定について行政官庁への届出義務があるかどうかは、問題となりません。

D　○　法106条１項。賃金の一部を控除して支払う旨を定めた労使協定書も労使協定の１つですから、その**全文**を**すべての労働者**に周知させなければなりません。

E　○　法106条１項。年次有給休暇中の賃金を健康保険法に規定する標準報酬月額の30分の１相当額で支払う旨を定めた労使協定書も労使協定の１つですから、その**全文**を**すべての労働者**に周知させなければなりません。

 基本まとめ

法令等の周知義務

周知義務事項	周知の程度	周知対象者
①**労働基準法** ②労働基準法に基づく**命令**（労働基準法施行規則、年少者労働基準規則、女性労働基準規則、事業附属寄宿舎規程等）	その要旨	全労働者
③**就業規則** ④労働基準法に規定する**労使協定** ⑤**労使委員会の決議**	その全文	全労働者
⑥労働基準法及びこれに基づいて発する命令のうち**寄宿舎に関する規定** ⑦**寄宿舎規則**	その全文	寄宿労働者

※**周知方法**
①〜⑤→・常時各作業場の見やすい場所へ掲示し、又は備え付けること
　　　　・書面を労働者に交付すること
　　　　・使用者の使用に係る電子計算機に備えられたファイル又は電磁的記録媒体をもって調製するファイルに記録し、かつ、各作業場に労働者が当該記録の内容を常時確認できる機器を設置すること
⑥⑦　→寄宿舎の見やすい場所に掲示し、又は備え付けること等

解答　A

記録の保存義務等

予想

難易度 普　重要度 B

次の記述のうち、正しいものはどれか。

A　使用者は、労働者名簿、賃金台帳及び雇入れ、解雇、災害補償、賃金その他労働関係に関する重要な書類を、当分の間、2年間保存しなければならない。

B　使用者は、労働基準法第38条の3に規定する専門業務型裁量労働制を採用する場合には、同条に規定する労使協定を締結し、これを所轄労働基準監督署長に届け出なければならないが、当該届出を行わなかった場合の罰則は、特に定められていない。

C　労働基準法の規定による退職手当の請求権はこれを行使することができる時から5年間、同法の規定による災害補償その他の請求権（賃金の請求権を除く。）はこれを行使することができる時から3年間行わない場合においては、時効によって消滅する。

D　使用者は、労働基準法第33条若しくは同法第36条第1項の規定により労働時間を延長し、又は休日に労働させた場合には、労働者ごとにその延長時間数又は休日労働時間数を賃金台帳に記入しなければならないが、同法第41条第2号に該当するいわゆる管理監督者については、これらを記入する必要はない。

E　使用者は、日々雇い入れられる労働者についても、労働者名簿を調製し、当該労働者の氏名、生年月日、履歴その他厚生労働省令で定める事項を記入しなければならない。

A　×　法109条、法附則143条１項。２年間ではなく、**当分の間、３年間**保存しなければなりません。設問の記録の保存期間については、法本則上は**５年間**と規定されていますが、経過措置により、当分の間、３年間となっています。

B　×　法38条の３、120条１号。設問の場合には、**罰則が定められています**。専門業務型裁量労働制に係る労使協定を所轄労働基準監督署長に届け出ない場合には、30万円以下の罰金に処せられます。

C　×　法115条、法附則143条３項。災害補償その他の請求権（賃金の請求権を除く。）の消滅時効期間は**２年間**です。まとめると次の①～③のとおりです。

①賃金（退職手当を除く。）の請求権 …… **５年間**（当分の間、３年間）

②退職手当の請求権 ………………………… ５年間

③災害補償その他の請求権 ………………… ２年間

D　○　法108条、則54条１項６号・５項。**管理監督者**については、労働時間数も、同様に記入する必要はありません。労働時間、休憩及び休日に関する規定の適用が除外されるためです。ただし、管理監督者であっても、深夜業に関する規定の適用は除外されないため、**深夜労働時間数**については記入する**必要があります**。

E　×　法107条。日々雇い入れられる者については、**労働者名簿**を調製する**必要はありません**。これに対して、賃金台帳は、日々雇い入れられる者についても調製しなければなりませんので、この相違点には注意しましょう。

STEP UP

保存義務のある書類と保存期間の起算日

保存書類	保存期間の起算日
労働者名簿	労働者の死亡、退職又は解雇の日
賃金台帳	最後の記入をした日（※）
雇入れ又は退職に関する書類	労働者の退職又は死亡の日
災害補償に関する書類	災害補償を終わった日
賃金その他労働関係に関する重要な書類	その完結の日（※）

※当該記録に係る賃金の支払期日が表中の起算日より遅い場合には、当該「支払期日」が起算日となります。

解答　D

［選択式］原則的諸規定、みなし労働時間制

予想

難易度 **易**　重要度 **B**

次の文中の ☐ の部分を選択肢の中の最も適切な語句で埋め、完全な文章とせよ。

1　労働基準法第1条第1項は、労働条件は、労働者が ☐ A ☐ 生活を営むための必要を充たすべきものでなければならない旨を規定している。

2　労働基準法第2条第1項は、労働条件は、労働者と使用者が、☐ B ☐ 決定すべきものである旨を規定している。

3　労働基準法で「労働者」とは、職業の種類を問わず、事業又は事務所に ☐ C ☐ 者をいう。

4　労働基準法は、同居の親族のみを使用する事業及び ☐ D ☐ については、適用しない。

5　労働基準法第38条の2第1項によれば、労働者が労働時間の全部又は一部について事業場外で業務に従事した場合において、労働時間を算定し難いときは、原則として、☐ E ☐ 労働したものとみなす。

選択肢

①経済的立場を考慮して　　②使用される者で、賃金を支払われる

③心身ともに健康な　　　　④家事使用人

⑤日本国籍を有しない者　　⑥使用される者で、使用者に該当しない

⑦安心かつ安全な　　　　　⑧8時間

⑨対等の立場において　　　⑩相互を理解した上で

⑪船員法に規定する船員　　⑫使用者の指定する時間

⑬人たるに値する　　　　　⑭社会経済状況に応じて

⑮労働者の申告する時間　　⑯公の職務に従事する者

⑰個人として尊重される　　⑱所定労働時間

⑲労務を提供する者で、その対償により生活する

⑳労務を提供する者で、日本国内に住所を有する

Aは法1条1項、Bは法2条1項、Cは法9条、Dは法116条2項、Eは法38条の2第1項。

1　労働基準法においては、労働条件は、労働者が**人たるに値する生活**を営むための必要を充たすべきものでなければならない旨宣言しています。また、労働基準法で定める労働条件の基準は**最低のもの**です。したがって、労働関係の当事者は、この基準を理由として労働条件を低下させてはならないことはもとより、その向上を図るように努めなければなりません。

2　労働条件は、労働者と使用者が、**対等の立場において**決定すべきものとされています。また、**労働者及び使用者**は、労働協約、就業規則及び労働契約を**遵守**し、**誠実**に各々その義務を履行しなければなりません。

3　労働基準法において「労働者」とは、職業の種類を問わず、事業又は事務所に**使用される者**で、賃金を支払われる者をいいます。たとえば、法人の代表者は、事業主体との関係において、使用される者（使用従属関係にある者）に該当しないため、労働者には該当しません。一方、法人の重役で業務執行権又は代表権を持たない者が、工場長、部長等の職にあって賃金の支払いを受ける場合には、その限りにおいて、労働者に該当します。

4　労働基準法は、**同居の親族のみ**を使用する事業及び家事使用人には、適用されません（適用除外）。なお、同法は、一般職の国家公務員（行政執行法人の職員を除く。）にも、その全部が適用されませんが、一般職の地方公務員及び船員法に規定する船員には、その一部が適用されないにすぎません。

5　労働者が労働時間の全部又は一部について**事業場外で業務に従事**した場合において、労働時間を**算定し難い**ときは、**所定労働時間**労働したものとみなします。ただし、当該業務を遂行するためには通常所定労働時間を超えて労働することが必要となる場合においては、当該業務に関しては、当該業務の遂行に**通常必要とされる時間**労働したものとみなします。

〔選択式〕即時解除権、平均賃金

予想

難易度 **易** 重要度 **B**

次の文中の□□□の部分を選択肢の中の最も適切な語句で埋め、完全な文章とせよ。

1 労働基準法第15条第1項の規定によって明示された労働条件が ┌ **A** ┐ 場合においては、労働者は、即時に労働契約を解除することができる。

2 前記1の場合、就業のために住居を変更した労働者が、契約解除の日から ┌ **B** ┐ に帰郷する場合においては、使用者は、必要な旅費を負担しなければならない。

3 労働基準法で平均賃金とは、これを算定すべき事由の発生した日以前 ┌ **C** ┐ 間にその労働者に対し支払われた賃金の総額を、その期間の ┌ **D** ┐ で除した金額をいう。

4 平均賃金の計算の基礎となる期間中に、次の(1)〜(5)のいずれかに該当する期間がある場合においては、その日数及びその期間中の賃金は、その計算の基礎から控除する。

(1) 業務上負傷し、又は疾病にかかり療養のために休業した期間

(2) 産前産後の女性が労働基準法第65条の規定によって休業した期間

(3) ┌ **E** ┐

(4) 育児・介護休業法に規定する育児休業又は介護休業をした期間

(5) 試みの使用期間

選択肢

①30日以内　②1年　③2ヵ月　④3ヵ月　⑤14日以内

⑥総日数　⑦6ヵ月　⑧7日以内　⑨労働日数　⑩10日以内

⑪所定労働日数　⑫賃金支払基礎日数　　⑬事実と相違する

⑭他の労働者と異なる　　⑮労働基準法の基準を下回る

⑯就業規則の定めと相違する　⑰年次有給休暇を取得した期間

⑱使用者の責めに帰すべき事由によって休業した期間

⑲労働者の責めに帰すべき事由によって休業した期間

⑳就業規則の出勤停止事由に該当したことにより出勤停止とされた期間

Aは法15条2項、Bは法15条3項、C・Dは法12条1項、Eは法12条3項。

1　労働者が不利な労働条件を押し付けられて労働を強いられることのないよう、単に明示された労働条件が**事実と相違する**ことのみをもって、労働者は**即時に**労働契約を解除することができます。契約を解除した結果、使用者に損害が生じたとしても、労働者は賠償義務を負いません。なお、この場合の「明示された労働条件」は、労働者自身に関する労働条件に限られます。また、明示された労働条件が事実と相違する場合であっても、罰則の適用はありません。

2　前記1の場合において、就業のため住居を変更した労働者が14日以内に帰郷するときは、使用者は、必要な旅費を負担しなければなりません。ここでいう「必要な旅費」には、就業のために移転した労働者の**家族の旅費**も含まれます。

3　平均賃金は、労働者が得た1生活日あたりの賃金単価を意味します。この平均賃金を用いて、解雇予告手当の額、休業手当の額、年次有給休暇中の賃金額、災害補償の額、減給の制裁における限度額が計算されます。平均賃金の原則的な算定式は、次のとおりです。

$$平均賃金 = \frac{算定事由発生日以前3ヵ月間の\textbf{賃金総額}}{算定事由発生日以前3ヵ月間の総日数}$$

4　平均賃金の計算の基礎から除外される期間です。平均賃金を計算するにあたり、その算定期間中に設問の(1)～(5)の期間がある場合には、その日数及びその期間中の賃金を除外することとされています。なお、Eに入る「**使用者の責めに帰すべき事由によって休業した期間**」については、使用者に休業手当の支払いが義務づけられています。この休業手当の額は、本来支払われるべき賃金の額と比べ低額であるため、これを平均賃金の計算の基礎に含めると、平均賃金の額が不当に低くなるおそれがあります。このような不利益を防止するため、使用者の責めに帰すべき事由によって休業した期間については、これを除いて平均賃金を計算することとされているのです。

解答　A ⑬事実と相違する　B ⑤14日以内　C ④3ヵ月　D ⑥総日数
E ⑱使用者の責めに帰すべき事由によって休業した期間

問題 038

[選択式] 退職時等の証明等

予想　難易度 易　重要度 B

次の文中の□□□の部分を選択肢の中の最も適切な語句で埋め、完全な文章とせよ。

1　労働者が、退職の場合において、使用期間、[A]、その事業における地位、賃金又は退職の事由（退職の事由が解雇の場合にあっては、その理由を含む。）について証明書を請求した場合においては、使用者は、[B]これを交付しなければならない。

2　労働者が、労働基準法第20条第1項の解雇の予告がされた日から退職の日までの間において、当該[C]について証明書を請求した場合においては、使用者は、[B]これを交付しなければならない。ただし、解雇の予告がされた日以後に労働者が当該解雇以外の事由により退職した場合においては、使用者は、当該退職の日以後、これを交付することを要しない。

3　使用者は、労働者の死亡又は退職の場合において、権利者の請求があった場合においては、[D]以内に賃金を支払い、積立金、保証金、貯蓄金その他名称の如何を問わず、[E]を返還しなければならない。

選択肢

①速やかに　②就業の場所　③労働者の委託に係る金銭
④7日　⑤退職の事由　⑥労働者の有する債権
⑦30日以内に　⑧10日　⑨解雇の理由
⑩遅滞なく　⑪労働条件　⑫労働者の在籍期間
⑬期間の定めの有無　⑭業務の種類　⑮労働契約に附随する借入金
⑯2週間以内に　⑰30日　⑱労働者の権利に属する金品
⑲14日　⑳労働者に係る労働契約の内容

126

A・Bは法22条1項、Cは法22条2項、D・Eは法23条1項。

1　労働者が、退職の場合において、次の5事項について証明書を請求した場合においては、使用者は、**遅滞なく**これを交付しなければなりません。

(1) **使用期間**

(2) 業務の種類

(3) その事業における**地位**

(4) **賃金**

(5) 退職の事由（退職の事由が**解雇**の場合にあっては、**その理由**を含む。）

2　**解雇予告**をされた労働者が**解雇の予告日から退職の日までの間**において、当該解雇の理由について証明書を請求した場合においては、使用者は、**遅滞なく**これを交付しなければなりません。ただし、解雇の予告日以後に労働者が当該解雇以外の事由により退職した場合には、使用者は、当該退職の日以後、この証明書を交付する必要はありません。

3　使用者は、労働者が**死亡**し、又は**退職**した場合において、**権利者の請求**があった場合には、**7日以内**に賃金を支払い、積立金、保証金、貯蓄金その他名称の如何を問わず、**労働者の権利に属する金品**を返還しなければなりません。なお、賃金又は金品に関して争いがある場合には、使用者は、異議のない部分を上記の期間中に支払い、又は返還しなければなりません。

退職時の証明での注意点

①退職の事由 …… 自己都合退職、勧奨退職、解雇、定年退職等の労働者が身分を失った事由を示します。解雇の場合には、**解雇の理由も退職の事由に含まれます。**

②解雇の理由 …… 具体的に示す必要があります。就業規則違反による解雇の場合は、条項名だけでなく、**事実関係を記載**しなければなりません。

③解雇事実のみの証明を求めた場合 …… 解雇の理由を**記載してはなりません。**

④雇用保険法による離職票の交付 …… **証明書を交付したことにはなりません。**

⑤証明の回数 …… **回数に制限はありません。**

⑥証明請求の期限 …… 2年の消滅時効が適用されます。

解答　A ⑭業務の種類　B ⑩遅滞なく　C ⑨解雇の理由　D ④7日
E ⑱労働者の権利に属する金品

[選択式] 裁量労働制

予想

難易度 **普**　重要度 **B**

次の文中の □□□□ の部分を選択肢の中の最も適切な語句で埋め、完全な文章とせよ。

1　専門業務型裁量労働制の対象業務は、業務の性質上その遂行の方法を大幅に当該業務に従事する労働者の裁量にゆだねる必要があるため、当該業務の遂行の手段及び時間配分の決定等に関し使用者が具体的な指示を　**A**　ものとして厚生労働省令で定める業務のうち、労働者に就かせることとする業務とされている。

2　専門業務型裁量労働制に係る労使協定に定める事項及び企画業務型裁量労働制に係る労使委員会で決議をする事項に共通するものとして、これらの制度を適用することについて、「労働者の　**B**　を得なければならないこと及び当該　**B**　をしなかった当該労働者に対して解雇その他不利益な取扱いをしてはならないこと。」がある。

3　企画業務型裁量労働制に係る労使委員会の運営規程には、その開催頻度を　**C**　に1回とすること等を定めることが必要とされている。

4　企画業務型裁量労働制に係る労使委員会の決議の届出をした使用者は、対象労働者の労働時間の状況等所定の事項について、当該　**D**　から起算して　**E**　に1回、所轄労働基準監督署長に報告をしなければならない。

選択肢

①決議の有効期間の始期　　②労使委員会が設置された日
③決議が行われた日　　④決議の届出がなされた日　　⑤1年以内ごと
⑥しないこととする　　⑦6ヵ月以内ごと　　⑧1ヵ月以内ごと
⑨することが不可能な　　⑩6ヵ月以内に1回、及びその後1年以内ごと
⑪3ヵ月以内ごと　　⑫3ヵ月以内に1回、及びその後6ヵ月以内ごと
⑬3年以内ごと　　⑭することが円滑な業務の実施を阻害する
⑮することが困難な　　⑯5年以内ごと　　⑰承認
⑱協力　　⑲同意　　⑳明確な意思表示

Aは法38条の3第1項1号、Bは法38条の4第1項6号、則24条の2の2第3項1号、Cは則24条の2の4第4項ニ、D・Eは則24条の2の5第1項。

1 専門業務型裁量労働制の対象業務は、「業務の性質上その遂行の方法を大幅に当該業務に従事する労働者の裁量にゆだねる必要があるため、当該業務の遂行の手段及び時間配分の決定等に関し**使用者が具体的な指示をすることが困難なもの**として厚生労働省令で定める業務のうち、労働者に就かせることとする業務」とされています。具体的には、厚生労働省令（及びこれに基づく告示）において、**20種類**の業務が定められています。なお、社会保険労務士の業務は、これに含まれていません。

2 専門業務型裁量労働制又は企画業務型裁量労働制を適用するためには、**労働者の同意**を得ることが必要です。専門業務型裁量労働制に係る労使協定に定める事項及び企画業務型裁量労働制に係る労使委員会で決議をする事項には、設問の「**労働者の同意**を得なければならないこと及び当該同意をしなかった当該労働者に対して**解雇その他不利益な取扱いをしてはならないこと。**」が含まれています。なお、「**同意の撤回**に関する手続」も、労使協定に定める事項及び決議をする事項に含まれており、労働者は**同意を撤回**することも可能です。

3 企画業務型裁量労働制に係る労使委員会の運営規程には、労使委員会の「**開催頻度を6ヵ月以内ごとに1回とすること**」等を定める必要があります。

4 企画業務型裁量労働制に係る定期報告の頻度は、労使委員会の「**決議の有効期間の始期から起算して（初回は）6ヵ月以内に1回、及びその後1年以内ごとに1回**」とされています。なお、定期報告が必要な事項は、次のとおりです。

（1）対象労働者の労働時間の状況
（2）対象労働者の健康及び福祉を確保するための措置の実施状況
（3）対象労働者の同意及びその撤回の実施状況

解答 A ⑮することが困難な B ⑲同意 C ⑦6ヵ月以内ごと D ①決議の有効期間の始期 E ⑩6ヵ月以内に1回、及びその後1年以内ごと

問題 040

［選択式］36協定

予想

難易度 易　重要度 A

次の文中の □□□ の部分を選択肢の中の最も適切な語句で埋め、完全な文章とせよ。

1　労働基準法第36条第1項の協定（以下「36協定」という。）において定める「労働時間を延長して労働させることができる時間」は、当該事業場の業務量、時間外労働の動向その他の事情を考慮して　A　の範囲内において、限度時間を超えない時間に限るものとされている。

2　前記1の限度時間は、1ヵ月について　B　及び1年について360時間（労働基準法第32条の4第1項第2号の対象期間として3ヵ月を超える期間を定めて1年単位の変形労働時間制により労働させる場合にあっては、1ヵ月について42時間及び1年について　C　）とされている。

3　使用者は、36協定で定めるところによって労働時間を延長して労働させ、又は休日において労働させる場合であっても、坑内労働その他厚生労働省令で定める健康上特に有害な業務の労働時間の延長については、1日について　D　を超えないものとしなければならない。

4　労働基準法第36条第3項から第5項及び第6項（第2号及び第3号に係る部分に限る。）のいわゆる時間外労働の上限規制に関する規定は、　E　に係る業務については適用されない。

選択肢

①36時間　　　　　②45時間　　　　　③60時間　　　　　④80時間
⑤100時間　　　　⑥240時間　　　　⑦320時間　　　　⑧450時間
⑨2時間　　　　　⑩4時間　　　　　⑪6時間　　　　　⑫8時間
⑬毎月勤労統計における総実労働時間　　　⑭旅客又は貨物の運送
⑮一般労働者の年平均の所定外労働時間　　⑯教育又は研究
⑰通常予見される時間外労働
⑱1年につき150時間以上720時間以下
⑲新たな技術、商品又は役務の研究開発　　⑳病者又は虚弱者の治療又は看護

Aは法36条3項、B・Cは法36条4項、Dは法36条6項1号、Eは法36条11項。

1、2　36協定に定める「労働時間を延長して労働させることができる時間」は、当該事業場の業務量、時間外労働の動向その他の事情を考慮して**通常予見される時間外労働**の範囲内において、**限度時間**を超えない時間に限るものとされています。

　　　ここでの限度時間とは、(1)　1ヵ月について45時間及び1年について**360時間**、(2)　対象期間が**3ヵ月を超える1年単位の変形労働時間制**によって労働させる場合には、1ヵ月について**42時間**及び1年について**320時間**と規定されています。

　　　なお、特例として、当該事業場における通常予見することのできない業務量の大幅な増加等に伴い臨時的に限度時間を超えて労働させる必要がある場合には、36協定に特別条項を定めることにより、一定の範囲内（1ヵ月の時間外・休日労働については100時間未満の範囲内、1年の時間外労働については720時間を超えない範囲内等）で限度時間を超えて労働させることが可能となっています。

3　使用者は、坑内労働その他厚生労働省令で定める**健康上特に有害な業務**の労働時間の延長については、1日について**2時間を超えない**ものとしなければなりません。これは、健康上特に有害な業務**のみ**の1日の労働時間について、「法定労働時間＋2時間」（原則10時間）までとしなければならない制限です。

4　時間外労働の上限規制に関する規定は、**新たな技術、商品又は役務の研究開発に係る業務**については適用されません（適用除外）。ただし、この業務に従事する労働者に時間外労働及び休日労働をさせるためには、36協定の締結及び届出をしなければなりません。この点は、他の業務に従事する労働者と同様です。

解答　A　⑰通常予見される時間外労働　B　②45時間　C　⑦320時間
D　⑨2時間　E　⑲新たな技術、商品又は役務の研究開発

[選択式] 管理監督者の深夜割増賃金

　　　　　　　　　　　　　　　　　　　難易度 普　重要度 B

次の文中の □ の部分を選択肢の中の最も適切な語句で埋め、完全な文章とせよ。

　最高裁判所は、労働基準法第41条第2号に定めるいわゆる管理監督者に該当する労働者が、使用者に、同法第37条第3項〔現行同条第4項〕に基づく深夜割増賃金を請求することができるかという点をめぐって、次のように判示した。

　「労基法〔労働基準法〕における労働時間に関する規定の多くは、その □ A □ に関する規制について定めており、同法37条1項は、使用者が労働時間を延長した場合においては、延長された時間の労働について所定の割増賃金を支払わなければならないことなどを規定している。他方、同条3項は、使用者が原則として □ B □ の間において労働させた場合においては、その時間の労働について所定の割増賃金を支払わなければならない旨を規定するが、同項は、労働が1日のうちのどのような時間帯に行われるかに着目して深夜労働に関し一定の規制をする点で、労働時間に関する労基法中の他の規定とはその趣旨目的を異にすると解される。

　また、労基法41条は、同法第4章、第6章及び第6章の2で定める労働時間、休憩及び休日に関する規定は、同条各号の一に該当する労働者については適用しないとし、これに該当する労働者として、同条2号は管理監督者等を、同条1号は同法別表第1第6号（林業を除く。）又は第7号に掲げる事業に従事する者を定めている。一方、同法第6章中の規定であって年少者に係る深夜業の規制について定める61条をみると、同条4項は、上記各事業については同条1項ないし3項の深夜業の規制に関する規定を □ C □ 旨別途規定している。こうした定めは、同法41条にいう「労働時間、休憩及び休日に関する規定」には、深夜業の規制に関する規定は含まれていないことを前提とするものと解される。

　以上によれば、労基法41条2号の規定によって同法37条3項の適用が除外されることはなく、管理監督者に該当する労働者は同項に基づく深夜割増賃金を請求することができるものと解するのが相当である。」

選択肢

①行政官庁の許可を受けた場合に限り適用する

②厚生労働省令で定める

③午後10時から午前5時まで　　④午後10時から午前6時まで

⑤午後11時から午前5時まで　　⑥午後11時から午前6時まで

⑦時間帯　　　　　　　　　　　⑧適用する

⑨適用しない　　　　　　　　　⑩長さ

⑪密度　　　　　　　　　　　　⑫割増

A〜Cは最判 平21.12.18ことぶき事件。

「労働時間、休憩及び休日に関する規定の適用除外者である管理監督者に該当する労働者にも、深夜業に係る割増賃金の請求が認められる」と判示された最高裁判所の判例からの出題です。このように結論づけた理由として、この判例では、次のように述べています。

> (1) 労働基準法における労働時間に関する規定の多くは、その長さに関する規制について定めており、同法37条1項は、時間外労働について所定の割増賃金を支払わなければならないことなどを規定している。
>
> (2) 他方、同条3項〔現行4項〕は、深夜労働（原則として午後10時から午前5時までの間における労働）について所定の割増賃金を支払わなければならない旨を規定しているが、この規定は、労働が1日のうちのどのような**時間帯**に行われるかに着目して深夜労働に関し一定の規制をする点で、労働時間に関する労働基準法中の他の規定とはその**趣旨目的を異**にすると解される。
>
> (3) また、同法41条は、同法所定の労働時間、休憩及び休日に関する規定は、一定の労働者については適用しないとしている。これに該当する労働者として、同条1号には「農業又は水産業の事業に従事する者」、同条2号には「管理監督者等」を規定している。
>
> (4) 一方、同法61条4項では、「農林水産業」については同条1項〜3項の年少者に係る深夜業の規制に関する規定を適用しない旨別途規定している。このように別途規定しているのは、同法41条にいう上記 (3) の「労働時間、休憩及び休日に関する規定」には、深夜業の規制に関する規定は含まれていないことを前提とするものと解される。

以上をまとめると、管理監督者等に適用されない「労働時間、休憩及び休日に関する規定」には、深夜業の規制に関する規定は含まれておらず、**管理監督者等**に該当する労働者に対しても、**深夜業に係る割増賃金の支払いは必要**であるということになります。

時間外労働・割増賃金に関するその他の判例

●完全歩合給制の時間外労働手当（最判 平6.6.13高知県観光事件）

> タクシー料金の月間水揚高に一定の歩合を乗じた金額を支払う完全歩合給制について、時間外労働及び深夜労働を行った場合に歩合給の**増額がなく**、通常の労働時間の賃金に当たる部分と時間外及び深夜の**割増賃金に当たる部分**とを判別できないものであった場合には、歩合給の支給によって時間外及び深夜の**割増賃金**が支払われたと解釈することは**困難**なものというべきであり、使用者は、当該割増賃金を支払う義務がある。

●時間外労働義務（最判 平3.11.28日立製作所武蔵工場事件）

> 使用者が就業規則に36協定の範囲内で一定の業務上の事由があれば労働契約に定める労働時間を延長して労働者に労働させることができる旨定めているときは、当該就業規則の規定の内容が**合理的**なものである限り、それが具体的労働契約の内容をなすから、その就業規則の適用を受ける労働者は、その定めるところに従い、労働契約に定める労働時間を超えて**労働する義務**を負う。

●違法な時間外労働の割増賃金（最判 昭35.7.14小島撚糸事件）

> 適法な時間外労働等について割増賃金支払義務があるならば、**違法な時間外労働等**の場合には一層強い理由でその**支払義務**あるものと解すべきは事理の当然とすべきであるから、労働基準法37条1項は右の条件が充足された場合たると否とにかかわらず、時間外労働等に対し割増賃金支払義務を認めた趣意と解するを相当とする。果して、そうだとすれば、右割増賃金の支払義務の履行を確保しようとする同法119条1号の罰則は、時間外労働等が**適法たると違法たる**とを問わず、適用あるものと解すべきは条理上当然である。

［選択式］**年次有給休暇**

予想

難易度 **易**　重要度 **A**

次の文中の　　　　の部分を選択肢の中の最も適切な語句で埋め、完全な文章とせよ。

1　労働基準法第39条第1項から第3項までの規定により使用者が与えなければならない年次有給休暇の日数が　**A**　以上である労働者に係る年次有給休暇の日数のうち、　**B**　については、基準日（継続勤務した期間を同条第2項に規定する6ヵ月経過日から1年ごとに区分した各期間（最後に1年未満の期間を生じたときは、当該期間）の　**C**　をいう。）から　**D**　の期間に、労働者ごとにその時季を定めることにより与えなければならない。

2　前記1にかかわらず、労働基準法第39条第5項（労働者による時季指定）又は第6項（計画的付与）の規定により年次有給休暇を与えた場合においては、当該与えた年次有給休暇の日数（当該日数が　**B**　を超える場合には、　**B**　とする。）分については、　**E**　。

選択肢

①20労働日　　②15労働日　　③10労働日　　④7労働日

⑤3日　　　　⑥4日　　　　⑦5日　　　　⑧6日

⑨最初の労働日　⑩初日　　　⑪末日　　　⑫最後の労働日

⑬6ヵ月以内　⑭1年以内　　⑮1年6ヵ月以内　⑯2年以内

⑰行政官庁の認定を受けることにより与えないことができる

⑱翌年度に繰り越して時季を定めることにより与えなければならない

⑲時季を定めることにより与えることを要しない

⑳時間を単位として与えることができる

A〜Dは法39条7項、Eは法39条8項。

1　年次有給休暇の「**使用者による時季指定の義務**」に関する出題です。働き方改革関連法による改正（平成31年4月1日施行）として、年5日以上の年次有給休暇の取得が確実に進む仕組みとして導入されました。ポイントは、次のとおりです。

> (1) 対象労働者
>
> 　当該年度の法定の年次有給休暇の日数（基準日に新たに付与される日数）が10労働日**以上**である労働者です。この「10労働日」には、**前年度の繰越分は含まれません**。
>
> (2) 付与日数
>
> 　1年間に5日です。**5日を超える日数**については、労働者の個人的事由による取得のために一定の日数を留保する観点から、**使用者が時季指定をすることはできません**。
>
> (3) 付与期間
>
> 　使用者の時季指定による年次有給休暇は、基準日から1年以内の期間に与えなければなりません。（法定の）基準日は、継続勤務した期間を6ヵ月経過日から1年ごとに区分した**各期間の初日**と定義されています。たとえば、4月1日に入社した労働者の基準日は10月1日となり、最初の付与期間は10月1日から翌年9月30日までとなります。1年以内の期間において労働者が年次有給休暇を**現実に5日取得していない場合**には、**法違反**となります。

2　**労働者による時季指定**又は**計画的付与**により年次有給休暇が付与されている場合には、当該付与された年次有給休暇の日数分については、使用者が時季を定めることにより与えることを要しません。これは、すでに付与された日数分を、使用者による時季指定による付与日数から差し引くことを定めたものです。たとえば、労働者が自らの時季指定により**3日**の年次有給休暇を取得した場合は、使用者はその日数分を差し引いた**2日**の時季指定をすれば足ります。

解答

A ③10労働日　B ⑦5日　C ⑩初日　D ⑭1年以内
E ⑲時季を定めることにより与えることを要しない

労働基準法の規定のうち、よく似ているが異なるもの

(1) 解雇制限の例外と解雇予告等の例外

解雇制限の例外 （解雇することが可能となる場合）	業務上傷病による休業 ＋30日間	①打切補償を支払う場合 ②天災事変その他やむを得ない事由のために**事業の継続**が不可能となった場合 →②の場合は、**行政官庁の認定**が必要
	産前産後休業 ＋30日間	①天災事変その他やむを得ない事由のために**事業の継続**が不可能となった場合 →**行政官庁**の認定が必要
解雇予告等の例外 （解雇予告等が不要となる場合）	①天災事変その他やむを得ない事由のために**事業の継続**が不可能となった場合 ②労働者の責めに帰すべき事由に基づいて解雇する場合 →いずれの場合も**行政官庁**の認定が必要	

(2) 退職時等の証明

証明書の請求時期	請求可能な証明事項
解雇予告日から退職の日までの間	①解雇の理由のみ
退職の日以後 ※請求権は、退職時から2年で時効消滅	①使用期間 ②業務の種類 ③その事業における地位 ④賃金 ⑤退職の事由（退職の事由が**解雇**の場合にあっては、**その理由を含む**。）

→いずれの証明書にも労働者の請求しない事項を記入してはならない。

(3) 帰郷旅費

	帰郷旅費の負担が必要となる場合
法15条3項による 帰郷旅費 （全労働者が対象）	明示された労働条件が事実と相違することにより、即時に**労働契約を解除**した労働者が、契約解除の日から14日以内に**帰郷**する場合
法64条による 帰郷旅費 （年少者のみが対象）	解雇された年少者が、解雇の日から14日以内に帰郷する場合 **例外** 労働者の責めに帰すべき事由に基づく解雇の場合 →**行政官庁の認定**を受けたときは、帰郷旅費の負担は不要

(4) 労働者名簿と賃金台帳

労働者名簿	**各事業場**ごとに各労働者（日々雇い入れられる者を除く。）について調製し、所定の事項を記入しなければならない。所定の事項に変更があった場合には、**遅滞なく訂正**しなければならない。
賃金台帳	**各事業場**ごとに調製し、労働者各人別に所定の事項を**賃金支払いのつど遅滞なく**記入しなければならない。 →日々雇い入れられる者も調製の対象

第**2**章

労働安全衛生法

択一式は1問3分以内で
解きましょう!

総則等

過令2

難易度 普　重要度 B

労働安全衛生法に関する次の記述のうち、誤っているものはどれか。

A　労働安全衛生法は、同居の親族のみを使用する事業又は事務所については適用されない。また、家事使用人についても適用されない。

B　労働安全衛生法は、事業場を単位として、その業種、規模等に応じて、安全衛生管理体制、工事計画の届出等の規定を適用することにしており、この法律による事業場の適用単位の考え方は、労働基準法における考え方と同一である。

C　総括安全衛生管理者は、当該事業場においてその事業の実施を統括管理する者をもって充てなければならないが、必ずしも安全管理者の資格及び衛生管理者の資格を共に有する者のうちから選任しなければならないものではない。

D　労働安全衛生法は、事業者の責務を明らかにするだけではなく、機械等の設計者、製造者又は輸入者、原材料の製造者又は輸入者、建設物の建設者又は設計者、建設工事の注文者等についても、それぞれの立場において労働災害の発生の防止に資するよう努めるべき責務を有していることを明らかにしている。

E　労働安全衛生法は、第20条で、事業者は、機械等による危険を防止するため必要な措置を講じなければならないとし、その違反には罰則規定を設けているが、措置義務は事業者に課せられているため、例えば法人の従業者が違反行為をしたときは、原則として当該従業者は罰則の対象としない。

A ○ 昭47.9.18発基91号。労働安全衛生法が**適用除外**となるものは、次のとおりです。設問は、このうちの①及び②についてです。

①同居の親族のみを使用する事業又は事務所

②家事使用人

③船員法の適用を受ける**船員**

④一般職の**国家公務員**（行政執行法人の職員を除く。）

⑤鉱山保安法の規定による**鉱山における保安**（ただし、労働安全衛生法の労働災害防止計画の規定は適用される。）

B ○ 昭47.9.18発基91号。労働安全衛生法は、**事業場を単位**として、その業種、規模等に応じて、適用されます。事業場の適用単位の考え方は、労働基準法における考え方と同一であり、「事業場」とは、工場、鉱山、事務所、店舗等のように一定の場所において相関連する組織のもとに継続的に行われる作業の一体をいいます。

C ○ 法10条2項、昭47.9.18基発602号。総括安全衛生管理者は、当該事業場においてその**事業の実施を統括管理**する者をもって充てなければなりません。「事業の実施を統括管理する者」とは、工場長、作業所長など名称のいかんを問わず、当該事業場における事業の実施について実質的に統括管理する権限及び責任を有する者をいい、必ずしも安全管理者の資格及び衛生管理者の資格を共に有する者であることを要しません。

D ○ 法3条、昭47.9.18発基91号。労働安全衛生法においては、事業者の責務のほか、設問の**機械等の設計者等、建設工事の注文者等**についても、それぞれの立場において労働災害の発生の防止に資するよう努めるべき責務を有していることを明らかにしています。たとえば、建設工事の注文者等仕事を他人に請け負わせる者は、施工方法、工期等について、安全で衛生的な作業の遂行をそこなうおそれのある条件を附さないように配慮しなければなりません。

E × 法20条、119条1号、122条。違反行為をした従業者も罰則の対象となります。法人の従業者が、その法人又は人の業務に関して、所定の違反行為をしたときは、行為者が罰せられるほか、その法人又は人に対しても、**罰金刑**が科せられます（**両罰規定**）。設問の違反行為もこの処罰の対象となります。

解答　E

派遣労働者に係る適用

過平30 改正E

難易度 普　重要度

派遣労働者の安全衛生の確保に関する次の記述のうち、誤っているものはどれか。

A　派遣元事業者は、派遣労働者を含めて常時使用する労働者数を算出し、それにより算定した事業場の規模等に応じて、総括安全衛生管理者、衛生管理者、産業医を選任し、衛生委員会の設置をしなければならない。

B　派遣労働者に関する労働安全衛生法第66条第2項に基づく有害業務従事者に対する健康診断（以下本肢において「特殊健康診断」という。）の結果の記録の保存は、派遣先事業者が行わなければならないが、派遣元事業者は、派遣労働者について、労働者派遣法第45条第11項の規定に基づき派遣先事業者から送付を受けた当該記録の写しを保存しなければならず、また、当該記録の写しに基づき、派遣労働者に対して特殊健康診断の結果を通知しなければならない。

C　派遣労働者に対する労働安全衛生法第59条第1項の規定に基づく雇入れ時の安全衛生教育は、派遣先事業者に実施義務が課せられており、派遣労働者を就業させるに際して実施すべきものとされている。

D　派遣就業のために派遣され就業している労働者に関する機械、器具その他の設備による危険や原材料、ガス、蒸気、粉じん等による健康障害を防止するための措置は、派遣先事業者が講じなければならず、当該派遣中の労働者は当該派遣元の事業者に使用されないものとみなされる。

E　派遣元事業者は、派遣労働者が労働災害に被災したことを把握した場合、派遣先事業者から送付された所轄労働基準監督署長に報告した労働者死傷病報告の内容を踏まえて、電子情報処理組織を使用して、労働者死傷病報告に係る事項を派遣元の事業場を所轄する労働基準監督署長に報告しなければならない。

A　○　労働者派遣法45条1項・2項、平21基発0331010号。安全衛生管理体制について、設問の各管理者等の選任等に係る派遣元事業者の事業場における常時使用する労働者数は、**派遣労働者を含めて**算定します。

B　○　労働者派遣法45条3項・11項、平21基発0331010号。派遣労働者に係る特殊健康診断に関する派遣元事業者及び派遣先事業者それぞれの義務は、次表のとおりです（表中「○」：義務あり、「－」：義務なし）。設問は②③についてです。

	派遣元事業者	派遣先事業者
①実施と事後措置	－	○
②記録の保存	○（写しを保存）	○
③労働者への結果の通知	○	－

C　×　労働者派遣法45条1項・3項、昭61.6.6基発333号。**雇入れ時の安全衛生教育**は、「派遣先事業者」ではなく「**派遣元事業者**」に実施義務が課せられています。なお、作業内容変更時の安全衛生教育は**派遣元**事業者及び**派遣先**事業者双方に、特別教育及び職長等教育は**派遣先**事業者に実施義務が課せられています。

D　○　労働者派遣法45条3項、昭61.6.6基発333号。事業者の講ずべき危険又は健康障害を防止するための措置についてです。派遣労働者に関するこの措置は、**派遣先事業者**が講じなければなりません。また、この措置の適用に関して、「当該派遣中の労働者は当該派遣元の事業者に使用されないもの」とみなされます。**派遣先事業者に使用される**ものとみなされるためです。

E　○　則97条1項、労働者派遣法45条15項、同則42条等。派遣元事業者の**労働者死傷病報告**についてです。なお、派遣先事業者は、派遣労働者が被災した場合は、労働者死傷病報告として、派遣先の事業者の事業場の所在地を管轄する労働基準監督署長（所轄労働基準監督署長）に報告しなければなりません。また、この報告の内容を、遅滞なく、派遣元事業者に報告（送付）しなければなりません。つまり、労働者死傷病報告は、**派遣元**事業者及び**派遣先**事業者の**双方**が行わなければなりません。

解答　C

一般事業場の安全衛生管理体制（1）

予想

難易度 普　重要度 Ⓐ

労働安全衛生法の安全衛生管理体制に関する次の記述のうち、誤っているものはどれか。

A 安全管理者は、その事業場に専属の者を選任しなければならないが、2人以上の安全管理者を選任する場合において、当該安全管理者の中に労働安全コンサルタントがいるときは、当該者のうち1人については、この限りでない。

B 事業者は、その事業場について衛生管理者を選任すべき事由が発生したときは、その日から14日以内に衛生管理者を選任し、遅滞なく、電子情報処理組織を使用して、所定の事項を、所轄労働基準監督署長に報告しなければならない。

C 産業医は、少なくとも毎月1回、作業場等を巡視し、作業方法又は衛生状態に有害のおそれがあるときは、直ちに、労働者の健康障害を防止するため必要な措置を講じなければならないが、事業者から、毎月1回以上、一定の情報の提供を受けている場合であって、事業者の同意を得ているときは、少なくとも2ヵ月に1回、作業場等を巡視すれば足りる。

D 常時3,000人を超える労働者を使用する事業場にあっては、2人以上の産業医を選任することとされている。

E 事業者は、作業主任者を選任したときは、当該作業主任者の氏名及びその者に行わせる事項を作業場の見やすい箇所に掲示する等により関係労働者に周知させ、また、遅滞なく、所定の事項を、当該事業場の所在地を管轄する労働基準監督署長に報告しなければならない。

A ○ 則4条1項2号、5条2号。**安全管理者**は、原則として、その事業場に**専属**の者でなければなりませんが、2人以上の安全管理者を選任する場合において、当該安全管理者の中に**労働安全コンサルタント**がいるときは、労働安全コンサルタントのうち1人については、専属の者でなくても構いません。つまり、労働安全コンサルタントのうち**1人に限り**、**外部の者**から安全管理者を選任することができます。

B ○ 則7条1項1号・3項。衛生管理者の選任は、これを選任すべき事由が発生した日から14日以内に行うこととされています。また、衛生管理者を選任した事業者は、**遅滞なく**、原則電子申請により、所轄労働基準監督署長に**報告**しなければなりません。なお、この選任期限及び報告に関する点は、総括安全衛生管理者及び安全管理者についても同様です。

C ○ 則15条1項。産業医には、その職務として作業場等の巡視が義務づけられており、その頻度は、原則として、**少なくとも毎月1回**とされています。ただし、事業者から、毎月1回以上、次の①②の**情報**が**提供**されている場合であって、**事業者の同意**を得ているときは、**少なくとも2ヵ月に1回**、作業場等を巡視すればよいものとされています。

①衛生管理者が行う巡視の結果

②労働者の健康障害を防止し、又は労働者の健康を保持するために必要な情報であって、衛生委員会又は安全衛生委員会における調査審議を経て事業者が産業医に提供することとしたもの

D ○ 則13条1項4号。常時使用する労働者の数が50人以上である事業場の事業者は、その業種にかかわらず、産業医を選任する必要があります。選任すべき人数は、原則として、1人以上ですが、常時使用する労働者の数が3,000人を超える事業場においては、**2人以上**です。

E × 則18条。報告は不要です。作業主任者については、その氏名及びその者に行わせる事項を作業場の見やすい箇所に掲示する等により関係労働者に**周知**させれば足ります。

2章 労働安全衛生法

解答 E

一般事業場の安全衛生管理体制 (2)

過令6

難易度 易　重要度 A

次に示す業態をとる株式会社についての安全衛生管理に関する記述のうち、誤っているものはどれか。

なお、衛生管理者については、選任の特例（労働安全衛生規則第8条）を考えないものとする。

W市に本社を置き、人事、総務等の管理業務を行っている。

使用する労働者数　　常時30人

X市に第1工場を置き、金属部品の製造及び加工を行っている。

・工場は1直7:00〜15:00及び2直15:00〜23:00の2交替で操業しており、1グループ150人計300人の労働者が交替で就業している。

・工場には動力により駆動されるプレス機械が10台設置され、当該機械による作業が行われている。

Y市に第2工場を置き、金属部品の製造及び加工を行っている。

・工場は1直7:00〜15:00及び2直15:00〜23:00の2交替で操業しており、1グループ40人計80人の労働者が交替で就業している。

・工場には動力により駆動されるプレス機械が5台設置され、当該機械による作業が行われている。

Z市に営業所を置き、営業活動を行っている。

使用する労働者数　　常時12人（ただし、この事業場のみ、うち6人は1日4時間労働の短時間労働者）

A　W市にある本社には、安全管理者も衛生管理者も選任する義務はない。

B　W市にある本社には、総括安全衛生管理者を選任しなければならない。

C　X市にある第1工場及びY市にある第2工場には、それぞれ安全管理者及び衛生管理者を選任しなければならないが、X市にある第1工場には、衛生管理者を二人以上選任しなければならない。

D　X市にある第1工場及びY市にある第2工場には、プレス機械作業主任者を、それぞれの工場に、かつ1直2直それぞれに選任しなければならない。

E　Z市にある営業所には、衛生推進者を選任しなければならない。

A　○　法11条1項、12条1項、令3条、4条。安全管理者及び衛生管理者の選任義務がある事業場の規模（常時使用する労働者数。以下同じ。）の要件は、「50人以上」です。また、設問のW市の本社の業種は、「その他の業種」に該当しますが、「その他の業種」において安全管理者の選任義務はありません（衛生管理者の選任義務がある業種は、「全業種」です。）。したがって、本社（その他の業種・規模30人）には、**安全管理者**及び**衛生管理者**の選任義務は**ありません**。

B　×　法10条1項、令2条。設問のW市の本社の業種である「その他の業種」において総括安全衛生管理者の選任義務がある事業場の規模の要件は、「1,000人以上」です。したがって、本社（その他の業種・規模30人）には、**総括安全衛生管理者**の選任義務は**ありません**。

C　○　法11条1項、12条1項、令3条、4条、則7条1項4号。設問のX市の第1工場及びY市の第2工場の業種は、安全管理者の選任義務がある「製造業」に該当します。したがって、第1工場（製造業・規模300人）及び第2工場（製造業・規模80人）には、**安全管理者**及び**衛生管理者**の選任義務が**あります**（規模等の要件は解説Aも参照）。また、規模が「**200人を超え500人以下**」である第1工場には、**衛生管理者**を2人以上選任しなければなりません。

D　○　法14条、令6条7号、則別表第1、昭48.3.19基発145号。動力により駆動されるプレス機械（**動力プレス**）を**5台以上**有する事業場において行う当該機械による作業については、当該作業の区分に応じて（交替制作業では、**各直ごと**に）、プレス機械作業主任者の選任義務があります。したがって、設問のX市の第1工場（動力プレスを10台設置）及びY市の第2工場（動力プレスを5台設置）には、それぞれの工場に、かつ1直2直それぞれに**プレス機械作業主任者**の選任義務が**あります**。

E　○　法12条の2、則12条の2、昭47.9.18基発602号。設問のZ市の営業所の業種は、「その他の業種」に該当します。「その他の業種」で規模が「**10人以上50人未満**」である事業場には、衛生推進者の選任義務があります。したがって、設問の営業所（規模12人（短時間労働者を**含む**。））には、**衛生推進者**の選任義務が**あります**。

2章　労働安全衛生法

解答　　B

安全委員会、衛生委員会等

予想

難易度 普　重要度 C

労働安全衛生法に定める安全委員会、衛生委員会等に関する次の記述のうち、正しいものはどれか。

A 　事業者は、安全委員会を設けなければならない事業場においては、衛生委員会も設けなければならない。

B 　事業者は、安全委員会又は衛生委員会の委員の半数については、当該事業場に労働者の過半数で組織する労働組合があるときにおいてはその労働組合、労働者の過半数で組織する労働組合がないときにおいては労働者の過半数を代表する者の推薦に基づき、指名しなければならない。

C 　事業者は、当該事業場に設置されている衛生委員会の委員として、原則として、当該事業場の産業医を指名しなければならないこととされているが、当該産業医が嘱託の場合には、必ずしも指名することを要しない。

D 　事業者は、安全委員会、衛生委員会又は安全衛生委員会を毎月1回以上開催し、開催の都度、遅滞なく、その委員会の議事の概要を労働者に周知させるとともに、その開催状況等を所轄労働基準監督署長に報告しなければならない。

E 　安全委員会の付議事項には、「労働安全衛生法第28条の2第1項又は第57条の3第1項及び第2項の危険性又は有害性等の調査及びその結果に基づき講ずる措置のうち、安全に係るものに関すること」及び「労働安全衛生規則第577条の2第1項、第2項及び第8項の規定により講ずる措置（リスクアセスメント対象物に係るばく露の程度の低減等の措置）に関すること並びに同条第3項及び第4項の医師又は歯科医師による健康診断（リスクアセスメント対象物健康診断）の実施に関すること」が含まれている。

A ○ 法17条1項、18条1項、令8条、9条。衛生委員会は、**業種を問わず、常時使用する労働者の数が50人以上である事業場**に設けなければなりません。一方、安全委員会は、林業、建設業等の**屋外産業的業種**では常時使用する労働者の数が50人以上、電気業、通信業等の**工業的業種**では100人以上である事業場に設けなければなりません。したがって、安全委員会を設けなければならない事業場においては、必ず衛生委員会を設けなければならないことになります。

B × 法17条2項・4項、18条2項・4項。「委員の半数」としている点が誤りです。正しくは、「委員会の議長を除く、**残りの委員の半数**」について、労働者の**過半数を代表する者等の推薦**に基づき、**事業者が指名**しなければならないと規定されています。

C × 法18条2項3号、昭63.9.16基発601号の1。産業医が嘱託の場合には指名不要という規定はありません。衛生委員会の委員となる**産業医**は、当該事業場に専属の産業医に限られるものではないとされています。したがって、嘱託の産業医であっても、衛生委員会の委員として**指名**しなければなりません。

D × 則23条1項・3項。所轄労働基準監督署長に報告する必要はありません。報告を義務づける規定はないからです。その他の記述は、正しい記述です。

E × 則21条2号、22条11号。設問後半の事項（リスクアセスメント対象物に係るばく露の程度の低減等の措置とリスクアセスメント対象物健康診断の実施）に関することは、安全委員会の付議事項（調査審議事項）に**含まれていません**。これは、**衛生委員会の付議事項に含まれる**ものです。なお、設問前半にある措置（危険性又は有害性等の調査及びその結果に基づき講ずる措置のうち、安全に係るもの）に関することが、安全委員会の付議事項に含まれるとする点は、正しい記述です。

解答　A

下請混在作業現場の安全衛生管理体制等

過令4

難易度 **普**　重要度 **B**

下記に示す事業者が一の場所において行う建設業の事業に関する次の記述のうち、誤っているものはどれか。

なお、この場所では甲社の労働者及び下記乙①社から丙②社までの4社の労働者が作業を行っており、作業が同一の場所において行われることによって生じる労働災害を防止する必要がある。

甲社	鉄骨造のビル建設工事の仕事を行う元方事業者
	当該場所において作業を行う労働者数　　常時5人

乙①社　　　甲社から鉄骨組立工事一式を請け負っている事業者

　　　　　　　当該場所において作業を行う労働者数　　常時10人

乙②社　　　甲社から壁面工事一式を請け負っている事業者

　　　　　　　当該場所において作業を行う労働者数　　常時10人

丙①社　　　乙①社から鉄骨組立作業を請け負っている事業者

　　　　　　　当該場所において作業を行う労働者数　　常時14人

丙②社　　　乙②社から壁材取付作業を請け負っている事業者

　　　　　　　当該場所において作業を行う労働者数　　常時14人

A　甲社は、統括安全衛生責任者を選任しなければならない。

B　甲社は、元方安全衛生管理者を選任しなければならない。

C　甲社は、当該建設工事の請負契約を締結している事業場に、当該建設工事における安全衛生の技術的事項に関する管理を行わせるため店社安全衛生管理者を選任しなければならない。

D　甲社は、労働災害を防止するために協議組織を設置し運営しなければならないが、この協議組織には自社が請負契約を交わした乙①社及び乙②社のみならず丙①社及び丙②社も参加する組織としなければならない。

E　甲社は、丙②社の労働者のみが使用するために丙②社が設置している足場であっても、その設置について労働安全衛生法又はこれに基づく命令の規定に違反しないよう必要な指導を行わなければならない。

A　○　法15条1項、令7条2項。設問の**建設業の事業**（鉄骨造のビル建設工事）における作業を行う場所（作業現場）の労働者数は、合計で常時53人（＝5人＋10人＋10人＋14人＋14人）です。したがって、労働者数が**常時50人以上**の作業現場であるため、甲社は、**統括安全衛生責任者**を選任しなければなりません。

B　○　法15条の2第1項。**統括安全衛生責任者を選任すべき作業現場**のうち、建設業に属するものであるため、甲社は、**元方安全衛生管理者**を選任しなければなりません。

C　×　法15条の3第1項、則18条の6第1項。店社安全衛生管理者を選任する必要は**ありません**。**店社安全衛生管理者**を選任しなければならないのは、「統括安全衛生責任者の**選任義務がない**」中小規模の建設現場における**建設業**の元方事業者です。

D　○　法30条1項1号、則635条1項1号。特定元方事業者に該当する甲社は、特定元方事業者及び**すべての関係請負人**が参加する**協議組織**を設置し、これを運営しなければなりません。

E　○　法29条1項。設問の甲社を含め**すべての元方事業者**は、関係請負人及び関係請負人の労働者が、当該仕事（例：足場の設置等）に関し、労働安全衛生法又はこれに基づく命令の規定に**違反しないよう必要な指導**を行わなければなりません。

基本まとめ　選任すべき作業現場等のまとめ

	統括安全衛生責任者	元方安全衛生管理者	安全衛生責任者	店社安全衛生管理者
業種と選任する者	建設業と造船業の元方事業者	建設業のみの元方事業者	建設業と造船業の関係請負人	建設業のみの元方事業者
選任すべき作業現場と規模	①ずい道等の建設、一定の橋梁の建設、圧気工法による作業 ➡30人以上 ②上記以外の仕事（元方安全衛生管理者は建設業に属するもののみ） ➡50人以上			①ずい道等の建設、一定の橋梁の建設、圧気工法による作業 ➡20人以上30人未満 ②主要構造部が鉄骨造・鉄骨鉄筋コンクリート造の建築物の建設 ➡20人以上50人未満

解答　C

2章

労働安全衛生法

労働者の危害防止の措置等（1）

予想　　　　　　　　　　　　　　　　　　　難易度 **普**　重要度 **B**

労働安全衛生法に定める労働者の危険又は健康障害を防止するための措置等に関する次の記述のうち、誤っているものの組合せは、後記AからEまでのうちどれか。

ア　事業者は、幅が1メートル以上の箇所において足場を使用するときは、一側足場を使用しなければならない。ただし、つり足場を使用するとき、又は障害物の存在その他の足場を使用する場所の状況により一側足場を使用することが困難なときは、この限りでない。

イ　事業者は、労働者の作業行動から生ずる労働災害を防止するため必要な措置を講じなければならない。

ウ　労働者は、事業者が労働安全衛生法第20条から第25条の2までの7箇条において事業者に義務づけられている労働災害の発生を防止するための必要な措置に応じて、必要な事項を守らなければならないが、その違反に対する罰則の規定は設けられていない。

エ　政令で定めるずい道等の建設の仕事等で特に危険なものを行う事業者は、厚生労働省令で定める資格を有する者のうちから、救護に関する技術的事項を管理する者を選任し、その者に当該技術的事項を管理させなければならない。

オ　元方事業者は、関係請負人又は関係請負人の労働者が、当該仕事に関し、労働安全衛生法又はこれに基づく命令の規定に違反していると認めるときは、是正のため必要な指示を行わなければならず、当該指示を受けた関係請負人又はその労働者は、当該指示に従わなければならない。

A　（アとイ）　　　**B**　（アとウ）　　　**C**　（イとエ）
D　（ウとオ）　　　**E**　（エとオ）

ア　×　則561条の2。2箇所ある「一側足場」の部分が誤りであり、正しくは「**本足場**」です。事業者は、幅が**1メートル以上**の箇所において足場を使用するときは、原則として、**本足場**を使用しなければなりません。本足場とは、建設現場において、建築物の外壁面等に沿って、建地（支柱）を2列設置して組み立てる足場のことです（二側足場とも呼ばれる。）。令和6年4月1日施行の改正により、本足場の設置に十分なスペース（幅が1メートル以上の箇所）がある場合には、本足場を使用することが原則とされています。

イ　○　法24条。労働者の**作業行動**から生じる労働災害を防止するため、事業者には必要な措置を講ずることが義務づけられています。この「作業行動」とは、たとえば、重量物の運搬等が該当し、この作業に伴う腰痛等を防止するため適切な措置をとるべきことが事業者に義務づけられています。

ウ　×　法26条、120条1号。罰則の規定は設けられています。労働者が、設問の規定に違反して必要な事項を守らない場合には、**50万円以下の罰金**に処せられます。

エ　○　法25条の2第2項、令9条の2。**建設業**において、ずい道等の建設や圧気工法による作業を行う仕事等で特に危険なものを行う事業者については、爆発、火災等の重大事故が発生したことに伴い救護に関する措置がとられる場合に備えて、必要な訓練の実施等の措置義務のほか、一定の資格を有する者のうちから、**救護に関する技術的事項を管理する者**の選任義務が課せられています。

オ　○　法29条2項・3項。**元方事業者**（業種は不問）は、関係請負人又はその労働者が、その請け負った仕事に関して、労働安全衛生法令の規定に**違反している**と認めたときは、是正のため必要な**指示**を行わなければなりません。また、関係請負人又はその労働者は、当該指示に**従わなければなりません**。

以上から誤っているものの組合せは、**B**（アとウ）です。

解答　B

1	2	3

労働者の危害防止の措置等（2）

予想　　　　　　　　　　　　　　　　　　　　　難易度 難　重要度 B

労働安全衛生法の労働者の危険又は健康障害を防止するための措置等に関する次の記述のうち、同法の規定により義務づけられている措置として、正しいものはいくつあるか。

ア　注文者は、その請負人に対し、当該仕事に関し、その指示に従って当該請負人の労働者を労働させたならば、労働安全衛生法又は同法に基づく命令の規定に違反することとなる指示をしてはならない。

イ　機械等で、政令で定めるものを、相当の対価を得て業として他の事業者に貸与する者は、当該機械等の貸与を受けた事業者の事業場における当該機械等による労働災害を防止するため必要な措置を講じなければならない。

ウ　建築物で、政令で定めるものを他の事業者に貸与する者は、当該建築物の貸与を受けた事業者の事業に係る当該建築物による労働災害を防止するため必要な措置を講じなければならないが、当該建築物の全部を一の事業者に貸与するときは、この限りでない。

エ　一の貨物で、重量が1トン以上のものを発送しようとする者は、見やすく、かつ、容易に消滅しない方法で、当該貨物にその重量を表示しなければならないが、包装されていない貨物で、その重量が一見して明らかであるものを発送しようとするときは、この限りでない。

オ　ガス工作物その他政令で定める工作物を設けている者は、当該工作物の所在する場所又はその附近で工事その他の仕事を行なう事業者から、当該工作物による労働災害の発生を防止するためにとるべき措置についての教示を求められたときは、これを教示しなければならない。

A　一つ
B　二つ
C　三つ
D　四つ
E　五つ

ア ◯ 法31条の４。注文者の**違法な指示の禁止**についてです。設問の規定は、指示を行った注文者が労働安全衛生法令違反となる行為が行われることを認識して当該指示を行った場合に適用されます。したがって、指示の内容が一般的であって、請負人がその指示に従ったとしても労働安全衛生法令の規定に違反することなく当該指示の目的を果たせる場合において、結果として請負人が違反を行ったときは、設問の規定は適用されません。

イ ◯ 法33条１項、則665条。**機械等貸与者**（いわゆるリース業者）の講ずべき措置についてです。機械等で、政令で定めるものを他の事業者に貸与する者で、厚生労働省令で定めるものは、当該機械等の貸与を受けた事業者の事業場における当該機械等による労働災害を防止するため必要な措置を講じなければなりません。なお、設問の「機械等」には、つり上げ荷重が0.5トン以上の移動式クレーン、不整地運搬車、作業床の高さが２メートル以上の高所作業車等が定められています。

ウ ◯ 法34条。**建築物貸与者**の講ずべき措置についてです。「建築物の全部を一の事業者に貸与するとき」に措置を講ずる義務が課されないのは、貸与を受けた者が建築物の全部を有効に管理することができるためです。なお、設問の規定の対象となる建築物は、事務所又は工場の用に供される建築物であり、貸与は、有償・無償を問いません。

エ ◯ 法35条。**重量表示**の義務についてです。「１トン以上」という数字要件は、覚えておくことが必要です。なお、「その重量が一見して明らかなもの」とは、丸太、石材、鉄骨材等のように外観により重量の推定が可能であるものをいいます。

オ ◯ 法102条。**ガス工作物等設置者**の義務についてです。他の規定には見られない「教示」義務について定めています。なお、設問の工作物には、ガス工作物のほか、電気工作物、熱供給施設、石油パイプラインが定められています。

以上から、正しいものは五つであるため、正解はＥです。

解答　Ｅ

特定機械等の規制

過令5

難易度 易　重要度 A

労働安全衛生法第37条第1項の「特定機械等」(特に危険な作業を必要とする機械等であって、これを製造しようとする者はあらかじめ都道府県労働局長の許可を受けなければならないもの) として、労働安全衛生法施行令に掲げられていないものはどれか。ただし、いずれも本邦の地域内で使用されないことが明らかな場合を除くものとする。

A 「ボイラー(小型ボイラー並びに船舶安全法の適用を受ける船舶に用いられるもの及び電気事業法(昭和39年法律第170号)の適用を受けるものを除く。)」

B 「つり上げ荷重が3トン以上(スタッカー式クレーンにあつては、1トン以上)のクレーン」

C 「つり上げ荷重が3トン以上の移動式クレーン」

D 「積載荷重(エレベーター(簡易リフト及び建設用リフトを除く。以下同じ。)、簡易リフト又は建設用リフトの構造及び材料に応じて、これらの搬器に人又は荷をのせて上昇させることができる最大の荷重をいう。以下同じ。)が1トン以上のエレベーター」

E 「機体重量が3トン以上の車両系建設機械」

2章

労働安全衛生法

A〜Eは法37条1項、法別表第1、令12条。

設問は、**特定機械等**に該当しないものはどれかを問うたものです。特定機械等とは、次の①〜⑧の機械等（本邦の地域内で使用されないことが明らかな場合を除く。）です。

①**ボイラー**（移動式のものを含み、小型ボイラー等を除く。）

②**第1種圧力容器**（移動式のものを含み、小型圧力容器等を除く。）

③つり上げ荷重が**3トン以上**（スタッカー式は1トン以上）の**クレーン**

④つり上げ荷重が**3トン以上**の移動式**クレーン**

⑤つり上げ荷重が**2トン以上**のデリック

⑥積載荷重が**1トン以上**のエレベーター

⑦ガイドレールの高さが**18メートル以上**の**建設用リフト**（積載荷重が0.25トン未満のものを除く。）

⑧**ゴンドラ**

したがって、**A〜E**のうち、特定機械等に該当しないもの（労働安全衛生法施行令に掲げられていないもの）は、**E**です。

ポイント解説

特定機械等の規制

特定機械等は、製造自体が許可制となっているほか、実際に製造したときや設置したとき等にも検査（**製造時等検査・設置時等検査**）を受けなければならないなどの規制があります。

また、移動式の特定機械等については製造時等検査**に合格**したときに、**移動式**以外の特定機械等については設置時検査**に合格**したときに、**検査証が交付**されます。この検査証を受けていない特定機械等（変更検査・使用再開検査を受けなければならない特定機械等で、検査証に裏書を受けていないものを含む。）は、使用してはならず、検査証を受けた特定機械等を譲渡・貸与する場合には、検査証とともに譲渡・貸与しなければなりません。

※**移動式**の特定機械等→上記解説中の①のうちの「**移動式ボイラー**」、②のうちの「**移動式第1種圧力容器**」、④の「**移動式クレーン**」及び⑧の「**ゴンドラ**」の4種類

解答 E

問題 052

危険物及び有害物に関する規制

予想

難易度 難　重要度 B

危険物及び有害物に関する規制に関する次の記述のうち、誤っているものはどれか。なお、本問において、「通知対象物」とは労働安全衛生法第57条の２第１項に規定する通知対象物のことをいい、「リスクアセスメント」とは同法第57条の３第１項の危険性又は有害性等の調査のことをいい、「リスクアセスメント対象物」とはリスクアセスメントをしなければならない政令で定める物及び通知対象物のことをいう。

A 事業者は、リスクアセスメントを行ったときは、その結果等について、記録を作成し、これを３年間（当該リスクアセスメント対象物について次のリスクアセスメントを３年以内に行う場合には、次のリスクアセスメントを行うまでの期間）保存するとともに、その結果等を、リスクアセスメント対象物を製造し、又は取り扱う業務に従事する労働者に周知させなければならない。

B 黄りんマッチ、ベンジジン、ベンジジンを含有する製剤その他の労働者に重度の健康障害を生ずる物で、政令で定めるものは、製造し、輸入し、譲渡し、提供し、又は使用してはならないが、あらかじめ、都道府県労働局長の許可を受けること等政令で定める要件に該当するときは、試験研究のため製造し、輸入し、又は使用することができる。

C 労働安全衛生法第57条第１項による表示が義務づけられている物を容器に入れ、又は包装して保管するとき（同項の規定による表示がされた容器又は包装により保管するときを除く。）は、当該物の名称及び人体に及ぼす作用について、当該物の保管に用いる容器又は包装への表示、文書の交付その他の方法により、当該物を取り扱う者に、明示しなければならない。

D 事業者は、リスクアセスメント対象物を製造し、又は取り扱う業務に常時従事する労働者に対し、リスクアセスメント対象物に係るリスクアセスメントの結果に基づき、関係労働者の意見を聴き、必要があると認めるときは、医師又は歯科医師が必要と認める項目について、医師又は歯科医師による健康診断を行わなければならない。

E 通知対象物を譲渡し、又は提供する者は、人体に及ぼす作用について、直近の確認を行った日から起算して５年以内ごとに１回、最新の科学的知見に基づき、変更を行う必要性の有無を確認し、変更を行う必要があると認めるときは、当該確認をした日から１年以内に、当該事項に変更を行わなければならない。

A　✕　則34条の２の８第１項。記録の保存期間は、「次にリスクアセスメントを行うまでの期間（リスクアセスメントを行った日から起算して３年以内に当該リスクアセスメント対象物についてリスクアセスメントを行ったときは、**3年間**)」です。なお、このほかの記述については、正しい内容です。

B　○　法55条、令16条２項。黄りんマッチ、ベンジジン等のいわゆる製造等禁止物質であっても、次の①②の要件に該当するときは、**試験研究のため製造**し、**輸入**し、又は**使用**することが認められています。

①製造、輸入又は使用について、厚生労働省令で定めるところにより、あらかじめ、**都道府県労働局長の許可**を受けること。

②厚生労働大臣が定める基準に従って製造し、又は使用すること。

C　○　則33条の２。設問の物（いわゆるラベル表示対象物）を容器に入れ、又は包装して**保管**（具体的には、①他の容器に移し替えて保管、②自ら製造したラベル表示対象物を容器に入れて保管）する場合には、ラベル表示、文書の交付その他の方法により、当該**物の名称**及び**人体に及ぼす作用**の２事項について、当該物を取り扱う者に**明示しなければなりません**。化学物質の危険性・有害性に関する情報の伝達を事業場内で強化するための措置です。

D　○　則577条の２第３項。事業者は、**リスクアセスメント対象物**を製造し、又は取り扱う業務に常時従事する労働者に対し、必要があると認めるときは、**医師又は歯科医師**による**健康診断**（リスクアセスメント対象物健康診断）を行わなければなりません。

E　○　則34条の２の５第２項。通知対象物に係る通知事項の１つである「**人体に及ぼす作用**」の定期確認及び更新の義務についてです。定期確認は、「**5年以内ごとに1回**」行い、変更を行う必要があれば「**1年以内**」に変更（更新）を行わなければなりません。なお、変更を行ったときは、変更後の事項を、適切な時期に、譲渡し、又は提供した相手方の事業者に通知することが義務づけられています。

解答　A

安全衛生教育

予想

難易度 普　重要度 B

労働安全衛生法に定める安全衛生教育に関する次の記述のうち、正しいものはどれか。

A　事業者は、労働者を雇い入れたときは、当該労働者に対し、雇入れ時の安全衛生教育を行わなければならないが、臨時に使用する労働者については、これを行う必要がない。

B　事業者は、労働者の作業内容を変更したときは、当該労働者に対し、遅滞なく、作業内容変更時の安全衛生教育を行わなければならないが、安全管理者を選任する必要のない「その他の業種」の事業場の労働者については、当該作業内容変更時の安全衛生教育を行わないことができる。

C　事業者は、小型ボイラーの取扱いの業務に労働者を就かせるときは、厚生労働省令で定めるところにより、当該業務に関する安全又は衛生のための特別の教育を行わなければならず、当該特別の教育の修了者に対しては、修了証明書を交付しなければならない。

D　建設業に属する事業の事業者は、新たに職務につくこととなった職長その他の作業中の労働者を直接指導又は監督する者（作業主任者を除く。）に対し、所定の事項について、安全又は衛生のための教育を行わなければならないが、当該教育は、所定労働時間内に行うのを原則としている。

E　事業者は、雇入れ時等の安全衛生教育、特別教育又は職長等の教育を行ったときは、当該教育の受講者、科目等の記録を作成して、これを3年間保存しておかなければならない。

A　✕　法59条1項。臨時に使用する労働者に対しても、雇入れ時の安全衛生教育を行わなければなりません。雇入れ時及び作業内容変更時の安全衛生教育は、臨時に使用する労働者も含め、**全業種のすべての労働者**が対象です。

B　✕　法59条2項、則35条。後半の記述が誤りです。事業場の業種によって作業内容変更時の安全衛生教育を行わないことができるとする規定はありません。作業内容変更時の安全衛生教育は、**業種を問わず**、行わなければなりません。なお、教育事項の全部又は一部に関し十分な知識及び技能を有していると認められる労働者については、その事項についての教育を省略することができます。

C　✕　法59条3項、則36条14号、参考：則37条〜39条。特別教育の修了者に対する修了証明書の交付は**義務づけられていません**。なお、小型ボイラーの取扱いの業務に労働者を就かせるときに特別教育を行わなければならないという点は、正しい記述です。

D　○　法60条、令19条1号、昭47.9.18基発602号。労働安全衛生法で義務づけられているすべての**安全衛生教育**は、**所定労働時間内**に行うことを原則としています。安全衛生教育は、労働者がその業務に従事する場合の労働災害の防止を図るため、事業者の責任において実施されなければならないものであるためです。なお、設問の職長等教育の実施対象となる業種は、建設業のほか、製造業（一定の製造業を除く。）、電気業、ガス業、自動車整備業、機械修理業の6業種に限定されています。また、その対象となる労働者から、**作業主任者**は除かれています。

E　✕　則38条、参考：則35条、40条。記録の保存義務があるのは、**特別教育のみ**です。雇入れ時等の安全衛生教育、職長等の教育については、設問のような記録の保存義務は定められていません。なお、特別教育に係る記録の内容及びその保存期間（**3年間**）については、正しい記述です。

解答　D

就業制限

過平28

難易度 難　重要度 C

労働安全衛生法第61条に定める就業制限に関する次の記述のうち、正しいものはどれか。

A　産業労働の場において、事業者は、例えば最大荷重が1トン以上のフォークリフトの運転（道路上を走行させる運転を除く。）の業務については、都道府県労働局長の登録を受けた者が行うフォークリフト運転技能講習を修了した者その他厚生労働省令で定める資格を有する者でなければ、当該業務に就かせてはならないが、個人事業主である事業者自らが当該業務を行うことについては制限されていない。

B　建設機械の一つである機体重量が3トン以上のブル・ドーザーの運転（道路上を走行させる運転を除く。）の業務に係る就業制限は、建設業以外の事業を行う事業者には適用されない。

C　つり上げ荷重が5トンのクレーンのうち床上で運転し、かつ、当該運転をする者が荷の移動とともに移動する方式のものの運転の業務は、クレーン・デリック運転士免許を受けていなくても、床上操作式クレーン運転技能講習を修了した者であればその業務に就くことができる。

D　クレーン・デリック運転士免許を受けた者は、つり上げ荷重が5トンの移動式クレーンの運転（道路上を走行させる運転を除く。）の業務に就くことができる。

E　作業床の高さが5メートルの高所作業車の運転（道路上を走行させる運転を除く。）の業務は、高所作業車運転技能講習を修了した者でなければその業務に就くことはできない。

A　✕　法61条1項・2項、令20条11号、則41条、則別表第3、昭49.6.25基収
1367号。個人事業主である事業者自らが当該業務を行うことについても制限さ
れています。最大荷重が1トン以上のフォークリフトの運転（道路上を走行させ
る運転を除く。）の業務については、フォークリフト運転技能講習を修了した者
その他厚生労働省令で定める資格を有する者でなければ、当該業務に就くことは
できません。この制限は、個人事業主である**事業者自らが当該業務を行う場合**
についても、同様に**適用されます**。

B　✕　令20条12号、令別表第7、昭47.11.15基発725号。設問の就業制限は、**建
設業以外**の事業を行う事業者にも適用されます。

C　○　法61条1項、令20条6号、則41条、則別表第3。つり上げ荷重が5トン
以上のクレーン（跨線テルハを除く。）の運転の業務に就くことができる者は、
業務の区分に応じて、次のとおりです。設問は、②についてです。

業務の区分	業務に就くことができる者
①下記②の業務以外の業務	クレーン・デリック運転士免許を受けた者
②床上で運転し、かつ、当該運転をする者が荷の移動とともに移動する方式のクレーンの運転の業務	クレーン・デリック運転士免許を受けた者又は**床上操作式クレーン運転技能講習を修了した者**

D　✕　法61条1項、令20条7号、則41条、則別表第3。「クレーン・デリック運
転士免許」ではなく、「移動式クレーン運転士免許」です。つり上げ荷重が5ト
ン以上の移動式クレーンの運転（道路上を走行させる運転を除く。）の業務は、
「**移動式クレーン運転士免許を受けた者**」でなければ就くことができません。

E　✕　法61条1項、令20条15号、則41条、則別表第3。設問の業務は就業制限
の対象とはなりません。高所作業車運転技能講習を修了した者その他厚生労働
大臣が定める者でなければ就くことができないのは、作業床の高さが「**10メート
ル以上**」の高所作業車の運転の業務です。

解答　C

健康診断等（1）

過令元

難易度 普　重要度

労働安全衛生法第66条の定めに基づいて行う健康診断に関する次の記述のうち、正しいものはどれか。

A　事業者は、常時使用する労働者に対し、定期に、所定の項目について医師による健康診断を行わなければならないとされているが、その費用については、事業者が全額負担すべきことまでは求められていない。

B　事業者は、常時使用する労働者を雇い入れるときは、当該労働者に対し、所定の項目について医師による健康診断を行わなければならないが、医師による健康診断を受けた後、6か月を経過しない者を雇い入れる場合において、その者が当該健康診断の結果を証明する書面を提出したときは、当該健康診断の項目については、この限りでない。

C　期間の定めのない労働契約により使用される短時間労働者に対する一般健康診断の実施義務は、1週間の労働時間数が当該事業場において同種の業務に従事する通常の労働者の1週間の所定労働時間数の4分の3以上の場合に課せられているが、1週間の労働時間数が当該事業場において同種の業務に従事する通常の労働者の1週間の所定労働時間数のおおむね2分の1以上である者に対しても実施することが望ましいとされている。

D　産業医が選任されている事業場で法定の健康診断を行う場合は、産業医が自ら行うか、又は産業医が実施の管理者となって健診機関に委託しなければならない。

E　事業者は、厚生労働省令で定めるところにより、受診したすべての労働者の健康診断の結果を記録しておかなければならないが、健康診断の受診結果の通知は、何らかの異常所見が認められた労働者に対してのみ行えば足りる。

A　✕　則44条1項、昭47.9.18基発602号。設問の費用は、事業者が負担すべきものとされています。労働安全衛生法で事業者に実施義務を課している健康診断（一般健康診断、有害業務従事者の健康診断及び臨時の健康診断）の費用は、当然に**事業者が負担すべき**ものとされています。

B　✕　則43条。「6ヵ月」ではなく、「3ヵ月」です。雇入れ時の健康診断については、3ヵ月以内に医師による健康診断を受けた者がその結果を証明する**書面を提出**した場合は、雇入れ時の健康診断の項目のうち当該医師による健康診断の項目に相当する項目を**省略**することができます。

C　○　平31基発0130第1号。期間の定めのない労働契約により使用される短時間労働者については、1週間の労働時間数が当該事業場において同種の業務に従事する通常の労働者の1週間の所定労働時間数の**4分の3以上**である場合に、一般健康診断の対象となります。また、この要件を満たさない者（1週間の労働時間数が4分の3未満の者）であっても、1週間の労働時間数が通常の労働者の1週間の所定労働時間数の**おおむね2分の1以上**であるものについては、一般健康診断を**実施することが望ましい**とされています。

D　✕　健康診断結果措置指針、（財）労務行政研究所編『労働安全衛生法』（労務行政,2017年）605頁参照。設問のような義務は、**定められていません**。なお、健康診断は医師が行うものとされているため、産業医を選任している事業場であっても健診機関に委託して実施して差し支えないものとされています。

E　✕　法66条の3、66条の6、則51条の4、健康診断結果措置指針。健康診断の受診結果の通知は、何らかの異常所見が認められた**労働者**に対してのみ行うだけでは足りません。事業者は、健康診断を受けた労働者に対して、**異常の所見の有無にかかわらず**、遅滞なくその結果を通知しなければなりません。なお、受診したすべての労働者の健康診断の結果を記録しておかなければならないという点は、正しい記述です。

解答　C

健康診断等（2）

予想

難易度 普　重要度 A

健康診断等に関する次の記述のうち、正しいものはどれか。

A 事業者は、本邦外の地域に1年間派遣した労働者を本邦の地域内における業務に一時的に就かせるときは、当該労働者に対し、所定の項目について、海外派遣労働者の健康診断を行わなければならない。

B 事業者は、歯又はその支持組織に有害な物のガス、蒸気又は粉じんを発散する場所における業務に常時従事する労働者に対し、その雇入れの際、当該業務への配置替えの際及び当該業務に就いた後3ヵ月以内ごとに1回、定期に、歯科医師による健康診断を行わなければならない。

C 都道府県労働局長は、労働者の健康を保持するため必要があると認めるときは、産業医の意見に基づき、事業者に対し、臨時の健康診断の実施その他必要な事項を指示することができる。

D 定期健康診断の受診に要した時間に対する賃金の支払いについては、当然には事業者の負担すべきものではなく、労使が協議して定めるべきものであるが、事業者がこれを支払うことが望ましいものとされている。

E 事業者は、定期健康診断の結果に基づき、当該定期健康診断を受けたすべての労働者に対し、保健師による保健指導を行うように努めなければならない。

A　×　則45条の2第2項。海外派遣労働者の健康診断を行う必要はありません。事業者は、本邦外（日本国外）の地域に**6ヵ月以上派遣**した労働者を本邦の地域内（日本国内）における業務に就かせる場合は、海外派遣労働者の健康診断を行わなければならなりませんが、一時的に本邦の地域内における業務に就かせるときは、当該健康診断を行う必要は**ありません**。

B　×　法66条3項、令22条3項、則48条。「3ヵ月以内ごとに1回」ではなく、「**6ヵ月以内ごとに1回**」です。**歯科医師**による健康診断は、**雇入れ**の際、当該業務への**配置替え**の際及び当該業務に就いた後**6ヵ月以内**ごとに1回、定期に、実施しなければなりません。

C　×　法66条4項。「産業医」ではなく、「労働衛生指導医」です。**都道府県労働局長**は、労働者の健康を保持するため必要があると認めるときは、労働衛生指導医**の意見**に基づき、事業者に対し、**臨時の健康診断**の実施等を指示することができます。

D　○　昭47.9.18基発602号。**一般健康診断**（定期健康診断等）の受診に要した時間に対する**賃金**については、当然には事業者の負担すべきものではなく、**労使が協議**して定めるべきものであるが、労働者の健康の確保は、事業の円滑な運営の不可欠な条件であることを考えると、その受診に要した時間に対する賃金を**事業者が支払うことが望**ましいとされています。

E　×　法66条の7第1項。設問の保健指導の対象者は、「当該定期健康診断を受けたすべての労働者」ではなく、「**特に健康の保持に努める必要があると認める労働者**」です。また、保健指導を行うのは、「保健師」ではなく、「**医師又は保健師**」です。

健康診断に係る費用の負担・実施時間の賃金

	費用の負担	実施時間の賃金
一般健康診断	当然に事業者が負担	労使の協議によるが、支払うのが望ましい
有害業務従事者の健康診断		労働時間となるので、当然に支払いが必要

解答　D

健康診断実施後の措置等

予想

難易度 **普**　重要度 **A**

労働安全衛生法に定める健康診断実施後の措置等に関する次の記述のうち、誤っているものはどれか。なお、本問において「健康診断結果措置指針」とは、労働安全衛生法第66条の５第２項の規定に基づく指針（健康診断結果に基づき事業者が講ずべき措置に関する指針）のことをいう。

A　事業者は、労働安全衛生法第66条の４の規定による医師又は歯科医師からの意見聴取（以下本問において「健康診断の結果についての医師等からの意見聴取」という。）を行う場合において、当該医師又は歯科医師から、意見聴取を行う上で必要となる労働者の業務に関する情報を求められたときは、速やかに、これを提供しなければならない。

B　常時30人の労働者を使用する事業者は、歯科医師による健康診断（定期のものに限る。）を行ったときは、遅滞なく、電子情報処理組織を使用して、所定の事項を所轄労働基準監督署長に報告しなければならない。

C　健康診断結果措置指針によれば、健康診断の結果についての医師等からの意見聴取は、現に当該健康診断を実施した医師等から行うことが適当であるとされている。

D　健康診断結果措置指針によれば、健康診断の結果に基づく再検査又は精密検査は、一律には事業者にその実施が義務づけられているものではないが、有機溶剤中毒予防規則、鉛中毒予防規則等に基づく特殊健康診断として規定されているものについては、事業者にその実施が義務づけられているため、事業者はこれを実施しなければならない。

E　事業者は、健康診断の結果について聴取した医師又は歯科医師の意見を勘案し、その必要があると認めるときは、当該医師又は歯科医師の意見を衛生委員会若しくは安全衛生委員会又は労働時間等設定改善委員会へ報告しなければならない。

A ○ 則51条の２第３項。事業者は、健康診断の結果に基づき、当該健康診断の項目に異常の所見があると診断された労働者の**健康を保持するため必要な措置**について、**医師又は歯科医師の意見**を聴かなければなりません。また、事業者は、医師又は歯科医師から、この意見聴取を行う上で必要となる労働者の業務に関する情報を求められたときは、**速やかに**、これを提供しなければなりません。

B ○ 則52条２項。歯科医師による健康診断（定期のものに限る。）を行った事業者は、**常時使用する労働者の数にかかわらず**、遅滞なく、原則電子申請により、所定の事項を所轄労働基準監督署長に報告しなければなりません。したがって、設問の事業者には報告義務があります。なお、定期健康診断及び特定業務従事者の健康診断（定期のものに限る。）については、常時50人以上の労働者を使用する事業者のみに、報告義務を課しています。

C × 法66条の４、健康診断結果措置指針。意見聴取の相手は、「現に健康診断を実施した医師等」が適当とはされていません。健康診断結果措置指針によれば、設問の意見を聴く医師等は、**産業医の選任義務のある事業場**においては、産業医が**適当**であり、それ以外の事業場においては、労働者の健康管理等を行うのに**必要な医学に関する知識を有する医師**等が適当であるとされています。

D ○ 健康診断結果措置指針。再検査又は精密検査は、診断の確定や症状の程度を明らかにするものであり、一律には事業者にその実施が義務づけられているものではありません。ただし、有機溶剤中毒予防規則、鉛中毒予防規則等に基づく**特殊健康診断**として規定されているものについては、事業者にその実施が**義務**づけられています。なお、事業者は、再検査又は精密検査を行う必要のある労働者に対して、その受診を勧奨すること等が適当であるとされています。

E ○ 法66条の５第１項。事業者は、健康診断の結果についての医師又は歯科医師の意見を勘案し、その必要があると認めるときは、次のような**就業上の措置**を**講じなければなりません**。
①労働者に関して……就業場所の変更、作業の転換、労働時間の短縮、深夜業の回数の減少等の措置
②事業場に関して……作業環境測定の実施、施設又は設備の設置又は整備、当該医師又は歯科医師の意見の**衛生委員会等への報告**

解答　**C**

長時間労働者に対する面接指導

過令2　　　　　　　　　　　　　　　　　　　　難易度 **易**　重要度 **A**

労働安全衛生法第66条の8から第66条の8の4までに定める面接指導等に関する次の記述のうち、正しいものはどれか。

A　事業者は、休憩時間を除き1週間当たり40時間を超えて労働させた場合におけるその超えた時間が1月当たり60時間を超え、かつ、疲労の蓄積が認められる労働者から申出があった場合は、面接指導を行わなければならない。

B　事業者は、研究開発に係る業務に従事する労働者については、休憩時間を除き1週間当たり40時間を超えて労働させた場合におけるその超えた時間が1月当たり80時間を超えた場合は、労働者からの申出の有無にかかわらず面接指導を行わなければならない。

C　事業者は、労働基準法第41条の2第1項の規定により労働する労働者（いわゆる高度プロフェッショナル制度により労働する労働者）については、その健康管理時間（同項第3号に規定する健康管理時間をいう。）が1週間当たり40時間を超えた場合におけるその超えた時間が1月当たり100時間を超えるものに対し、労働者からの申出の有無にかかわらず医師による面接指導を行わなければならない。

D　事業者は、労働安全衛生法に定める面接指導を実施するため、厚生労働省令で定めるところにより、労働者の労働時間の状況を把握しなければならないが、労働基準法第41条によって労働時間等に関する規定の適用が除外される労働者及び同法第41条の2第1項の規定により労働する労働者（いわゆる高度プロフェッショナル制度により労働する労働者）はその対象から除いてもよい。

E　事業者は、労働安全衛生法に定める面接指導の結果については、当該面接指導の結果の記録を作成して、これを保存しなければならないが、その保存すべき年限は3年と定められている。

A　×　法66条の8第1項、則52条の2第1項。1週間あたり40時間を超えて労働させた場合におけるその超えた時間は、1ヵ月あたり「60時間」ではなく、「80時間」です。事業者は、①休憩時間を除き1週間あたり40時間を超えて労働させた場合におけるその超えた時間が**1ヵ月あたり80時間を超え**、かつ、②**疲労の蓄積**が認められる労働者から申出があった場合は、面接指導を行わなければなりません。

B　×　法66条の8の2第1項、則52条の7の2第1項。1週間あたり40時間を超えて労働させた場合におけるその超えた時間は、1ヵ月あたり「80時間」ではなく、「100時間」です。事業者は、①**研究開発**に係る業務に従事する労働者であって、②休憩時間を除き1週間あたり40時間を超えて労働させた場合におけるその超えた時間が**1ヵ月あたり100時間を超えた**ものに対しては、当該労働者からの申出の有無にかかわらず、面接指導を行わなければなりません。

C　○　法66条の8の4第1項、則52条の7の4第1項。事業者は、**高度プロフェッショナル制度**により労働する労働者については、1週間あたりの健康管理時間が40時間を超えた場合におけるその超えた時間が**1ヵ月あたり100時間を超えた**場合に、当該労働者からの申出の有無にかかわらず、面接指導を行わなければなりません。

D　×　法66条の8の3。労働基準法41条によって労働時間等に関する規定の適用が除外される労働者（管理監督者等）については、労働時間の状況を把握する対象から**除くことができません**。なお、高度プロフェッショナル制度により労働する労働者については、労働時間の状況を把握する必要はありませんが、労働基準法の規定により**健康管理時間**を把握する必要はあります。

E　×　則52条の6第1項、52条の7の2第2項、52条の7の4第2項。保存すべき年限は、「3年」ではなく、「5年」です。事業者は、労働安全衛生法に基づき長時間労働者に対する面接指導を行ったときは、その結果に基づき、面接指導の結果の**記録を作成**して、これを**5年間保存**しなければなりません。

2章

労働安全衛生法

解答　　C

心理的な負担の程度を把握するための検査

過平30

難易度 **普** 重要度 **B**

労働安全衛生法第66条の10に定める医師等による心理的な負担の程度を把握するための検査（以下、本問において「ストレスチェック」という。）等について、誤っているものはどれか。

A 常時50人以上の労働者を使用する事業者は、常時使用する労働者に対し、1年以内ごとに1回、定期に、ストレスチェックを行わなければならない。

B ストレスチェックの項目には、ストレスチェックを受ける労働者の職場における心理的な負担の原因に関する項目を含めなければならない。

C ストレスチェックの項目には、ストレスチェックを受ける労働者への職場における他の労働者による支援に関する項目を含めなければならない。

D ストレスチェックの項目には、ストレスチェックを受ける労働者の心理的な負担による心身の自覚症状に関する項目を含めなければならない。

E ストレスチェックを受ける労働者について解雇、昇進又は異動に関して直接の権限を持つ監督的地位にある者は、検査の実施の事務に従事してはならないので、ストレスチェックを受けていない労働者を把握して、当該労働者に直接、受検を勧奨してはならない。

A ○　法66条の10第1項、法附則4条、令5条、則52条の9。ストレスチェックの実施についてです。**常時50人以上の労働者を使用する事業者**（産業医を選任すべき事業場の事業者）は、**1年以内ごとに1回**、定期に、ストレスチェックを行わなければなりません。

B〜D ○　則52条の9。ストレスチェックの項目についてです。ストレスチェックは、調査票を用いて、次の3つの領域に関する項目により検査を行い、労働者のストレスの程度を点数化して評価するものです。これらを含まない調査票で検査を行うもの又は点数化せずに評価を行うものは、ストレスチェックに該当しません。

> ①職場における当該労働者の心理的な負担の**原因**に関する項目
> ②当該労働者の心理的な負担による心身の**自覚症状**に関する項目
> ③職場における他の労働者による当該労働者への**支援**に関する項目

E ✕　則52条の10第2項、平27基発0501第3号。ストレスチェックを受けていない労働者に対する**受検の勧奨**のように、ストレスチェックの実施の事務に含まれない事務であって、労働者の**健康情報を取り扱わない**ものについては、人事に関して直接の権限を持つ監督的地位にある者が従事しても**差し支えない**とされています。なお、このような監督的地位にある者は、ストレスチェックの実施の事務に従事してはならないとする点は、正しい記述です。これは、ストレスチェックの結果が労働者の意に反して人事上の不利益な取扱いに利用されることがないようにするためです。

解答　E

事業場の安全又は衛生に関する改善措置等、雑則

予想　　難易度 普　重要度 C

労働安全衛生法に定める事業場の安全又は衛生に関する改善措置等及び雑則に関する次の記述のうち、誤っているものはどれか。

A　都道府県労働局長は、安全衛生改善計画が労働災害の防止を図る上で適切でないと認めるときは、事業者に対し、当該安全衛生改善計画を変更すべきことを指示することができる。

B　安全衛生改善計画を作成した事業者及びその労働者は、安全衛生改善計画を守らなければならない。

C　厚生労働大臣は、特別安全衛生改善計画の作成又は変更の指示をした場合において、専門的な助言を必要とすると認めるときは、当該事業者に対し、労働安全コンサルタント又は労働衛生コンサルタントによる安全又は衛生に係る診断を受け、かつ、特別安全衛生改善計画の作成又は変更について、これらの者の意見を聴くべきことを勧奨することができる。

D　事業者は、労働安全衛生法又はこれに基づく命令の規定に基づいて作成した書類（所定の帳簿を除く。）を保存しなければならないが、例えば、安全衛生委員会における議事で重要なものに係る記録については、これを3年間保存しなければならない。

E　事業者は、労働安全衛生法及びこれに基づく命令の要旨を常時各作業場の見やすい場所に掲示し、又は備え付けることその他の厚生労働省令で定める方法により、労働者に周知させなければならない。

速習レッスン A：P187、B：P187、C：P188、D：P138・191、E：P190

解説

A ✕ 参考：法79条。安全衛生改善計画（作成の指示は**都道府県労働局長**）について、設問のような変更の指示に関する規定は**ありません**。なお、特別安全衛生改善計画（作成の指示は厚生労働大臣）については、法78条4項に変更の指示に関する規定があり、**厚生労働大臣**は、特別安全衛生改善計画が重大な労働災害の再発の防止を図るために適切でないと認めるときは、事業者に対し、当該特別安全衛生改善計画を**変更**すべきことを指示することができます。

B ◯ 法79条2項。安全衛生改善計画の遵守義務は、これを作成した**事業者**のほか、その**労働者**にも課せられます。これは、特別安全衛生改善計画についても同様です。

C ◯ 法80条1項。安全衛生診断についてです。**厚生労働大臣又は都道府県労働局長**は、次の①又は②の指示をした場合において、専門的な助言を必要とすると認めるときは、当該事業者に対し、**労働安全コンサルタント又は労働衛生コンサルタント**による安全又は衛生に係る診断を受け、かつ、特別安全衛生改善計画の作成・変更又は安全衛生改善計画の作成について、これらの者の意見を聴くべきことを勧奨することができます。設問は、①の場合について問うています。

> ①厚生労働大臣が特別安全衛生改善計画の作成・変更の指示をした場合
> ②都道府県労働局長が安全衛生改善計画の作成の指示をした場合

D ◯ 法103条1項、則23条4項2号。労働安全衛生法に基づく書類の保存期間は、原則として、3年間です。書類の保存期間が3年間とされているのは、たとえば、**安全委員会、衛生委員会又は安全衛生委員会**の議事の記録、定期自主検査の記録、特別教育の記録などです。

E ◯ 法101条1項。労働安全衛生法及びこれに基づく命令の**労働者への周知**は、その**要旨**を常時各作業場の見やすい場所に掲示し、又は備え付けること等の方法により行う必要があります。

解答 A

［選択式］目的、衛生管理者

過令元

難易度 普　重要度 Ⓐ

次の文中の□□□の部分を選択肢の中の最も適切な語句で埋め、完全な文章とせよ。

1　労働安全衛生法は、その目的を第1条で「労働基準法（昭和22年法律第49号）と相まつて、労働災害の防止のための危害防止基準の確立、責任体制の明確化及び自主的活動の促進の措置を講ずる等その防止に関する総合的計画的な対策を推進することにより職場における労働者の安全と健康を確保するとともに、│　**A**　│の形成を促進することを目的とする。」と定めている。

2　衛生管理者は、都道府県労働局長の免許を受けた者その他厚生労働省令で定める資格を有する者のうちから選任しなければならないが、厚生労働省令で定める資格を有する者には、医師、歯科医師のほか│　**B**　│などが定められている。

┌─ 選択肢 ──────────────────────────┐

①安全衛生に対する事業者意識　　　②安全衛生に対する労働者意識

③衛生管理士　　　　　　　　　　　④快適な職場環境

⑤そのための努力を持続させる職場環境　⑥作業環境測定士

⑦労働衛生コンサルタント　　　　　⑧看護師

└─────────────────────────────────┘

Aは法１条、Bは則10条３号。

1　労働安全衛生法は、昭和47年に労働基準法から分離独立する形で制定されました。その直接的な目的は、(1)職場における労働者の**安全と健康の確保**及び(2)**快適な職場環境の形成**の促進の２つです。このうちの(2)は、労働基準法よりも一歩進んだ労働安全衛生法独自の目的となっています。

　　また、労働安全衛生法１条は、上記の目的を実現するための手段として、(ア)**危害防止基準の確立**、(イ)**責任体制の明確化**、(ウ)**自主的活動の促進**の措置を掲げています。

2　衛生管理者は、**都道府県労働局長の免許**を受けた者その他**厚生労働省令で定める資格を有する者**でなければなりません。この厚生労働省令で定める資格を有する者は、次の(1)～(4)です。

(1) 医師 (2) 歯科医師 (3) **労働衛生コンサルタント** (4) 前記(1)～(3)の者のほか、厚生労働大臣の定める者

　　なお、都道府県労働局長の免許には、(ア)第１種衛生管理者免許、(イ)第２種衛生管理者免許、(ウ)衛生工学衛生管理者免許があります。

解答　A ④快適な職場環境　B ⑦労働衛生コンサルタント

[選択式] 産業医その他

予想

難易度 **普** 重要度 **B**

次の文中の□□□の部分を選択肢の中の最も適切な語句で埋め、完全な文章とせよ。

1 事業者は、産業医が辞任したとき又は産業医を解任したときは、遅滞なく、その旨及びその理由を □ A □ に報告しなければならない。

2 事業者は、潜水業務その他の健康障害を生ずるおそれのある業務で、厚生労働省令で定めるものに従事させる労働者については、厚生労働省令で定める □ B □ についての基準に違反して、当該業務に従事させてはならない。

3 事業者は、室内又はこれに準ずる環境における労働者の □ C □ （健康増進法第28条第3号に規定する □ C □ をいう。）を防止するため、当該事業者及び事業場の実情に応じ適切な措置を講ずるよう努めるものとする。

4 事業者は、化学物質又は化学物質を含有する製剤を製造し、又は取り扱う業務を行う事業場において、 □ D □ の労働者が同種のがんに罹患したことを把握したときは、当該罹患が業務に起因するかどうかについて、遅滞なく、医師の意見を聴かなければならず、当該医師が、その罹患が業務に起因するものと疑われると判断したときは、遅滞なく、所定の事項について、 □ E □ に報告しなければならない。

選択肢

①厚生労働大臣　　②作業手順　　　　　　③安全委員会又は衛生委員会
④作業時間　　　　⑤所轄労働基準監督署長　⑥所轄都道府県労働局長
⑦作業管理　　　　⑧健康障害　　　　　　⑨労働者の過半数を代表する者
⑩作業方法　　　　⑪衛生管理者　　　　　⑫受動喫煙
⑬労働衛生指導医　⑭疾病の発症　　　　　⑮衛生委員会又は安全衛生委員会
⑯労働災害　　　　⑰1年以内に2人以上　　⑱2年以内に3人以上
⑲5年以内に10人以上　　　　　　　　　⑳10年以内に15人以上

Aは則13条4項、Bは法65条の4、Cは法68条の2、D・Eは則97条の2。

1　産業医の辞任・解任時の報告についてです。産業医の身分の安定性を担保し、その職務の遂行の独立性・中立性を高める観点から、事業者は、産業医が**辞任**したとき又は産業医を**解任**したときは、**遅滞なく**、その旨及びその理由を衛生委員会又は安全衛生委員会に報告しなければならないものとされています。なお、「遅滞なく」とは、おおむね1ヵ月以内をいうものと解されています（平30基発0907第2号）。

2　作業時間の制限についてです。**潜水業務**その他の健康障害を生ずるおそれのある業務で、厚生労働省令で定めるもの（**高圧室内業務**）に従事させる労働者については、厚生労働省令で定める作業時間についての基準に違反して、当該業務に従事させてはならないものとされています。作業に直接従事する時間そのものを制限することにより、職業性疾病の発生を防ぐことを目的としています。

3　受動喫煙の防止についてです。**受動喫煙**とは、人が他人の喫煙によりたばこから発生した煙にさらされることをいいます。受動喫煙が健康障害のリスクになるとの研究も発表されており、また、非喫煙者の中には、たばこの煙によるストレスや不快感をもつ者も多いため、事業者は、労働者の**受動喫煙を防止**するため、当該事業者及び事業場の**実情に応じ適切な措置**（喫煙室等の設置等）を講ずるよう**努める**ものとされています。努力規定である点にも着目しましょう。

4　疾病の報告についてです。化学物質によるがん発生の把握を目的としており、同一の事業場において、1年に複数（1年以内に2人以上）の労働者が**同種のがん**に罹患したことを把握したときは、事業者は、当該罹患が業務に起因するかどうかについて、遅滞なく、**医師の意見**を聴かなければなりません。また、当該医師が、その罹患が業務に起因するものと疑われると判断したときは、遅滞なく、所定の事項（がんに罹患した労働者が従事していた業務の内容や従事していた期間等）について、**所轄都道府県労働局長**に報告しなければなりません。

解答	A ⑮衛生委員会又は安全衛生委員会　B ④作業時間　C ⑫受動喫煙 D ⑰1年以内に2人以上　E ⑥所轄都道府県労働局長

［選択式］事業者の講ずべき措置等

過令3

難易度 普　重要度 B

次の文中の ☐ の部分を選択肢の中の最も適切な語句で埋め、完全な文章とせよ。

1　事業者は、中高年齢者その他労働災害の防止上その就業に当たって特に配慮を必要とする者については、これらの者の ☐ A ☐ に応じて適正な配置を行うように努めなければならない。

2　事業者は、高さが ☐ B ☐ 以上の箇所（作業床の端、開口部等を除く。）で作業を行う場合において墜落により労働者に危険を及ぼすおそれのあるときは、足場を組み立てる等の方法により作業床を設けなければならない。

選択肢

①1メートル　　②1.5メートル　　③2メートル　　④3メートル
⑤希望する仕事　⑥就業経験　　　⑦心身の条件　　⑧労働時間

Aは法62条、Bは則518条1項。

1　年齢が高くなると、災害発生率も高くなります。一方、長年の経験、研鑽により培われた技能、熟練は、身体的機能が低下したとしても、急速に衰えるものではなく、特に身体的負担が小さい作業であればなおさらであり、中高年齢者には、精神的に安定していること、仕事についての責任感が強いことなどの長所もみられます。したがって、中高年齢者の配置にあたっては、心身両面の条件や身につけている技能の程度等を考慮することが、労働災害を未然に防止する上で極めて効果的であり、事業者は、**中高年齢者**について、その**心身の条件**を十分考慮して**適正な配置**を行うように努めなければなりません。

　　また、事業者は、中高年齢者のほか、「その他労働災害の防止上その就業に当たって特に配慮を必要とする者」についても、中高年齢者と同様に、適正な配置を行うように努めなければなりません。この対象となる「その他労働災害の防止上その就業に当たって特に配慮を必要とする者」には、身体障害者、出稼労働者等が含まれます。

2　事業者は、労働者が墜落するおそれのある場所、土砂等が崩壊するおそれのある場所等に係る危険を防止するため必要な措置を講じなければなりません。墜落等による危険の防止のために事業者が講ずべき必要な措置としては、次の基準等が定められています。設問は、このうちの(1)についてです。

(1)事業者は、高さが2メートル**以上**の箇所（作業床の端、開口部等を除く。）で作業を行う場合において墜落により労働者に危険を及ぼすおそれのあるときは、足場を組み立てる等の方法により**作業床**を設けなければならない。

(2)事業者は、高さが2メートル以上の作業床の端、開口部等で墜落により労働者に危険を及ぼすおそれのある箇所には、囲い、手すり、覆い等を設けなければならない。

(3)事業者は、高さが2メートル以上の箇所で作業を行う場合において、労働者に要求性能墜落制止用器具等（いわゆる命綱等）を使用させるときは、要求性能墜落制止用器具等を安全に取り付けるための設備等を設けなければならない。

解答　A　⑦心身の条件　B　③2メートル

［選択式］機械等に関する規制

予想　　　　　　　　　　　　　　　難易度 普　重要度 B

次の文中の　　　の部分を選択肢の中の最も適切な語句で埋め、完全な文章とせよ。

1　特別特定機械等（ボイラー及び第1種圧力容器）を製造し、若しくは輸入した者、特別特定機械等で厚生労働省令で定める期間設置されなかったものを設置しようとする者又は特別特定機械等で使用を廃止したものを再び設置し、若しくは使用しようとする者は、当該特別特定機械等及びこれに係る厚生労働省令で定める事項について、　**A**　の検査を受けなければならない。

2　特定機械等に係る検査証の有効期間は、クレーン、移動式クレーン及びデリックにあっては、原則として　**B**　である。

3　動力により駆動される機械等で、作動部分上の突起物又は動力伝導部分若しくは調速部分に厚生労働省令で定める　**C**　のための措置が施されていないものは、譲渡し、貸与し、又は譲渡若しくは貸与の目的で　**D**　してはならない。

4　ゴム、ゴム化合物若しくは合成樹脂を練るロール機の急停止装置のうち電気的制動方式のもの、第2種圧力容器、小型ボイラー又は小型圧力容器で政令で定めるものを　**E**　者は、登録個別検定機関が個々に行う検定を受けなければならない。

選択肢

①展示　　　　　　②都道府県労働局長　　　③製造した

④制御　　　　　　⑤設置から廃止まで　　　⑥広告

⑦防護　　　　　　⑧登録製造時等検査機関　⑨譲渡し、又は提供する

⑩3年　　　　　　⑪登録性能検査機関　　　⑫設置した

⑬提供　　　　　　⑭健康障害の防止　　　　⑮2年

⑯運転　　　　　　⑰製造し、又は輸入した　⑱誤作動防止

⑲1年　　　　　　⑳労働基準監督署長

Aは法38条1項、Bはクレーン則10条、60条1項、100条、C・Dは法43条、Eは法44条1項。

1　設問の**製造時等検査**の対象となる特定機械等は、特別特定機械等及び移動式の特定機械等です。製造時等検査を行うのは、**特別特定機械等**（ボイラー及び第1種圧力容器）については登録製造時等検査機関、移動式クレーン及びゴンドラについては**都道府県労働局長**です。

2　特定機械等に係る検査証の有効期間は、次のとおりです。

①クレーン、移動式クレーン、デリック……**2年**

②建設用リフト……**設置から廃止まで**

③上記①②以外……**1年**

3　動力により駆動される機械等を譲渡等するには、所定の防護措置を講じなければなりません。**動力により駆動される機械等**で、作動部分上の突起物又は動力伝導部分若しくは調速部分に厚生労働省令で定める**防護のための措置**が施されていないものは、**譲渡**し、**貸与**し、又は譲渡若しくは貸与の目的で展示してはなりません。

4　**登録個別検定機関**が個々に行う検定とは、**個別検定**のことです。個別検定は、その対象となる機械等を製造し、**又は輸入した**者の申請によって行います。なお、型式検定についても、その対象となる機械等を製造し、又は輸入した者の申請によって行います。

解答	A ⑧登録製造時等検査機関　B ⑮2年　C ⑦防護　D ①展示 E ⑰製造し、又は輸入した

問題 065

[選択式] 作業環境測定、労働者死傷病報告等

予想

難易度 普 重要度 C

次の文中の ☐ の部分を選択肢の中の最も適切な語句で埋め、完全な文章とせよ。

1 労働安全衛生法第65条第5項によれば、都道府県労働局長は、作業環境の改善により労働者の健康を保持する必要があると認めるときは、 A の意見に基づき、厚生労働省令で定めるところにより、事業者に対し、作業環境測定の実施その他必要な事項を指示することができる。

2 労働安全衛生法第65条の3によれば、事業者は、労働者の健康に配慮して、労働者の従事する作業を適切に B するように努めなければならない。

3 労働安全衛生規則第97条第1項によれば、事業者は、労働者が労働災害その他就業中又は事業場内若しくはその附属建設物内における C により死亡し、又は休業したときは、遅滞なく、電子情報処理組織を使用して、所定の事項を所轄労働基準監督署長に報告しなければならない。

4 前記3の場合において、休業の日数が D に満たないときは、事業者は、前記3の規定にかかわらず、1月から3月まで、4月から6月まで、7月から9月まで及び10月から12月までの期間における当該事実について、それぞれの期間における最後の月の E に、電子情報処理組織を使用して、所定の事項及び休業日数を所轄労働基準監督署長に報告しなければならない。

選択肢

①労働政策審議会　　②厚生労働大臣　　　　③労働衛生指導医
④学識経験者　　　　⑤管理　　　　　　　　⑥指揮
⑦指導　　　　　　　⑧監督　　　　　　　　⑨伝染性の疾病その他の疾病
⑩転倒又は転落　　　⑪火災、爆発その他の事故
⑫負傷、窒息又は急性中毒　　　　　　　　　⑬3日
⑭4日　　　　　　　⑮7日　　　　　　　　⑯10日
⑰翌月の初日から起算して14日以内　　　　⑱末日まで
⑲翌月末日まで　　　⑳翌月の初日から起算して30日以内

Aは法65条5項、Bは法65条の3、Cは則97条1項、D・Eは則97条2項。

1　定期的に実施する作業環境測定とは別に、**都道府県労働局長**は、労働者の健康を保持する必要があると認めるときは、**労働衛生指導医の意見**に基づき、事業者に対し、**作業環境測定**の実施その他必要な事項を**指示**することができます。なお、この指示は、作業環境測定を実施すべき作業場その他必要な事項を記載した「文書」により行うものとされています。

2　事業者には、労働者の**健康**に配慮して、労働者の従事する**作業**を適切に管理する**努力義務**が課されています。この「作業の管理」の具体的な措置としては、①一連続作業時間と休憩時間の適正化、②作業量の適正化、③作業姿勢の改善等があります。

3、4　**労働者死傷病報告**についてです。事業者は、労働者が労働災害その他就業中又は事業場内若しくはその附属建設物内における**負傷、窒息又は急性中毒**により死亡し、又は休業したときは、電子情報処理組織を使用して、所定の事項を所轄労働基準監督署長に報告しなければなりません（つまり、労働者死傷病報告は、原則電子申請により行う。）。

労働者死傷病報告は、**遅滞なく**行うことが原則とされています。ただし、休業の日数が**4日に満たない**ときは、「1月〜3月」、「4月〜6月」、「7月〜9月」及び「10月〜12月」の期間（四半期）における当該事実について、それぞれの期間における**最後の月の翌月末日**までに、所定の事項及び休業日数を報告することとされています。

解答	A ③労働衛生指導医　B ⑤管理　C ⑫負傷、窒息又は急性中毒
	D ⑭4日　E ⑲翌月末日まで

一般事業場で選任すべき者（総括安全衛生管理者を除く）

規模業種	屋外産業的業種	屋内産業的工業的業種	その他の業種
50人以上	安全管理者 衛生管理者 産業医	安全管理者 衛生管理者 産業医	衛生管理者 産業医
10人以上 50人未満	安全衛生推進者	安全衛生推進者	衛生推進者
10人未満	なし	なし	なし

業種	①屋外産業的業種 …… 林業、鉱業、建設業、運送業、清掃業 ②屋内産業的工業的業種 …… 製造業（物の加工業を含む。）、電気・ガス・水道・熱供給業、通信業、各種商品小売業（同：卸売業）、家具・建具・じゅう器等小売業（同：卸売業）、燃料小売業、旅館業、ゴルフ場業、自動車整備業、機械修理業

安全衛生教育と健康診断

	種類	対象労働者	記録の保存
安全衛生教育	雇入れ時・作業内容変更時の教育	すべての労働者	義務なし
	特別教育	一定の**危険有害業務**に就く労働者	義務あり※1
	職長等教育	新たに職務に就くこととなった**職長等**（**作業主任者を除く**）	義務なし
健康診断	雇入れ時の健康診断	常時使用する労働者	義務あり※2
	定期健康診断	常時使用する労働者	
	特定業務従事者の健康診断	**特定業務**（坑内における業務、深夜業を含む業務等）に常時従事する労働者	
	海外派遣労働者の健康診断	派遣期間6ヵ月以上の海外派遣労働者	
	給食従業員の検便	**給食の業務**に従事する労働者	
	特殊健康診断	一定の有害業務（高圧室内業務、潜水業務、四アルキル鉛等業務等）に常時従事する労働者	
	歯科医師による健康診断	**歯又はその支持組織に有害**な物のガス等を発散する場所における業務に常時従事する労働者	

※1：受講者、科目等の記録を作成→**3年間**保存
※2：健康診断の結果に基づき、健康診断個人票を作成→原則として**5年間**保存

労働者災害補償保険法

重要度A・Bは、特に力を入れて!

労働者災害補償保険事業、管掌ほか

予想

難易度 **易** 重要度 **B**

労災保険に関する次の記述のうち、誤っているものはどれか。

A 労災保険は、労災保険法第1条の目的を達成するため、業務上の事由、複数事業労働者の2以上の事業の業務を要因とする事由又は通勤による労働者の負傷、疾病、障害、死亡等に関して保険給付を行うほか、社会復帰促進等事業を行うことができる。

B 労災保険法による保険給付は、業務災害に関する保険給付、複数業務要因災害に関する保険給付、通勤災害に関する保険給付、二次健康診断等給付の4種類である。

C 労災保険を管掌するのは、政府のみである。

D 労災保険の保険給付に関する事務のうち、二次健康診断等給付に関する事務は、厚生労働省労働基準局長の指揮監督を受けて、所轄都道府県労働局長が行う。

E 同時期に複数の事業と労働契約関係にある者は複数事業労働者に該当するが、一の事業と労働契約関係にあり、他の就業について特別加入をしている者は、複数事業労働者に該当しない。

A　○　法2条の2。労災保険が行う主たる事業は**保険給付**であり、付帯事業として**社会復帰促進等事業**を行うことができます。保険給付は、業務上の**事由**、複数事業労働者の2以上の事業の業務**を要因とする事由**又は通勤による労働者の**負傷、疾病、障害、死亡等**に関して行われます。

B　○　法7条1項。労災保険法による保険給付には、①**業務災害**に関する保険給付、②**複数業務要因災害**に関する保険給付（①の保険給付を除く。）、③**通勤災害**に関する保険給付、④**二次健康診断等給付**の4種類があります。①～③は、災害発生後の「事後給付」ですが、④の二次健康診断等給付は、業務上の事由による脳血管疾患及び心臓疾患の発生を予防するための「予防給付」です。

C　○　法2条。労災保険は、政府が、これを**管掌**します。なお、労災保険事業に関する事務は、厚生労働省が掌っており、その実際の事務は、厚生労働省のほか、その地方の出先機関である都道府県労働局及び労働基準監督署が行います。

D　○　則1条2項。保険給付に関する事務のうち、**二次健康診断等給付**に関する事務は、厚生労働省労働基準局長の指揮監督を受けて、所轄都道府県労働局長が行います。なお、二次健康診断等給付以外の保険給付に関する事務は、都道府県労働局長の指揮監督を受けて、**所轄労働基準監督署長**が行います。

E　×　令2基発0821第2号等。設問後半の者も、複数事業労働者に**該当します**。複数事業労働者とは、事業主が同一人でない2以上の事業に使用される労働者をいい、具体的には、次の者が該当します。
①同時期に複数の事業と**労働契約関係**にある者（原則）
②一以上の事業と**労働契約関係**にあり、他の就業について**特別加入**をしている者
③**複数就業**について**特別加入**をしている者

3章
労働者災害補償保険法

解答　E

189

適用の範囲

予想

難易度 普　重要度 **B**

労災保険の適用に関する次の記述のうち、正しいものはどれか。

A　個人事業主が同居の親族のみを使用して行う事業については、労災保険法が適用される。

B　法人の代表取締役については、労災保険法が適用される。

C　適法な在留資格及び就労資格を有しない外国人については、適用事業に使用される場合であっても、労災保険法は適用されない。

D　市の経営する清掃事業の常勤職員については、労災保険法は適用されない。

E　派遣中の派遣労働者については、派遣先の事業場が就業の場所となるため、派遣先事業主の事業を適用事業として、労災保険法が適用される。

A ✕ 法3条1項、昭54.4.2基発153号。適用されません。労災保険法においては、**労働者を使用**する事業が適用事業となります。これに対して、**同居の親族**は、労働者に該当しないため、同居の親族のみを使用する事業は適用事業となりません。

B ✕ 昭23.1.9基発14号。適用されません。法人の代表取締役は、事業主体（法人）との関係において**使用従属関係**に立たず、労働者に該当しないためです。これに対して、法人の取締役等の地位にある者であっても、業務執行権を有しておらず、事実上、業務執行権を有する他の取締役等の指揮や監督を受けて労働に従事し、その対償として賃金を受けている場合には、原則として、労働者として取り扱われます。

C ✕ 法3条1項、労働基準法9条、昭63.1.26基発50号。適用されます。設問の外国人は、**適用事業**に使用される**労働者**に該当するためです。労災保険法の適用にあたり、その者の国籍や、その者が不法就労する者であるか否かは問われません。

D 〇 法3条2項、地方公務員災害補償法2条1項、67条2項。設問の者は、**現業部門の地方公務員**に該当します。このうち、**常勤職員**については、地方公務員災害補償法が適用されるため、労災保険法は**適用されません**。一方、非常勤職員については、地方公務員災害補償法が適用されないため、労災保険法が適用されます。

E ✕ 法3条1項、昭61.6.30基発383号。適用事業となるのは、「派遣先事業主」ではなく、「派遣元事業主」の事業です。労働者派遣事業に対する労災保険法の適用については、派遣労働者と**労働契約関係**にある**派遣元事業主の事業**が労災保険の適用事業となります。

3章 労働者災害補償保険法

解答 **D**

業務災害（1）

予想

難易度 普　重要度

業務災害に関する次の記述のうち、誤っているものはどれか。

A　トラック運転手の助手が、荷台のシートをかけ直していたところ、強風で帽子が飛ばされたため、とっさにその帽子を追って道路上に走り出した際、前方から走行してきた自動車に跳ねられ死亡した。本件は、業務上の死亡と認められる。

B　砂利を運搬する作業に従事するトラック運転手Xが、道路上で立話をしていたところ、顔見知りのYに「ちょっと運転をやらせてくれ」と頼まれたため、Yにトラックを運転させ、その間、Xはトラックのステップに乗っていたが、トラックが電柱に衝突しそうになったため、とっさに飛び降りようとし、道路の外側にはねとばされて負傷した。本件は、業務上の負傷と認められる。

C　山頂付近において作業の指揮監督をする労働者が、夕立のような異様な天候になったので、作業を中止させ、山頂の休憩小屋に退避しようとして、小屋の近くまで来たとき、落雷の直撃を受け、感電死した。なお、当該山頂付近は、天候の変化がはげしく、雷の発生頻度が高い。さらに、はげ山であったため退避するのに適当な場所がなかった。本件は、業務上の死亡と認められる。

D　漁船が作業を終えて帰港途中に、船内で夕食としてフグ汁が出された。乗組員のうち、船酔いで食べなかった1名を除く5名が食後、中毒症状を呈したが、海上のため手当てできず、そのまま帰港し、直ちに医師の手当てを受けたものの重傷の1名が死亡した。船中での食事は、会社の給食として慣習的に行われており、フグの給食が慣習になっていた。本件は、業務上の死亡と認められる。

E　派遣労働者に係る業務災害の認定にあたり、派遣元事業場と派遣先事業場との間の往復の行為は、それが派遣元事業主又は派遣先事業主の業務命令によるものであれば一般に業務遂行性が認められるものであることとされている。

A　○　昭25.5.8基収1006号。強風で飛ばされた帽子を追って道路上に走り出す行為は、業務行為には該当しませんが、**突発的・反射的行為**により一時的に業務行為から離れるものであるため、**業務に付随する行為**に該当します。したがって、この行為により死亡した場合の当該死亡は、業務起因性が認められるため、業務上の死亡（業務災害）と**認められます**。

B　×　昭26.4.13基収1497号。業務上の負傷（業務災害）とは認められません。設問の負傷は、業務を逸脱する**恣意的行為**（トラック運転手Ｘが顔見知りのＹの興味に応じてトラックを運転させること）によって発生したものであるため、業務起因性は認められません。したがって、設問は、**業務外**の負傷となります。

C　○　昭36.3.13基収1844号。落雷のような天災地変は、それ自体としては業務と無関係であるため、これによって被災した場合であっても、業務上の災害とは認められません。ただし、設問のように、雷の発生頻度が高く、また、退避するのに適当な場所がないなど、**天災地変による災害を被りやすい**業務上の事情があり、その事情と相まって発生したと認められる災害は、**業務に伴う危険が現実化**して発生したものとして、業務起因性が認められます。したがって、業務上の死亡（業務災害）と**認められます**。

D　○　昭26.2.16基災発111号。設問の中毒症状は、帰港途中の漁船内で発生していることから、事業主の**支配下・管理下**にあるものとして業務遂行性が認められます。また、事業場（漁船）の施設・設備や管理状況等が原因で発生したものとして、業務起因性も認められます。したがって、業務上の死亡（業務災害）と**認められます**。

E　○　昭61.6.30基発383号。派遣元事業場と派遣先事業場との間の往復の行為は、それが派遣元事業主又は派遣先事業主の**業務命令**によるものであれば、一般に**業務遂行性**が認められます。したがって、この間に発生した負傷、疾病、障害又は死亡は、**業務災害**となります。

解答　B

業務災害（2）

予想

難易度 **普**　重要度 **B**

業務災害に関する次の記述のうち、誤っているものはどれか。

A　業務上の災害を被り、労災病院に入院療養中の労働者が、同病院の機能回復訓練計画に基づき、野外集団回復訓練に参加しているところへ、第三者が運転する普通貨物自動車が運転操作を誤って突っ込み、当該労働者を負傷させた。本件は、業務災害と認められる。

B　資材置場に乱雑に荷下ろしされていた小型パイプを整理する作業に従事していた配管工は、小型パイプが草むらに投げ込まれていないか探すために草むらに入ったところ、この地に多く生息するハブに咬まれて負傷した。本件は、業務災害と認められる。

C　道路清掃に従事する日雇労働者は、道路の傍らの柵にもたれ昼食休憩をしていたところに、曲がり角を疾走してきた自動車が運転を誤って突入し、当該日雇労働者は柵と自動車にはさまれて負傷した。本件は、業務災害と認められる。

D　急性伝染病流行地に出張した者が急性伝染病にかかった場合であっても、日本国内に帰国した後に疾病を発症した場合は、業務上の疾病とは認められない。

E　運送会社の運転手は、貨物を自動車に積載して小学校前を進行中に、小学校の校庭で児童がバットで打った小石が自動車の前面ガラスを破って飛来し、左眼を負傷した。本件は、業務災害と認められない。

A ○ 昭42.1.24基収7808号。本件は、入院療養中の労働者が、医師の指示に基づき療養の一環としての機能回復訓練中に発生したもので、**当初の業務上の負傷**との間に相当因果関係が認められます。したがって、設問の負傷は、業務災害と**認められます**。

B ○ 昭27.9.6基災収3026号。設問の負傷は、小型パイプを整理する作業中に発生したものであるため、**業務遂行性**が認められます。また、草むらに入ったのは作業のためであり、この地に多く生息するハブに咬まれて負傷することは、**作業に伴う危険が現実化**したものであるとみられるため、**業務起因性**も認められます。したがって、設問の負傷は、業務災害と**認められます**。

C ○ 昭25.6.8基災収1252等。設問の負傷は、昼食休憩中に発生したものではありますが、日雇労働者は事業主の支配下に置かれていたといえるため、**業務遂行性**が認められます。また、道路の傍らで休憩をする行為は**作業との関連性が強く**、その間に自動車が突入し負傷することは、**作業に伴う危険が現実化**したものとみられるため、**業務起因性**も認められます。したがって、設問の負傷は、業務災害と**認められます**。

D × 昭23.8.14基収1913号。業務上の疾病と認められます。急性伝染病流行地に出張した者が、**業務の遂行中**に病原体に汚染されて疾患したことが明らかである場合は、業務上の疾病と**認められます**。

E ○ 昭31.3.26基収822号。運送会社の運転手が小学校前を進行中、小学校校庭で児童がバットで打った小石が自動車の前面ガラスを破って飛来してくるという事象は、**経験則上認められる危険**が現実化したものとは**いえない**ので、業務起因性が認められません。したがって、設問の負傷は、業務災害と**認められません**。

3章　労働者災害補償保険法

解答　D

業務災害（3）

過令4　　　　　　　　　　　　難易度 難　重要度 B

「血管病変等を著しく増悪させる業務による脳血管疾患及び虚血性心疾患等の認定基準（令和3年9月14日付け基発0914第1号）」に関する次の記述のうち、正しいものはどれか。

A　発症前1か月間におおむね100時間又は発症前2か月間ないし6か月間にわたって、1か月当たりおおむね80時間を超える時間外労働が認められない場合には、これに近い労働時間が認められたとしても、業務と発症との関連性が強いと評価することはできない。

B　心理的負荷を伴う業務については、精神障害の業務起因性の判断に際して、負荷の程度を評価する視点により検討、評価がなされるが、脳・心臓疾患の業務起因性の判断に際しては、同視点による検討、評価の対象外とされている。

C　短期間の過重業務については、発症直前から前日までの間に特に過度の長時間労働が認められる場合や、発症前おおむね1週間継続して深夜時間帯に及ぶ時間外労働を行うなど過度の長時間労働が認められる場合に、業務と発症との関連性が強いと評価できるとされている。

D　急激な血圧変動や血管収縮等を引き起こすことが医学的にみて妥当と認められる「異常な出来事」と発症との関連性については、発症直前から1週間前までの間が評価期間とされている。

E　業務の過重性の検討、評価に当たり、2以上の事業の業務による「長期間の過重業務」については、異なる事業における労働時間の通算がなされるのに対して、「短期間の過重業務」については労働時間の通算はなされない。

A　×　令3基発0914第1号。設問の場合にも、業務と疾病との関連性が「強い」と評価されることがあります。設問の時間外労働の水準には至らないが、これに**近い時間外労働**が認められる場合には、そのような時間外労働に加えて**一定の労働時間以外の負荷**（勤務時間の不規則性など）が認められるときには、業務と疾病との**関連性が強い**と評価できるとされています。

B　×　令3基発0914第1号、令5基発0901第2号。脳・心臓疾患の業務起因性の判断に際しても、検討、評価の対象とされます。**心理的負荷を伴う業務**については、脳・心臓疾患の業務起因性の判断に際して、日常的に心理的負荷を伴う業務（常に自分あるいは他人の生命、財産が脅かされる危険性を有する業務など）又は心理的負荷を伴う具体的出来事等について、**負荷の程度**を評価する視点により検討し、評価することとされています。

C　○　令3基発0914第1号。**短期間の過重業務**（業務の過重性）の具体的な評価にあたっては、評価期間における**労働時間**について十分に考慮し、評価します。その際、①発症直前から**前日まで**の間に**特に過度の長時間労働**が認められる場合、②発症前おおむね**1週間継続**して深夜時間帯に及ぶ時間外労働を行うなど**過度の長時間労働**が認められる場合等（手待時間が長いなど特に労働密度が低い場合を除く。）には、業務と発症との**関係性が強い**と評価できるとされています。

D　×　令3基発0914第1号。発症直前から「1週間前まで」ではなく、「前日まで」の間です。**異常な出来事**と発症との関連性については、通常、負荷を受けてから24時間以内に症状が出現するとされているので、「発症直前から**前日まで**」の間が評価期間とされています。

E　×　令3基発0914第1号。「短期間の過重業務」についても、労働時間の通算がなされます。複数業務要因災害による脳・心臓疾患に関しては、**2以上の事業の業務**による「**長期間の過重業務**」及び「**短期間の過重業務**」に関して業務の過重性を検討するにあたっては、異なる事業における**労働時間を通算**して評価します。

3章 労働者災害補償保険法

解答　C

チェック欄

1	2	3

通勤災害（1）

予想

難易度 易　重要度 A

通勤及び通勤災害に関する次の記述のうち、正しいものはどれか。

A　住居と就業の場所との往復に先行し、又は後続する住居間の移動に関し、帰省先住居から赴任先住居への移動は、業務に就く当日に行われた場合は就業との関連性が認められるが、前日に行われた場合は就業との関連性は認められない。

B　住居から就業の場所への移動が業務の性質を有するものであるときは、当該移動は、通勤と認められない。

C　労働者が物品を得意先に届けてその届け先から直接帰宅する場合の物品の届け先は、通勤に係る就業の場所とは認められない。

D　日々雇用される労働者が、その日の職業紹介を受けるために公共職業安定所まで行く行為は、通勤に該当する。

E　通勤による疾病の範囲は、労働基準法施行規則において、通勤による負傷に起因する疾病その他通勤に起因することの明らかな疾病と定められている。

A　✕　昭48.11.22基発644号。前日に行われた場合も、就業との関連性が認められます。住居間の移動は、実態等を踏まえ、業務に就く**当日又は前日**に行われた場合は、**就業との関連性**を認めて差し支えないとされています。なお、前々日以前に行われた場合は、交通機関の状況等の合理的理由があるときに限り、就業との関連性が認められます。

B　〇　法7条2項。通勤の定義に該当する移動であっても、**業務の性質を有する**ものは、通勤とは**なりません**。業務の性質を有するものは、事業主の支配下にあるものとされ、その移動中の災害は、**業務災害**となります。なお、「業務の性質を有するもの」には、事業主の提供する専用バス等を利用する通勤などが該当します。

C　✕　昭48.11.22基発644号。就業の場所と認められます。通勤に係る就業の場所には、**本来の業務**を行う場所のほか、設問のような**物品の届け先**や、全員参加で出勤扱いとなる会社主催の運動会の会場なども、該当します。

D　✕　昭48.11.22基発644号。通勤に該当しません。設問の行為は、就職できるかどうか確実でない段階での行為です。**職業紹介を受ける**ための行為であって、就業のための出勤行為であるとは**いえません**。

E　✕　則18条の4。「労働基準法施行規則」ではなく、「労働者災害補償保険法施行規則」です。通勤災害に関する保険給付は、労働基準法の災害補償と関連するものではなく、**労働者災害補償保険法特有**の仕組みです。そのため、通勤による疾病の範囲は、**労働者災害補償保険法施行規則**において定められています。なお、通勤による疾病の範囲が、①**通勤による負傷に起因**する疾病②その他**通勤に起因**することの明らかな疾病であるとする点は、正しい記述です。

3章　労働者災害補償保険法

解答　B

通勤災害 (2)

予想　　　　　　　　　　　　　　　　　　難易度 普　重要度 Ⓐ

通勤及び通勤災害に関する次の記述のうち、正しいものはどれか。

A　地方公務員災害補償法による通勤災害保護制度の対象となる就業の場所から労災保険法の適用事業に係る就業の場所への移動は、労災保険法に定める通勤の対象となる移動とは認められない。

B　労働者は、午前の勤務を終了し、平常どおり会社から約300メートルの距離にある自宅で昼食をすませたのち、午後の勤務に就くため自宅を出て徒歩で会社に向かったが、自宅横の路地から県道に出たとき、突然県道脇に駐車中のトラックの陰から飛び出した野犬に右足を咬みつかれて負傷した。本件は、通勤災害とは認められない。

C　通常は家族のいる所から出勤するが、別のアパート等を借りて、早出や長時間の残業のときには当該アパートに泊まり、そこから出勤するような場合には、当該家族の住居とアパートの双方が、通勤に係る「住居」と認められる。

D　病院において人工透析など比較的長時間を要する医療を受けることは、逸脱又は中断の特例の対象となる「日常生活上必要な行為」に該当しない。

E　労働者が通勤経路上の店で雑誌等を購入した場合には、その間及びその後の移動は、労災保険法に規定する通勤には該当しない。

A　✕　法7条2項2号、則6条3号、昭48.11.22基発644号。設問の移動は、通勤の対象となる移動と**認められます**。**厚生労働省令で定める就業の場所**から他の就業の場所への移動は、通勤の対象となる移動に該当します。設問の「**地方公務員災害補償法**による通勤災害保護制度の対象となる就業の場所」は、「厚生労働省令で定める就業の場所」に該当します。

B　✕　昭53.5.30基収1172号。通勤災害と**認められます**。本件災害は、その発生原因に関し、被災労働者の積極的な恣意行為が認められず、また、通勤経路に内在すると認められる**危険**が具体化したものであり、通勤との間に**相当因果関係**が認められます。なお、通勤は1日について1回のみしか認められないものではなく、昼休み等就業の時間の間に相当の間隔があって帰宅し、再び会社に向かう往復行為も就業との関連性が認められ、通勤となります。

C　○　昭48.11.22基発644号。通勤に係る「住居」とは、労働者が居住して日常生活の用に供している家屋等の場所で、本人の就業**のための拠点**となるところを指します。設問の場合の家族の住居とアパートは、いずれもこれに該当します。

D　✕　法7条3項、則8条4号、昭48.11.22基発644号。「日常生活上必要な行為」に**該当します**。逸脱又は中断の特例の対象となる「日常生活上必要な行為」の1つとして、「**病院又は診療所**において診察又は治療を受けることその他これに準ずる行為」がありますが、この行為は、病院又は診療所において通常の医療を受ける行為に限らず、人工透析など**比較的長時間**を要する医療を受けることも含んでいます。

E　✕　法7条3項、昭48.11.22基発644号。通勤経路上の店で雑誌等を購入している間及びその後の移動は、通勤に該当します。労働者が通勤経路上の店で雑誌等を購入する行為は、**ささいな行為**（労働者が通常通勤の途中で行う行為）に該当します。ささいな行為を行う場合は、逸脱又は中断として取り扱われないため、ささいな行為を行っている間及びその後の移動は、通勤に**該当します**。

3章 労働者災害補償保険法

解答　C

通勤災害（3）

過令4

難易度 普　重要度 B

通勤災害に関する次の記述のうち、正しいものはどれか。

A　労働者が上司から直ちに2泊3日の出張をするよう命じられ、勤務先を出てすぐに着替えを取りに自宅に立ち寄り、そこから出張先に向かう列車に乗車すべく駅に向かって自転車で進行中に、踏切で列車に衝突し死亡した場合、その路線が通常の通勤に使っていたものであれば、通勤災害と認められる。

B　労働者が上司の命により、同じ社員寮に住む病気欠勤中の同僚の容体を確認するため、出勤してすぐに社員寮に戻る途中で、電車にはねられ死亡した場合、通勤災害と認められる。

C　通常深夜まで働いている男性労働者が、半年ぶりの定時退社の日に、就業の場所からの帰宅途中に、ふだんの通勤経路を外れ、要介護状態にある義父を見舞うために義父の家に立ち寄り、一日の介護を終えた妻とともに帰宅の途につき、ふだんの通勤経路に復した後は、通勤に該当する。

D　マイカー通勤の労働者が、経路上の道路工事のためにやむを得ず通常の経路を迂回して取った経路は、ふだんの通勤経路を外れた部分についても、通勤災害における合理的な経路と認められる。

E　他に子供を監護する者がいない共稼ぎ労働者が、いつもどおり親戚に子供を預けるために、自宅から徒歩10分ほどの勤務先会社の前を通り過ぎて100メートルのところにある親戚の家まで、子供とともに歩き、子供を預けた後に勤務先会社まで歩いて戻る経路のうち、勤務先会社と親戚の家との間の往復は、通勤災害における合理的な経路とは認められない。

A　×　昭34.7.15基収2980号。通勤災害とは認められません。**出張**中は、積極的な私的行為を行うなどの特別の事情がない限り、**事業主の支配下**にあるといえるため、業務遂行性が認められます。また、その過程全般が業務行為とみられるため、**住居と出張先の往復も業務**として取り扱われ、業務起因性も認められます。したがって、出張命令を受けた労働者が、自宅から出張先に向かう途中で事故に遭い、死亡した場合の当該死亡は、その路線が通常の通勤に使っていたものであっても、業務災害と認められます。

B　×　昭24.12.15基収3001号。通勤災害とは認められません。設問の労働者が、上司の命により、就業の場所から欠勤者宅に向かう行為は、その経路が、自ら居住する社員寮に戻る経路と同じくするものであっても**業務**として取り扱われ、業務遂行性が認められます。また、その用務を遂行する途上で電車にはねられることは、**事業主の支配下**にあることに伴う危険が現実化したものと経験則上いえるため、業務起因性が認められ、**業務災害**と認められます。

C　×　法7条3項。ふだんの通勤経路に復した後についても、通勤に該当しません。設問の労働者が、通勤経路を外れ、要介護状態にある義父を見舞うために義父の家に立ち寄る行為は、就業の場所から住居への移動の経路の「逸脱」に当たります。また、当該逸脱の目的は、要介護状態にある義父を見舞うことであり、「日常生活上必要な行為であって厚生労働省令で定めるもの」とは**認められません**。したがって、当該逸脱の間及びその後（ふだんの通勤経路に復した後）**の移動は通勤に該当しません**。

D　○　昭48.11.22基発644号。「合理的な経路」とは、当該住居と就業の場所との間を往復する場合に、一般に労働者が用いるものと認められる経路をいいますが、経路の道路工事、デモ行進等当日の交通事情により迂回してとる経路等通勤のために**やむを得ずとることとなる経路**は、**合理的な経路**と認められます。

E　×　昭48.11.22基発644号。合理的な経路と認められます。他に子供を監護する者がいない共稼労働者などが託児所、親せき等に**子供を預けるためにとる経路**などは、そのような立場にある労働者であれば、当然、就業のためにとらざるを得ない経路であるので、**合理的な経路**と認められます。

3章　労働者災害補償保険法

解答　D

給付基礎日額

予想

難易度 普　重要度 C

給付基礎日額に関する次の記述のうち、正しいものはどれか。

A　給付基礎日額は、労働基準法第12条の平均賃金に相当する額であるが、この場合において、同条第1項の平均賃金を算定すべき事由の発生した日は、負傷若しくは死亡の原因である事故が発生した日又は疾病について初めて医師の診療を受けた日である。

B　複数事業労働者の業務上の事由による負傷により、当該複数事業労働者に対して業務災害に関する保険給付を行う場合における給付基礎日額は、当該負傷の原因となった災害が発生した事業の事業主から当該複数事業労働者に支払われた賃金のみを基礎として、政府が算定する額とする。

C　休業給付基礎日額に係るスライド制は、四半期ごとの平均給与額が、算定事由発生日の属する四半期（スライドによる改定があった場合は、当該スライドが適用される最初の四半期の前々四半期）の平均給与額の100分の110を超え、又は100分の90を下るに至った場合において、その上昇し、又は低下するに至った四半期の翌々四半期に属する最初の日以後に支給すべき事由が生じた休業補償給付等に係る給付基礎日額について、適用される。

D　遺族補償年金、複数事業労働者遺族年金又は遺族年金の額の算定の基礎として用いる給付基礎日額に係る年齢階層別の最低限度額及び最高限度額は、当該年金を受ける遺族の8月1日における年齢に応じて、適用される。

E　一時金の給付基礎日額については、年金給付基礎日額に準じて、スライド制並びに年齢階層別の最低限度額及び最高限度額が適用される。

A　× 法8条1項。「疾病について初めて医師の診療を受けた日」ではなく、「診断によって疾病の発生が確定した日」です。平均賃金を算定すべき事由の発生した日（算定事由発生日）は、次のいずれかの日です。

①負傷又は死亡の原因である**事故が発生した日**

②**診断**によって**疾病の発生が確定した日**

B　× 法8条3項。「災害が発生した事業場の事業主から当該複数事業労働者に支払われた賃金のみ」を基礎とするのではありません。複数事業労働者の①業務上の事由、②2以上の事業の業務を要因とする事由又は③通勤による負傷、疾病、障害又は死亡により保険給付を行う場合の給付基礎日額は、当該複数事業労働者を使用する**事業ごとに算定**した給付基礎日額に相当する額を**合算した額**を基礎として、政府が算定する額です。

C　○ 法8条の2第1項2号。休業給付基礎日額に係るスライド制が適用されるのは、四半期ごとの平均給与額が、算定事由発生日の属する四半期（スライドによる改定があった場合は、当該スライドが適用される最初の四半期の前々四半期）の平均給与額の**100分の110を超え**、又は**100分の90を下る**に至った場合です。また、このスライド制が適用されるのは、当該100分の110を超え、又は100分の90を下るに至った四半期の**翌々四半期に属する最初の日以後**に支給すべき事由が生じた休業補償給付等に係る給付基礎日額です。

D　× 法8条の3第2項。「当該年金を受ける遺族の8月1日における年齢」に応じて適用されるのではありません。**遺族（補償）等年金**の額の算定の基礎として用いる給付基礎日額については、**死亡した労働者が生存**していると仮定したときの**8月1日**における当該労働者の年齢に応じて、年齢階層別の最低限度額及び最高限度額が適用されます。

E　× 法8条の4。一時金の給付基礎日額については、**年齢階層別の最低限度額及び最高限度額は適用**されません。なお、スライド制は、設問のとおり、一時金の給付基礎日額についても、年金給付基礎日額のスライド制の規定を準用して、適用されます。

解答　C

療養（補償）等給付

予想　　　　　　　　　　　　　　　　　　　　難易度 易　重要度 B

療養補償給付に関する次の記述のうち、正しいものはどれか。

A　政府が必要と認めるものであれば、移送も療養補償給付たる療養の給付の範囲に含まれる。

B　療養補償給付たる療養の給付は、社会復帰促進等事業として設置された病院若しくは診療所又は都道府県労働局長の指定する病院若しくは診療所、薬局若しくは訪問看護事業者において行われるほか、健康保険法の規定により厚生労働大臣の指定を受けた病院又は診療所においても行われる。

C　療養補償給付は、医療効果を期待し得えない状態となり、医師の治療の必要がなくなった後も、労働者の健康状態が労働することができる程度に回復するまでは引き続き行われる。

D　療養補償給付たる療養の給付を受けようとする者は、所定の事項を記載した請求書を直接、所轄労働基準監督署長に提出しなければならない。

E　療養補償給付たる療養の給付をすることが困難な場合のほか、労働者がこれを望む場合には、当該療養の給付に代えて療養の費用が支給される。

A　○　法13条2項。療養補償給付たる療養の給付の範囲には、①**診察**、②薬剤又は治療材料の支給、③処置、手術その他の治療、④**居宅**における療養上の管理及びその療養に伴う世話その他の看護、⑤**病院又は診療所**への入院及びその療養に伴う世話その他の看護、⑥**移送**が含まれます。このうち、**政府が必要と認めるもの**に限り、療養の給付が行われます。

B　×　則11条1項。健康保険法の規定により厚生労働大臣の指定を受けた病院又は診療所においては行われません。療養補償給付たる療養の給付は、**指定病院等**において行われます。指定病院等とは、①**社会復帰促進等事業**として設置された病院若しくは診療所又は②**都道府県労働局長の指定**する病院若しくは診療所、薬局若しくは訪問看護事業者をいいます。健康保険法の規定により厚生労働大臣の指定を受けた病院又は診療所が当該療養の給付を行うためには、①②のうちのいずれかに該当する必要があります。

C　×　昭23.1.13基災発3号。医師の治療の必要がなくなった後は、行われません。療養補償給付は、**治ゆ前の業務上の傷病**を対象とした給付であり、当該傷病が治ゆした後には行われません。傷病の症状が安定し、医療効果を期待し得ない状態（治療の必要がなくなった状態）となったときは、**治ゆしたもの**として取り扱われます。

D　×　則12条1項。療養補償給付たる**療養の給付**に係る請求書は、直接ではなく、当該療養の給付を受けようとする**指定病院等を経由**して、所轄労働基準監督署長に提出しなければなりません。

E　×　法13条3項、則11条の2。労働者が望む場合でも、それのみでは療養の費用は支給されません。療養補償給付は、療養の給付（現物給付）が原則です。療養の費用の支給（現金給付）が行われるのは、①療養の給付をすることが**困難**な場合、②療養の給付を受けないことについて**労働者に相当の理由**がある場合に限られます。

3章　労働者災害補償保険法

解答　A

207

休業（補償）等給付

過平30 改正E   難易度 普　重要度 A

休業補償給付に関する次の記述のうち、誤っているものはどれか。

A　休業補償給付は、業務上の傷病による療養のため労働できないために賃金を受けない日の４日目から支給されるが、休業の初日から第３日目までの期間は、事業主が労働基準法第76条に基づく休業補償を行わなければならない。

B　業務上の傷病により、所定労働時間の全部労働不能で半年間休業している労働者に対して、事業主が休業中に平均賃金の６割以上の金額を支払っている場合には、休業補償給付は支給されない。

C　休業補償給付と傷病補償年金は、併給されることはない。

D　会社の所定休日においては、労働契約上賃金請求権が生じないので、業務上の傷病による療養中であっても、当該所定休日分の休業補償給付は支給されない。

E　業務上の傷病により、所定労働時間の一部分についてのみ労働する日の休業補償給付の額は、療養開始後１年６か月未満の場合には、休業給付基礎日額から当該労働する日に対して支払われる賃金の額を控除して得た額の100分の60に相当する額である。

A ○ 法14条1項、昭40.7.31基発901号。休業補償給付に係る**待期期間**（休業
の最初の3日間）については、休業補償給付が支給されないため、事業主は、労
働基準法の規定による休業補償（1日につき平均賃金の100分の60相当額の支払
い）を行わなければなりません。なお、複数業務要因災害又は通勤災害の場合に
は、事業主が休業補償を行う必要はありません。

B ○ 昭40.9.15基災発14号。設問の事業主は、全部労働不能の労働者に対して、
その休業中に、**平均賃金の6割以上**の金額を支払っています。この日は「**休業
する日**（＝当該傷病の**療養**のため**労働することができない**ために賃金を受けない
日）」に該当しないため、休業補償給付は支給されません。

C ○ 法18条2項。**休業補償給付**と**傷病補償年金**は、いずれも所得保障を目的と
した保険給付であるため、**併給**されることはありません。なお、「療養補償給付
と休業補償給付」又は「療養補償給付と傷病補償年金」は、併給することがで
きます。療養補償給付は、療養を目的とした保険給付であり、休業補償給付と
傷病補償年金とは、保険給付を行う目的が異なるためです。

D × 法14条1項等。会社の**所定休日**においても、要件を満たせば、当該所定休
日分の休業補償給付は**支給**されます。休業補償給付の支給要件の1つである「労
働することができない日」とは、労働者が当該使用される事業場等で所定労働日
に労働することができない日のみならず、一般に労働することができない日を**す
べて含む**ものと解されるため、所定休日など労働義務のない日であっても休業補
償給付の支給対象となります。

E ○ 法14条1項。所定労働時間の**一部分につき労働**する日（部分算定日）の休
業補償給付の額は、「**（給付基礎日額－支払われる賃金の額）**×100分の60」に
よる額となります。なお、設問は、「療養開始後1年6か月未満の場合」である
ため、計算の途中で年齢階層別の最高限度額の適用を考慮する必要はありませ
ん。

3章 労働者災害補償保険法

解答 D

傷病（補償）等年金

過平29

難易度 普　重要度 A

傷病補償年金に関する次の記述のうち、誤っているものはどれか。

A　所轄労働基準監督署長は、業務上の事由により負傷し、又は疾病にかかった労働者が療養開始後1年6か月経過した日において治っていないときは、同日以降1か月以内に、当該労働者から「傷病の状態等に関する届」に医師又は歯科医師の診断書等の傷病の状態の立証に関し必要な資料を添えて提出させるものとしている。

B　傷病補償年金の支給要件について、障害の程度は、6か月以上の期間にわたって存する障害の状態により認定するものとされている。

C　傷病補償年金の受給者の障害の程度が軽くなり、厚生労働省令で定める傷病等級に該当しなくなった場合には、当該傷病補償年金の受給権は消滅するが、なお療養のため労働できず、賃金を受けられない場合には、労働者は休業補償給付を請求することができる。

D　傷病補償年金を受ける労働者の障害の程度に変更があり、新たに他の傷病等級に該当するに至った場合には、所轄労働基準監督署長は、裁量により、新たに該当するに至った傷病等級に応ずる傷病補償年金を支給する決定ができる。

E　業務上負傷し、又は疾病にかかった労働者が、当該負傷又は疾病に係る療養の開始後3年を経過した日において傷病補償年金を受けている場合には、労働基準法第19条第1項の規定の適用については、当該使用者は、当該3年を経過した日において同法第81条の規定による打切補償を支払ったものとみなされる。

A ○ 則18条の２第２項・３項。傷病の状態等に関する届書についてです。所轄労働基準監督署長は、被災労働者の傷病が**療養開始後１年６ヵ月を経過した日**において治っていないときは、同日以後１ヵ月**以内**に当該労働者から**傷病の状態等に関する届書**を提出させます。この届書には、届書を提出するときにおける傷病の状態の立証に関し必要な医師又は歯科医師の診断書その他の資料を添えなければなりません。

B ○ 則18条２項。傷病補償年金が支給されるためには、当該傷病による障害の程度が傷病等級に該当する必要があります。この傷病等級は長期的に支給される傷病補償年金の主要な支給要件であることから、**傷病等級**に係る当該傷病による障害の程度の認定は、**６ヵ月以上**の期間にわたって存する障害の状態により行うこととされています。

C ○ 法12条の８第２項、則13条１項、昭52.3.30基発192号。傷病補償年金を受ける者の障害の程度が軽くなり、**傷病等級に該当しなくなった**場合は、傷病補償年金の受給権は消滅するため、傷病補償年金は支給されなくなります。その後もその労働者が療養のため労働不能であり、賃金を受けることができないのであれば、当該労働者からの請求に基づき、**休業補償給付**が支給されます。

D × 法18条の２、則18条の３。設問の場合には、所轄労働基準監督署長は、「**職権により**」、傷病補償年金の変更に関する決定を「**しなければならない**」とされています。

E ○ 法19条。労働基準法の規定による解雇制限との関係についてです。労働基準法19条１項では、**業務上**の傷病による療養のための休業期間及びその後30日間は、原則として、労働者を解雇してはならないと定めています。ただし、労働者が次の①又は②のいずれかに該当した場合には、その該当した日において同法81条の規定による打切補償を支払ったものとみなされ、**解雇制限が解除**されます。設問は、①についてです。

①業務上の傷病に係る**療養の開始後３年を経過した日**に傷病補償年金を受けている場合

②上記①の日後に**傷病補償年金**を受けることとなった場合

解答 D

障害（補償）等給付（1）

予想　　　　　　　　　　　　　　　　　　　難易度 普　重要度 Ⓐ

障害補償給付に関する次の記述のうち、誤っているものはどれか。

A　障害補償給付を支給すべき身体障害の障害等級は、障害等級表に定めるところにより決定されるが、同表に掲げるもの以外の身体障害の障害等級は、その障害の程度に応じ、同表に掲げる身体障害に準じて決定される。

B　労働者の死亡前に、当該労働者の死亡によって障害補償年金差額一時金の支給を受けることができる先順位又は同順位の遺族となるべき者を故意に死亡させた者は、障害補償年金差額一時金の支給を受けることができる遺族とされない。

C　障害等級第9級に応ずる障害補償一時金を受給した労働者について、その障害の程度が自然経過的に増進し、新たに障害等級第6級に該当するに至った場合であっても、その者に対して、障害等級第6級に応ずる障害補償年金は支給されない。

D　すでに業務上の負傷又は疾病による障害の該当する障害等級に応じて障害補償年金の支給を受ける者が、新たな業務上の負傷又は疾病により同一の部位について障害の程度を加重した場合には、その加重した障害の該当する障害等級に応ずる障害補償年金の額から、既存の障害の該当する障害等級に応ずる障害補償年金の額を差し引いた額による障害補償年金が支給され、その後は、既存の障害の該当する障害等級に応ずる障害補償年金は支給されない。

E　同一の業務災害により、障害等級第5級、第7級及び第13級に該当する3つの身体障害が残った場合の障害補償給付に係る障害等級は、第3級である。

A　○　則14条１項・４項。労働者に残った身体障害の障害等級は、原則として、**障害等級表**により決定されます。障害等級表に定められていない身体障害については、その障害の程度に応じ、障害等級表にある同程度**の身体障害に準じて**、障害等級が決定されます。

B　○　法附則58条５項による法16条の９第２項の準用。①労働者を故意に死亡させた者又は②労働者の死亡前に、当該労働者の死亡によって障害補償年金差額一時金の支給を受けることができる**先順位又は同順位**の遺族となるべき者を故意に死亡させた者は、障害補償年金差額一時金の受給資格者とはなりません。

C　○　法15条の２、昭41.1.31基発73号。障害補償一時金を受けた労働者については、その障害の程度が**自然経過的**に増進し、又は軽減した場合であっても、新たに該当するに至った障害等級に応ずる障害補償給付は支給されません。一方、障害補償**年金**を受ける労働者については、その障害の程度が自然経過的に増進し、又は軽減した場合は、新たに該当するに至った障害等級に応ずる障害補償給付（障害補償年金又は障害補償一時金）が支給されます。

D　✕　則14条５項。設問の場合には、既存（加重前）の障害の該当する障害等級に応ずる障害補償年金も、引き続き支給されます。加重障害による障害補償給付については、**加重前と加重後の障害がともに障害等級第７級以上（年金）**である場合には、加重前の年金額と加重後の年金額との差額による障害補償年金が新たに支給されます。この場合において、加重前の障害が**業務上**のものであるときは、加重前の障害補償年金も**引き続き支給されます**。

E　○　則14条３項。併合繰上げによる障害等級の決定方法は、次の①～③のとおりです。また、障害が３つ以上残っている場合には、そのうちの１番目と２番目に重い２つの障害をもって障害等級の併合を考えます。設問の場合（第５級、第７級及び第13級）は、②に該当するため、（全体の）障害等級は、第３級となります。

①**第13級以上の障害が２以上** …… **重い方**の障害等級を**１級繰上げ**
②**第８級以上の障害が２以上** …… **重い方**の障害等級を**２級繰上げ**
③**第５級以上の障害が２以上** …… **重い方**の障害等級を**３級繰上げ**

解答　D

障害（補償）等給付（2）

過令2　　　　　　　　　　　　　　　　　　難易度 **普**　重要度 **B**

障害等級認定基準についての行政通知によれば、既に右示指の用を廃していた（障害等級第12級の9、障害補償給付の額は給付基礎日額の156日分）者が、新たに同一示指を亡失した場合には、現存する身体障害に係る障害等級は第11級の6（障害補償給付の額は給付基礎日額の223日分）となるが、この場合の障害補償給付の額に関する次の記述のうち、正しいものはどれか。

A　給付基礎日額の67日分

B　給付基礎日額の156日分

C　給付基礎日額の189日分

D　給付基礎日額の223日分

E　給付基礎日額の379日分

A〜E　則14条5項、昭50.9.30基発565号。設問の場合は、**加重障害**として取り扱われます。加重障害の場合の障害補償給付の額は、加重前後の障害の程度により、次のいずれかとなります。

(1) 加重前後の障害がともに**第7級以上**（年金）の場合

　新たに支給される障害補償年金の額

　　＝加重後の年金額（日数）－加重前の年金額（日数）

(2) 加重前後の障害がともに**第8級以下**（一時金）の場合

　新たに支給される障害補償一時金の額

　　＝加重後の一時金の額（日数）－加重前の一時金の額（日数）

(3) 加重前の障害が**第8級以下**（一時金）、加重後の障害が**第7級以上**（年金）の場合

　新たに支給される障害補償年金の額

　　＝加重後の年金額（日数）－加重前の一時金の額（日数）÷25

　設問の場合は、加重前後の障害等級がともに第8級以下（第11級と第12級）ですから、前記(2)に該当します。したがって、設問の場合の障害補償給付の額は、現存する（加重後の）身体障害に係る障害等級（第11級）に応ずる障害補償給付の額（給付基礎日額の**223日分**）から、すでにあった（加重前の）身体障害に係る障害等級（第12級）に応ずる障害補償給付の額（給付基礎日額の**156日分**）を差し引いた額（給付基礎日額の**67日分**）となります。

以上から、正解はＡとなります。

解答　Ａ

遺族（補償）等給付（1）

過令5

難易度 普 重要度 A

遺族補償年金に関する次の記述のうち、正しいものはどれか。

A　妻である労働者の死亡当時、無職であった障害の状態にない50歳の夫は、労働者の死亡の当時その収入によって生計を維持していたものであるから、遺族補償年金の受給資格者である。

B　労働者の死亡当時、負傷又は疾病が治らず、身体の機能又は精神に労働が高度の制限を受ける程度以上の障害があるものの、障害基礎年金を受給していた子は、労働者の死亡の当時その収入によって生計を維持していたものとはいえないため、遺族補償年金の受給資格者ではない。

C　労働者の死亡当時、胎児であった子は、労働者の死亡の当時その収入によって生計を維持していたものとはいえないため、出生後も遺族補償年金の受給資格者ではない。

D　労働者が就職後極めて短期間の間に死亡したため、死亡した労働者の収入で生計を維持するに至らなかった遺族でも、労働者が生存していたとすればその収入によって生計を維持する関係がまもなく常態となるに至ったであろうことが明らかな場合は、遺族補償年金の受給資格者である。

E　労働者の死亡当時、30歳未満であった子のない妻は、遺族補償年金の受給開始から５年が経つと、遺族補償年金の受給権を失う。

A　✕　法16条の２第１項１号、昭40法附則43条１項。受給資格者ではありません。**障害の状態にない夫**が遺族補償年金の受給資格者となるためには、労働者の死亡の当時、**55歳以上**でなければなりません。設問の夫（50歳）はこの年齢要件を満たさないため、生計維持要件を満たしていても、遺族補償年金の受給資格者とはなりません。

B　✕　法16条の２第１項４号、則15条、昭41.1.31基発73号等。「労働者の死亡の当時その収入によって生計を維持していたものとはいえない」とする記述が誤りです。設問の**障害の状態**にある子は、**生計維持要件**を満たせば、その年齢を問わず、遺族補償年金の受給資格者となります。この生計維持要件については、労働者の収入によって**生計の一部を維持**されていれば足りるものとされ、障害基礎年金を受給していても、労働者の収入によって生計の一部を維持されていれば、**生計維持関係が認められ**、遺族補償年金の受給資格者となります。

C　✕　法16条の２第２項。受給資格者となります。労働者の死亡の当時**胎児であった子が出生**したときは、**将来に向かって**、その子は、労働者の死亡の当時その収入によって**生計を維持していた子**とみなされます。つまり、出生のときから生計維持要件を満たし、年齢要件（18歳年度末まで）も満たしているので、出生したときから、遺族補償年金の受給資格者となります。

D　〇　法16条の２第１項、昭41.10.22基発1108号。設問のように、労働者が生存していたとすれば、生計維持関係が**まもなく常態となる**に至ったであろうことが**明らか**に認められる場合は、**生計維持関係が常態**であったものとされ、生計維持要件を満たします。したがって、その遺族は、他の要件（年齢要件等）を満たせば、遺族補償年金の受給資格者となります。

E　✕　法16条の４第１項。設問のような規定はありません。妻が遺族補償年金の受給権を失うのは、次のいずれかに該当するに至ったときです。
①死亡したとき。
②**婚姻**をしたとき。
③**直系血族又は直系姻族以外の者の養子**となったとき。

3章 労働者災害補償保険法

解答　D

チェック欄

1	2	3

遺族（補償）等給付（2）

予想

難易度 普　重要度 A

遺族補償給付に関する次の記述のうち、誤っているものはどれか。

A　傷病補償年金の受給者が当該傷病が原因で死亡した場合には、その死亡の当時その収入によって生計を維持していた妻は、遺族補償年金を受けることができる。

B　遺族補償年金を受ける権利を有する妻（厚生労働省令で定める障害の状態にないものとする。）が55歳に達した場合であって、当該妻と生計を同じくしている遺族補償年金を受けることができる遺族がないときは、その55歳に達した月の翌月から、遺族補償年金の額が改定される。

C　遺族補償年金を受ける権利は、その権利を有する遺族が、自分の伯父の養子となったときは、消滅する。

D　遺族補償年金の受給権を失った者は、遺族補償一時金の受給権者になることはない。

E　遺族補償年金を受ける権利を有するが、60歳に達していないために当該遺族補償年金の支給を停止されている者は、遺族補償年金前払一時金を請求することができる。

A 〇 法12条の8第2項、16条の2第1項、労働基準法79条。設問の場合は、**業務上の死亡**にあたります。したがって、その**死亡の当時**その収入によって生計を維持していた**妻**は、年齢等にかかわらず、遺族補償年金を受けることができます。

B 〇 法16条の3第4項。遺族補償年金の受給権者が**妻**であり、かつ、当該妻と生計を同じくしている遺族がない場合において、当該妻が次のいずれかに該当したときは、その該当した月の**翌月**から、遺族補償年金の額が改定されます。設問は、①について問うています。

①55歳**に達したとき**（厚生労働省令で定める障害の状態にあるときを除く。）。

②厚生労働省令で定める**障害の状態になり**、又はその**事情がなくなったとき**（55歳以上であるときを除く。）。

C 〇 法16条の4第1項3号。遺族補償年金の受給権の消滅事由の1つに「**直系血族又は直系姻族以外**の者の養子となったとき」があります。設問の「自分の伯父の養子となったとき」は、これに該当します。

D ✕ 法16条の6第1項2号、16条の7第1項。遺族補償一時金の受給権者となることがあります。遺族補償一時金の受給権者に該当するか否かは、労働者の**死亡の当時**の身分関係によって判断します。したがって、遺族補償年金の受給権を有していたが、失権事由に該当したことによりその権利を失った者であっても、その者以外に遺族補償年金を受けることができる遺族がなく、かつ、すでに支給された遺族補償年金（遺族補償年金前払一時金を含む。）の合計額が、**給付基礎日額**の1,000日分に満たない場合には、**遺族補償一時金の受給資格者**となり、その最先順位者であれば、受給権者となります。

E 〇 昭40法附則43条3項。「60歳に達していないために当該遺族補償年金の支給を停止されている者」とは、いわゆる若年停止者です。**若年停止者**である受給権者あっても、**遺族補償年金前払一時金**の請求をすることはできます。

3章
労働者災害補償保険法

解答 D

遺族（補償）等給付（3）

過令3

難易度 **易**　重要度 **B**

遺族補償一時金を受けるべき遺族の順位に関する次の記述のうち、誤っているものはどれか。

A　労働者の死亡当時その収入によって生計を維持していた父母は、労働者の死亡当時その収入によって生計を維持していなかった配偶者より先順位となる。

B　労働者の死亡当時その収入によって生計を維持していた祖父母は、労働者の死亡当時その収入によって生計を維持していなかった父母より先順位となる。

C　労働者の死亡当時その収入によって生計を維持していた孫は、労働者の死亡当時その収入によって生計を維持していなかった子より先順位となる。

D　労働者の死亡当時その収入によって生計を維持していた兄弟姉妹は、労働者の死亡当時その収入によって生計を維持していなかった子より後順位となる。

E　労働者の死亡当時その収入によって生計を維持していた兄弟姉妹は、労働者の死亡当時その収入によって生計を維持していなかった父母より後順位となる。

A　× 法16条の7。生計を維持していた父母は、生計を維持していなかった配偶者より先順位となりません。配偶者は、生計維持関係にあったか否かを問わず、最先順位となります。

　遺族補償一時金を受けることができる遺族の範囲は、次のとおりであり、その順位は、①～⑩に掲げる順序によります。

①配偶者（生計維持関係にかかわらず、常に最先順位）
労働者の死亡の当時その収入によって生計を維持していた ②子、③父母、④孫、⑤祖父母
労働者の死亡の当時その収入によって生計を維持していなかった ⑥子、⑦父母、⑧孫、⑨祖父母
⑩兄弟姉妹（生計維持関係にかかわらず、常に最終順位）

　設問の「生計を維持していた父母」は上表③に、「生計を維持していなかった配偶者」は同①に、それぞれ該当します。

B　○ 法16条の7。設問の「生計を維持していた祖父母」は上表⑤に、「生計を維持していなかった父母」は同⑦に、それぞれ該当します。

C　○ 法16条の7。設問の「生計を維持していた孫」は上表④に、「生計を維持していなかった子」は同⑥に、それぞれ該当します。

D　○ 法16条の7。設問の「生計を維持していた兄弟姉妹」は上表⑩に、「生計を維持していなかった子」は同⑥に、それぞれ該当します。兄弟姉妹は、生計維持関係にあったか否かを問わず、最終順位となります。

E　○ 法16条の7。設問の「生計を維持していた兄弟姉妹」は上表⑩に、「生計を維持していなかった父母」は同⑦に、それぞれ該当します。

解答　A

3章　労働者災害補償保険法

ポイント解説

受給権者が2人以上ある場合の保険給付の額

死亡に関する保険給付については、その受給権者が2人以上となる場合があります。遺族（補償）等給付と障害（補償）等年金差額一時金に共通することですが、このように受給権者が2人以上ある場合には、**本来の支給額を**受給権者の人数**で割る**ことになります。この場合には、請求等についての代表者を1人選任しなければなりません。なお、葬祭料等（葬祭給付）及び未支給の保険給付については、以上のような規定はありません。

受給権者（受給資格者）の一覧比較

（1）遺族（補償）等年金の場合

順位	親族の区分（すべて生計維持）		（一方のみで可）	
			年齢要件※	障害要件
1	配偶者 （内縁関係を含む）	妻	不問	不問
		夫	60歳以上	障害等級の**第5級以上**に相当する障害の状態等にあること
2	子		18歳年度末	
3	父母		60歳以上	
4	孫		18歳年度末	
5	祖父母		60歳以上	
6	兄弟姉妹		18歳年度末又は60歳以上	
7	夫		55歳以上60歳未満	障害等級の**第5級以上**に相当する障害等があれば、1、3、5、6の順位に該当する。
8	父母			
9	祖父母			
10	兄弟姉妹			

※年齢要件にある「18歳年度末」とは、「18歳に達する日以後の最初の3月31日までの間にある」という意味。

(2) 遺族（補償）等一時金の場合 （数字は順位。①が最優先、⑩が最劣後）

①配偶者　※生計維持関係は一切問わない。			
生計維持関係にある	②子	生計維持関係にない	⑥子
	③父母		⑦父母
	④孫		⑧孫
	⑤祖父母		⑨祖父母
⑩兄弟姉妹　※生計維持関係にあっても第10順位となる。			

(3) 障害（補償）等年金差額一時金の場合

死亡当時の生計要件	総合的順位 （①が最優先、⑫が最劣後）※
生計同一関係にある	①配偶者　②子　③父母　④孫　⑤祖父母　⑥兄弟姉妹
生計同一関係にない	⑦配偶者　⑧子　⑨父母　⑩孫　⑪祖父母　⑫兄弟姉妹

※先順位者があれば、次順位者以下は受給できない。

(4) 未支給の保険給付の場合

対象となる未支給		範囲と順位	
A：一般的な**未支給の保険給付**の場合 ※年齢、障害の有無を問わない。 ※生計維持関係にあっても、生計同一の場合と同様の扱いとなり、優先関係は生じない。	生計同一関係にある	①配偶者	
		②子	
		③父母	
		④孫	
		⑤祖父母	
		⑥兄弟姉妹	
B：未支給の遺族（補償）等年金の場合		当該遺族（補償）等年金の同順位者があればその者、なければ次順位者	

二次健康診断等給付

過平30

難易度 普　重要度 B

労災保険法の二次健康診断等給付に関する次の記述のうち、誤っているものはどれか。

A　一次健康診断の結果その他の事情により既に脳血管疾患又は心臓疾患の症状を有すると認められる場合には、二次健康診断等給付は行われない。

B　特定保健指導は、医師または歯科医師による面接によって行われ、栄養指導もその内容に含まれる。

C　二次健康診断の結果その他の事情により既に脳血管疾患又は心臓疾患の症状を有すると認められる労働者については、当該二次健康診断に係る特定保健指導は行われない。

D　二次健康診断を受けた労働者から、当該二次健康診断の実施の日から3か月以内にその結果を証明する書面の提出を受けた事業者は、二次健康診断の結果に基づき、当該健康診断項目に異常の所見があると診断された労働者につき、当該労働者の健康を保持するために必要な措置について、医師の意見をきかなければならない。

E　二次健康診断等給付を受けようとする者は、所定の事項を記載した請求書をその二次健康診断等給付を受けようとする健診給付病院等を経由して所轄都道府県労働局長に提出しなければならない。

A　○　法26条１項。二次健康診断等給付は、**業務上の事由**による**脳血管疾患及び心臓疾患**の発生にかかわる身体の状態に関する４項目の検査が行われた場合において、その**いずれの項目にも異常の所見がある**と診断されたときに行われる予防給付です。設問の**症状を有する**と認められる場合には、すでに疾病の状態にあるため、療養の給付など他の保険給付の対象となり、二次健康診断等給付は**行われません**。

B　×　法26条２項２号、平13.3.30基発233号。特定保健指導は、**医師又は「保健師」**により行われます。「歯科医師」ではありません。なお、特定保健指導の内容に栄養指導が含まれるとする点は、正しい記述です。

C　○　法26条３項。特定保健指導は、設問の**症状を有する**と認められるものについては、**行われません**。このような労働者は、療養の給付など他の保険給付の対象となります。

D　○　法27条、則18条の17。二次健康診断の結果に関する医師からの意見聴取についてです。この意見聴取は、「二次健康診断を受けた労働者から当該二次健康診断の実施の日から**３ヵ月以内**にその結果を証明する書面の提出を受けた事業者」が行わなければなりません。なお、この意見聴取の実施期限は、二次健康診断の結果を証明する書面が事業者に提出された日から**２ヵ月以内**です。

E　○　則18条の19第１項。設問の「健診給付病院等」とは、①**社会復帰促進等事業**として設置された病院又は診療所、②**都道府県労働局長**の**指定**する病院又は診療所のことです。二次健康診断等給付の請求は、**健診給付病院等を経由**して所轄都道府県労働局長に対して行います。なお、請求期限は、一次健康診断を受けた日から**３ヵ月以内**です。

3章　労働者災害補償保険法

解答　B

保険給付の通則（1）

予想　　　　　　　　　　　　　　　　難易度 **易**　重要度 **B**

保険給付の通則等に関する次のアからオまでの記述のうち、正しいものの組合せは、後記AからEまでのうちどれか。

ア　保険給付を受ける権利は、譲り渡し、担保に供し、又は差し押さえることができない。

イ　労働者が、療養に関する指示に従わないことにより負傷、疾病又は障害の程度を増進させた場合は、療養の指示に従わないことについて正当な理由があるときであっても、政府は、保険給付の全部又は一部を行わないことができる。

ウ　偽りその他不正の手段により労災保険の保険給付を受けた者がある場合において、その保険給付が、事業主が虚偽の証明をしたために行われたものであるときは、政府は、当該事業主に対し、保険給付を受けた者と連帯してその保険給付に要した費用に相当する金額の全部又は一部を納付すべきことを命ずることができる。

エ　遺族補償年金を受ける権利を有する者が死亡した場合において、その死亡した者に支給すべき遺族補償年金でまだその者に支給しなかったものがあるときは、その者の配偶者、子、父母、孫、祖父母又は兄弟姉妹であって、その者の死亡の当時その者と生計を同じくしていた者は、自己の名で、その未支給の遺族補償年金の支給を請求することができる。

オ　休業特別支給金の支給の申請は、その対象となる日の翌日から起算して3年以内に行わなければならない。

A　（アとウ）　　　B　（アとエ）　　　C　（イとウ）
D　（イとオ）　　　E　（エとオ）

ア　〇　法12条の5第2項。保険給付を受ける権利は、**譲り渡し**、**担保に供し**、又は**差し押さえることができず**、これに例外はありません。

イ　×　法12条の2の2第2項。療養の指示に従わないことについて正当な理由があるときは、設問の支給制限を行うことはできません。労働者が、**正当な理由がなくて療養に関する指示に従わない**ことにより負傷、疾病又は障害の程度を**増進させたとき**（又はその回復を妨げたとき）は、政府は、保険給付の**全部又は一部を行わない**ことができます。

ウ　〇　法12条の3第2項。**偽りその他不正の手段**により労災保険に係る保険給付を受けた者があるときは、政府は、その保険給付に要した費用に相当する金額の全部又は一部をその者から徴収することができます。また、この場合において、その保険給付が**事業主**の虚偽の報告又は証明をしたために行われたものであるときは、政府は、その**事業主**に対し、保険給付を受けた者と連帯してこの徴収金を納付すべきことを命ずることができます。

エ　×　法11条1項。未支給の遺族補償年金の支給を請求することができるのは、「当該**遺族補償年金**を受けることができる**他の遺族**」です。つまり、死亡した遺族補償年金の受給権者と**同順位**又は**次順位**の受給権者となる者が、未支給の遺族補償年金の請求権者となります。

オ　×　特支則3条6項。「3年」ではなく、「2年」です。特別支給金の申請可能期間は、**休業特別支給金**が2年、これ以外の特別支給金は**5年**です。

以上から、正しいものの組合わせは、A（アとウ）です。

保険給付の通則（2）

過令6

難易度 易　重要度 A

労災保険給付に関する次のアからオの記述のうち、正しいものの組合せは、後記A からEまでのうちどれか。

ア　労働者が、重大な過失により、負傷、疾病、障害若しくは死亡又はこれらの原因 となった事故を生じさせたときは、政府は、保険給付の全部又は一部を行わないこ とができる。

イ　労働者を重大な過失により死亡させた遺族補償給付の受給資格者は、遺族補償 給付を受けることができる遺族としない。

ウ　労働者が、懲役、禁固若しくは拘留の刑の執行のため刑事施設に拘置されている 場合には、休業補償給付は行わない。

エ　労働者が退職したときは、保険給付を受ける権利は消滅する。

オ　偽りその他不正の手段により労働者が保険給付を受けたときは、政府は、その保 険給付に要した費用に相当する金額の全部又は一部を当該労働者を使用する事業 主から徴収することができる。

A　（アとイ）　　　　B　（アとウ）　　　C　（イとエ）
D　（ウとオ）　　　　E　（エとオ）

ア　○　法12条の2の2第2項。労働者が、**故意の犯罪行為**又は**重大な過失により**負傷、疾病、障害若しくは死亡又はこれらの原因となった事故を生じさせたときは、政府は、保険給付の**全部又は一部を行わない**ことができます。

イ　✕　法16条の9第1項。遺族補償給付を受ける遺族としない（欠格事由に該当する）のは、「労働者を故意に**死亡させた者**」です。「労働者を重大な過失により死亡させた遺族補償給付の受給資格者」ではありません。

ウ　○　法14条の2、則12条の4第1号。労働者が次の①②のいずれかに該当する場合（厚生労働省令で定める場合に限る。）は、**休業補償給付は行われません**。設問の「懲役、禁固若しくは拘留の刑の執行のため刑事施設に拘置されている場合」は、厚生労働省令で定める場合の1つです。

①刑事施設、**労役場**その他これらに準ずる施設に拘禁されている場合

②**少年院**その他これに準ずる施設に収容されている場合

エ　✕　法12条の5第1項。消滅しません。保険給付を受ける権利は、労働者の**退職によって変更**されることはありません。労災保険の保険給付は、退職後であっても、支給要件に該当する限り、引き続き支給されます。

オ　✕　法12条の3第1項。設問の場合は、「偽りその他不正の手段により保険給付を受けた労働者」から徴収することができます。「当該労働者を使用する事業主」ではありません。**偽りその他不正の手段**により保険給付を受けた者があるときは、政府は、その保険給付に要した費用に相当する金額の全部又は一部をその者（偽りその他不正の手段により保険給付を受けた者）**から徴収**することができます。

以上から、正しいものの組合せは、B（アとウ）です。

解答　B

届出、諸制度との調整等

予想

難易度 普　重要度 Ⓑ

労災保険に関する次の記述のうち、誤っているものはどれか。

A　障害補償年金の受給権者は、その障害の程度に変更があった場合は、遅滞なく、文書で、その旨を所轄労働基準監督署長に届け出なければならない。

B　保険給付の原因である事故が第三者の行為によって生じた場合における保険給付請求権と第三者に対する損害賠償請求権との調整においては、同一の事故に係る精神的損害に対する慰謝料及び見舞金等は、その調整の対象とならない。

C　保険給付の原因である事故が第三者の行為によって生じ、保険給付を受けるべき者と第三者との間で示談が行われている場合において、当該示談が真正に成立しており、その内容が保険給付を受けるべき者が第三者に対して有する損害賠償請求権（保険給付と同一の事由に基づくものに限る。）の全部の塡補を目的としているときは、政府は、保険給付を行わない。

D　労働者が、当該労働者を使用している事業主から損害賠償を受けることができる場合であって、保険給付を受けるべきときに、同一の事由について、損害賠償（当該保険給付によって塡補される損害を塡補する部分に限る。）を受けたときは、政府は、労働政策審議会の議を経て厚生労働大臣が定める基準により、その価額の限度で、保険給付（一定のものを除く。）をしないことができる。

E　政府は、保険給付を受ける権利を有する者が、正当な理由がなくて、労災保険法第12条の7の規定による届出をせず、又は書類その他の物件の提出をしないときは、保険給付の全部又は一部を行わないことができる。

A　○　則21条の2第1項5号。年金たる保険給付の受給権者は、一定の事由に該当する場合は、**遅滞なく**、**文書**で、その旨を所轄労働基準監督署長に届け出なければなりません。一定の事由には、「氏名・住所・個人番号に変更があった場合」、「**障害（補償）等年金**の受給権者について、**障害の程度に変更**があった場合」、「遺族（補償）等年金の受給権者について、受給権が消滅した場合・遺族の数に増減を生じた場合」などがあります。

B　○　昭32.7.2基発551号。第三者行為災害の場合における保険給付請求権と損害賠償請求権との調整は、**同一の損害**について損失が二重に填補されることを防ぐために行われるため、その対象となる損害賠償の項目も、**保険給付と同一の事由**によるものに限られます。労災保険には、精神的損害に対する保険給付は存在しませんので、精神的損害に対する慰謝料及び見舞金等は、調整の対象となりません。

C　○　昭38.6.17基発687号。第三者行為災害について、保険給付を受けるべき者と第三者との間で**示談**が行われ、当該示談が、次の①②のいずれにも該当するものであるときは、政府は、保険給付を行わないこととされています。

①当該示談が真正に**成立**していること。

②当該示談の内容が、受給権者の第三者に対して有する損害賠償請求権（保険給付と同一の事由に基づくものに限る。）の**全部**の**填補**を目的としていること。

D　○　法附則64条2項。事業主に損害賠償責任がある場合の調整のうち、損害賠償が先行して行われた場合の調整についてです。同一の事由について、労働者又はその遺族が、事業主から**損害賠償を受けた**ときは、政府は、原則として、**労働政策審議会**の議を経て厚生労働大臣が定める基準により、その価額の限度で、保険給付を行わないことができます。

E　×　法47条の3。「保険給付の全部又は一部を行わないことができる」ではなく、「保険給付の支払いを一時差し止めることができる」です。保険給付の受給権者が、正当な理由がなくて、①保険給付に関する**届出をせず**、若しくは書類その他の**物件を提出しない**とき、②行政庁が行った報告、出頭の命令に従わないとき、又は③行政庁が行った受診命令に従わないときは、政府は、保険給付の**支払いを一時差し止める**ことができます。

解答　E

他の社会保険との調整

難易度  難　重要度 C

労災年金と厚生年金・国民年金との間の併給調整に関する次のアからオの記述のうち、正しいものはいくつあるか。

なお、昭和60年改正前の厚生年金保険法、船員保険法又は国民年金法の規定による年金給付が支給される場合については、考慮しない。また、調整率を乗じて得た額が、調整前の労災年金額から支給される厚生年金等の額を減じた残りの額を下回る場合も考慮しない。

ア　同一の事由により障害補償年金と障害厚生年金及び障害基礎年金を受給する場合、障害補償年金の支給額は、0.73の調整率を乗じて得た額となる。

イ　障害基礎年金のみを既に受給している者が新たに障害補償年金を受け取る場合、障害補償年金の支給額は、0.83の調整率を乗じて得た額となる。

ウ　障害基礎年金のみを受給している者が遺族補償年金を受け取る場合、遺族補償年金の支給額は、0.88の調整率を乗じて得た額となる。

エ　同一の事由により遺族補償年金と遺族厚生年金及び遺族基礎年金を受給する場合、遺族補償年金の支給額は、0.80の調整率を乗じて得た額となる。

オ　遺族基礎年金のみを受給している者が障害補償年金を受け取る場合、障害補償年金の支給額は、0.88の調整率を乗じて得た額となる。

A　一つ
B　二つ
C　三つ
D　四つ
E　五つ

　労災保険と厚生年金保険・国民年金（他の社会保険）との間で併給調整が行われるのは、**同一の事由**による**障害又は死亡**について、労災保険の保険給付と厚生年金保険・国民年金の年金給付が支給される場合です。この場合は、厚生年金保険・国民年金の年金給付が全額支給され、**労災保険の保険給付**が所定の調整率に応じて**減額**して支給されます。

ア　○　法別表第1、令2条。**障害補償年金**と**障害厚生年金及び障害基礎年金**が同一の事由によって支給される場合、障害補償年金が減額して支給されます。この場合の調整率は、**0.73**です。

イ　×　法別表第1。障害厚生年金の支給額は、調整率を乗じて得た額ではありません。設問の新たに受け取る障害補償年金は、すでに受給している障害基礎年金と同一の事由によるものではない（**事由が異なる**）ため、調整は**行われません**。

ウ　×　法別表第1。遺族補償年金の支給額は、調整率を乗じて得た額ではありません。障害基礎年金と遺族補償年金は同一の事由によるものではない（**事由が異なる**）ため、調整は**行われません**。

エ　○　法別表第1、令2条。**遺族補償年金**と**遺族厚生年金及び遺族基礎年金**が同一の事由によって支給される場合、遺族補償年金が減額して支給されます。この場合の調整率は、**0.80**です。

オ　×　法別表第1。障害補償年金の支給額は、調整率を乗じて得た額ではありません。遺族基礎年金と障害補償年金は同一の事由によるものではない（**事由が異なる**）ため、調整は**行われません**。

　以上から、正しいものは二つであるため、正解はBです。

3章　労働者災害補償保険法

解答　B

社会復帰促進等事業

予想

難易度 **難**　重要度 **C**

社会復帰促進等事業に関する次の記述のうち、正しいものはどれか。

A　社会復帰促進等事業には、社会復帰促進事業、被災労働者等援護事業及び安全衛生確保等事業があるが、特別支給金の支給は、このうちの社会復帰促進事業に分類される。

B　政府は、社会復帰促進等事業のうち、療養に関する施設の設置及び運営、健康診断施設の設置及び運営並びに賃金の支払の確保等に関する法律に定める未払賃金の立替払事業を、独立行政法人労働者健康福祉機構に行わせるものとしている。

C　休業補償特別援護金の支給は、社会復帰促進等事業のうち、被災労働者等援護事業として行われるが、その支給額は、休業補償給付の10日分に相当する額である。

D　傷病補償年金の支給決定を受けた者であって、外科後処置により障害によって喪失した労働能力を回復し、又は醜状を軽減し得る見込みのあるものは、外科後処置の対象者となる。

E　社会復帰促進事業として行われるアフターケアにおいては、保健上の措置として診察、保健指導その他健康の確保に資するものとして厚生労働省労働基準局長が定める措置を行うものとされており、その対象者に対しては、アフターケア手帳が交付される。

A　×　法29条１項。**特別支給金**の支給は、**被災労働者等援護事業**に分類されます。なお、設問のその他の記述は、正しい記述です。

B　×　法29条３項、独立行政法人労働者健康安全機構法12条１項。「健康診断施設の設置及び運営」は、独立行政法人労働者健康安全機構に行わせるものとしている業務の範囲に含まれていません。政府が独立行政法人労働者健康安全機構に行わせるものとしている業務は、次の①～③の業務等です。

> ①**療養施設（労災病院）**、労働者の健康に関する業務を行う者に対して研修等を行うための施設、納骨堂の設置・運営
> ②事業場における災害予防に係る事項、労働者の健康の保持増進に係る事項及び職業性疾病に係る事項に関する総合的な調査・研究
> ③**未払賃金立替払事業**の実施　　など

C　×　法29条１項２号、則32条、35条２項。「10日分」ではなく、「３日分」です。休業補償特別援護金は、休業補償給付に係る待期期間（３日間）について、**休業補償を受けることができない労働者**（たとえば、疾病の発生が確定したときに、その原因となった業務に従事した事業場が廃止されたため、休業補償を請求することができない労働者）に対して支給されます。そのため、支給額も、休業補償の３日分に対応した**休業補償給付の３日分**に相当する額とされています。

D　×　則26条１項、昭56.2.6基発69号。設問の者は、外科後処置の対象者とはなりません。外科後処置は、傷病の**治ゆした者**に対して行われるものですから、傷病の治ゆ前である傷病補償年金の受給権者に対しては、行われません。

E　○　則24条、28条１項。アフターケアは、**傷病が治ゆした者**について、傷病の再発や後遺障害に伴う新たな発症を防ぐため、必要に応じて、診察、保健指導その他の措置を行い、これらの者が円滑な社会生活を営むことができるよう、**社会復帰促進事業**として行われます。また、当該者に対しては、アフターケア手帳が交付されますので、当該者はその手帳を提示することにより、診察、保健指導その他の措置を受けることができます。

3章　労働者災害補償保険法

解答　E

特別支給金

過令元

難易度 普　重要度 B

特別支給金に関する次の記述のうち、正しいものはいくつあるか。

ア　既に身体障害のあった者が、業務上の事由又は通勤による負傷又は疾病により同一の部位について障害の程度を加重した場合における当該事由に係る障害特別支給金の額は、現在の身体障害の該当する障害等級に応ずる障害特別支給金の額である。

イ　傷病特別支給金の支給額は、傷病等級に応じて定額であり、傷病等級第1級の場合は、114万円である。

ウ　休業特別支給金の支給を受けようとする者は、その支給申請の際に、所轄労働基準監督署長に、特別給与の総額を記載した届書を提出しなければならない。特別給与の総額については、事業主の証明を受けなければならない。

エ　特別加入者にも、傷病特別支給金に加え、特別給与を算定基礎とする傷病特別年金が支給されることがある。

オ　特別支給金は、社会復帰促進等事業の一環として被災労働者等の福祉の増進を図るために行われるものであり、譲渡、差押えは禁止されている。

A　一つ

B　二つ

C　三つ

D　四つ

E　五つ

ア　✕　特支則4条2項。設問の場合における障害特別支給金の額は、「現在の身体障害の該当する障害等級に応ずる障害特別支給金の額」ではなく、この額から「すでにあった身体障害の該当する障害等級に応ずる障害特別支給金の額」を**差し引いた額**です。

イ　○　特支則5条の2第1項、同別表第1の2。傷病特別支給金の支給額は、傷病等級に応じて、次の額が定められています。

傷病等級	支給額	傷病等級	支給額	傷病等級	支給額
第1級	114万円	第2級	107万円	第3級	100万円

ウ　○　特支則12条。**休業特別支給金**の支給を受けようとする者は、当該休業特別支給金の支給の申請の際に、所轄労働基準監督署長に、ボーナス特別支給金の額の算定に必要な**特別給与の総額**を記載した届書を提出しなければなりません。この届出に際して、特別給与の総額については、**事業主の証明**が必要です。休業（補償）等給付に関するボーナス特別支給金はありませんが、この届出を最初の休業特別支給金の申請の際に行えば、その後に傷病特別年金や障害特別年金の支給の申請を行う場合等には、申請書に特別給与の総額を記載する必要がないものとして取り扱われます。

エ　✕　特支則16条2号、17条5号、18条2号、19条。特別加入者に傷病特別年金が支給されることはありません。**特別加入者**に対しては、一般の特別支給金は支給されますが、**ボーナス特別支給金**は**支給**されません。したがって、特別加入者に、一般の特別支給金である傷病特別支給金は支給されますが、ボーナス特別支給金である傷病特別年金は支給されません。

オ　✕　参考：特支則20条。**譲渡、差押え**は**禁止**されていません。保険給付については、その受給権の譲渡、担保提供及び差押えが禁止されていますが、特別支給金については、保険給付とは異なる取扱いとなっており、これらが禁止されていません。

以上から、正しいものは二つであるため、正解はBです。

解答　B

雑則等

過令元 改正D

難易度 **易**　重要度 **C**

労災保険に関する次の記述のうち、誤っているものはどれか。

A　年金たる保険給付の支給は、支給すべき事由が生じた月の翌月から始めるものとされている。

B　事業主は、その事業についての労災保険に係る保険関係が消滅したときは、その年月日を労働者に周知させなければならない。

C　労災保険法、労働者災害補償保険法施行規則並びに労働者災害補償保険特別支給金支給規則の規定による申請書、請求書、証明書、報告書及び届書のうち厚生労働大臣が別に指定するもの並びに労働者災害補償保険法施行規則の規定による年金証書の様式は、厚生労働大臣が別に定めて告示するところによらなければならない。

D　行政庁は、保険給付に関して必要があると認めるときは、保険給付を受け、又は受けようとする者（遺族補償年金、複数事業労働者遺族年金又は遺族年金の額の算定の基礎となる者を含む。）に対し、その指定する医師の診断を受けるべきことを命ずることができる。

E　労災保険に係る保険関係が成立し、若しくは成立していた事業の事業主又は労働保険事務組合若しくは労働保険事務組合であった団体は、労災保険に関する書類を、その完結の日から5年間保存しなければならない。

A　○　法9条1項。年金たる保険給付の支給は月単位で行われ、その支給期間は、これを支給すべき事由が生じた月の翌月から支給を受ける権利が消滅した月までとされています。

B　○　則49条2項。事業主は、次の事項について、**周知義務**を負っています。設問は、このうちの②についてです。

　①労災保険に関する法令のうち、労働者に関係のある規定の要旨、労災保険に係る保険関係成立の年月日及び労働保険番号

　②その事業についての労災保険に係る**保険関係が消滅**したときは、その**年月日**

C　○　則54条。次の様式については、厚生労働大臣が別に定めて告示するところによらなければなりません。

　①労災保険法、同施行規則並びに労働者災害補償保険特別支給金支給規則の規定による申請書、請求書、証明書、報告書及び届書のうち厚生労働大臣が別に指定するもの

　②労災保険法施行規則の規定による年金証書の様式

D　○　法47条の2。行政庁は、保険給付に関して必要があると認めるときは、その指定する**医師の診断を受けるべきこと**を命ずること（受診命令）ができます。また、その対象は、保険給付を現に受けている、又は受けようとする労働者や遺族のほか、遺族（補償）等年金の額の算定の基礎となる者（遺族（補償）等年金の受給資格者）です。

E　×　則51条。労災保険に関する書類の保存期間は、その完結の日から「5年間」ではなく、「3年間」です。①労災保険に係る保険関係が成立している事業の事業主、②労災保険に係る保険関係が成立していた事業の事業主、③労働保険事務組合、④労働保険事務組合であった団体に、この書類の保存義務がある点は、正しい記述です。

解答　E

問題 091

特別加入制度（1）

予想

難易度 普　重要度 A

特別加入に関する次の記述のうち、誤っているものはどれか。

A　常時60人の労働者を使用する小売業を主たる事業とする事業主は、特別加入することができない。

B　一人親方等及び特定作業従事者は、同種の事業又は作業については、二以上の団体の構成員となっていても、重ねて特別加入をすることができない。

C　日本国内において期間の定めのない事業を行う事業主が、日本国外において行われる事業に従事させるために労働者を派遣する場合であっても、当該日本国外において行われる事業の期間が予定されているときは、その派遣する労働者を特別加入させることはできない。

D　特別加入者に対しては、特別支給金のうち、障害特別年金、障害特別一時金、遺族特別年金、遺族特別一時金、傷病特別年金及び障害特別年金差額一時金は支給されない。

E　中小事業主が特別加入している場合において、当該事業主が使用する労働者について成立している保険関係が消滅したときは、その消滅の日に、事業主の特別加入者たる地位も、自動的に消滅する。

A ○ 法33条1号、則46条の16。中小事業主等の特別加入が認められる事業の規模は、次のとおりです。設問の小売業の事業主は、常時使用する労働者数が50人を超えているため、特別加入することが**できません**。

①金融業、保険業、不動産業、小売業……常時使用する労働者数が**50人以下**

②卸売業、サービス業………………… 常時使用する労働者数が**100人以下**

③上記①②以外の事業（原則）………… 常時使用する労働者数が**300人以下**

B ○ 法35条2項、昭40.11.1基発1454号。一人親方等及び特定作業従事者は、**同種の事業又は作業**については、たとえ二以上の団体の構成員となっていても、**重ねて特別加入**することは**できません**（加入制限）。なお、異なる種類の事業又は作業について二以上の団体に属し、重ねて特別加入することは差し支えありません。

C × 法33条7号、36条1項。特別加入させることができます。海外派遣者の特別加入に関しては、派遣元である「**日本国内の事業**が**有期事業でないこと**」という要件を満たす必要がありますが、派遣先である日本国外の事業は有期事業であっても構いません。設問では、派遣元の事業が有期事業ではないので、派遣先の事業が有期事業であっても、派遣する労働者を特別加入させることが**できます**。

D ○ 特支則19条、同附則9項。特別加入者に対して支給される特別支給金は、**一般の特別支給金**（休業特別支給金、障害特別支給金、遺族特別支給金及び傷病特別支給金）のみです。設問のとおり、**ボーナス特別支給金**（障害特別年金、障害特別一時金、遺族特別年金、遺族特別一時金、傷病特別年金及び障害特別年金差額一時金）は**支給されません**。

E ○ 昭40.11.1基発1454号。中小事業主等の特別加入については、その使用する労働者について成立している保険関係の存在を前提として認められるものであるため、当該保険関係が消滅したときは、**特別加入者**たる地位も自動的に**消滅**します。この場合における特別加入者たる地位が消滅する日は、当該保険関係が**消滅した日**です。

3章 労働者災害補償保険法

解答 C

問題 **092**

特別加入制度（2）

過令3

難易度 **難**　重要度 **C**

特別加入に関する次の記述のうち、正しいものはどれか。

A　特別加入者である中小事業主が高齢のため実際には就業せず、専ら同業者の事業主団体の会合等にのみ出席するようになった場合であっても、中小企業の特別加入は事業主自身が加入する前提であることから、事業主と当該事業に従事する他の者を包括して加入しなければならず、就業実態のない事業主として特別加入者としないことは認められない。

B　労働者を使用しないで行うことを常態とする特別加入者である個人貨物運送業者については、その住居とその就業の場所との間の往復の実態を明確に区別できることにかんがみ、通勤災害に関する労災保険の適用を行うものとされている。

C　特別加入している中小事業主が行う事業に従事する者（労働者である者を除く。）が業務災害と認定された。その業務災害の原因である事故が事業主の故意又は重大な過失により生じさせたものである場合は、政府は、その業務災害と認定された者に対して保険給付を全額支給し、厚生労働省令で定めるところにより、その保険給付に要した費用に相当する金額の全部又は一部を事業主から徴収することができる。

D　日本国内で行われている有期事業でない事業を行う事業主から、海外（業務災害、複数業務要因災害及び通勤災害に関する保護制度の状況その他の事情を考慮して厚生労働省令で定める国の地域を除く。）の現地法人で行われている事業に従事するため派遣された労働者について、急な赴任のため特別加入の手続きがなされていなかった。この場合、海外派遣されてからでも派遣元の事業主（日本国内で実施している事業について労災保険の保険関係が既に成立している事業主）が申請すれば、政府の承認があった場合に特別加入することができる。

E　平成29年から介護作業従事者として特別加入している者が、訪問先の家庭で介護者以外の家族の家事支援作業をしているときに火傷し負傷した場合は、業務災害と認められることはない。

A　✕　平15基発0520002号。特別加入者としないことは認められます。中小事業主等の特別加入において、**就業実態のない**事業主が自らを包括加入の対象から除外することを申し出た場合には、当該事業主を**特別加入者**としないこととされています。

B　✕　法35条1項、則46条の22の2。特別加入者である個人貨物運送業者については、通勤災害に関する労災保険の適用を行わないものとされています。一人親方等又は特定作業従事者の特別加入者のうち、次の①～④に該当するものは、「住居と就業の場所との間の往復の状況等を考慮して厚生労働省令で定める者（通勤の実態がない者）」として、**通勤災害制度**の適用を受けることができません。設問は①についてです。

①個人タクシー業者・個人貨物運送業者・**自転車配達員**

②漁船による水産動植物の採捕の事業（船員が行う事業を除く。）を行う者（漁船による自営漁業者）

③特定農作業従事者及び指定農業機械作業従事者

④危険有害作業を行う家内労働者及びその補助者

C　✕　法34条1項4号。設問の事故については、事業主からの費用徴収は行われず、「保険給付の**全部又は一部を行わないことができる**」とする支給制限が行われます。

D　◯　昭52.3.30発労徴21号・基発192号。**新たに派遣される者**だけでなく、すでに海外の事業に**派遣されている者**も海外派遣者として特別加入することができます。なお、現地採用者は、特別加入することができません。

E　✕　平30基発0208第1号。業務災害と認められることはあります。介護作業従事者として特別加入している者は、「介護作業従事者及び家事支援従事者」として特別加入の承認を受けているものとみなされ、**介護作業**及び**家事支援作業**のいずれの作業**にも従事する者**として取り扱われます。したがって、家事支援作業をしているときの負傷も、業務災害と認められます。

3章

労働者災害補償保険法

解答　D

［選択式］目的、労働者災害補償保険事業

予想   難易度 **普** 重要度 **B**

次の文中の□□□の部分を選択肢の中の最も適切な語句で埋め、完全な文章とせよ。

1　労働者災害補償保険は、業務上の事由、事業主が同一人でない2以上の事業に使用される労働者（以下「複数事業労働者」という。）の2以上の事業の業務を要因とする事由又は通勤による労働者の負傷、疾病、障害、死亡等に対して　**A**　保護をするため、必要な保険給付を行い、あわせて、業務上の事由、複数事業労働者の2以上の事業の業務を要因とする事由又は通勤により負傷し、又は疾病にかかった労働者の社会復帰の促進、当該労働者及びその遺族の援護、労働者の　**B**　の確保等を図り、もって労働者の　**C**　に寄与することを目的とする。

2　業務災害に関する保険給付（　**D**　を除く。）は、労働基準法に規定する災害補償の事由又は船員法に規定する災害補償の事由（労働基準法に規定する災害補償の事由に相当する部分に限る。）が生じた場合に、補償を受けるべき労働者若しくは遺族又は葬祭を行う者に対し、その　**E**　に基づいて行う。

―選択肢―――――――――――――――――――――――――――

①生活の安定　　　　②安全かつ長期的な　　　　③確認

④福祉の増進　　　　⑤迅速かつ公正な　　　　　⑥請求

⑦福祉の向上　　　　⑧迅速かつ公平な　　　　　⑨届出

⑩地位の向上　　　　⑪安全かつ効率的な　　　　⑫申請

⑬安全及び健康　　　⑭休業補償給付及び障害補償給付

⑮安全及び衛生　　　⑯休業補償給付及び傷病補償年金

⑰健康及び職業生活　⑱傷病補償年金及び介護補償給付

⑲健康及び福祉　　　⑳療養補償給付及び介護補償給付

A～Cは法1条、D・Eは法12条の8第2項。

1　労災保険法の最終的な目的は、労働者の福祉の増進に**寄与**することです。目的条文は、「あわせて」の文言を境にして、2つに分けることができます。前半部分は「保険事故と保険給付」について記載されており、後半部分は「社会復帰促進等事業」について記載されています。労災保険法では、労働者の**業務上の事由、複数事業労働者の2以上の事業の業務を要因とする事由**又は**通勤**による**負傷、疾病、障害、死亡等**に対して迅速かつ公正な保護をするため、必要な保険給付を行います。業務災害以外の複数業務要因災害及び通勤災害についても、労災保険の保護の対象とされています。なお、「死亡等」の「等」とあるのは、いわゆる過労死等の原因となる脳血管疾患及び心臓疾患を予防するための**二次健康診断等給付**を含んでいるためです。

2　**傷病補償年金及び介護補償給付を除く**業務災害に関する保険給付は、労働基準法に規定する災害補償の事由が生じた場合に、その補償を受けるべき労働者等の**請求**に基づいて行われます。これは、労災保険が、労働基準法上の災害補償責任を**代行する役割**を担っているためです。

　　傷病補償年金及び介護補償給付については、**労災保険法独自の保険給付**であり、労働基準法にはこれに対応する災害補償が存在しません。したがって、その支給事由は、労災保険法において別途定められています。

　　なお、船員に係る災害補償については、船員法に定められており、従来は船員保険法がこれを代行する役割を担っていましたが、船員保険の職務上疾病・年金部門が労災保険に統合され、船員に係る災害補償（労働基準法に規定する災害補償の事由に相当する部分に限る。）についても、労災保険がこれを代行することとなりました。

解答　A　⑤迅速かつ公正な　B　⑮安全及び衛生　C　④福祉の増進
　　　　D　⑱傷病補償年金及び介護補償給付　E　⑥請求

[選択式] 通勤災害

過令2

難易度 普　重要度 B

次の文中の[　　]の部分を選択肢の中の最も適切な語句で埋め、完全な文章とせよ。

通勤災害における通勤とは、労働者が、就業に関し、住居と就業の場所との間の往復等の移動を、[　A　]な経路及び方法により行うことをいい、業務の性質を有するものを除くものとされるが、住居と就業の場所との間の往復に先行し、又は後続する住居間の移動も、厚生労働省令で定める要件に該当するものに限り、通勤に当たるとされている。

厚生労働省令で定める要件の中には、[　B　]に伴い、当該[　B　]の直前の住居と就業の場所との間を日々往復することが当該往復の距離等を考慮して困難となったため住居を移転した労働者であって、次のいずれかに掲げるやむを得ない事情により、当該[　B　]の直前の住居に居住している配偶者と別居することとなったものによる移動が挙げられている。

イ　配偶者が、[　C　]にある労働者又は配偶者の父母又は同居の親族を[　D　]すること。

ロ　配偶者が、学校等に在学し、保育所若しくは幼保連携型認定こども園に通い、又は公共職業能力開発施設の行う職業訓練を受けている同居の子（[　E　]歳に達する日以後の最初の3月31日までの間にある子に限る。）を養育すること。

ハ　配偶者が、引き続き就業すること。

ニ　配偶者が、労働者又は配偶者の所有に係る住宅を管理するため、引き続き当該住宅に居住すること。

ホ　その他配偶者が労働者と同居できないと認められるイからニまでに類する事情

┌─ 選択肢 ─────────────────────────────┐

① 12　　　　　　② 15　　　　　　③ 18　　　　　　④ 20

⑤ 介護　　　　　⑥ 経済的　　　　⑦ 効率的　　　　⑧ 合理的

⑨ 孤立状態　　　⑩ 支援　　　　　⑪ 失業状態　　　⑫ 就職

⑬ 出張　　　　　⑭ 常態的　　　　⑮ 転職　　　　　⑯ 転任

⑰ 貧困状態　　　⑱ 扶養　　　　　⑲ 保護　　　　　⑳ 要介護状態

└───────────────────────────────────┘

Aは法7条2項、B〜Eは則7条1号

通勤とは、労働者が、**就業に関し**、次の(1)〜(3)の移動を、**合理的**な経路及び**方法**により行うことをいい、業務の性質を有するものを除くものとされます。

(1) 住居と就業の場所との間の往復

(2) 厚生労働省令で定める就業の場所から他の就業の場所への移動

(3) 上記(1)に掲げる往復に先行し、又は後続する**住居間の移動**（厚生労働省令で定める要件に該当するものに限る。）

上記(3)の厚生労働省令で定める要件の1つに、移動が、**転任**に伴い、当該転任の直前の住居と就業の場所との間を日々往復することが当該往復の距離等を考慮して困難となったため住居を移転した労働者であって、次のいずれかに掲げる**やむを得ない事情**により、当該転任の直前の住居に居住している配偶者（婚姻の届出をしていないが、事実上婚姻関係と同様の事情にある者を含む。以下同じ。）と**別居**することとなったものにより行われるものであることがあります。

イ　配偶者が、**要介護状態**（負傷、疾病又は身体上若しくは精神上の障害により、2週間以上の期間にわたり常時介護を必要とする状態をいう。）にある労働者又は配偶者の**父母又は同居の親族**を**介護**すること。

ロ　配偶者が、学校等に在学し、保育所若しくは幼保連携型認定こども園に通い、又は公共職業能力開発施設の行う職業訓練を受けている**同居の子**（18歳に達する日以後の最初の3月31日までの間にある子に限る。）を**養育**すること。

ハ　配偶者が、引き続き**就業**すること。

ニ　配偶者が、労働者又は配偶者の所有に係る**住宅を管理**するため、引き続き当該住宅に居住すること。

ホ　その他配偶者が労働者と同居できないと認められる上記イからニまでに類する事情

解答　A ⑧合理的　B ⑯転任　C ⑳要介護状態　D ⑤介護　E ③18

［選択式］業務災害に関する保険給付

予想

難易度 **普**　重要度 **B**

次の文中の □ の部分を選択肢の中の最も適切な語句で埋め、完全な文章とせよ。

1　労働者が、 □ A □ 負傷、疾病、障害若しくは死亡又はその直接の原因となった事故を生じさせたときは、政府は、保険給付を行わない。

2　障害補償年金前払一時金の請求は、障害補償年金の請求と同時に行わなければならない。ただし、障害補償年金の支給の決定の通知のあった日の翌日から起算して □ B □ を経過する日までの間は、当該障害補償年金を請求した後においても障害補償年金前払一時金を請求することができる。障害補償年金を請求した後に障害補償年金前払一時金を請求した場合の障害補償年金前払一時金は、 □ C □ のうち当該障害補償年金前払一時金の請求が行われた月後の最初に月に支給する。

3　遺族補償年金を受ける権利を有する者が死亡した労働者の妻（40歳）であり、当該妻と生計を同じくしている遺族補償年金を受けることができる遺族が子（12歳）及び母（70歳）であるときは、当該妻に支給される遺族補償年金の額は、給付基礎日額の □ D □ である。

4　55歳以上60歳未満で厚生労働省令で定める障害の状態にない □ E □ 及び兄弟姉妹に支給すべき遺族補償年金は、その者が60歳に達する月までの間は、その支給を停止する。

選択肢

①夫、父母、祖父母	②重大な過失により	③6ヵ月
④配偶者、父母、祖父母	⑤過失により	⑥1年
⑦父母、祖父母	⑧175日分	⑨2年
⑩故意に	⑪201日分	⑫3年
⑬1月、5月又は9月	⑭祖父母	⑮223日分
⑯2月、6月又は10月	⑰故意の犯罪行為により	⑱245日分
⑲1月、3月、5月、7月、9月又は11月		
⑳2月、4月、6月、8月、10月又は12月		

Aは法12条の2の2第1項、Bは則附則26項、Cは則附則29項、Dは法別表第
1、Eは昭40法附則43条1項。

1　「保険給付を**行わない**」とする支給制限が行われるのは、「労働者が、故意に負
　　傷、疾病、障害若しくは死亡又はその直接の原因となった事故を生じさせたと
　　き」です。

2　障害補償年金前払一時金の請求は、障害補償年金の請求と**同時**に行うことが
　　原則ですが、障害補償年金の支給の決定の通知のあった日の翌日から起算して
　　1年を経過する日までの間であれば、障害補償年金を請求した後でも請求する
　　ことができます。障害補償年金の請求後に障害補償年金前払一時金を請求した場
　　合、障害補償年金前払一時金は、1月、3月、5月、7月、9月又は11月（奇
　　数月）のうち前払一時金の請求が行われた月後の**最初に月**に支給します。

3　遺族補償年金の額は、「**受給権者**＋受給権者と**生計を同じくする受給資格者**」
　　の人数（遺族の数）に応じた額です。設問では、遺族の数が**3人**（妻、子及び
　　母）であるため、遺族補償年金の額は、**給付基礎日額の223日分**となります。な
　　お、若年停止者である受給資格者は、60歳に達するまで年金額の算定の基礎と
　　なる遺族の数に含めませんが、設問の母は70歳であるため、遺族の数に含めます。

4　**60歳未満**であることにより遺族補償年金の支給が停止されるのは、**若年停止
　　者**です。若年停止者とは、労働者の死亡の当時55歳以上60歳未満である夫、父
　　母、祖父母**及び兄弟姉妹**であって、厚生労働省令で定める障害の状態にないも
　　のです。

3章

労働者災害補償保険法

解答　A ⑩故意に　B ⑥1年　C ⑲1月、3月、5月、7月、9月又は11月
　　　　　D ⑮223日分　E ①夫、父母、祖父母

チェック欄

1	2	3

[選択式] 葬祭料、介護補償給付

予想　　　　　　　　　　　　　　　　　　　　　　　難易度 **易**　重要度 **C**

次の文中の □□□ の部分を選択肢の中の最も適切な語句で埋め、完全な文章とせよ。

1　葬祭料は、労働者が業務上死亡した場合において、□ A □ に対し、その請求に基づいて支給する。

2　葬祭料の額は、□ B □ に給付基礎日額の30日分を加えた額（その額が □ C □ に満たない場合には、□ C □）とする。

3　介護補償給付は、□ D □ を受ける権利を有する労働者が、その受ける権利を有する □ D □ の支給事由となる障害であって厚生労働省令で定める程度のものにより、常時又は随時介護を要する状態にあり、かつ、常時又は随時介護を受けているときに、当該介護を受けている間（次に掲げる間を除く。）、当該労働者に対し、その請求に基づいて行う。

(1)　障害者の日常生活及び社会生活を総合的に支援するための法律に規定する障害者支援施設（以下「障害者支援施設」という。）に入所している間（同法に規定する □ E □ を受けている場合に限る。）

(2)　障害者支援施設（同法に規定する □ E □ を行うものに限る。）に準ずる施設として厚生労働大臣が定めるものに入所している間

(3)　病院又は診療所に入院している間

選択肢

①160,000円　　②275,000円　　③315,000円　　④420,000円

⑤療養介護　　⑥就労移行支援　　⑦施設入所支援　　⑧生活介護

⑨葬祭を行う者　　　　　　　　⑩遺族補償給付の受給権を有する者

⑪葬祭に要した費用の額　　　　⑫給付基礎日額の50日分

⑬療養補償給付及び傷病補償年金　　⑭休業補償給付又は傷病補償年金

⑮給付基礎日額の60日分　　　　⑯給付基礎日額の90日分

⑰療養補償給付又は障害補償年金　　⑱障害補償年金又は傷病補償年金

⑲労働者の死亡の当時その者と生計を同じくしていた者

⑳労働者の死亡の当時その収入によって生計を維持していた3親等内の親族

Aは法12条の8第2項、B・Cは則17条、D・Eは法12条の8第4項。

1　業務災害に関する保険給付（傷病補償年金及び介護補償給付を除く。）は、労働基準法に規定する災害補償の事由又は船員法に規定する災害補償の事由が生じた場合に、補償を受けるべき労働者等に対し、その請求に基づいて行われます。**葬祭料**は、業務災害に関する保険給付の1つであり、労働者が業務上死亡した場合に、**葬祭を行う者**に対し、その**請求**に基づいて支給されます。

2　葬祭料の額は、原則として、「**315,000円＋給付基礎日額の30日分**」による額です。ただし、労働基準法に規定する葬祭料（災害補償）の額が、平均賃金の60日分とされていることから、給付基礎日額の60日分が最低保障額となっています。

3　介護補償給付は、次の要件を満たす労働者に対し、その**請求**に基づいて行われます。

> (1)　障害補償年金又は傷病補償年金を受ける権利を有すること。
> (2)　障害補償年金又は傷病補償年金の支給事由となる障害であって厚生労働省令で定める程度のもの（特定障害）により、**常時又は随時介護**を要する状態にあること。
> (3)　**現に**常時又は随時介護を**受けている**こと。

ただし、次の間については、介護補償給付は行われません。

> (1)　**障害者支援施設**に入所している間（生活介護を受けている場合に限る。）
> (2)　障害者支援施設（生活介護を行うものに限る。）に準ずる施設として厚生労働大臣が定めるものに入所している間
> (3)　**病院又は診療所**に入院している間

3章
労働者災害補償保険法

解答　A　⑨葬祭を行う者　　B　③315,000円　　C　⑮給付基礎日額の60日分
D　⑱障害補償年金又は傷病補償年金　　E　⑧生活介護

費用の負担

予想　　　　　　　　　　　　　　　　　　　難易度 **普**　重要度 **A**

次の文中の◻の部分を選択肢の中の最も適切な語句で埋め、完全な文章とせよ。

1　政府は、次の(1)から(3)までのいずれかに該当する事故について保険給付を行ったときは、その保険給付に要した費用に相当する金額の全部又は一部を事業主から徴収することができる。この費用徴収は、業務災害に関する保険給付にあっては、労働基準法の規定による　**A**　の価額の限度で行われる。

(1)　事業主が故意又は重大な過失により保険関係成立届を提出していない期間中に生じた事故

(2)　事業主が概算保険料のうちの一般保険料を納付しない期間中に生じた事故

(3)　事業主が故意又は重大な過失により生じさせた　**B**　の原因である事故

2　前記1(1)の「故意」には、当該事故に係る事業に関し、所轄都道府県労働局、所轄労働基準監督署又は所轄公共職業安定所から、保険関係成立届の提出ほか所定の手続をとるよう指導を受けたにもかかわらず、　**C**　以内に保険関係成立届を提出していなかった場合等が該当し、保険給付の額に　**D**　を乗じて得た額を徴収する。

3　政府は、　**E**　を受ける労働者（厚生労働省令で定める者を除く。）から、200円を超えない範囲で厚生労働省令で定める額を一部負担金として徴収する。

選択肢

①100分の30	②付加金	③複数業務要因災害
④10日	⑤100分の40	⑥業務災害
⑦20日	⑧療養給付	⑨休業手当
⑩1ヵ月	⑪通勤災害	⑫療養補償給付
⑬100分の80	⑭5日	⑮災害補償
⑯100分の100	⑰複数事業労働者療養給付又は療養給付	
⑱打切補償	⑲業務災害及び複数業務要因災害	
⑳療養補償給付、複数事業労働者療養給付又は療養給付		

A・Bは法31条1項、C・Dは平17基発0922001号、Eは法31条2項。

1、2　事業主からの費用徴収は、次の(1)から(3)までのいずれかに該当する事故について保険給付を行ったときに行われ、政府は、その保険給付に要した費用に相当する金額の**全部又は一部**を事業主から徴収することができます。事業主からの費用徴収は、業務災害に関する保険給付にあっては、労働基準法の規定による**災害補償の価額の限度**で行われます。

(1)　事業主が**故意又は重大な過失**により**保険関係成立届を提出していない**期間中に生じた事故

(2)　事業主が概算保険料のうちの**一般保険料を納付しない**期間中に生じた事故

(3)　事業主が**故意又は重大な過失**により生じさせた**業務災害の原因である事故**

　　前記(1)の「故意」には、当該事故に係る事業に関し、行政機関等（所轄都道府県労働局など）から保険関係成立届の提出について**指導又は加入勧奨**を受けたにもかかわらず、その後**10日以内に提出していなかった**場合が該当します。この場合は、保険給付の額に**100分の100**を乗じて得た額を徴収します。

　　なお、「重大な過失」には、行政機関等から指導又は加入勧奨を受けた事実はないものの、保険関係成立日から1年を経過してもなお保険関係成立届を提出していない場合が該当します。この場合は、保険給付の額に100分の40を乗じて得た額を徴収します。

3　政府は、**通勤災害**により療養給付を受ける労働者（厚生労働省令で定める者を除く。）から、**一部負担金**を徴収します。一部負担金の額は、200円を超えない範囲で厚生労働省令で定める額とされており、厚生労働省令において、**200円**（健康保険の日雇特例被保険者である労働者については100円）と定められています。

解答　A ⑮災害補償　B ⑥業務災害　C ④10日　D ⑯100分の100　E ⑧療養給付

3章

労働者災害補償保険法

問題 098

［選択式］不服申立て、雑則

過平29改

難易度 易　重要度 C

次の文中の _____ の部分を選択肢の中の最も適切な語句で埋め、完全な文章とせよ。

1　労災保険の保険給付に関する決定に不服のある者は、 A に対して審査請求をすることができる。審査請求は、正当な理由により所定の期間内に審査請求することができなかったことを疎明した場合を除き、原処分のあったことを知った日の翌日から起算して3か月を経過したときはすることができない。審査請求に対する決定に不服のある者は、 B に対して再審査請求をすることができる。審査請求をしている者は、審査請求をした日から C を経過しても審査請求についての決定がないときは、 A が審査請求を棄却したものとみなすことができる。

2　労災保険法第42条第1項によれば、「療養補償給付、休業補償給付、葬祭料、介護補償給付、複数事業労働者療養給付、複数事業労働者休業給付、複数事業労働者葬祭給付、複数事業労働者介護給付、療養給付、休業給付、葬祭給付、介護給付及び二次健康診断等給付を受ける権利は、これらを行使することができる時から D を経過したとき、障害補償給付、遺族補償給付、複数事業労働者障害給付、複数事業労働者遺族給付、障害給付及び遺族給付を受ける権利は、これらを行使することができる時から E を経過したときは、時効によつて消滅する。」とされている。

選択肢

①60日	②90日	③1か月	④2か月
⑤3か月	⑥6か月	⑦1年	⑧2年
⑨3年	⑩5年	⑪7年	⑫10年
⑬厚生労働大臣		⑭中央労働委員会	
⑮都道府県労働委員会		⑯都道府県労働局長	
⑰労働基準監督署長		⑱労働者災害補償保険審査会	
⑲労働者災害補償保険審査官		⑳労働保険審査会	

A・Bは法38条1項、Cは法38条2項、D・Eは法42条1項。

1　**保険給付**に関する決定に不服のある者は、**労働者災害補償保険審査官**に対して審査請求をし、審査請求に対する決定に不服のある者は、**労働保険審査会**に対して再審査請求をすることができます。労働者災害補償保険審査官に対する審査請求に係る「請求期間」と「棄却みなし」の規定の内容は、次のとおりです。

請求期間	保険給付に対する決定があったことを知った日の翌日から起算して**3ヵ月**を経過したときは、することができない（正当な理由によりこの期間内に審査請求することができなかったことを疎明したときを除く。）。
棄却みなし	審査請求をした日から**3ヵ月**を経過しても審査請求についての決定がないときは、労働者災害補償保険審査官が審査請求を**棄却**したものと**みなすことができる**。

2　保険給付を受ける権利の消滅時効の期間は、次のとおりです。設問は、法42条1項（法本則）に規定する時効に関する問題です。障害（補償）等年金前払一時金、遺族（補償）等年金前払一時金及び障害（補償）等年金差額一時金の時効は、法附則に定められています。

保険給付	消滅時効の期間
・**療養（補償）等給付**における療養の費用の支給 ・**休業（補償）等給付** ・**介護（補償）等給付** ・障害（補償）等年金前払一時金 ・遺族（補償）等年金前払一時金 ・**葬祭料等（葬祭給付）** ・**二次健康診断等給付**	2年
・**障害（補償）等給付** ・障害（補償）等年金差額一時金 ・**遺族（補償）等給付**	5年

解答　A ⑲労働者災害補償保険審査官　B ⑳労働保険審査会
C ⑤3か月　D ⑧2年　E ⑩5年

特別加入制度

(1) 特別加入の要件等のまとめ

	中小事業主等	一人親方等	海外派遣者
要件	①その事業について**労災保険の保険関係が成立していること** ②事務処理を労働保険事務組合に**委託していること** ③その事業の従事者を**包括して加入すること**[※]	①一人親方等が構成員となる**団体を通じて加入すること** ②その事業の従事者を**包括して加入すること**	①派遣元である日本国内の事業について**労災保険の保険関係が成立していること** ②派遣元である日本国内の事業が有期事業でないこと
申請者	事業主	団体	派遣元の団体・事業主
申請書	所轄労働基準監督署長を経由して、**都道府県労働局長へ提出する。**		
承認	政府（**所轄都道府県労働局長**）の**承認**を受ける。		

※例外的に病気療養中、高齢その他の事情により実態として就業していない事業主等は、包括加入の対象から除くことができる。

(2) 特別加入の効果等のまとめ

	内容	注意点
通勤災害の適用	①原則 …… 通勤災害の適用あり（ただし、一部負担金は徴収しない。）。 ②例外 …… 一定の一人親方等（個人タクシー業者等）については、通勤災害の適用なし。	中小事業主等と海外派遣者の特別加入者については、必ず通勤災害の適用を受ける。
保険給付と特別支給金	二次健康診断等給付及びボーナス特別支給金は支給されない。	一般の特別支給金は支給される。
給付基礎日額	原則として、16階級ある額（3,500円〜25,000円）のうちから特別加入者が希望する額に基づいて都道府県労働局長が定める（特別加入者に共通）。	スライド制は適用するが年齢階層別の最低・最高限度額は適用しない。
災害の認定	業務災害・通勤災害の認定はともに、**厚生労働省労働基準局長が定める基準によって行う。**	一般の労働者が行う業務の範囲が保護の対象。

雇用保険法

雇用保険法は数字と給付名に着目！

失業等給付の通則

予想

難易度 **易**　重要度 **A**

失業等給付に関する次の記述のうち、誤っているものはどれか。

A　失業等給付の支給を受けることができる者が死亡した場合において、その者に支給されるべき失業等給付でまだ支給されていないものがあるときは、その者の配偶者（婚姻の届出をしていないが、事実上婚姻関係と同様の事情にあった者を含む。）、子、父母、孫、祖父母又は兄弟姉妹であって、その者の死亡の当時その者と生計を同じくしていたものは、自己の名で、その未支給の失業等給付の支給を請求することができる。

B　租税その他の公課は、求職者給付として支給を受けた金銭を標準として課することができる。

C　雇用継続給付を受ける権利は、譲り渡し、担保に供し、又は差し押えることができない。

D　偽りその他不正の行為により失業等給付の支給を受けた者がある場合には、政府は、その者に対して、支給した失業等給付の全部又は一部を返還することを命ずることができ、また、厚生労働大臣の定める基準により、当該偽りその他不正の行為により支給を受けた失業等給付の額の2倍に相当する額以下の金額を納付することを命ずることができる。

E　求職者給付の支給を受ける者は、必要に応じ職業能力の開発及び向上を図りつつ、誠実かつ熱心に求職活動を行うことにより、職業に就くように努めなければならない。

A　○　法10条の3第1項。未支給の失業等給付の支給を請求することができるのは、次の者のうち最先順位者（順位は記載の順序による。）です。

> 死亡した者の受給権者の死亡の当時その者と生計を同じくしていた
> ①**配偶者**（婚姻の届出をしていないが、事実上婚姻関係と同様の事情にあった者を含む。）、②**子**、③**父母**、④**孫**、⑤**祖父母**又は⑥**兄弟姉妹**

B　×　法12条。**租税**その他の公課は、**失業等給付**として支給を受けた金銭を標準として**課することができません**。求職者給付も失業等給付の1つです。なお、この点は、**育児休業等給付**についても同様であり、失業等給付及び育児休業等給付はいずれも非課税です。

C　○　法11条。**失業等給付**を受ける権利の**譲渡**、**担保提供**及び**差押え**は**禁止**されています。雇用継続給付も失業等給付の1つです。なお、この点は、育児休業等給付についても同様です。

D　○　法10条の4第1項。政府は、失業等給付の不正受給者に対して、次の命令をすることができます。

①**返還命令**：支給した失業等給付の**全部又は一部**を返還することを命ずること。
②**納付命令**：厚生労働大臣の定める基準により、当該偽りその他不正の行為により支給を受けた失業等給付の額の**2倍に相当する額以下の金額**を納付することを命ずること。

E　○　法10条の2。求職者給付の支給を受ける者には、①必要に応じ**職業能力の開発及び向上**を図ること、②**誠実かつ熱心**に**求職活動**を行うことにより、**職業に就くように**努めることが求められています。

受給権の保護の例外

　受給権の保護の例外についてまとめると、次のとおりです。なお、**労災保険法**、**雇用保険法**、**健康保険法**、国民健康保険法、介護保険法及び高齢医療確保法には、例外はありません。
　（1）**譲渡**が可能な権利 ……… **なし**
　（2）**担保提供**が可能な権利 … **なし**
　（3）**差押え**が可能な権利 …… ①国民年金法における老齢基礎年金、付加年金又は**脱退一時金**及び②厚生年金保険法における老齢厚生年金又は**脱退一時金**を受ける権利

解答　B

4章

雇用保険法

適用事業

過令4

難易度 易　重要度 A

適用事業に関する次の記述のうち、正しいものはどれか。

A　法人格がない社団は、適用事業の事業主とならない。

B　雇用保険に係る保険関係が成立している建設の事業が労働保険徴収法第8条の規定による請負事業の一括が行われた場合、被保険者に関する届出の事務は元請負人が一括して事業主として処理しなければならない。

C　事業主が適用事業に該当する部門と暫定任意適用事業に該当する部門とを兼営する場合、それぞれの部門が独立した事業と認められるときであっても当該事業主の行う事業全体が適用事業となる。

D　日本国内において事業を行う外国会社（日本法に準拠してその要求する組織を具備して法人格を与えられた会社以外の会社）は、労働者が雇用される事業である限り適用事業となる。

E　事業とは、経営上一体をなす本店、支店、工場等を総合した企業そのものを指す。

A　×　行政手引20002。法人格がない社団も、適用事業の事業主となります。「事業主」とは、当該事業についての法律上の**権利義務の主体**となるものをいい、雇用関係については、**雇用契約の一方の当事者**となるものをいいます。したがって、これに該当する限り、自然人であるか、法人であるか、法人格がない社団等であるかは問われません。

B　×　法7条。請負事業の一括が行われた場合であっても、**被保険者に関する届出**の事務は、一括の効果が及ばないため、元請負人が一括して事業主として処理するのではなく、労働者を雇用する**下請負人**が事業主として処理しなければなりません。

C　×　行政手引20106。設問の場合には、「当該事業主の行う事業全体」ではなく、「適用事業に該当する**部門のみ**」が適用事業となります。これに対して、事業主が適用事業に該当する部分（適用部門）と暫定任意適用事業に該当する部門（非適用部門）を兼営している場合において、**一方が他方の一部門**にすぎず、それぞれの部門が独立した事業と認められず、かつ、主たる業務が適用部門であるときは、当該事業主の行う事業全体が適用事業となります。

D　〇　行政手引20051。日本人以外の事業主が**日本国内において行う事業**であっても、**労働者が雇用されるもの**は、当該事業主の国籍のいかん及び有無を問わず、適用事業となります。この点は、事業主が外国会社であっても同様です。

E　×　行政手引20002。事業とは、経営上一体をなす本店、支店、工場等を総合した企業そのものを指すのではなく、個々の本店、支店、工場、鉱山、事務所のように、1つの経営組織として**独立性**をもった**経営体**をいいます。

4章

雇用保険法

解答　D

被保険者（1）

過令5

難易度 易　重要度 A

雇用保険の被保険者に関する次の記述のうち、誤っているものはどれか。

A　名目的に就任している監査役であって、常態的に従業員として事業主との間に明確な雇用関係があると認められる場合は、被保険者となる。

B　専ら家事に従事する家事使用人は、被保険者とならない。

C　個人事業の事業主と同居している親族は、当該事業主の業務上の指揮命令を受け、就業の実態が当該事業所における他の労働者と同様であり、賃金もこれに応じて支払われ、取締役等に該当しない場合には、被保険者となる。

D　ワーキング・ホリデー制度による入国者は、旅行資金を補うための就労が認められるものであることから、被保険者とならない。

E　日本の民間企業等に技能実習生（在留資格「技能実習1号イ」、「技能実習1号ロ」、「技能実習2号イ」及び「技能実習2号ロ」の活動に従事する者）として受け入れられ、講習を経て技能等の修得をする活動を行う者は被保険者とならない。

A　○　行政手引20351。**監査役**は、会社法上従業員との兼職禁止規定があります
ので、原則として、被保険者となりません。ただし、**名目的に**監査役に就任して
いるに過ぎず、常態的に従業員として事業主との間に**明確な雇用関係**があると認
められる場合は、被保険者となります。

B　○　行政手引20351。専ら家事に従事する**家事使用人**は被保険者となりません。
なお、適用事業に雇用されて主として家事以外の労働に従事することを本務とす
る者は、家事に使用されることがあっても被保険者となります。

C　○　行政手引20351。個人事業の事業主と**同居している親族**は、原則として、
被保険者となりません。ただし、同居の親族であっても、次の①〜③の条件を満
たすものは、被保険者となります。

①業務を行うにつき、事業主の**指揮命令に従っている**ことが明確であること。

②**就業の実態**が当該事業所における他の労働者と同様であり、賃金もこれに応じ
て支払われていること。

③事業主と利益を一にする地位（取締役等）にないこと。

D　○　行政手引20352。**ワーキング・ホリデー制度**による入国者は、主として休
暇を過ごすことを目的として入国し、その休暇の**付随的な活動**として旅行資金を
補うための就労が認められるものです。したがって、被保険者となりません。

E　×　行政手引20352。諸外国の青壮年労働者が、我が国の産業職業上の技術・
技能・知識を習得し、母国の経済発展と産業育成の担い手となるよう、日本の
民間企業等に**技能実習生**として受け入れられ、技能等の修得をする活動を行う
場合には、その者は、受入先の事業主と雇用関係にあるので、被保険者となりま
す。なお、入国当初に雇用契約に基づかない講習が行われる場合には、当該講
習期間中は受入先の事業主と雇用関係にないので、被保険者となりません。

4章

雇用保険法

解答　E

被保険者（2）

予想

難易度 **普**　重要度 **A**

雇用保険の適用事業及び被保険者に関する次の記述のうち、誤っているものはどれか。

A　雇用保険法第37条の5第1項各号に掲げる要件のいずれにも該当する者は、厚生労働大臣に申し出て、特例高年齢被保険者になることができるが、この申出をするにあたっては、当該申出に係る事業主の同意を得なければならない。

B　1週間の所定労働時間が20時間未満である者は、雇用保険法第37条の5第1項の規定による申出をして高年齢被保険者となる者及び同法を適用することとした場合において同法第43条第1項に規定する日雇労働被保険者に該当することとなる者を除き、同法の適用対象とならない。

C　日本国内に在住する外国人であって、期間の定めのない労働契約により、1週間の所定労働時間を30時間として適用事業に雇用される者は、外国公務員又は外国の失業補償制度の適用を受けていることが立証された者を除き、国籍（無国籍を含む。）のいかんを問わず、被保険者となる。

D　船員法第1条に規定する船員であって、漁船に乗り組むために雇用される者であっても、1年を通じて船員として適用事業に雇用される者は、被保険者となる。

E　大学に在籍する学生であっても、休学中のものは、適用事業に期間を定めず雇用されたとき（1週間の所定労働時間は30時間であるものとする。）は、被保険者となる。

A　✕　法37条の5第1項。設問の申出にあたり、当該申出に係る事業主の同意を得る必要はありません。**二以上の事業主**の適用事業に雇用される**65歳以上の者**であることその他の所定の要件を満たす者は、厚生労働大臣に申し出ることのみで、**特例高年齢被保険者**になることができます。

B　○　法6条1号。1週間の所定労働時間が20時間未満である者は、原則として、雇用保険の**適用除外者**です。ただし、この者であっても、**申出をして高年齢被保険者**（特例高年齢被保険者）となる者及び**日雇労働被保険者**に該当することとなる者は、被保険者となります。

C　○　行政手引20352。雇用保険の被保険者について、**国籍要件はありません**。したがって、いわゆる在日外国人であっても、適用基準（①31日以上の雇用見込みがあること、②週所定労働時間が20時間以上であること等）を満たしていれば、国籍（無国籍を含む。）のいかんを問わず、被保険者となります。ただし、外国公務員及び外国の失業補償制度の適用を受けていることが立証された者は、被保険者となりません。

D　○　法6条5号。船員法1条に規定する**船員**であって、**漁船**（政令で定めるものに限る。）に乗り組むため雇用される者は、適用除外に該当するため、**被保険者となりません**。ただし、1年を通じて船員として適用事業に雇用される者は、**被保険者となります**。なお、政令で定める漁船以外の漁船（以西底びき網漁業等に従事する漁船等）に乗り組むため雇用される船員も、被保険者となります。

E　○　法6条、則3条の2第2号。学生等は、原則として、被保険者となりません。ただし、①**卒業を予定している者**であって、適用事業に雇用され、卒業した後も引き続き当該事業に雇用されることとなっているもの、②休学中の者、③**定時制**の課程に在学する者等は、被保険者となります。設問の者は、休学中の学生であり、ほかの適用除外事由にも該当していないので、被保険者となります。

4
章

雇
用
保
険
法

解答　　A

雇用保険事務

予想

難易度 普　重要度  A

雇用保険事務に関する次のアからオまでの記述のうち、誤っているものの組合せは、後記AからEまでのうちどれか。

ア 公共職業安定所長は、短期雇用特例被保険者の資格の取得の確認を職権で行うことができるが、その資格の喪失の確認は職権で行うことができない。

イ 日雇労働被保険者に関しては、被保険者資格の取得及び喪失の確認の制度が適用されない。

ウ 事業主は、その雇用する一般被保険者を当該事業主の一の事業所から他の事業所に転勤させたときは、当該事実のあった日の翌日から起算して10日以内に雇用保険被保険者転勤届を転勤前の事業所の所在地を管轄する公共職業安定所の長に提出しなければならない。

エ 事業主は、新たに適用事業を行う事業所を設置したときは、雇用保険適用事業所設置届をその設置の日の翌日から起算して10日以内に、事業所の所在地を管轄する公共職業安定所の長に提出しなければならない。

オ 一般被保険者が離職し、事業主がその事業所の所在地を管轄する公共職業安定所の長に雇用保険被保険者資格喪失届を提出する際に、離職の日において59歳以上である被保険者については、事業主は、当該被保険者が雇用保険被保険者離職票の交付を希望しないときであっても、当該資格喪失届に雇用保険被保険者離職証明書を添えなければならない。

A （アとイ）　　　B （アとウ）　　　C （イとエ）
D （ウとオ）　　　E （エとオ）

ア　✕　法9条1項、38条2項、81条、則1条1項・2項、66条1項。短期雇用特例被保険者の資格の喪失の確認も職権で行うことができます。厚生労働大臣は、①事業主の届出（資格取得届又は資格喪失届）、②被保険者又は被保険者であった者の確認の請求により、又は③職権で、労働者が被保険者となったこと又は被保険者でなくなったことの確認を行います。なお、この確認に関する厚生労働大臣の権限は、都道府県労働局長に委任され、公共職業安定所長に再委任されています。

イ　〇　法43条4項。**日雇労働被保険者**については、確認の制度に係る規定は適用されません。なお、日雇労働被保険者の資格取得に際しては、これに該当するに至った者は自ら、その日から起算して5日以内に、**日雇労働被保険者資格取得届**を管轄公共職業安定所の長に提出し、**日雇労働被保険者手帳の交付**を受けなければなりません。

ウ　✕　則13条1項。「転勤前」ではなく、「転勤後」です。設問の被保険者転勤届の提出先は、転勤後の事業所の所在地を管轄する公共職業安定所の長です。なお、被保険者転勤届の提出期限は、設問のとおり「事実のあった日の翌日から起算して**10日以内**」です。

エ　〇　則141条1項、行政手引22251。**適用事業所設置届**は、事業主が新たに適用事業を行う事業所を設置したときに提出しなければなりません。その提出期限は、その設置の日の翌日から起算して10日以内です。なお、事業主は、事業所を廃止したときには、その廃止の日の翌日から起算して10日以内に、適用事業所廃止届を提出しなければなりません。

オ　〇　則7条3項。事業主は、被保険者資格喪失届を提出する際に被保険者が離職票の交付を希望しないときは、離職証明書を添えないことができます。ただし、**離職の日において**59歳以上である被保険者については、当該被保険者が離職票の交付を希望しないときであっても、離職証明書を添えなければなりません。

以上から、誤っているものの組合せは、B（アとウ）です。

4章　雇用保険法

解答　B

問題 104

基本手当（1）

過令元

難易度 難　重要度 B

基本手当の日額に関する次の記述のうち、誤っているものはいくつあるか。

ア 育児休業に伴う勤務時間短縮措置により賃金が低下している期間中に事業所の倒産により離職し受給資格を取得し一定の要件を満たした場合において、離職時に算定される賃金日額が勤務時間短縮措置開始時に離職したとみなした場合に算定される賃金日額に比べて低いとき、勤務時間短縮措置開始時に離職したとみなした場合に算定される賃金日額により基本手当の日額を算定する。

イ 基本手当の日額の算定に用いる賃金日額の計算に当たり算入される賃金は、原則として、算定対象期間において被保険者期間として計算された最後の3か月間に支払われたものに限られる。

ウ 受給資格に係る離職の日において60歳以上65歳未満である受給資格者に対する基本手当の日額は、賃金日額に100分の80から100分の45までの範囲の率を乗じて得た金額である。

エ 厚生労働大臣は、4月1日からの年度の平均給与額が平成27年4月1日から始まる年度（自動変更対象額が変更されたときは、直近の当該変更がされた年度の前年度）の平均給与額を超え、又は下るに至った場合においては、その上昇し、又は低下した比率に応じて、その翌年度の8月1日以後の自動変更対象額を変更しなければならない。

オ 失業の認定に係る期間中に得た収入によって基本手当が減額される自己の労働は、原則として1日の労働時間が4時間未満のもの（被保険者となる場合を除く。）をいう。

A　一つ

B　二つ

C　三つ

D　四つ

E　五つ

ア　○　法17条3項、23条2項1号、昭50労告8号。対象家族を介護するための休業若しくは小学校就学の始期に達するまでの子を養育するための休業をした場合又は同様の理由により**勤務時間を短縮**した場合であって、当該期間中に特定受給資格者（倒産、解雇等により離職した受給資格者）又は**特定理由離職者**として受給資格の決定を受けたときは、それぞれ、これらの休業が開始される前又は当該勤務時間の短縮が行われる前に当該受給資格者に支払われていた賃金をもとに基本手当の日額が算定されます。

イ　×　法17条1項。「3か月間」ではなく、「6か月間」です。賃金日額は、原則として、次の計算式によって計算します。設問は、この計算式の分子についてです。

$$賃金日額 = \frac{算定対象期間において\textbf{被保険者期間}として計算された最後の6ヵ月間の賃金の総額}{180}$$

ウ　○　法16条。基本手当の日額は、「**賃金日額×一定の率**」によって計算します。この「一定の率」の範囲は、離職の日における年齢に応じて次のように定められています。設問は、②についてです。

①60歳未満である受給資格者：**100分の80～50**

②60歳以上65歳未満である受給資格者：**100分の80～45**

エ　○　法18条1項。厚生労働大臣は、設問の規定によって、**毎月勤労統計**に基づく労働者の平均給与額の年度ごとの変動に応じて、翌年度の**8月1日以後**の自動変更対象額を変更しなければなりません。

オ　○　行政手引51255。**自己の労働による収入**とは、就職には該当しない短時間の就労等による収入であって、原則として、1日の労働時間が4時間未満のもの（被保険者となる場合を除く。）をいいます。なお、雇用関係の有無は問われません。

以上から、誤っているものは一つであるため、正解はＡです。

解答　Ａ

4章 雇用保険法

基本手当 (2)

過令5

難易度 **難**　重要度 **B**

失業の認定に関する次の記述のうち、正しいものはどれか。

A 基本手当に係る失業の認定日において、前回の認定日から今回の認定日の前日までの期間の日数が14日未満となる場合、求職活動を行った実績が1回以上確認できた場合には、当該期間に属する、他に不認定となる事由がある日以外の各日について、失業の認定が行われる。

B 許可・届出のある民間職業紹介機関へ登録し、同日に職業相談、職業紹介等を受けなかったが求人情報を閲覧した場合、求職活動実績に該当する。

C 失業の認定日が就職日の前日である場合、当該認定日において就労していない限り、前回の認定日から当該認定日の翌日までの期間について失業の認定をすることができる。

D 求職活動実績の確認のためには、所定の失業認定申告書に記載された受給資格者の自己申告のほか、求職活動に利用した機関や応募先事業所の確認印がある証明書が必要である。

E 受給資格者が被保険者とならないような登録型派遣就業を行った場合、当該派遣就業に係る雇用契約期間につき失業の認定が行われる。

A　○　行政手引51254。失業の認定は、認定対象期間（原則として、前回の認定日から今回の認定日の前日までの期間）に、求職活動を行った実績（**求職活動実績**）が**原則2回以上**あることを確認できた場合に行われます。ただし、次のいずれかに該当する場合には、認定対象期間中に行った求職活動実績は**1回以上**あれば足りるものとされています。設問は、③に該当します。

> ①法22条2項に規定する**就職が困難な者**である場合
> ②**最初の失業の認定日**における認定対象期間（待期期間を除く。）である場合
> ③認定対象期間の日数が14日**未満**となる場合
> ④**求人への応募**を行った場合（当該応募を求職活動実績とする。）
> ⑤**巡回職業相談所**における失業の認定及び市町村長の取次ぎによる失業の認定を行う場合　など

B　×　行政手引51254。求職活動実績に該当しません。単なる、**職業紹介機関への登録**、知人への紹介依頼、公共職業安定所・新聞・インターネット等での**求人情報の閲覧**等だけでは、求職活動実績には**該当しない**ものとされています。なお、求職活動実績に該当するのは、①**職業相談、職業紹介等**を受けたこと、②**求人への応募**（応募書類の郵送、筆記試験の受験等も含まれる。）です。

C　×　行政手引51251。「当該認定日の翌日まで」ではなく、「当該認定日まで」です。失業の認定日が、①**就職日の前日**である場合、②受給期間の最終日又は支給終了日である場合は、当該認定日を含めた期間（**前回の認定日**から当該認定日までの期間）について、失業の認定をすることができます。

D　×　行政手引51254。求職活動実績については、失業認定申告書に記載された受給資格者の**自己申告**に基づいて判断（確認）することが原則とされており、求職活動に利用した機関や応募先事業所の証明等（**確認印等**）は**求めない**（必要ない）ものとされています。

E　×　行政手引51255、51256。受給資格者が被保険者とならないような派遣就業を行った場合は、通常、当該派遣就業に係る雇用契約期間は「**就職**」していた期間となります。**就職**していた期間についての失業の認定は**行われません**。

4
章

雇用保険法

解答　　A

基本手当（3）

予想　　　　　　　　　　　　　　　　　　難易度 難　重要度 B

基本手当に関する次の記述のうち、正しいものはどれか。

A　疾病により、従来就いていた業務を続けることが困難となったことを理由に退職した者については、事業主から新たな業務に就くことを命ぜられ、当該業務を遂行することが可能な場合であっても、正当な理由がある自己都合による退職であるものとして、雇用保険法第33条の規定によるいわゆる離職理由による給付制限は行われない。

B　配偶者と別居を続けることが、家庭生活の上からも、経済的事情等からも困難となり、配偶者と同居したところ、事業所へ通常の方法により通勤するための往復所要時間がおおむね4時間以上となったことを理由に退職した者は、特定理由離職者に該当する。

C　離職した者（特定受給資格者又は特定理由離職者に該当する者を除く。）について、離職の日以前2年間に、事業主の責めに帰すべき理由により、引き続き60日間、事業所が休業し、労働基準法に規定する休業手当が支払われた場合には、算定対象期間は、60日間延長される。

D　受給資格者であって、当該基本手当の受給資格に係る離職の日（以下「基準日」という。）後に事業（その実施期間が30日未満のものその他厚生労働省令で定めるものを除く。）を開始したものが、厚生労働省令で定めるところにより公共職業安定所長にその旨を申し出た場合には、当該事業の実施期間は、5年を限度として、当該受給資格に係る基本手当の受給期間に算入しない。

E　基準日における年齢が59歳であり、算定基礎期間が8年である特定受給資格者に係る所定給付日数は、240日であり、基準日における年齢が63歳であり、算定基礎期間が20年である特定受給資格者に係る所定給付日数は、270日である。

A　✕　法33条1項、行政手引52203。設問の場合には、離職理由による給付制限が行われます。体力の不足、心身の障害、疾病又は負傷等の**身体的条件**によって、その者が従来就いていた**業務を続ける**ことが**不可能又は困難**となったことにより退職した者は、原則として、**正当な理由**がある自己都合により退職した者と認定されます。ただし、事業主から**新たな業務**に就くことを命ぜられ、当該業務を遂行することが**可能**な場合には、正当な理由がある自己都合により退職した者とは認定されません。したがって、離職理由による給付制限が行われます。

B　◯　法13条3項、則19条の2第2号、行政手引50305-2。配偶者又は扶養すべき親族と別居を続けることが、家庭生活の上からも、経済的事情等からも困難となったことから、それらの者と同居するために事業所への**通勤**が**不可能又は困難**な地へ住所を移転したことにより退職した者は、**正当な理由**のある自己都合により退職した者として特定理由離職者に該当します。また、通常の方法により通勤するための往復所要時間（乗り継ぎ時間を含む。）がおおむね**4時間以上**であるときは、通勤が困難であるといえます。

C　✕　法13条1項、行政手引50152。設問の場合には、算定対象期間は延長されません。算定対象期間が延長されるのは、疾病、負傷、事業所の休業等の理由により**引き続き30日以上賃金の支払いを受けること**ができなかった場合です。設問の場合には、事業主の責めに帰すべき理由による休業であり、事業主から労働基準法の規定による休業手当が支払われているため、「賃金の支払いを受けることができなかった場合」に該当しません。

D　✕　法20条の2。受給期間に算入しない期間の限度は、「5年」ではなく、「3年」です。受給資格者が、離職後**事業を開始**した場合等について、その事業の実施期間（開業から休廃業までの期間）を**受給期間に算入しない**特例がありますが、この特例により受給期間に算入しない期間の限度は、3年です。

E　✕　法23条1項1号イ・2号ハ。設問後半の者に係る所定給付日数は、「270日」ではなく、「240日」です。基準日における年齢が**60歳以上65歳未満**であって、算定基礎期間が**20年以上**である**特定受給資格者**に該当するためです。なお、設問前半の者に係る所定給付日数については、正しい記述です。

解答　B

基本手当（4）

過令3

難易度 普　重要度 B

チェック欄

雇用保険法第22 条第3項に規定する算定基礎期間に関する次の記述のうち、誤っているものはどれか。

A　育児休業給付金の支給に係る休業の期間は、算定基礎期間に含まれない。

B　雇用保険法第9条の規定による被保険者となったことの確認があった日の2年前の日より前であって、被保険者が負担すべき保険料が賃金から控除されていたことが明らかでない期間は、算定基礎期間に含まれない。

C　労働者が長期欠勤している場合であっても、雇用関係が存続する限り、賃金の支払を受けているか否かにかかわらず、当該期間は算定基礎期間に含まれる。

D　かつて被保険者であった者が、離職後1年以内に被保険者資格を再取得しなかった場合には、その期間内に基本手当又は特例一時金の支給を受けていなかったとしても、当該離職に係る被保険者であった期間は算定基礎期間に含まれない。

E　特例一時金の支給を受け、その特例受給資格に係る離職の日以前の被保険者であった期間は、当該支給を受けた日後に離職して基本手当又は特例一時金の支給を受けようとする際に、算定基礎期間に含まれる。

A　○　法61条の７第９項。算定基礎期間とは、原則として、同一の事業主の適用事業に被保険者として雇用された期間をいいます。ただし、次の期間は、算定基礎期間に含まれません。設問は、このうちの②に該当します。

①被保険者となったこと（被保険者資格の取得）の**確認**があった日の**２年前の日より前**の期間

②育児休業給付金又は**出生時育児休業給付金**（育児休業給付）の支給に係る休業期間

B　○　法22条４項・５項。算定基礎期間に含まれない期間（解説A①参照）についてです。特例的な取扱いにより、２年前の日より前の期間も算定基礎期間に含めるのは、当該期間に被保険者の負担すべき保険料の額に相当する額がその者に支払われた賃金から**控除（源泉控除）されていたことが明らかな期間**に限られます。

C　○　行政手引20352。長期欠勤している労働者であっても、**雇用関係が存続**する限り、賃金の支払いを受けているか否かにかかわらず、被保険者として取り扱われることから、設問の欠勤期間も、算定基礎期間に含まれます。

D　○　法22条３項１号。次の①及び②の要件をいずれも満たす場合には、複数の事業主の適用事業において被保険者として雇用された期間を算定基礎期間として通算することができます。設問の場合は、「離職後１年以内に被保険者資格を再取得しなかった」ため、①の要件を満たしません。そのため、設問の「離職に係る被保険者であった期間」は、算定基礎期間に含まれません。

①直前の被保険者の資格喪失から新たな被保険者の資格取得までの間が**１年以内**であること。

②直前の被保険者の資格喪失の際に**基本手当又は特例一時金**の支給を受けていないこと。

E　×　法22条３項２号。設問の場合は、「特例一時金の支給を受け」ているため、解説D②の要件を満たしません。そのため、設問の「特例受給資格に係る離職の日以前の被保険者であった期間」は、算定基礎期間に含まれません。

4章 雇用保険法

解答　E

基本手当(5)

過令2

難易度 難 重要度 C

基本手当の延長給付に関する次の記述のうち、誤っているものはどれか。

A 訓練延長給付により所定給付日数を超えて基本手当が支給される場合、その日額は本来支給される基本手当の日額と同額である。

B 特定理由離職者、特定受給資格者又は就職が困難な受給資格者のいずれにも該当しない受給資格者は、個別延長給付を受けることができない。

C 厚生労働大臣は、その地域における基本手当の初回受給率が全国平均の初回受給率の1.5倍を超え、かつ、その状態が継続すると認められる場合、当該地域を広域延長給付の対象とすることができる。

D 厚生労働大臣は、雇用保険法第27条第1項に規定する全国延長給付を支給する指定期間を超えて失業の状況について政令で定める基準に照らして必要があると認めるときは、当該指定期間を延長することができる。

E 雇用保険法附則第5条に規定する給付日数の延長に関する暫定措置である地域延長給付の対象者は、年齢を問わない。

A ○ 法24条１項・２項。訓練延長給付その他の延長給付は、所定給付日数を超えて**基本手当を支給**するものです。したがって、その日額も、本来（所定給付日数分として）支給されるものと**同額**です。

B ○ 法24条の２第１項・２項。個別延長給付は、次のいずれかに該当する者が所定の事由に該当する場合に、行われます。したがって、これらのいずれにも該当しない受給資格者は、個別延長給付を受けることができません。

①特定理由離職者（正当な理由のある**自己都合離職者を除く**。）

②特定受給資格者

③**就職が困難な**受給資格者（雇用されていた適用事業が激甚災害の被害を受けたため離職を余儀なくされた場合等に限る。）

C × 法25条１項、令６条１項。設問の場合には、当該地域を広域延長給付の対象とすることができません。当該地域を広域延長給付の対象とするにあたっては、①所定の方法で計算したその地域における基本手当の初回受給率が全国平均の初回受給率の２倍（100分の200）以上となるに至り、かつ、②**その状態が継続**すると認められることが基準となります。

D ○ 法27条２項。全国延長給付は、厚生労働大臣が指定する期間（**指定期間**）内に限り、行われます。厚生労働大臣は、全国延長給付の措置を決定した後において、政令で定める基準に照らして必要があると認めるときは、指定期間（その期間が延長されたときは、その延長された期間）を延長することができます。

E ○ 法附則５条１項。地域延長給付の対象者は、次の①〜③を満たす者です。**年齢**は、特に問われません。

①受給資格に係る離職の日が**令和９年３月31日以前**である受給資格者（所定の特定理由離職者及び特定受給資格者に限り、個別延長給付を受けることができる者を除く。）であること。

②厚生労働大臣が**指定する地域内に居住**していること。

③公共職業安定所長が指導基準に照らして再就職を促進するために必要な**職業指導**を行うことが適当であると認めたこと。

4章 雇用保険法

解答 C

基本手当（6）

予想

難易度 **易**　重要度 **A**

基本手当に関する次の記述のうち、誤っているものはどれか。

A　被保険者であった者が、離職の日まで業務外の事由による傷病のため欠勤し引き続き6ヵ月間賃金の支払いを受けていなかった場合、基本手当の受給資格に係る算定対象期間は、2年間又は1年間にその6ヵ月間を加えた期間となる。

B　期間の定めのある労働契約の締結に際し当該労働契約が更新されることが明示された場合において当該労働契約が更新されないこととなったことにより離職した者は、その者が引き続き同一の事業主の適用事業に雇用されていた期間の長短にかかわらず、特定受給資格者に該当する。

C　最後に被保険者となった日前に、当該被保険者が特例受給資格を取得したことがある場合には、当該特例受給資格に係る離職の日以前における被保険者であった期間は、被保険者期間の計算の基礎となる期間に含まれない。

D　受給資格者は、失業の認定を受けようとするときは、失業の認定日に、管轄公共職業安定所に出頭し、失業認定申告書を提出した上、職業の紹介を求めなければならない。

E　失業の認定を受けようとする受給資格者は、当該受給資格に係る離職の日の翌日から起算して14日以内に、公共職業安定所に出頭し、求職の申込みをしなければならない。

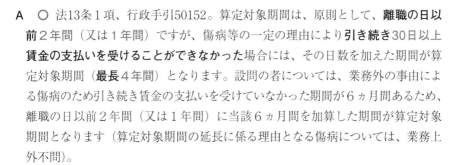

A　○　法13条1項、行政手引50152。算定対象期間は、原則として、**離職の日以前2年間**（又は1年間）ですが、傷病等の一定の理由により**引き続き30日以上賃金の支払いを受けることができなかった**場合には、その日数を加えた期間が算定対象期間（**最長4年間**）となります。設問の者については、業務外の事由による傷病のため引き続き賃金の支払いを受けていなかった期間が6ヵ月間あるため、離職の日以前2年間（又は1年間）に当該6ヵ月間を加算した期間が算定対象期間となります（算定対象期間の延長に係る理由となる傷病については、業務上外不問）。

B　○　法23条2項2号、則36条7号の2。いわゆる有期労働契約の雇止めがなされた場合において、①労働契約の更新によりすでに3年以上引き続き雇用されていたとき、又は②労働契約の締結に際し当該労働契約が**更新されることが明示されていた**（当該労働契約の更新又は延長について確約があった）ときは、当該雇止めにより離職した者は、特定受給資格者に該当します。設問の者は、このうちの②に該当するため、特定受給資格者に該当します。

C　○　法14条2項1号。被保険者期間を計算する場合において、過去に取得した（決定を受けた）ことのある**受給資格、高年齢受給資格又は特例受給資格**に係る離職の日以前の被保険者であった期間は、その計算の基礎となる被保険者であった期間から**除外**されます。

D　○　則22条1項。失業の認定日においては、**失業認定申告書**を提出した上、**職業の紹介**を求めることが必要です。なお、管轄公共職業安定所の長は、**失業認定申告書**に基づいて求職活動の内容を確認し、その際に、受給資格者に対し、職業紹介又は職業指導を行うものとされています。

E　×　法15条2項。設問の手続きを14日以内に行う必要はありません。失業の認定を受けようとする受給資格者は、離職後、公共職業安定所に出頭し、**求職の申込み**をしなければなりませんが、この期限は特に定められていません。

解答 E

基本手当（7）

予想

難易度 **難**　重要度 **B**

基本手当に関する次の記述のうち、正しいものはどれか。

A　基本手当に係る待期期間については失業の認定も行われない。

B　離職の日の属する月の前々月に1ヵ月あたり90時間、時間外労働及び休日労働が行われたことにより離職した者は、特定受給資格者となる。

C　ある被保険者は、月30万円であった賃金が月25万円に低下したため退職した。この低下が予見困難なものであった場合であっても、この者は、基本手当の支給を受けるにあたり、雇用保険法第33条第1項の離職理由に基づく給付制限を受ける。

D　個別延長給付を受けている受給資格者が、正当な理由がなく、公共職業安定所長の指示した公共職業訓練等を受けることを拒んだときは、その拒んだ日から起算して1ヵ月間に限り、基本手当は支給されない。

E　被保険者期間は、被保険者であった期間について、当該被保険者でなくなった日又は各月における喪失応当日の各前日から各前月の喪失応当日までさかのぼった各期間のうち、賃金の支払いの基礎となった日数が11日以上であるものがこれに算入されるが、これにより計算した被保険者期間のみでは受給資格の要件を満たさないときは、賃金の支払いの基礎となった時間数が80時間以上であるものも、被保険者期間に算入される。

A × 法21条、行政手引51102。**失業の認定**は、**待期期間**についても行われます。失業（疾病又は負傷のため職業に就くことができない場合を含む。）の認定があって初めて、失業の日又は疾病若しくは負傷のため職業に就くことができない日として認められるためです。

B × 法23条2項2号、則36条。設問の理由のみでは、特定受給資格者に該当しません。これに対して、離職の日の属する月の前6ヵ月において行われた**時間外労働及び休日労働**の時間が、次のいずれかに該当する場合に、これを理由に離職した者は、特定受給資格者に該当します。

①いずれか**連続した3ヵ月以上**の期間において労働基準法36条3項に規定する**限度時間**（月45時間）に相当する時間数を**超えた**こと。

②いずれかの月において**1ヵ月あたり100時間以上**であったこと。

③いずれか**連続した2ヵ月以上**の期間を平均し1ヵ月あたり**80時間を超えた**こと。

C × 法33条1項、行政手引52203。設問の者は、離職理由による給付制限を受けません。賃金が、その者に支払われていた賃金に比べて**100分の85未満に低下**した（又は低下することとなった）ため退職した場合（設問の場合もこれに該当する。）には、当該低下の事実が予見困難なものである限り、退職したことについて**正当な理由**があるものとされるためです。

D × 法29条1項。設問の場合には、その拒んだ**日以後**、基本手当は支給されません。延長給付は、所定給付日数を超えて基本手当を支給し、手厚い保護を与えるものであることから、一定の延長給付については通常よりも厳しい給付制限が設けられています。

E ○ 法14条1項・3項。被保険者期間の計算では、原則として、被保険者であった期間を被保険者でなくなった日の前日（離職日）からさかのぼって1ヵ月ごとに区切った各期間のうち、賃金の支払いの基礎となった日数が11日以上であった期間をこれに算入（原則1ヵ月として計算）します。ただし、これにより計算した被保険者期間が12ヵ月（又は6ヵ月）に**満たないとき**は、当該各期間のうち賃金の支払いの基礎となった時間数が80時間以上である期間も被保険者期間に算入します。

解答　E

傷病手当

過令6

難易度 易　重要度 B

雇用保険の傷病手当に関する次の記述のうち、誤っているものはどれか。

A　受給資格者が離職後最初に公共職業安定所に求職の申込みをした日以後において、雇用保険法第37条第1項に基づく疾病又は負傷のために基本手当の支給を受けることができないことについての認定（以下本問において「傷病の認定」という。）を受けた場合、失業している日（疾病又は負傷のため職業に就くことができない日を含む。）が通算して7日に満たない間は、傷病手当を支給しない。

B　傷病手当を支給する日数は、傷病の認定を受けた受給資格者の所定給付日数から当該受給資格に基づき、既に基本手当を支給した日数を差し引いた日数に相当する日数分を限度とする。

C　基本手当の支給を受ける口座振込受給資格者が当該受給期間中に疾病又は負傷により職業に就くことができなくなった場合、天災その他認定を受けなかったことについてやむを得ない理由がない限り、当該受給資格者は、職業に就くことができない理由がやんだ後における最初の支給日の直前の失業の認定日までに傷病の認定を受けなければならない。

D　健康保険法第99条の規定による傷病手当金の支給を受けることができる者が傷病の認定を受けた場合、傷病手当を支給する。

E　傷病手当の日額は、雇用保険法第16条に規定する基本手当の日額に相当する額である。

A　○　法37条9項。傷病手当については、基本手当の待期の規定（法21条）が準用されます。つまり、**待期期間中の日**については、傷病手当は**支給されません**。具体的には、受給資格者が傷病の認定を受けた場合において、失業している日（疾病又は負傷のため職業に就くことができない日を**含む**。）が**通算して7日**に満たない間は、傷病手当は支給されません。

B　○　法37条4項。傷病手当の支給日数は、受給資格者の「所定給付日数から**すでに基本手当を支給した日数**を差し引いた日数」を限度とします。なお、「すでに基本手当を支給した日数」には、①不正受給による給付制限により基本手当が不支給とされた日数、②すでに傷病手当の支給があった場合に基本手当の支給があったものとみなされる日数、③再就職手当（及び就業促進定着手当）の支給があった場合に基本手当の支給があったものとみなされる日数が、**含まれます**。

C　○　則63条1項。傷病手当に係る**傷病の認定**は、次の①〜③の日までに受けなければなりません（設問は②に該当する。）。ただし、天災その他認定を受けなかったことについてやむを得ない理由があるときは、この限りでありません。

> ※「支給日」とは、基本手当の支給日のこと。
> ①職業に就くことができない理由がやんだ後における**最初の支給日**（原則）
> ②**口座振込受給資格者**にあっては、上記①の支給日の**直前の**失業の認定日
> ③上記①の支給日がないときは、基本手当の受給期間の最後の日から起算して**1ヵ月**を経過した日

D　×　法37条8項。設問の場合には、傷病手当は支給されません。傷病の認定を受けた受給資格者が、傷病の認定を受けた日について、①健康保険法の規定による傷病手当金、②労働基準法の規定による**休業補償**、③労災保険法の規定による**休業（補償）等給付**、④その他これらに相当する給付であって法令（法令の規定に基づく条例又は規約を含む。）により行われるもののうち政令で定めるものの支給を受けることができる場合には、傷病手当は**支給されません**。

E　○　法37条3項。傷病手当の日額は、法16条に規定する**基本手当の日額に相当する額**です。つまり、傷病手当の日額は、基本手当の日額と同額です。

4章

雇用保険法

解答　D

高年齢求職者給付金

予想

難易度 **普**　重要度 **B**

高年齢求職者給付金に関する次の記述のうち、正しいものはどれか。

A　雇用保険法第37条の３第１項によれば、高年齢求職者給付金は、高年齢被保険者が失業した場合において、原則として、離職の日以前２年間に、同法第14条の規定による被保険者期間が通算して12ヵ月以上であったときに、支給される。

B　高年齢受給資格者が受給期限日までに高年齢求職者給付金の支給を受けることなく高年齢被保険者として就職した後再び失業し、新たに高年齢受給資格を取得しなかったとしても、従前の高年齢受給資格に基づく高年齢求職者給付金の支給を受けることはできない。

C　算定基礎期間が２年であって、失業の認定日から受給期限日までの日数が30日である高年齢受給資格者に対して支給される高年齢求職者給付金の額は、基本手当の日額の30日分である。

D　高年齢求職者給付金に係る算定基礎期間の算定にあたって、高年齢被保険者となった日前に基本手当の支給を受けたことがある者については、当該基本手当の受給資格に係る離職の日以前の被保険者であった期間も含めて、その算定が行われる。

E　雇用保険法第21条（待期）の規定は高年齢求職者給付金について準用されているが、同法第34条第１項（基本手当の不正受給に対する給付制限）の規定は高年齢求職者給付金について準用されていない。

A　✕　法37条の３第１項。高年齢求職者給付金の支給要件は、「**離職の日の以前１年間**（算定対象期間）に、**被保険者期間が通算して６ヵ月以上であったこと**」です。なお、「離職の日以前１年間（算定対象期間）」については、基本手当の受給資格に係る算定対象期間と同様に、当該期間に傷病等の一定の理由により**引き続き30日以上賃金の支払いを受けることができなかった期間があるときは**、その日数を１年に加算した期間（**加算後の期間が４年を超えるときは、４年間**）とする延長措置が設けられています。

B　✕　法37条の３第２項。設問の場合には、従前の高年齢受給資格に基づく高年齢求職者給付金の支給を受けることができる場合があります。高年齢受給資格者が受給期限日までに高年齢求職者給付金の支給を受けることなく就職した後再び失業した場合であって、新たに**高年齢受給資格又は特例受給資格を取得しなかったとき**は、その受給期限日までに、従前の高年齢受給資格に基づく**高年齢求職者給付金**の支給を受けることができます。

C　〇　法37条の４第１項。高年齢求職者給付金の額は、**算定基礎期間**に応じて、①基本手当の日額の30日分（算定基礎期間**１年未満**）又は②基本手当の日額の50日分（算定基礎期間**１年以上**）とされています。ただし、失業の認定日から受給期限日までの日数が上記①②に定める日数に満たない場合には、**失業の認定日から受給期限日**までの日数に相当する日数分が支給されます。設問の高年齢受給資格者は、上記②に該当しますが、失業の認定日から受給期限日までの日数が30日であるため、基本手当の日額の30日分が高年齢求職者給付金として支給されます。

D　✕　法37条の４第４項。設問中の「離職の日以前の被保険者であった期間も含めて」とする記述が誤りです。高年齢求職者給付金に係る算定基礎期間の算定にあたって、高年齢被保険者となった日前に**基本手当、高年齢求職者給付金又は特例一時金の支給を受けたことがある者**については、これらの給付の受給資格、高年齢受給資格又は特例受給資格に係る離職の日以前の被保険者であった期間は、その算定の対象から**除外**されます。

E　✕　法37条の４第６項。設問は、後半部分の記述が誤りです。基本手当の不正受給に対する給付制限の規定も、高年齢求職者給付金について**準用されています**。

解答　C

特例一時金

予想

難易度 普　重要度 A

特例一時金に関する次の記述のうち、誤っているものはどれか。

A　特例一時金の額は、原則として、特例受給資格者を受給資格者とみなして計算した基本手当の日額の30日分（当分の間は40日分）である。

B　特例一時金は、短期雇用特例被保険者が失業した場合において、原則として離職の日以前1年間に被保険者期間が通算して6ヵ月以上であったときに支給される。

C　特例受給資格者が、当該特例受給資格に基づく特例一時金の支給を受ける前に公共職業安定所長の指示した公共職業訓練等（その期間が政令で定める期間に達しないものを除く。）を受ける場合には、特例一時金は支給されず、当該公共職業訓練等を受け終わる日までの間に限り、その者を受給資格者とみなして基本手当、技能習得手当、寄宿手当及び傷病手当が支給される。

D　短期雇用特例被保険者に係る被保険者期間は、当分の間、短期雇用特例被保険者が、月の途中で当該被保険者の資格を取得した場合には、その月の初日から当該資格を取得したものとみなし、当該資格の喪失の日の前日が月の途中である場合には、その月の末日を当該資格の喪失の日の前日とみなして計算される。

E　特例一時金の支給を受けようとする特例受給資格者は、当該特例受給資格に係る離職の日の翌日から起算して6ヵ月を経過する日までに、特例一時金の支給を受けるための手続きをしなければならない。

A　○　法40条1項、法附則8条。特例一時金の法本来の額は、基本手当の日額
に相当する額の**30日分**です。ただし、当分の間、基本手当の日額に相当する額
の40日分とされています。なお、特例一時金に係る**失業の認定日から受給期限
日までの日数**が30日（当分の間は40日）に満たない場合には、その日数に相当
する日数分となります。

B　○　法39条1項。特例一時金は、短期雇用特例被保険者が失業した場合におい
て、特例受給資格を有するときに、支給されます。この特例受給資格は、「**離職
の日以前1年間**（算定対象期間）に**被保険者期間が通算して6ヵ月以上であっ
たとき**」にその要件を満たします。

C　×　法41条1項、行政手引56401。設問の特例受給資格者に対して支給される
のは、基本手当、技能習得手当及び寄宿手当のみです。傷病手当は支給されま
せん。特例受給資格者が公共職業訓練等を受ける場合の特例については、次の
点に注意しましょう。

　①**特例一時金の支給を受けた者**は、特例の対象とならないこと。

　②訓練期間が**30日未満**（当分の間は**40日未満**）のものは、特例の対象とならな
　　いこと。

　③特例により支給される求職者給付は、**基本手当、技能習得手当及び寄宿手当**
　　に限られ、**傷病手当は支給されない**こと。

D　○　法附則3条、行政手引55103。短期雇用特例被保険者に係る被保険者期間
は、暦月方式により計算します。この方式では、短期雇用特例被保険者であっ
た期間（適用事業の在籍期間）を「当該短期雇用特例被保険者がその資格を取
得した日の属する月の初日からその資格を喪失した日の前日の属する月の末日ま
で引き続き短期雇用特例被保険者として雇用されていた期間」とみなして、その
期間中の各暦月において、原則として、**賃金支払基礎日数が11日以上である月**
を被保険者期間1ヵ月として計算します。

E　○　法40条3項。特例一時金の支給を受けようとする特例受給資格者は、当該
特例受給資格に係る離職の日の翌日から起算して**6ヵ月を経過する日（受給期
限日）**までに、公共職業安定所に出頭し、求職の申込みをした上、失業している
ことについての認定を受けなければなりません。

4
章

雇
用
保
険
法

解答　C

日雇労働求職者給付金（1）

予想   難易度 難   重要度 B

日雇労働求職者給付金に関する次の記述のうち、誤っているものはいくつあるか。

ア 日雇労働求職者給付金のいわゆる普通給付の日額については、3種類のものが定められている。

イ 雇用保険法第50条第1項では、日雇労働求職者給付金のいわゆる普通給付について、「日雇労働被保険者が失業した日の属する月における失業の認定を受けた日について、その月の前2月間に、その者について納付されている印紙保険料が通算して28日分以下であるときは、通算して13日分を限度として支給し、その者について納付されている印紙保険料が通算して28日分を超えているときは、通算して、28日分を超える4日分ごとに1日を13日に加えて得た日数分を限度として支給する。ただし、その月において通算して17日分を超えては支給しない。」と規定している。

ウ 日雇労働求職者給付金のいわゆる特例給付の支給を受けるためには、少なくとも、継続する6ヵ月間（以下「基礎期間」という。）の最後の月の翌月以後4ヵ月間に、日雇労働求職者給付金のいわゆる普通給付の支給を受けていないことが必要である。

エ 日雇労働求職者給付金のいわゆる特例給付の支給を受けるためには、少なくとも、基礎期間のうち後の5ヵ月間に日雇労働求職者給付金のいわゆる普通給付又は特例給付の支給を受けていないことが必要である。

オ 日雇労働求職者給付金のいわゆる特例給付に係る失業の認定は、その者の選択する公共職業安定所において、4週間に1回ずつ行われる。

A 一つ

B 二つ

C 三つ

D 四つ

E 五つ

ア　○　法48条。日雇労働求職者給付金の普通給付は、第1級給付金から第3級給付金までの3種類が定められており、その日額は、第1級給付金が7,500円、第2級給付金が6,200円、第3級給付金が4,100円とされています。なお、特例給付の日額についても同様です。

イ　○　法50条1項。普通給付の支給日数は、納付された印紙保険料が28日分の場合の「13日分」を基準として、28日分を超える**4日分**ごとに、1日分が加算されていきます。これを表にまとめると次のとおりです。

納付された印紙保険料	支給日数の限度
26日分～31日分	13日分
32日分～35日分	14日分
36日分～39日分	15日分
40日分～43日分	16日分
44日分以上	17日分

ウ　×　法53条1項3号。「4ヵ月間」ではなく、「2ヵ月間」です。特例給付の支給を受けるためには、次の①～③の要件を満たしていることが必要です。設問は、③について問うています。

①**基礎期間**（継続する6ヵ月間）に印紙保険料が**各月11日分以上**、かつ、**通算して78日分以上**納付されていること。

②基礎期間のうち**後の5ヵ月間**に普通給付又は特例給付の支給を受けていないこと。

③**基礎期間**の最後の月の翌月以後2ヵ月間（特例給付の支給を受けるための申出をした日が当該2ヵ月の期間内にあるときは、同日までの間）に**普通給付**の支給を受けていないこと。

エ　○　法53条1項2号、行政手引90602。設問は、上記**ウ**の解説中②の要件について問うています。

オ　×　則79条1項。「その者の選択する公共職業安定所」ではなく、「**管轄公共職業安定所**」です。特例給付に係る失業の認定は、**管轄公共職業安定所**において、**4週間に1回ずつ**行われます。

以上から、誤っているものは二つであるため、正解は**B**です。

解答　**B**

4章

雇用保険法

日雇労働求職者給付金（2）

予想

難易度 普　重要度 B

日雇労働求職者給付金等に関する次の記述のうち、正しいものはどれか。

A　日雇労働求職者給付金の支給を受けることができる者が、公共職業安定所の紹介する業務に就くことを拒んだときは、その拒んだ日から起算して7日間は、日雇労働求職者給付金を支給しないが、当該紹介された業務が、その者の能力からみて不適当であると認められるときは、この限りでない。

B　日雇労働被保険者は、その要件に該当するに至った日から起算して5日以内に、日雇労働被保険者資格取得届を管轄公共職業安定所の長に提出しなければならず、この提出を受けた管轄公共職業安定所の長は、日雇労働被保険者資格取得届を提出した者に、被保険者証を交付しなければならない。

C　日雇労働求職者給付金のいわゆる普通給付は、日雇労働被保険者が失業した場合において、その失業の日の属する月の前2ヵ月間に、その者について、印紙保険料が各月11日分以上、かつ、通算して26日分以上納付されているときに限り、支給される。

D　日雇労働求職者給付金の支給を受けることができる者が、偽りその他不正の行為により求職者給付又は就職促進給付の支給を受け、又は受けようとしたときは、やむを得ない理由がある場合を除き、その支給を受け、又は受けようとした月及びその月の翌月から6ヵ月間は、日雇労働求職者給付金を支給しない。

E　日雇労働求職者給付金のいわゆる特例給付の支給を受けることができる期間及び日数は、継続する6ヵ月間の最後の月の翌月以後4ヵ月の期間内の失業している日について、通算して90日分が限度とされている。

A　○　法52条1項1号。就業拒否による給付制限は、次の場合は行われません。

　①紹介された業務が、その者の**能力からみて不適当**であると認められるとき。

　②紹介された業務に対する賃金が、同一地域における同種の業務及び同程度の技能に係る一般の賃金水準に比べて、不当に低いとき。

　③職業安定法の規定に該当する同盟罷業又は作業所閉鎖の行われている事業所に紹介されたとき。

　④その他正当な理由があるとき。

B　×　則71条1項、73条1項。管轄公共職業安定所の長が交付しなければならないのは、「被保険者証」ではなく、「**日雇労働被保険者手帳**」です。なお、設問前半の記述は正しく、日雇労働被保険者の要件に該当するに至った者は自ら、日雇労働被保険者**資格取得届**を管轄公共職業安定所の長に提出しなければなりません。この提出期限は、日雇労働被保険者の要件に該当するに至った日から起算して**5日以内**です。

C　×　法45条、行政手引90401。日雇労働求職者給付金の**普通給付**が支給されるための「失業の日の属する月の前2ヵ月間の印紙保険料の納付要件」については、当該**2ヵ月間**に**通算して26日分以上**納付されていればよく、各月の納付状況は問われません。

D　×　法52条3項。不正受給による給付制限の期間は、その支給を受け、又は受けようとした**月及びその月の翌月から**「**3ヵ月間**」です。「6ヵ月間」ではありません。

E　×　法54条1号。「90日分」ではなく、「60日分」です。日雇労働求職者給付金の**特例給付**は、受給期間内（設問の4ヵ月の期間内）の失業している日（失業の認定を受けた日）について、**通算して60日分を限度**として支給されます。

解答　A

就職促進給付（1）

過平30

難易度 普　重要度 B

就職促進給付に関する次のアからオの記述のうち、誤っているものの組合せは、後記AからEまでのうちどれか。

ア　基本手当の受給資格者が離職前の事業主に再び雇用されたときは、就業促進手当を受給することができない。

イ　基本手当の受給資格者が公共職業安定所の紹介した職業に就くためその住所を変更する場合、移転費の額を超える就職支度費が就職先の事業主から支給されるときは、当該受給資格者は移転費を受給することができない。

ウ　再就職手当を受給した者が、当該再就職手当の支給に係る同一の事業主にその職業に就いた日から引き続いて6か月以上雇用された場合で、当該再就職手当に係る雇用保険法施行規則第83条の2にいうみなし賃金日額が同条にいう算定基礎賃金日額を下回るときは、就業促進定着手当を受給することができる。

エ　事業を開始した基本手当の受給資格者は、当該事業が当該受給資格者の自立に資するもので他の要件を満たす場合であっても、再就職手当を受給することができない。

オ　基本手当の受給資格者が職業訓練の実施等による特定求職者の就職の支援に関する法律第4条第2項に規定する認定職業訓練を受講する場合には、求職活動関係役務利用費を受給することができない。

A　（アとイ）　　　B　（アとウ）　　　C　（イとエ）
D　（ウとオ）　　　E　（エとオ）

ア　○　法56条の３第１項、則82条１項１号・２項２号。「離職前の事業主に再び雇用されたものでないこと」は、**就業促進手当**（再就職手当、就業促進定着手当及び常用就職支度手当）に共通する支給要件です。

イ　○　法58条１項、則86条２号。移転費は、就職先の事業主から就職支度費が**支給されていない**場合、又はその支給額が移転費の額に**満たない**場合に受給することができます。設問では、「移転費の額を超える就職支度費」が支給されているため、移転費を受給することができません。

ウ　○　法56条の３第３項１号、則83条の２。就業促進定着手当は、受給資格者が、次の①〜③のすべてに該当する場合に支給されます。

①再就職手当の支給を受けたこと。

②再就職手当の支給に係る同一の事業主の適用事業にその職業に就いた日から**引き続いて６ヵ月以上雇用**されたこと。

③**みなし賃金日額**（再就職後の賃金日額）が、**算定基礎賃金日額**（離職時の賃金日額）を下回ったこと。

エ　×　法56条の３第１項１号、則82条の２。設問の場合には、再就職手当を受給することができます。**事業を開始**した受給資格者も、当該事業により受給資格者が自立することができると公共職業安定所長が認めたときは、再就職手当の支給対象となります。

オ　×　則100条の６。設問の場合でも、要件を満たす限り、求職活動関係役務利用費を受給することができます。求職活動関係役務利用費は、**受給資格者等**が**求人者との面接等**をし、又は求職活動関係役務利用費対象訓練を**受講**するため、その子に関して、**保育等サービスを利用**する場合（待期期間が経過した後に保育等サービスを利用する場合に限る。）に支給されます。求職活動関係役務利用費対象訓練には、①**教育訓練給付金**の支給に係る教育訓練、②**短期訓練受講費**の支給に係る教育訓練、③**公共職業訓練等**、④求職者支援法に規定する認定職業訓練があります。設問は、④についてです。

以上から、誤っているものの組合せは、**E**（エとオ）です。

4章　雇用保険法

解答　E

就職促進給付（2）

予想

難易度 **普**　重要度 **C**

移転費及び求職活動支援費に関する次の記述のうち、正しいものはどれか。

A　高年齢受給資格者に対しては、移転費が支給されることはあるが、求職活動支援費が支給されることはない。

B　移転費は、雇用保険法第33条第1項の規定によるいわゆる離職理由による給付制限期間中に就職し、又は公共職業訓練等を受けることとなった者に対して支給されることはない。

C　公共職業安定所の紹介した職業に就くこととなった受給資格者等が、移転費の支給を受けようとするときは、当該職業に就くことが決定した日の翌日から起算して1ヵ月以内に、移転費支給申請書に受給資格者証等を添えて管轄公共職業安定所の長に提出しなければならない。

D　移転費のうちの鉄道賃、船賃、航空賃及び車賃は、受給資格者等及びその者が随伴する親族が就職先の事業主等が所有する自動車等を使用して住所又は居所を変更する場合であっても、雇用保険法施行規則第88条第1項から第4項までの規定により計算した額が支給される。

E　求職活動支援費の額を定めるにあたっては、その支給の対象となる雇用保険法第59条第1項各号の行為に通常要する費用を考慮することとされている。

A　✕　法58条1項、59条1項。求職活動支援費も支給されることがあります。就
職促進給付のうち、**常用就職支度手当、移転費及び求職活動支援費**については、
これらの支給要件を満たす限り、**高年齢受給資格者**に対しても、支給されます。

B　✕　則86条1号。移転費は、**離職理由による給付制限期間中**に就職し、又は公
共職業訓練等を受けることとなった者に対しても、支給されることがあります。
なお、離職理由による給付制限以外の給付制限である場合には、その給付制限
期間が経過した後に就職し、又は公共職業訓練等を受けることとなった場合で
なければ、移転費は支給されません。

C　✕　則92条1項。設問は、移転費の支給申請期限に関する記述が誤りです。移
転費の支給申請期限は、「移転の日の翌日から起算して**1ヵ月以内**」です。これ
は、移転費の支給事由が「受給資格者等が公共職業安定所の紹介した職業に就
く場合」であっても、「受給資格者等が公共職業安定所長の指示した公共職業訓
練等を受ける場合」であっても、同じです。

D　✕　則88条6項。設問の場合には、原則として、受給資格者等及びその者が随
伴する親族が支払った費用に基づき算定した額（**実費相当額**）が、鉄道賃、船
賃、航空賃及び車賃として支給されます。雇用保険法施行規則88条1項～4項
の規定により計算した額（計算額）が支給されるのではありません。なお、実費
相当額が計算額を超えるときは、計算額が支給されます。

E　○　法59条2項。求職活動支援費の額は、その支給の対象となる行為（①公共
職業安定所の紹介による広範囲の地域にわたる求職活動、②公共職業安定所の
職業指導に従って行う職業に関する教育訓練の受講その他の活動、③求職活動
を容易にするための役務の利用）に**通常要する費用**を考慮して、厚生労働省令
で定めることとされています。

解答　E

教育訓練給付 (1)

予想

難易度 **易**　重要度 **A**

教育訓練給付に関する次の記述のうち、正しいものはどれか。なお、本問において、「基準日」とは「当該教育訓練を開始した日」のことである。

A　特定一般教育訓練に係る教育訓練給付金は、教育訓練給付対象者が、特定一般教育訓練を受け、当該教育訓練を修了した場合であって、当該教育訓練に係る指定教育訓練実施者により厚生労働省令で定める証明がされたときに限り、支給される。

B　専門実践教育訓練とは、雇用の安定及び就職の促進を図るために必要な職業に関する教育訓練のうち速やかな再就職及び早期のキャリア形成に資する教育訓練として厚生労働大臣が指定する教育訓練をいう。

C　基準日において、適用事業甲に雇用されている教育訓練給付対象者が、以前に適用事業乙で被保険者として雇用されていた場合において、適用事業乙を離職した後に求職者給付又は就職促進給付の支給を受けていたときは、教育訓練給付金の支給に係る支給要件期間の算定にあたって、適用事業乙における雇用期間は通算されない。

D　専門実践教育訓練に係る教育訓練給付金の支給を受けようとする者は、基準日から起算して1ヵ月以内に、教育訓練給付金及び教育訓練支援給付金受給資格確認票を管轄公共職業安定所の長に提出しなければならない。

E　教育訓練給付金は、教育訓練給付対象者が基準日前5年以内に教育訓練給付金の支給を受けたことがあるときは、支給されない。

A　〇　法60条の2第1項。**一般教育訓練**に係る教育訓練給付金及び**特定一般教育訓練**に係る教育訓練給付金は、教育訓練給付対象者が一般教育訓練又は特定一般教育訓練を受け、当該教育訓練を修了した場合に限り、支給されます。これに対して、**専門実践教育訓練**に係る教育訓練給付金は、専門実践教育訓練を修了した場合のほか、当該教育訓練を受けている場合であって、当該教育訓練の**受講状況が適切**であると認められるときにも、支給されます。

B　✕　則101条の2の7第2項・4号。設問の教育訓練は、「専門実践教育訓練」ではなく、「**特定一般教育訓練**」です。**専門実践教育訓練**とは、雇用の安定及び就職の促進を図るために必要な職業に関する教育訓練のうち**中長期的なキャリア形成**に資する専門的かつ実践的な教育訓練として厚生労働大臣が指定する教育訓練をいいます。

C　✕　法60条の2第2項。適用事業乙の離職から適用事業甲に雇用されるまでの期間が1年以内であれば、通算されます。支給要件期間とは、教育訓練給付対象者が基準日までの間に**同一の事業主の適用事業に引き続いて被保険者として雇用された期間**をいいます。また、これより前の被保険者であった期間についても、被保険者資格の喪失から新たな被保険者資格の取得までの期間が1年以内であれば、支給要件期間に通算されます。この場合において、過去における求職者給付又は就職促進給付の支給の有無は影響しません。

D　✕　則101条の2の12第1項。設問の受給資格確認票は、「基準日から起算して1ヵ月以内」ではなく、「**専門実践教育訓練を開始する日の14日前まで**」に提出しなければなりません。専門実践教育訓練に係る教育訓練給付金の支給を受けるためには、事前に受給資格の確認手続をしなければなりません。

E　✕　法60条の2第5項、則101条の2の10。「5年以内」ではなく、「**3年以内**」です。教育訓練給付金は、次の場合には、支給されません。

> ①当該教育訓練給付金の額として算定された額が**4,000円を超えない**場合
> ②教育訓練給付対象者が基準日前**3年以内**に教育訓練給付金の支給を受けたことがある場合

解答　A

教育訓練給付（2）

過令3

難易度 普　重要度 **A**

教育訓練給付に関する次の記述のうち、誤っているものはどれか。なお、本問において、「教育訓練」とは、雇用保険法第60条の2第1項の規定に基づき厚生労働大臣が指定する教育訓練のことをいう。

A　特定一般教育訓練受講予定者は、キャリアコンサルティングを踏まえて記載した職務経歴等記録書を添えて管轄公共職業安定所の長に所定の書類を提出しなければならない。

B　一般教育訓練給付金は、一時金として支給される。

C　偽りその他不正の行為により教育訓練給付金の支給を受けたことから教育訓練給付金を受けることができないとされた者であっても、その後新たに教育訓練給付金の支給を受けることができるものとなった場合には、教育訓練給付金を受けることができる。

D　専門実践教育訓練を開始した日における年齢が45歳以上の者は、教育訓練支援給付金を受けることができない。

E　一般被保険者でなくなって1年を経過しない者が負傷により30日以上教育訓練を開始することができない場合であって、傷病手当の支給を受けているときは、教育訓練給付適用対象期間延長の対象とならない。

A ○ 則101条の2の11の2第1項。特定一般教育訓練受講予定者は、訓練を受講する前に、キャリアコンサルタントによるキャリアコンサルティング（**訓練前キャリアコンサルティング**）を受けなければなりません。特定一般教育訓練に係る教育訓練給付金の支給申請手続においては、訓練前キャリアコンサルティングを踏まえて記載した職務経歴等記録書を添付することとされています。

B ○ 行政手引58014。一般教育訓練に係る教育訓練給付金は、「一般教育訓練の受講費用×**100分の20**」の額（上限額10万円）が一時金として支給されます。

C ○ 法60条の3第2項。偽りその他不正の行為により教育訓練給付金の支給を受け、又は受けようとした者には、やむを得ない理由がある場合を除き、当該給付金の支給を受け、又は受けようとした**日以後**、教育訓練給付金は支給されません。ただし、この給付制限が行われた者も、新たに教育訓練給付金の支給を受けることができる者となった場合には、教育訓練給付金の支給を受けることができます。

D ○ 法附則11条の2第1項。教育訓練支援給付金は、教育訓練給付対象者のうち45歳未満の離職者（所定の要件を満たす者に限る。）が、令和9年3月31日以前に専門実践教育訓練を開始した場合に、当該教育訓練を受けている日のうち失業している日について支給されます。

E × 行政手引58022。延長の対象となります。教育訓練を開始した日（以下「基準日」という。）において一般被保険者等でない者が、教育訓練給付対象者となるためには、基準日が当該基準日の直前の一般被保険者等でなくなった日から**1年以内**にあることが必要ですが、この「1年以内」の間に妊娠、出産、育児等の理由により引き続き30日以上対象教育訓練の受講を開始することができない日がある場合には、当該一般被保険者等でなくなった日から基準日までの教育訓練給付の対象となり得る期間（適用対象期間）の延長が認められます（延長後の期間の上限は、**20年**）。この延長が認められる理由のうちの「疾病又は負傷」については、当該疾病又は負傷を理由として傷病手当の支給を受ける場合であってもよく、当該疾病又は負傷に係る期間は、**延長の対象に含める**ものとされています。

4章 雇用保険法

解答　E

高年齢雇用継続給付

過令4

難易度 **普**　重要度 **B**

高年齢雇用継続給付に関する次の記述のうち、正しいものはどれか。

A　60歳に達した被保険者(短期雇用特例被保険者及び日雇労働被保険者を除く。)であって、57歳から59歳まで連続して20か月間基本手当等を受けずに被保険者でなかったものが、当該期間を含まない過去の被保険者期間が通算して5年以上であるときは、他の要件を満たす限り、60歳に達した日の属する月から高年齢雇用継続基本給付金が支給される。

B　支給対象期間の暦月の初日から末日までの間に引き続いて介護休業給付の支給対象となる休業を取得した場合、他の要件を満たす限り当該月に係る高年齢雇用継続基本給付金を受けることができる。

C　高年齢再就職給付金の支給を受けることができる者が同一の就職につき再就職手当の支給を受けることができる場合、その者の意思にかかわらず高年齢再就職給付金が支給され、再就職手当が支給停止となる。

D　高年齢雇用継続基本給付金の受給資格者が、被保険者資格喪失後、基本手当の支給を受けずに8か月で雇用され被保険者資格を再取得したときは、新たに取得した被保険者資格に係る高年齢雇用継続基本給付金を受けることができない。

E　高年齢再就職給付金の受給資格者が、被保険者資格喪失後、基本手当の支給を受け、その支給残日数が80日であった場合、その後被保険者資格の再取得があったとしても高年齢再就職給付金は支給されない。

A　✕　法61条1項、行政手引59011。60歳に達した日の属する月からは、高年齢雇用継続基本給付金は**支給されません**。高年齢雇用継続基本給付金の支給を受けるためには、**算定基礎期間に相当する期間が通算して5年以上であること**が必要です。設問の者は、57歳から59歳まで連続して20ヵ月間（1年超）、被保険者でなかったことから、これ以前の被保険者であった期間を算定基礎期間に相当する期間に通算することができず、60歳に達した日において、算定基礎期間に相当する期間が5年に満たないためです。

B　✕　法61条2項。設問の月については、**受けることができません**。暦月の初日から末日までの間に引き続いて介護休業給付の支給対象となる休業を取得した月は、支給対象月となりません。「**支給対象月**」とは、被保険者が60歳に達した日の属する月から65歳に達する日の属する月までの期間内にある月のうち、その月の初日から末日まで引き続いて、①被保険者であり、かつ、②**介護休業給付金**又は育児休業給付金、出生時育児休業給付金若しくは出生後休業支援給付金の**支給を受けることができる休業をしなかった月**をいいます。

C　✕　法61条の2第4項。設問の場合には、**その者の選択**により、高年齢再就職給付金又は再就職手当の**いずれか一方が支給**されます（併給調整）。その者の意思にかかわらず、高年齢再就職給付金が支給されるのではありません。

D　✕　行政手引59311。高年齢雇用継続基本給付金の受給資格者が、被保険者資格喪失後、**基本手当の支給を受けずに**、**1年以内**に雇用され**被保険者資格を再取得**したときは、所定の要件を満たす限り、新たに取得した被保険者資格に係る高年齢雇用継続基本給付金を**受けることができます**。

E　○　法61条の2第1項1号、行政手引59314。高年齢再就職給付金の受給資格者が、被保険者資格喪失後、当該高年齢再就職給付金に係る基本手当の受給資格に基づいて再度**基本手当の支給を受け**、その後に**被保険者資格を再取得**した場合は、当該再度の基本手当の支給分を差し引いても**支給残日数**が100日以上であれば、再度、高年齢再就職給付金の支給対象となります。設問の者は、基本手当の支給残日数が80日であり、「支給残日数が100日以上」という要件を満たしていないので、高年齢再就職給付金は支給されません。

4章　雇用保険法

解答　E

介護休業給付

過平30 変更D

難易度 難　重要度 B

介護休業給付金に関する次の記述のうち、正しいものはどれか。なお、本問の被保険者には、短期雇用特例被保険者及び日雇労働被保険者を含めないものとする。

A　被保険者が介護休業給付金の支給を受けたことがある場合、同一の対象家族について当該被保険者が3回以上の介護休業をした場合における3回目以後の介護休業については、介護休業給付金を支給しない。

B　介護休業給付の対象家族たる父母には養父母が含まれない。

C　被保険者が介護休業給付金の支給を受けたことがある場合、同一の対象家族について当該被保険者がした介護休業ごとに、当該介護休業を開始した日から当該介護休業を終了した日までの日数を合算して得た日数が60日に達した日後の介護休業については、介護休業給付金を支給しない。

D　雇用保険法第37条の5第1項の申出をして高年齢被保険者となった者は、当該申出に係る適用事業のすべての適用事業において介護休業をした場合だけでなく、いずれか一の適用事業においてのみ介護休業をした場合においても、他の要件を満たす限り、介護休業給付金を受給することができる。

E　介護休業給付金の支給を受けた者が、職場に復帰後、他の対象家族に対する介護休業を取得する場合、先行する対象家族に係る介護休業取得回数にかかわらず、当該他の対象家族に係る介護休業開始日に受給資格を満たす限り、これに係る介護休業給付金を受給することができる。

A　✕　法61条の４第６項１号。介護休業給付金が支給されないのは、「４回以上」の介護休業をした場合における「４回目」以後の介護休業についてです。被保険者が介護休業給付金の支給を受けたことがある場合において、当該被保険者が次の①又は②のいずれかに該当する介護休業をしたときは、介護休業給付金は、支給されません。設問は①についてです。

①同一の対象家族について当該被保険者が４回以上の介護休業をした場合における４回目以後の介護休業

②同一の対象家族について当該被保険者がした介護休業ごとに、当該介護休業を開始した日から当該介護休業を終了した日までの日数を合算して得た日数が93日に達した日後の介護休業

B　✕　法61条の４第１項、行政手引59802。介護休業給付の**対象家族**たる父母には、**養父母**も含まれます。

C　✕　法61条の４第６項２号。介護休業給付金を支給しないのは、設問の日数が「60日」ではなく、「93日」に達した日後の介護休業についてです。設問は、選択肢**A**の解説②についてです。

D　✕　法37条の６第１項。申出に係る適用事業のうちいずれか一の適用事業においてのみ介護休業をした場合には、介護休業給付金を受給することができません。申出をして高年齢被保険者となった者（特例高年齢被保険者）が介護休業給付金を受給するためには、申出に係る適用事業の**すべて適用事業において介護休業をした**ことが必要です。

E　○　行政手引59861。たとえば、対象家族である母に係る介護休業給付金の支給を受けた者が、職場に復帰後、他の対象家族である父に対する介護休業を取得する場合についても、この父に係る介護休業開始日において、所定の支給要件を満たせば、介護休業給付金の支給対象となります。

4 章　雇用保険法

解答　E

育児休業等給付

予想

難易度 普　重要度

育児休業等給付に関する次の記述のうち、誤っているものはどれか。なお、本問の被保険者には、短期雇用特例被保険者及び日雇労働被保険者は含めないものとする。

A 育児休業等給付には、育児休業給付、出生後休業支援給付及び育児時短就業給付の３種類があり、育児休業給付は「育児休業給付金及び出生時育児休業給付金」、出生後休業支援給付は「出生後休業支援給付金」、育児時短就業給付は「育児時短就業給付金」とされている。

B 育児休業給付金の額は、当該育児休業給付金の支給に係る休業日数が通算して180日に達するまでの間は、一支給単位期間について、休業開始時賃金日額に支給日数を乗じて得た額の100分の67に相当する額となるが、この「180日」には、すでに同一の子について当該被保険者が支給を受けていた出生時育児休業給付金の支給に係る休業日数が通算される。

C 被保険者は、出生時育児休業給付金の支給を受けようとするときは、原則として、当該出生時育児休業給付金の支給に係る子の出生の日から起算して８週間を経過する日の翌日から当該日から起算して２ヵ月を経過する日の属する月の末日までに、その支給に係る申請書を提出しなければならない。

D 出生後休業支援給付金は、被保険者及びその配偶者がともに、通算して14日以上の出生後休業をした場合に支給されるものであるため、配偶者のない被保険者に対して支給されることはない。

E 育児時短就業給付金の支給に係る「育児時短就業」とは、被保険者について、その２歳に満たない子を養育するための所定労働時間を短縮することによる就業のことをいう。

速習レッスン A：P364、B：P366、C：P367、D：P368、E：P369　解説

A　○　法61条の6第1項〜4項。設問の内容は正しく、育児休業等給付の種類と名称は、次のとおりとなっています。

育児休業等給付	①育児休業給付	育児休業給付金
		出生時育児休業給付金
	②出生後休業支援給付	出生後休業支援給付金
	③育児時短就業給付	育児時短就業給付金

B　○　法61条の7第6項、61条の8第8項。育児休業給付金の額は、出生時育児休業給付金及び育児休業給付金の支給に係る休業日数が通算して180日に達するまでの間は、一支給単位期間について、「休業開始時賃金日額×支給日数×100分の67」による額となります。なお、休業日数181日目以降の額は、「休業開始時賃金日額×支給日数×100分の50」による額となります。

C　○　則101条の33第1項。出生時育児休業給付金の支給申請手続は、子の出生の日（出産予定日前に子が出生した場合には、当該出産予定日）から起算して8週間を経過する日の翌日から当該日から起算して2ヵ月を経過する日の属する月の末日までに行わなければなりません。なお、出生時育児休業を2回に分けて取得する場合でも、この支給申請手続は、1回にまとめて行う必要があります。

D　×　法61条の10第2項。配偶者のない被保険者に対しても、出生後休業支援給付金は支給されます。出生後休業支援給付金は、原則として、「被保険者の配偶者が出生後休業に係る子について出生後休業をしたこと」が支給要件となっていますが、被保険者が次のいずれかに該当する場合には、この要件は問われません。

①配偶者のない者その他厚生労働省令で定める者である場合
②当該被保険者の配偶者が適用事業に雇用される労働者でない場合
③当該被保険者の配偶者が当該出生後休業に係る子について労働基準法に規定する産後休業その他これに相当する休業をした場合
④上記のほか、厚生労働省令で定める場合

E　○　法61条の12第1項。育児時短就業とは、2歳に満たない子を養育するための所定労働時間を短縮することによる就業のことです。育児時短就業給付金は、所定の要件を満たした被保険者が、育児時短就業をした場合に支給されます。

4章　雇用保険法

解答　D

305

雇用保険二事業、費用の負担

予想

難易度 **普**　重要度 **A**

次の記述のうち、正しいものはどれか。

A　政府は雇用安定事業及び能力開発事業の全部又は一部を独立行政法人高齢・障害・求職者雇用支援機構に行わせるものとする。

B　政府は、被保険者及び被保険者であった者に関してのみ、職業生活の全期間を通じて、これらの者の能力を開発し、及び向上させることを促進するため、能力開発事業を行うことができる。

C　雇用保険法第66条第1号イに掲げる場合（雇用情勢等が悪化している場合）における国庫負担の割合は、求職者給付のうちでは、基本手当（広域延長給付を受ける者に支給するものを除く。）に要する費用に係るものよりも、日雇労働求職者給付金に要する費用に係るものの方が低く定められている。

D　国庫は、育児休業給付に要する費用の一部を負担するが、その負担割合は、雇用保険法第66条第1項第1号イに掲げる場合とそれ以外の場合とで、異なる。

E　雇用保険事業（出生後休業支援給付及び育児時短就業給付に係る事業を除く。）の事務の執行に要する経費については、国庫が、毎年度、予算の範囲内において、これを負担する。

A　×　法62条3項、63条3項。**独立行政法人高齢・障害・求職者雇用支援機構**に行わせるものとされているのは、雇用安定事業及び能力開発事業（就職支援法事業を除く。）の**一部**に限られます。

B　×　法63条1項。能力開発事業の対象者は、**被保険者及び被保険者であった者**に限られません。**被保険者になろうとする者**も、対象者に含まれます。この点は、雇用安定事業についても同様です。

C　×　法66条1項1号イ・2号イ。設問の場合の国庫負担の割合は、基本手当に要する費用に係るもの（4分の1）よりも、日雇労働求職者給付金に要する費用に係るもの（3分の1）の方が高く定められています。雇用保険の給付等に対する国庫負担の割合は、次のとおりです。

●給付等に対する国庫負担

給付等の種類	国庫負担の割合	
	雇用情勢等の悪化時	左記以外の場合
①**求職者給付**（下記②③及び高年齢求職者給付金を除く。）	4分の1	40分の1
②広域延長給付	3分の1	30分の1
③日雇労働求職者給付金	3分の1	30分の1
④**雇用継続給付**（介護休業給付金に限る。）	8分の1 ※令和8年度末までは「8分の1の割合による額の100分の10相当額」を国庫負担	
⑤育児休業給付	8分の1	
⑥職業訓練受講給付金	2分の1 ※当分の間、「2分の1の割合による額の100分の55相当額」を国庫負担	

D　×　法66条1項4号。**育児休業給付**に要する費用に係る国庫負担の割合は、設問の場合とそれ以外の場合とで、**異なりません**。設問の場合とそれ以外の場合とで国庫負担の割合が**異なる**のは、求職者給付に限られます。

E　○　法66条5項。国庫は、**毎年度**、予算の範囲内において、次の①②の費用等を負担します。設問は、②についてです。

①**就職支援法事業**に要する費用（職業訓練受講給付金に要する費用を除く。）

②**雇用保険事業**（出生後休業支援給付及び育児時短就業給付に係る事業を除く。）の事務の執行に要する経費

解答　**E**

雇用保険制度全般（1）

過令2

難易度 普　重要度

被保険者資格の得喪と届出に関する次の記述のうち、正しいものはどれか。

A　法人（法人でない労働保険事務組合を含む。）の代表者又は法人若しくは人の代理人、使用人その他の従業者が、その法人又は人の業務に関して、雇用保険法第7条に規定する届出の義務に違反する行為をしたときは、その法人又は人に対して罰金刑を科すが、行為者を罰することはない。

B　公共職業安定所長は、雇用保険被保険者資格喪失届の提出があった場合において、被保険者でなくなったことの事実がないと認めるときは、その旨につき当該届出をした事業主に通知しなければならないが、被保険者でなくなったことの事実がないと認められた者に対しては通知しないことができる。

C　雇用保険の被保険者が国、都道府県、市町村その他これらに準ずるものの事業に雇用される者のうち、離職した場合に、他の法令、条例、規則等に基づいて支給を受けるべき諸給与の内容が法の規定する求職者給付及び就職促進給付の内容を超えると認められるものであって雇用保険法施行規則第4条に定めるものに該当するに至ったときは、その日の属する月の翌月の初日から雇用保険の被保険者資格を喪失する。

D　適用事業に雇用された者で、雇用保険法第6条に定める適用除外に該当しないものは、雇用契約の成立日ではなく、雇用関係に入った最初の日に被保険者資格を取得する。

E　暫定任意適用事業の事業主がその事業について任意加入の認可を受けたときは、その事業に雇用される者は、当該認可の申請がなされた日に被保険者資格を取得する。

A　✕　法86条1項。設問の場合には、行為者も罰せられます。法人（法人でない労働保険事務組合を含む。）の**代表者**又は法人若しくは人の**代理人、使用人**その他の従業者が、その法人又は人の業務に関して、所定の違反行為をしたときは、**行為者**が罰せられるほか、その**法人又は人に対しても**各本条の罰金刑が科せられます（両罰規定）。設問の違反行為も、この処罰の対象となります。

B　✕　則11条1項。被保険者でなくなったことの事実がないと認められた者に対しても**通知しなければなりません**。公共職業安定所長は、資格取得届又は資格喪失届の提出があった場合において、被保険者となったこと又は被保険者でなくなったことの事実がないと認めるときは、その旨を次の者に通知しなければなりません。

①被保険者となったこと又は被保険者でなくなったことの事実がないと認められた者

②当該届出をした事業主

C　✕　行政手引20604。「その日の属する月の翌月の初日」ではなく、「その日」から被保険者の資格を喪失します。設問の場合には、雇用保険の適用除外に該当することとなるため、**その日**に被保険者の資格を喪失したものとして取り扱われます。

D　〇　行政手引20551。適用事業に雇用された者は、原則として、その適用事業に**雇用されるに至った日**から、被保険者の資格を取得します。この場合の「雇用されるに至った日」とは、雇用契約の成立の日を意味するものではなく、**雇用関係に入った最初の日**のことです。

E　✕　行政手引20556。設問の場合には、「当該認可の申請がなされた日」ではなく、「当該認可のあった日」に被保険者の資格を取得します。暫定任意適用事業の事業主がその事業について任意加入の認可を受けたときは、その日に、当該事業は適用事業となり、その事業に雇用される者は、適用事業に雇用された者となります。したがって、この者は、**認可があった日**に被保険者資格を取得します。

4章

雇用保険法

解答　D

問題 **125**

雇用保険制度全般（2）

過平29

難易度 **易**　重要度 **A**

高年齢被保険者に関する次の記述のうち、正しいものはどれか。

A　高年齢求職者給付金の支給を受けた者が、失業の認定の翌日に就職した場合、当該高年齢求職者給付金を返還しなければならない。

B　疾病又は負傷のため労務に服することができない高年齢被保険者は、傷病手当を受給することができる。

C　雇用保険法第60条の2に規定する支給要件期間が2年である高年齢被保険者は、厚生労働大臣が指定する教育訓練を受け、当該教育訓練を修了した場合、他の要件を満たしても教育訓練給付金を受給することができない。

D　高年齢求職者給付金の支給を受けようとする高年齢受給資格者は、公共職業安定所において、離職後最初に出頭した日から起算して4週間に1回ずつ直前の28日の各日について、失業の認定を受けなければならない。

E　雇用保険法によると、高年齢求職者給付金の支給に要する費用は、国庫の負担の対象とはならない。

A　✕　行政手引54201。失業の認定の翌日に就職した場合であっても、高年齢求職者給付金を返還する必要はありません。**高年齢求職者給付金**は、基本手当等と異なり、失業している日数に対応して支給されるものでなく、失業の状態にあれば支給されるものであり、**失業の認定日に失業の状態にあれば**、その翌日から就職したとしても**返還の必要はありません**。

B　✕　法10条3項。高年齢被保険者は傷病手当を受給することができません。傷病手当は、一般被保険者に係る求職者給付の1つであり、高年齢被保険者に支給されることはありません。高年齢被保険者に係る求職者給付は、**高年齢求職者給付金のみ**です。

C　✕　法60条の2第1項1号、法附則11条。高年齢被保険者も、所定の要件を満たせば、教育訓練給付金を受給することができます。教育訓練給付金は、次のいずれかに該当する者が、厚生労働大臣が指定する教育訓練を受け、当該教育訓練を修了した場合において、支給要件期間が一定以上であるときに、支給されます。また、支給要件期間は、初めて教育訓練給付金の支給を受ける者については、当分の間、**1年以上**（専門実践教育訓練に係る教育訓練給付金を受ける者にあっては、**2年以上**）であれば足ります。

①当該**教育訓練を開始した日**（以下「**基準日**」という。）に**一般被保険者又は高年齢被保険者である者**

②上記①以外の者であって、基準日が当該基準日の直前の**一般被保険者又は高年齢被保険者でなくなった日**から1年以内にあるもの

D　✕　法37条の4第5項。失業の認定日に1回、失業の認定を受ければ足ります。高年齢求職者給付金の支給を受けようとする高年齢受給資格者は、離職の日の翌日から起算して**1年を経過する日**までに、公共職業安定所に出頭し、**求職の申込み**をした上、**失業していることについての認定**を受けなければなりません。

E　〇　法66条1項。高年齢求職者給付金、**就職促進給付**、**教育訓練給付**、**高年齢雇用継続給付**及び**雇用保険二事業**（就職支援法事業を除く。）に要する費用については、国庫負担の対象となりません。

解答　E

[選択式] **目的等**

予想 　　　　　　　　　　　　　　　　　　難易度 **普**　重要度 **B**

次の文中の▢▢▢の部分を選択肢の中の最も適切な語句で埋め、完全な文章とせよ。

1　雇用保険法第1条は、「雇用保険は、労働者が失業した場合及び労働者について雇用の継続が困難となる事由が生じた場合に必要な給付を行うほか、労働者が自ら職業に関する教育訓練を受けた場合並びに労働者が　A　をした場合に必要な給付を行うことにより、労働者の生活及び雇用の安定を図るとともに、求職活動を容易にする等その就職を促進し、あわせて、労働者の　B　の安定に資するため、失業の予防、雇用状態の是正及び　C　、労働者の能力の開発及び向上その他労働者の福祉の増進を図ることを目的とする。」と規定している。

2　雇用保険法第2条第2項は、「雇用保険の事務の一部は、政令で定めるところにより、　D　が行うこととすることができる。」と規定している。

3　雇用保険法第4条第3項は、「この法律において「失業」とは、被保険者が離職し、　E　にもかかわらず、職業に就くことができない状態にあることをいう。」と規定している。

選択肢

①就労環境　　　　　　　　②自己の責めに帰すべき事由がない
③市町村長　　　　　　　　④就業のための住所又は居所の変更
⑤都道府県知事　　　　　　⑥職業に就くことを希望している
⑦職業生活の充実　　　　　⑧疾病又は負傷による長期の療養
⑨再就職の促進　　　　　　⑩労働の意思及び能力を有する
⑪経済的地位　　　　　　　⑫労働することができる環境にある
⑬職業　　　　　　　　　　⑭家族を介護するための休業
⑮労働条件の向上
⑯子を養育するための休業及び所定労働時間を短縮することによる就業
⑰社会生活　　　　　　　　⑱雇用機会の増大
⑲日本年金機構　　　　　　⑳独立行政法人高齢・障害・求職者雇用支援機構

A～Cは法1条、Dは法2条2項、Eは法4条3項。

1　雇用保険法の主たる目的は、次の場合に**必要な給付**を行うことにより、労働者の生活及び雇用の安定を図るとともに、その就職を促進することにあります。

> (1) 労働者が**失業**した場合
> (2) 労働者について**雇用の継続が困難**となる事由が生じた場合
> (3) 労働者が自ら職業に関する**教育訓練**を受けた場合
> (4) 労働者が子を養育するための休業及び所定労働時間を短縮することによる就業をした場合

　また、労働者の職業の**安定**に資するため、**失業の予防、雇用状態の是正及び雇用機会の増大**、労働者の**能力の開発及び向上**その他労働者の**福祉の増進**を図ることも雇用保険法の目的に掲げられています。

2　雇用保険は、**政府**が管掌していますが、その事務の一部は、政令で定めるところにより、**都道府県知事**が行うこととすることができます。具体的には、雇用保険二事業のうち能力開発事業の一部の事業の実施に関する事務を都道府県知事が行っています。

3　雇用保険法において「**失業**」とは、被保険者が離職し、**労働の意思及び能力を有する**にもかかわらず、**職業に就くことができない**状態にあることをいいます。「労働の意思」とは、就職しようとする積極的な意思をいい、「労働の能力」とは、労働に従事し、その対価を得て自己の生活に資し得る精神的・肉体的及び環境上の能力をいいます。これらを有するにもかかわらず、公共職業安定所が最大の努力をしても就職させることができず、本人の努力によっても就職できない状態にあってはじめて、失業に該当するわけです。

4章 雇用保険法

解答　A ⑯子を養育するための休業及び所定労働時間を短縮することによる就業　B ⑬職業　C ⑱雇用機会の増大　D ⑤都道府県知事　E ⑩労働の意思及び能力を有する

〔選択式〕雇用保険制度（1）

次の文中の ☐ の部分を選択肢の中の最も適切な語句で埋め、完全な文章とせよ。

1　未支給の基本手当の請求手続に関する雇用保険法第31条第1項は、「第10条の3第1項の規定により、受給資格者が死亡したため失業の認定を受けることができなかつた期間に係る基本手当の支給を請求する者は、厚生労働省令で定めるところにより、当該受給資格者について ☐ A ☐ の認定を受けなければならない。」と規定している。

2　雇用保険法第43条第2項は、「日雇労働被保険者が前 ☐ B ☐ の各月において ☐ C ☐ 以上同一の事業主の適用事業に雇用された場合又は同一の事業主の適用事業に継続して31日以上雇用された場合において、厚生労働省令で定めるところにより公共職業安定所長の認可を受けたときは、その者は、引き続き、日雇労働被保険者となることができる。」と規定している。

3　雇用保険法第64条の2は、「雇用安定事業及び能力開発事業は、被保険者等の ☐ D ☐ を図るため、 ☐ E ☐ の向上に資するものとなるよう留意しつつ、行われるものとする。」と規定している。

選択肢

A	①失業 ③未支給給付請求者	②死亡 ④未支給の基本手当支給		
B	①2月	②3月	③4月	④6月
C	①11日	②16日	③18日	④20日
D	①雇用及び生活の安定 ③職業の安定	②職業生活の安定 ④生活の安定		
E	①経済的社会的地位 ③労働条件	②地位 ④労働生産性		

Aは法31条1項、B・Cは法43条2項、D・Eは法64条の2。

1　未支給の基本手当の請求権者は、(1)受給資格者がすでに**失業の認定を受けた後に死亡**した場合に当該認定を受けた期間に係るものはもちろん、(2)**失業の認定を受ける前に死亡**した場合に当該認定を受けることができなかった期間に係るものについても、その支給を請求することができます。ただし、前記（2）の受給資格者が死亡したため失業の認定を受けることができなかった期間に係る基本手当の支給を請求する者は、当該受給資格者について**失業の認定**を受けなければなりません。

2　日雇労働被保険者であっても、次のいずれかに該当するときは、日雇労働者として取り扱われないため、その資格が、一般被保険者、高年齢被保険者又は短期雇用特例被保険者に切り替えられます。ただし、この場合であっても、**公共職業安定所長の認可**を受けたときは、その者は、引き続き、日雇労働被保険者となることができます。

　(1) **前2ヵ月の各月において18日以上**同一の事業主の適用事業に雇用された場合

　(2) 同一の事業主の適用事業に**継続して31日以上**雇用された場合

3　雇用保険二事業における留意事項（理念）です。雇用保険二事業（雇用安定事業及び能力開発事業）は、被保険者等の職業の安定を図るため、**労働生産性の向上**に資するものとなるよう留意しつつ、行われるものとされています。

4章 雇用保険法

解答　A ①失業　B ①2月　C ③18日　D ③職業の安定
E ④労働生産性

［選択式］雇用保険制度（2）

過令元改

難易度 **易**　重要度 **Ⓐ**

次の文中の□□□の部分を選択肢の中の最も適切な語句で埋め、完全な文章とせよ。

1　雇用保険法第21条は、「基本手当は、受給資格者が当該基本手当の受給資格に係る離職後最初に公共職業安定所に求職の申込みをした日以後において、失業している日（　**A**　のため職業に就くことができない日を含む。）が　**B**　に満たない間は、支給しない。」と規定している。

2　雇用保険法第61条の7第1項は、育児休業給付金について定めており、被保険者（短期雇用特例被保険者及び日雇労働被保険者を除く。）が厚生労働省令で定めるところにより子を養育するための休業（以下「育児休業」という。）をした場合、当該育児休業（当該子について2回以上の育児休業をした場合にあっては、初回の育児休業とする。）　**C**　前2年間（当該育児休業　**C**　前2年間に疾病、負傷その他厚生労働省令で定める理由により　**D**　以上賃金の支払を受けることができなかった被保険者については、当該理由により賃金の支払を受けることができなかった日数を2年に加算した期間（その期間が4年を超えるときは、4年間））に、みなし被保険者期間が　**E**　以上であったときに、支給単位期間について支給する旨を規定している。

選択肢

①の開始予定日　　　　　　　　②を開始した日

③を事業主に申し出た日　　　　④激甚災害その他の災害

⑤疾病又は負傷　　　　　　　　⑥心身の障害

⑦通算して7日　　　　　　　　⑧通算して10日

⑨通算して20日　　　　　　　　⑩通算して30日

⑪通算して6箇月　　　　　　　⑫通算して12箇月

⑬引き続き7日　　　　　　　　⑭引き続き10日

⑮引き続き20日　　　　　　　　⑯引き続き30日

⑰引き続き6箇月　　　　　　　⑱引き続き12箇月

⑲に係る子が1歳に達した日　　⑳妊娠、出産又は育児

A・Bは法21条、C～Eは法61条の7第1項。

1 基本手当の待期期間についてです。待期期間とは、受給資格者が離職後最初に公共職業安定所に求職の申込みをした日以後において、失業している日が**通算して7日**に達するまでの期間のことであり、この間は基本手当が支給されません。この場合の「失業している日」には、**疾病又は負傷**のため職業に就くことができない日も**含む**ものとされています。

2 育児休業給付金の支給要件についてです。育児休業給付金は、被保険者（短期雇用特例被保険者及び日雇労働被保険者を除く。）が、その1歳（一定の場合には、1歳6ヵ月又は2歳）に満たない子を養育するための休業（育児休業）をした場合において、当該休業を開始した**日前2年間**に、みなし被保険者期間が**通算して12ヵ月以上**であったときに、支給単位期間について支給されます。この要件は、被保険者が当該子について2回以上の育児休業をした場合には、**初回**の育児休業について満たしている必要があります。また、この場合の「当該休業を開始した日前2年間」については、その期間に疾病、負傷その他厚生労働省令で定める理由により**引き続き30日以上**賃金の支払いを受けることができなかった期間がある場合には、その日数を2年に加算した期間（加算後の期間が4年を超えるときは、**4年間**）とする延長措置が設けられています。

4章
雇用保険法

解答　A ⑤疾病又は負傷　B ⑦通算して7日　C ②を開始した日
D ⑯引き続き30日　E ⑫通算して12箇月

［選択式］ 求職活動支援費

予想

難易度 普　重要度 C

次の文中の□□□の部分を選択肢の中の最も適切な語句で埋め、完全な文章とせよ。

1　求職活動支援費は、次の(1)から(3)までに掲げる場合の区分に応じて、(1)から(3)までに定めるものを支給するものとする。

(1)　公共職業安定所の紹介による広範囲の地域にわたる求職活動をする場合
…… 広域求職活動費

(2)　公共職業安定所の職業指導に従って行う職業に関する教育訓練の受講その他の活動をする場合 …… 短期訓練受講費

(3)　求職活動を容易にするための役務の利用をする場合 ……　 A

2　受給資格者等は、広域求職活動費の支給を受けようとするときは、公共職業安定所の指示による広域求職活動を　 B 　から起算して10日以内に、求職活動支援費（広域求職活動費）支給申請書を管轄公共職業安定所の長に提出しなければならない。

3　短期訓練受講費の額は、受給資格者等が公共職業安定所の職業指導により再就職の促進を図るために必要な職業に関する教育訓練の受講のために支払った費用の額に　 C 　を乗じて得た額（その額が　 D 　を超えるときは、　 D 　）とする。

4　高年齢受給資格者、特例受給資格者又は日雇受給資格者が求職活動支援費（　 A 　）支給申請書を提出する場合は、当該　 A 　の支給に係る保育等サービスを利用した日の翌日から起算して　 E 　以内に提出しなければならない。

選択肢

①終了した日	②100分の20	③20万円	④5万円
⑤4ヵ月	⑥開始した日	⑦30万円	⑧求職活動関連費
⑨10万円	⑩1ヵ月	⑪100分の30	⑫6ヵ月
⑬求職活動関係役務利用費		⑭終了した日の翌日	
⑮100分の50		⑯2ヵ月	
⑰100分の80		⑱開始した日の翌日	
⑲求職活動関係利用費		⑳求職活動役務利用費	

Aは則95条の2第3号、Bは則99条1項、C・Dは則100条の3、Eは則100条の8第3項。

1　求職活動支援費の種類についてです。**求職活動支援費**には、次の(1)〜(3)の3種類があります。

> (1)　**広域求職活動費**（公共職業安定所の紹介による広範囲の地域にわたる求職活動（管轄公共職業安定所の管轄区域外における求職活動）をする場合）
>
> (2)　**短期訓練受講費**（公共職業安定所の職業指導に従って行う職業に関する教育訓練の受講その他の活動（教育訓練給付金の対象となっていない短期の訓練の受講等）をする場合）
>
> (3)　求職活動関係役務利用費（求職活動を容易にするための役務の利用（保育等サービスの利用）をする場合）

2　広域求職活動費の支給申請期限は、公共職業安定所の指示による**広域求職活動**を終了した日の翌日から起算して**10日以内**です。また、その支給申請先は、管轄公共職業安定所の長です。

3　短期訓練受講費の額は、「所定の教育訓練の受講費（入学料及び受講料に限る。）の額×100分の20」によって計算された額です。ただし、当該計算された額が10万円を超えるときは、10万円となります。

4　求職活動関係役務利用費支給申請書の提出は、基本手当の受給資格者にあっては、失業の認定の対象となる日について、当該失業の認定を受ける日にしなければなりません。一方、高年齢受給資格者、特例受給資格者又は日雇受給資格者にあっては、保育等サービスを利用した日の翌日から起算して4ヵ月以内に提出しなければならないものとされています。

4章 雇用保険法

解答　A　⑬求職活動関係役務利用費　B　⑭終了した日の翌日
C　②100分の20　D　⑨10万円　E　⑤4ヵ月

［選択式］育児休業等給付

予想　　　　　　　　　　　　　　　　　　難易度 普　重要度 B

次の文中の□□□の部分を選択肢の中の最も適切な語句で埋め、完全な文章とせよ。

1　出生後休業支援給付金の額は、出生後休業支援給付金の支給を受けることができる被保険者を受給資格者と、当該被保険者が当該出生後休業支援給付金の支給に係る出生後休業（同一の子について2回以上の出生後休業をした場合にあっては、初回の出生後休業とする。）を　A　を受給資格に係る離職の日とみなして雇用保険法第17条の規定を適用した場合に算定されることとなる賃金日額に相当する額に当該被保険者が対象期間内に出生後休業をした日数（その日数が　B　を超えるときは、　B　）を乗じて得た額の　C　に相当する額である。

2　育児時短就業給付金の支給の対象となる「支給対象月」とは、被保険者が育児時短就業を開始した日の属する月から当該育児時短就業を　D　までの期間内にある月（その月の初日から末日まで引き続いて、被保険者であり、かつ、　E　又は育児休業給付金、出生時育児休業給付金若しくは出生後休業支援給付金の支給を受けることができる休業をしなかった月に限る。）をいう。

選択肢

①開始した日　　　　　　②開始した日の前日　　　　③終了した日

④終了した日の翌日　　　⑤14日　　　　　　　　　　⑥28日

⑦30日　　　　　　　　　⑧60日　　　　　　　　　　⑨100分の10

⑩100分の13　　　　　　⑪100分の50　　　　　　　⑫100分の67

⑬終了した日の属する月　　　　　　⑭終了した日の翌日の属する月

⑮終了した日の属する月の前月　　　⑯終了した日の翌日の属する月の前月

⑰雇用継続給付　　　　　　　　　　⑱高年齢雇用継続基本給付金

⑲高年齢再就職給付金　　　　　　　⑳介護休業給付金

A～Cは法61条の10第6項、D・Eは法61条の12第5項。

1　出生後休業支援給付金の額は、出生後休業を開始した日の前日を受給資格に係る**離職の日**とみなして算定されることとなる**賃金日額に相当する額**（以下では「休業開始時賃金日額」と記載します。）を算定の基礎として、次のように計算されます。

> **休業開始時賃金日額 × 出生後休業をした日数（28日が上限）× 100分の13**

　　出生後休業支援給付金は、令和7年4月1日施行の改正により育児休業給付（育児休業給付金及び出生時育児休業給付金）の上乗せ給付として創設されました。28日分を限度に、「給付率13％」の出生後休業支援給付金と「給付率67％」である育児休業給付とを合わせて、「給付率80％」に相当する額が支給されます。

2　育児時短就業給付金の支給に係る「**支給対象月**」とは、「被保険者が育児時短就業を**開始した日の属する月**から当該育児時短就業を終了した日の属する月までの期間内にある月（暦月）」のことです。ただし、その月の初日から末日まで引き続いて、①**被保険者**であり、かつ、②**介護休業給付金**又は育児休業給付金、出生時育児休業給付金若しくは出生後休業支援給付金の支給を受けることができる**休業**をしなかった月に限られます。②については、言い換えると、初日から末日まで引き続いて、介護休業給付金等の支給を受けることができる休業を取得していた月については、育児時短就業給付金は支給されません。

　　なお、上記の「ただし」以降の要件は、高年齢雇用継続給付（高年齢雇用継続基本給付金及び高年齢再就職給付金）の支給に係る「支給対象月」と同じ要件となっています。

4
章

雇
用
保
険
法

解答　A　②開始した日の前日　B　⑥28日　C　⑩100分の13
　　　　D　⑬終了した日の属する月　E　⑳介護休業給付金

［選択式］ **不服申立て等**

予想

難易度 普　重要度 B

次の文中の□□□の部分を選択肢の中の最も適切な語句で埋め、完全な文章とせよ。

1　雇用保険法第9条の規定による被保険者資格の取得又は喪失の確認、 A に関する処分又は A の不正受給による返還命令等に関する処分に不服のある者は、 B に対して審査請求をし、その決定に不服のある者は、 C に対して再審査請求をすることができる。

2　上記1の審査請求をしている者は、審査請求をした日の翌日から起算して D を経過しても審査請求についての決定がないときは、 B が審査請求を棄却したものとみなすことができる。

3　厚生労働大臣は、雇用保険法の施行に関する重要事項について決定しようとするときは、あらかじめ、 E の意見を聴かなければならない。

選択肢

①60日	②3ヵ月	③労働基準監督官
④労働政策審議会	⑤1ヵ月	⑥労働保険審査官
⑦厚生労働大臣	⑧失業等給付等	⑨社会保障審議会
⑩2ヵ月	⑪就職促進給付	⑫教育訓練給付
⑬雇用保険審査官	⑭求職者給付	⑮都道府県労働局
⑯公共職業安定所	⑰労働基準監督署長	⑱労働保険審査会
⑲中央社会保険医療協議会	⑳労働政策協議会	

A ～ Cは法69条1項、Dは法69条2項、Eは法72条1項。

1　不服申立てからの出題です。次の処分に不服のある者は、雇用保険審査官に対して**審査請求**をし、その決定に不服のある者は、労働保険審査会に対して**再審査請求**をすることができます。

(1)　**被保険者資格の得喪**の確認に関する処分

(2)　失業等給付等に関する処分

(3)　**不正受給による返還命令及び納付命令**に関する処分

　　これら以外の処分についての不服申立ては、一般法である行政不服審査法の規定により審査請求を行うことになります。

2　審査請求をしたにもかかわらず、これをした日の翌日から起算して3ヵ月を経過しても審査請求についての決定がないときは、雇用保険審査官が**審査請求を棄却**したものとみなすことができます。この場合には、労働保険審査会への再審査請求や裁判所への訴訟の提起が可能となります。

3　労働政策審議会への諮問です。**厚生労働大臣**は、雇用保険法の施行に関する重要事項について決定しようとするときは、あらかじめ、**労働政策審議会の意見**を聴かなければなりません。なお、労働政策審議会の委員は30人であり、労働者を代表する者、使用者を代表する者及び公益を代表する者のうちから、厚生労働大臣が各同数を任命することとされています。

横断チェック

労働保険と社会保険の二審制の比較

		労働保険（労災・雇用）	社会保険（健保・国年・厚年）
審査請求	請求先	労働者災害補償保険審査官又は雇用保険審査官	社会保険審査官
	請求期間 / 手段	3ヵ月 / 文書又は口頭	3ヵ月 / 文書又は口頭
	棄却みなし	審査請求をした日から3ヵ月を経過しても決定がないとき	審査請求をした日から2ヵ月以内に決定がないとき
再審査請求	請求先	労働保険審査会	社会保険審査会
	請求期間 / 手段	2ヵ月 / 文書のみ	2ヵ月 / 文書又は口頭

解答　A ⑧失業等給付等　B ⑬雇用保険審査官　C ⑱労働保険審査会
D ②3ヵ月　E ④労働政策審議会

基本まとめ　基本手当の所定給付日数

①一般の受給資格者（下記②③以外の者）

年齢 ＼ 算定基礎期間	10年未満	10年以上 20年未満	20年以上
全年齢	90日	120日	150日

②就職困難者

年齢 ＼ 算定基礎期間	1年未満	1年以上
45歳未満	150日	300日
45歳以上65歳未満		360日

③特定受給資格者（上記②以外の者）

年齢 ＼ 算定基礎期間	1年未満	1年以上 5年未満	5年以上 10年未満	10年以上 20年未満	20年以上
30歳未満	90日	90日	120日	180日	－
30歳以上35歳未満		120日	180日	210日	240日
35歳以上45歳未満		150日	180日	240日	270日
45歳以上60歳未満		180日	240日	270日	330日
60歳以上65歳未満		150日	180日	210日	240日

基本まとめ　基本手当の給付制限のまとめ

制限事由	通常の給付制限 （延長給付以外）	延長給付	
		訓練待期中・訓練受講中の訓練延長給付	左記以外の 延長給付
就職拒否 職業訓練拒否	拒んだ日から起算して1ヵ月間不支給		拒んだ日以後不支給
職業指導拒否	拒んだ日から起算して1ヵ月を超えない範囲内において公共職業安定所長の定める期間不支給		
離職理由による給付制限	**待期期間満了後**1ヵ月以上3ヵ月以内の間で公共職業安定所長の定める期間不支給※		

※公共職業訓練等の受講開始日以後の期間等については、離職理由による給付制限は解除される。

労働保険徴収法

この科目は過去問の攻略がカギです！

総則等（1）

過平29

難易度 **難**　重要度 **B**

労働保険徴収法第2条に定める賃金に関する次の記述のうち、誤っているものはどれか。

A 労働者が在職中に、退職金相当額の全部又は一部を給与や賞与に上乗せするなど前払いされる場合は、原則として、一般保険料の算定基礎となる賃金総額に算入する。

B 遡って昇給が決定し、個々人に対する昇給額が未決定のまま離職した場合において、離職後支払われる昇給差額については、個々人に対して昇給をするということ及びその計算方法が決定しており、ただその計算の結果が離職時までにまだ算出されていないというものであるならば、事業主としては支払義務が確定したものとなるから、賃金として取り扱われる。

C 労働者が賃金締切日前に死亡したため支払われていない賃金に対する保険料は、徴収しない。

D 労働者の退職後の生活保障や在職中の死亡保障を行うことを目的として事業主が労働者を被保険者として保険会社と生命保険等厚生保険の契約をし、会社が当該保険の保険料を全額負担した場合の当該保険料は、賃金とは認められない。

E 住居の利益は、住居施設等を無償で供与される場合において、住居施設が供与されない者に対して、住居の利益を受ける者との均衡を失しない定額の均衡手当が一律に支給されない場合は、当該住居の利益は賃金とならない。

A ◯　平15基徴発1001001号。設問のいわゆる**前払退職金**は、原則として、賃金に該当し、**賃金総額に算入**します。なお、退職を事由として支払われる退職金であって、退職時に支払われるもの又は事業主の都合等により退職前に一時金として支払われるものは、賃金に該当せず、一般保険料の算定基礎となる賃金総額に算入しません。

B ◯　昭32.12.27失保収652号。現実に支払われたものは賃金として取り扱われますが、未だ支払われていないが、**支払いが確定**したものも、賃金として取り扱われます。設問の昇給がさかのぼって行われた場合の**昇給差額**は、事業主として**支払義務が確定**したものであるから、賃金として**取り扱われます**。

C ×　昭32.12.27失保収652号。保険料は**徴収されます**。労働者が**賃金締切日前に死亡**した場合は、死亡前に提供された労働の対償としての賃金の支払義務は、**死亡時には確定**しています。賃金の支払義務が確定しているため、この賃金に関して、保険料は徴収されます。

D ◯　昭30.3.31基災収1239号。賃金とは**認められません**。会社が負担する生命保険等厚生保険の保険料（**生命保険の掛金**）は、労働の対償として支払われるものではなく、労働者の**福利厚生**のために負担するものであるからです。なお、労働者が法令の定めに基づいて負担すべき社会保険料等を事業主が労働者に代わって負担する場合は、労働者が法律上当然に生ずる義務を免れることとなるため、当該事業主が労働者に代わって負担する部分は、賃金と認められます。

E ◯　昭22.12.9基発452号。住居施設等を無償で供与される場合の住居の利益は、住居施設等が供与されない者に対して、一定の**均衡手当**が一律に**支給されない**場合は、**賃金となりません**。言い換えれば、均衡手当が一律に支給される場合に限り、当該住居の利益は賃金となります。

解答　**C**

総則等（2）

予想

難易度 普　重要度 C

次の記述のうち、誤っているものはどれか。

A　一元適用事業（有期事業を除く。）であって労働保険事務組合に労働保険事務の処理を委託しないものについての一般保険料に係る確定保険料申告書は、社会保険適用事業所（厚生年金保険法による厚生年金保険又は健康保険法による健康保険の適用事業所をいう。）の事業主が労働保険徴収法第15条第1項又は第19条第1項の規定により6月1日から40日以内に提出するもの（口座振替による納付を行う場合に提出するものを除く。）に限り、日本年金機構法に規定する年金事務所を経由して提出することができる。

B　労働保険料その他労働保険徴収法の規定による徴収金の納付は、納入告知書に係るものを除き納付書によって、所轄都道府県労働局歳入徴収官に行わなければならない。

C　労働基準監督署長及び公共職業安定所長は、労働保険関係事務のうち自らが行う事務については、都道府県労働局長の指揮監督を受けるが、都道府県労働局長は、労働基準監督署長及び公共職業安定所長に対する指揮監督に関する事務については、厚生労働大臣の指揮監督を受ける。

D　労働保険徴収法第9条の規定による継続事業の一括の認可及び指定事業の指定に係る厚生労働大臣の権限は、都道府県労働局長に委任されている。

E　労働保険徴収法によれば、通貨以外のもので支払われる賃金の評価に関し必要な事項を定めるのは厚生労働大臣であるが、この権限は、厚生労働大臣が自らこれを行う。

A　○　則38条2項2号。年金事務所を経由して労働保険料の申告書を提出するためには、①**継続事業**（一括有期事業を含む。）についての**一般保険料**に係る概算保険料申告書又は確定保険料申告書であること、②当該事業に係る労働保険事務の処理が労働保険事務組合に**委託されていない**こと、③**社会保険適用事業所**の事業主が**6月1日から40日以内**に提出するものであること、④口座振替によるものでないことが必要です。

B　×　則38条3項・4項。労働保険料その他徴収金の納付先は、**日本銀行**又は**都道府県労働局**収入官吏若しくは**労働基準監督署**収入官吏です。所轄都道府県労働局歳入徴収官は、申告書の提出先です。なお、労働保険料（印紙保険料を除く。）その他徴収金の納付は、納入告知書に係るものを除き、納付書によって行わなければなりません。

C　○　則2条。労働保険関係事務は、所定の区分に従い、都道府県労働局長並びに労働基準監督署長及び公共職業安定所長が行います。これらの事務については、**厚生労働大臣**が都道府県労働局長を、**都道府県労働局長**が労働基準監督署長及び公共職業安定所長をそれぞれ指揮監督します。

D　○　法45条、則76条2号。本法で定める厚生労働大臣の権限は、その一部を**都道府県労働局長**に委任することができます。具体的には、次の権限が委任されています。
①請負事業に係るいわゆる下請負事業の分離の認可に係る権限
②**継続事業の一括**の認可及び指定事業の指定に係る権限
③労働保険事務組合の認可、業務廃止届の受理、認可の取消しに係る権限
④特例納付保険料の納付の勧奨及び納付の申出の受理に係る権限

E　○　法2条3項、参考：法45条、則76条。労働保険と社会保険に係る**現物給与**（通貨以外のもので支払われる賃金）の**価額**は、厚生労働大臣が統一して定めるものとされています。その目的は、労働保険と社会保険に係る徴収事務の一元化を図ることにあります。したがって、この権限は、委任されていません。

解答　B

適用事業

予想

難易度 普　重要度 B

適用事業に関する次の記述のうち、正しいものはどれか。

A　民間の個人経営の農業、林業、畜産業又は養蚕業の事業であって、常時5人未満の労働者を使用するものは、労災保険及び雇用保険の両保険について暫定任意適用事業となる。

B　常時5人未満の労働者を使用する民間の個人経営の水産の事業であって、湖沼で操業している漁船によるもの（船員法に規定する船員を使用して行う船舶所有者の事業を除く。）については、当該漁船が総トン数5トン未満の漁船である場合に限り、労災保険の暫定任意適用事業となる。

C　国、都道府県及び市町村の行う事業については、当該事業を労災保険に係る保険関係及び雇用保険に係る保険関係ごとに別個の事業とみなして労働保険徴収法が適用されるいわゆる二元適用事業に該当する。

D　水産の事業のうち、船員が雇用される事業は、労働保険徴収法の適用にあたり、いわゆる一元適用事業に該当する。

E　労働保険徴収法における有期事業とは、事業の期間が予定される事業であって、その予定される事業の期間が6ヵ月を超えるものをいう。

A ✕　整備令17条、昭50.4.1労告35号、雇保法附則2条1項、同令附則2条。設問の事業のうち、常時5人未満の労働者を使用する民間の個人経営の林業の事業は、**雇用保険**においては**暫定任意適用事業**ですが、**労災保険**においては、常**時使用する労働者**が1人でもいれば、**強制適用事業**になります。このほかの記述は、正しいです。なお、労災保険の暫定任意適用事業となる林業の事業は、常時労働者を使用せず、かつ、年間使用延労働者数が300人未満であるものです。

B ✕　整備令17条、昭50.4.1労告35号。総トン数5トン未満の漁船である場合に限りません。常時5人未満の労働者を使用する民間の個人経営の水産の事業は、**河川、湖沼**及び**災害発生のおそれの少ない特定水面**で操業する漁船によるものである場合は、当該漁船の総トン数にかかわらず、労災保険の暫定任意適用事業となります。なお、船員法に規定する船員を使用して行う船舶所有者の事業は、強制適用事業となります。

C ✕　法39条1項。国の行う事業は、**二元適用事業に該当しません**。国の行う事業については、国家公務員災害補償法が適用され、労災保険に係る保険関係が成立する余地がないためです。なお、都道府県及び市町村の行う事業が二元適用事業に該当するという点は、正しい記述です。

D ◯　法39条1項、則70条3号、雇保法附則2条1項2号。水産の事業のうち「船員が雇用される事業」は、二元適用事業から除かれており、一元適用事業（労災保険及び雇用保険の両保険関係が同時に一体となって成立し、又は消滅する事業）に該当します。二元適用事業の範囲は、次のとおりです。設問は、④についてです。

①**都道府県**及び**市町村**の行う事業
②都道府県に準ずるもの及び市町村に準ずるものの行う事業
③港湾労働法の規定により**6大港湾**において**港湾運送**の行為を行う事業
④**農林、畜産、養蚕**又は**水産**の事業（船員が雇用される事業を除く。）
⑤**建設の事業**

E ✕　法7条2号。事業の期間について、設問のような制限は設けられていません。事業の期間が予定される事業は、その予定される**事業の規模**や**期間の長短にかかわらず**、労働保険徴収法において有期事業として取り扱われます。

5章　労働保険徴収法

解答　D

保険関係の成立及び消滅（1）

過令3

難易度 普 　重要度 A

保険関係の成立及び消滅に関する次の記述のうち、正しいものはどれか。

A　労災保険暫定任意適用事業に該当する事業が、事業内容の変更（事業の種類の変化）、使用労働者数の増加、経営組織の変更等により、労災保険の適用事業に該当するに至ったときは、その該当するに至った日の翌日に、当該事業について労災保険に係る保険関係が成立する。

B　労災保険に任意加入しようとする任意適用事業の事業主は、任意加入申請書を所轄労働基準監督署長を経由して所轄都道府県労働局長に提出し、厚生労働大臣の認可があった日の翌日に、当該事業について労災保険に係る保険関係が成立する。

C　労災保険に加入する以前に労災保険暫定任意適用事業において発生した業務上の傷病に関して、当該事業が労災保険に加入した後に事業主の申請により特例として行う労災保険の保険給付が行われることとなった労働者を使用する事業である場合、当該保険関係が成立した後1年以上経過するまでの間は脱退が認められない。

D　労災保険に係る保険関係の消滅を申請しようとする労災保険暫定任意適用事業の事業主は、保険関係消滅申請書を所轄労働基準監督署長を経由して所轄都道府県労働局長に提出し、厚生労働大臣の認可があった日の翌日に、当該事業についての保険関係が消滅する。

E　労災保険暫定任意適用事業の事業者がなした保険関係の消滅申請に対して厚生労働大臣の認可があったとき、当該保険関係の消滅に同意しなかった者については労災保険に係る保険関係は消滅しない。

A　✕　法3条、整備法7条。「その該当するに至った日の翌日」ではなく、「その該当するに至った日」に労災保険に係る保険関係が成立します。保険関係が成立していない労災保険暫定任意適用事業に該当する事業が、事業内容の変更等により強制適用事業に該当するに至ったときの保険関係成立日は、**その日（該当した日）**です。

B　✕　整備法5条1項、整備省令1条、14条。「認可があった日の翌日」ではなく、「認可があった日」に労災保険に係る保険関係が成立します。暫定任意適用事業の事業主が労災保険の任意加入申請書を提出したときの保険関係成立日は、**厚生労働大臣の認可があった日**です。なお、任意加入申請書を、所轄労働基準監督署長を経由して所轄都道府県労働局長に提出するという点は、正しい記述です。

C　✕　整備法8条2項3号、コンメンタール168頁参照。設問の場合は、「当該保険関係が成立した後1年以上経過するまでの間」ではなく、「特別保険料を徴収する一定の期間を経過するまでの間」は、脱退が認められません。労災保険加入前の業務上の傷病に関して、事業主の申請により特例として行う労災保険の保険給付が行われることとなった場合は、特別保険料が徴収されます。この**特別保険料の徴収期間を経過するまでの間**は、事業主は、労災保険を**任意に脱退する**ことができません。

D　○　整備法8条1項、整備省令3条1項、14条。保険関係が成立している労災保険暫定任意適用事業の事業主が当該保険関係消滅の申請をし、**厚生労働大臣の認可**があったときは、その翌日に、その事業についての当該**保険関係が消滅**します。また、保険関係消滅申請書は、所轄労働基準監督署長を経由して所轄都道府県労働局長に提出します。

E　✕　コンメンタール169頁参照。保険関係消滅の認可があったときは、保険関係の消滅に**同意しなかった者についても**、労災保険に係る**保険関係は消滅**します。つまり、当該事業の労働者の全部について、労災保険に係る保険関係が消滅することとなります。

5
章

労働保険徴収法

解答　D

保険関係の成立及び消滅（2）

予想　　　　　　　　　　　　　　　　　　　難易度 **難**　重要度 **B**

保険関係の成立及び消滅に関する次の記述のうち、誤っているものはいくつあるか。

ア 労働保険の保険関係が成立した事業の事業主は、その成立した日の属する月の翌月10日までに、保険関係成立届を所轄労働基準監督署長又は所轄公共職業安定所長に提出しなければならない。

イ 労災保険暫定任意適用事業の事業主は、その事業につき労災保険の加入の申請をしようとするときは、その事業に使用される労働者の過半数の同意を得なければならない。

ウ 厚生労働大臣の認可を受けて雇用保険に係る保険関係が成立している事業について、当該保険関係の消滅の申請をしようとするときは、事業主は、当該事業に使用される労働者の4分の3以上の同意を得て、保険関係消滅申請書を所轄都道府県労働局歳入徴収官に提出しなければならない。

エ 労災保険及び雇用保険に係る保険関係が成立している事業が一時的に休止したときは、その一時的に休止した日の翌日に、その事業に係る保険関係は消滅する。

オ 適用事業が廃止されたときは、その翌日に、労災保険及び雇用保険に係る保険関係が消滅するため、法人が解散した場合は、その解散の日の翌日に保険関係が消滅する。

A 一つ
B 二つ
C 三つ
D 四つ
E 五つ

ア　✕　法4条の2第1項、則4条2項。保険関係が成立した事業の事業主は、その成立した**日から10日以内**に、保険関係成立届を提出しなければなりません。「その成立した日の属する月の翌月10日まで」ではありません。なお、提出先については、正しい記述です。

イ　✕　整備法5条1項。労働者の過半数の同意を得る必要はありません。**労災保険**暫定任意適用事業についての労災保険の加入の申請は、**事業主の意思のみ**で行うことができ、労働者の過半数の**同意は必要ありません**。なお、**雇用保険**暫定任意適用事業の場合は、加入の申請をするためには、その事業に使用される労働者の**2分の1以上**の同意を得なければなりません。

ウ　✕　法附則4条、則附則3条1項。保険関係消滅申請書の提出先は、**所轄**都道府県労働局長です。所轄都道府県労働局歳入徴収官ではありません。なお、雇用保険に係る保険関係の消滅に係る申請につき、事業主が労働者の**4分の3以上**の同意を得なければならないとする点は、正しい記述です。

エ　✕　適用手引第1編第1章第2、コンメンタール167頁。設問の場合は、保険関係は**消滅しません**。保険関係が成立している事業が廃止されたときは、その事業についての保険関係は、その**翌日**に消滅します。ただし、事業の一時的な休止（すなわち休業）は廃止ではありませんから、保険関係は消滅しません。

オ　✕　法5条、適用手引第1編第1章第2、コンメンタール167頁。解散の日の翌日に消滅するのではありません。事業の廃止については、現実にその事業の活動が停止され、その事業における**労働関係が消滅したとき**をもって事業の廃止があったと解すべきとされています。したがって、法人が解散したからといって、直ちにその事業が廃止されたことにはならず、特別の事情がない限りその**清算結了の日の翌日**に保険関係が消滅します。

以上から、誤っているものは五つであるため、正解はＥです。

5章
労働保険徴収法

解答　Ｅ

保険関係の一括

予想

難易度 **易**　重要度 **A**

保険関係の一括に関する次の記述のうち、誤っているものはどれか。

A　有期事業の一括が行われた事業の事業主は、次の保険年度の6月1日から起算して40日以内又は保険関係が消滅した日から起算して50日以内に、一括有期事業報告書を所轄都道府県労働局歳入徴収官に提出しなければならない。

B　労災保険に係る保険関係が成立している建設の事業が数次の請負によって行われる場合であっても、下請負人の事業について、概算保険料の額が160万円以上又は請負金額が1億8,000万円以上であるときは、請負事業の一括は行われない。

C　立木の伐採の事業及び造船の事業については、これらの事業が数次の請負によって行われる場合であっても、請負事業の一括の対象となることはない。

D　継続事業の一括が行われた場合であっても、一括された事業場の労働者に係る労災保険及び雇用保険の給付に関する事務並びに雇用保険の被保険者に関する事務は、労働者の所属する事業場の所在地を管轄する労働基準監督署長又は公共職業安定所長が行う。

E　継続事業の一括の認可を受けた指定事業の事業主は、指定事業以外の事業の名称又は当該事業の行われる場所に変更があったときは、遅滞なく、継続被一括事業名称・所在地変更届を、指定事業に係る所轄都道府県労働局長に提出しなければならない。

A　○　則34条。**一括有期事業報告書**は、次の保険年度の**6月1日**から起算して40日**以内**又は保険関係が消滅した日から起算して50日**以内**に、提出しなければなりません。つまり、**確定保険料申告書**を提出する際に、併せて一括有期事業報告書を提出するということです。

B　×　法8条1項、則7条。下請負人の事業が設問の規模であっても、請負事業の一括は**行われます**。請負事業の一括に関しては、**事業の規模の要件はありません**。労災保険に係る保険関係が成立している**建設**の事業が**数次の請負**によって行われる場合は、下請負人の事業の規模を問わず、請負事業の一括が行われます。

C　○　法8条1項、則7条。請負事業の一括の規定は、「立木の伐採の事業及び造船の事業」には適用されません。請負事業の一括の規定は、労災保険に係る保険関係が成立している事業のうち、建設の**事業が数次の請負**によって行われるものについて適用されます。

D　○　昭40.7.31基発901号、コンメンタール199頁参照。次の①〜③については、保険関係の一括の効果が**及ばない**ため、設問の事務は、労働者の所属する事業場（被一括事業場）の所在地を管轄する労働基準監督署長又は公共職業安定所長が行います。

①**雇用保険の被保険者**に関する事務

②**労災保険及び雇用保険の給付**に関する事務

③**印紙保険料**の納付に関する事務

E　○　則10条4項。指定事業**以外**の事業の名称又は所在地に変更があったときは、遅滞なく、継続被一括事業名称・所在地変更届を、**指定事業**に係る所轄都道府県労働局長に提出しなければなりません。なお、指定事業の名称、所在地等に変更があったときは、**10日以内**に、名称、所在地等変更届を所轄労働基準監督署長又は所轄公共職業安定所長に提出しなければなりません。

解答　　B

有期事業の一括

予想

難易度 普　重要度 B

有期事業の一括に関する次の記述のうち、正しいものはどれか。

A　概算保険料に相当する額が160万円未満の建設の事業は、請負金額にかかわらず、有期事業の一括に係る規模要件に該当する。

B　事業主が同一人である二以上の建設の事業について、一方の事業の種類が道路新設事業であり、他方の事業の種類が舗装工事業であっても、それぞれの事業が重複して行われる時期がある場合には、有期事業の一括の対象となる。

C　事業主が同一人である二以上の建設の事業について、それぞれの事業が数次の請負によって行われている場合には、有期事業の一括の対象とはならない。

D　当初は有期事業の一括の要件に該当しなかったために独立の有期事業として保険関係が成立した事業が、その後、事業の規模の縮小により、当該要件に該当することとなった場合には、その時点から有期事業の一括の対象となる。

E　有期事業の一括は、法律上一定の要件に該当する場合には当然に行われるものであり、都道府県労働局長による認可その他の手続きは不要である。

A　✕　則6条1項。「請負金額が1億8,000万円未満」でなければ、有期事業の一括に係る規模要件に該当しません。有期事業の一括の対象となる建設の事業の規模は、①概算保険料の額が**160万円未満**、かつ、②請負金額（消費税等相当額を除く。）が1億8,000万円未満です。いずれの要件をも満たしていなければならない点に注意をしましょう。

B　✕　法7条、則6条2項1号・2号、則別表第1。有期事業の一括の対象とはなりません。有期事業の一括の要件には、**労災保険率表**における**事業の種類を同じくすること**がありますが、設問の「道路新設事業」と「舗装工事業」は、労災保険率表における事業の種類が異なります。したがって、事業主が同一人であっても、有期事業の一括の対象とはなりません。

C　✕　法7条、則6条2項。それぞれの事業が数次の請負によって行われている場合であっても、有期事業の一括の対象となることがあります。有期事業の一括の要件には、「それぞれの事業が数次の請負によって行われていないこと」とするものはありません。

D　✕　昭40.7.31基発901号。設問の場合には、有期事業の一括の対象とはされません。有期事業の一括の要件に該当するか否かの判断は、各有期事業の**開始当初**において行われます。したがって、当初は有期事業の一括の要件に該当しなかったために独立の有期事業として保険関係が成立した事業については、その後、事業の規模の縮小等により、当該要件に該当することとなったとしても、有期事業の一括の対象とはされません。

E　〇　法7条。有期事業の一括は、所定の要件に該当する場合に、**法律上当然に**行われます。この場合に申請や認可といった手続きは不要です。

解答　E

請負事業の一括

過令6

難易度 **易** 重要度 **A**

労働保険の保険料の徴収等に関する次の記述のうち、誤っているものはどれか。

A 労働保険徴収法第8条に規定する請負事業の一括について、労災保険に係る保険関係が成立している事業のうち建設の事業であって、数次の請負によって行われる場合、雇用保険に係る保険関係については、元請事業に一括することなく事業としての適用単位が決められ、それぞれの事業ごとに労働保険徴収法が適用される。

B 労働保険徴収法第8条に規定する請負事業の一括について、下請負に係る事業については下請負人が事業主であり、元請負人と下請負人の使用する労働者の間には労働関係がないが、同条第2項に規定する場合を除き、元請負人は当該請負に係る事業について下請負をさせた部分を含め、そのすべての労働者について事業主として保険料の納付等の義務を負う。

C 労働保険徴収法第8条第2項に定める下請負事業の分離に係る認可を受けようとする元請負人及び下請負人は、保険関係が成立した日の翌日から起算して10日以内に「下請負人を事業主とする認可申請書」を所轄都道府県労働局長に提出しなければならない。

D 労働保険徴収法第8条第2項に定める下請負事業の分離に係る認可を受けようとする元請負人及び下請負人は、天災その他不可抗力等のやむを得ない理由により、同法施行規則第8条第1項に定める期限内に「下請負人を事業主とする認可申請書」を提出することができなかったときは、期限後であっても当該申請書を提出することができる。

E 労働保険徴収法第8条第2項に定める下請負事業の分離に係る認可を受けるためには、当該下請負事業の概算保険料が160万円以上、かつ、請負金額が1億8,000万円以上（消費税等相当額を除く。）であることが必要とされている。

A　○　コンメンタール187頁参照。請負事業の一括は、「労災保険に係る保険関係が成立している事業」のみを対象として行われます。「雇用保険に係る保険関係が成立している事業」については行われないため、数次の請負による建設の事業であっても、雇用保険に係る保険関係については、元請負事業に一括することなく、それぞれの事業ごとに労働保険徴収法が適用されます。

B　○　コンメンタール187頁参照。もともと下請負に係る事業については、下請負人が事業主であって、元請負人と下請負人の使用する労働者の間には労働関係はありませんが、請負事業の一括が行われた場合は、**元請負人**は、その請負に係る事業については、原則として、下請負をさせた部分を含め、そのすべてについて**事業主として保険料の納付等の義務**を負わなければなりません。

C　○　則8条。下請負人を事業主とする（下請負事業の分離の）認可の申請は、**元請負人及び下請負人が**共同で、**保険関係が成立**した日の翌日から起算して10日以内に「下請負人を事業主とする認可申請書」を所轄都道府県労働局長に提出することにより行います。

D　○　則8条、昭47.11.24労徴発41号。下請負事業の分離に係る認可の申請書は期限内に提出しなければなりませんが（解説C参照）、やむを得ない理由により、期限内に当該申請書の提出をすることができなかったときは、**期限後であっても提出することができる**とされています。このときの「やむを得ない理由」とは、**天災、不可抗力等**の客観的理由により、また、事業開始前に請負方式の特殊性から下請負契約が成立しない等の理由により期限内に申請書を提出することができない場合とされています。

E　×　則6条1項、9条。「概算保険料が160万円以上『、かつ、』請負金額が1億8,000万円以上」ではなく、「概算保険料が160万円以上『又は』請負金額が1億8,000万円以上」です。下請負事業の分離の認可を受けるためには、下請負人の請負に係る事業が、次の①又は②の**いずれかの規模**でなければなりません。つまり、当該下請負事業は、有期事業の一括の要件には該当しない規模のものでなければならないということです。
①**概算保険料の額**が160万円以上
②**請負金額**が1億8,000万円以上

解答　E

5章　労働保険徴収法

問題 140

継続事業の一括

過令5　難易度 **易**　重要度 **B**

労働保険の保険料の徴収等に関する次の記述のうち、誤っているものはどれか。

A　事業主が同一人である2以上の事業（有期事業以外の事業に限る。）であって、労働保険徴収法施行規則第10条で定める要件に該当するものに関し、当該事業主が当該2以上の事業について成立している保険関係の全部又は一部を一の保険関係とすることを継続事業の一括という。

B　継続事業の一括に当たって、労災保険に係る保険関係が成立している事業のうち二元適用事業と、一元適用事業であって労災保険及び雇用保険の両保険に係る保険関係が成立している事業とは、一括できない。

C　継続事業の一括に当たって、雇用保険に係る保険関係が成立している事業のうち二元適用事業については、それぞれの事業が労災保険率表による事業の種類を同じくしている必要はない。

D　暫定任意適用事業にあっては、継続事業の一括の申請前に労働保険の保険関係が成立していなくとも、任意加入の申請と同時に一括の申請をして差し支えない。

E　労働保険徴収法第9条の継続事業の一括の認可を受けようとする事業主は、所定の申請書を同条の規定による厚生労働大臣の一の事業の指定を受けることを希望する事業に係る所轄都道府県労働局長に提出しなければならないが、指定される事業は当該事業主の希望する事業と必ずしも一致しない場合がある。

A ○ 法9条、コンメンタール195頁参照。事業主が同一人である**2以上の継続事業**であって、所定の要件に該当するものに関しては、**厚生労働大臣の認可**を受けて、当該事業主が当該2以上の事業について成立している保険関係の全部又は一部を**一の保険関係**とすることができます。これを、継続事業の一括といいます。

B ○ 則10条1項1号。継続事業の一括を行うには、それぞれの事業が、次のいずれか1つのみに該当している必要があります。二元適用事業と一元適用事業とを一括することは**できません**。

①**一元適用事業**であって**労災保険**及び**雇用保険**に係る保険関係が成立していること。

②**二元適用事業**であって**労災保険**に係る保険関係が成立していること。

③**二元適用事業**であって**雇用保険**に係る保険関係が成立していること。

C × 則6条2項2号、10条1項2号、則別表第1。それぞれの事業が労災保険率表による事業の種類を同じくしている必要があります。継続事業の一括に係る「労災保険率表による事業の種類を**同じくすること**」という要件は、雇用保険に係る保険関係が成立している二元適用事業であっても**満たす必要があります**。

D ○ コンメンタール197頁参照。継続事業の一括に係る「保険関係が成立している事業」とは、必ずしも一括の申請前に保険関係が成立している場合に限りません。暫定任意適用事業にあっては、**任意加入の申請と**同時に継続事業の一括の申請をして差し支えありません。

E ○ 則10条2項、コンメンタール199頁参照。継続事業の一括に係る「厚生労働大臣が指定するいずれか一の事業（**指定事業**）」は、一括される事業のうち、**労働保険事務を的確に処理**する事務能力を有すると認められるものに限られます。したがって、申請人である事業主が希望する事業と必ずしも一致しない場合があります。

解答　C

賃金総額等

過令4 変更D

難易度 普　重要度 B

労働保険の保険料の徴収等に関する次の記述のうち、誤っているものはどれか。

A　法人の取締役であっても、法令、定款等の規定に基づいて業務執行権を有しないと認められる者で、事実上、業務執行権を有する役員等の指揮監督を受けて労働に従事し、その対償として賃金を受けている場合には労災保険が適用されるため、当該取締役が属する事業場に係る労災保険料は、当該取締役に支払われる賃金（法人の機関としての職務に対する報酬を除き、一般の労働者と同一の条件の下に支払われる賃金のみをいう。）を算定の基礎となる賃金総額に含めて算定する。

B　労災保険に係る保険関係が成立している造林の事業であって、労働保険徴収法第11条第1項、第2項に規定する賃金総額を正確に算定することが困難なものについては、所轄都道府県労働局長が定める素材1立方メートルを生産するために必要な労務費の額に、生産するすべての素材の材積を乗じて得た額を賃金総額とする。

C　労災保険に係る保険関係が成立している請負による建設の事業であって、労働保険徴収法第11条第1項、第2項に規定する賃金総額を正確に算定することが困難なものについては、その事業の種類に従い、請負金額に同法施行規則別表第2に掲げる労務費率を乗じて得た額を賃金総額とするが、その賃金総額の算定に当たっては、消費税等相当額を含まない請負金額を用いる。

D　健康保険法第99条の規定に基づく傷病手当金について、同条第2項に定める額の傷病手当金が支給された場合において、その傷病手当金に付加して事業主から支給される給付額は、恩恵的給付と認められる場合には、一般保険料の額の算定の基礎となる賃金総額に含めない。

E　労働者が業務外の疾病又は負傷により勤務に服することができないため、事業主から支払われる手当金は、それが労働協約、就業規則等で労働者の権利として保障されている場合は、一般保険料の額の算定の基礎となる賃金総額に含めるが、単に恩恵的に見舞金として支給されている場合は当該賃金総額に含めない。

A　○　昭34.1.26基発48号。設問の法人の取締役は、労働の対償として賃金を受けているため、**労働者として取り扱われ**、この者には**労災保険が適用**されます。したがって、この者が属する事業場に係る労災保険料の基礎となる賃金総額には、この者に支払われる給与のうち、法人の機関としての職務に対する報酬を除き、「**一般の労働者と同一の条件**の下に支払われる賃金のみ」を**加える**こととされています。

B　×　法11条3項、則12条3号、15条。設問は、「造林の事業」ではなく、「立木の伐採の事業」に係る賃金総額の算定方法です。造林の事業（立木の伐採の事業以外の**林業**の事業）であって、賃金総額を正確に算定することが困難なものについては、「**厚生労働大臣**が定める**平均賃金に相当する額** × それぞれの労働者の**使用期間の総日数**」による額の合算額を賃金総額とします。

C　○　法11条3項、則12条1号、13条1項、平27基発0326第6号。**請負による建設**の事業であって、賃金総額を正確に算定することが困難なものについては、「**請負金額** × **労務費率**」による額を賃金総額とします。また、この「**請負金額**」には、消費税等相当額（消費税及び地方消費税に相当する額）を含めないものとされています。

D　○　法11条2項、コンメンタール123頁参照。健康保険法の規定による傷病手当金は、労働保険徴収法の賃金に該当しません。また、その**傷病手当金に付加**して事業主から支給される給付額についても、**恩恵的給付**と認められる場合には、同法の賃金に該当しないため、賃金総額に**含めません**。

E　○　法11条2項、昭24.6.14基災収3850号。労働保険徴収法において「賃金」とは、原則として、「労働の対償」として事業主が労働者に支払うものをいい、一般的に、労働協約、就業規則、労働契約などにより、その支払いが事業主に義務づけられているものは、賃金に該当します。ただし、事業主が労働者に支払うものであっても、労働の対償としてではなく、単に恩恵的に支給されるものは、賃金に該当せず、賃金総額に**含めません**。

5章　労働保険徴収法

解答　B

保険料率等

予想

難易度 普　重要度 B

労働保険の保険料率等に関する次の記述のうち、正しいものはどれか。

A　農林水産業（厚生労働大臣が指定する事業を除く。）に適用される雇用保険率は、清酒の製造の事業に適用される雇用保険率よりも高い率である。

B　労災保険率に含まれている非業務災害率とは、労災保険法の適用を受けるすべての事業の過去3年間の複数業務要因災害に係る災害率、通勤災害に係る災害率、二次健康診断等給付に要した費用の額及び厚生労働省令で定めるところにより算定された複数事業労働者に係る給付基礎日額を用いて算定した保険給付の額その他の事情を考慮して厚生労働大臣の定める率をいう。

C　第1種特別加入保険料率は、中小事業主等が行う事業に係る労災保険率と同一の率から、労災保険法の適用を受けるすべての事業の過去3年間の通勤災害に係る災害率及び二次健康診断等給付に要した費用の額を考慮して厚生労働大臣の定める率を減じた率である。

D　第2種特別加入保険料率は、第2種特別加入者に係る事業又は作業の種類に応じて、現在、最高1,000分の52から最低1,000分の4までの率が定められている。

E　第3種特別加入保険料率は、海外派遣者が従事する事業と同種又は類似の労働保険徴収法の施行地内で行われている事業について適用される労災保険率と同じ率である。

A　×　法12条4項。農林水産業（厚生労働大臣が指定する事業を除く。）及び清酒の製造の事業に適用される雇用保険率は同じ率です。雇用保険率は、事業を3種類に分類して、失業が発生しやすい業種ほど、高い率が定められています。法本来の雇用保険率は、①**一般の事業**（次の②③以外の事業）にあっては**1,000分の16.5**、②農林水産業（厚生労働大臣が指定する事業を除く。）及び清酒製造業にあっては**1,000分の18.5**、③**建設の事業**にあっては**1,000分の19.5**です。

B　○　法12条3項。非業務災害率は厚生労働大臣が定めます。また、厚生労働大臣が非業務災害率を定めるにあたっては、労災保険法の適用を受けるすべての事業の過去3年間の①**複数業務要因災害**に係る災害率、②**通勤災害**に係る災害率、③**二次健康診断等給付**に要した費用の額、④厚生労働省令で定めるところにより算定された複数事業労働者に係る給付基礎日額を用いて算定した保険給付の額、⑤その他の事情が考慮されます。

C　×　法13条。「通勤災害に係る災害率」は考慮されません。第1種特別加入保険料率は、第1種特別加入者に係る事業に適用される労災保険率と同一の率から、当該中小事業主等に対して給付が行われない「**過去3年間の二次健康診断等給付に要した費用の額**」を考慮して厚生労働大臣が定める率（現在「**0**」）を減じた率です。

D　×　法14条1項、則23条、則別表第5。「最低1,000分の4」ではなく、「**最低1,000分の3**」です。第2種特別加入保険料率は、事業又は作業の種類に応じて、**最高**1,000分の52から、**最低**1,000分の3までの率が定められています。

E　×　法14条の2第1項、則23条の3。「同種又は類似の労働保険徴収法の施行地内で行われている事業について適用される労災保険率と同じ率」ではありません。第3種特別加入保険料率は、海外派遣者が従事している事業と同種又は類似の労働保険徴収法の施行地内で行われている事業についての業務災害、複数業務要因災害及び通勤災害に係る災害率、社会復帰促進等事業として行う事業の種類及び内容その他の事情を考慮して**厚生労働大臣の定める率**です。この率は、現在、**一律**1,000分の3です。

5章　労働保険徴収法

解答　B

メリット制（1）

予想

難易度 普　重要度 B

メリット制に関する次のアからオまでの記述のうち、誤っているものの組合せは、後期AからEまでのうちどれか。

ア　複数業務要因災害に関する保険給付の額及び複数業務要因災害に関する特別支給金の額は、収支率の算定の基礎とされない。

イ　継続事業のメリット制は、適用要件に該当する継続事業又は一括有期事業について、連続する3保険年度の間における収支率が100分の85を超え、又は100分の75以下であるときに、適用される。

ウ　継続事業又は一括有期事業に労働保険徴収法第12条第3項に規定するメリット制が適用される場合は、当該事業についての労災保険率を100分の40（一括有期事業のうち立木の伐採の事業については100分の35）の範囲内で引き上げ又は引き下げた率を、基準日の属する保険年度の次の次の保険年度の労災保険率とすることができる。

エ　労働保険徴収法第12条の2に規定するいわゆる特例メリット制の適用を受けようとする事業の事業主は、労働者の安全又は衛生を確保するための措置を講じた保険年度の次の保険年度の初日から6ヵ月以内に「労災保険率特例適用申告書」を提出しなければならない。

オ　有期事業のメリット制に係る収支率は、事業が終了した日から6ヵ月を経過した日前における保険給付の額及び特別支給金の額（一定のものを除く。）を基礎として算定される。

A　（アとウ）　　　B　（アとエ）　　　C　（イとエ）
D　（イとオ）　　　E　（ウとオ）

ア　○　法12条３項、20条１項。収支率の算定の基礎とする保険給付の額及び特別支給金の額は、業務災害に関するもの（一定のものを除く。）**のみ**です。**複数業務要因災害**、通勤災害及び二次健康診断等給付に関する額は、算定の**基礎と**されません。なお、複数事業労働者の業務災害については、業務災害が発生していない事業場に係るものの額も、算定の基礎とされません。

イ　○　法12条３項。継続事業のメリット制に係る収支率の要件は、「連続する**３保険年度**の間（トータル）における収支率が100分の85を超え、又は100分の75**以下**であること」です。

ウ　×　法12条３項、則20条、則別表第３。「当該事業についての労災保険率」を100分の40（又は100分の35）の範囲内において引き上げ又は引き下げるとする記述が誤りです。継続事業のメリット制の要件を満たした場合の労災保険率は、「労災保険率から**非業務災害率を減じた率**」を**100分の40**（立木の伐採の事業については**100分の35**）の範囲内で引き上げ又は引き下げた率に**非業務災害率を加えた率**です。つまり、変動の対象となるのは、業務災害に係る率の部分のみです。なお、基準日の属する保険年度の**次の次の保険年度**の労災保険率とすることができるという点は、正しい記述です。

エ　○　法12条の２。**特例メリット制**（継続事業のメリット制の特例）が適用されるためには、事業主の**申告**が必要です。この申告は、労働者の**安全又は衛生を確保**するための措置を講じた保険年度の次の保険年度の初日から**６ヵ月以内**に「労災保険率特例適用申告書」を提出することにより行います。

オ　×　法20条１項。「６ヵ月」ではなく、「**３ヵ月又は９ヵ月**」です。有期事業のメリット制に係る収支率の算定は、事業が終了した日から３ヵ月を経過した日又は９ヵ月を経過した日**前**における保険給付の額及び特別支給金の額を基礎として行います。なお、３ヵ月を経過した日前の期間で収支率を算定するのは、３ヵ月を経過した日以後において収支率が変動せず、又は一定の範囲を超えて変動しないと認められるときです。

以上から、誤っているものの組合せは、**E**（ウとオ）です。

解答 　E

メリット制（2）

過令4

難易度 **難**　重要度 **C**

労災保険のいわゆるメリット制に関する次の記述のうち、正しいものはどれか。

A　継続事業の一括（一括されている継続事業の一括を含む。）を行った場合には、労働保険徴収法第12条第3項に規定する労災保険のいわゆるメリット制に関して、労災保険に係る保険関係の成立期間は、一括の認可の時期に関係なく、当該指定事業の労災保険に係る保険関係成立の日から起算し、当該指定事業以外の事業に係る一括前の保険料及び一括前の災害に係る給付は当該指定事業のいわゆるメリット収支率の算定基礎に算入しない。

B　有期事業の一括の適用を受けている建築物の解体の事業であって、その事業の当該保険年度の確定保険料の額が40万円未満のとき、その事業の請負金額（消費税等相当額を除く。）が1億1,000万円以上であれば、労災保険のいわゆるメリット制の適用対象となる場合がある。

C　有期事業の一括の適用を受けていない立木の伐採の有期事業であって、その事業の素材の見込生産量が1,000立方メートル以上のとき、労災保険のいわゆるメリット制の適用対象となるものとされている。

D　労働保険徴収法第20条に規定する確定保険料の特例の適用により、確定保険料の額が引き下げられた場合、その引き下げられた額と当該確定保険料の額との差額について事業主から所定の期限内に還付の請求があった場合においても、当該事業主から徴収すべき未納の労働保険料その他の徴収金（石綿による健康被害の救済に関する法律第35条第1項の規定により徴収する一般拠出金を含む。）があるときには、所轄都道府県労働局歳入徴収官は当該差額をこの未納の労働保険料等に充当するものとされている。

E　労働保険徴収法第20条第1項に規定する確定保険料の特例は、第1種特別加入保険料に係る確定保険料の額及び第2種特別加入保険料に係る確定保険料の額について準用するものとされている。

Ａ　○　コンメンタール285頁参照。継続事業の一括の適用を受けている事業についてのメリット収支率（連続する３保険年度の収支率）の算定についてです。継続事業の一括（一括されている継続事業の一括を含む。）を行った場合には、①労災保険に係る保険関係の成立期間は、一括の認可の時期に関係なく、当該指定事業の労災保険に係る**保険関係成立の日**から起算し、②指定事業以外の事業については保険関係が消滅するので、これに係る**一括前の保険料**及び**一括前の災害に係る給付**は、指定事業のメリット収支率の算定基礎に**算入しない**こととされています。

Ｂ　×　法12条３項３号、則17条３項。設問の事業は、メリット制の適用対象となりません。有期事業の一括の適用を受けている事業（一括有期事業）がメリット制の適用対象となるためには、連続する３保険年度中の**各保険年度**において**確定保険料**の額が40万円以上でなければなりません。設問の事業は、当該保険年度の確定保険料の額が40万円未満であるため、メリット制の適用対象となりません。なお、一括有期事業のメリット制の適用にあたり、請負金額は考慮されません。

Ｃ　×　法20条１項、則35条１項２号。「見込生産量」ではなく、「生産量」です。立木の伐採の事業が有期事業のメリット制の適用対象となるためには、①**確定保険料**の額が40万円以上であること、又は②**素材の生産量**が1,000立方メートル以上であることのいずれかに該当するものでなければなりません。

Ｄ　×　法20条３項、則36条１項、37条１項。設問の場合は、未納の労働保険料等に充当するのではなく、還付するものとされています。有期事業のメリット制の適用により確定保険料の額が引き下げられた場合において、事業主が通知を受けた日の翌日から起算して**10日以内**に**還付の請求**をしたときは、未納の労働保険料等の有無にかかわらず、差額が還付されます。充当が行われるのは、**還付の請求がない**場合です。

Ｅ　×　法20条２項。第２種特別加入保険料に係る確定保険料の額については、準用するものとされていません。つまり、**第２種特別加入保険料**に係る確定保険料の額については、有期事業のメリット制は**適用されません**。第１種特別加入保険料に係る確定保険料の額については、正しい内容です。

5章　労働保険徴収法

解答　Ａ

概算保険料（1）

予想　　　　　　　　　　　　　　　　　　　　　　難易度 **普**　重要度 **B**

概算保険料に関する次の記述のうち、正しいものはどれか。

A　継続事業の事業主は、保険年度の中途に保険関係が成立した場合には、保険関係成立日から20日以内に、概算保険料を納付しなければならない。

B　有期事業の事業主は、保険年度の初日から20日以内に、概算保険料を納付しなければならない。

C　当初の賃金総額の見込額が一定以上増加した場合に納付しなければならない、いわゆる増加概算保険料は、増加が見込まれた日から30日以内に納付することとされているが、当該増加概算保険料の申告を怠った場合には、政府が職権で増加概算保険料の額を決定する。

D　継続事業に係る増加概算保険料については、申告書を日本銀行を経由して提出することができるが、納付すべき額を口座振替によって納付することはできない。

E　政府は、一般保険料率又は特別加入保険料率の引上げを行ったときは、通知を発する日から起算して15日を経過した日を納期限と定め、納付すべき概算保険料の額を通知しなければならない。

A　✕　法15条１項。継続事業の場合、年度途中で保険関係が成立したときは、**保険関係成立日から50日以内**（翌日起算）に、概算保険料を納付しなければなりません。保険関係成立日から20日以内に納付しなければならないのは、有期事業の場合です。

B　✕　法15条２項。「保険年度の初日から20日以内」ではなく、「**保険関係成立日から20日以内**（翌日起算）」です。有期事業についての概算保険料の申告・納付手続は、保険年度ごとに行うのではなく、**事業の全期間**について行います。

C　✕　法15条３項・４項、16条。増加概算保険料については、認定決定は**ありません**。なお、増加が見込まれた日から**30日以内**に増加概算保険料を納付するというのは正しい記述です。

D　○　法21条の２第１項、則38条２項５号・６号、38条の４。増加概算保険料申告書は、**日本銀行**を経由して提出することが**できます**。一方、増加概算保険料は、**口座振替**によって納付することは**できません**。口座振替による納付は、納付書によって納付が行われる次の労働保険料に限り、認められます。以上のことは、有期事業についても同じです。

> ①通常の概算保険料（延納によるものを含む。）
> ②**確定保険料**の不足額

E　✕　法17条、則26条。概算保険料の追加徴収に関する規定です。追加徴収は、納付書による通知を発する日から起算して**30日を経過した日**、つまり31日目が納期限になります。

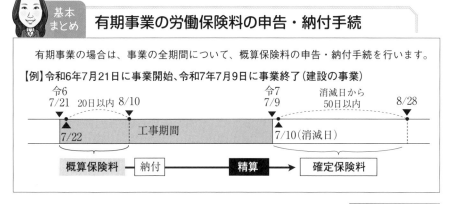

基本
まとめ **有期事業の労働保険料の申告・納付手続**

有期事業の場合は、事業の全期間について、概算保険料の申告・納付手続を行います。

【例】令和6年7月21日に事業開始、令和7年7月9日に事業終了（建設の事業）

令6
7/21　20日以内 8/10　　　　　　　　　令7　　消滅日から
　　　　　　　　　　　　　　　　　　7/9　　50日以内　　8/28

7/22　　　　工事期間　　　　　　　　7/10（消滅日）

概算保険料 → 納付　　　精算 →　確定保険料

解答　D

概算保険料（2）

予想　　　　　　　　　　　　　　　　　　難易度 普　重要度 A

概算保険料に関する次のアからオまでの記述のうち、正しいものの組合せは、後記AからEまでのうちどれか。

ア　政府は、保険年度の中途に、一般保険料率、第1種特別加入保険料率、第2種特別加入保険料率又は第3種特別加入保険料率の引上げを行ったときは、増加額の多少にかかわらず、概算保険料の追加徴収を行う。

イ　事業の全期間が6ヵ月である有期事業の事業主は、納付すべき概算保険料の額の多少にかかわらず、当該概算保険料を延納することができない。

ウ　事業主は、賃金総額の見込額が増加し、増加後の賃金総額の見込額が増加前の賃金総額の見込額の100分の200を超えた場合には、増加後の賃金総額の見込額に基づき算定した概算保険料の額とすでに納付した概算保険料の額との差額の多少にかかわらず、その差額を納付しなければならない。

エ　複数年にわたる有期事業の事業主が納付すべき概算保険料の額は、その事業の保険関係に係る保険年度ごとに算定する。

オ　事業主が所定の期限までに概算保険料申告書を提出しなかったことにより、政府が概算保険料の額を決定し、これを事業主に通知した場合は、追徴金が徴収される。

A　（アとイ）　　　B　（アとウ）　　　C　（イとエ）
D　（ウとオ）　　　E　（エとオ）

ア　○　法17条1項、コンメンタール381頁参照。概算保険料の追加徴収は、保険年度の中途に、一般保険料率又は（第1種〜第3種）特別加入保険料率が**引き上げられた**ときに行われます。また、概算保険料の追加徴収は、増加額の**多少にかかわらず**、行われます。

イ　○　則28条1項。有期事業の事業主が、概算保険料申告書の提出の際に申告することにより、概算保険料を延納することができるのは、次の（1）（2）の要件をいずれも満たす場合に限られます。事業の全期間が6ヵ月である場合は、（2）の要件を満たしていませんので、延納することが**できません**。

（1）次のいずれかに該当すること。

　①概算保険料の額が**75万円以上**であること　又は

　②労働保険事務の処理を**労働保険事務組合に委託**していること。

（2）事業の全期間が6ヵ月を**超えていること**。

ウ　×　法16条、則25条1項。「差額の多少にかかわらず」という記述が誤りです。賃金総額の見込額が増加した場合の増加概算保険料は、①増加後の賃金総額の見込額が増加前の賃金総額の見込額の**100分の200を超え、かつ**、②増加後の賃金総額の見込額に基づき算定した概算保険料の額とすでに納付した概算保険料の額との**差額が13万円以上**であるときに、納付しなければなりません。

エ　×　法15条2項。その事業の当該保険関係に係る**全期間**について算定します。保険年度ごとに算定するのではありません。有期事業（一括有期事業を除く。）に係る概算保険料の額は、たとえば、特別加入者がいない場合には、「賃金総額の見込額（1,000円未満の端数切捨て）×一般保険料率」で計算します。この「賃金総額の見込額」は、その事業の当該保険関係に係る**全期間**に**使用するすべての労働者**に係る賃金総額の見込額です。

オ　×　参考：法21条1項、25条2項。**概算保険料**の認定決定の場合は、追徴金は徴収されません。追徴金が徴収されるのは、**確定保険料の認定決定又は印紙保険料の認定決定**が行われた場合です。

以上から、正しいものの組合せは、A（アとイ）です。

5章

労働保険徴収法

解答　A

延納

過平27

難易度 普　重要度 A

労働保険料の延納に関する次の記述のうち、誤っているものはどれか。

A　概算保険料について延納が認められている継続事業（一括有期事業を含む。）の事業主は、増加概算保険料の納付については、増加概算保険料申告書を提出する際に延納の申請をすることにより延納することができる。

B　概算保険料について延納が認められている継続事業（一括有期事業を含む。）の事業主が、労働保険徴収法第17条第2項の規定により概算保険料の追加徴収の通知を受けた場合、当該事業主は、その指定された納期限までに延納の申請をすることにより、追加徴収される概算保険料を延納することができる。

C　概算保険料について延納が認められている継続事業（一括有期事業を含む。）の事業主が、納期限までに確定保険料申告書を提出しないことにより、所轄都道府県労働局歳入徴収官が労働保険料の額を決定し、これを事業主に通知した場合において、既に納付した概算保険料の額が、当該決定された確定保険料の額に足りないときは、その不足額を納付する際に延納の申請をすることができる。

D　概算保険料について延納が認められ、前保険年度より保険関係が引き続く継続事業（一括有期事業を含む。）の事業主の4月1日から7月31日までの期分の概算保険料の納期限は、労働保険事務組合に労働保険事務の処理を委託している場合であっても、7月10日とされている。

E　概算保険料について延納が認められている有期事業（一括有期事業を除く。）の事業主の4月1日から7月31日までの期分の概算保険料の納期限は、労働保険事務組合に労働保険事務の処理を委託している場合であっても、3月31日とされている。

A ○ 則30条1項。増加概算保険料については、**当初の概算保険料を延納**する事業主に限り、その申請に基づき延納が認められます。

B ○ 則31条。追加徴収される概算保険料については、**当初の概算保険料を延納**する事業主に限り、その申請に基づき延納が認められます。

C × 法18条。設問の不足額（**確定保険料の認定決定に係る不足額**）について、延納の申請をすることは**できません**。延納の申請をすることができる労働保険料は、**概算保険料**（増加概算保険料、追加徴収による概算保険料及び認定決定による概算保険料を含む。）**のみ**です。

D ○ 則27条。設問の事業の事業主は、その保険年度の概算保険料を3回に分けて納付することができます。**第1期**（4月1日から7月31日まで）**分**の納期限は、当該事業主が労働保険事務組合に労働保険事務の処理を委託しているか否かに**かかわらず**、**7月10日**です。なお、第2期分及び第3期分の本来の納期限は、第2期分が10月31日、第3期分が翌年1月31日ですが、事業主が労働保険事務組合に労働保険事務の処理を委託している場合は、第2期分が11月14日、第3期分が翌年2月14日となります。

E ○ 則28条。有期事業（一括有期事業を除く。以下本肢解説において同じ。）の事業主が概算保険料を延納する場合の**4月1日から7月31日までの期分**の納期限は、労働保険事務組合に労働保険事務の処理を委託している事業主であるか否かを問わず、**3月31日**です。なお、有期事業に係る概算保険料の延納については、当該事業の事業主が労働保険事務組合に労働保険事務の処理を委託している場合であっても、納期限が延長されることはありません。

5章 労働保険徴収法

解答 C

労働保険料の計算

予想

難易度 普　重要度 C

A社の事業内容は、次の（1）から（5）までのとおりである。A社のある保険年度（Y年度）の概算保険料の労災保険分の額として、正しいものはどれか。

(1) 事業内容：保険業（労災保険率は1,000分の2.5）

(2) 保険関係の成立年月日：平成15年4月1日

(3) X年度（Y年度の前保険年度）の賃金総額の確定額：4,200万5,830円

(4) Y年度の賃金総額の見込額：5,130万9,000円

(5) 労災保険の特別加入者はいない。

A　126,015円

B　128,272円

C　128,273円

D　105,012円

E　105,015円

　A～Eは法12条1項2号、15条1項1号、則24条1項、則別表第1、国等の債権債務等の金額の端数計算に関する法律2条1項。

　労災保険料の額を計算する問題です。

　まず、次の①～③を確認します。

①Y年度の賃金総額の見込額がX年度の賃金総額の確定額の**100分の50以上100分の200以下**であるため、Y年度の概算保険料の額の計算は、X年度の賃金総額の確定額を使用します。また、労働保険料の額を計算する際の賃金総額については、**1,000円未満の端数を**切り捨てます。

②計算に使用する**保険業**に係る労災保険率は、1,000分の2.5です。

③計算後の労働保険料の額については、**1円未満の端数を**切り捨てます。

　上記の①～③で確認した数字を使用して、Y年度の概算保険料の労災保険分の額を計算すると、次のようになり、**D**が正解となります。

《Y年度の概算保険料の労災保険分の額》

　X年度の賃金総額の確定額 × 労災保険率

　＝ 4,200万5,000円 × 1,000分の2.5

　＝ **105,012.5円**

　≒ **105,012円**

5章　労働保険徴収法

解答　D

チェック欄

1	2	3

労働保険料等の通知・納付

予想　　　　　　　　　　　　　　　　　　　　　難易度 普　重要度 B

労働保険料等の通知等に関する次の記述のうち、誤っているものはどれか。

A　概算保険料の認定決定に係る納付額の通知は、所轄都道府県労働局歳入徴収官が納入告知書によって行う。

B　政府は、労働保険徴収法第17条第1項の規定により概算保険料を追加徴収する場合には、事業主に対して、納付書を送付することにより、期限を指定して、その納付すべき概算保険料の額を通知しなければならない。

C　有期事業（一括有期事業を除く。）の事業主は、当該事業の労災保険に係る保険関係が消滅した場合であって、すでに納付した概算保険料の額が確定保険料の額に足りないときは、当該保険関係が消滅した日から起算して50日以内に、その不足額を、確定保険料申告書に添えて、納付しなければならない。

D　事業主は、すでに納付した概算保険料の額と確定保険料の額が同額である場合であっても、所定の期限までに、確定保険料申告書を提出しなければならない。

E　労働保険徴収法第21条第1項の規定により追徴金の徴収が行われる場合は、所轄都道府県労働局歳入徴収官が、事業主に対して、納入告知書により、追徴金の額及びその算定の基礎となる事項並びに納期限を通知しなければならない。

A　×　則1条3項、38条4項・5項。**概算保険料の認定決定**に係る納付額の通知は、納入告知書ではなく、**納付書**によって行います。なお、所轄都道府県労働局歳入徴収官が行うという点は、正しい記述です。

B　○　法17条2項、則38条4項・5項。政府が**概算保険料の追加徴収**を行う場合は、事業主に対して、納付書を送付することにより、納付すべき概算保険料の額及び納期限を通知しなければなりません。なお、この通知を行うのは、所轄都道府県労働局歳入徴収官です。

C　○　法19条2項・3項。**有期事業**（一括有期事業を除く。）に係る確定保険料の申告・納期限は、**保険関係が消滅した日から50日以内**（当日起算）です。なお、継続事業（一括有期事業を含む。）に係る確定保険料の申告・納期限は、6月1日から40日以内（保険年度の中途に保険関係が消滅した場合は、保険関係消滅日から50日以内（いずれも当日起算））です。

D　○　法19条1項・2項。すでに納付した概算保険料の額と確定保険料の額が同額で、納付すべき確定保険料がない場合でも、**確定保険料申告書**は、所定の期限までに、**必ず提出しなければなりません**。

E　○　法21条3項による法17条2項の準用、則26条、38条5項。**追徴金**の額及びその算定の基礎となる事項並びに納期限の通知は、**納入告知書**によって行われます。また、通知を行うのは所轄都道府県労働局歳入徴収官です。なお、労働保険徴収法21条1項の規定による追徴金とは、**確定保険料の認定決定**に係る追徴金のことです。

ポイント解説

納入告知書によって納付するもの

次の①〜④の納付は、**納入告知書**によって行います。
①認定決定による確定保険料・印紙保険料
②有期事業の**メリット制**による確定保険料の**差額徴収**
③確定保険料・印紙保険料の認定決定に係る追徴金
④特例納付保険料
※認定決定による概算保険料の納付は**納付書**により行います。

解答　A

5章
労働保険徴収法

労働保険料の認定決定・還付・充当

予想　　　　　　　　　　　　　　　　　難易度 易　重要度 B

労働保険料に関する次の記述のうち、誤っているものはどれか。

A　政府から概算保険料の認定決定に係る通知を受けた事業主であって、概算保険料を納付していないものは、当該認定決定された概算保険料を、その通知を受けた日から15日以内に、納付書によって納付しなければならない。

B　政府は事業主が提出した確定保険料申告書の記載に誤りがあると認めるときは、当該申告書が所定の期限までに提出されたものであっても、労働保険料の額を決定し、これを事業主に通知する。

C　事業主は、すでに納付した概算保険料の額が確定保険料の額を超える場合には、確定保険料申告書を提出する際に、又は確定保険料の認定決定の通知を受けた日の翌日から起算して10日以内に、労働保険料還付請求書を官署支出官又は所轄都道府県労働局資金前渡官吏に提出することによって、その超過額について還付を受けることができる。

D　確定保険料に係る認定決定の通知を受けた事業主は、いかなる場合であっても、労働保険料の還付請求をすることができない。

E　所轄都道府県労働局歳入徴収官は、事業主から還付の請求がなく、労働保険徴収法施行規則第37条第1項の規定により労働保険料の超過額を次の保険年度の概算保険料に充当したときは、その旨を事業主に通知しなければならない。

A　○　法15条4項、則38条4項。事業主は、概算保険料の認定決定の通知を受けたときは、その**通知を受けた日から**15日以内に、認定決定された概算保険料の額（納付した概算保険料があるときはその不足額）を納付書によって納付しなければなりません。

B　○　法19条4項。確定保険料に係る認定決定は、次の①又は②のいずれかに該当するときに行われます。設問は、②に該当するため、政府が労働保険料の額を決定し、事業主に通知します。これらは、概算保険料の認定決定についても、同様です。

> ①事業主が確定保険料申告書を所定の期限までに提出しないとき。
> ②事業主が提出した確定保険料申告書の**記載**に誤りがあると認めるとき。

C　○　法19条6項、則36条。労働保険料還付請求書は、**官署支出官**又は**所轄都道府県労働局資金前渡官吏**に提出しなければなりません。また、この請求書は、確定保険料申告書の提出と同時に、又は確定保険料の認定決定の通知を受けた日の翌日から起算して10日以内に、提出しなければなりません。

D　×　法19条6項。確定保険料に係る認定決定の通知を受けた事業主であっても、納付した概算保険料の額が認定決定された確定保険料の額を超える場合には、労働保険料の**還付請求**をすることが**できます**。

E　○　則37条2項。納付した概算保険料の額が確定保険料の額を超える場合において、事業主が労働保険料の還付請求をしないときは、**所轄都道府県労働局歳入徴収官**は、その超過額を次の保険年度の概算保険料若しくは未納の労働保険料又は未納の一般拠出金等に**充当**します。この充当をしたときには、その旨を事業主に通知しなければなりません。

解答　D

印紙保険料（1）

予想

難易度 普 重要度 B

印紙保険料等に関する次の記述のうち、正しいものはどれか。

A 事業主は、その使用する日雇労働被保険者については、印紙保険料を納付しなければならないが、一般保険料を納付する義務はない。

B 事業主は、原則として、雇用保険印紙を譲り渡し、又は譲り受けてはならないが、雇用保険印紙を譲り渡そうとする事業主と譲り受けようとする事業主が、いずれも雇用保険印紙購入通帳の交付を受けている場合には、これらの事業主との間に限り、譲り渡し、又は譲り受けることができる。

C 印紙保険料の額は、日雇労働被保険者1人につき、1日あたり、その者の賃金の日額に応じて196円、176円及び146円の3種類の額が定められている。

D 請負事業の一括の規定により元請負人が事業主とされる場合であっても、当該事業に係る労働者のうち下請負人が使用する日雇労働被保険者に係る印紙保険料については、当該下請負人が納付しなければならない。

E 雇用保険印紙購入通帳の交付を受けている事業主は、印紙保険料納付状況報告書により、毎月における雇用保険印紙の受払状況を翌月末日までに、所轄公共職業安定所長を経由して、所轄都道府県労働局歳入徴収官に報告しなければならないが、日雇労働被保険者を一人も使用せず雇用保険印紙の受払いのない月に関しては、報告をする義務はない。

A　✕　法15条１項、19条１項、23条１項。一般保険料も納付する義務があります。日雇労働被保険者を使用する事業主が、当該日雇労働被保険者について納付すべき保険料の額は、①**一般保険料**及び②**印紙保険料**です。

B　✕　則41条２項。雇用保険印紙の譲渡の禁止について、設問後半に掲げられている例外規定は存在しません。事業主は、いかなる場合であっても、雇用保険印紙を**譲り渡し、又は譲り受けてはなりません**。雇用保険印紙については、その悪用を避けるため、これを譲り渡し、又は譲り受けることは固く禁じられています。

C　✕　法22条１項。印紙保険料の額は、次表のとおり、賃金日額に応じて176円、146円**及び**96円の３種類です。

印紙等級	賃金日額	印紙保険料	事業主負担分	被保険者負担分
第１級	11,300円以上	176円	88円	88円
第２級	8,200円以上11,300円未満	146円	73円	73円
第３級	8,200円未満	96円	48円	48円

D　○　法23条１項。請負事業の一括により元請負人が事業主とみなされる場合であっても、下請負人が日雇労働被保険者を使用するときは、当該**下請負人**が事業主として印紙保険料を納付する義務を負います。請負事業の一括は、労災保険に係る保険関係についてのみ行われます。**雇用保険に係る保険関係は一括されない**ため、印紙保険料の納付は、日雇労働被保険者を使用する**下請負人**が行わなければなりません。

E　✕　則54条、78条１項、コンメンタール473頁参照。雇用保険印紙の受払いのない月であっても、受払状況を報告する義務があります。雇用保険印紙購入通帳の交付を受けている事業主は、雇用保険印紙の受払いの**有無にかかわらず、毎月**、雇用保険印紙の受払状況を報告しなければなりません。

5章　労働保険徴収法

解答　D

印紙保険料（2）

過令5

難易度 難　重要度 B

労働保険の保険料の徴収等に関する次の記述のうち、正しいものはどれか。

A　日雇労働被保険者が負担すべき額を賃金から控除する場合において、労働保険徴収法施行規則第60条第2項に定める一般保険料控除計算簿を作成し、事業場ごとにこれを備えなければならないが、その形式のいかんを問わないため賃金台帳をもってこれに代えることができる。

B　事業主は、雇用保険印紙を購入しようとするときは、あらかじめ、労働保険徴収法施行規則第42条第1項に掲げる事項を記載した申請書を所轄都道府県労働局歳入徴収官に提出して、雇用保険印紙購入通帳の交付を受けなければならない。

C　印紙保険料納付計器を厚生労働大臣の承認を受けて設置した事業主は、使用した日雇労働被保険者に賃金を支払う都度、その使用した日の被保険者手帳における該当日欄に納付印をその使用した日数に相当する回数だけ押した後、納付すべき印紙保険料の額に相当する金額を所轄都道府県労働局歳入徴収官に納付しなければならない。

D　事業主は、雇用保険印紙が変更されたときは、その変更された日から1年間、雇用保険印紙を販売する日本郵便株式会社の営業所に雇用保険印紙購入通帳を提出し、その保有する雇用保険印紙の買戻しを申し出ることができる。

E　日雇労働被保険者を使用する事業主が、正当な理由がないと認められるにもかかわらず、雇用保険印紙を日雇労働被保険者手帳に貼付することを故意に怠り、1,000円以上の額の印紙保険料を納付しなかった場合、労働保険徴収法第46条の罰則が適用され、6月以下の懲役又は所轄都道府県労働局歳入徴収官が認定決定した印紙保険料及び追徴金の額を含む罰金に処せられる。

A 〇 則60条2項、コンメンタール527頁参照。事業主は、賃金から**被保険者負担一般保険料額を控除**する場合は、その控除額を必要に応じて被保険者等に閲覧させることができるように**一般保険料控除計算簿**を作成し、事業場ごとにこれを備えなければなりません。この一般保険料控除計算簿は形式のいかんを問わないので、賃金台帳をもってこれに代えることができるとされています。

B × 則42条1項。設問の申請書（雇用保険印紙購入通帳交付申請書）は、「所轄都道府県労働局歳入徴収官」ではなく、「所轄公共職業安定所長」に提出します。雇用保険印紙の購入の手順は、次のとおりです。

> ①あらかじめ、雇用保険印紙購入通帳**交付申請書**を**所轄**公共職業安定所長に提出して、雇用保険印紙**購入通帳**の交付を受ける。
> ②雇用保険印紙**購入申込書**に必要事項を記入し、雇用保険印紙を販売する**日本郵便株式会社**の営業所に提出して、雇用保険印紙を購入する。

C × 法23条3項、則44条、51条2項。設問の事業主は、あらかじめ、当該印紙保険料納付計器により表示することができる印紙保険料の額に相当する金額の総額を**所轄都道府県労働局収入官吏に納付**しなければなりません。納付印を押した後に、所轄都道府県労働局歳入徴収官に納付するのではありません。

D × 則43条2項。変更された日から「1年間」ではなく、「6ヵ月間」です。事業主は、次の①～③のいずれかの場合に、印紙保険料の買戻しを申し出ることができます。このうち③の場合には、買戻しの期間が6ヵ月間とされています。なお、①②の場合は、買戻しの期間の定めはありませんが、あらかじめ所轄公共職業安定所長の確認を受けることが必要です。
①雇用保険に係る保険関係が消滅したとき。
②日雇労働被保険者を使用しなくなったとき。
③**雇用保険印紙**が変更されたとき。

E × 法46条。設問の場合の罰則は、「**6月以下の懲役**又は**30万円以下の罰金**」です。認定決定した印紙保険料及び追徴金の額は、**罰金とは別に**納付しなければなりません。また、法46条の罰則は、「印紙保険料の納付の規定に違反して**雇用保険印紙を**貼らず、又は消印しなかった場合」に適用され、納付しなかった印紙保険料の額は問われません。

解答　A

特例納付保険料

過令3

難易度 **難**　重要度 **C**

特例納付保険料の納付等に関する次の記述のうち、正しいものはどれか。

A　雇用保険の被保険者となる労働者を雇い入れ、労働者の賃金から雇用保険料負担額を控除していたにもかかわらず、労働保険徴収法第4条の2第1項の届出を行っていなかった事業主は、納付する義務を履行していない一般保険料のうち徴収する権利が時効によって既に消滅しているものについても、特例納付保険料として納付する義務を負う。

B　特例納付保険料の納付額は、労働保険徴収法第26条第1項に規定する厚生労働省令で定めるところにより算定した特例納付保険料の基本額に、当該特例納付保険料の基本額に100分の10を乗じて得た同法第21条第1項の追徴金の額を加算して求めるものとされている。

C　政府は、事業主から、特例納付保険料の納付をその預金口座又は貯金口座のある金融機関に委託して行うことを希望する旨の申出があった場合には、その納付が確実と認められ、かつ、その申出を承認することが労働保険料の徴収上有利と認められるときに限り、その申出を承認することができる。

D　労働保険徴収法第26条第2項の規定により厚生労働大臣から特例納付保険料の納付の勧奨を受けた事業主が、特例納付保険料を納付する旨を、厚生労働省令で定めるところにより、厚生労働大臣に対して書面により申し出た場合、同法第27条の督促及び滞納処分の規定並びに同法第28条の延滞金の規定の適用を受ける。

E　所轄都道府県労働局歳入徴収官は、労働保険徴収法第26条第4項の規定に基づき、特例納付保険料を徴収しようとする場合には、通知を発する日から起算して30日を経過した日をその納期限と定め、事業主に、労働保険料の増加額及びその算定の基礎となる事項並びに納期限を通知しなければならない。

Ａ　✕　法26条１項。特例納付保険料の**納付**は任意であり、設問の事業主（対象事業主）であっても、直ちに、これを納付する義務を負うものではありません。なお、特例納付保険料の納付については、厚生労働大臣には、やむを得ない事情のためこれを行うことができない場合を除き、対象事業主に対して、特例納付保険料の**納付を勧奨**することが**義務**づけられています。

Ｂ　✕　法26条１項、則57条。追徴金の額を加算して求めるのではありません。特例納付保険料の納付額は、特例納付保険料の**基本額**に「**基本額に100分の10を乗じて得た額**」を**加算**した額ですが、この加算額は追徴金ではありません。

Ｃ　✕　法21条の２第１項、則38条の４。特例納付保険料については、口座振替による納付を行うことができません。労働保険料等のうち、**口座振替**による納付を行うことができるのは、**納付書**によって納付が行われる①通常の概算保険料（延納によるものを含む。）、②確定保険料の不足額に限られます（**問題145のＤ肢解説参照。**）。特例納付保険料のように、**納入告知書**により納付するものについては、口座振替による納付を行うことができません。

Ｄ　◯　コンメンタール484頁。特例納付保険料は、労働保険料に位置づけられています。また、事業主が特例納付保険料の**納付を**申し出た場合は、事業主にその納付が義務づけられるため、督促及び滞納処分の規定並びに延滞金の規定の適用を受けます。

Ｅ　✕　則59条。特例納付保険料の徴収にあたり、所轄都道府県労働局歳入徴収官が事業主に通知しなければならない事項は、①**特例納付保険料**の額及び②**納期限**です。なお、通知を発する日から**30日を経過した日**をその納期限と定めるという点は、正しい記述です。

解答　Ｄ

督促・滞納処分、延滞金等

過令元

難易度 **普**　重要度 **A**

労働保険料の督促等に関する次の記述のうち、誤っているものはどれか。

A　労働保険徴収法第27条第1項は、「労働保険料その他この法律の規定による徴収金を納付しない者があるときは、政府は、期限を指定して督促しなければならない。」と定めているが、この納付しない場合の具体的な例には、保険年度の6月1日を起算日として40日以内又は保険関係成立の日の翌日を起算日として50日以内に（延納する場合には各々定められた納期限までに）納付すべき概算保険料の完納がない場合がある。

B　労働保険徴収法第27条第3項に定める「労働保険料その他この法律の規定による徴収金」には、法定納期限までに納付すべき概算保険料、法定納期限までに納付すべき確定保険料及びその確定不足額等のほか、追徴金や認定決定に係る確定保険料及び確定不足額も含まれる。

C　労働保険徴収法第27条第2項により政府が発する督促状で指定すべき期限は、「督促状を発する日から起算して10日以上経過した日でなければならない。」とされているが、督促状に記載した指定期限経過後に督促状が交付され、又は公示送達されたとしても、その督促は無効であり、これに基づいて行った滞納処分は違法となる。

D　延滞金は、労働保険料の額が1,000円未満であるとき又は延滞金の額が100円未満であるときは、徴収されない。

E　政府は、労働保険料の督促をしたときは、労働保険料の額につき年14.6％の割合で、督促状で指定した期限の翌日からその完納又は財産差押えの日の前日までの期間の日数により計算した延滞金を徴収する。

A　○　法27条1項、コンメンタール489頁参照。設問の「納付しない」場合とは、労働保険料その他労働保険徴収法の規定による徴収金について、**法定の納期限又は納入告知書による指定期限**までにその完納がない場合をいいます。概算保険料については、法定の納期限である保険年度の6月1日を起算日として40日以内又は保険関係成立の日の翌日を起算日として50日以内に（延納する場合には各々定められた納期限までに）完納がないのであれば、設問の「納付しない」場合にあたります。

B　○　法27条3項、昭55.6.5発労徴40号、コンメンタール488頁参照。滞納処分の対象となる「**労働保険料その他この法律の規定による徴収金**」には、法定納期限までに納付すべき概算保険料、法定納期限までに納付すべき確定保険料及びその確定不足額、認定決定に係る確定保険料及び確定不足額等といった労働保険料のほか、**追徴金**も含まれます。

C　○　法27条2項、コンメンタール490〜491頁参照。督促状を受領した納付義務者が、督促に係る労働保険料等を納付するためには、時間的余裕が必要です。したがって、督促状に記載した**指定期限経過後**に督促状が交付され、又は公示送達されたとしても、その**督促は無効**であり、無効な督促に基づいて行った滞納処分は違法となります。

D　○　法28条1項・5項3号。①督促した**労働保険料の額が**1,000円未満である場合や②**延滞金の額が**100円未満である場合には、延滞金は徴収されません。なお、健康保険法や厚生年金保険法にも同様の規定があります。

E　×　法28条1項。延滞金は「督促状で指定した期限の翌日から」ではなく、「（本来の）**納期限の翌日から**」その完納又は財産差押えの日の前日までの日数に応じて計算します。また、納期限の翌日から**2ヵ月**を経過する日までの期間については、年7.3％の割合を乗じて計算した延滞金を徴収します。なお、延滞金の割合については、軽減特例措置により、当分の間、法本来の割合（年14.6％及び年7.3％）よりも低い割合が適用されます。

解答　E

延滞金

予想　　　　　　　　　　　　　　　難易度 易　重要度 C

延滞金に関する次の記述のうち、誤っているものはどれか。

A　事業主が労働保険料その他労働保険徴収法の規定による徴収金を法定納期限までに納付せず督促状が発せられた場合には、当該事業主が督促状に指定された期限までに当該徴収金を完納したとしても、延滞金は徴収される。

B　政府が延滞金を徴収する場合において、労働保険料の額の一部につき納付があったときは、その納付の日以後の期間に係る延滞金の額の計算の基礎となる労働保険料の額は、その納付のあった労働保険料の額を控除した額となる。

C　政府が、納付義務者の住所又は居所が分からないため、公示送達の方法による督促を行った場合には、延滞金は徴収されないが、ここでいう「住所又は居所が分からない」場合とは、書面調査、実地調査を行ってもなお不明の場合をいう。

D　政府が、国税徴収法の規定により労働保険料について滞納処分の執行を停止したときは、その停止をした徴収金額に係る延滞金のうち当該停止期間に対応する延滞金は、その全額が徴収されない。

E　事業主が労働保険料を納付しないことについて、やむを得ない理由があると認められるときは、延滞金は徴収されないが、この場合の「やむを得ない理由」には、事業の不振又は金融事情等の経済事由によって労働保険料を滞納している場合は該当しない。

速習レッスン A：P430、B：(参考) P429、C：(参考) P430、D：P430、E：P430

解説

A　✕　法28条5項1号。**督促状**に指定された期限までに労働保険料その他労働保険料その他労働保険徴収法の規定による徴収金を完納した場合には、延滞金は**徴収されません**。

B　○　法28条2項。延滞金の額の計算にあたって、労働保険料の額の一部につき納付があったときは、その日以後は労働保険料の額から**一部納付された額を控除**した額を計算の基礎とします。つまり、労働保険料のうち、納付されていない額のみを基礎として、延滞金を計算します。

C　○　法28条5項2号、昭62.3.26労徴発19号。なお、書面調査等をしたならば住所又は居所が判明したにもかかわらず、単に1回だけの郵便送達により宛先人不明で返送されたことを理由として所要の調査を行わなかった場合は、「住所又は居所が分からない」場合にはあたりません（公示送達をしても、公示送達の効力は生じない。）。

D　○　法28条5項4号、昭62.3.26労徴発19号。労働保険料について滞納処分の執行を**停止**し、又は**猶予**したときは、延滞金（その執行を停止し、又は猶予した期間に対応する部分の金額に限る。）は**徴収されません**。

E　○　法28条5項5号、昭62.3.26労徴発19号。なお、設問の「やむを得ない理由」とは、**天災地変**等（地震など）不可抗力により、やむなく労働保険料を滞納したものと認められるような場合をいいます。

5章

労働保険徴収法

ポイント解説

延滞金が徴収されない場合

次の場合は、延滞金は徴収されません。
①**督促状**に指定した期限までに労働保険料等を完納した場合
②督促した労働保険料の額が1,000円**未満**である場合
③延滞金の額が100円**未満**である場合
④公示送達の方法によって督促した場合
⑤労働保険料について滞納処分の執行を停止し、又は猶予した場合
⑥労働保険料を納付しないことについて**やむを得ない理由**があると認められる場合

解答　A

労働保険事務組合（1）

過令元

難易度 **普**　重要度 **A**

労働保険事務組合に関する次の記述のうち、正しいものはどれか。

A　金融業を主たる事業とする事業主であり、常時使用する労働者が50人を超える場合、労働保険事務組合に労働保険事務の処理を委託することはできない。

B　労働保険事務組合は、労災保険に係る保険関係が成立している二元適用事業の事業主から労働保険事務の処理に係る委託があったときは、労働保険徴収法施行規則第64条に掲げられている事項を記載した届書を、所轄労働基準監督署長又は所轄公共職業安定所長を経由して都道府県労働局長に提出しなければならない。

C　労働保険事務組合は、定款に記載された事項に変更を生じた場合には、その変更があった日の翌日から起算して14日以内に、その旨を記載した届書を厚生労働大臣に提出しなければならない。

D　労働保険事務組合は、団体の構成員又は連合団体を構成する団体の構成員である事業主その他厚生労働省令で定める事業主（厚生労働省令で定める数を超える数の労働者を使用する事業主を除く。）の委託を受けて、労災保険の保険給付に関する請求の事務を行うことができる。

E　労働保険事務組合が、委託を受けている事業主から交付された追徴金を督促状の指定期限までに納付しなかったために発生した延滞金について、政府は当該労働保険事務組合と当該事業主の両者に対して同時に当該延滞金に関する処分を行うこととなっている。

A ○ 法33条1項、則62条2項。労働保険事務組合に労働保険事務の処理を委託することができる事業主の範囲（規模）は、業種に応じて、次の①～③のとおりです。設問の事業主は、主たる事業が金融業であり、常時使用する労働者が50人を超えているため、①に該当せず、委託することは**できません**。

事業の種類	規模 （常時使用する労働者数）
①金融業、保険業、不動産業、小売業	50人以下
②卸売業、サービス業	100人以下
③上記以外の事業	300人以下

B × 則64条1項、78条3項。所轄公共職業安定所長を経由して提出することはできません。労働保険事務組合は、**労災保険**に係る保険関係が成立している**二元適用事業**の事業主から労働保険事務の処理に係る委託があった場合には、労働保険事務等処理委託届を、**所轄労働基準監督署長**を経由して都道府県労働局長に提出しなければなりません。

C × 則65条。設問の変更に関する届書の提出先は、厚生労働大臣ではなく、**主たる事務所**の所在地を管轄する都道府県労働局長です。なお、変更があった日の翌日から起算して**14日以内**に提出しなければならないとする点は、正しい記述です。

D × 法33条1項、平12.3.31発労徴31号。労災保険の保険給付に関する請求の事務を行うことは**できません**。次の①～③の事務は、労働保険事務組合が事業主の委託を受けて処理することができる労働保険事務の範囲に**含まれません**。「労災保険の保険給付に関する請求の事務」は、②に該当します。

①**印紙保険料**に関する事務

②保険給付**に関する請求等**に係る事務

③**雇用保険二事業**に係る事務

E × 法35条2項・3項。「同時に」ではありません。設問の延滞金については、原則として、**労働保険事務組合**が納付の**責任を負います**。また、労働保険事務組合が納付の責任を負う徴収金（労働保険料、追徴金、延滞金等）については、政府は、まず労働保険事務組合に対して滞納処分を行い、なお徴収すべき**残余**があれば、**事業主**から直接徴収します。

解答 A

労働保険事務組合 (2)

予想　　　　　　　　　　　　　　　　難易度 普　重要度 B

労働保険事務組合に関する次の記述のうち、正しいものはどれか。

A 事業主の団体であっても、法人でないものは、労働保険事務組合の認可を受けることができない。

B 労働保険事務組合は、労働保険事務の処理の委託の解除があったときは、その解除があった日の翌日から起算して14日以内に、所定の事項を記載した届書を、その主たる事務所の所在地を管轄する都道府県労働局長に提出しなければならない。

C 労働保険事務組合が労働保険関係法令の規定に違反したために当該労働保険事務組合の認可が取り消された場合は、当該労働保険事務組合の主たる事務所の所在地を管轄する都道府県労働局長は、認可の取消しがあった旨を、当該労働保険組合に労働保険事務の処理を委託している事業主に通知しなければならない。

D 労働保険事務組合が虚偽の報告又は届出をしたことにより、当該労働保険事務組合に労働保険事務の処理を委託している事業主に使用される者が不正に労災保険の保険給付を受けた場合は、政府は、不正に保険給付を受けた者からその保険給付に要した費用に相当する金額の全部又は一部を徴収することができるが、当該労働保険事務組合に対し、不正に保険給付を受けた者と連帯して徴収金を納付すべきことを命ずることはできない。

E 労働保険事務組合は、その処理する労働保険事務に関する事項を記載した帳簿を事務所に備えておかなければならないが、当該帳簿を保存しなければならない期間は、労働保険事務等処理委託事業主名簿並びに労働保険料等徴収及び納付簿についてはその完結の日から3年間、雇用保険被保険者関係届出事務等処理簿についてはその完結の日から5年間である。

A ✕ 平12.3.31発労徴31号。**法人でない団体であっても、労働保険事務組合の認可を受けることができます。** なお、法人でない団体等が労働保険事務組合の認可を受けるには、**代表者の定め**があることのほか、団体等の事業内容、構成員の範囲その他団体等の組織、運営方法等が定款等において明確に定められ、**団体性が明確**であることが必要とされます。

B ✕ 則64条2項。「解除があった日の翌日から起算して14日以内」ではなく、「遅滞なく」、提出しなければなりません。労働保険事務の処理の**委託の解除**があった場合の届出（労働保険事務等処理委託解除届）は、労働保険事務組合が、**遅滞なく**、その**主たる事務所**の所在地を管轄する**都道府県労働局長**に届書を提出することにより行います。なお、労働保険事務の処理の委託があった場合の届出（労働保険事務等処理委託届）についても同様です。

C ◯ 則67条2項。労働保険事務組合が労働保険関係法令の規定に違反したとき等は、厚生労働大臣（都道府県労働局長に委任）は、労働保険事務組合の認可を取り消すことができます。この**認可の取消し**があったときは、当該労働保険事務組合の主たる事務所の所在地を管轄する都道府県労働局長は、その旨を**委託事業主に通知**しなければなりません。

D ✕ 法35条4項、労災法12条の3第1項・2項。労働保険事務組合に対して徴収金を納付すべきことを命ずることが**できます**。労働保険事務組合の虚偽の報告等により不正受給が行われた場合は、政府は、その**労働保険事務組合に対して**、不正受給者と連帯して、その給付に要した費用について、**徴収金の納付**（返還）**等を命ずる**ことができます。

E ✕ 法36条、則72条。**雇用保険被保険者**関係届出事務等処理簿については、「5年間」ではなく、「4年間」です。労働保険事務組合が備えておかなければならない帳簿の種類及びその保存義務期間は、次のとおりです。

帳簿の種類	保存義務期間
①労働保険事務等処理委託事業主名簿	完結の日から**3年間**
②労働保険料等徴収及び納付簿	
③**雇用保険被保険者**関係届出事務等処理簿	完結の日から4年間

解答　C

5章 労働保険徴収法

労働保険事務組合（3）

予想

難易度 易　重要度 B

労働保険事務組合に関する次の記述のうち、誤っているものはどれか。

A　事業主の行う事業の主たる事務所と労働保険事務組合の主たる事務所が異なる都道府県にある場合であっても、当該事業主は、当該労働保険事務組合に労働保険事務の処理を委託することができる。

B　政府は、労働保険事務組合に労働保険事務の処理を委託した事業主に対してすべき労働保険料の納入の告知について、これを労働保険事務組合に対してすることができる。

C　労働保険事務組合に労働保険事務の処理を委託した事業主が労働保険料の納付のため、金銭を労働保険事務組合に交付したときは、その金額の限度で、労働保険事務組合は、政府に対して納付の責めに任ずる。

D　労働保険事務組合は、報奨金の交付を受けようとするときは、労働保険事務組合報奨金交付申請書を、10月15日までに、所轄都道府県労働局長に提出しなければならない。

E　労働保険事務組合は、労働保険事務の処理に係る業務を廃止しようとするときは、労働保険事務の処理を委託している事業主の4分の3以上の同意を得た上で、60日前までに、その旨を厚生労働大臣に届け出なければならない。

A ○ 平12.3.31発労徴31号。労働保険事務組合に労働保険事務の処理を委託することができる事業主について、**地域要件**はありません。したがって、委託事業主の行う事業の主たる事務所と労働保険事務組合の主たる事務所が異なる都道府県にある場合であっても、労働保険事務の処理を委託することができます。

B ○ 法34条。政府は、委託事業主に対してすべき労働保険料の納入の**告知**その他の**通知**及び還付金の**還付**については、これを**労働保険事務組合**に対してすることができます。なお、この場合において、労働保険事務組合に対してした労働保険料の納入の告知その他の通知及び還付金の還付は、当該**事業主**に対してしたものと**みなします**。

C ○ 法35条１項。労働保険事務組合は、委託事業主から労働保険料その他の徴収金の納付のための**金銭の交付**を受けたときは、**その金額**の限度で、政府に対して徴収金の納付の**責任を負います**。

D ○ 報奨金則２条１項。報奨金は、労働保険事務組合が納付すべき労働保険料の納付の状況が著しく良好であると認めるときに、労働保険事務組合の申請に基づき、交付されます。この「労働保険事務組合報奨金交付申請書」の提出期限は、毎年10月15日であり、その提出先は、**所轄都道府県労働局長**です。

E × 法33条３項。事業主の４分の３以上の同意を得る必要は**ありません**。労働保険事務組合が、60日前**まで**に、厚生労働大臣に**届け出れば**足ります。なお、この届出は、届書を所轄都道府県労働局長に提出することによって行います。

5章

労働保険徴収法

解答　E

雑則、罰則

予想

難易度 **難** 重要度 **C**

次の記述のうち、正しいものはどれか。

A 労働保険徴収法第43条第１項の規定による立入検査の権限は、犯罪捜査のために認められたものと解釈してはならないとされているが、立入検査をするためには、裁判官の発する令状が必要である。

B 所轄都道府県労働局長、所轄労働基準監督署長又は所轄公共職業安定所長は、文書又は口頭で、保険関係が成立し、若しくは成立していた事業の事業主又は労働保険事務組合若しくは労働保険事務組合であった団体に対して、労働保険徴収法の施行に関し必要な報告、文書の提出又は出頭を命ずることができる。

C 労働保険料その他労働保険徴収法の規定による徴収金を徴収し、又はその還付を受ける権利は、これらを行使することができる時から３年を経過したときは、時効によって消滅する。

D 法人の代表者が、労働保険徴収法第43条第１項の規定により行われるその法人の業務に関する立入検査において、当該立入検査をする職員の質問に対して答弁をしなかった場合は、当該法人の代表者は、６ヵ月以下の懲役又は30万円以下の罰金に処せられるが、当該法人は、これに関する処罰の対象から除外されている。

E 雇用保険暫定任意適用事業の事業主が、当該事業に使用される労働者の２分の１以上が希望する場合において、その希望に反して雇用保険の加入の申請をしなかった場合は、当該事業主は、６ヵ月以下の懲役又は30万円以下の罰金に処せられる。

A ✕ 法43条3項。コンメンタール613頁参照。裁判官の発する令状は不要です。法43条1項の規定による立入検査の権限は、犯罪捜査のために認められたものではなく、「行政調査」として行われるものですから、裁判官の発する**令状は不要**です。

B ✕ 法42条、則74条。「文書又は口頭で」とある記述が誤りです。設問の報告等の命令は、**文書**によって行うものとされています。口頭で行うことはできません。

C ✕ 法41条1項。3年ではなく、**2年**です。労働保険料その他徴収金の**徴収又は還付**の権利は、**2年を経過**すると、時効によって消滅します。

D ✕ 法46条4号、48条1項。法人も、処罰の対象とされています。設問は、両罰規定についてです。法人の代表者等がその法人又は人の業務に関して違反行為をしたときは、その行為者が罰せられるほか、その法人又は人に対しても**罰金刑**が科せられます（設問の場合には、法人は、30万円以下の罰金に処せられる。）。

E ○ 法附則2条3項、7条1項。**雇用保険**暫定任意適用事業の事業主は、当該事業に使用される労働者の2分の1以上が希望する場合には、雇用保険への加入申請をしなければなりません。この希望に反して、当該**加入申請をしなかった**事業主は、**6ヵ月以下の懲役又は30万円以下の罰金**に処せられます。

5章 労働保険徴収法

解答 E

労働保険徴収法全般（1）

過令2 改正E

難易度 **普**　重要度 **B**

労働保険の保険料の徴収等に関する次の記述のうち、誤っているものはどれか。

A　概算保険料について延納できる要件を満たす継続事業の事業主が、7月1日に保険関係が成立した事業について保険料の延納を希望する場合、2回に分けて納付することができ、最初の期分の納付期限は8月20日となる。

B　概算保険料について延納できる要件を満たす有期事業（一括有期事業を除く。）の事業主が、6月1日に保険関係が成立した事業について保険料の延納を希望する場合、11月30日までが第1期となり、最初の期分の納付期限は6月21日となる。

C　概算保険料について延納が認められている継続事業（一括有期事業を含む。）の事業主が、増加概算保険料の納付について延納を希望する場合、7月1日に保険料算定基礎額の増加が見込まれるとき、3回に分けて納付することができ、最初の期分の納付期限は7月31日となる。

D　労働保険徴収法は、労働保険の事業の効率的な運営を図るため、労働保険の保険関係の成立及び消滅、労働保険料の納付の手続、労働保険事務組合等に関し必要な事項を定めている。

E　厚生労働大臣は、毎会計年度において、徴収保険料額及び雇用保険に係る各種国庫負担額の合計額と失業等給付額等との差額が、労働保険徴収法第12条第5項に定める要件に該当するに至った場合、必要があると認めるときは、労働政策審議会の同意を得て、1年以内の期間を定めて失業等給付費等充当徴収保険率を一定の範囲内において変更することができる。

A　○　則27条。継続事業・一括有期事業について、保険年度の中途に保険関係が成立した場合の延納の回数は、保険関係成立日に応じて、「成立日が4/1～5/31：3回」、「**成立日が6/1～9/30：2回**」、「成立日が10/1～翌3/31：延納不可」です。設問の事業の保険関係成立日は、7月1日ですので、延納回数は、2回となります。また、最初の期分の保険料の納期限は、**保険関係成立日から50日以内**（翌日起算）ですので、8月20日となります。

B　○　則28条。有期事業に係る概算保険料の延納についてです。設問の事業は、**保険関係成立日**（6月1日）**からその日の属する期の末日**（7月31日）までの期間が「**2ヵ月以内**」ですので、この事業に係る延納の第1期は、保険関係成立日の属する期の次の期の末日（11月30日）までとなります。また、最初の期（第1期）分の納期限は、**保険関係成立日から20日以内**（翌日起算）ですので、6月21日となります。

C　○　則30条1項・2項。継続事業・一括有期事業の増加概算保険料に係る延納回数は、賃金総額等の増加が見込まれた日又は一般保険料率の変更の日（以下「増加日」という。）に応じて、「**増加日が4/1～7/31：3回**」、「増加日が8/1～11/30：2回」、「増加日が12/1～翌3/31：延納不可」です。設問の事業の増加日は、7月1日ですので、延納回数は3回となります。また、増加概算保険料を延納する場合の最初の期分の納期限は、**増加日から30日以内**（翌日起算）ですので、7月31日となります。

D　○　法1条。労働保険徴収法の趣旨についてです。労働保険徴収法は、労働保険の**事業の効率的な運営**を図ることを目的として、①労働保険の**保険関係の成立及び消滅**に関する事項、②労働保険料の**納付の手続き**に関する事項、③**労働保険事務組合等**に関する事項を定めるものとされています。

E　×　法12条5項。**労働政策審議会**の「同意を得て」ではなく、「意見を聴いて」です。なお、設問の失業等給付費等充当徴収保険率の弾力的変更の規定による失業等給付費等充当徴収保険率の変更は、**1年以内の期間**を定めて、失業等給付費等充当徴収保険率から「**±1,000分の4**」の範囲内で行うことができます。

5章

労働保険徴収法

解答　E

労働保険徴収法全般（2）

予想

難易度 普　重要度 A

労働保険徴収法に関する次の記述のうち、誤っているものはどれか。

A　労災保険率は、政令で定めるところにより、労災保険法の適用を受けるすべての事業の過去3年間の業務災害、複数業務要因災害及び通勤災害に係る災害率並びに二次健康診断等給付に要した費用の額、社会復帰促進等事業として行う事業の種類及び内容その他の事情を考慮して厚生労働大臣が定める。

B　労働者派遣事業に係る労災保険率は、派遣労働者の派遣先での作業実態に基づき事業の種類を決定し、労災保険率表による労災保険率を適用する。

C　園芸サービスの事業に適用される雇用保険率は、いわゆる一般の事業に適用される率より高い率となっている。

D　有期事業の一括が行われている事業の事業主は、保険年度の中途に当該事業に係る保険関係が消滅した場合は、当該保険関係が消滅した日から50日以内に、確定保険料の申告及び納付を行わなければならない。

E　継続事業の事業主が納付した概算保険料の額が、確定保険料の額を超える場合において、事業主から還付の請求がないときは、政府は、その超える額を次の保険年度の概算保険料又は未納の労働保険料その他労働保険徴収法の規定による徴収金に充当する。

A ○ 法12条2項。労災保険率は、厚生労働大臣が定めます。労災保険率を定め
るにあたっては、労災保険法の適用を受けるすべての事業の過去3年間の①**業務
災害、複数業務要因災害**及び**通勤災害**に係る災害率、②**二次健康診断等給付**に
要した費用の額、③**社会復帰促進等事業**として行う事業の種類及び内容、④その他の事情が考慮されます。

B ○ 昭61.6.30発労徴41号、基発383号。労働者派遣事業について、**労災保険
率表**のいずれの事業の種類に該当するかは、派遣労働者の**派遣先**での作業実態
に基づき決定されます。派遣先での作業実態が数種にわたる場合には、主たる作
業実態に基づき事業の種類が決定されます。なお、労働者派遣事業の雇用保険
率については、原則として、一般の事業に係る率を適用します。

C × 法12条4項、昭50労告12号。一般の事業に適用される率と同じ率です。農
林水産業のうち、季節的に休業し、又は事業の規模が縮小することのない事業と
して厚生労働大臣が指定する事業（①牛馬育成、酪農、養鶏又は養豚の事業、
②**園芸サービス**の事業、③内水面養殖の事業及び④船員が雇用される事業）に
ついては、一般の事業と同じ雇用保険率が適用されます。

D ○ 法19条1項・3項、昭40.7.31基発901号。一括有期事業の保険関係が保
険年度の中途に消滅した場合における確定保険料の申告・納期限は、継続事業
の場合と同様に、当該保険関係が消滅した日から**50日以内**（当日起算）です。
なお、有期事業（一括有期事業を除く。）に係る確定保険料の申告・納期限も、
保険関係が消滅した日から**50日以内**（当日起算）です。

E ○ 法19条6項、則37条1項。納付した概算保険料の額が確定保険料の額を
超える場合は、充当又は還付が行われます。**還付**は、事業主の還付の**請求**によ
り行われ、請求がないときは、**次の保険年度**の概算保険料等への充当が行われます。

解答 C

基本まとめ　保険関係の成立日・消滅日

強制適用事業における保険関係の成立日、消滅日は次のとおりです。

	労災保険・雇用保険共通
成立日	次のいずれかに該当したときに、法律上当然に成立する。 ①事業が**開始**された日 ②適用事業に該当することとなった日
消滅日	次のいずれかに該当したときに、法律上当然に消滅する。 ①事業が**廃止**された日の**翌日**（継続事業・有期事業の場合） ②事業が**終了**した日の**翌日**（有期事業の場合）

基本まとめ　概算保険料の申告・納期限

	継続事業・一括有期事業	有期事業
原則	その保険年度の**6月1日**から**40日**以内（当日起算）＝**7月10日**まで【年度更新】	保険関係成立日から**20日**以内（翌日起算）
例外	①保険年度の中途に保険関係が成立 →保険関係成立日から**50日**以内（翌日起算） ②保険年度の中途に第1種・第3種特別加入 →特別加入の承認があった日から**50日**以内（翌日起算）	保険関係成立後に第1種特別加入 →特別加入の承認があった日から**20日**以内（翌日起算）

基本まとめ　確定保険料の申告・納期限

	継続事業・一括有期事業	有期事業
原則	次の保険年度の**6月1日**から**40日**以内（当日起算）＝**7月10日**まで【年度更新】	保険関係消滅日から**50日**以内（当日起算）
例外	①保険年度の中途に保険関係が消滅 →保険関係消滅日から**50日**以内（当日起算） ②保険年度の中途に第1種・第3種特別加入の承認取消し →特別加入の承認が取り消された日から**50日**以内	保険関係成立後に第1種特別加入の承認取消し →特別加入の承認が取り消された日から**50日**以内

第**6**章

労務管理その他の労働に関する一般常識

法令分野の問題は優先的に攻略を！

チェック欄

1	2	3

労使関係に関する法律（1）

過令2

難易度 難　重要度 B

労働組合法等に関する次の記述のうち、誤っているものはどれか。

A　労働組合が、使用者から最小限の広さの事務所の供与を受けていても、労働組合法上の労働組合の要件に該当するとともに、使用者の支配介入として禁止される行為には該当しない。

B　「労働組合の規約により組合員の納付すべき組合費が月を単位として月額で定められている場合には、組合員が月の途中で組合から脱退したときは、特別の規定又は慣行等のない限り、その月の組合費の納付につき、脱退した日までの分を日割計算によつて納付すれば足りると解すべきである。」とするのが、最高裁判所の判例である。

C　労働組合の規約には、組合員又は組合員の直接無記名投票により選挙された代議員の直接無記名投票の過半数による決定を経なければ、同盟罷業を開始しないこととする規定を含まなければならない。

D　「ユニオン・ショップ協定によって、労働者に対し、解雇の威嚇の下に特定の労働組合への加入を強制することは、それが労働者の組合選択の自由及び他の労働組合の団結権を侵害する場合には許されないものというべきである」から、「ユニオン・ショップ協定のうち、締結組合以外の他の労働組合に加入している者及び締結組合から脱退し又は除名されたが、他の労働組合に加入し又は新たな労働組合を結成した者について使用者の解雇義務を定める部分は、右の観点からして、民法90条の規定により、これを無効と解すべきである（憲法28条参照）。」とするのが、最高裁判所の判例である。

E　いわゆるロックアウト（作業所閉鎖）は、個々の具体的な労働争議における労使間の交渉態度、経過、組合側の争議行為の態様、それによって使用者側の受ける打撃の程度等に関する具体的諸事情に照らし、衡平の見地からみて労働者側の争議行為に対する対抗防衛手段として相当と認められる場合には、使用者の正当な争議行為として是認され、使用者は、いわゆるロックアウト（作業所閉鎖）が正当な争議行為として是認される場合には、その期間中における対象労働者に対する個別的労働契約上の賃金支払義務を免れるとするのが、最高裁判所の判例である。

A ○ 労組法2条2号、7条3号。使用者が、労働者が労働組合を結成・運営することを**支配**し、若しくはこれに**介入**すること、又は労働組合の運営のための経費の支払いにつき**経理上の援助**を与えることは、不当労働行為に該当し、禁止されています。ただし、①労働時間中の交渉等の時間について賃金を支払うこと、②労働組合の厚生資金、福利等の基金に寄附すること、③**最小限の広さの事務所を供与**すること、④組合員の賃金から組合費を差し引いて、一括して労働組合に引き渡すことは、不当労働行為には該当しません。設問は、このうちの③についてです。

B × 最判 昭50.11.28 国労広島地本事件。最高裁判所は、設問の場合には、組合員が月の**途中で脱退**したときでも、その月の組合費の**全額を納付**する義務を免れないものというべきであり、脱退した日までの分を日割計算によって納付すれば足りると解することはできないと判示しました。

C ○ 労組法5条2項8号。労働組合の規約の必要的記載事項のうちの同盟罷業の開始決定の手続きについてです。同盟罷業は、労働者の要求を貫徹するための手段であると同時に、労働者に対しても賃金を失うなどの損害を生じさせるものである等の理由から、組合幹部や一部の少数者の独断によって行うべきものではなく、その開始にあたっては、組合員又は組合員の直接無記名投票により選挙された代議員の**直接無記名投票**の過半数による決定を経るものとされています。

D ○ 最判 平元.12.14 三井倉庫港運事件。ユニオン・ショップ協定に基づく解雇の効力が争われた事件において、最高裁判所は、労働者には**労働組合選択の自由**があるため、ユニオン・ショップ協定に基づく使用者の解雇義務を定める部分は、①締結組合以外の**他の労働組合の組合員**、②締結組合から脱退し又は除名された後、**他の労働組合に加入**し又は**新たな労働組合を結成**した者については、**無効**となると判示しました。

E ○ 最判 昭50.4.25 丸島水門事件。ロックアウトの正当性が争われた事件において、最高裁判所は、ロックアウトが**正当な争議行為**として是認される場合には、使用者は、その期間中における対象労働者に対する個別的労働契約上の**賃金支払義務を免れる**と判示しました。

6章 労務管理その他の労働に関する一般常識

解答 B

労使関係に関する法律（2）

予想

難易度 普　重要度 **A**

次の記述のうち、誤っているものはどれか。

A　労働組合法において「労働者」とは、職業の種類を問わず、賃金、給料その他これに準ずる収入によって生活する者をいう。

B　いわゆるチェック・オフ協定は、それが労働協約の形式により締結された場合であっても、当然に使用者がチェック・オフをする権限を取得するものではないことはもとより、当該労働組合の組合員がチェック・オフを受忍すべき義務を負うものではないと解すべきであるとするのが、最高裁判所の判例である。

C　労働組合法によれば、有効期間の定めがない労働協約は、当事者の一方が、署名し、又は記名押印した文書によって相手方に予告して、解約することができるが、当該予告は、解約しようとする日の少なくとも60日前にしなければならない。

D　労働関係調整法において「労働争議」とは、労働関係の当事者間において、労働関係に関する主張が一致しないで、そのために争議行為が発生している状態又は発生するおそれがある状態をいう。

E　個別労働関係紛争解決促進法は、個別労働関係紛争について、あっせんの制度を設けること等により、その実情に即した迅速かつ適正な解決を図ることを目的としている。

A　○　労組法3条。労働組合法では、単に、賃金等の収入によって生活する者を「労働者」と定義しています。この定義には、労働基準法の労働者の定義とは異なり、「事業に使用される者」という要件がありません。つまり、**使用従属関係の存否を問いません**。現に就業しているか否かも問わないため、労働組合法の労働者には**失業者も含みます**。

B　○　最判　平5.3.25エッソ石油事件。使用者が組合員である労働者の賃金から組合費を控除し、それを労働組合に引き渡す旨の協定（**チェック・オフ協定**）は、それが労働協約の形式により締結された場合であっても、当然に使用者がチェック・オフをする権限を取得するものではなく、組合員に**チェック・オフを受忍する義務を負わせるものでもありません**。使用者が有効なチェック・オフを行うためには、当該協定のほかに、使用者が**個々の組合員からの委任**を受けることが必要です。なお、この委任は自由に解除することができるため、組合員は使用者に対し、いつでもチェック・オフの中止を申し入れることができます。

C　×　労組法15条3項・4項。「60日前」ではなく、「90日前」です。有効期間の定めがない労働協約については、当事者の一方から相手方への**文書による予告**により、解約することができます。この解約の予告は、解約しようとする日の**少なくとも90日前**にしなければなりません。

D　○　労調法6条。労働関係調整法における**労働争議**には、現に争議行為が**発生している**状態のみならず、争議行為が**発生する**おそれがある状態も含まれます。

E　○　個別紛争法1条。個別労働関係紛争解決促進法の目的は、個別労働関係紛争について、その**実情**に即した**迅速**かつ**適正**な解決を図ることにあります。なお、**個別労働関係紛争**とは、労働条件その他労働関係に関する事項についての**個々の労働者と事業主**との間の紛争をいい、これには、労働者の**募集及び採用**に関する事項についての個々の求職者と事業主との間の紛争も含まれます。

6章
労務管理その他の労働に関する一般常識

解答　C

労働契約・賃金に関する法律（1）

予想

難易度 **易**　重要度 **A**

労働契約法に関する次の記述のうち、正しいものはどれか。

A　労働契約法における「使用者」は、労働基準法における「使用者」と同義である。

B　請負契約又は委任契約により労務を提供する者は、実態として、契約の相手方との間に使用従属関係が認められる場合であっても、労働契約法第2条第1項の「労働者」には該当しない。

C　労働契約法第3条第3項においては、「労働契約は、労働者及び使用者が仕事と生活の調和にも配慮しつつ締結し、又は変更すべきものとする。」と規定されている。

D　労働契約法は、同居の親族のみを使用する場合及び家事使用人を使用する場合の労働契約については、適用されない。

E　労働者及び使用者は、労働契約の内容（期間の定めのある労働契約に関する事項を含む。）については、合意の上、これを書面により確認しなければならない。

A　×　労契法2条2項。労働基準法における「使用者」と同義ではありません。労働契約法において「使用者」とは、労働者と相対する労働契約の締結当事者であり、その**使用する労働者**に対して**賃金を支払う者**をいいます。これは、労働基準法における「事業主」に相当するものであり、同法の「使用者」より狭い概念です。

B　×　労契法2条1項、平24基発0810第2号。「労働者」に該当します。労働契約法において「労働者」とは、使用者に使用されて労働し、賃金を払われる者をいいます。また、労働者に該当するか否かは、**契約形式にとらわれず**、実態として**使用従属関係**が認められるか否かにより判断されます。

C　○　労契法3条2項。近年、仕事と生活の調和が重要となっています。そのため、この重要性が改めて認識されるよう、労働契約法においては、**仕事と生活の調和への配慮**の**原則**が規定されています。

D　×　労契法21条2項。家事使用人を使用する場合の労働契約については適用されます。**家事使用人**については、労働基準法の適用は除外されていますが、労働契約法の適用は**除外されていません**。一方、**同居の親族のみ**を使用する場合については、労働基準法と同様に、労働契約法の適用が**除外されています**。

E　×　労契法4条2項。書面により確認することについて義務づけまではされていません。労働者及び使用者は、労働契約の内容について、できる限り**書面により確認**するものとされています。

6章　労務管理その他の労働に関する一般常識

解答　C

労働契約・賃金に関する法律 (2)

過平30

難易度 **普** 重要度 **B**

労働契約法等に関する次のアからオまでの記述のうち、誤っているものの組合せは、後記AからEまでのうちどれか。

ア いわゆる採用内定の制度は、多くの企業でその実態が類似しているため、いわゆる新卒学生に対する採用内定の法的性質については、当該企業における採用内定の事実関係にかかわらず、新卒学生の就労の始期を大学卒業直後とし、それまでの間、内定企業の作成した誓約書に記載されている採用内定取消事由に基づく解約権を留保した労働契約が成立しているものとするのが、最高裁判所の判例である。

イ 使用者は、労働契約に特段の根拠規定がなくとも、労働契約上の付随的義務として当然に、安全配慮義務を負う。

ウ 就業規則の変更による労働条件の変更が労働者の不利益となるため、労働者が、当該変更によって労働契約の内容である労働条件が変更後の就業規則に定めるところによるものとはされないことを主張した場合、就業規則の変更が労働契約法第10条本文の「合理的」なものであるという評価を基礎付ける事実についての主張立証責任は、使用者側が負う。

エ 「使用者が労働者を懲戒するには、あらかじめ就業規則において懲戒の種別及び事由を定めておくことをもって足り、その内容を適用を受ける事業場の労働者に周知させる手続が採られていない場合でも、労働基準法に定める罰則の対象となるのは格別、就業規則が法的規範としての性質を有するものとして拘束力を生ずることに変わりはない。」とするのが、最高裁判所の判例である。

オ 労働契約法第18条第1項の「同一の使用者」は、労働契約を締結する法律上の主体が同一であることをいうものであり、したがって、事業場単位ではなく、労働契約締結の法律上の主体が法人であれば法人単位で、個人事業主であれば当該個人事業主単位で判断される。

A （アとウ）　　　**B** （イとエ）　　　**C** （ウとオ）

D （アとエ）　　　**E** （イとオ）

ア ✕ 最判 昭54.7.20大日本印刷事件。いわゆる**採用内定**の制度の実態は、「類似している」のではなく、「多様である」ため、その法的性質については、「事実関係にかかわらず」ではなく、「具体的事案につき」「**事実関係に即して**」検討する必要があるものとされています。なお、本件の事実関係のもとにおいて、採用内定の法的性質は設問後半のように判断されました。

イ 〇 労契法5条、平24基発0810第2号。労働契約法においては、「使用者は、労働契約に伴い、労働者がその生命、身体等の**安全を確保**しつつ労働することができるよう、**必要な配慮**をするものとする」と規定されています。これは、使用者は、労働契約に基づいてその本来の債務として賃金支払義務を負うほか、労働契約に特段の根拠規定がなくとも、労働契約上の**付随的義務**として当然に**安全配慮義務**を負うことを規定したものです。

ウ 〇 平24基発0810第2号。就業規則の変更によって労働条件を変更する場合においては、少なくとも当該就業規則の変更が合理的なものであることが必要です。この合理的なものであるという評価を基礎づける事実についての主張立証責任は、**使用者側**が負うこととされています。

エ ✕ 最判 平15.10.10フジ興産事件。懲戒に関しても、就業規則が法的規範としての性質を有するものとして**拘束力を生ずる**ためには、その内容を、適用を受ける事業場の労働者に周知させる手続が採られていることが必要です。なお、最高裁判所の判例において、「使用者が労働者を懲戒するには、あらかじめ就業規則において懲戒の種別及び事由を定めておくことを要する」としている点は、正しい記述です。

オ 〇 平24基発0810第2号。有期労働契約の期間の定めのない労働契約への転換の規定（労働契約法18条1項）の適用にあたって、「同一の使用者」であるか否かは、労働契約締結の法律上の主体が法人であれば**法人単位**で、個人事業主であれば当該**個人事業主単位**で判断されます。労働契約法において「使用者」とは、労働契約を締結する**法律上の主体**をいうためです。

以上から、誤っているものの組合せは、D（アとエ）です。

解答 D

労働契約・賃金に関する法律 (3)

過令6

難易度 難　重要度 B

労働契約法等に関する次の記述のうち、正しいものはどれか。

A　労働契約は労働者及び使用者が合意することによって成立するが、合意の要素は、「労働者が使用者に使用されて労働すること」、「使用者がこれに対して賃金を支払うこと」、「詳細に定められた労働条件」であり、労働条件を詳細に定めていなかった場合には、労働契約が成立することはない。

B　労働基準法第106条に基づく就業規則の「周知」は、同法施行規則第52条の2各号に掲げる、常時各作業場の見やすい場所へ掲示する等の方法のいずれかによるべきこととされているが、労働契約法第7条柱書きの場合の就業規則の「周知」は、それらの方法に限定されるものではなく、実質的に判断される。

C　労働基準法第89条及び第90条に規定する就業規則に関する手続が履行されていることは、労働契約法第10条本文の、「労働契約の内容である労働条件は、当該変更後の就業規則に定めるところによる」という法的効果を生じさせるための要件ではないため、使用者による労働基準法第89条及び第90条の遵守の状況を労働契約法第10条本文の合理性判断に際して考慮してはならない。

D　労働契約法第17条第1項の「やむを得ない事由」があるか否かは、個別具体的な事案に応じて判断されるものであるが、期間の定めのある労働契約（以下本問において「有期労働契約」という。）は、試みの使用期間（試用期間）を設けることが難しく、使用者は労働者の有する能力や適性を事前に十分に把握できないことがあることから、「やむを得ない事由」があると認められる場合は、同法第16条に定めるいわゆる解雇権濫用法理における「客観的に合理的な理由を欠き、社会通念上相当であると認められない場合」以外の場合よりも広いと解される。

E　労働契約法第18条第1項によれば、労働者が、同一の使用者との間で締結された2以上の有期労働契約（契約期間の始期の到来前のものを除く。以下本肢において同じ。）の契約期間を通算した期間が5年を超えた場合には、当該使用者が、当該労働者に対し、現に締結している有期労働契約の契約期間が満了する日の翌日から労務が提供される期間の定めのない労働契約の申込みをしたものとみなすこととされている。

A ✕　平24基発0810第2号。労働条件を詳細に定めていなかった場合であっても、労働契約そのものは成立し得ます。労働契約は、労働者及び使用者が**合意する**ことによって成立しますが、この合意の要素は、「労働者が使用者に使用されて労働すること（**労働義務を負うこと**）」及び「使用者がこれに対して賃金を支払うこと（**賃金支払義務を負うこと**）」です。この合意が成立している限り、**労働条件を詳細に定めていなくとも**、労働契約そのものは**成立し得ます**。

B ○　平24基発0810第2号。労働契約法7条（就業規則に基づく契約内容の決定）における就業規則の「周知」とは、労働者が知ろうと思えば**いつでも就業規則の存在や内容を知り得る**ようにしておくことをいい、労働基準法で定める周知の方法に限定されるものではなく、**実質的に判断**されます。

C ✕　平24基発0810第2号。設問は、後半の記述が誤りです。労働契約法10条（就業規則の変更による労働条件の変更）における就業規則の変更が「合理的」なものであるか否かの判断（合理性判断）では、就業規則の変更に係る諸事情が**総合的に考慮**されます。このため、使用者による労働基準法89条及び90条（就業規則の作成・届出、過半数労働組合等からの意見聴取）の遵守の状況は、この合理性判断に際して、**考慮され得る**ものであるとされています。

D ✕　平24基発0810第2号。「広い」ではなく、「狭い」と解されます。労働契約法17条1項で定める有期労働契約の契約期間中の解雇について、契約期間は労働者及び使用者が合意により決定したものであり、遵守されるべきものであることから、「やむを得ない事由」があると認められる場合は、解雇権濫用法理における「客観的に合理的な理由を欠き、社会通念上相当であると認められない場合」以外の場合よりも狭いと解されます。

E ✕　労契法18条1項。使用者が、期間の定めのない労働契約の申込みをしたものとみなすのではありません。労働契約法18条1項では、通算契約期間が**5年を超える**労働者が、使用者に対し、設問の期間の定めのない労働契約の締結の申込み（**無期労働契約への転換の申込み**）をしたときは、使用者は当該申込みを**承諾したものとみなす**旨を定めています。つまり、この場合の無期労働契約への転換の申込みは、**労働者の権利**（無期転換申込権）であり、これを行使するかどうかは労働者の**自由**です。

解答　　B

労働契約・賃金に関する法律（4）

過令3

難易度 **難**　重要度 **C**

労働契約法等に関する次の記述のうち、誤っているものはどれか。

A　労働契約法第7条は、「労働者及び使用者が労働契約を締結する場合において、使用者が合理的な労働条件が定められている就業規則を労働者に周知させていた場合には、労働契約の内容は、その就業規則で定める労働条件によるものとする。」と定めているが、同条は、労働契約の成立場面について適用されるものであり、既に労働者と使用者との間で労働契約が締結されているが就業規則は存在しない事業場において新たに就業規則を制定した場合については適用されない。

B　使用者が就業規則の変更により労働条件を変更する場合について定めた労働契約法第10条本文にいう「労働者の受ける不利益の程度、労働条件の変更の必要性、変更後の就業規則の内容の相当性、労働組合等との交渉の状況その他の就業規則の変更に係る事情」のうち、「労働組合等」には、労働者の過半数で組織する労働組合その他の多数労働組合や事業場の過半数を代表する労働者だけでなく、少数労働組合が含まれるが、労働者で構成されその意思を代表する親睦団体は含まれない。

C　労働契約法第13条は、就業規則で定める労働条件が法令又は労働協約に反している場合には、その反する部分の労働条件は当該法令又は労働協約の適用を受ける労働者との間の労働契約の内容とはならないことを規定しているが、ここでいう「法令」とは、強行法規としての性質を有する法律、政令及び省令をいい、罰則を伴う法令であるか否かは問わず、労働基準法以外の法令も含まれる。

D　有期労働契約の更新時に、所定労働日や始業終業時刻等の労働条件の定期的変更が行われていた場合に、労働契約法第18条第1項に基づき有期労働契約が無期労働契約に転換した後も、従前と同様に定期的にこれらの労働条件の変更を行うことができる旨の別段の定めをすることは差し支えないと解される。

E　有期労働契約の更新等を定めた労働契約法第19条の「更新の申込み」及び「締結の申込み」は、要式行為ではなく、使用者による雇止めの意思表示に対して、労働者による何らかの反対の意思表示が使用者に伝わるものでもよい。

A　○　労契法７条、平24基発0810第２号。法７条本文に「労働者及び使用者が労働契約を締結する場合において」と規定されているとおり、法７条は労働契約の**成立場面**について適用されるものであり、すでに労働者と使用者との間で労働契約が締結されているが就業規則は存在しない事業場において新たに就業規則を制定した場合については適用されません。

B　×　労契法10条、平24基発0810第２号。設問の「労働組合等」には、労働者で構成されその意思を代表する**親睦団体も含まれます**。

C　○　労契法13条、平24基発0810第２号。法13条の「法令」とは、強行法規としての性質を有する法律、政令及び省令をいうものです。罰則を伴う法令であるか否かは問わないものであり、**労働基準法以外の法令も含まれます**。

D　○　労契法18条１項、平24基発0810第２号。法18条１項の規定による無期労働契約への転換は期間の定めのみを変更するものですが、**別段の定め**をすることにより、期間の定め**以外の労働条件を変更することもできます**。有期労働契約の更新時に、所定労働日や始業終業時刻等の労働条件の定期的変更が行われていた場合に、無期労働契約への転換後も従前と同様に定期的にこれらの労働条件の変更を行うことができる旨の別段の定めをすることは差し支えないと解されています。

E　○　労契法19条、平24基発0810第２号。法19条は、一定の有期労働契約について、使用者が労働者からの当該有期労働契約の「更新の申込み」又は「締結の申込み」を拒絶することが、**客観的に合理的な理由**を欠き、**社会通念上相当**であると認められないときは、使用者は、従前の有期労働契約と同一の労働条件で当該**申込みを承諾**したものとみなされることを規定しています。この「更新の申込み」及び「締結の申込み」は、要式行為（書面の作成など法令に定める形式に従わなければ無効となる行為等）ではなく、使用者による雇止めの意思表示に対して、労働者による何らかの反対の**意思表示**が使用者に伝わるものでもよいこととされています。

6章

労務管理その他の労働に関する一般常識

解答　　B

労働契約・賃金に関する法律 (5)

予想

難易度 **普** 重要度 **B**

次の記述のうち、正しいものはどれか。

A 労働契約法第14条は、使用者が労働者に出向を命ずることができる場合であっても、その出向の命令が権利を濫用したものと認められる場合には無効となることを明らかにしているが、同条でいう「出向」とは、いわゆる在籍型出向をいう。

B 労働契約法によれば、使用者は、期間の定めのある労働契約について、契約期間中であっても一定の事由により解雇することができる旨を労働者と合意していた場合には、当該事由に該当することをもって、契約期間満了前に、労働者を解雇して差し支えない。

C 賃金支払確保法によれば、事業主は、その雇用する労働者の賃金の全部又は一部を支払期日までに支払わなかったときは、当該労働者に対し、年14.6パーセントの割合で計算した遅延利息を支払わなければならない。

D 最低賃金法によれば、軽易な業務に従事する労働者であって、使用者が都道府県労働局長の許可を受けたものについては、最低賃金の適用を受けない。

E 最低賃金法によれば、最低賃金の対象となる賃金には、所定労働時間を超える時間の労働に対して支払われる賃金も含まれる。

A ○ 労契法14条、平24基発0810第2号。**権利濫用**に該当する出向命令は**無効**となります。権利濫用に該当するか否かは、当該出向命令の必要性、対象労働者の選定に係る事情その他の事情に照らして判断されます。また、労働契約法14条の「出向」とは、いわゆる**在籍型出向**をいい、使用者（出向元）と出向を命じられた労働者との間の労働契約関係が終了することなく、出向を命じられた労働者が出向先に使用されて労働に従事することをいいます。

B × 労契法17条1項、平24基発0810第2号。設問の事由に該当することのみをもって解雇することはできません。**期間の定めのある労働契約**により使用する労働者の契約期間中の解雇は、**やむを得ない事由**がある場合でなければ認められません。設問のような合意をしていた場合であっても、その事由に該当したことのみをもって「やむを得ない事由」があると認められるものではありません。実際に行われた解雇について「やむを得ない事由」があるか否かは、個別具体的な事案に応じて判断されます。

C × 賃確法6条1項、同令1条。現に雇用する労働者の賃金について、遅延利息を支払う必要はありません。遅延利息の支払義務が課せられているのは、**退職した労働者**に係る**賃金**（退職手当を除く。）についてのみです。

D × 最賃法7条4号。設問の者についても、最低賃金の適用を受けます。ただし、次の①～④に該当する労働者については、使用者が**都道府県労働局長の許可**を受けたときは、本来の最低賃金額を一定の減額率によって減額した額により、最低賃金が適用されます。

①精神又は身体の障害により著しく労働能力の低い者

②**試みの使用期間中の者**（最長6ヵ月を限度とする。）

③認定職業訓練を受ける者のうち一定の者

④**軽易な業務又は断続的労働**に従事する者

E × 最賃法4条3項、同則1条2項1号。含まれません。最低賃金の対象となる賃金には、①**臨時**に支払われる賃金及び**1ヵ月を超える**期間ごとに支払われる賃金、②所定労働時間を超える時間の労働又は**所定労働日以外**の日の労働に対して支払われる賃金、③深夜労働に係る割増賃金、④当該最低賃金において算入しないことを定める賃金は、算入しません。

6章
労務管理その他の労働に関する一般常識

解答 A

雇用に関する法律（1）

予想

難易度 **普**　重要度 **B**

労働者派遣法に関する次の記述のうち、誤っているものはどれか。

A　労働者派遣事業を行おうとする者は、厚生労働大臣の許可を受けなければならない。

B　派遣元事業主は、派遣労働者として雇用しようとする労働者に対し、厚生労働省令で定めるところにより、当該労働者を派遣労働者として雇用した場合における当該労働者の賃金の額の見込みその他の当該労働者の待遇に関する事項等を説明しなければならない。

C　派遣先は、当該派遣先の同一の事業所その他派遣就業の場所において派遣元事業主から1年以上の期間継続して同一の派遣労働者に係る労働者派遣の役務の提供を受けている場合において、当該事業所その他派遣就業の場所において労働に従事する通常の労働者の募集を行うときは、その者が従事すべき業務の内容、賃金、労働時間その他の当該募集に係る事項を当該派遣労働者に周知しなければならない。

D　労働者派遣の役務の提供を受ける者は、その者の都合による労働者派遣契約の解除にあたっては、当該派遣労働者の雇用の安定を図るために必要な措置を講じなければならないが、この必要な措置には、当該労働者派遣に係る派遣労働者の新たな就業の機会の確保が含まれる。

E　派遣先は、労働者派遣の役務の提供を受けようとする場合において、当該労働者派遣に係る派遣労働者が当該派遣先を離職した者であるときは、当該離職の日から起算して3年を経過する日までの間は、当該派遣労働者（60歳以上の定年に達したことにより退職した者であって当該労働者派遣をしようとする派遣元事業主に雇用されているものを除く。）に係る労働者派遣の役務の提供を受けてはならない。

A　○　派遣法5条1項。**労働者派遣事業**を行うためには、**厚生労働大臣**の許可を受ける必要があります。なお、この許可の有効期間は、新規の場合は**3年**、更新の場合は**5年**です。

B　○　派遣法31条の2第1項。派遣元事業主には、派遣労働者として雇用しようとする労働者に対し、**待遇に関する事項**等の説明をする義務があります。なお、説明すべき事項には、①当該労働者を派遣労働者として雇用した場合における当該労働者の**賃金の額の見込み**その他の当該労働者の待遇に関する事項のほか、②事業運営に関する事項、③労働者派遣に関する制度の概要、④派遣元事業主が実施する教育訓練及び希望者に対して実施するキャリアコンサルティングの内容があります。

C　○　派遣法40条の5第1項。派遣先に雇用される労働者の募集に係る事項の周知についてです。対象となるのは、派遣先の同一の事業所等において派遣元事業主から1年**以上**の期間継続して同一の派遣労働者に係る労働者派遣の役務の提供を受けている場合です。この場合において、当該事業所等において労働に従事する**通常の労働者**の募集を行うときは、当該募集**に係る事項**を当該派遣労働者に周知しなければなりません。

D　○　派遣法29条の2。労働者派遣の役務の提供を受ける者（**派遣先**）は、その者の都合による労働者派遣契約の**解除**にあたっては、①当該労働者派遣に係る派遣労働者の**新たな**就業の機会の確保、②労働者派遣をする事業主による当該派遣労働者に対する**休業手当**等の支払いに要する費用を確保するための当該**費用の負担**などの必要な措置を講じなければなりません。設問は、上記の①について問うています。

E　×　派遣法40条の9第1項、同則33条の10第1項。「3年」ではなく、「1年」です。派遣先は、一定の期間において、当該派遣先を**離職した者**を派遣労働者として受け入れることができません。この受け入れることができない一定の期間は、当該派遣先を離職した者に係る**離職の日**から起算して1年を経過する日までの間です。ただし、60歳以上の定年に達したことにより退職した者であって当該労働者派遣をしようとする派遣元事業主に雇用されているものについては、離職後1年以内であっても、派遣労働者として受け入れることができます。

6章　労務管理その他の労働に関する一般常識

解答　E

雇用に関する法律（2）

予想

難易度 **易**　重要度 **A**

次の記述のうち、正しいものはどれか。

A　労働施策総合推進法によれば、すべての事業主は、新たに外国人を雇い入れた場合又はその雇用する外国人が離職した場合には、厚生労働省令で定めるところにより、その者の氏名、在留資格、在留期間その他厚生労働省令で定める事項について確認し、当該事項を厚生労働大臣に届け出なければならない。

B　労働施策総合推進法によれば、事業主は、職場において行われる優越的な関係を背景とした言動であって、業務上必要かつ相当な範囲を超えたものによりその雇用する労働者の就業環境が害されることのないよう、当該労働者からの相談に応じ、適切に対応するために必要な体制の整備その他の雇用管理上必要な措置を講じなければならないが、この措置の対象となる「労働者」は、いわゆる正規雇用労働者に限られ、いわゆる非正規雇用労働者はこれに含まれない。

C　職業安定法によれば、有料職業紹介事業者は、当該有料職業紹介事業者の紹介により就職した者の数その他所定の事項に関し情報の提供を行わなければならないが、このような情報提供の義務は、無料職業紹介事業者には課せられていない。

D　労働者派遣法によれば、何人も、港湾運送業務、建設業務、物の製造の業務について、労働者派遣事業を行ってはならない。

E　障害者雇用促進法によれば、厚生労働大臣は、その雇用する労働者の数が500人である事業主からの申請に基づき、当該事業主について、障害者の雇用の促進及び雇用の安定に関する取組みに関し、当該取組みの実施状況が優良なものであることその他の厚生労働省令で定める基準に適合するものである旨の認定を行うことができる。

A ○ 労働施策総合推進法28条１項。事業主には、①新たに外国人を**雇い入れた**場合又は②その雇用する外国人が**離職した**場合には、その者の氏名、在留資格、在留期間その他厚生労働省令で定める事項について**確認**し、当該事項を厚生労働大臣に届け出る義務が課せられています。この外国人雇用状況の届出等の義務は、すべての**事業主**が負います。

B × 労働施策総合推進法30条の２第１項、令２厚労告５号。労働者には、非正規雇用労働者も含まれます。事業主は、設問のいわゆる**パワーハラスメントに関する雇用管理上の措置**を講じなければなりません。この措置の対象となる「労働者」とは、正規雇用労働者のみならず、パートタイム労働者、契約社員等の非正規雇用労働者を含む事業主が**雇用する労働者**のすべてをいいます。

C × 職安法32条の16第３項、33条４項。設問の情報提供の義務は、無料職業紹介事業者にも課せられています。有料職業紹介事業者であるか、無料職業紹介事業者であるかを問わず、職業紹介事業者は、その紹介による**就職者数**、就職者（期間の定めのない労働契約を締結した者に限る。）のうち早期に**離職した者の数**、**手数料**に関する事項等に関し**情報の提供**を行わなければなりません。なお、無料職業紹介を行う学校等については、この情報の提供は努力義務とされています。

D × 派遣法４条１項。設問のうち「物の製造の業務」については、労働者派遣事業を行うことが禁止されていません。労働者派遣事業が禁止される業務は、①**港湾運送業務**、②**建設業務**、③**警備業務**及び④一定の**医療関係業務**（紹介予定派遣をする場合等を除く。）です。

E × 障雇法77条１項。設問の事業主については、認定を行うことができません。設問の**認定制度**は、一定の基準に適合する中小事業主を対象とした制度であり、その対象となり得るのは、その雇用する労働者の数が**常時300人以下**である事業主に限られます。

6章

労務管理その他の労働に関する一般常識

解答 A

雇用に関する法律（3）

予想

難易度 **易**　重要度 **B**

次のアからオの記述のうち、誤っているものの組合せは、後記AからEまでのうちどれか。

ア　労働施策総合推進法によれば、事業主は、労働者がその有する能力を有効に発揮するために必要であると認められるときは、労働者の募集及び採用について、その年齢にかかわりなく均等な機会を与えるように努めなければならない。

イ　労働施策総合推進法によれば、常時雇用する労働者の数が300人を超える事業主は、厚生労働省令で定めるところにより、労働者の職業選択に資するよう、雇い入れた通常の労働者及びこれに準ずる者として厚生労働省令で定める者の数に占める中途採用により雇い入れられた者の数の割合を定期的に公表しなければならない。

ウ　高年齢者雇用安定法によれば、事業主がその雇用する労働者の定年の定めをする場合には、当該定年は、65歳を下回ることができない。

エ　高年齢者雇用安定法によれば、事業主は、労働者の募集及び採用をする場合において、やむを得ない理由により一定の年齢（65歳以下のものに限る。）を下回ることを条件とするときは、求職者に対し、厚生労働省令で定める方法により、当該理由を示さなければならない。

オ　障害者雇用促進法に基づき、事業主（その雇用する労働者の数が常時40人以上である一般事業主に限る。）は、毎年、6月1日現在における対象障害者の雇用に関する状況を、翌月15日までに厚生労働大臣に報告しなければならない。

A　（アとイ）　　　**B**　（アとウ）　　　**C**　（イとエ）

D　（ウとオ）　　　**E**　（エとオ）

ア　×　労働施策総合推進法9条。設問は文末が誤りであり、年齢にかかわりなく均等な機会を与えなければなりません。つまり、労働者の**募集及び採用**については、原則として**年齢制限が禁止**されます。なお、定年年齢を下回る労働者に限定する場合、キャリア形成を図る観点から青少年に限定する場合等は、例外として年齢制限を設けることができます。

イ　○　労働施策総合推進法27条の2第1項。常時雇用する労働者の数が300人を超える事業主には、設問の**中途採用に関する情報の公表**が義務づけられています。

ウ　×　高年法8条。**定年の定め**をする場合には、当該定年は、60歳を下回ることができません。ただし、鉱業法による坑内作業の業務に従事している労働者については、60歳を下回る定年の定めをすることができます。

エ　○　高年法20条1項。**募集及び採用**にあたり、**65歳以下**の一定の年齢を下回ることを条件とすること自体は、やむを得ない理由がある場合には認められます。ただし、その場合には、事業主は、求職者に対し、その**理由**を示さなければなりません。

オ　○　障雇法43条7項、同則7条、8条、令5同則附則2条。対象障害者を1人以上雇用する義務のある一般事業主（その雇用する労働者の数が常時**40人以上**である事業主）には、対象障害者の雇用に関する状況の報告が義務づけられています。この報告は、毎年、**6月1日現在**における状況を翌月15日までに行います。

以上から、誤っているものの組合せは、B（アとウ）です。

6章　労務管理その他の労働に関する一般常識

解答　B

チェック欄

1	2	3

女性、育児・介護休業等に関する法律（1）

予想

難易度 普　重要度 Ⓐ

次の記述のうち、誤っているものはどれか。

A　男女雇用機会均等法では、妊娠中の女性労働者及び出産後1年を経過しない女性労働者に対してなされた解雇は、事業主が、当該解雇の理由が妊娠、出産等によるものではないことを証明しない限り、無効としている。

B　男女雇用機会均等法では、事業主において、合理的な理由がないにもかかわらず、労働者の募集若しくは採用、昇進又は職種の変更にあたって、転居を伴う転勤に応じることができることを要件とすることは、いわゆる間接差別にあたるとして禁止している。

C　パートタイム・有期雇用労働法によれば、事業主は、短時間・有期雇用労働者を雇い入れたときは、速やかに、当該短時間・有期雇用労働者に対して、昇給の有無、退職手当の有無及び賞与の有無並びに短時間・有期雇用労働者の雇用管理の改善等に関する事項に係る相談窓口を文書の交付等により明示しなければならない。

D　パートタイム・有期雇用労働法においては、短時間・有期雇用労働者から通常の労働者への転換を推進するため、事業主が新たに通常の労働者の配置を行う場合には、当該配置に係る事業所において雇用する短時間・有期雇用労働者に対して、当該配置の希望を申し出る機会を与えることを事業主の努力義務としている。

E　育児・介護休業法によれば、期間を定めて雇用される労働者（労使協定により育児休業をすることができないものとして定められた労働者ではないものとする。）は、当該事業主に引き続き雇用された期間が1年未満である場合であっても、その養育する子が1歳6ヵ月に達する日までに、その労働契約が満了することが明らかでないときは、その養育する1歳の満たない子について、育児休業の申出をすることができる。

A　○　均等法9条4項。**妊娠中又は出産後1年**以内の女性労働者に対する**解雇**は、原則として、**無効**です。ただし、事業主が、妊娠、出産等を理由とする解雇でないことを証明すれば、当該解雇は有効となります。

B　○　均等法7条、同則2条2号。間接差別とは、①**性別以外**の事由を要件とする措置であって、②他の性の構成員と比較して一方の性の構成員に相当程度の**不利益**を与えるものを、③**合理的な理由がない**ときに講ずることをいいます。設問の措置は、この間接差別にあたるものとして、男女雇用機会均等法で禁止しています。これは、明白な性差別ではないからといって、募集・採用、昇進、職種の変更にあたり女性が満たしにくい転勤要件を合理的な理由もないのに課すような措置は、間接的な差別となるおそれがあるためです。

C　○　パ労法6条1項、同則2条1項。労働基準法により書面の交付等が義務づけられている事項については、短時間・有期雇用労働者を雇用する場合であっても、事業主には、当然に書面の交付等による明示義務があります。また、短時間・有期雇用労働者については、①**昇給の有無**、②**退職手当の有無**、③**賞与の有無**、④短時間・有期雇用労働者の雇用管理の改善等に関する事項に係る**相談窓口**（これらを「特定事項」という。）も**文書の交付等**により明示しなければならない（**義務**）とされています。

D　×　パ労法13条1項2号。設問の措置は、努力義務ではなく、**義務**の1つとされています。事業主は、通常の労働者への**転換を推進**するため、その雇用する短時間・有期雇用労働者については、次の**いずれかの措置**を講じなければなりません（**義務**）。

①通常の労働者を募集する場合には、当該募集に関する事項を周知すること。

②通常の労働者の配置を新たに行う場合は、当該配置の希望を申し出る機会（応募機会）を与えること。

③その他の通常の労働者への転換を推進するための措置を講ずること。

E　○　育介法5条1項。設問の**期間を定めて雇用される者**も、その養育する1歳に満たない子について、育児休業の申出をすることができます。ただし、その養育する子が**1歳6ヵ月に達する日**までに、その労働契約（労働契約が更新される場合にあっては、更新後のもの）が**満了**することが**明らかでない**ことが、その要件となります。

解答　D

女性、育児・介護休業等に関する法律（2）

予想

難易度 **普**　重要度 **B**

次の記述のうち、誤っているものはどれか。

A　パートタイム・有期雇用労働法によれば、事業主は、同法第11条第1項に定めるもののほか、通常の労働者との均衡を考慮しつつ、その雇用する短時間・有期雇用労働者の職務の内容、職務の成果、意欲、能力及び経験その他の就業の実態に関する事項に応じ、当該短時間・有期雇用労働者に対して教育訓練を実施するように努めるものとされている。

B　パートタイム・有期雇用労働法によれば、事業主は、その雇用するすべての短時間・有期雇用労働者について、通常の労働者との均衡を考慮しつつ、その者の職務の内容、職務の成果、意欲、能力又は経験その他の就業の実態に関する事項を勘案し、その賃金（通勤手当その他の厚生労働省令で定めるものを除く。）を決定するように努めるものとされている。

C　男女雇用機会均等法によれば、厚生労働大臣は、同法の施行に関し必要があると認めるときは、事業主に対して、報告を求め、又は助言、指導若しくは勧告をすることができる。

D　育児・介護休業法において、介護休業に係る対象家族とは、配偶者（婚姻の届出をしていないが、事実上婚姻関係と同様の事情にある者を含む。）、父母、子、祖父母、兄弟姉妹及び孫並びに配偶者の父母をいう。

E　育児・介護休業法によれば、事業主は、小学校就学の始期に達するまでの子を養育する労働者（日々雇用される者及び労使協定により適用を除外されているものを除く。）が当該子を養育するために請求した場合においては、事業の正常な運営を妨げるときを除き、所定労働時間を超えて労働させてはならない。

A　○　パ労法11条2項。なお、**職務内容同一短時間・有期雇用労働者**（職務の内容が通常の労働者と同じ短時間・有期雇用労働者）については、事業主が**通常の労働者**に対して**職務の遂行に必要な能力**を身につけさせるための教育訓練を実施している場合には、当該短時間・有期雇用労働者に対しても当該教育訓練を**実施**しなければなりません。

B　×　パ労法9条、10条。「すべての短時間・有期雇用労働者について」とある部分が誤りです。設問の努力規定の対象となる短時間・有期雇用労働者からは、**通常の労働者と同視すべき短時間・有期雇用労働者**が除かれています。**通常の労働者と同視すべき短時間・有期雇用労働者**については、賃金の決定を含むすべての**待遇**に関して、短時間・有期雇用労働者であることを理由とする**差別的取扱い**が**禁止**されているためです。

C　○　均等法29条1項。男女雇用機会均等法においては、厚生労働大臣に報告の徴収並びに助言、指導及び勧告に関する権限を与えています。なお、設問の規定による報告をせず、又は虚偽の報告をした者については、この法律における唯一の罰則（20万円以下の過料）が適用されることとなります。

D　○　育介法2条4号、同則3条。介護休業に係る対象家族の範囲は、①**配偶者、父母、子、祖父母、兄弟姉妹及び孫**、②**配偶者の父母**です。

E　○　育介法16条の8第1項。事業主は、次の対象労働者（一定の適用除外者を除く。）が請求した場合には、原則として、**所定労働時間を超えて労働させてはなりません**。ただし、事業の正常な運営を妨げる場合は、所定労働時間を超えて労働させることができます。
①**小学校就学の始期に達するまでの子**を養育する労働者
②**要介護状態にある対象家族**を介護する労働者

6章　労務管理その他の労働に関する一般常識

解答　B

女性、育児・介護休業等に関する法律（3）

予想

難易度 **普**　重要度 **A**

次の記述のうち、正しいものはどれか。

A　育児・介護休業法によれば、9歳に達する日以後の最初の3月31日までの間にある子（以下「小学校第3学年修了前の子」という。）を養育する労働者は、その事業主に申し出ることにより、一の年度において、その養育する小学校第3学年修了前の子1人につき5労働日を限度として、子の看護等休暇を取得することができる。

B　育児・介護休業法及び同法施行規則によれば、子の看護等休暇及び介護休暇は、1日の所定労働時間が4時間以下の労働者は、時間単位で取得することができない。

C　男女雇用機会均等法によれば、業務の遂行に関連する知識、技術、技能を付与する教育訓練のみならず、社会人としての心構えや一般教養等の付与を目的とする教育訓練についても、事業主は、労働者の性別を理由として、差別的取扱いをしてはならない。

D　男女雇用機会均等法によれば、事業主は、職場における妊娠、出産等に関する言動に起因する問題に関する雇用管理上の措置を講じなければならないが、その対象となる「職場」とは、事業主が雇用する女性労働者が業務を遂行する場所を指し、当該女性労働者が通常就業している場所以外の場所はこれに含まれないものとされている。

E　パートタイム・有期雇用労働法によれば、事業主は、短時間労働者又は有期雇用労働者に係る事項について就業規則を作成し、又は変更しようとするときは、当該事業所において雇用する短時間労働者又は有期雇用労働者の過半数を代表すると認められるものの意見を聴かなければならない。

A　×　育介法16条の２第１項。子の看護等休暇を取得することができる日数は、一の年度において**５労働日**（その養育する小学校第３学年修了前の子が**２人以上**の場合にあっては、10労働日）が限度となります。子１人につき５労働日が限度となるのではありません。たとえば、小学校第３学年修了前の子が２人以上の場合は、同一の子について10労働日の休暇を取得することもできます。

B　×　育介法16条の２第２項、16条の５第２項、同則34条１項、40条１項。設問のような制限はありません。子の看護等休暇及び介護休暇は、１日の所定労働時間が４時間以下の労働者であっても、**時間単位**（具体的には、時間（１日の所定労働時間数に満たないものとする。）であって、**始業の時刻から連続**し、又は**終業の時刻まで連続**するもの）で取得することができます。

C　○　均等法６条１号、平18雇児発1011002号。事業主は、労働者の教育訓練について、労働者の**性別を理由**として、**差別的取扱い**をしてはなりません。この性別を理由とする差別の禁止の対象となる「教育訓練」には、業務の遂行に関連する知識、技術、技能を付与するもののみならず、社会人としての心構えや一般教養等の付与を目的とするものも含まれるものとされています。

D　×　均等法11条の３第１項、平28厚労告312号。**女性労働者**が通常就業している場所以外の場所であっても、当該女性労働者が**業務を遂行する場所**については、「職場」に含まれるものとされています。事業主は、女性労働者が通常就業している場所であるか否かにかかわらず、女性労働者が業務を遂行する場所においては、職場における**妊娠、出産等に関する言動**に起因する問題に関する**雇用管理上の措置**を講じなければなりません。

E　×　パ労法７条。**短時間労働者**又は**有期雇用労働者の過半数を代表**すると認められるものの意見を聴くように**努めるもの**（努力義務）とされています。短時間労働者又は有期雇用労働者に適用される就業規則については、その適用を受ける短時間労働者又は有期雇用労働者の意見が反映されることが望ましいことから、事業主にこのような努力義務が課せられています。

解答　C

労働関係法規等（1）

過令4

難易度 **難**　重要度 **B**

労働関係法規に関する次の記述のうち、**誤っているもの**はどれか。

A　一の地域において従業する同種の労働者の大部分が一の労働協約の適用を受けるに至ったときは、当該労働協約の当事者の双方又は一方の申立てに基づき、労働委員会の決議により、都道府県労働局長又は都道府県知事は、当該地域において従業する他の同種の労働者及びその使用者も当該労働協約の適用を受けるべきことの決定をしなければならない。

B　事業主は、職場において行われるその雇用する労働者に対する育児休業、介護休業その他の子の養育又は家族の介護に関する厚生労働省令で定める制度又は措置の利用に関する言動により当該労働者の就業環境が害されることのないよう、当該労働者からの相談に応じ、適切に対応するために必要な体制の整備その他の雇用管理上必要な措置を講じなければならない。

C　積極的差別是正措置として、障害者でない者と比較して障害者を有利に取り扱うことは、障害者であることを理由とする差別に該当せず、障害者の雇用の促進等に関する法律に違反しない。

D　労働者派遣事業の許可を受けた者（派遣元事業主）は、その雇用する派遣労働者が段階的かつ体系的に派遣就業に必要な技能及び知識を習得することができるように教育訓練を実施しなければならず、また、その雇用する派遣労働者の求めに応じ、当該派遣労働者の職業生活の設計に関し、相談の機会の確保その他の援助を行わなければならない。

E　賞与であって、会社の業績等への労働者の貢献に応じて支給するものについて、通常の労働者と同一の貢献である短時間・有期雇用労働者には、貢献に応じた部分につき、通常の労働者と同一の賞与を支給しなければならず、貢献に一定の相違がある場合においては、その相違に応じた賞与を支給しなければならない。

A　✕　労組法18条1項。設問の場合には、当該労働協約の当事者の双方又は一方の申立てに基づき、労働委員会の決議により、**「厚生労働大臣」**又は都道府県知事は、当該地域において従業する他の同種の労働者及びその使用者も当該労働協約の適用を受けるべきことの決定を**「することができる」**とされています。厚生労働大臣又は都道府県知事がこの決定をしたときは、当該地域において従事する他の同種の労働者及び使用者についても、当該労働協約が適用（拡張適用）されることとなります。これを労働協約の「地域的の一般的拘束力」といいます。

B　○　育介法25条1項。設問の規定は、職場における**育児休業等に関するハラスメント**（いわゆる育児ハラスメント、ケアハラスメント等）に関して、**雇用管理上必要な措置**を講ずることを事業主に義務づけたものです。

C　○　平27厚労告116号。障害者雇用促進法においては、労働者の募集及び採用並びに賃金の決定、教育訓練の実施、福利厚生施設の利用その他の待遇について、障害者であることを理由とする差別を禁止しています。ただし、次の場合は、ここでいう**差別には該当しません**。設問は、このうちの①について問うています。

> ①積極的差別是正措置として、障害者でない者と比較して障害者を有利に取り扱うこと。
> ②合理的配慮を提供し、**労働能力等を適正に評価**した結果として障害者でない者と異なる取扱いをすること。
> ③**合理的配慮**に係る措置を講ずること（その結果として、障害者でない者と異なる取扱いとなること）。　　等

D　○　派遣法30条の2。派遣元事業主の講ずべき措置のうち、教育訓練等の措置についてです。**段階的かつ体系的な教育訓練**及び派遣労働者の求めに応じた**相談の機会の確保その他の援助**（いわゆるキャリアコンサルティング）は、**すべての派遣労働者**を対象とする**派遣元事業主の義務**であることに注意してください。

E　○　平30厚労告430号。事業主は、その雇用する短時間・有期雇用労働者の基本給、賞与その他の待遇のそれぞれについて、当該待遇に対応する通常の労働者の待遇との間において、**不合理と認められる相違**を設けてはなりません。この規定に関しては、指針において、原則となる考え方及び具体例が示されています。設問は、このうちの賞与についての原則となる考え方です。

解答　　A

労働関係法規等（2）

過令5

難易度 普　重要度 B

労働関係法規に関する次の記述のうち、誤っているものはどれか。

A 「使用者が誠実交渉義務に違反する不当労働行為をした場合には、当該団体交渉に係る事項に関して合意の成立する見込みがないときであっても、労働委員会は、誠実交渉命令〔使用者が誠実交渉義務に違反している場合に、これに対して誠実に団体交渉に応ずべき旨を命ずることを内容とする救済命令〕を発することができると解するのが相当である。」とするのが、最高裁判所の判例である。

B 職業紹介事業者、求人者、労働者の募集を行う者、募集受託者、特定募集情報等提供事業者、労働者供給事業者及び労働者供給を受けようとする者は、特別な職業上の必要性が存在することその他業務の目的の達成に必要不可欠であって、収集目的を示して本人から収集する場合でなければ、「人種、民族、社会的身分、門地、本籍、出生地その他社会的差別の原因となるおそれのある事項」「思想及び信条」「労働組合への加入状況」に関する求職者、募集に応じて労働者になろうとする者又は供給される労働者の個人情報を収集することができない。

C 事業主は、労働者が当該事業主に対し、当該労働者又はその配偶者が妊娠し、又は出産したことその他これに準ずるものとして厚生労働省令で定める事実を申し出たときは、厚生労働省令で定めるところにより、当該労働者に対して、育児休業に関する制度その他の厚生労働省令で定める事項を知らせるとともに、育児休業申出等に係る当該労働者の意向を確認するための面談その他の厚生労働省令で定める措置を講じなければならない。

D 高年齢者雇用安定法に定める義務として継続雇用制度を導入する場合、事業主に定年退職者の希望に合致した労働条件での雇用を義務付けるものではなく、事業主の合理的な裁量の範囲の条件を提示していれば、労働者と事業主との間で労働条件等についての合意が得られず、結果的に労働者が継続雇用されることを拒否したとしても、高年齢者雇用安定法違反となるものではない。

E 厚生労働大臣は、常時雇用する労働者の数が300人以上の事業主からの申請に基づき、当該事業主について、青少年の募集及び採用の方法の改善、職業能力の開発及び向上並びに職場への定着の促進に関する取組に関し、その実施状況が優良なものであることその他の厚生労働省令で定める基準に適合するものである旨の認定を行うことができ、この制度は「ユースエール認定制度」と呼ばれている。

A　○　最判 令4.3.18山形大学事件。使用者は、労働組合と誠実に団体交渉を行う義務（**誠実交渉義務**）を負います。使用者が、正当な理由がなくこの義務を果たさない場合は、**不当労働行為**（団体交渉拒否）に該当するため、労働組合は、労働委員会に対し、その**救済**を申し立てることができます。この場合において、最高裁判所は、たとえ団体交渉に係る事項に関して**合意の成立する見込みがない**ときであっても、労働委員会は使用者に対し**誠実交渉命令**を発することができる旨を判示しました。その主な理由として、使用者が誠実に団体交渉に応ずるに至れば、労働組合は当該団体交渉に関して使用者から十分な説明や資料の提示を受けることができるようになるとともに、組合活動一般についても労働組合の交渉力の回復や労使間のコミュニケーションの正常化が図られるとしています。

B　○　職安法5条の5第1項、平11.11.17労告141号。職業紹介事業者等は、その業務に関し、求職者等の**個人情報**を収集し、保管し、又は使用するにあたっては、その業務の目的の達成に**必要な範囲内**で、当該**目的を明らかにして**収集し、当該収集の目的の範囲内で保管し、及び使用しなければなりません。

C　○　育介法21条1項。労働者が、本人又はその配偶者の妊娠・出産等の事実を申し出たときは、事業主は、当該労働者に対して、育児休業制度等に関する**個別の周知**と**意向確認**のための面談等の措置を講じなければなりません。

D　○　平24職高発1112第1号。高年齢者雇用安定法に定める**継続雇用制度**は、事業主に対し、定年退職者の希望に合致した労働条件での雇用を求めるものではありません。したがって、事業主が継続雇用制度を導入した上で、合理的な裁量の範囲の条件を提示していれば、労働者と事業主との間で労働条件等についての合意を得られず、結果的に労働者が継続雇用されることを拒否したとしても、違法とはなりません。

E　×　若者雇用促進法15条、厚生労働省資料。「300人以上」ではなく、「300人以下」です。厚生労働大臣は、常時雇用する労働者の数が**300人以下**の事業主からの申請に基づき、一定の基準に適合するものである旨の**認定**（いわゆるユースエール認定）を行うことができます。これは、若者の採用・育成に積極的で、若者の雇用管理の状況などが優良な**中小企業**を厚生労働大臣が認定する制度です。

解答　E

労働関係法規等（3）

予想

難易度 **普**　重要度 **B**

労働関係法規に関する次の記述のうち、誤っているものはどれか。

A　労働者派遣法第44条第1項に規定する派遣中の労働者に対して賃金を支払うのは派遣元であるが、当該派遣中の労働者については、最低賃金法に基づき、派遣先の事業の事業場の所在地を含む地域について決定された地域別最低賃金において定める最低賃金額が適用される。

B　65歳未満の定年の定めをしている事業主は、高年齢者雇用安定法に基づき、高年齢者雇用確保措置として継続雇用制度を導入するに場合においては、解雇事由又は退職事由とは別に、高年齢者を継続雇用するにあたっての一定の基準を定めることができる。

C　障害者雇用促進法によれば、事業主は、障害者と障害者でない者との均等な機会の確保の支障となっている事情を改善するため、事業主に対して過重な負担を及ぼすこととなるときを除いて、労働者の募集及び採用に当たり障害者からの申出により当該障害者の障害の特性に配慮した必要な措置を講じなければならない。

D　募集情報等提供事業を行う者は、職業安定法に基づき、労働者の適切な職業の選択に資するため、その業務の運営にあたっては、その改善向上を図るために必要な措置を講ずるように努めなければならない。

E　職業安定法によれば、公共職業安定所は、労働争議に対する中立の立場を維持するため、同盟罷業又は作業所閉鎖の行われている事業所に、求職者を紹介してはならない。

A ○ 最賃法13条。派遣中の労働者については、その**派遣先の事業の事業場の所**在地を含む地域について決定された地域別最低賃金において定める最低賃金額が適用されます。なお、その派遣先の事業と同種の事業又はその派遣先の事業の事業場で使用される同種の労働者の職業について特定最低賃金が適用されている場合にあっては、当該特定最低賃金において定める最低賃金額が適用されます。

B × 高年法9条1項、平24厚労告560号。解雇事由又は退職事由とは別に、高年齢者を継続雇用するにあたっての一定の基準を定めることはできません。高年齢者雇用確保措置として導入する**継続雇用制度**は、希望者全員を対象とする制度としなければなりません。希望する高年齢者を継続雇用しないことができるのは、心身の故障のため業務に堪えられないと認められること、勤務状況が著しく不良で引き続き従業員としての職責を果たし得ないこと等就業規則に定める**解雇事由又は退職事由**（年齢に係るものを除く。）に該当する場合に限られます。

C ○ 障雇法36条の2。事業主は、労働者の**募集及び採用**にあたり、障害者と障害者でない者との均等な機会の確保等を図るための措置を講じなければならない（**合理的配慮の提供義務**）。なお、障害者である労働者を採用した後も、事業主は、合理的配慮の提供義務を負います。

D ○ 職安法43条の8。**募集情報等提供事業**を行う者には、労働者の適切な職業の選択に資するため、その業務の運営にあたっては、その**改善向上**を図るために必要な措置を講ずるように努めることが責務の1つとして課せられています。なお、「募集情報等提供」には、求人企業又は求職者の依頼を受けて、求職者又は求人企業に求人情報・求職者情報を提供することや、他の職業紹介事業者や募集情報等提供事業者を依頼元や情報提供先にすること、インターネット上の公開情報を収集するなど、特段の依頼なく収集した情報を提供することが含まれます。

E ○ 職安法20条1項。公共職業安定所が労働争議に介入することとならないよう、公共職業安定所が**同盟罷業又は作業所閉鎖**の行われている事業所に求職者を紹介することは禁止されています。

6章 労務管理その他の労働に関する一般常識

解答　B

労働関係法規等（4）

過令2 変更E

難易度 **易** 重要度 **B**

労働関係法規に関する次の記述のうち、正しいものはどれか。

A 育児介護休業法に基づいて育児休業の申出をした労働者は、当該申出に係る育児休業開始予定日とされた日の前日までに厚生労働省令で定める事由が生じた場合には、その事業主に申し出ることにより、法律上、当該申出に係る育児休業開始予定日を何回でも当該育児休業開始予定日とされた日前の日に変更することができる。

B パートタイム・有期雇用労働法が適用される企業において、同一の能力又は経験を有する通常の労働者であるXと短時間労働者であるYがいる場合、XとYに共通して適用される基本給の支給基準を設定し、就業の時間帯や就業日が日曜日、土曜日又は国民の祝日に関する法律（昭和23年法律第178号）に規定する休日か否か等の違いにより、時間当たりの基本給に差を設けることは許されない。

C 障害者雇用促進法では、事業主の雇用する障害者雇用率の算定対象となる障害者（以下「対象障害者」という。）である労働者の数の算定に当たって、対象障害者である労働者の1週間の所定労働時間にかかわりなく、対象障害者は1人として換算するものとされている。

D 個別労働関係紛争の解決の促進に関する法律第1条の「労働関係」とは、労働契約に基づく労働者と事業主の関係をいい、事実上の使用従属関係から生じる労働者と事業主の関係は含まれない。

E 公共職業安定所は、労働に関する法律の規定であって政令で定めるものの違反に関し、法律に基づく処分、公表その他の措置が講じられた者（厚生労働省令で定める場合に限る。）からの求人の申込みは、受理しないことができる。

A　✕　育介法7条1項。設問の場合には、育児休業開始予定日は、1回に限り変更することができます。何回でも変更することができるのではありません。労働者は、厚生労働省令で定める事由が生じた場合には、育児休業開始予定日を1回に限り育児休業開始予定日とされた日前の日に変更する（**繰り上げる**）ことができます。なお、ここでいう「厚生労働省令で定める事由」には、出産予定日前に子が出生したこと、配偶者の死亡、病気、負傷等があります。

B　✕　平30厚告430号。設問の労働者XとYについて、就業の時間帯や就業日が土日祝日か否か等の違いにより、時間当たりの基本給に差を設けることは許されます。

C　✕　障雇法43条3項、同則6条。「1週間の所定労働時間にかかわりなく」とある部分が誤りです。対象障害者が**短時間労働者**（週の所定労働時間が通常の労働者よりも短く、かつ、**30時間未満**である者）である場合には、対象障害者は、原則**0.5人**として換算します。

D　✕　平13.9.19基発832号等。「労働関係」には、事実上の使用従属関係から生じる労働者と事業主の関係も含まれます。個別労働関係紛争解決促進法が扱う「個別労働関係紛争」とは、労働条件その他**労働関係**に関する事項についての個々の労働者と事業主との間の紛争（労働者の募集及び採用に関する事項についての個々の求職者と事業主との間の紛争を含む。）をいいます。ここでいう「労働関係」とは、労働契約又は**事実上の使用従属関係**から生じる労働者と事業主の関係をいいます。

E　〇　職安法5条の6第1項3号。求人の申込みは、原則として、すべて受理しなければなりません。ただし、次のいずれかに該当するものは、受理しないことができます。設問は、このうちの③に該当します。

①その内容が**法令に違反**する求人の申込み
②賃金、労働時間その他の労働条件が通常の労働条件と比べて**著しく不適当**であると認められる求人の申込み
③政令で定める**労働に関する法律**の規定違反に関し、法律に基づく**処分**、**公表**その他の措置が講じられた者（厚生労働省令で定める場合に限る。）からの求人の申込み
④労働条件の**明示が行われない**求人の申込み
⑤暴力団員等からの求人の申込み
⑥正当な理由なく公共職業安定所等からの報告の求めに応じない者からの求人の申込み

解答　E

6章　労務管理その他の労働に関する一般常識

労働関係法規等（5）

予想

難易度 普 重要度 B

労働関係法規に関する次のアからオまでの記述のうち、正しいものの組合せは、後記AからEまでのうちどれか。

ア 都道府県労働局長は、個別労働関係紛争解決促進法に基づき、労働者の採用に関する事項についての紛争について、紛争当事者の双方又は一方からあっせんの申請があった場合において当該紛争の解決のために必要があると認めるときは、紛争調整委員会にあっせんを行わせるものとされている。

イ 最低賃金法によれば、最低賃金額（最低賃金において定める賃金の額をいう。）は、時間、日、週又は月によって定めるものとされている。

ウ 高年齢者雇用安定法によれば、65歳以上70歳未満の定年の定めをしている事業主等は、その雇用する高年齢者について、当該定年の引上げ、65歳以上継続雇用制度の導入又は当該定年の定めの廃止のうちいずれかの措置を講ずることにより、65歳から70歳までの安定した雇用を確保しなければならず、これに加えて、創業支援等措置を講ずることにより、70歳までの間の就業を確保するよう努めなければならない。

エ 男女雇用機会均等法により、事業主は、その雇用する女性労働者が母子保健法の規定による保健指導又は健康診査を受けるために必要な時間を確保することができるようにしなければならない。

オ 職業能力開発促進法の規定による技能検定は、働く上で身に付ける、又は必要とされる技能の習得レベルを評価する国家検定制度であり、これに合格した者は、技能士と称することができる。

A （アとイ）　　B （アとウ）　　C （イとオ）
D （ウとエ）　　E （エとオ）

ア　✕　個別紛争法5条1項。労働者の採用に関する事項についての紛争は、あっせんの対象となりません。都道府県労働局長は、個別労働関係紛争について、紛争当事者の双方又は一方からあっせんの申請があった場合において当該紛争の解決のために必要があると認めるときは、**紛争調整委員会にあっせんを行わせるもの**とされていますが、労働者の募集及び採用に関する事項についての紛争は、あっせんの対象から**除かれています**。

イ　✕　最賃法3条。最低賃金額は、時間（のみ）によって定めるものとされています。このため、労働者の賃金額と最低賃金額を比較するときは、その賃金額を時間あたりの金額に換算して比較します。

ウ　✕　高年法10条の2第1項。設問前半の65歳から70歳までの安定した雇用を確保することは、義務ではなく、努力義務です。また、設問後半の創業支援等措置は、「これに加えて」講ずるものではありません。65歳以上70歳未満の定年の定めをしている事業主等は、その雇用する高年齢者について、①当該**定年の引上げ**、②65歳以上**継続雇用制度**の導入又は③当該**定年の定めの廃止**のうちいずれかの措置を講ずることにより、65歳から**70歳までの**安定した雇用を確保するよう努めなければなりません。ただし、④**創業支援等措置**を講ずることにより、70歳までの間の就業を確保する場合は、この限りではありません。つまり、65歳以上70歳未満の定年の定めをしている事業主等には、前記①〜④のいずれかの措置（**高年齢者就業確保措置**）を講ずることが、**努力義務**として課されます。

エ　〇　均等法12条。設問の**必要な時間**を確保することができるようにすることは、事業主の義務です。なお、事業主は、女性労働者が保健指導又は健康診査に基づく指導事項を守ることができるようにするため、勤務時間の変更、勤務の軽減等必要な措置を講じなければなりません。

オ　〇　職能法50条1項、厚生労働省資料。**技能検定**は、厚生労働大臣が、検定職種ごとに、実技試験及び学科試験によって行う国家検定制度（国家試験）です。その合格者は、技能士と称する（名乗る）ことができます。

以上から、正しいものの組合せは、E（エとオ）です。

6章 労務管理その他の労働に関する一般常識

解答　E

労務管理総論、人事考課、雇用管理等

予想

難易度 難 重要度 C

次の記述のうち、誤っているものはどれか。

A 自己申告制度とは、従業員に自己の業績に対する評価、人事異動に関する希望等について自己申告させるものであり、従業員の能力開発、教育訓練、モチベーションの向上等を目的として行われる。

B ヒューマン・アセスメントとは、特別の訓練を受けたアセッサー（観察者）が、心理学的見地から従業員の潜在的能力や資質を事前に発見し、評価するものであり、能力開発、人材配置、管理職の登用等に活用される。

C 人事考課を行う過程においては、考課者が心理的偏向に陥ることにより、評定誤差が生じることがある。この評定誤差の代表的なものの1つとして、ハロー効果があるが、これは、被考課者に対する特定の印象が、当該被考課者に関する他の評価項目や全体の評価に影響を与える傾向のことである。

D 日本型労務管理の特徴の1つとして、企業別労働組合がある。これは、同一企業の労働者で構成される労働組合であり、労働条件の改善が進みやすく、安定した労使関係の形成に役立つことから、産業別（職種別）労働組合と比較して、活動内容や影響力が大きいという特徴がある。

E ワークシェアリングとは、雇用の機会の維持と創出を図ることを目的として、労働時間の短縮を行うものであり、雇用、賃金及び労働時間の適切な配分を目指す制度である。この制度の1つとして、多様就業型ワークシェアリングがあるが、これは、短時間勤務や隔日勤務など、多様な働き方の選択肢を拡大することについて社会全体で取り組むワークシェアリングである。

A　○　**自己申告制度**は、人事考課を補完する制度であり、従業員に自己の業績に対する評価、自己の能力、人事異動に関する希望、職場の人間関係等について**自己申告**させるものです。この制度を行う目的は、従業員の適正配置、能力開発、教育訓練、モチベーションの向上等です。

B　○　**ヒューマン・アセスメント**は、人事考課を補完する制度であり、**心理学的見地**から従業員の**潜在的能力や資質**を事前に発見し、評価するものです。これを行うのは、従業員の上司ではなく、特別の訓練を受けたアセッサー（**観察者**）です。この制度は、能力開発、人材配置、管理職の登用等に活用されます。

C　○　評定誤差の代表的なものとしては、設問の**ハロー効果**のほか、**寛大化傾向**（個人的感情等の理由により、実際よりも甘く評価してしまう傾向）、**中心化傾向**（評定結果が平均的な階層に集中し、あまり差が生じない傾向）、**対比誤差**（考課者本人を基準とすることにより、過大評価又は過小評価してしまう傾向）などがあります。

D　×　**企業別労働組合**は、産業別（職種別）労働組合と比較して、活動内容や影響力は小さいとされている。なお、日本型労務管理の特徴としては、設問の企業別労働組合のほか、**終身雇用制**（採用時から定年に至るまでの間、雇用の継続が保障されている制度）及び**年功序列制**（勤続年数により賃金、昇進・昇格等の処遇が決定される制度）があります。

E　○　日本型のワークシェアリングといわれるものには、設問の**多様就業型**ワークシェアリングのほか、**緊急対応型**ワークシェアリング（雇用維持のため、一時的に所定労働時間の短縮等を行うもの）があります。

6章　労務管理その他の労働に関する一般常識

解答　D

賃金管理

予想

難易度 普　重要度 C

賃金管理に関する次の記述のうち、正しいものはどれか。

A　スキャンロン・プランとは、付加価値を基準として賃金総額を決定する方法をいう。

B　賃金形態は、定額制と出来高払制とに大別されるが、個々の従業員の業績によりその額が決定される年俸制は定額制に分類される。

C　賃金は、所定内賃金と所定外賃金に区分することができるが、住宅手当は、所定外賃金に該当するものとされている。

D　職能給とは、「同一職務・同一賃金」という考えに基づき、職務の難易度や責任度を基準として定める賃金をいう。

E　別テーブル方式とは、退職金算定基礎額における基本給にベースアップに伴う増加分を反映させないものを基準として、退職金を支給する方式をいう。

A　✕　「付加価値」ではなく、「売上高」です。**スキャンロン・プラン**とは、売上高を基準として賃金総額を決定する方法です。「付加価値」を基準として賃金総額を決定するのは、ラッカー・プランです。

> ①ラッカー・プラン ………… 賃金総額＝**付加価値**×一定の労働分配率
> ②スキャンロン・プラン …… 賃金総額＝**売上高**×一定の人件費比率

B　○　賃金形態についてです。賃金形態（賃金がどのような単位の下で計算されているかを分類する基準）は、定額制と出来高払制に分類されます。**定額制**は、さらに、時間給制、日給制、週給制、月給制、**年俸制**などに分類することができます。一方、出来高払制は、出来高に応じて賃金を支払うものをいいます。

C　✕　住宅手当は、**所定内賃金**に該当します。所定内賃金とは、所定内労働時間の労働に対して支払われる基本的な賃金をいいます。**基本給**と**諸手当**（住宅手当、家族手当等）等がこれに含まれます。一方、所定外賃金とは、所定外労働時間の労働に対して支払われる賃金をいいます。超過勤務手当、宿日直手当等がこれに含まれます。

D　✕　設問は、**職務給**に関する記述です。**職能給**は、「**同一能力・同一賃金**」という考え方に基づき、個々の従業員の職務遂行能力を基準として定められます。

E　✕　「別テーブル方式」ではなく、「第2基本給方式」です。退職金算定基礎額における基本給にベースアップに伴う増加分を**反映させない**ものを基準として、退職金を支給する方式を**第2基本給方式**といいます。一方、退職金算定基礎額を基本給体系とは**別の賃金テーブル**で決定して退職金を支給する方式を**別テーブル方式**といいます。

6章　労務管理その他の労働に関する一般常識

解答　B

教育訓練・人間関係管理等

予想

難易度 難　重要度 C

次の記述のうち、誤っているものはどれか。

A　Off-JTの長所として、体系的な知識・技能の取得が可能なことや多数の従業員に対して同時に均一の教育訓練が行えることなどが挙げられるが、短所として、時間的・場所的な制約が大きいことや業務に直結しにくいことなどが挙げられる。

B　アメリカのテーラーが提唱した科学的管理法は、標準作業量・標準作業時間を設定し、それを達成したか否かによって支払う賃金に差をつける差別的出来高払制度と呼ばれるものであった。後に否定されることとなるが、当時としては画期的な労務管理の手法であった。

C　ハーズバーグが提唱した動機づけ・衛生理論は、満足の反対は不満足ではなく、不満足要因の除去は必ずしも満足感につながるものではないとする考え方である。ハーズバーグは動機づけ・衛生理論に基づき、職務充実による職務再設計が必要であるとした。

D　アージリスが提唱した未成熟＝成熟理論は、人間は労働の中で自己実現を求めようと、自己のパーソナリティを未成熟から成熟へ発展させる行動をとるというもので、この行動を適応行動と呼んだ。アージリスは未成熟＝成熟理論に基づき、職務拡大による能力発揮機会の増大が必要であるとした。

E　テレワークとは、情報通信技術を活用して、出社せずに仕事をする働き方のことをいい、在宅勤務、サテライト・オフィス勤務、モバイルワーク等の形態がある。

A　○　Off-JT（職場外教育訓練）は、集合教育、通信教育、講習会等により、**日常の業務から離れて**行われる教育訓練の総称です。設問の記述のような、長所・短所があります。これに対して、OJT（職場内教育訓練）は、職場内で、**日常業務に従事**しながら、上司や先輩等により行われる教育訓練です。したがって、その長所・短所は、Off-JTの長所・短所とは逆の関係にあります。

B　○　科学的管理法（**テーラー・システム**）は、1910年代に提唱されました。最大の生産効率を得るための科学的管理法は、それまでの経験とカンに頼る労務管理に比べれば、まさに画期的な方法でした。このため、**テーラー**は「労務管理の父」と呼ばれています。科学的管理法は、産業各分野に広く普及しましたが、労働強化と搾取の手段として利用されるようになり、その非人間性が問題視されるようになりました。これをきっかけとして、後に**メイヨー**に始まる人間関係論が登場することとなります。

C　○　**動機づけ要因**は、仕事の達成、仕事の内容の向上・充実、責任の増大などを指します。一方、**衛生要因**は、監督者のあり方、作業条件、対人関係、報酬などを指します。たとえば、作業条件が悪ければ不満足であるが、それが改善されたからといって（仕事上の）満足感につながるものではないとするものです。**ハーズバーグ**は、**マズロー**の欲求5段階説の生理的欲求、安全の欲求、社会的欲求を衛生要因に近いもの、自我の欲求、自己実現の欲求を動機づけ要因に近いものと考えました。

D　×　適応行動は、自己の**パーソナリティ**を未成熟から成熟へと発展させる行動のことではありません。この「発展させる行動」が企業などによって阻害されたときにとる行動を適応行動といいます。具体的には、組織を去る（退職する）、組織の目標等に無関心になるなどがあります。

E　○　テレワークは、時間や場所を有効に活用できる柔軟な働き方として近年、注目されています。**情報通信技術**を活用して、**出社せずに**仕事をする働き方であり、在宅勤務、サテライト・オフィス勤務、モバイルワーク等の形態があります。

6章　労務管理その他の労働に関する一般常識

解答　D

雇用・失業等の動向（1）

過令5

難易度 **難** 重要度 **B**

我が国の女性雇用等に関する次の記述のうち、誤っているものはどれか。なお、本問は、「令和３年度雇用均等基本調査（企業調査）（厚生労働省）」を参照しており、当該調査による用語及び統計等を利用している。

A 女性の正社員・正職員に占める各職種の割合は、一般職が最も高く、次いで総合職、限定総合職の順となっている。他方、男性の正社員・正職員に占める各職種の割合は、総合職が最も高く、次いで一般職、限定総合職の順となっている。

B 令和３年春卒業の新規学卒者を採用した企業について採用区分ごとにみると、総合職については「男女とも採用」した企業の割合が最も高く、次いで「男性のみ採用」の順となっている。

C 労働者の職種、資格や転勤の有無によっていくつかのコースを設定して、コースごとに異なる雇用管理を行う、いわゆるコース別雇用管理制度が「あり」とする企業割合は、企業規模5,000人以上では約８割を占めている。

D 課長相当職以上の女性管理職（役員を含む。）を有する企業割合は約５割、係長相当職以上の女性管理職（役員を含む。）を有する企業割合は約６割を占めている。

E 不妊治療と仕事との両立のために利用できる制度を設けている企業について、制度の内容別に内訳をみると、「時間単位で取得可能な年次有給休暇制度」の割合が最も高く、次いで「特別休暇制度（多目的であり、不妊治療にも利用可能なもの）」、「短時間勤務制度」となっている。

A　○　厚生労働省「令和３年度雇用均等基本調査（企業調査）」参照。**女性**の正社員・正職員に占める各職種の割合は、一般職が43.2％と最も高く、次いで総合職36.1％、限定総合職13.5％の順となっています。一方、**男性**の正社員・正職員に占める各職種の割合は、総合職が52.1％と最も高く、次いで一般職31.8％、限定総合職9.9％の順となっています。

B　○　厚生労働省「令和３年度雇用均等基本調査（企業調査）」参照。令和３年春卒業の新規学卒者を採用した企業について採用区分ごとにみると、**総合職**については「**男女とも採用**」した企業の割合が45.2％と最も高く、次いで「男性のみ採用」が41.8％となっています。

C　✕　厚生労働省「令和３年度雇用均等基本調査（企業調査）」参照。いわゆる**コース別雇用管理制度**が「あり」とする企業割合は、企業規模5,000人以上では57.4％であり、約８割を占めてはいません。

D　○　厚生労働省「令和３年度雇用均等基本調査（企業調査）」参照。**課長相当職以上の女性管理職**（役員を含む。）を有する企業割合は53.2％、**係長相当職以上の女性管理職**を有する企業割合は61.1％となっています。

E　○　厚生労働省「令和３年度雇用均等基本調査（企業調査）」参照。**不妊治療と仕事との両立**のために利用できる制度を設けている企業割合は34.2％でした。制度の内容別に内訳を見ると、「時間単位で取得可能な年次有給休暇制度」が53.8％と最も高く、次いで「特別休暇制度（多目的であり、不妊治療にも利用可能なもの）」が35.7％、「短時間勤務制度」が34.6％、「時差出勤制度」が30.8％、「所定外労働の制限の制度」が29.1％となっています。

6章

労務管理その他の労働に関する一般常識

解答　　C

雇用・失業等の動向（2）

予想 　　　　　　　　　　　　　　　　　　　　難易度 難　重要度 B

次の記述のうち、誤っているものはどれか。

A 令和5年「高年齢者雇用状況等報告」の集計結果によれば、報告した全企業のうち、定年を65歳とする企業は約20％で、企業規模別にみると、この割合は、中小企業（21～300人規模）の方が大企業（301人以上規模）よりも高くなっている。

B 令和5年「高年齢者雇用状況等報告」の集計結果によれば、60歳定年企業において、過去1年間（令和4年6月1日から令和5年5月31日）に定年に到達した者のうち、継続雇用された者は85％を上回っている。

C 「労働力調査（基本集計）」令和5年平均結果によれば、令和5年平均の完全失業率は2.6％であるが、これを男女、年齢階級別にみると、男女とも15～24歳の完全失業率が最も高くなっている。

D 「労働力調査（基本集計）」令和5年平均結果によれば、労働力人口は令和5年平均で6,925万人となり、前年に比べ23万人の増加となった。また、労働力率は令和5年平均で62.9％となり、前年に比べ0.4ポイントの上昇となった。

E 「労働力調査（基本集計）」令和5年平均結果によれば、若年無業者は、令和5年平均で59万人となり、前年に比べ2万人の減少となった。

A　○　令和5年「高年齢者雇用状況等報告」の集計結果参照。報告した全企業のうち**約20％**（23.5％）の企業においては、**定年を65歳**としています。また、定年を65歳とする企業の割合は、中小企業では24.0％、大企業では16.5％となっており、**中小企業**の方が大企業よりも高くなっています。

B　○　令和5年「高年齢者雇用状況等報告」の集計結果参照。60歳定年企業において、過去1年間（令和4年6月1日から令和5年5月31日）に定年に到達した者（404,967人）のうち、**85％を上回る**（87.4％）の者が**継続雇用**されています。一方、継続雇用を希望しない定年退職者は12.5％、継続雇用を希望したが継続雇用されなかった者は0.1％となっています。

C　○　令和5年「労働力調査（基本集計）」参照。令和5年平均の**完全失業率**は2.6％となり、前年と同率となりました。また、完全失業率を男女、年齢階級別にみると、令和5年平均で男女とも**15～24歳**が最も高く、男性は4.4％、女性は3.8％となっています。

D　○　令和5年「労働力調査（基本集計）」参照。「**労働力人口**」とは、15歳以上人口のうち働く意思と能力を有する者のことであり、**就業者**と**完全失業者**を合わせたものです。また、「**労働力率**」とは、**15歳以上人口**に占める**労働力人口**の割合のことであり、「労働力人口比率」ともいいます。令和5年平均の労働力人口は2年ぶりの増加となり、労働力率は3年連続の上昇となりました。

E　×　令和5年「労働力調査（基本集計）」参照。前年に比べ2万人の「減少」ではなく、「増加」です。令和5年平均の若年無業者は、**59万人**（前年比2万人増）となりました。なお、ここでいう「**若年無業者**」とは、15～34歳の非労働力人口のうち家事も通学もしていない者をいいます。

解答　E

賃金・労働時間等の動向（1）

過令4改

難易度 普　重要度 B

我が国の令和5年における労働時間制度に関する次の記述のうち、誤っているものはどれか。なお、本問は、「令和5年就労条件総合調査（厚生労働省）」を参照しており、当該調査による用語及び統計等を利用している。

A　特別休暇制度の有無を企業規模計でみると、特別休暇制度のある企業の割合は5割強となっており、これを特別休暇制度の種類（複数回答）別にみると、「夏季休暇」が最も多くなっている。

B　変形労働時間制の有無を企業規模計でみると、変形労働時間制を採用している企業の割合は約6割であり、これを変形労働時間制の種類（複数回答）別にみると、「1年単位の変形労働時間制」が「1か月単位の変形労働時間制」よりも多くなっている。

C　主な週休制の形態を企業規模計でみると、完全週休2日制が6割を超えるようになった。

D　勤務間インターバル制度の導入状況を企業規模計でみると、「導入している」は1割に達していない。

E　労働者1人平均の年次有給休暇の取得率を企業規模別にみると、おおむね規模が大きくなるほど取得率が高くなっている。

Ａ　〇　厚生労働省「令和５年就労条件総合調査」参照。特別休暇制度がある企業割合は**55.0％**です。これを特別休暇制度の種類（複数回答）別にみると、「**夏季休暇**」が**37.8％**、「**病気休暇**」が**21.9％**、「リフレッシュ休暇」が12.9％、「ボランティア休暇」が4.4％、「教育訓練休暇」が3.4％、「左記以外の１週間以上の長期の休暇」が14.2％となっています。

Ｂ　〇　厚生労働省「令和５年就労条件総合調査」参照。変形労働時間制を採用している企業割合は**59.3％**です。これを変形労働時間制の種類（複数回答）別にみると、「**１年単位の変形労働時間制**」が**31.5％**、「**１か月単位の変形労働時間制**」が**24.0％**、「フレックスタイム制」が6.8％となっています。

Ｃ　×　厚生労働省「令和５年就労条件総合調査」参照。完全週休２日制は、６割を超えていません。主な週休制の形態をみると、「**何らかの週休２日制**」を採用している企業割合は**85.4％**となっており、さらに「**完全週休２日制**」を採用している企業割合は53.3％となっています。

Ｄ　〇　厚生労働省「令和５年就労条件総合調査」参照。勤務間インターバル制度の導入状況別の企業割合をみると、「**導入している**」が**6.0％**、「導入を予定又は検討している」が11.8％、「**導入予定はなく、検討もしていない**」が**81.5％**となっています。

Ｅ　〇　厚生労働省「令和５年就労条件総合調査」参照。労働者１人平均の年次有給休暇の取得率は62.1％と、昭和59年以降**過去最高**となりました。これを企業規模別にみると、「**1,000人以上**」が**65.6％**、「300～999人」が61.8％、「100～299人」が62.1％、「**30～99人**」が**57.1％**となっています。

解答　Ｃ

賃金・労働時間等の動向（2）

予想　　　　　　　　　　　　　　　　　　　難易度 難　重要度 B

次の記述のうち、正しいものはどれか。

A　労働者がその労働の対償として受け取る額が実質賃金であり、これを消費者物価指数で除して得た数値が名目賃金である。

B　令和5年賃金構造基本統計調査において令和5年6月分の一般労働者の賃金をみると、男女間賃金格差は縮小傾向にあるものの、依然として大きく、男性を100とした場合の女性の賃金水準は、男性の65程度となっている。

C　令和4年就労条件総合調査によれば、基本給の決定要素（複数回答）別に企業割合をみると、管理職、管理職以外ともに、「職務・職種など仕事の内容」が最も高く、次いで「職務遂行能力」となっている。

D　労働災害発生の頻度を表したものが強度率であり、労働災害の重篤度を表したものが度数率である。

E　企業の生み出した付加価値のうち、労働者に分配される割合を労働分配率というが、労働分配率は好況時には高くなり、不況時には低くなる傾向にある。

A　× 実質賃金と名目賃金が逆になっています。すなわち、労働者がその労働の対償として受け取る額が**名目賃金**であり、これを消費者物価指数で除して得た数値が**実質賃金**です。なお、たとえば22万5,000円の賃金は名目賃金ですが、実質賃金を目にすることは普通ありません。**実質賃金指数**というさらに加工された形になるからです。「令和２年の実質賃金指数を100としたときに、令和５年の実質賃金指数は97.1であった」などのようにです。

B　× 令和５年「賃金構造基本統計調査」参照。男女間賃金格差は、「65程度」ではなく、**さらに縮小**しています。令和５年６月分の一般労働者の賃金は、男女計が31万8,300円、男性が35万900円、女性が26万2,600円となっており、男女間賃金格差（男＝100）は、74.8となっています。

C　○ 令和４年「就労条件総合調査」参照。**基本給の決定要素**（複数回答）別の企業割合は、管理職、管理職以外ともに最も多いのが、「**職務・職種など仕事の内容**」（管理職79.3％、管理職以外76.4％）です。次いで「**職務遂行能力**」（管理職66.6％、管理職以外66.3％）、「学歴、年齢・勤続年数など」（管理職57.4％、管理職以外65.8％）、「業績・成果」（管理職43.4％、管理職以外42.0％）などとなっています。

D　× 強度率と度数率が逆です。すなわち、**労働災害発生の頻度**を表したものが度数率であり、**労働災害の重篤度**を表したものが強度率です。それぞれ、次の計算式で求めます。

> 度数率＝労働災害による死傷者数÷延べ実労働時間×1,000,000
> 強度率
> 　＝労働災害による死傷者の延べ労働損失日数÷延べ実労働時間数×1,000

E　× **労働分配率**は不況時には高くなり、好況時には低くなる傾向にあります。簡単な例を挙げます。企業が生み出した付加価値が100で、労働者には60が分配されるとすれば、労働分配率は60％です。好況時に付加価値が120となったとします。ところが、賃金はすぐに上昇するものではありませんから、労働者には同じ60が分配されます。このときの労働分配率は50％と低くなっています。不況時には、この逆のことが起きます。

6章

労務管理その他の労働に関する一般常識

解答　C

労働経済白書

過令3　難易度 **難**　重要度 **C**

我が国の労働者の「働きやすさ」に関する次の記述のうち、誤っているものはどれか。なお、本問は、「令和元年版労働経済白書（厚生労働省）」を参照しており、当該白書又は当該白書が引用している調査による用語及び統計等を利用している。

A　正社員について、働きやすさに対する認識を男女別・年齢階級別にみると、男女ともにいずれの年齢階級においても、働きやすさに対して満足感を「いつも感じる」又は「よく感じる」者が、「全く感じない」又は「めったに感じない」者を上回っている。

B　正社員について、働きやすさの向上のために、労働者が重要と考えている企業側の雇用管理を男女別・年齢階級別にみると、男性は「職場の人間関係やコミュニケーションの円滑化」、女性は「労働時間の短縮や働き方の柔軟化」がいずれの年齢層でも最も多くなっている。

C　正社員について、男女計における1か月当たりの労働時間と働きやすさとの関係をみると、労働時間が短くなるほど働きやすいと感じる者の割合が増加し、逆に労働時間が長くなるほど働きにくいと感じる者の割合が増加する。

D　正社員について、テレワークの導入状況と働きやすさ・働きにくさとの関係をみると、テレワークが導入されていない場合の方が、導入されている場合に比べて、働きにくいと感じている者の割合が高くなっている。

E　勤務間インターバル制度に該当する正社員と該当しない正社員の働きやすさを比較すると、該当する正社員の方が働きやすさを感じている。

A　○　令和元年版労働経済白書126頁参照。正社員について、男女別・年齢階級別に働きやすさに対する認識をみると、男女ともにいずれの年齢階級においても、働きやすさに対して満足感を「いつも感じる」又は「よく感じる」者（以下「働きやすいと感じている者」という。）が「全く感じない」又は「めったに感じない」者を上回っており、**働きやすいと感じている者**の方が多くなっています。

B　×　令和元年版労働経済白書126頁参照。女性も「職場の人間関係やコミュニケーションの円滑化」が最も多くなっています。正社員について、男女別・年齢階級別に**働きやすさの向上**のために重要と考える企業による雇用管理をみると、男女ともにいずれの年齢階級においても「職場の人間関係やコミュニケーションの円滑化」が最も多く、次いで「**有給休暇の取得促進**」、「**労働時間の短縮や働き方の柔軟化**」が高くなっています。

C　○　令和元年版労働経済白書130頁参照。正社員について、男女計における1ヵ月あたりの労働時間と働きやすさとの関係をみると、**労働時間が短くなるほど働きやすいと感じる者が増加**し、逆に労働時間が長くなるほど働きにくいと感じる者が増加しています。なお、労働時間が月220時間以上になると働きにくいと感じている者が働きやすいと感じている者を上回ります。

D　○　令和元年版労働経済白書134頁参照。正社員について、テレワークの導入状況と働きやすさ・働きにくさとの関係をみると、**テレワークが導入されていない**場合は、働きにくいと感じている者の割合が高くなっています。なお、テレワークを導入している企業の割合は、上昇傾向にあります。

E　○　令和元年版労働経済白書133頁参照。**勤務間インターバル制度**に該当する正社員と該当しない正社員の働きやすさを比較すると、**該当する正社員の方が働きやすさを感じています。**なお、勤務間インターバル制度とは、労働者の健康確保などを目的として、実際の終業時刻から始業時刻までの間隔を一定時間以上空ける制度をいいます。

6章　労務管理その他の労働に関する一般常識

解答　B

［選択式］労働契約・賃金に関する法律

予想

難易度 **普**　重要度 **B**

次の文中の　　　　の部分を選択肢の中の最も適切な語句で埋め、完全な文章とせよ。

1　最低賃金法は、賃金の低廉な労働者について、賃金の最低額を保障することにより、　**A**　を図り、もって、労働者の生活の安定、労働力の質的向上及び事業の　**B**　の確保に資するとともに、国民経済の健全な発展に寄与することを目的とする。

2　最低賃金法によれば、地域別最低賃金は、地域における労働者の生計費及び賃金並びに　**C**　を考慮して定められなければならない。

3　前記2の労働者の生計費を考慮するにあたっては、労働者が　**D**　最低限度の生活を営むことができるよう、　**E**　に係る施策との整合性に配慮するものとする。

選択肢
---

① 能力の開発及び向上　　　　　② 労働需給の状況

③ 公正な競争　　　　　　　　　④ 高齢者

⑤ 健康で文化的な　　　　　　　⑥ 安全かつ安心な

⑦ 障害者　　　　　　　　　　　⑧ 労働関係の調整

⑨ 円滑な運営　　　　　　　　　⑩ 産業構造

⑪ 自立的に　　　　　　　　　　⑫ 労働条件の改善

⑬ 人口構成　　　　　　　　　　⑭ 生活保護

⑮ 経済的な地位の向上　　　　　⑯ 持続的な発達

⑰ 年金制度　　　　　　　　　　⑱ 効果的な経営資源

⑲ 通常の事業の賃金支払能力　　⑳ 個人として尊重される

A・Bは最賃法1条、Cは同法9条2項、D・Eは同法9条3項。

1　最低賃金法は、賃金の低廉な労働者について、賃金の最低額を保障することにより、**労働条件の改善**を図っています。これにより、労働者の**生活の安定**、**労働力の質的向上及び事業の公正な競争の確保**に資すること、及び国民経済の健全な発展に寄与することが、同法の目的です。

2、3　地域別最低賃金は、一定の地域ごとに定める最低賃金のことです。この地域別最低賃金は、賃金の低廉な労働者について、賃金の最低額を保障するため、**あまねく全国各地域**について決定されなければならず、厚生労働大臣又は都道府県労働局長が、一定の地域ごとに、最低賃金審議会の調査審議を求め、その意見を聴いて、これを決定します。

　この地域別最低賃金を定めるにあたっては、地域における(1)労働者の**生計費**及び**賃金**並びに(2)通常の事業の賃金支払能力が考慮されます。また、このうちの労働者の生計費を考慮するにあたっては、労働者が健康で**文化的な最低限度の生活**を営むことができるよう、**生活保護**に係る施策との整合性に配慮するものとされています。

解答	A ⑫労働条件の改善　B ③公正な競争　C ⑲通常の事業の賃金支払能力　D ⑤健康で文化的な　E ⑭生活保護

［選択式］労働関係法規等（1）

予想

難易度 **普**　重要度 **B**

次の文中の□□□の部分を選択肢の中の最も適切な語句で埋め、完全な文章とせよ。

1　賃金支払確保法第7条に基づく未払賃金の立替払いは、労働者災害補償保険の適用事業に該当する事業の事業主（　**A**　以上の期間にわたって当該事業を行っていたものに限る。）が破産手続開始の決定を受け、その他政令で定める事由に該当することとなった場合において、破産手続開始等の申立てその他所定の日の　**B**　に当該事業を退職したものを対象として、当該労働者の請求に基づき、行われる。

2　男女雇用機会均等法は、法の下の平等を保障する　**C**　の理念にのっとり雇用の分野における男女の均等な機会及び待遇の確保を図るとともに、女性労働者の就業に関して　**D**　の健康の確保を図る等の措置を推進することを目的とする。

3　次世代育成支援対策推進法においては、その基本理念として、次世代育成支援対策は、　**E**　が子育てについての第一義的責任を有するという基本的認識の下に、家庭その他の場において、子育ての意義についての理解が深められ、かつ、子育てに伴う喜びが実感されるように配慮して行われなければならない旨が規定されている。

選択肢

①5年　　　　　　②日本国憲法　　　　③若年期　　　　　④父又は母

⑤職業安定法　　　⑥3年　　　　　　⑦中高年期　　　　⑧1年

⑨6ヵ月前の日から2年間　　　　　　⑩国　　　　　　　⑪2年

⑫労働施策総合推進法　　　　　　　　⑬妊娠中及び出産後

⑭翌日から起算して1年間　　　　　　⑮国際労働機関憲章　　⑯地域社会

⑰翌日から起算して2年間　　　　　　⑱父母その他の保護者

⑲有害業務への就業中又は就業後　　　⑳6ヵ月前の日から1年間

Aは賃確則7条、Bは賃確令3条、C・Dは均等法1条、Eは次世代支援法3条。

1　未払賃金の立替払事業は、労働者災害補償保険の適用事業の事業主であって、1年**以上**事業を行っていたものが、破産手続開始の決定を受けた場合等に、未払賃金のある**退職**労働者の**請求**に基づき、政府が事業主に代わってその一部を支払うものです。対象者は、立替払いの事由のあった日の**6ヵ月前の日から2年**間に退職した労働者です。

2　男女雇用機会均等法の目的は、次の2つです。

> (1) 法の下の平等を保障する**日本国憲法**の理念にのっとり雇用の分野における**男女**の**均等な機会及び待遇**の確保を図ること。
> (2) **女性労働者**の就業に関して妊娠中及び出産後の健康の確保を図る等の措置を推進すること。

3　次世代育成支援対策推進法においては、父母その他の保護者が子育てについての**第一義的責任**を有するという基本的認識が明確にされています。また、次世代育成支援対策は、この基本的認識の下に、(1)家庭その他の場において、子育ての意義についての理解が深められ、かつ、(2)子育てに伴う喜びが実感されるように配慮して行われなければならないことが、同法の基本理念となっています。

6章

労務管理その他の労働に関する一般常識

STEP UP

未払賃金の立替払事業

　政府は、労働者災害補償保険の適用事業に該当する事業の事業主が破産手続開始の決定を受けるなどした場合において、当該事業に従事する労働者で政令で定める期間内に当該事業を退職したものに係る未払賃金があるときは、当該労働者の請求に基づき、当該未払賃金に係る債務のうち政令で定める範囲内のものを、当該事業主に代わって弁済するものとされています。この事業が「未払賃金の立替払事業」です（賃確法7条）。

解答　A ⑧1年　B ⑨6ヵ月前の日から2年間　C ②日本国憲法
D ⑬妊娠中及び出産後　E ⑱父母その他の保護者

［選択式］労働関係法規等（2）

予想

難易度 **普** 重要度 **A**

次の文中の ☐ の部分を選択肢の中の最も適切な語句で埋め、完全な文章とせよ。

1　育児・介護休業法に規定する介護休業をしたことがある労働者は、当該介護休業に係る対象家族が次のいずれかに該当する場合には、当該対象家族については、同法第11条第1項の規定による介護休業の申出をすることができない。

　(1)　当該対象家族について ☐ **A** ☐ の介護休業をした場合

　(2)　当該対象家族について介護休業をした日数が ☐ **B** ☐ に達している場合

2　育児・介護休業法第21条第3項の規定により、事業主は、労働者が、当該労働者が ☐ **C** ☐ に達した日の属する年度その他の介護休業に関する制度及び介護両立支援制度等の利用について労働者の理解と関心を深めるため介護休業に関する制度、介護両立支援制度等を知らせるのに適切かつ効果的なものとして厚生労働省令で定める期間の始期に達したときは、当該労働者に対して、当該期間内に、当該事項を知らせなければならない。

3　常時雇用する労働者の数が ☐ **D** ☐ 事業主は、育児・介護休業法第22条の2の規定に基づき、毎年少なくとも1回、その雇用する労働者の育児休業の取得の状況を公表しなければならない。

4　女性活躍推進法第8条第1項によれば、一般事業主であって、常時雇用する労働者の数が ☐ **E** ☐ ものは、事業主行動計画策定指針に即して、一般事業主行動計画（一般事業主が実施する女性の職業生活における活躍の推進に関する取組みに関する計画）を定め、厚生労働大臣に届け出なければならない。

選択肢

①2回	②3回	③90日	④91日
⑤4回	⑥5回	⑦93日	⑧94日
⑨30歳	⑩40歳	⑪45歳	⑫50歳
⑬50人以上である		⑭50人を超える	
⑮100人以上である		⑯100人を超える	
⑰300人以上である		⑱300人を超える	
⑲1,000人以上である		⑳1,000人を超える	

A・Bは育介法11条2項、Cは同法21条3項、Dは同法22条の2、Eは女性活躍推進法8条1項。

1　労働者は、その事業主に申し出ることにより、介護休業をすることができます。この介護休業の申出は、**要介護状態にある対象家族1人につき**、介護休業をした日が**通算して93日**に達するまで、**3回**を限度として行うことができます。したがって、(1) 当該対象家族について（すでに）3回の介護休業をした場合、(2) 当該対象家族について介護休業をした日数が（すでに）93日に達している場合は、当該対象家族については介護休業の申出をすることができません。

2　介護離職を防止するためには、介護に直面するよりも前に介護休業制度、介護両立支援制度等に関する情報提供を行っておくことが重要です。このため、労働者が介護保険第2号被保険者となる40歳に達した日の属する年度等の適切かつ効果的な時期に、労働者に対して、**介護休業制度、介護両立支援制度等**に関する**情報提供**を一律に行うことが、事業主に**義務づけられています**。

3　常時雇用する労働者の数が300人を超える事業主は、毎年少なくとも1回、その雇用する労働者の**育児休業の取得の状況**を**公表**しなければなりません。具体的には、次のいずれかの情報を、インターネットの利用その他の適切な方法により、公表することが義務づけられています。

　(1) 男性の育児休業等の取得割合
　(2) 男性の育児休業等と育児目的休暇の取得割合

4　常時雇用する労働者の数が100人を超える一般事業主には、**女性活躍推進法**に規定する**一般事業主行動計画**の策定及び届出が義務づけられています。なお、常時雇用する労働者の数が100人を超える一般事業主には、次世代育成支援対策推進法に規定する一般事業主行動計画の策定及び届出も義務づけられています。

6章
労務管理その他の労働に関する一般常識

解答　A ②3回　B ⑦93日　C ⑩40歳　D ⑱300人を超える
E ⑯100人を超える

[選択式] 男女間の働き方の違い

予想

難易度 難　重要度 C

次の文中の ☐ の部分を選択肢の中の最も適切な語句で埋め、完全な文章とせよ。

1　かつて、我が国の女性は出産後に退職する場合が多く、女性の年齢階級別労働力人口比率は、25〜29歳及び30〜34歳を底とするM字カーブを描いていた。しかしながら、 A や働き方改革関連法に基づく企業の取組、保育の受け皿整備、両立支援等、これまでの官民の積極的な取組により、年々、第1子出産後も就業継続する女性は増加しており、直近では、第1子出産前有職者の約 B が就業を継続している。しかし、従業上の地位（「正規の職員」「自営業主・家族従事者・内職」「パート・派遣」）別に第1子出産後の就業継続率を見ると、 C の就業継続率は約4割にとどまっている。

2　女性は男性と比較して正規雇用比率が低く、令和4（2022）年の雇用者の雇用形態別の割合を男女別に見ると、女性雇用者の半分以上が非正規雇用労働者となっている一方で、男性雇用者の約8割が正規雇用労働者となっている。非正規雇用労働者全体の男女比を見ると、男性よりも女性の割合が大きく、産業別に見ると、女性雇用者の割合が大きい「 D 」、「宿泊業、飲食サービス業」、「生活関連サービス業、娯楽業」、「卸売業、小売業」において、非正規雇用労働者の割合も大きい。また、年齢階級別の正規雇用比率を見ると、男性は20代後半から50代までは7割を超えているものの、女性は E カーブを描いている。

選択肢

①5割	②6割	③7割	④8割
⑤L字	⑥N字	⑦S字	⑧V字
⑨建設業	⑩情報通信業	⑪製造業	⑫医療、福祉

⑬男女雇用機会均等法　　　　　⑭女性活躍推進法

⑮次世代育成支援対策推進法　　⑯育児・介護休業法

⑰「正規の職員」　　　　　　　⑱「パート・派遣」

⑲「正規の職員」及び「自営業主・家族従事者・内職」

⑳「自営業主・家族従事者・内職」及び「パート・派遣」

A～Cは令和5年版男女共同参画白書21頁参照、D・Eは同23頁参照。

1　男女間の働き方の違いについて見ると、かつて、我が国の女性は出産後に退職する場合が多く、女性の年齢階級別労働力人口比率は、25～29歳及び30～34歳を底とする**M字カーブ**を描いていましたが、年々、第1子出産後も就業継続する女性は増加しており、直近では、その割合は約7割となっています。これは、**女性活躍推進法や働き方改革関連法**に基づく企業の取組、保育の受け皿整備、両立支援等、これまでの官民の積極的な取組の結果と評価することができます。

　　ただし、第1子出産後の就業継続については、**雇用形態別に大きな差**があります。具体的には、従業上の地位別に第1子出産後の就業継続率を見ると、「正規の職員」及び「自営業主・家族従業者・内職」の就業継続率は**8割を超えている**のに対し、「パート・派遣」の就業継続率は**約4割**にとどまっています。

2　雇用形態については、次のような点が指摘されています。

(1) 令和4（2022）年の雇用者の雇用形態別の割合を男女別に見ると、女性雇用者の**半分以上が非正規雇用労働者**となっている一方で、男性雇用者の約8割が正規雇用労働者となっています。また、非正規雇用労働者全体の男女比では、男性よりも女性の割合が大きく、女性雇用者の割合が大きい「医療、福祉」、「宿泊業、飲食サービス業」、「生活関連サービス業、娯楽業」、「卸売業、小売業」において、非正規雇用労働者の割合も大きくなっています。

(2) 年齢階級別の正規雇用比率を見ると、男性は20代後半から50代までは7割を超えているものの、女性は**25～29歳**の60.0％を**ピーク**に低下し、年齢の上昇とともに下がる、**L字カーブ**を描いています。これは、出産を契機に働き方を変える、もしくは一旦退職し、子供が大きくなったら非正規雇用労働者として再就職する場合が多いことによるものと考えられます。

6章

労務管理その他の労働に関する一般常識

解答　A　⑭女性活躍推進法　B　③7割　C　⑱「パート・派遣」
D　⑫医療、福祉　E　⑤L字

その他の法律の目的

　本試験で問われる可能性は低いので、詳細な学習は必要ありませんが、その存在（法律名）と目的条文には触れておきましょう。

1．介護労働者の雇用管理の改善等に関する法律

　この法律は、我が国における急速な高齢化の進展等に伴い、介護関係業務に係る労働力への需要が増大していることにかんがみ、介護労働者について、その雇用管理の改善、能力の開発及び向上等に関する措置を講ずることにより、介護関係業務に係る労働力の確保に資するとともに、介護労働者の福祉の増進を図ることを目的とする。

2．中小企業における労働力の確保及び良好な雇用の機会の創出のための雇用管理の改善の促進に関する法律（中小企業労働力確保法）

　この法律は、中小企業における労働力の確保及び良好な雇用の機会の創出のため、中小企業者が行う雇用管理の改善に係る措置を促進することにより、中小企業の振興及びその労働者の職業の安定その他福祉の増進を図り、もって国民経済の健全な発展に寄与することを目的とする。

3．地域雇用開発促進法

　この法律は、雇用機会が不足している地域内に居住する労働者に関し、当該地域の関係者の自主性及び自立性を尊重しつつ、就職の促進その他の地域雇用開発のための措置を講じ、もって当該労働者の職業の安定に資することを目的とする。

4．建設労働者の雇用の改善等に関する法律

　この法律は、建設労働者の雇用の改善、能力の開発及び向上並びに福祉の増進を図るための措置並びに建設業務有料職業紹介事業及び建設業務労働者就業機会確保事業の適正な運営の確保を図るための措置を講ずることにより、建設業務に必要な労働力の確保に資するとともに、建設労働者の雇用の安定を図ることを目的とする。

5．港湾労働法

　この法律は、港湾労働者の雇用の改善、能力の開発及び向上等に関する措置を講ずることにより、港湾運送に必要な労働力の確保に資するとともに、港湾労働者の雇用の安定その他の港湾労働者の福祉の増進を図ることを目的とする。

6．家内労働法

　この法律は、工賃の最低額、安全及び衛生その他家内労働者に関する必要な事項を定めて、家内労働者の労働条件の向上を図り、もって家内労働者の生活の安定に資することを目的とする。

7．職業訓練の実施等による特定求職者の就職の支援に関する法律（求職者支援法）

　この法律は、特定求職者に対し、職業訓練の実施、当該職業訓練を受けることを容易にするための給付金の支給その他の就職に関する支援措置を講ずることにより、特定求職者の就職を促進し、もって特定求職者の職業及び生活の安定に資することを目的とする。

健康保険法

いよいよ社会保険の科目に突入です!

保険給付の通則

予想

難易度 **易**　重要度 **A**

健康保険法に関する次の記述のうち、正しいものはどれか。

A 全国健康保険協会は、健康保険法第52条の保険給付に併せて、定款で定めるところにより、保険給付として付加給付を行うことができる。

B 傷病手当金及び出産手当金の支給は、そのつど、行わなければならず、毎月一定の期日に行うことはできない。

C 保険給付を受ける権利は、譲り渡し、担保に供し、又は差し押さえることができないが、傷病手当金及び出産手当金を受ける権利は、国税滞納処分により差し押さえることができる。

D 被保険者の被扶養者が闘争、泥酔又は著しい不行跡によって給付事由を生じさせたときは、当該給付事由に係る当該被扶養者に係る保険給付は、その全部又は一部を行わないことができる。

E 被保険者の被扶養者が出産したときは、家族出産育児一時金及び家族出産手当金が支給される。

A　✕　法53条。全国健康保険協会（以下「協会」という。）は、付加給付を行うことが**できません**。付加給付を行うことができるのは、**健康保険組合**です。なお、協会が管掌する健康保険における付加給付（付加的給付）は、**承認法人等**（事業主及び被保険者で組織する法人等であって、厚生労働大臣の承認を受けたもの）が行うものであり、協会が行うものではありません。

B　✕　法56条。毎月一定の期日に行うことが**できます**。入院時食事療養費、入院時生活療養費、保険外併用療養費、療養費、訪問看護療養費、移送費、傷病手当金、埋葬料（費）、出産育児一時金、出産手当金、家族療養費、家族訪問看護療養費、家族移送費、家族埋葬料及び家族出産育児一時金の支給は、**そのつど**、行わなければなりません。この例外として、**傷病手当金**及び**出産手当金**の支給については、**毎月一定の期日**に行うことが認められています。

C　✕　法61条。傷病手当金及び出産手当金を受ける権利も、差し押さえることが**できません**。保険給付を受ける権利については、例外なく、**譲渡**、**担保提供**及び**差押え**が禁止されています。

D　○　法122条による法117条の準用。被保険者が**闘争**、**泥酔**又は**著しい不行跡**によって給付事由を生じさせたときは、当該給付事由に係る保険給付は、その全部又は一部を**行わないことができます**。この給付制限は、**被扶養者**についても適用されます。

E　✕　法52条、114条。家族出産手当金という保険給付は存在しません。被扶養者が出産した場合に支給されるのは、**家族出産育児一時金**のみです。

解答　　D

給付制限ほか

過令2

難易度 普　重要度  A

健康保険法に関する次の記述のうち、誤っているものはどれか。

A　被保険者の資格を喪失した日の前日まで引き続き1年以上被保険者（任意継続被保険者、特例退職被保険者又は共済組合の組合員である被保険者を除く。）であった者であって、その資格を喪失した際に傷病手当金の支給を受けている者が、その資格を喪失後に特例退職被保険者の資格を取得した場合、被保険者として受けることができるはずであった期間、継続して同一の保険者からその給付を受けることができる。

B　保険者は、偽りその他不正の行為により保険給付を受け、又は受けようとした者に対して、6か月以内の期間を定め、その者に支給すべき傷病手当金又は出産手当金の全部又は一部を支給しない旨の決定をすることができるが、その決定は保険者が不正の事実を知った時以後の将来においてのみ決定すべきであるとされている。

C　保険者が、健康保険において第三者の行為によって生じた事故について保険給付をしたとき、その給付の価額の限度において被保険者が第三者に対して有する損害賠償請求の権利を取得するのは、健康保険法の規定に基づく法律上当然の取得であり、その取得の効力は法律に基づき第三者に対し直接何らの手続きを経ることなく及ぶものであって、保険者が保険給付をしたときにはその給付の価額の限度において当該損害賠償請求権は当然に保険者に移転するものである。

D　保険者は、被保険者又は被保険者であった者が、正当な理由なしに診療担当者より受けた診断書、意見書等により一般に療養の指示と認められる事実があったにもかかわらず、これに従わないため、療養上の障害を生じ著しく給付費の増加をもたらすと認められる場合には、保険給付の一部を行わないことができる。

E　被保険者が道路交通法違反である無免許運転により起こした事故のため死亡した場合には、所定の要件を満たす者に埋葬料が支給される。

A　✕　法附則３条５項。資格喪失後に特例退職被保険者の資格を取得した場合には、傷病手当金の継続給付を受けることはできません。**特例退職被保険者**には、資格喪失後の継続給付としての傷病手当金を含め、**傷病手当金は支給されません**。

B　〇　法120条、昭3.3.14保理483号。保険者は、**偽りその他不正の行為**により保険給付を受けた者等に対して、**６ヵ月以内の期間を定め、傷病手当金等の全部又は一部**を支給しない旨の決定をすることができます。この６ヵ月以内の期間の決定は、過去にさかのぼることなく、保険者が不正の事実を知った時以後の**将来**においてのみ決定すべきであるとされています。

C　〇　昭31.11.7保文発9218号。損害賠償請求権の**代位取得**の解釈について、正しい記述です。なお、設問の通達では、代位取得は、一般の債権譲渡のように、第三者に対する通知又はその承諾を要件とするものではないとしています。

D　〇　法119条、昭26.5.9保発第37号。保険者は、被保険者又は被保険者であった者が、正当な理由なしに**療養に関する指示に従わない**ときは、保険給付の一部**を行わないことができます**。この「正当な理由なしに療養に関する指示に従わない」場合の具体例として、設問の通達が示されています。

E　〇　昭36.7.5保険発63号。道路交通法違反である無免許運転により起こした事故による死亡は、故意による自己の犯罪行為による事故ですが、**死亡**は、最終的一回限りの絶対的な事故であること等から、**給付制限の対象となりません**。したがって、設問の場合には、埋葬料が支給されます。

7章
健康保険法

解答　A

453

保険者（1）

過令元

難易度 普　重要度 B

保険者に関する次の記述のうち、誤っているものはどれか。

A　全国健康保険協会（以下本問において「協会」という。）と協会の理事長又は理事との利益が相反する事項については、これらの者は代表権を有しない。この場合には、協会の監事が協会を代表することとされている。

B　保険者等は被保険者の資格の取得及び喪失の確認又は標準報酬の決定若しくは改定を行ったときは、当該被保険者に係る適用事業所の事業主にその旨を通知し、この通知を受けた事業主は速やかにこれを被保険者又は被保険者であった者に通知しなければならない。

C　健康保険組合の理事の定数は偶数とし、その半数は健康保険組合が設立された適用事業所（以下「設立事業所」という。）の事業主の選定した組合会議員において、他の半数は被保険者である組合員の互選した組合会議員において、それぞれ互選する。理事のうち1人を理事長とし、設立事業所の事業主の選定した組合会議員である理事のうちから、事業主が選定する。

D　協会の理事長、理事及び監事の任期は3年、協会の運営委員会の委員の任期は2年とされている。

E　協会は、毎事業年度、財務諸表を作成し、これに当該事業年度の事業報告書及び決算報告書を添え、監事及び厚生労働大臣が選任する会計監査人の意見を付けて、決算完結後2か月以内に厚生労働大臣に提出し、その承認を受けなければならない。

A　○　法7条の16。**代表権の制限**について、正しい記述です。全国健康保険協会（協会）を代表するのは、理事長です。理事長に事故があるとき等は、あらかじめ理事長が指定する理事が、協会を代表します。協会と理事長又は理事との**利益が相反する事項**については、これらの者は**代表権を有しない**こととされ、この場合には、**監事**が協会を代表することとされています。

B　○　法49条1項・2項。**保険者等**は、次の①又は②を行ったときは、事業主に、その旨を通知しなければなりません。**事業主**は、保険者等からこの通知があったときは、速やかに、これを**被保険者又は被保険者であった者**に通知しなければなりません。

①被保険者の資格の取得及び喪失に係る確認

②標準報酬（標準報酬月額及び標準賞与額）の決定又は改定

C　×　法21条2項・3項。理事長は、「事業主が選定」するのではなく、「**理事が選挙**」します。理事は、①設立事業所の事業主の選定した組合会議員及び②被保険者である組合員の互選した組合会議員において、それぞれ**互選**します。理事長は、①の理事のうちから、**理事が選挙**します。

D　○　法7条の9、7条の12第1項、7条の18第3項。協会には、役員として、**理事長**1人、**理事**6人以内及び**監事**2人が置かれますが、役員の任期は、いずれも3年です。また、協会に設置される**運営委員会の委員**は、9人以内とされ、事業主、被保険者及び協会の業務の適正な運営に必要な学識経験を有する者のうちから、厚生労働大臣が各同数を任命します。委員の任期は、2年です。

E　○　法7条の28第2項、7条の29第2項。協会の決算に係る期限は、次のとおりです。②の財務諸表には、事業報告書等を添え、監事及び会計監査人の意見を付けて厚生労働大臣に提出し、その**承認**を受けなければなりません。

①毎事業年度の決算完結の期限⇒翌事業年度の**5月31日**まで

②**財務諸表**の提出期限⇒決算完結後2ヵ月**以内**

7章 健康保険法

解答　C

保険者（2）

予想　　　　　　　　　　　　　　　　　　　　難易度 難　重要度 B

保険者に関する次の記述のうち、誤っているものはどれか。

A　全国健康保険協会は、毎事業年度、事業計画及び予算を作成し、当該事業年度開始前に、厚生労働大臣の認可を受けなければならない。

B　全国健康保険協会は、都道府県ごとの実情に応じた業務の適正な運営に資するため、支部ごとに評議会を設け、当該支部における業務の実施について、評議会の意見を聴くものとする。

C　健康保険組合は、毎年度終了後6ヵ月以内に、事業及び決算に関する報告書を作成し、厚生労働大臣の承認を受けなければならない。

D　健康保険組合は、別に厚生労働大臣が定めるところにより、毎月の事業状況を翌月20日までに当該健康保険組合の主たる事務所の所在地を管轄する地方厚生局長等に報告しなければならない。

E　全国健康保険協会が管掌する健康保険の事業に関する業務のうち、標準報酬月額及び標準賞与額の決定（任意継続被保険者に係るものを除く。）は、厚生労働大臣が行う。

A ○ 法7条の27。全国健康保険協会の事業計画及び予算については、**厚生労働大臣の認可**が必要です。なお、健康保険組合は、毎年度、収入支出の予算を作成し、当該年度の開始前に、厚生労働大臣に届け出なければなりません。

B ○ 法7条の21第1項。**都道府県ごとの実情に応じた**業務の適正な運営に資するため、全国健康保険協会の各支部に**評議会**が置かれます。全国健康保険協会は、支部の業務の実施についてはこの評議会の**意見を聴く**ものとされています。

C × 令24条1項。承認を受ける必要はありません。健康保険組合は、毎年度終了後6ヵ月**以内**に、事業及び決算に関する**報告書**を作成し、厚生労働大臣に提出しなければなりませんが、厚生労働大臣の承認等は**不要**です。

D ○ 則14条。健康保険組合の毎月の**事業状況の報告**は、**翌月20日**までに、当該健康保険組合の主たる事務所の所在地を管轄する地方厚生局長等（管轄地方厚生局長等）に対して行います。

E ○ 法5条2項。全国健康保険協会は、健康保険組合の組合員でない被保険者の保険を管掌しています。ただし、全国健康保険協会が管掌する健康保険の事業に関する業務のうち、次の①～④の業務（任意継続被保険者に係るものを除く。）は、全国健康保険協会ではなく、**厚生労働大臣**が行います。

①被保険者の**資格の取得及び喪失の確認**
②**標準報酬月額**及び**標準賞与額**の決定
③**保険料の徴収**
④前記①～③に附帯する業務

基本まとめ　保険者の財務に関する主な規定

全国健康保険協会	健康保険組合
事業計画・予算を作成し、毎事業年度**開始前**に厚生労働大臣の認可を受ける	収入支出の**予算**を作成し、毎年度**開始前**に厚生労働大臣に届け出る
翌事業年度の5月31日までに決算を完結	毎年度終了後6ヵ月**以内**に事業・決算に関する報告書を作成し、厚生労働大臣に**提出**する
決算完結後2ヵ月**以内**に財務諸表等を厚生労働大臣に提出し、その承認を受ける	

解答 C

7章

健康保険法

保険者（3）

過平30

難易度 難　重要度 C

保険者に関する次のアからオの記述のうち、誤っているものの組合せは、後記Aからまでのうちどれか。

ア　全国健康保険協会の運営委員会の委員は、9人以内とし、事業主、被保険者及び全国健康保険協会の業務の適正な運営に必要な学識経験を有する者のうちから、厚生労働大臣が各同数を任命することとされており、運営委員会は委員の総数の3分の2以上又は事業主、被保険者及び学識経験を有する者である委員の各3分の1以上が出席しなければ、議事を開くことができないとされている。

イ　健康保険組合でない者が健康保険組合という名称を用いたときは、10万円以下の過料に処する旨の罰則が定められている。

ウ　全国健康保険協会が業務上の余裕金で国債、地方債を購入し、運用を行うことは一切できないとされている。

エ　健康保険組合は、分割しようとするときは、当該健康保険組合に係る適用事業所に使用される被保険者の4分の3以上の多数により議決し、厚生労働大臣の認可を受けなければならない

オ　厚生労働大臣は、全国健康保険協会の事業年度ごとの業績について、評価を行わなければならず、この評価を行ったときは、遅滞なく、全国健康保険協会に対し、当該評価の結果を通知するとともに、これを公表しなければならない。

A　（アとイ）　　　B　（アとウ）　　　C　（イとオ）
D　（ウとエ）　　　E　（エとオ）

ア　○　法７条の18第２項、則２条の４第５項。運営委員会は、事業主及び被保険
者の意見を反映させ、全国健康保険協会の業務の適正な運営を図るため、全国
健康保険協会に置かれます。この運営委員会の委員は、９人以内であり、**事業
主、被保険者**及び全国健康保険協会の業務の適正な運営に必要な**学識経験を有
する者**のうちから、**厚生労働大臣が各同数を任命**します。また、運営委員会の
議事を開くためには、①委員の総数の**３分の２以上**又は②事業主、被保険者及
び学識経験を有する者である委員の**各３分の１以上**の出席が必要です。

イ　○　法220条。健康保険組合でない者は、健康保険組合という**名称**を用いては
なりません。これに違反して、健康保険組合という名称を用いた者は、**10万円
以下**の過料に処せられます。

ウ　×　令１条１号。業務上の余裕金で国債、地方債を購入し、運用を行うことは
できます。全国健康保険協会は、原則として、業務上の余裕金を運用してはなり
ません。ただし、①国債、地方債、政府保証債その他厚生労働大臣の指定する
有価証券の取得、②銀行その他厚生労働大臣の指定する金融機関への預金、③
信託業務を営む金融機関への金銭信託による場合は、業務上の余裕金を**運用す
ること**ができます。

エ　×　法24条１項。「適用事業所に使用される被保険者」ではなく、「組合会にお
いて組合会議員の定数」の**４分の３以上**の多数による議決が必要です。健康保
険組合の分割に際しては、①組合会において組合会議員の定数の**４分の３以上**
の多数により議決し、②**厚生労働大臣の認可**を受けることが必要です。

オ　○　法７条の30。全国健康保険協会の事業年度ごとの**業績評価**については、**厚
生労働大臣**がこれを行わなければなりません。また、厚生労働大臣は、この業績
評価を行ったときは、遅滞なく、①全国健康保険協会への評価結果の**通知**と、
②公表をしなければなりません。

以上から、誤っているものの組合せは、D（ウとエ）です。

解答　D

適用事業所・被保険者

予想

難易度 **普**　重要度 **B**

健康保険の適用に関する次の記述のうち、誤っているものはどれか。

A　学生が卒業後の４月１日に就職する予定である適用事業所において、在学中の同年３月１日から職業実習をし、事実上の就職と解される場合においては、在学中であっても被保険者となる。

B　適用事業所に６ヵ月の期間を定めて使用される短時間労働者であって、１週間の所定労働時間及び１ヵ月間の所定労働日数が、同一の事業所に使用される通常の労働者の１週間の所定労働時間及び１ヵ月間の所定労働日数の４分の３以上であるものは、被保険者となる。

C　特定適用事業所以外の適用事業所の事業主が所定の労働組合等の同意を得て、保険者等に当該事業主の一又は二以上の適用事業所に使用される特定４分の３未満短時間労働者について適用除外の規定の適用を受けない旨の申出をした場合においては、当該特定４分の３未満短時間労働者は、当該申出が受理された日から、被保険者の資格を取得する。

D　常時５人以上の従業員を使用する社会保険労務士が法律の業務を行う事業の事務所は、法人経営である場合に限り、強制適用事業所に該当する。

E　任意適用事業所に使用される者（被保険者である者に限る。）の４分の３以上が事業主に対して任意適用取消しの申請を求めた場合であっても、当該事業所の事業主に、当該申請を厚生労働大臣に対して行う義務は発生しない。

A ○ 法3条1項、昭16.12.22社発1580号。適用事業所に使用される者は、適用除外者に該当しない限り、被保険者となります。この「使用される者」に該当するか否かは、**事実上の使用関係**の有無により総合的に判断されます。設問の学生は、事実上の使用関係があると認められるため、被保険者となります。

B ○ 法3条1項9号。設問の短時間労働者は、**4分の3基準を満たしている**ため、被保険者となります。

C ○ 平24法附則46条1項・5項・7項。特定4分の3未満短時間労働者とは、4要件（「基本まとめ」参照）のうち(1)〜(3)を満たす者であって、特定適用事業所以外の適用事業所に使用されるものをいいます。この者が被保険者となるためには、事業主が保険者等に所定の**申出**（「基本まとめ」(4)②の申出）をする必要があります。この申出があったときは、特定4分の3未満短時間労働者は、その申出が**受理された日**から、被保険者の資格を取得します。

D × 法3条3項、令1条7号。法人経営である場合に限りません。**社会保険労務士**が法律の業務を行う事業は、**適用業種**に該当するため、常時**5人以上**の従業員を使用している設問の事業所は、個人経営であっても強制適用事業所に該当します。

E ○ 参考：法33条。任意適用事業所に使用される者が、その事業主に対して任意適用取消しの申請を求めた場合であっても、事業主に当該申請を行う義務が**発生することはありません**。

短時間労働者の適用

4分の3基準	**1週間の所定労働時間**及び**1ヵ月間の所定労働日数**が、同一の事業所に使用される通常の労働のものと比べて**4分の3以上**であること
4分の3基準を満たす者 ⇒ 被保険者となる。	
4分の3基準を満たさない者 ⇒ 次の4つの要件（4要件）をすべて満たせば、被保険者となる。	
4要件	(1) 1週間の所定労働時間が**20時間以上**であること (2) 報酬（一定のものを除く。）の月額が**8万8,000円以上**であること (3) **学生等でない**こと (4) 次のいずれかに該当する事業に使用されていること 　①**特定適用事業所** 　②**労使合意**に基づき保険者等に**申出**をした法人又は個人の適用事業所

解答　D

7章

健康保険法

被保険者

予想

難易度 普　重要度 Ⓐ

被保険者に関する次の記述のうち、正しいものはどれか。

A　所在地が一定しない事業所に使用される者は、継続して6ヵ月を超えて使用されるに至った場合には、その使用された当初から被保険者となる。

B　同一の事業所において雇用契約上一旦退職した者が1日の空白もなく引き続き再雇用された場合、その者が65歳以上で退職後継続して再雇用されるときに限り、使用関係が一旦中断したものとみなし、被保険者資格喪失届及び同日付の被保険者資格取得届を提出しても差し支えない。

C　適用事業所に使用される短時間労働者であって、その1週間の所定労働時間又は1ヵ月間の所定労働日数が、同一の事業所に使用される通常の労働者の1週間の所定労働時間又は1ヵ月間の所定労働日数の4分の3未満であり、かつ、報酬（所定の報酬を除く。）の月額が8万8,000円未満であるものは、被保険者となることはない。

D　適用事業所に2ヵ月以内の期間を定めて臨時に使用される者であって、当該定めた期間を超えて使用されることが見込まれないものは、被保険者とならないが、この者が2ヵ月を超えて引き続き使用されるに至った場合は、その2ヵ月を超えて引き続き使用されたときから被保険者となる。

E　任意継続被保険者が、保険料（初めて納付すべき保険料を除く。）を納付期日までに納付しなかったとき（納付の遅延について正当な理由があると保険者が認めたときを除く。）は、その者は、当該納付期日から、その資格を喪失する。

A　✕　法3条1項3号。所在地が一定しない事業所に使用される者は、**使用される期間にかかわらず**、被保険者となりません。

B　✕　平8.4.8保文発269号・庁文発1431号、平25保保発0125第1号。「65歳以上」ではなく、「**60歳以上**」です。同一の事業所において雇用契約上一旦退職した者が1日の空白もなく引き続き再雇用された場合には、原則として、被保険者の資格も継続します。ただし、**60歳以上の者**で、退職後継続して再雇用されるものについては、使用関係が**一旦中断**したものとみなし、**同日付**で被保険者資格喪失届及び被保険者資格取得届を提出する取扱いをしても差し支えないこととされています。

C　○　法3条1項9号。4分の3基準を満たさない短時間労働者であり、かつ、次の**いずれか**に該当するものは、被保険者となりません（適用除外）。

①1週間の所定労働時間が20時間**未満**であること。

②報酬（所定の報酬を除く。）の月額が**8万8,000円未満**であること。

③学生等であること。

④その使用される事業所が次のいずれにも該当しないこと。

　（ア）特定適用事業所

　（イ）労使合意に基づき保険者等に申出をした法人又は個人の適用事業所

D　✕　法3条1項2号。「2ヵ月を超えて引き続き使用されたときから」ではなく、「**定めた期間を超えて引き続き使用されたときから**」です。**2ヵ月以内**の期間を定めて**臨時**に使用される設問の者は、定めた**期間を超えて引き続き使用される**に至った場合に、**そのときから**（定めた期間を超えて引き続き使用されるに至ったときから）被保険者となります。

E　✕　法38条3号。「納付期日から」ではなく、「**納付期日の翌日から**」です。任意継続被保険者が**保険料**を納付期日までに**納付しなかったとき**は、納付期日の**翌日**から、その資格を喪失します。なお、任意継続被保険者となるための申出をした者が、初めて納付すべき保険料をその納付期日までに納付しなかったときは、その者は、任意継続被保険者とならなかったものとみなされます。

7章

健康保険法

解答　C

被保険者及び被扶養者（1）

予想

難易度 普　重要度 Ⓐ

健康保険法に関する次の記述のうち、正しいものはどれか。

A　任意継続被保険者は、後期高齢者医療の被保険者となった日の翌日からその資格を喪失する。

B　被保険者（任意継続被保険者又は特例退職被保険者を除く。）の資格取得は、保険者等の確認によってその効力を生ずることとなり、事業主が資格取得届を行う前に生じた事故の場合については、遡って資格取得の確認が行われたとしても、保険事故として取り扱われることはない。

C　被扶養者の収入の確認にあたり、被扶養者の年間収入については、被扶養者の過去の収入、現時点の収入又は将来の収入の見込みなどから、今後1年間の収入を見込むものとされている。

D　被保険者の配偶者で届出をしていないが事実上婚姻関係と同様の事情にあるものの子及び孫は、その被保険者と同一の世帯に属し、主としてその被保険者により生計を維持するときは、被扶養者として認定される。

E　被保険者（外国に赴任したことがないものとする。）の被扶養者である配偶者の父であって、日本国外に居住し日本国籍を有しないものは、主としてその被保険者により生計を維持している事実があると認められるときは、被扶養者として認定される。

A　×　法38条6号。任意継続被保険者は、後期高齢者医療の被保険者等となったときは、「その日」から、その資格を喪失します。「翌日」ではありません。

B　×　法39条1項、昭31.11.29保文10148号。後半が誤りです。事業主が資格取得の届出を行う前に生じた事故であっても、さかのぼって資格取得の確認が行われれば、**保険事故**となります。なお、設問前半は、正しい記述です。

C　○　令2.4.10事務連絡等。被扶養者に係る確認にあたり、被扶養者の年間収入については、被扶養者の過去の収入、現時点の収入又は将来の収入の見込みなどから、**今後1年間**の収入を見込むものとされています。

D　×　法3条7項3号。「子及び孫」ではなく、「父母及び子」です。被保険者の**配偶者**で届出をしていないが事実上婚姻関係と同様の事情にあるものの**父母及び子**は、その被保険者と同一の世帯に属し、主としてその被保険者により生計を維持するときは、被扶養者として認定されます。設問の「孫」は、被扶養者として認定されません。

E　×　法3条7項2号。設問の父（被保険者の配偶者の父）は、①日本国内に住所を有しておらず、②被保険者と同一の世帯に属していないことから、被扶養者として認定されません。配偶者の父が被扶養者として認定されるためには、**国内居住要件**（原則）を満たしたうえで、**生計維持要件**及び**同一世帯要件**も満たす必要があります。

7章
健康保険法

解答　C

被保険者及び被扶養者（2）

過令2

難易度 **易** 重要度 **B**

健康保険法に関する次のアからオの記述のうち、正しいものの組合せは、後記Aからオの記述のうち、正しいものの組合せは、後記AからＥまでのうちどれか。

ア 被扶養者の要件として、被保険者と同一の世帯に属する者とは、被保険者と住居及び家計を共同にする者をいい、同一の戸籍内にあることは必ずしも必要ではないが、被保険者が世帯主でなければならない。

イ 任意継続被保険者の申出は、被保険者の資格を喪失した日から20日以内にしなければならず、保険者は、いかなる理由がある場合においても、この期間を経過した後の申出は受理することができない。

ウ 季節的業務に使用される者について、当初４か月以内の期間において使用される予定であったが業務の都合その他の事情により、継続して４か月を超えて使用された場合には使用された当初から一般の被保険者となる。

エ 実際には労務を提供せず労務の対償として報酬の支払いを受けていないにもかかわらず、偽って被保険者の資格を取得した者が、保険給付を受けたときには、その資格を取り消し、それまで受けた保険給付に要した費用を返還させることとされている。

オ 事業主は、被保険者に支払う報酬がないため保険料を控除できない場合でも、被保険者の負担する保険料について納付する義務を負う。

A （アとイ）　　　B （アとウ）　　　C （イとエ）

D （ウとオ）　　　E （エとオ）

速習レッスン　ア：P41、イ：P35、ウ：P34、エ：記載なし、オ：P102　**解説**

ア　×　昭27.6.23保文発3533号。被保険者が**世帯主である必要もありません**。被保険者と同一の世帯に属する者とは、被保険者と住居及び家計を共同にする者をいい、同一の戸籍内にあるか否かを問わず、被保険者が世帯主であることを要しません。

イ　×　法37条1項。後半が誤りです。保険者は、**正当な理由**があると認めるときは、被保険者の資格を喪失した日から20日以内の期間を経過した後の申出であっても、**受理することができます**。

ウ　×　法3条1項4号、昭9.4.17保発191号。当初4ヵ月以内の期間において使用される予定であった場合には、業務の都合その他の事情により継続して4ヵ月を超えて使用されたときであっても、**一般の被保険者となりません**。

エ　○　昭26.12.3保文発5255号。設問のように実質上の使用関係がないにもかかわらず、偽って被保険者の資格を取得し保険給付を受けた場合には、違法行為として、その**資格を取り消し**、それまで受けた保険給付に要した費用は、**返還させる**取扱いとされています。

オ　○　法161条2項、昭2.2.18保理578号。事業主は、被保険者に支払う報酬がないため（又は被保険者に支払う報酬の額が被保険者負担分の保険料額に満たないため）、被保険者の負担する保険料をその者の報酬から控除できない場合であっても、**被保険者の負担する保険料を納付する義務**を負います。

以上から、正しいものの組合せは、E（エとオ）です。

解答　E

問題 201

報酬・標準報酬月額

予想

難易度 普　重要度 **A**

報酬及び標準報酬月額に関する次のアからオまでの記述のうち、正しいものの組合せは、後記AからEまでのうちどれか。

ア 通勤手当は、3ヵ月又は6ヵ月ごとに支給される場合であっても、健康保険法に規定する報酬に該当する。

イ 任意継続被保険者の標準報酬月額については、当該任意継続被保険者が被保険者の資格を喪失したときの標準報酬月額の基礎となった報酬月額と、前年（1月から3月までの標準報酬月額については、前々年）の9月30日における当該任意継続被保険者の属する保険者が管掌する全被保険者の同月の標準報酬月額を平均した額とを合算した額の2分の1に相当する額をその者の報酬月額として、標準報酬月額を決定する。

ウ 5月1日に被保険者の資格を取得した者については、その資格を取得した際に決定された標準報酬月額は、その資格を取得した月から翌年の8月までの各月の標準報酬月額とする。

エ 標準報酬月額の定時決定に際し、当年の4、5、6月の3ヵ月間に受けた報酬の月平均額から算出した標準報酬月額と、前年の7月から当年の6月までの間に受けた報酬の月平均額から算出した標準報酬月額の間に2等級以上の差を生じた場合であって、当該差が業務の性質上例年発生することが見込まれる場合は、保険者等が算定する額を報酬月額として、標準報酬月額を決定する。

オ ある年の8月10日に育児休業を終了した被保険者について、育児休業等を終了した際の標準報酬月額の改定が行われたときは、その改定された標準報酬月額は、その年10月から翌年8月までの各月の標準報酬月額となる。

A （アとイ）　　　**B** （アとエ）　　　**C** （イとウ）
D （ウとオ）　　　**E** （エとオ）

ア　○　法3条5項、昭27.12.4保文発7241号。**通勤手当**は、3ヵ月又は6ヵ月ごとに支給されているとしても、支給の実態は原則として毎月の通勤に対し支給され、被保険者の通常の生計費の一部に充てられているため、**報酬**に**該当します**。

イ　✕　法47条。任意継続被保険者の標準報酬月額は、次の①②の額のうち、**いずれか少ない額**です。なお、保険者が健康保険組合である場合には、①の額が②の額を超える任意継続被保険者について、規約で定めるところにより、①の額をその者の標準報酬月額とすることができます。

　①当該任意継続被保険者が被保険者の**資格を喪失**したときの標準報酬月額

　②前年（1月から3月までの標準報酬月額については、前々年）の9月30日における当該任意継続被保険者の属する保険者が管掌する**全被保険者**の同月の標準報酬月額を**平均した額**を標準報酬月額の基礎となる報酬月額とみなしたときの標準報酬月額

ウ　✕　法42条2項。翌年ではなく、その年の8月までです。資格取得時決定による標準報酬月額の有効期間は、資格取得日に応じて、次のとおりです。

資格取得日	有効期間
1月1日から5月31日まで	その年の8月まで
6月1日から12月31日まで	**翌年の8月まで**

エ　○　法44条1項、昭36.1.26保発4号。報酬月額の算定の特例（**保険者算定**）です。なお、設問の場合において、保険者等が算定する報酬月額は、前年の7月から当年の6月までの1年間に受けた報酬の月平均額から算出するものとされています。

オ　✕　法43条の2第2項。設問の場合には、その年の「11月」からの標準報酬月額となります。育児休業等を終了した際に改定された標準報酬月額は、育児休業等**終了日の翌日**から起算して**2ヵ月**を経過した日の属する月の翌月からその年の8月（当該翌月が7月から12月までのいずれかの月である場合は、**翌年の8月**）までの各月の標準報酬月額となります。したがって、設問の場合には、育児休業を終了した日が「8月10日」ですから、標準報酬月額の改定は、その年の「11月」から行われます。

以上から、正しいものの組合せは、**B**（アとエ）です。

解答　**B**

7
章

健康保険法

標準報酬月額の決定・改定(1)

予想

難易度 **普**　重要度 **B**

標準報酬月額に関する次の記述のうち、正しいものはどれか。

A　事業主は、7月1日現に使用する被保険者であっても、その年の8月末日までにその資格を喪失することとなっている被保険者については、その旨を申し出れば、健康保険被保険者報酬月額算定基礎届を提出しなくとも差し支えない。

B　育児休業等を終了した際の標準報酬月額の改定の対象は、育児休業等を終了した被保険者であって、当該育児休業等終了日において当該育児休業等に係る小学校就学の始期に達しない子を養育するものである。

C　休職が命ぜられた被保険者の休職期間中の標準報酬月額は、休職期間中に支払われる報酬に基づき、決定し、又は改定される。

D　報酬月額が5万3,000円未満で、第1級の標準報酬月額にある者について、昇給により、現に使用される事業所において継続した3ヵ月間(各月とも、報酬支払いの基礎となった日数が、17日以上であるものとする。)に受けた報酬の総額を3で除して得た額が第2級の標準報酬月額に該当することとなった場合には、随時改定の対象となる。

E　標準報酬月額の決定又は改定の算定の対象となる期間の月の途中に、短時間労働者であるかないかの被保険者の区分に変更があった場合においては、当該月の報酬の計算期間の初日における被保険者区分に応じた報酬支払いの基礎となる日数(17日以上又は11日以上)により、当該月が算定の対象月となるかならないかを判断する。

A　×　法41条3項、則25条1項。報酬月額算定基礎届の提出について、設問のような例外は設けられていません。報酬月額算定基礎届を提出しなくとも差し支えないのは、定時決定の対象とならない次の者についてのみです。

①その年の**6月1日**から**7月1日**までの間に被保険者の資格を取得した者

②随時改定等により、その年の**7月から9月**までのいずれかの月から標準報酬月額を改定され、又は改定されるべき被保険者

B　×　法43条の2第1項。「小学校就学の始期に達しない子」ではなく、「**3歳に満たない子**」です。育児休業等を終了した際の標準報酬月額の改定に係る**申出**は、育児休業等を終了後に職場に復帰し、**3歳**に**満たない子**を養育している被保険者に限り、することができます。

C　×　昭27.1.25保文発420号。休職期間中の報酬月額は、休職直前の標準報酬月額によります。休職期間中に支払われる報酬に基づく決定又は改定が行われるわけではありません。なお、育児休業又は介護休業期間中の標準報酬月額は、休業直前の標準報酬月額の算定の基礎となった報酬に基づき、算定した額となります。

D　○　昭36.1.26保発4号。設問の者については、等級表上は、現在の等級との間に1等級の差しかありませんが、**実質的に2等級以上**の差があるものとして、随時改定の対象となります。

E　×　法41条1項、43条1項、平29.6.2事務連絡。報酬支払基礎日数は、報酬の計算期間の末日の区分に応じたものを用いることとされています。たとえば、定時決定に際し、短時間労働者である被保険者であった者が、報酬の計算期間である月の途中で短時間労働者以外の被保険者となった場合には、その月の報酬支払基礎日数が17日以上あれば、その月を報酬月額の算定の対象月とします。

7章

健康保険法

解答　D

標準報酬月額の決定・改定（2）

過令3

難易度 **難**　重要度 **C**

健康保険法に関する次の記述のうち、誤っているものはどれか。

A　一時帰休に伴い、就労していたならば受けられるであろう報酬よりも低額な休業手当が支払われることとなり、その状態が継続して3か月を超える場合には、固定的賃金の変動とみなされ、標準報酬月額の随時改定の対象となる。

B　賃金が月末締め月末払いの事業所において、2月19日から一時帰休で低額な休業手当等の支払いが行われ、5月1日に一時帰休の状況が解消した場合には、2月、3月、4月の報酬を平均して2等級以上の差が生じていれば、5月以降の標準報酬月額から随時改定を行う。

C　その年の1月から6月までのいずれかの月に随時改定された標準報酬月額は、再度随時改定、育児休業等を終了した際の標準報酬月額の改定又は産前産後休業を終了した際の標準報酬月額の改定を受けない限り、その年の8月までの標準報酬月額となり、7月から12月までのいずれかの月に改定された標準報酬月額は、再度随時改定、育児休業等を終了した際の標準報酬月額の改定又は産前産後休業を終了した際の標準報酬月額の改定を受けない限り、翌年の8月までの標準報酬月額となる。

D　前月から引き続き被保険者であり、12月10日に賞与を50万円支給された者が、同月20日に退職した場合、事業主は当該賞与に係る保険料を納付する義務はないが、標準賞与額として決定され、その年度における標準賞与額の累計額に含まれる。

E　訪問看護事業とは、疾病又は負傷により、居宅において継続して療養を受ける状態にある者（主治の医師がその治療の必要の程度につき厚生労働省令で定める基準に適合していると認めたものに限る。）に対し、その者の居宅において看護師その他厚生労働省令で定める者が行う療養上の世話又は必要な診療の補助（保険医療機関等又は介護保険法第8条第28項に規定する介護老人保健施設若しくは同条第29項に規定する介護医療院によるものを除く。）を行う事業のことである。

A　○　昭50.3.29保険発25号・庁保険発8号。一時帰休に伴い、就労していたならば受けられるであろう報酬よりも低額な**休業手当**等が支払われることとなった場合は、**固定的賃金の変動**とみなされ、当該報酬のうち固定的賃金が減額され支給される場合で、かつ、その状態が継続して**3ヵ月を超える**ときは、標準報酬月額の**随時改定**の対象となります。

B　×　令3.4.1事務連絡。随時改定は行いません。一時帰休に伴う低額な休業手当等の支払いは、固定的賃金の変動とみなされ、当該休業手当等の支払いが継続して**3ヵ月を超える**ときは、**随時改定**の対象となります（選択肢Aの解説参照）。この3ヵ月は、月単位で計算するため、設問の場合は、5月1日をもって「3ヵ月を超える場合」に該当します。設問のように5月1日に一時帰休の状態が解消した場合は、「3ヵ月を超える場合」に該当せず、随時改定は行いません。

C　○　法43条2項。随時改定によって改定された標準報酬月額の有効期間は、次のとおりです。

①改定月が**1**月から**6**月までの場合　⇒　その年の**8**月まで
②改定月が**7**月から**12**月までの場合　⇒　翌年の**8**月まで

D　○　法156条3項、平19庁保険発0501001号。前月から引き続き被保険者である者がその**資格を喪失**した場合には、その月分の保険料は**徴収されません**。したがって、設問の場合、事業主は12月10日に支給された賞与に係る保険料を納付する義務はありません。また、保険料が徴収されない資格喪失月であっても、被保険者期間中に支払われる賞与に基づき標準賞与額が決定され、当該決定された標準賞与額は、その年度における標準賞与額の**累計額に含まれます**。

E　○　法88条1項。訪問看護事業とは、次の①②の要件に該当する被保険者に対し、その者の**居宅**において**看護師等**が行う**療養上の世話又は必要な診療の補助**（保険医療機関等又は介護保険法に規定する介護老人保健施設若しくは介護医療院によるものを除く。）を行う事業をいいます。

①傷病により、**居宅**において継続して療養を受ける状態にあること。
②**主治の医師**がその治療の必要の程度につき厚生労働省令で定める基準に適合していると認めた者であること。

7章 健康保険法

解答　B

療養の給付

予想

難易度 普　重要度 Ⓐ

療養の給付に関する次の記述のうち、誤っているものはどれか。

A　療養の給付を受けようとする者は、厚生労働省令で定めるところにより、保険医療機関等のうち、自己の選定するものから、電子資格確認等により、被保険者であることの確認を受け、療養の給付を受けるものとされている。

B　健康保険法第63条第3項第2号に掲げる病院等（いわゆる事業主医療機関等）から療養の給付を受ける者は、その給付を受ける際、一部負担金を当該病院等に支払わなければならないが、保険者が健康保険組合である場合においては、規約で定めるところにより、当該一部負担金を減額し、又はその支払いを要しないものとすることができる。

C　療養の給付は、被保険者の資格取得が適正である限り、その資格を取得する前に発症した疾病に対しても行われる。

D　70歳以上の被保険者であって、療養の給付を受ける月の標準報酬月額が28万円以上であり、かつ、当該被保険者及びその70歳以上の被扶養者について厚生労働省令で定めるところにより算定した収入の額が520万円以上であるものに係る一部負担金の負担割合は、100分の30である。

E　一部負担金の負担割合が100分の30である70歳以上の被保険者について標準報酬月額の随時改定が行われ、11月から標準報酬月額が26万円に改定された場合、翌月の12月から一部負担金の負担割合が100分の20となる。

A　○　法63条3項。療養の給付を受けようとする者は、保険医療機関等のうち、自己の選定するものから、**電子資格確認**（個人番号カードに記録された利用者証明用電子証明書を送信する方法等により、被保険者等の資格情報の照会を行い、電子情報処理組織等により保険者から回答を受けて、当該保険医療機関等から被保険者等であることの確認を受けること）等により、**被保険者であることの確認**を受け、療養の給付を受けるものとされています。

B　○　法84条2項。一部負担金に係る特例のうち、事業主医療機関等における特例についてです。**事業主医療機関等**から療養の給付を受ける者は、一部負担金を支払わなければなりません。ただし、保険者が**健康保険組合**である場合には、規約で定めるところにより、当該一部負担金を**減額**し、又はその**支払いを要しない**ものとすることができます。

C　○　昭26.10.16保文発4111号。被保険者の**資格取得が適正**である限り、その**資格取得前**の疾病又は負傷に対しても療養の給付は行われます。

D　○　法74条1項3号、令34条。**70歳以上**の被保険者であって、療養の給付を受ける月の標準報酬月額が**28万円以上**であるもの（現役並み所得者）に係る一部負担金の負担割合は、100分の30です。なお、被保険者及び70歳以上の被扶養者の年収の合算額が「520万円未満」であるときは、申請により、一部負担金の割合は100分の20となります。

E　×　法74条1項2号・3号、令34条1項、平14保保発0927007号。「翌月の12月から」ではなく、「**その月（11月）から**」です。一部負担金の負担割合が100分の30である70歳以上の被保険者の標準報酬月額が**28万円未満**に改定された場合は、一部負担金の負担割合も**100分の20**に変更されます。この変更が行われるのは、**改定後の標準報酬月額が適用される**月（設問の場合は、11月）からです。

7章

健康保険法

解答　E

保険医療機関等の指定

予想

難易度 **易**　重要度 **B**

保険医療機関等に関する次の記述のうち、誤っているものはどれか。

A　厚生労働大臣は、病院又は病床を有する診療所について保険医療機関の指定の申請があった場合において、当該病院又は診療所の医師、歯科医師、看護師その他の従業者の人員が、医療法に規定する厚生労働省令で定める員数等を勘案して厚生労働大臣が定める基準により算定した員数を満たしていないときは、その申請に係る病床の全部又は一部を除いて指定を行うことができる。

B　保険医療機関又は保険薬局は、1ヵ月以上の予告期間を設けて、その指定を辞退することができる。

C　保険医療機関の指定を受けた病院又は診療所の開設者に変更があり、病院又は診療所としての同一性が失われたときは、指定の効力は失われる。

D　保険医療機関の指定を受けた病院又は病床を有する診療所については、その指定の効力を失う日前6ヵ月から同日前3ヵ月までの間に、別段の申出がないときは、指定に係る申請があったものとみなす。

E　厚生労働大臣は、保険医療機関の指定の申請があった場合において、当該申請に係る病院若しくは診療所又は薬局が、健康保険法の規定により保険医療機関又は保険薬局に係る指定を取り消され、その取消しの日から5年を経過しないものであるときは、指定をしないことができる。

A　○　法65条4項1号。病院又は病床を有する診療所に係る指定の申請は、病床の種別ごとにその数を定めて行うものとされていますが、医師、看護師等の従業者の人員が、所定の員数を満たしていないときは、厚生労働大臣は、その申請に係る**病床の全部又は一部を除いて**指定を行うことができます。

B　○　法79条1項。保険医療機関又は保険薬局の**指定の辞退**については、被保険者及び保険者に種々の不利益を与え、混乱を起こし、健康保険制度の円滑な運営を阻害するおそれがあることから、**1ヵ月以上の予告期間**を設けることとされています。なお、保険医又は保険薬剤師がその登録の抹消を求める場合も、同様に、1ヵ月以上の予告期間を設けることが必要です。

C　○　昭32.9.2保険発123号。病院又は診療所の**開設者に変更**があったときは、病院又は診療所としての**同一性が失われたもの**として指定の効力が失われるため、改めて保険医療機関の指定を受けなければなりません。その場合には、旧開設者は、速やかに、その旨及びその年月日を指定に関する管轄地方厚生局長等に届け出なければならないこととされています。

D　×　法68条。「病院又は病床を有する診療所」については、更新のつど所定の基準を満たしているか否かの確認が必要であることから、設問の**指定の自動更新の対象となりません**。

E　○　法65条3項1号。指定の拒否についてです。厚生労働大臣は、保険医療機関の指定の申請があった場合において、当該申請に係る病院若しくは診療所又は薬局が、健康保険法の規定により保険医療機関又は保険薬局に係る指定を取り消され、その取消しの日から5年を経過しないものであるときは、**指定をしないことができます**。保険医療機関等の指定の有効期間である**6年**と混同しないよう注意しましょう。

7章
健康保険法

解答　D

被保険者の傷病に関する給付（1）

予想

難易度 普　重要度 **B**

保険給付に関する次の記述のうち、正しいものはどれか。

A　入院時食事療養費に係る食事療養標準負担額は、平均的な家計における食費の状況及び特定介護保険施設等における食事の提供に要する平均的な費用の額を勘案して保険者が定める。

B　病床数200以上の病院において他の病院又は診療所からの文書による紹介なしに受けた初診は、緊急その他やむを得ない事情がある場合に受けたものであっても、選定療養に該当するため、保険外併用療養費の支給対象となる。

C　被保険者が、保険医療機関等のうち自己の選定するものから、電子資格確認等により、被保険者であることの確認を受け、患者申出療養を受けたときは、その療養に要した費用について、保険外併用療養費が支給されるが、患者申出療養に係る申出は、厚生労働大臣に対し、当該申出に係る療養を行う特定機能病院（保険医療機関であるものに限る。）の開設者の意見書その他必要な書類を添えて行うものとされている。

D　特定長期入院被保険者が、保険医療機関等である病院又は診療所のうち自己の選定するものから、電子資格確認等により、被保険者であることの確認を受け、療養の給付と併せて受けた生活療養に要した費用について、入院時生活療養費を支給する。入院時生活療養費の支給の対象となる特定長期入院被保険者とは、療養病床に入院する65歳に達する日の属する月の翌月以後である被保険者をいう。

E　厚生労働大臣は、入院時生活療養費に係る生活療養に関する費用の額の算定に関する基準を定めようとするときは、地方社会保険医療協議会に諮問するものとされている。

A ✕ 法85条2項。食事療養標準負担額は、「保険者」ではなく、「厚生労働大臣」が定めます。食事療養標準負担額とは、平均的な家計における食費の状況及び特定介護保険施設等における食事の提供に要する平均的な費用の額を勘案して厚生労働大臣が定める額（所得の状況その他の事情をしん酌して厚生労働省令で定める者については、別に定める額）をいいます。

B ✕ 平18.9.12厚労告495号。**緊急その他やむを得ない事情**がある場合に受けた設問の初診は、選定療養には該当しません。**病床数が200以上の病院**について受けた初診は、原則として選定療養に該当しますが、他の病院又は診療所からの**文書による紹介**がある場合及び**緊急その他やむを得ない事情**がある場合に受けたものは除かれています。

C ✕ 法63条4項、86条1項。設問の申出は、「特定機能病院」ではなく、「**臨床研究中核病院**」の開設者の意見書等を添えて行うものとされています。**患者申出療養**とは、**高度の医療技術**を用いた療養であって、当該療養を受けようとする者の**申出**に基づき、療養の給付の対象とすべきものであるか否かについて、適正な医療の効率的な提供を図る観点から評価を行うことが必要な療養として**厚生労働大臣**が定めるものをいいます。被保険者がこの患者申出療養を受けたときは、保険外併用療養費の支給の対象となります。

D ◯ 法63条2項1号、85条の2第1項。**入院時生活療養費**は、**特定長期入院被保険者**が、入院に係る療養の給付と併せて受けた**生活療養**に要した費用について、支給されます。この支給対象となる**特定長期入院被保険者**とは、療養病床に入院する65歳**以上**の被保険者をいいます。

E ✕ 法85条の2第3項。「地方社会保険医療協議会」ではなく、「**中央社会保険医療協議会**」です。設問のように、医療の専門的な技術に係る事項（全国統一ルール）を定めようとする場合の諮問機関は、**中央社会保険医療協議会**です。

7章 健康保険法

解答　D

チェック欄

1	2	3

被保険者の傷病に関する給付（2）

予想

難易度 易　重要度 B

保険給付に関する次の記述のうち、誤っているものはどれか。

A　被保険者が、保険医療機関等である病院若しくは診療所又は薬局から評価療養、患者申出療養又は選定療養を受けたときは、その療養に要した費用について、保険外併用療養費が支給される。この場合、被保険者に支給すべき保険外併用療養費は、当該病院若しくは診療所又は薬局に対して支払うものとする。

B　被保険者が療養の給付若しくは入院時食事療養費、入院時生活療養費若しくは保険外併用療養費の支給に代えて療養費の支給を受けることを希望した場合、保険者はこれらの療養の給付等に代えて療養費を支給しなくてはならない。

C　被保険者が療養の給付（保険外併用療養費に係る療養を含む。）を受けるため、病院又は診療所に移送されたときは、保険者が必要であると認める場合に限り、移送費が支給される。移送費の金額は、最も経済的な通常の経路及び方法により移送された場合の費用により算定した金額となるが、現に移送に要した費用の金額を超えることができない。

D　被保険者は、療養費の支給を受けようとするときは、申請書を保険者に提出しなければならない。この申請書には、療養に要した費用の額を証する書類を添付しなければならないが、この書類が外国語で作成されたものであるときは、その書類に日本語の翻訳文を添付しなければならない。

E　保険者は、保険医療機関若しくは保険薬局又は指定訪問看護事業者が偽りその他不正の行為によって療養の給付等に関する費用の支払いを受けたときは、当該保険医療機関若しくは保険薬局又は指定訪問看護事業者に対し、その支払った額につき返還させるほか、その返還させる額に100分の40を乗じて得た額を支払わせることができる。

A　○　法86条1項、則63条。保険外併用療養費は、法本来の規定では、現金給付（償還払い）です。ただし、被保険者の保険医療機関等における窓口負担を軽減するため、現実には、「**現物給付方式による給付**」が行われています。設問後半は、この現物給付方式による給付について、正しい記述です。なお、入院時食事療養費、入院時生活療養費、訪問看護療養費等についても同様に、現物給付方式による給付が行われています。

B　×　法87条1項。単に被保険者の希望をもって、療養費を支給することはできません。**療養費**は、①保険者が療養の給付等を行うことが**困難である**と認めるとき、又は②被保険者が保険医療機関等**以外**の病院等から診療等を受けた場合において、保険者がやむを得ないものと認めるときに限り、療養の給付等に**代えて**支給するものです。

C　○　法97条、則80条。**移送費**は、①被保険者が**療養の給付**（保険外併用療養費に係る療養を含む。）を受けるため、病院又は診療所に移送されたこと、②**保険者が必要であると認める**ことの要件をいずれも満たした場合に、支給されます。また、移送費の金額は、現に移送に要した費用の金額を限度として、**最も経済的な通常の経路及び方法**により移送された場合の費用により算定した金額です。

D　○　則66条。療養費の支給の申請にあたって当該申請書に添付すべき書類は、その療養に要した**費用の額**を証する書類です。ただし、その書類が外国語で作成されたものであるときは、その書類に日本語の翻訳文を添付しなければなりません。

E　○　法58条3項。**偽りその他不正の行為**によって療養の給付等に関する費用の支払いを受けた**保険医療機関**、**保険薬局**又は**指定訪問看護事業者**に対しては、その支払った額につき返還させるほか、その返還させる額に100分の40を乗じて得た額を支払わせることができます。

7章　健康保険法

解答　B

傷病手当金（1）

過令5変更D

難易度 普　重要度

傷病手当金に関する次の記述のうち、正しいものはどれか。

A　被保険者（任意継続被保険者を除く。）が業務外の疾病により労務に服することができないときは、その労務に服することができなくなった日から起算して4日を経過した日から労務に服することができない期間、傷病手当金を支給する。

B　傷病手当金の待期期間について、疾病又は負傷につき最初に療養のため労務不能となった場合のみ待期が適用され、その後労務に服し同じ疾病又は負傷につき再度労務不能になった場合は、待期の適用がない。

C　傷病手当金を受ける権利の消滅時効は2年であるが、その起算日は労務不能であった日ごとにその当日である。

D　令和7年4月1日に被保険者の資格を喪失した甲は、資格喪失日の前日まで引き続き1年以上の被保険者（任意継続被保険者、特例退職被保険者又は共済組合の組合員である被保険者ではないものとする。）期間を有する者であった。甲は、令和7年3月27日から療養のため労務に服することができない状態となったが、業務の引継ぎのために令和7年3月28日から令和7年3月31日までの間は出勤した。この場合、甲は退職後に被保険者として受けることができるはずであった期間、傷病手当金の継続給付を受けることができる。

E　傷病手当金の支給期間中に被保険者が死亡した場合、当該傷病手当金は当該被保険者の死亡日の前日分まで支給される。

解説

A ×　法99条1項。「4日を経過した日から」ではなく、「3日を経過した日から」です。**療養のため労務に服することができない日**が、継続して3日間となったときに、**待期期間**が完成したものとして取り扱われます。したがって、労務に服することができなくなった日から起算して「3日を経過した日（4日目）」から、労務に服することができない期間、傷病手当金が支給されます。

B ○　昭2.3.11保理1085号。傷病手当金の支給にあたり、同一の疾病又は負傷及びこれにより発した疾病に関しては、**待期は1回完成**すれば足ります。したがって、一度待期が完成していれば、一旦労務に服し、その後、同一の疾病又は負傷によって再度労務不能となっても、**再度、待期期間を満たす必要はなく**、当該労務不能となった日から、傷病手当金が支給されます。

C ×　法193条1項、昭30.9.7保険発199号の2。傷病手当金を受ける権利の消滅時効の起算日は、**労務不能であった日**ごとにその「**翌日**」です。「当日」ではありません。なお、消滅時効の期間は、設問のとおり、**2年**です。

D ×　法104条、昭32.1.31保発2号の2、昭31.2.29保文発1590号。傷病手当金の継続給付を受けることはできません。退職時に疾病にかかっていても、**退職日**（令和7年3月31日）に出勤して**労務に服して**いれば、「資格喪失後の傷病手当金の**受給はできない**」ものとされています。また、設問では、労務に服することができない状態となった日の翌日（令和7年3月28日）から退職日までの間、出勤しているため、3日間の連続した**待期が完成しておらず**、この点からも傷病手当金の継続給付を受けることができません。

E ×　法36条1号、99条1項。傷病手当金は、「**死亡日の当日分まで**」支給されます。「死亡日の前日分まで」ではありません。被保険者が死亡した場合にその者が**被保険者の資格を喪失**するのは、その**翌日**からであり、死亡日当日はいまだ被保険者であるためです。

7章 健康保険法

解答　**B**

傷病手当金（2）

予想

難易度 普　重要度 A

傷病手当金に関する次のアからオまでの記述のうち、正しいものの組み合わせは、後記AからEまでのうちどれか。

ア　被保険者が就業時間中に労務不能となり、同日以降療養のため引き続き休業している場合、傷病手当金の支給に係る待期は、労務不能となったその日から起算するが、その翌日が会社の公休日であるときは、公休日は待期に含めないため、公休日の翌日から改めて起算する。

イ　傷病手当金の額は、1日につき、傷病手当金の支給を始める日の属する月以前の直近の継続した12ヵ月間の各月の標準報酬月額を平均した額の30分の1に相当する額の3分の2に相当する金額である。

ウ　適用事業所に使用される被保険者が傷病手当金の支給を受けるべき場合において、その者が老齢退職年金給付の支給を受けることができるときは、原則として、傷病手当金は支給されない

エ　被保険者が医師の指示又は許可のもとに半日出勤し従前の業務に服する場合は、労務不能に該当するとは認められないが、就業時間を短縮せず配置転換により同一事業所内で従前に比べてやや軽い労働に服する場合は、労務不能に該当すると認められ、所定の要件を満たせば、傷病手当金は支給される。

オ　傷病手当金の支給期間は、同一の疾病又は負傷及びこれにより発した疾病に関しては、その支給を始めた日から通算して1年6ヵ月間とされている。

A　（アとウ）　　　**B**　（アとエ）　　　**C**　（イとウ）
D　（イとオ）　　　**E**　（エとオ）

ア　✕　法99条1項、昭2.2.5保理659号、昭5.10.13保発52号。公休日の翌日から
改めて起算する旨の記述が誤りです。設問の場合に、傷病手当金の支給に係る
待期は、**労務不能となったその日**から起算し、暦日で継続した3日間が経過す
れば完成します。会社の**公休日や年次有給休暇**を取得した日であっても、労務
不能の日であれば、**待期期間に含めます**。

イ　○　法99条2項。傷病手当金の額は、1日につき、原則として、支給開始日の
属する月以前の直近の継続した**12ヵ月間**の各月の標準報酬月額（被保険者が現
に属する保険者等により定められたものに限る。）を平均した額の30分の1に相
当する額の**3分の2**に相当する金額です。

ウ　✕　法108条5項。傷病手当金は支給されます。つまり、傷病手当金と老齢退
職年金給付の調整は**行われません**。この調整が行われるのは、**資格**喪失後の傷病
手当金の継続給付を受けるべき者です。設問の者は、適用事業所に使用される
被保険者であり、被保険者資格を喪失していません。

エ　✕　昭29.12.9保文発14236号。設問後半の場合も、原則として、労務不能に
該当すると認められず、傷病手当金は支給されません。「労務不能」か否かは、
必ずしも医学的基準のみで判断するのではなく、**本来の業務に堪えられるか否か**
により、社会通念に基づいて判断されます。就業時間を短縮せず配置転換により
同一事業所内で従前に比べやや軽い労働に服する場合も、**労務不能に該当する**
とは認められません。

オ　○　法99条4項。傷病手当金の支給期間は、同一の傷病等に関しては、その支
給を始めた日から**通算して1年6ヵ月間**とされています。支給期間は、傷病手当
金の支給単位で減少し、途中に傷病手当金が支給されない期間（無支給期間）
がある場合には、当該無支給期間の日数分について支給期間は**減少しません**。

以上から、正しいものの組合せは、D（イとオ）です。

7
章

健康保険法

解答　D

問題 **210**

死亡に関する給付

予想　　　　　　　　　　　　　　　　　　　　難易度 **難**　重要度 **B**

健康保険法の埋葬料等に関する関する次の記述のうち、誤っているものはいくつあるか。

ア　埋葬料について、被保険者が旅行中に船舶より転落して行方不明となり、なお死体の発見にいたらないが、当時の状況により死亡したものと認められる場合には、同行者の証明書等により死亡したものと認めて差し支えないものとされている。

イ　傷病手当金又は出産手当金の継続給付を受ける者が死亡したときは、埋葬を行う者は誰でも、その被保険者の最後の保険者から埋葬料の支給を受けることができる。

ウ　被保険者が通勤途上の事故により死亡し、当該死亡について労災保険法に基づく葬祭給付が支給される場合であっても、埋葬料は支給される。

エ　死亡した被保険者により生計を維持していた配偶者がいたが、当該被保険者により生計を維持していなかった兄が埋葬を行った場合は、当該兄に対して埋葬費が支給される。

オ　埋葬料の支給を受ける権利は、埋葬を行った日の翌日から起算して2年を経過したときは、時効によって消滅する。

A　一つ
B　二つ
C　三つ
D　四つ
E　五つ

ア ○ 昭4.5.22保理1705号。埋葬料又は埋葬費の支給申請書には、埋葬許可証又は火葬許可証の写しを添付する必要がありますが、設問の場合は、埋葬又は火葬をすることができないため、写しを添付することができません。この場合には、**同行者の証明書等**により死亡したものと認め、埋葬料又は埋葬費を支給して差し支えないこととされています。

イ × 法105条1項。「埋葬を行う者は誰でも」とする記述が誤りです。資格喪失後の死亡に関し、埋葬料の支給を受けることができるのは、「被保険者であった者により**生計を維持**していた者であって、**埋葬を行うもの**」です。この支給対象者は、被保険者が死亡した場合の（通常の）埋葬料に係るものと同じです。

ウ × 法55条1項。労災保険法に基づく葬祭給付が支給される場合には、埋葬料は支給されません。被保険者に係る一定の保険給付（療養の給付、埋葬料の支給など）は、同一の疾病、負傷又は死亡について、**労災保険法の規定によりこれらに相当する給付を受けることができる場合には、行われない**ためです。

エ × 法100条、昭2.7.14保理2788号。配偶者に対して埋葬料が支給され、兄に対して埋葬費は支給されません。埋葬料は、被保険者が死亡したときに、その者により**生計を維持**していた者であって**埋葬を行うもの**に対し、支給されます。「埋葬を行うもの」とは、**埋葬を行うべき者**のことであり、実際に埋葬を行った者である必要はありません。設問の場合は、配偶者が埋葬を行うべき者であり、当該配偶者に埋葬料が支給されます。また、埋葬費は、**埋葬料の支給を受けるべき者がない**場合において、実際に**埋葬を行った者**に対し、支給されるものです。

オ × 法193条1項、昭3.4.16保理4147号。「埋葬を行った日」ではなく、「**事故発生の日**」です。**埋葬料**の支給を受ける権利の消滅時効の起算日は、**事故発生の日（被保険者等の死亡日）の翌日**です。なお、**埋葬費**の支給を受ける権利の消滅時効の起算日は、**埋葬を行った日の翌日**です。

以上から、誤っているものは四つであるため、正解はDです。

7章 健康保険法

解答 D

被扶養者に関する給付

予想

難易度 **易**　重要度 **B**

被扶養者に関する給付に関する次の記述のうち、正しいものはどれか。

A　被扶養者が家族療養費に係る療養を受けるため、病院又は診療所に移送された ときは、被保険者に対し、移送費が支給される。

B　6歳に達する日以後の最初の3月31日以前である被扶養者に係る家族療養費の 支給割合は、100分の80である。

C　被保険者が妊娠4ヵ月以上で死産児を出産した場合、被保険者に対し、家族埋 葬料が支給される。

D　被扶養者（被保険者となったことはないものとする。）が出産したときは、出産 の日（出産の日が出産の予定日後であるときは、出産の予定日）以前42日（多胎 妊娠の場合においては、98日）から出産の日後56日までの間、出産手当金を支給 する。

E　家族療養費は、被扶養者が被扶養者でなくなった場合であっても、当該家族療 養費の支給に係る疾病又は負傷が治ゆするまで支給される。

A ✕　法112条1項。「移送費」ではなく、「**家族移送費**」です。なお、家族移送費の額は、移送費と同様に、**最も経済的な通常の経路及び方法**により移送された場合の費用により算定した金額（現に移送に要した費用の金額が上限）です。

B 〇　法110条2項1号ロ。つまり、設問の被扶養者に係る**自己負担の割合**は、**2割**となります。なお、「**6歳に達する日以後の最初の3月31日以前**である被扶養者」とは、小学校入学前の被扶養者のことです。

C ✕　法113条、昭23.12.2保文発898号。設問の場合、家族埋葬料は**支給されません**。家族埋葬料は、**被扶養者**が死亡したときに支給されるものですが、死産児は扶養された事実が1日もないことから、**被扶養者に該当しない**ためです。なお、設問の場合であっても、出産育児一時金は支給されます。

D ✕　法102条1項、104条。被扶養者の出産に対して、「出産手当金」は**支給されません**。出産手当金は、被保険者の所得保障を目的とした保険給付ですので、その対象は**被保険者の出産**に限られます。

E ✕　法110条1項、昭29.5.17保文発6116号。設問の場合には、家族療養費は**支給されません**。家族療養費は、**被扶養者**が保険医療機関等のうち自己の選定するものから療養を受けた場合に支給されるものです。したがって、被扶養者が**被扶養者でなくなった場合**には、家族療養費の支給は打ち切られます。

7章　健康保険法

解答　**B**

高額療養費（1）

予想

難易度 普 重要度 Ⓐ

高額療養費に関する次の記述のうち、誤っているものはどれか。

A 70歳未満で地方税法の規定による市町村民税非課税者である被保険者又はその被扶養者に係る高額療養費算定基準額は、35,400円である。

B 70歳未満で標準報酬月額が53万円以上83万円未満である被保険者が、令和5年5月、6月及び7月に高額療養費の支給を受けた。この者が令和6年5月に高額療養費の支給を受ける場合、令和6年5月の高額療養費算定基準額は、93,000円となる。

C 標準報酬月額が28万円以上53万円未満である70歳未満の被保険者がある月に医療機関に入院し、その月の当該入院療養に係る一部負担金の額が270,000円であった。この場合、当該被保険者に係る高額療養費算定基準額は、86,430円である。

D 70歳未満の被保険者又はその被扶養者が同一の月にそれぞれ一の病院、診療所、薬局その他の者から受けた療養（食事療養及び生活療養を除く。）に係る一部負担金等の額のうち、21,000円以上であるものについては、それぞれの額を世帯で合算することができ、当該合算して得た額が高額療養費算定基準額を超える場合には、高額療養費が支給される。

E 訪問看護療養費及び家族訪問看護療養費に係る基本利用料は、高額療養費の算定対象となる。

A　○　令42条１項５号。70歳未満のいわゆる**低所得者**に係る高額療養費算定基準額についてです。なお、この者が多数回該当に該当する場合は、４回目以降の高額療養費算定基準額が24,600円に引き下げられます。

B　×　令42条１項１号・３号。「93,000円」ではなく、「**167,400円＋（医療費－558,000円）×100分の１**」です。多数回該当による負担軽減措置は、療養のあった月**以前の12ヵ月以内**にすでに高額療養費が支給されている月数が**３以上**ある場合に適用されます。設問の場合は、療養のあった月（令和６年５月）以前12ヵ月以内に高額療養費が支給されている月数は２（令和５年６月及び７月）であるため、多数回該当に該当しません。

C　○　令42条１項１号。70歳未満で標準報酬月額が28万円以上53万円未満である被保険者に係る高額療養費算定基準額は、「**80,100円＋（医療費－267,000円）×100分の１**」により算定されます。設問では、３割負担である一部負担金の額が270,000円ですから、医療費は900,000円です。したがって、高額療養費算定基準額は、86,430円（＝80,100円＋（900,000円－267,000円）×100分の１）となります。

D　○　令41条１項１号。70歳未満の**世帯合算**についてです。なお、同一人（被保険者のみ又は被扶養者のみ）であっても、同一の月に複数の病院等から受けた療養に係る一部負担金等の額がそれぞれ**21,000円以上**であれば、世帯合算の対象となります。

E　○　法115条１項、令41条１項。なお、高額療養費の算定対象となる負担額及び対象とならない負担額は、次のとおりです。

対象	対象外
①療養の給付の一部負担金 ②保険外併用療養費の一部負担金相当額 ③訪問看護療養費の基本利用料 ④療養費の一部負担金相当額 ⑤家族療養費の自己負担額 ⑥家族訪問看護療養費の基本利用料	①入院時食事療養費の食事療養標準負担額 ②入院時生活療養費の生活療養標準負担額 ③保険外併用療養費の自費負担分

解答　B

高額療養費（2）

予想

難易度 **難**　重要度 **B**

高額療養費に関する次の記述のうち、正しいものはどれか。

A　療養を受ける月の標準報酬月額が28万円以上53万円未満である70歳以上の被保険者の外来療養に係る高額療養費算定基準額は、80,100円と、療養に要した費用の額（その額が267,000円に満たないときは、267,000円）から267,000円を控除した額に100分の1を乗じて得た額との合算額である。

B　転職等により健康保険組合の被保険者から協会管掌健康保険の被保険者に変わるなど、管掌する保険者が変わった場合には、保険者の認定を受けることにより、高額療養費の多数回該当に係る支給回数は通算される。

C　夫婦がともに全国健康保険協会が管掌する健康保険の被保険者であるときは、高額療養費の計算においては同一世帯とみなされ、両者の一部負担金の額は合算することができる。

D　70歳以上の被保険者及びその70歳以上の被扶養者に係るいわゆる世帯単位の高額療養費の支給に関し、一部負担金等を合算する場合には、外来療養に係る一部負担金等の額はそのすべてを合算することができるが、入院療養に係る一部負担金等の額については21,000円以上のものに限り合算することができる。

E　標準報酬月額が53万円以上である70歳未満の被保険者が、同一の月に一の病院等から人工腎臓を実施している慢性腎不全に係る療養（食事療養及び生活療養を除く。）を受けた場合において、当該療養に係る一部負担金等の合計額が15,000円を超えるときは、当該療養に係る一部負担金等の合計額から15,000円を控除した額が高額療養費として支給される。

A ○ 令41条3項、42条3項4号。**70歳以上の者の外来療養**に係る高額療養費算定基準額は、次のとおりです。設問は、このうちの③に該当します。

適用区分		高額療養費算定基準額
現役並み	①標月83万円以上	252,600円＋（医療費－842,000円）×100分の1
	②標月53万円以上	167,400円＋（医療費－558,000円）×100分の1
	③標月28万円以上	80,100円＋（医療費－267,000円）×100分の1
一般	④標月28万円未満	18,000円／年144,000円
低所得者Ⅰ・Ⅱ		8,000円

※表中の「標月」とは、療養のあった月の標準報酬月額のこと。

B × 昭59.9.29保険発74号・庁保険発18号。保険者の認定を受けることにより多数回該当に係る支給回数が通算される旨の規定はありません。高額療養費の**多数回該当に係る支給回数**は、管掌する**保険者が変わった場合**には、**通算されません**。

C × 昭59.9.22保険発65号・庁保険発17号。設問の夫婦の一部負担金の額は、合算することができません。夫婦が**ともに被保険者**である場合には、高額療養費の計算は**別々に行う**ためです。

D × 令41条3項。入院療養についても、**すべての一部負担金等の額**を合算することができます。21,000円以上のものに限定されるのは、70歳未満の世帯合算による高額療養費の場合です。

E × 令41条9項、42条9項、昭59.9.28厚告156号。「15,000円」ではなく、「20,000円」です。長期高額特定疾病患者に係る高額療養費算定基準額は、原則として、**10,000円**です。ただし、70歳未満で標準報酬月額が53万円以上である被保険者又はその70歳未満の被扶養者が、人工透析を要する慢性腎不全である場合には、**20,000円**となります。

7章

健康保険法

解答　A

問題 214

資格喪失後の保険給付

予想

難易度 普　重要度 B

資格喪失後の保険給付に関する次のアからオまでの記述のうち、正しいものの組合せは、後記 A から E までのうちどれか。

ア 被保険者の資格を喪失した日の前日まで引き続き 1 年以上被保険者（任意継続被保険者又は共済組合の組合員である被保険者を除く。）であった者であって、資格を喪失した日の前日まで事業主から報酬を受けていたため傷病手当金の支給を受けていなかったものは、傷病手当金の継続給付を受けることができない。

イ 被保険者の資格を喪失した際に傷病手当金を受けていた者は、それ以前に転職により保険者の変更があっても、1 日の空白もなく、資格喪失日の前日まで引き続き 1 年以上被保険者（任意継続被保険者又は共済組合の組合員である被保険者を除く。）であれば、傷病手当金の継続給付を受けることができる。

ウ 資格喪失後の出産育児一時金の支給を受けることができる者が、被保険者の被扶養者である場合には、出産育児一時金の支給を受けるか、家族出産育児一時金の支給を受けるかは、請求者が選択することができる。

エ 被保険者の資格を喪失した日の前日まで引き続き 1 年以上健康保険組合の組合員である被保険者であった者が、その資格を喪失した日後 6 ヵ月以内に出産したときは、全国健康保険協会から出産育児一時金の支給を受けることができる。

オ 被保険者であった者がその資格を喪失した日後 3 ヵ月以内に死亡した場合において、当該死亡について埋葬料が支給されるためには、その資格を喪失した日の前日まで引き続き 1 年以上被保険者であったことが必要である。

A （アとエ）　　　B （イとウ）　　　C （イとオ）
D （ウとエ）　　　E （アとオ）

解説

ア　×　法104条、昭27.6.12保文発3367号。受けることができます。傷病手当金の継続給付を受けるためには、被保険者の資格を喪失した際に傷病手当金の支給を「**受けている、又は受けることができる状態にある**」ことが必要です。事業主から報酬を受けていたため傷病手当金の支給を停止されていた場合は、被保険者の資格を喪失した際に傷病手当金の支給を受けることができる状態に該当します。したがって、設問の者が被保険者の資格を喪失し、事業主から報酬を受けなくなったときは、傷病手当金の継続給付を受けることができます。

イ　○　法104条。傷病手当金の継続給付を受けるためには、被保険者の資格を喪失した日の前日まで**引き続き1年以上被保険者**であったことが必要です。この引き続く被保険者であった期間は、転職等により保険者が変わっても、被保険者の資格が**継続**していれば、**通算**されます。

ウ　○　法106条、昭48.11.7保険発99号・庁保険発21号。被保険者の資格を喪失した者が健康保険の被扶養者となっている場合には、同一の出産について、資格喪失後の出産育児一時金の支給を受けるか、家族出産育児一時金の支給を受けるかは、**請求者の選択**によります。

エ　×　法106条。全国健康保険協会ではなく、その**健康保険組合**から、出産育児一時金の支給を受けることができます。資格喪失後の出産育児一時金は、被保険者の資格を喪失した日の前日まで**引き続き1年以上被保険者**であった者が、その資格を喪失した日後**6ヵ月以内**に出産したときに、その者の最後の**保険者**から支給されます。

オ　×　法105条1項。被保険者の資格を喪失した日の前日まで引き続き1年以上被保険者であったことは必要ではありません。被保険者であった者がその資格を喪失した日後**3ヵ月以内**に死亡したときは、その被保険者であった期間の長短にかかわらず、埋葬料（資格喪失後の死亡に関する給付）が支給されます。

以上から、正しいものの組合せは、B（イとウ）です。

7章

健康保険法

解答　B

保険給付全般（1）

予想

難易度 普　重要度 B

保険給付に関する次の記述のうち、誤っているものはどれか。

A　単に経済的理由により、人工妊娠中絶術を受けた場合には、療養の給付の対象とならない。

B　入院時食事療養費に係る食事療養標準負担額は、所得区分がいわゆる一般に該当する者（小児慢性特定疾病児童等又は指定難病患者に該当する者を除く。）にあっては、1食につき490円であり、1日については3食に相当する額が限度となる。

C　令和4年4月1日から被保険者（日雇特例被保険者、任意継続被保険者又は共済組合の組合員である被保険者ではないものとする。）であった者が、令和6年11月30日に被保険者の資格を喪失し、令和7年5月25日に出産する予定であったときは、出産日が同年6月2日であっても、出産育児一時金の支給を最後の保険者から受けることができる。

D　特定長期入院被保険者が保険医療機関等から生活療養を受けた場合は、保険医療機関等は、生活療養に要した費用につき、その支払を受ける際、当該支払をした被保険者に交付する領収証に、入院時生活療養費に係る療養について被保険者から支払を受けた費用の額のうち生活療養標準負担額とその他の費用の額とを区分して記載しなければならない。

E　適用事業所に使用される被保険者（共済組合の組合員ではないものとする。）が被保険者の資格を喪失し、その資格を喪失した日の前日まで当該適用事業所において引き続き1年以上被保険者であり、かつ、被保険者の資格を喪失した際に傷病手当金の支給を受けていた場合は、当該資格を喪失した後に任意継続被保険者となったときは、傷病手当金の継続給付を受けることができるが、特例退職被保険者となったときは、傷病手当金の継続給付を受けることはできない。

A　○　昭27.9.29保発56号。母体保護法に規定する医師の認定による人工妊娠中絶術は、原則として**療養の給付の対象**となりますが、**単に経済的理由**によるものは除かれています。したがって、設問の場合は、療養の給付の対象となりません。

B　○　平8厚告203号。食事療養標準負担額は、所得区分等に応じて定められており、一般所得者にあっては1食につき490円（小児慢性特定疾病児童等又は指定難病患者にあっては**280円**）です。また、1日の食事療養標準負担額は3食に相当する額を限度として支給されます。

C　✕　法106条。出産日が資格喪失日から6ヵ月経過後であるため、出産育児一時金を受けることはできません。資格喪失後の出産育児一時金は、被保険者の資格を喪失した日の前日まで**引き続き1年以上被保険者**であった者が、被保険者の資格を喪失した日後**6ヵ月以内に出産**したときに支給されます。設問の者は、1年以上被保険者であり、資格喪失日（令和6年11月30日）後6ヵ月以内である令和7年5月25日が出産予定日でしたが、出産が遅れて6ヵ月経過後である令和7年6月2日に出産しているので、資格喪失後の出産育児一時金は支給されません。

D　○　法85条の2第5項、則62条の5。保険医療機関等は、生活療養に要した費用につき、その支払いを受ける際、当該支払いをした被保険者に対し、**領収証**を交付しなければなりません。この領収証には、**生活療養標準負担額**と**その他の費用の額**とを区分して記載しなければなりません。

E　○　法104条、法附則3条5項。一般の被保険者の資格を喪失した後に**任意継続被保険者**となった者は、所定の要件を満たせば、傷病手当金の継続給付を**受けることができます**。一方、**特例退職被保険者**となった者は、傷病手当金の継続給付を**受けることができません**。

7章 健康保険法

解答　C

保険給付全般（2）

過平29

難易度 普　重要度 A

健康保険法に関する次の記述のうち、正しいものはどれか。

A　傷病手当金は被保険者が療養のため労務に服することができないときに支給されるが、この療養については、療養の給付に係る保険医の意見書を必要とするため、自費診療で療養を受けた場合は、傷病手当金が支給されない。

B　全国健康保険協会管掌健康保険の被保険者が適用事業所を退職したことにより被保険者資格を喪失し、その同月に、他の適用事業所に就職したため組合管掌健康保険の被保険者となった場合、同一の病院で受けた療養の給付であったとしても、それぞれの管掌者ごとにその月の高額療養費の支給要件の判定が行われる。

C　68歳の被保険者で、その者の厚生労働省令で定めるところにより算定した収入の額が520万円を超えるとき、その被扶養者で72歳の者に係る健康保険法第110条第2項第1号に定める家族療養費の給付割合は70％である。

D　傷病手当金の支給を受けるべき者が、同一の疾病につき厚生年金保険法による障害厚生年金の支給を受けることができるときは、傷病手当金の支給が調整されるが、障害手当金の支給を受けることができるときは、障害手当金が一時金としての支給であるため傷病手当金の支給は調整されない。

E　資格喪失後の継続給付として傷病手当金の支給を受けていた者が、被保険者資格の喪失から3か月を経過した後に死亡したときは、死亡日が当該傷病手当金を受けなくなった日後3か月以内であっても、被保険者であった者により生計を維持していた者であって、埋葬を行うものが埋葬料の支給を受けることはできない。

A ✕　法99条１項、則84条２項、昭2.2.26保発345号、昭3.9.11事発1811号。**自費診療**で療養を受けた場合であっても、要件を満たす限り、傷病手当金は**支給されます**。また、傷病手当金の支給申請書に添付する必要があるのは、保険医の意見書ではなく、医師又は歯科医師の意見書です。

B 〇　昭48.11.7保険発99号・庁保険発21号。同一の月内で保険者が変わった場合は、それぞれの**管掌者**（保険者）**ごとに**高額療養費の要件を満たすか否かを判断します。

C ✕　法110条２項１号ハ。設問の被扶養者（72歳）に係る家族療養費の給付割合は、**80％**です。70％ではありません。**被保険者が70歳未満**である場合は、被保険者の収入等を問わず、70歳以上の被扶養者に係る家族療養費の給付割合は80％です。なお、70歳以上の被扶養者に係る家族療養費の給付割合が70％となるのは、被保険者が70歳以上で現役並み所得者（原則として、標準報酬月額が28万円以上の者）である場合です。

D ✕　法108条３項・４項。**障害手当金**の支給を受けることができるときも、傷病手当金の支給は**調整されます**。この場合には、原則として、傷病手当金の額の合計額が障害手当金の額に達するまでの間、**傷病手当金は支給されません**。ただし、当該合計額が障害手当金の額に達してもなお傷病手当金の支給日数がある場合には、傷病手当金が支給されます。

E ✕　法105条１項。埋葬料の支給を受けることが**できます**。被保険者がその資格を喪失した後に死亡した場合であって、次の①～③のいずれかに該当するときは、埋葬料（又は埋葬費）が支給されます。設問は、②に該当しています。
①傷病手当金又は出産手当金の**継続給付**を受けている者が死亡したとき。
②傷病手当金又は出産手当金の継続給付を受けていた者がその給付を受けなくなった**日後３ヵ月以内**に死亡したとき。
③（上記①②以外の）被保険者であった者がその資格を喪失した**日後３ヵ月以内**に死亡したとき。

7章

健康保険法

解答　**B**

問題 217

保険給付全般（3）

過令4

難易度 普　重要度 B

現金給付である保険給付に関する次の記述のうち、正しいものはどれか。

A　被保険者が自殺により死亡した場合は、その者により生計を維持していた者であって、埋葬を行う者がいたとしても、自殺については、健康保険法第116条に規定する故意に給付事由を生じさせたときに該当するため、当該給付事由に係る保険給付は行われず、埋葬料は不支給となる。

B　被保険者が出産手当金の支給要件に該当すると認められれば、その者が介護休業期間中であっても当該被保険者に出産手当金が支給される。

C　共済組合の組合員として6か月間加入していた者が転職し、1日の空白もなく、A健康保険組合の被保険者資格を取得して7か月間加入していた際に、療養のため労務に服することができなくなり傷病手当金の受給を開始した。この被保険者が、傷病手当金の受給を開始して3か月が経過した際に、事業所を退職し、A健康保険組合の任意継続被保険者になった場合でも、被保険者の資格を喪失した際に傷病手当金の支給を受けていることから、被保険者として受けることができるはずであった期間、継続して同一の保険者から傷病手当金の給付を受けることができる。

D　療養費の支給対象に該当するものとして医師が疾病又は負傷の治療上必要であると認めた治療用装具には、義眼、コルセット、眼鏡、補聴器、胃下垂帯、人工肛門受便器（ペロッテ）等がある。

E　移送費の支給が認められる医師、看護師等の付添人による医学的管理等について、患者がその医学的管理等に要する費用を支払った場合にあっては、現に要した費用の額の範囲内で、診療報酬に係る基準を勘案してこれを評価し、現に移送に要した費用とともに移送費として支給を行うことができる。

A ✕ 法100条1項、昭26.3.19保文発721号。埋葬料は支給されます。死亡は**絶対的な事故**であること等から、**自殺**による死亡は、「故意に給付事由を生じさせたとき」には該当しないものと取り扱われます（**給付制限は行われない**。）。設問の場合、埋葬料の支給を受けることができる遺族があるため、当該遺族に、埋葬料が支給されます。

B ◯ 平11.3.31保険発46号・庁保険発9号。出産手当金は、被保険者が出産したときに、その出産前後の所定の期間において**労務に服さなかった期間**、支給されます。この支給要件に該当すると認められる者については、その者が**介護休業期間中であっても**出産手当金が支給されます。

C ✕ 法104条。設問の場合には、継続して同一の保険者から傷病手当金の給付を受けることができません。**資格喪失後の傷病手当金の継続給付**を受けるためには、「被保険者の**資格を喪失した日の前日**まで**引き続き1年以上**被保険者であったこと」という要件を満たさなければなりませんが、この「被保険者」から**任意継続被保険者**又は**共済組合の組合員である被保険者**は除かれます。したがって、設問の場合、引き続き被保険者であった期間は10ヵ月間（傷病手当金の受給開始までの7ヵ月間＋受給開始後の3ヵ月間）となり、上記の要件を満たしません。

D ✕ 昭24.4.13保険発167号、昭25.2.8保発9号、昭25.11.7保険発225号、昭26.7.27保険発193号、昭27.4.28保発117号。設問の治療用装具のうち、眼鏡、補聴器、胃下垂帯及び人工肛門受便器は、療養費の支給対象に該当しません。なお、本肢は難しいため、参考程度に確認しておけば十分です。

E ✕ 平6.9.9保険発119号・庁保険発9号。移送費として支給を行うことはできません。設問の**付添人による医学的管理**等について患者が支払った費用は、現に要した費用の額の範囲内で、**移送費とは別に**、診療報酬に係る基準を勘案してこれを評価し、**療養費の支給**を行うことができることとされています。「現に移送に要した費用とともに移送費として支給を行うことができる」のではありません。

7章

健康保険法

解答　B

日雇特例被保険者

予想

難易度 **易**　重要度 **B**

日雇特例被保険者に関する次の記述のうち、誤っているものはどれか。

A　健康保険（日雇特例被保険者の保険を除く。）の保険者は、全国健康保険協会及び健康保険組合であるが、日雇特例被保険者の保険の保険者は、全国健康保険協会のみである。

B　日雇特例被保険者に係る療養の給付の受給期間は、同一の疾病又は負傷につき受けた療養の給付の開始の日から1年6ヵ月間である。

C　8月1日に初めて日雇特例被保険者手帳の交付を受けた者は、その年の9月30日まで特別療養費の支給を受けることができる。

D　日雇労働者は、初めて日雇特例被保険者となったときは、日雇特例被保険者となった日から起算して5日以内に、厚生労働大臣に日雇特例被保険者手帳の交付を申請しなければならない。

E　日雇特例被保険者に関する賞与額に係る保険料額を算定するにあたり、当該保険料額の算定の基礎となる賞与額が40万円を超えるときは、これを40万円とする。

A 　○　法4条、123条1項。日雇特例被保険者の保険の保険者は、協会のみです。なお、日雇特例被保険者の保険の保険者の業務のうち、①日雇特例被保険者**手帳の交付**、②日雇特例被保険者に係る**保険料**の徴収及び③**日雇拠出金**の徴収並びに④これらに附帯する業務は**厚生労働大臣**が行い、上記①～④の業務以外の業務は協会が行います。

B 　×　法129条2項。「1年6ヵ月間」ではなく、「**1年間**」です。日雇特例被保険者に係る療養の給付については、一般の被保険者の場合と異なり、受給期間が設けられており、その期間は、**療養の給付の開始の日から1年間**（結核性疾病の場合は5年間）です。

C 　○　法145条1項。特別療養費の支給期間は、初めて日雇特例被保険者手帳の交付を受けた日の属する**月の初日**から起算して**3ヵ月**（月の初日に交付を受けた者については**2ヵ月**）が経過する日までです。したがって、8月1日に初めて日雇特例被保険者手帳の交付を受けた者の特別療養費の支給期間は、その交付を受けた日の属する月の初日（8月1日）から起算して2ヵ月が経過する日（9月30日）までとなります。

D 　○　法126条1項。日雇特例被保険者手帳の交付申請は、日雇労働者が日雇特例被保険者となった日から起算して**5日以内**に、**厚生労働大臣**に対して行います。

E 　○　法168条1項2号。日雇特例被保険者に関する賞与額に係る保険料額を算定するにあたって、その算定の基礎となる賞与額の上限は**40万円**となります。なお、日雇特例被保険者に関する賞与額に係る保険料額は、次の算定式によって算定します。

保険料額＝賞与額[※1]×（平均保険料率＋介護保険料率[※2]）

※1：賞与額に1,000円未満の端数がある場合には、これを切り捨てる。また、賞与額が40万円を超える場合には、これを40万円とする。

※2：介護保険第2号被保険者である日雇特例被保険者以外の日雇特例被保険者については、平均保険料率のみで算定する。

7
章

健康保険法

解答　B

503

問題 219

費用の負担等

過平29 改正ア

難易度 普　重要度 B

健康保険法に関する次のアからオの記述のうち、正しいものの組合せは、後記AからEまでのうちどれか。

ア 介護保険料率は、各年度において保険者が納付すべき介護納付金（日雇特例被保険者に係るものを除く。）の額を当該年度における当該保険者が管掌する介護保険第2号被保険者である被保険者の総報酬額の総額の見込額で除して得た率を基準として、保険者が定める。なお、本問において特定被保険者に関する介護保険料率の算定の特例を考慮する必要はない。

イ 被保険者に係る療養の給付は、同一の傷病について、介護保険法の規定によりこれに相当する給付を受けることができる場合には、健康保険の給付は行われない。

ウ 健康保険事業の事務の執行に要する費用について、国庫は、全国健康保険協会に対して毎年度、予算の範囲内において負担しているが、健康保険組合に対しては負担を行っていない。

エ 事業主は、被保険者に係る4分の3未満短時間労働者に該当するか否かの区別の変更があったときは、当該事実のあった日から10日以内に被保険者の区別変更の届出を日本年金機構又は健康保険組合に提出しなければならない。なお、本問の4分の3未満短時間労働者とは、1週間の所定労働時間が同一の事業所に使用される通常の労働者の1週間の所定労働時間の4分の3未満である者又は1か月間の所定労働日数が同一の事業所に使用される通常の労働者の1か月間の所定労働日数の4分の3未満である者であって、健康保険法第3条第1項第9号イからハまでのいずれの要件にも該当しないものをいう。

オ 前月から引き続き任意継続被保険者である者が、刑事施設に拘禁されたときは、原則として、その月以後、拘禁されなくなった月までの期間、保険料は徴収されない。

A （アとイ）　　B （アとエ）　　C （イとウ）
D （ウとオ）　　E （エとオ）

ア　○　法160条16項。各年度において保険者が納付すべき介護納付金に係る介護保険料率は、「**介護納付金**（日雇特例被保険者に係るものを除く。）の額÷**介護保険第２号被保険者**である被保険者の**総報酬額の総額**の見込額」による率を基準として、保険者が定めます。なお、特定被保険者（介護保険第２号被保険者以外の被保険者であって介護保険第２号被保険者である被扶養者を有するもの）に関する介護保険料率については、算定の特例が政令で定められています。

イ　○　法55条２項。療養の給付等の傷病に関する保険給付は、同一の傷病について、**介護保険法**の規定によりこれらに相当する給付を受けることができる場合には、**行われません**。

ウ　×　法151条。健康保険組合に対しても、健康保険事業の**事務**の執行に要する費用について、国庫負担が**行われています**。なお、健康保険組合に対して交付する国庫負担金は、各健康保険組合における**被保険者数**を基準として、厚生労働大臣が算定します。

エ　×　則28条の３。10日以内ではなく、**５日以内**です。設問の被保険者の**区別変更**の届出（被保険者区分変更届の提出）は、**５日以内**に行わなければなりません。健康保険法において、事業主が行う届出の提出期限は、その多くが５日以内とされています。

オ　×　法158条。**任意継続被保険者**については、刑事施設に拘禁されたときであっても、保険料は**徴収されます**。なお、前月から引き続き被保険者（任意継続被保険者を除く。）である者が、刑事施設に拘禁されたときは、原則として、その月以後、拘禁されなくなった月の**前月**までの期間、保険料は徴収されません。

以上から、正しいものの組合せは、A（アとイ）です。

解答　A

保険料（1）

予想　　　　　　　　　　　　　難易度 **易**　重要度 **B**

健康保険法に関する次の記述のうち、誤っているものはどれか。

A　6月15日に40歳に到達する被保険者に対し、6月10日に通貨をもって夏季賞与を支払った場合、当該標準賞与額から被保険者が負担すべき一般保険料額とともに介護保険料額を控除することができる。

B　保険者等は、被保険者に関する保険料の納入の告知をした後に告知をした保険料額が当該納付義務者の納付すべき保険料額を超えていることを知ったときは、その超えている部分に関する納入の告知を、その告知の日の翌日から6ヵ月以内の期日に納付されるべき保険料について納期を繰り上げてしたものとみなすことができる。

C　健康保険組合は、規約で定めるところにより、事業主の負担すべき一般保険料額又は介護保険料額の負担の割合を増加することができる。

D　任意継続被保険者に関する毎月の保険料は、その月の10日（初めて納付すべき保険料は、保険者が指定する日）までに納付しなければならない。

E　育児休業等を開始した日の属する月とその育児休業等が終了する日の翌日が属する月とが同一である場合において、育児休業等をしている被保険者に係る当該月分の保険料が免除されるためには、当該月における育児休業等の日数として厚生労働省令で定めるところにより計算した日数が17日以上でなければならない。

A ○ 法156条1項1号、167条2項、平12.3.21庁保険発12号。設問の被保険者は、**40歳に達した日**に介護保険第2号被保険者の資格を取得します。介護保険料は、介護保険第2号被保険者の資格を**取得した月**から徴収されますから、設問の6月10日に支払った夏季賞与について、標準賞与額に係る介護保険料が徴収されます。被保険者が負担すべき標準賞与額に係る保険料額は、被保険者に対して通貨をもって賞与を支払う場合に、当該賞与から控除することができます。

B ○ 法164条2項。保険料の**過納充当**についてです。保険者等は、一定の場合には、納付義務者の納付すべき保険料額を超えている部分に関する納入の告知又は納付を、その納入の告知又は納付の日の翌日から6ヵ月以内の期日に納付されるべき保険料について納期を繰り上げてしたものとみなすことができます。

C ○ 法162条。保険料は、原則として被保険者及び被保険者を使用する事業主が、それぞれ**2分の1**を負担しますが、健康保険組合については、設問の規定により、**事業主**の負担割合を高くすることができます。

D ○ 法164条1項。任意継続被保険者に関する毎月の保険料の納期限は、その月の10日（初めて納付すべき保険料については、**保険者が指定する日**）です。なお、任意継続被保険者に関する保険料の納付義務は、被保険者自身が負います。

E × 法159条1項2号。17日以上ではなく、**14日以上**で足ります。育児休業等期間中において保険料が免除される月は、次の(ア)(イ)の区分に応じて、それぞれに掲げる月です。設問は、(イ)についてです。

(ア)	育児休業等開始日の属する月と育児休業等終了日の翌日が属する月とが**異なる場合** ➡ その育児休業等を**開始した日の属する月**からその育児休業等が**終了する日の翌日が属する月の前月**までの月
(イ)	育児休業等開始日の属する月と育児休業等終了日の翌日が属する月とが同一であり、かつ、当該月における育児休業等日数が14日以上である場合 ➡ **当該月**

7章

健康保険法

解答　E

保険料 (2)

予想

難易度 普　重要度 B

保険料に関する次の記述のうち、誤っているものはどれか。

A　健康保険組合連合会は、健康保険組合が管掌する健康保険の医療に関する給付等に要する費用の財源の不均衡を調整するため、会員である健康保険組合に対する交付金の交付の事業を行う。会員である健康保険組合は、交付金の交付の事業に要する費用に充てるため、健康保険組合連合会に対し、拠出金を拠出するが、拠出金の拠出に要する費用にあてるため、調整保険料を徴収する。

B　政府は、全国健康保険協会が行う健康保険事業に要する費用に充てるため、全国健康保険協会に対し、政令で定めるところにより、厚生労働大臣が徴収した保険料等の額から厚生労働大臣が行う健康保険事業の事務の執行に要する費用に相当する額（当該費用に係る国庫負担金の額を除く。）を控除した額を交付する。

C　事業主は、被保険者に対して通貨をもって報酬を支払う場合において、被保険者がその事業所に使用されなくなったときは、被保険者の負担すべき前月及びその月の標準報酬月額に係る保険料を報酬から控除することができる。

D　任意継続被保険者が前納した保険料については、前納に係る期間の各月の初日が到来したときに、それぞれその月の保険料が納付されたものとみなされる。

E　被保険者（日雇特例被保険者を除く。）が同時に2以上の事業所に使用される場合における各事業主の負担すべき標準報酬月額に係る保険料の額は、当該被保険者の保険料の半額（健康保険組合が一般保険料額等の事業主の負担割合を増加した場合には、保険料の額にその負担割合を乗じて得た額）に2分の1を乗じて得た額である。

A　○　法附則2条1項〜3項。**健康保険組合連合会**は、会員である健康保険組合の財政調整のため、**交付金の交付の事業**を行います。会員である健康保険組合は、事業主から**調整保険料**を徴収し、交付金の交付の事業に要する費用に充てるため、健康保険組合連合会に対し、**拠出金**を拠出します。

B　○　法155条の2。全国健康保険協会が管掌する健康保険の**保険料の徴収**は、任意継続被保険者に係るものを除き、**厚生労働大臣**が行います。政府は、**全国健康保険協会に対し**、厚生労働大臣が徴収した保険料等の額から厚生労働大臣が行う健康保険事業の事務の執行に要する費用に相当する額（国庫負担金の額を除く。）を控除した額を交付します。

C　○　法167条1項。事業主が被保険者に対して通貨をもって報酬を支払う場合に報酬から控除することができるのは、原則として、被保険者の負担すべき**前月の標準報酬月額に係る保険料**です。ただし、被保険者がその事業所に**使用されなくなった場合**（月末退職の場合）には、**前月及びその月の標準報酬月額に係る保険料**を報酬から控除することができます。

D　○　法165条3項。**任意継続被保険者**は、将来の一定期間の保険料を**前納**することができます。前納された保険料については、前納に係る期間の**各月の初日**が到来したときに、それぞれその月の保険料が納付されたものとみなされます。

E　×　令47条1項。「2分の1」ではなく、「**各事業所について算定した報酬月額を当該被保険者の報酬月額**で除して得た数」です。たとえば、甲事業所における報酬月額が20万円、乙事業所における報酬月額が10万円であるときは、事業主負担分（原則として、保険料の半額）のうち、甲事業所の事業主が3分の2を、乙事業所の事業主が3分の1を、それぞれ負担します。

7章　健康保険法

解答　E

届出等

予想

難易度 **普** 重要度 **B**

届出等に関する次の記述のうち、正しいものはどれか。

A 被保険者は、同時に2以上の事業所に使用される場合において、保険者が2以上あるときは、保険者の選択に関する届書を、同時に2以上の事業所に使用されるに至った日から5日以内に、全国健康保険協会を選択しようとするときは厚生労働大臣に、健康保険組合を選択しようとするときは健康保険組合に提出しなければならない。

B 被保険者は、介護保険第2号被保険者に該当しない被保険者又はその被扶養者が40歳に達したことにより介護保険第2号被保険者に該当するに至ったときは、遅滞なく、所定の事項を記載した届書を厚生労働大臣又は健康保険組合に提出しなければならない。

C 社会保険審査官に対して審査請求をした日から30日以内に決定がないときは、審査請求人は、社会保険審査官が審査請求を棄却したものとみなすことができる。

D 被保険者の資格又は標準報酬に関する処分が確定したときは、その処分についての不服を当該処分に基づく保険給付に関する処分についての不服の理由とすることができない。

E 都道府県知事は、被保険者の資格、標準報酬、保険料又は保険給付に関して必要があると認めるときは、事業主に対し、文書その他の物件の提出若しくは提示を命じ、又は当該職員をして事業所に立ち入って関係者に質問し、若しくは帳簿書類その他の物件を検査させることができる。

A　✕　則1条1項、2条1項。「5日以内」ではなく、「**10日以内**」です。被保険者は、同時に2以上の事業所に使用される場合において、保険者が2以上あるときは、その被保険者の保険を管掌する**保険者を選択**しなければなりません。この選択は、所定の事項を記載した届書を、同時に2以上の事業所に使用されるに至った日から10日**以内**に、全国健康保険協会を選択しようとするときは厚生労働大臣に、健康保険組合を選択しようとするときは健康保険組合に提出することによって行います。

B　✕　則41条1項。設問の場合には、届出をする必要はありません。被保険者は、介護保険第2号被保険者に該当しない被保険者又はその被扶養者が介護保険第2号被保険者に該当するに至ったときは、遅滞なく、所定の事項を記載した届書を事業主を経由して厚生労働大臣又は健康保険組合に届け出なければなりません。ただし、被保険者又はその被扶養者が40歳に達したこと又は**65歳に達した**ことによる該当・非該当の場合には、**届出は必要ありません。**

C　✕　法189条2項。「30日以内」ではなく、「**2ヵ月以内**」です。審査請求をした日から2ヵ月**以内**に決定がないときは、審査請求人は、社会保険審査官が審査請求を**棄却したものとみなす**ことができます。

D　〇　法189条4項。いわゆる「蒸し返し」を禁止した規定です。たとえば、**被保険者資格**の喪失について確認が行われ、当該処分が確定した後に、そのことを理由として「**保険給付**の不支給決定に納得がいかない」といった不服申立てをすることは**できません。**

E　✕　法198条1項。「都道府県知事」ではなく、「**厚生労働大臣**」です。立入検査等は、**被保険者の資格、標準報酬、保険料**又は**保険給付**に関して必要があると認めるときに、事業主に対して行うことができます。なお、立入検査等の規定による質問又は検査を行う当該職員は、その身分を示す証明書を携帯し、かつ、関係者の請求があるときは、これを提示しなければならないとされています。

7章

健康保険法

解答　　D

健康保険制度全般（1）

過令5

難易度 普　重要度 **A**

健康保険法に関する次の記述のうち、正しいものはどれか。

A 別居している兄弟が共に被保険者であり、その父は弟と同居しているが、兄弟が共に父を等分の扶養により生計を維持している場合、父が死亡したときの家族埋葬料は、兄弟の両方に支給される。

B 療養の給付に係る事由又は入院時食事療養費、入院時生活療養費若しくは保険外併用療養費の支給に係る事由が第三者の行為によって生じたものであるときは、被保険者は、30日以内に、届出に係る事実並びに第三者の氏名及び住所又は居所（氏名又は住所若しくは居所が明らかでないときは、その旨）及び被害の状況を記載した届書を保険者に提出しなければならない。

C 被保険者に係る療養の給付又は入院時食事療養費、入院時生活療養費、保険外併用療養費、療養費、訪問看護療養費、移送費、家族療養費、家族訪問看護療養費若しくは家族移送費の支給は、同一の疾病又は負傷について、他の法令の規定により国又は地方公共団体の負担で療養又は療養費の支給を受けたときは、その限度において、行わない。

D 被保険者又は被保険者であった者が、少年院その他これに準ずる施設に収容されたとき又は刑事施設、労役場その他これらに準ずる施設に拘禁されたときのいずれかに該当する場合には、疾病、負傷又は出産につき、その期間に係る保険給付（傷病手当金及び出産手当金の支給にあっては、厚生労働省令で定める場合に限る。）は行わないが、その被扶養者に係る保険給付も同様に行わない。

E 厚生労働大臣は、指定訪問看護事業を行う者の指定の申請があった場合において、申請者が、社会保険料について、当該申請をした日の前日までに、社会保険各法又は地方税法の規定に基づく滞納処分を受け、かつ、当該処分を受けた日から正当な理由なく3か月以上の期間にわたり、当該処分を受けた日以降に納期限の到来した社会保険料又は地方税法に基づく税を一部でも引き続き滞納している者であるときは、その指定をしてはならない。

A ✕ 昭23.4.28保発623号。設問の場合の家族埋葬料は、「兄弟の両方」ではなく、「弟だけ」に支給されます。弟と同居する父に対して、当該弟が兄と共に**等分の扶養**により生計を維持している場合には、当該父は、**弟である被保険者の被扶養者**として取り扱われるためです。

B ✕ 則65条。「30日以内」ではなく、「遅滞なく」です。療養の給付等に係る事由が第三者の行為によって生じたものであるときは、**被保険者**は、遅滞なく、①届出に係る事実、②第三者の氏名及び住所又は居所（明らかでないときは、その旨）、③被害の状況を記載した届書を保険者に提出しなければなりません。

C ◯ 法55条4項。被保険者に係る療養の給付その他の所定の保険給付は、同一の疾病又は負傷について、他の法令の規定により**国又は地方公共団体の負担**で療養又は療養費の支給を受けたときは、**その限度において**、行われません。なお、「他の法令」には、災害救助法や自衛隊法などが該当します。

D ✕ 法118条。設問の場合であっても、被扶養者に係る保険給付は行われます（被扶養者に係る保険給付は制限されない。）。被保険者又は被保険者であった者が、①**少年院**その他これに準ずる施設に収容されたとき、又は②**刑事施設、労役場**その他これらに準ずる施設に拘禁されたときは、**疾病、負傷**又は**出産**につき、その期間に係る保険給付（傷病手当金及び出産手当金は一定の場合に限る。）は**行われません**。この規定によって制限されるのは被保険者又は被保険者であった者に係る保険給付であり、**被扶養者**に係る保険給付は**制限されません**。

E ✕ 法89条4項7号。「一部でも」ではなく、「すべてを」引き続き滞納している者であるときです。指定訪問看護事業者に係る指定拒否事由のうち、社会保険料の滞納処分等を理由とするものは、「申請者が、社会保険料について、当該申請をした日の前日までに、社会保険各法又は地方税法の規定に基づく滞納処分を受け、かつ、当該処分を受けた日から**正当な理由なく3ヵ月以上**の期間にわたり、当該処分を受けた日以降に納期限の到来した社会保険料のすべて**を引き続き滞納**している者であるとき」です。

7章 健康保険法

解答 C

健康保険制度全般（2）

過令4変更E

難易度 普　重要度 A

被保険者及び被扶養者に関する次の記述のうち、誤っているものはどれか。

A　被保険者の数が5人以上である適用事業所に使用される法人の役員としての業務（当該法人における従業員が従事する業務と同一であると認められるものに限る。）に起因する疾病、負傷又は死亡に関しては、傷病手当金を含めて健康保険から保険給付が行われる。

B　適用事業所に新たに使用されることになったが、使用されるに至った日から自宅待機とされた場合は、雇用契約が成立しており、かつ、休業手当が支払われるときには、その休業手当の支払いの対象となった日の初日に被保険者の資格を取得する。また、当該資格取得時における標準報酬月額の決定については、現に支払われる休業手当等に基づき決定し、その後、自宅待機が解消したときは、標準報酬月額の随時改定の対象とする。

C　出産手当金の支給要件を満たす者が、その支給を受ける期間において、同時に傷病手当金の支給要件を満たした場合は、出産手当金の支給が優先され、支給を受けることのできる出産手当金の額が傷病手当金の額を上回っている場合は、当該期間中の傷病手当金は支給されない。

D　任意継続被保険者となるためには、被保険者の資格喪失の日の前日まで継続して2か月以上被保険者（日雇特例被保険者、任意継続被保険者、特例退職被保険者又は共済組合の組合員である被保険者を除く。）でなければならず、任意継続被保険者に関する保険料は、任意継続被保険者となった月から算定する。

E　被保険者又はその被扶養者が電子資格確認を受けることができない状況にあるときは、当該被保険者は、保険者に対し、当該状況にある被保険者若しくはその被扶養者の資格に係る情報として厚生労働省令で定める事項を記載した書面の交付又は当該事項の電磁的方法による提供を求めることができる。

A　✕　法53条の２、則52条の２、平25.8.14事務連絡。被保険者の数が「５人以上」
ではなく、「５人未満」です。**法人の役員としての業務に起因する疾病、負傷又**
は死亡に関して健康保険から保険給付が行われるのは、次の①②のいずれにも該
当する場合です。

　①**被保険者の数が**５人未満である適用事業所に使用される法人の役員であるこ
　　と。

　②法人の役員としての業務が、当該法人における従業員（役員以外の者）が従
　　事する業務と**同一**であると認められること。

B　〇　昭50.3.29保険発25号・庁保険発８号。適用事業所に新たに使用されるこ
ととなった者が**当初から自宅待機**とされた場合の被保険者資格及び標準報酬月
額の取扱いは、次のとおりです。

　①雇用契約が成立しており、かつ、休業手当が支払われるときは、その**休業手当**
　　の支払いの対象となった日の初日に被保険者の資格を取得する。

　②資格取得時の標準報酬月額は、現に支払われる**休業手当等により決定**し、そ
　　の後自宅待機の状況が解消したときは、随時改定の対象とする。

C　〇　法103条１項。**出産手当金が支給される場合**には、その期間、**傷病手当金**
は支給されません。ただし、出産手当金の額が傷病手当金の額より少ないときは、
その**差額が支給**されます。設問では、出産手当金の額が傷病手当金の額を上回
っているため、傷病手当金は支給されません。

D　〇　法３条４項、157条１項。任意継続被保険者となるための要件の１つに、
「被保険者の**資格喪失の日の前日まで継続して２ヵ月以上**被保険者（日雇特例被
保険者、任意継続被保険者、特例退職被保険者又は共済組合の組合員である被
保険者を除く。）であったこと」があります。また、任意継続被保険者に関する
保険料の算定は、任意継続被保険者となった月から行います。

E　〇　法51条の３第１項。被保険者等が療養の給付等を受けようとするときは、
原則として、**電子資格確認**により被保険者等であることの確認を受けることとさ
れていますが、電子資格確認を受けることができない状況にあるときは、当該被
保険者は、保険者に対し、当該状況にある被保険者若しくはその被扶養者の**資**
格の確認に必要な書面（資格確認書）の交付又は**電磁的方法による提供**を求め
ることができます。

解答　A

健康保険制度全般（3）

過令4 変更E

難易度 **難** 重要度 **B**

健康保険法に関する次の記述のうち、正しいものはどれか。

A 　夫婦共同扶養の場合における被扶養者の認定については、夫婦とも被用者保険の被保険者である場合には、被扶養者とすべき者の員数にかかわらず、健康保険被扶養者（異動）届が出された日の属する年の前年分の年間収入の多い方の被扶養者とする。

B 　被保険者の事実上の婚姻関係にある配偶者の養父母は、世帯は別にしていても主としてその被保険者によって生計が維持されていれば、被扶養者となる。

C 　全国健康保険協会が管掌する健康保険の被保険者に係る介護保険料率は、各年度において保険者が納付すべき介護納付金（日雇特例被保険者に係るものを除く。）の額を、前年度における当該保険者が管掌する介護保険第2号被保険者である被保険者の標準報酬月額の総額及び標準賞与額の合算額で除して得た率を基準として、保険者が定める。

D 　患者自己負担割合が3割である被保険者が保険医療機関で保険診療と選定療養を併せて受け、その療養に要した費用が、保険診療が30万円、選定療養が10万円であるときは、被保険者は保険診療の自己負担額と選定療養に要した費用を合わせて12万円を当該保険医療機関に支払う。

E 　全国健康保険協会の役員若しくは職員又はこれらの職にあった者は、健康保険事業に関して職務上知り得た秘密を正当な理由がなく漏らしてはならず、健康保険法の規定に違反して秘密を漏らした者は、1年以下の懲役又は100万円以下の罰金に処すると定められている。

A　✕　令3保保発0430第2号・保国発0430第1号。「前年分の年間収入」とする記述が誤りです。夫婦共同扶養の場合における被扶養者の認定について、夫婦とも被用者保険の被保険者の場合には、被扶養者とすべき者の員数にかかわらず、被保険者の**年間収入が多い方**の被扶養者とします。ここでいう「年間収入」は、過去の収入、現時点の収入、将来の収入等から**今後1年間**の収入を見込んだものです。

B　✕　法3条7項3号、昭32.9.2保険発123号。設問の配偶者の養父母は、世帯を別にしている（同一世帯要件を満たさない）ため、被扶養者となりません。事実上の婚姻関係にある配偶者の養父母が被扶養者となるためには、**同一世帯要件**と**生計維持要件**の両方を満たさなければなりません。なお、被扶養者の範囲において「養父母」は、「父母」に含まれます。

C　✕　法160条16項。介護保険料率は、各年度において保険者が納付すべき介護納付金（日雇特例被保険者に係るものを除く。）の額を「**当該年度**」における当該保険者が管掌する**介護保険第2号被保険者**である被保険者の**標準報酬月額及び標準賞与額**の「**総額の見込額**」で除して得た率を基準として、保険者が定めます。設問のように「前年度」における「合算額（実績額）」で除するのではありません。

D　✕　法86条2項・4項。保険医療機関に支払う額は、「12万円」ではなく、「19万円」です。保険診療と選定療養を併せて受けたときは、**保険診療**の費用（基礎的部分）について**保険外併用療養費**が支給され、**選定療養**の費用（特別料金部分）は**全額自己負担**となります。したがって、設問の場合、保険診療に係る自己負担が9万円（＝30万円×3割）となり、これに選定療養に要した費用である10万円を加えた**19万円**を支払うこととなります。

E　◯　法7条の37第1項、207条の2。全国健康保険協会の役員、職員等には、**秘密保持義務**が課せられています。この秘密保持義務に違反して秘密を洩らした者は、**1年以下の懲役又は100万円以下の罰金**に処せられます。

解答　E

健康保険制度全般（4）

過令6

難易度 **普** 重要度 **B**

健康保険法に関する次の記述のうち、正しいものはどれか。

A 健康保険組合の設立、合併又は分割を伴う健康保険組合が管掌する一般保険料率の変更においては、厚生労働大臣の権限を地方厚生局長に委任することができる。

B 協会の定款記載事項である事務所の所在地を変更する場合、厚生労働大臣の認可を受けなければその効力を生じない。

C 被保険者（任意継続被保険者を除く。）は、適用事業所に使用されるに至った日若しくはその使用される事業所が適用事業所となった日又は適用除外の規定に該当しなくなった日から、被保険者の資格を取得する。この使用されるに至った日とは、事業主と被保険者との間において事実上の使用関係の発生した日ではない。

D 一時帰休に伴い、就労していたならば受けられるであろう報酬よりも低額な休業手当等が支払われることとなった場合の標準報酬月額の決定については、標準報酬月額の定時決定の対象月に一時帰休に伴う休業手当等が支払われた場合、その休業手当等をもって報酬月額を算定して標準報酬月額を決定する。ただし、標準報酬月額の決定の際、既に一時帰休の状況が解消している場合は、当該定時決定を行う年の9月以後において受けるべき報酬をもって報酬月額を算定し、標準報酬月額を決定する。

E 保険者は、偽りその他不正の行為によって保険給付を受けた者があるときは、その者からその給付の価額の全部又は一部を徴収することができる。全部又は一部という意味は、情状によって詐欺その他の不正行為により受けた分の一部であるという趣旨である。

A　×　法205条1項、則159条1項8号。設問の権限は地方厚生局長に委任することができません。健康保険組合が管掌する一般保険料率の変更に係る**厚生労働大臣の権限**は、原則として**地方厚生局長**に**委任**することができます。ただし、当該変更が「健康保険組合の設立、合併又は分割を伴う場合」には、委任することができません。

B　×　法7条の6第2項、則2条の3第1号。厚生労働大臣の認可を受けることは要しません。定款記載事項の変更は、原則として、厚生労働大臣の認可を受けなければ、その効力を生じませんが、**事務所の所在地の変更**等一定の事項に係る変更については、遅滞なく、厚生労働大臣に**届け出る**ことで足ります。

C　×　法35条、昭3.11.17保発第751号。適用事業所に使用されるに至った日とは、「事実上の使用関係が発生した日」です。被保険者は、適用事業所に**使用されるに至った日**からその**資格**を取得します。通常、雇用契約開始日は勤務開始日と一致し、その日に事実上の使用関係が発生すると考えられますが、一致しない場合においては、事実上の使用関係が発生した日を資格取得日とします。

D　○　昭50.3.29保険発25号・庁保険発8号。一時帰休に伴い、就労していたならば受けることができるであろう報酬よりも低額な休業手当等が支払われることとなった場合の定時決定は、原則として、その**休業手当等**をもって**報酬月額を算定**し、標準報酬月額を決定します。ただし、定時決定の際に、すでに一時帰休の状況が解消している場合は、当該定時決定を行う年の**9月以後**において受けるべき**報酬**をもって報酬月額を算定し、標準報酬月額を決定することとなります。

E　×　法58条1項、昭32.9.2保険発123号。後半が誤りです。その給付の価額の**全部又は一部**という意味は、**偽りその他不正行為**により受けた分が、その一部であることが考えられるので、「不正行為によって受けた分は全て」という趣旨です。「情状によって詐欺その他の不正行為により受けた分の一部である」という趣旨ではありません。

7章
健康保険法

解答　D

チェック欄

1	2	3

健康保険制度全般（5）

予想

難易度 普　重要度 Ⓐ

健康保険法に関する次の記述のうち、正しいものはどれか。

A　被扶養者としての認定対象者が被保険者と同一の世帯に属している場合であって、認定対象者の年間収入が180万円未満（認定対象者が60歳以上の者である場合又はおおむね厚生年金保険法による障害厚生年金の受給要件に該当する程度の障害者である場合にあっては130万円未満）であって、かつ、被保険者の年間収入の2分の1未満であるときは、原則として被扶養者に該当するものとする。

B　被保険者の子であって、主としてその被保険者により生計を維持するものであっても、外国において留学をする学生は、被扶養者と認定されない。

C　被保険者の資格、標準報酬又は保険給付に関する処分の取消しの訴えは、当該処分についての審査請求に対する社会保険審査官の決定を経た後でなければ、提起することができない。

D　事業主は、健康保険に関する書類を、その完結の日より3年間、保存しなければならない。

E　同時に2以上の事業所で報酬を受ける被保険者については、各事業所について定時決定等の規定によって標準報酬月額を算定し、その合算額をその者の標準報酬月額とする。

A ✕ 昭52.4.6保発9号・庁保発9号。設問は、「180万円未満」と「130万円未満」の記述が逆です。被扶養者の認定基準は、次のとおりです。

●**被扶養者の認定基準**（被扶養者の年間収入が次に該当すること）

	同一の世帯に属している場合	同一の世帯に属していない場合
60歳未満	①130万円未満 かつ ②被保険者の年間収入の 　**2分の1未満**	①130万円未満 かつ ②被保険者からの援助額 　よりも少ない
60歳以上 又は 障害者	①180万円未満 かつ ②被保険者の年間収入の 　**2分の1未満**	①180万円未満 かつ ②被保険者からの援助額 　よりも少ない

B ✕ 法3条7項1号。被扶養者と認定されます。被扶養者となることができる者は、次の①又は②に該当し、生計維持等の要件を満たす者です。設問の子は、②に該当します。

①日本国内に住所を有するもの

②**外国において留学をする学生**その他の日本国内に住所を有しないが渡航目的その他の事情を考慮して**日本国内に生活の基礎がある**と認められるものとして厚生労働省令で定めるもの

C ◯ 法192条。①**被保険者の資格に関する処分**、②**標準報酬**に関する処分、③**保険給付**に関する処分に不服がある者は、**社会保険審査官**に対して審査請求をし、その決定に不服がある者は、**社会保険審査会**に対して再審査請求をすることができます。①〜③の処分の取消しの訴えは、当該処分についての審査請求に対する社会保険審査官の**決定を経た後**でなければ、提起することができません。

D ✕ 則34条。3年間ではなく、**2年間**です。健康保険に関する書類の保存期間は、その**完結の日より2年間**とされています。

E ✕ 法44条3項。各事業所について標準報酬月額を算定するのではありません。同時に**2以上の事業所**で報酬を受ける被保険者については、各事業所について定時決定等の規定によって**報酬月額**を算定し、その**合算額**をその者の**報酬月額**として、標準報酬月額を決定します。

解答　C

問題 228

［選択式］総論・出産手当金

過平30

難易度 普　重要度 B

次の文中の□□□の部分を選択肢の中の最も適切な語句で埋め、完全な文章とせよ。

1　健康保険法第2条では、「健康保険制度については、これが医療保険制度の基本をなすものであることにかんがみ、高齢化の進展、　A　、社会経済情勢の変化等に対応し、その他の医療保険制度及び後期高齢者医療制度並びにこれらに密接に関連する制度と併せてその在り方に関して常に検討が加えられ、その結果に基づき、医療保険の　B　、給付の内容及び費用の負担の適正化並びに国民が受ける医療の　C　を総合的に図りつつ、実施されなければならない。」と規定している。

2　健康保険法第102条第1項では、「被保険者が出産したときは、出産の日（出産の日が出産の予定日後であるときは、出産の予定日）　D　（多胎妊娠の場合においては、98日）から出産の日　E　までの間において労務に服さなかった期間、出産手当金を支給する。」と規定している。

┌─ 選択肢 ─

①以後42日　　　　　②以後56日　　　　　③以前42日

④以前56日　　　　　⑤一元化　　　　　　⑥医療技術の進歩

⑦運営の効率化　　　⑧健康意識の変化　　⑨後42日

⑩後56日　　　　　　⑪高度化　　　　　　⑫持続可能な運営

⑬質の向上　　　　　⑭疾病構造の変化　　⑮情報技術の進歩

⑯多様化　　　　　　⑰前42日　　　　　　⑱前56日

⑲民営化　　　　　　⑳無駄の排除

A〜C…法2条、D・E…法102条1項

1　健康保険制度については、これが**医療保険制度の基本**をなすものであることにかんがみ、その実施にあたっての**基本的理念**として、次のことが掲げられています。

　(1)　**高齢化の進展、疾病構造の変化、社会経済情勢の変化等**に対応すること。

　(2)　**その他の医療保険制度及び後期高齢者医療制度**並びにこれらに**密接に関連する制度**と併せてその在り方に関して**常に検討**が加えられること。

　(3)　前記（2）の結果に基づき、医療保険の運営の効率化、**給付の内容及び費用の負担の適正化**並びに国民が受ける**医療の質の向上**を総合的に図ること。

2　被保険者（任意継続被保険者を除く。）が出産したときは、出産手当金が支給されます。出産手当金の支給期間は、**出産の日**（出産の日が出産の予定日後であるときは、出産の予定日）**以前42日**（多胎妊娠の場合においては、**98日**）から**出産の日後56日**までの間において、**労務に服さなかった期間**です。

7章

健康保険法

解答　A ⑭疾病構造の変化　B ⑦運営の効率化　C ⑬質の向上
　　　　D ③以前42日　E ⑩後56日

[選択式] 標準報酬月額・標準賞与額

予想

難易度 **易** 重要度 **A**

次の文中の[　　]の部分を選択肢の中の最も適切な語句で埋め、完全な文章とせよ。

1　標準報酬月額は、被保険者の報酬月額に基づき、第1級の58,000円から第50級の[　A　]までの範囲内において決定する。

2　保険者等は、被保険者が毎年[　B　]現に使用される事業所において同日前3ヵ月間（その事業所において継続して使用された期間に限るものとし、かつ、報酬支払いの基礎となった日数が17日（いわゆる4分の3基準を満たさない短時間労働者である被保険者にあっては、[　C　]）未満の月があるときは、その月を除く。）に受けた報酬の総額をその期間の月数で除して得た額を報酬月額として、標準報酬月額を決定する。

3　保険者等は、被保険者が賞与を受けた月において、その月に当該被保険者が受けた賞与額に基づき、これに[　D　]未満の端数を生じたときは、これを切り捨てて、その月における標準賞与額を決定する。ただし、その月に当該被保険者が受けた賞与によりその年度における標準賞与額の累計額が[　E　]を超えることとなる場合には、当該累計額が[　E　]となるようその月の標準賞与額を決定し、その年度においてその月の翌月以降に受ける賞与の標準賞与額は零とする。

選択肢
---

① 1月1日　　　　②1,210,000円　　③10,000円　　　④11日

⑤150万円　　　　⑥7月1日　　　　⑦540万円　　　⑧1,355,000円

⑨100円　　　　　⑩14日　　　　　⑪573万円　　　⑫10日

⑬4月1日　　　　⑭1,000円　　　　⑮1,175,000円　　⑯383万円

⑰1,390,000円　　⑱9月1日　　　　⑲10円　　　　　⑳15日

Aは法40条1項、B・Cは法41条1項、D・Eは法45条1項。

1　健康保険の標準報酬月額の範囲は、第1級の58,000円から第50級の1,390,000円までです。なお、第1級となるのは報酬月額が**63,000円未満**の場合であり、第50級となるのは報酬月額が**1,355,000円以上**の場合です。

2　標準報酬月額の定時決定に関する出題です。定時決定は、毎年**7月1日**現に事業所に使用される被保険者について行います。定時決定に係る報酬月額は、7月1日前**3ヵ月間**（4月、5月及び6月）に受けた報酬の額を平均することにより算出します。ただし、この3ヵ月間のうちに、次の(1)(2)の区分に従いそれぞれに掲げる月があるときは、その月を**除いて**報酬月額を算出します。

(1) 下記(2)以外の被保険者 ⇒ 報酬支払基礎日数が**17日未満**の月

(2) 4分の3基準を満たさない短時間労働者である被保険者
　　　⇒ 報酬支払基礎日数が**11日未満**の月

3　標準賞与額は、被保険者が受けた賞与額に基づき、賞与額の1,000円未満の端数を切り捨てて決定します。標準賞与額については、年度（毎年4月1日から翌年3月31日まで）の累計額の上限が設けられており、年度累計の上限額は573万円です。

ポイント解説

標準賞与額

　賞与に係る保険料額を算定する際に用いるのが、**標準賞与額**です。標準賞与額は、本法と厚生年金保険法にその算定方法が規定されています。いずれの法律においても、賞与額の1,000**円未満**の端数を**切り捨てて**算定することとされていますが、その上限額は、健康保険法では**年度累計額**573万円であり、厚生年金保険法と異なります。

解答　A ⑰1,390,000円　B ⑥7月1日　C ④11日　D ⑭1,000円
　　　　　E ⑪573万円

7 章

健康保険法

問題 230

[選択式] 療養の給付

予想

難易度 普　重要度 Ⓐ

次の文中の□□□の部分を選択肢の中の最も適切な語句で埋め、完全な文章とせよ。

1　被保険者の疾病又は負傷に関しては、次に掲げる療養の給付を行う。ただし、食事療養、生活療養、評価療養、　A　及び選定療養に係る給付は、療養の給付に含まれないものとする。

(1) 診察

(2) 薬剤又は治療材料の支給

(3) 処置、手術その他の治療

(4) 　B　における療養上の管理及びその療養に伴う世話その他の看護

(5) 病院又は診療所への　C　及びその療養に伴う世話その他の看護

2　保険医療機関及び保険薬局は療養の給付に関し、保険医及び保険薬剤師は健康保険の　D　に関し、厚生労働大臣の　E　を受けなければならない。

---選択肢---

①自宅　　　　　　　②措置入院　　　　　　③保険給付の支給

④診療又は調剤　　　⑤収容　　　　　　　　⑥指導

⑦家庭　　　　　　　⑧通院　　　　　　　　⑨承認

⑩特定療養　　　　　⑪現物給付　　　　　　⑫地域

⑬入院　　　　　　　⑭診察又は投薬　　　　⑮認定

⑯指定訪問看護　　　⑰患者申出療養　　　　⑱居宅

⑲在宅療養　　　　　⑳認可

A〜Cは法63条1項・2項、D・Eは法73条1項。

1　療養の給付とは、被保険者の疾病又は負傷の治療を目的として行われる医療サービスのことであり、健康保険の中心となる保険給付です。

　　療養の給付の範囲は、次のように定められています。なお、**食事療養**に係る給付は入院時食事療養費の対象に、**生活療養**に係る給付は入院時生活療養費の対象に、**評価療養、患者申出療養**及び**選定療養**に係る給付は保険外併用療養費の対象になることから、これらの療養に係る給付は、療養の給付に含まれません。

●**療養の給付の範囲**

> (1) **診察**
> (2) 薬剤又は治療材料の支給
> (3) 処置、手術その他の治療
> (4) 居宅における療養上の管理及びその療養に伴う世話その他の看護
> (5) 病院又は診療所への**入院**及びその療養に伴う世話その他の看護

2　保険医療機関及び保険薬局は療養の給付に関し、保険医及び保険薬剤師は健康保険の**診療又は調剤**に関し、厚生労働大臣の指導を受けなければなりません。これにより、療養の給付、**診療又は調剤**の質的向上等が図られています。

7章

健康保険法

横断チェック

療養（補償）等給付と療養の給付

　　労災保険法においても、労働者の負傷、疾病に対して療養（補償）等給付が行われます。しかしながら療養（補償）等給付には、**移送**が含まれるなど、両者の範囲は異なります。また、療養（補償）等給付のうち療養の給付は、保険医療機関等ではなく、①**社会復帰促進等事業**として設置された病院又は診療所、②**都道府県労働局長が指定**する病院、診療所、薬局又は訪問看護事業者において行われます。

解答　A ⑰**患者申出療養**　B ⑱**居宅**　C ⑬**入院**　D ④**診療又は調剤**
　　　　E ⑥**指導**

問題 **231**

［選択式］入院時食事療養費

予想

難易度 **普**　重要度 **B**

次の文中の□□□の部分を選択肢の中の最も適切な語句で埋め、完全な文章とせよ。

1　入院時食事療養費の額は、当該食事療養につき食事療養に要する平均的な費用の額を勘案して　**A**　が定める基準により算定した費用の額（その額が現に当該食事療養に要した費用の額を超えるときは、当該現に食事療養に要した費用の額）から、　**B**　を控除した額とする。

2　**A**　は、前記1の基準を定めようとするときは、　**C**　に諮問するものとする。

3　**A**　は、　**B**　を定めた後に勘案又はしん酌すべき事項に係る事情が著しく変動したときは、　**D**　その額を改定しなければならない。

4　被保険者（特定長期入院被保険者を除く。以下同じ。）が健康保険法第63条第3項第1号又は第2号に掲げる病院又は診療所から食事療養を受けたときは、保険者は、その被保険者が当該病院又は診療所に支払うべき食事療養に要した費用について、入院時食事療養費として被保険者に対し　**E**　において、被保険者に代わり、当該病院又は診療所に支払うことができる。

選択肢

①遅滞なく　　　　②生活療養標準負担額　　　③中央社会保険医療協議会
④全国健康保険協会　　　　　　　　　　　　⑤厚生労働大臣
⑥一部負担金相当額　　　　　　　　　　　　⑦食事療養標準負担額
⑧次年度より　　　　　　　　　　　　　　　⑨社会保障審議会
⑩保険外併用療養費　　　　　　　　　　　　⑪14日以内に
⑫支給すべき額の限度　　　　　　　　　　　⑬特定健康保険組合
⑭地方社会保険医療協議会　　　　　　　　　⑮地方厚生局長
⑯請求すべき額の限度　　　　　　　　　　　⑰社会保険診療報酬支払基金
⑱支給すべき額の2分の1の範囲内　　　　　⑲速やかに
⑳請求すべき額の2分の1の範囲内

A・Bは法85条2項、Cは法85条3項、Dは法85条4項、Eは法85条5項。

1、2　入院時食事療養費の支給額は、次のとおりです。**厚生労働大臣**は、下記の基準を定めようとするときは、**中央社会保険医療協議会に諮問**するものとされています。

$$
\boxed{\begin{array}{c}\text{入院時食事}\\ \text{療養費の額}\end{array}} = \boxed{\begin{array}{c}\text{食事療養に要する平均的な費用の}\\ \text{額を勘案して厚生労働大臣が定め}\\ \text{る基準により算定した額（＊）}\end{array}} - \boxed{\begin{array}{c}\text{食事療養}\\ \text{標準負担額}\end{array}}
$$

（＊）現に食事療養に要した費用の額を超えるときは、現に食事療養に要した費用の額となる。

3　**食事療養標準負担額**は、平均的な家計における食費の状況及び特定介護保険施設等（介護保険法に規定する特定介護保険施設等をいう。）における食事の提供に要する平均的な費用の額を勘案して**厚生労働大臣**が定める額（所得の状況その他の事情をしん酌して厚生労働省令で定める者については、別に定める額）です。これらの勘案又はしん酌すべき事項に係る事情が著しく変動したときは、**厚生労働大臣**は、速やかに食事療養標準負担額を改定しなければなりません。

4　入院時食事療養費は、法本来の規定では「現金給付」であり、償還払いの方式によります。しかし、実際には、設問の規定等により、被保険者（特定長期入院被保険者を除く。）が保険医療機関等の窓口で負担する額を**食事療養標準負担額**のみとする「**現物給付方式**による給付」が行われています。

7章
健康保険法

解答　A　⑤厚生労働大臣　B　⑦食事療養標準負担額
　　　　C　③中央社会保険医療協議会　D　⑲速やかに　E　⑫支給すべき額の限度

[選択式] 高額療養費等

過平28 改正E

難易度 **普**　重要度 **B**

次の文中の □ の部分を選択肢の中の最も適切な語句で埋め、完全な文章とせよ。

1　55歳で標準報酬月額が83万円である被保険者が、特定疾病でない疾病による入院により、同一の月に療養を受け、その療養（食事療養及び生活療養を除く。）に要した費用が1,000,000円であったとき、その月以前の12か月以内に高額療養費の支給を受けたことがない場合の高額療養費算定基準額は、252,600円＋（1,000,000円－　A　）×1％の算定式で算出され、当該被保険者に支給される高額療養費は　B　となる。また、当該被保険者に対し、その月以前の12か月以内に高額療養費が支給されている月が3か月以上ある場合（高額療養費多数回該当の場合）の高額療養費算定基準額は、　C　となる。

2　訪問看護療養費は、健康保険法第88条第2項の規定により、厚生労働省令で定めるところにより、　D　が必要と認める場合に限り、支給するものとされている。この指定訪問看護を受けようとする者は、同条第3項の規定により、厚生労働省令で定めるところにより、　E　の選定する指定訪問看護事業者から、電子資格確認等により、被保険者であることの確認を受け、当該指定訪問看護を受けるものとされている。

選択肢

①40,070円	②42,980円	③44,100円
④44,400円	⑤45,820円	⑥80,100円
⑦93,000円	⑧140,100円	⑨267,000円
⑩558,000円	⑪670,000円	⑫842,000円
⑬医師	⑭医療機関	⑮介護福祉士
⑯看護師	⑰厚生労働大臣	⑱自己
⑲都道府県知事	⑳保険者	

A〜Cは令42条1項2号、Dは法88条2項、Eは法88条3項。

1　**70歳未満**の者に係る高額療養費算定基準額は、所得区分に応じた額が定められています。設問の者（55歳）は、療養があった月の**標準報酬月額が83万円以上**の区分に該当するため、多数回該当でない場合の高額療養費算定基準額は、次の計算式による額です。

> **高額療養費算定基準額＝252,600円＋（医療費−842,000円）×100分の1**

　設問では、療養（食事療養及び生活療養を除く。）に要した費用（医療費）が1,000,000円とあることから、一部負担金の額は**300,000円**（＝1,000,000円×100分の30）となります。したがって、高額療養費算定基準額及び高額療養費（支給額）は、それぞれ、次のとおりです。

●高額療養費算定基準額

> 252,600円＋（1,000,000円−842,000円）×100分の1＝**254,180円**

●高額療養費（支給額）

> 300,000円−254,180円＝**45,820円**

　また、この者について、**多数回該当**の場合の高額療養費算定基準額は、**140,100円**です。

2　被保険者が、指定訪問看護事業者から**指定訪問看護**を受けたときは、その指定訪問看護に要した費用について、訪問看護療養費が支給されます。訪問看護療養費は、厚生労働省令で定めるところにより、**保険者が必要**と認める場合に限り、支給するものとされています。この指定訪問看護を受けようとする者は、厚生労働省令で定めるところにより、**自己の選定**する訪問看護事業者から、電子資格確認等により、被保険者であることの確認を受け、当該指定訪問看護を受けるものとされています。

7章 健康保険法

解答　　A ⑫842,000円　B ⑤45,820円　C ⑧140,100円　D ⑳保険者
　　　　E ⑱自己

［選択式］日雇特例被保険者

予想

難易度 難　重要度 **C**

次の文中の□□□の部分を選択肢の中の最も適切な語句で埋め、完全な文章とせよ。

1　健康保険法において「日雇特例被保険者」とは、適用事業所に使用される日雇労働者をいう。ただし、後期高齢者医療の被保険者等である者又は次のいずれかに該当する者として厚生労働大臣の　**A**　を受けたものは、この限りでない。

(1) 適用事業所において、引き続く2ヵ月間に通算して　**B**　使用される見込みのないことが明らかであるとき。

(2) 任意継続被保険者であるとき。

(3) その他特別の理由があるとき。

2　日雇特例被保険者の保険の保険者の事務のうち厚生労働大臣が行うものの一部は、政令で定めるところにより、　**C**　が行うこととすることができる。

3　日雇特例被保険者に支給する出産手当金の額は、1日につき、出産の日の属する月の前　**D**　間の保険料が納付された日に係る当該日雇特例被保険者の標準賃金日額の各月ごとの合算額のうち最大のものの　**E**　に相当する金額とする。

選択肢

①45分の1　　②都道府県知事　　③60分の1　　④許可

⑤認可　　⑥2ヵ月　　⑦31日以上　　⑧事業主

⑨15分の1　　⑩4ヵ月　　⑪26日以上　　⑫30分の1

⑬12ヵ月　　⑭40日以上　　⑮承認　　⑯公共職業安定所長

⑰市町村長　　⑱登録　　⑲6ヵ月　　⑳17日以上

A・Bは法3条2項、Cは法203条1項、D・Eは法138条2項。

1　健康保険法においては、**適用事業所**に使用される**日雇労働者**を「日雇特例被保険者」といいます。ただし、次の者は日雇特例被保険者となりません（適用除外）。

> ・**後期高齢者医療**の被保険者等である者（当然に適用除外）
> ・次のいずれかに該当する者として**厚生労働大臣**の承認を受けたもの
> 　(1)　適用事業所において、引き続く**2ヵ月間**に通算して**26日以上**使用される見込みのないことが明らかであるとき。
> 　(2)　**任意継続被保険者**であるとき。
> 　(3)　その他特別の理由があるとき。

2　日雇特例被保険者の保険の保険者の事務のうち厚生労働大臣が行うものの一部は、**市町村長**（特別区の区長を含むものとし、地方自治法の指定都市にあっては、区長又は総合区長とする。）が行うこととすることができます。また、全国健康保険協会は、**市町村**（特別区を含む。）に対し、日雇特例被保険者の保険の保険者の事務のうち全国健康保険協会が行うものの一部を**委託**することができます。

3　出産育児一時金の支給を受けることができる日雇特例被保険者には、出産の日（出産の日が出産の予定日後であるときは、出産の予定日）**以前42日**（多胎妊娠の場合においては、98日）から出産の**日後56日**までの間において労務に服さなかった期間、出産手当金が支給されます。日雇特例被保険者に支給される出産手当金の額は、1日につき、出産の日の属する**月の前4ヵ月間**の保険料が納付された日に係る当該日雇特例被保険者の標準賃金日額の各月ごとの合算額のうち最大のものの45分の1に相当する金額です。たとえば、ある月の標準賃金日額の合計額が9万円で、これが出産日の属する月前4ヵ月間で最大のものであれば、出産手当金の額は、1日あたり2,000円となります。

解答　A ⑮承認　B ⑪26日以上　C ⑰市町村長　D ⑩4ヵ月
　　　E ①45分の1

[選択式] 保険料率等

過令3改

難易度 普　重要度 B

次の文中の □□□ の部分を選択肢の中の最も適切な語句で埋め、完全な文章とせよ。

1　健康保険法第156条の規定による一般保険料率とは、基本保険料率と □A□ とを合算した率をいう。基本保険料率は、一般保険料率から □A□ を控除した率を基準として、保険者が定める。□A□ は、各年度において保険者が納付すべき前期高齢者納付金等の額及び後期高齢者支援金等の額並びに流行初期医療確保拠出金等の額（全国健康保険協会が管掌する健康保険及び日雇特例被保険者の保険においては、□B□ 額）の合算額（前期高齢者交付金がある場合には、これを控除した額）を当該年度における当該保険者が管掌する被保険者の □C□ の見込額で除して得た率を基準として、保険者が定める。

2　毎年3月31日における標準報酬月額等級の最高等級に該当する被保険者数の被保険者総数に占める割合が100分の1.5を超える場合において、その状態が継続すると認められるときは、その年の □D□ から、政令で、当該最高等級の上に更に等級を加える標準報酬月額の等級区分の改定を行うことができる。ただし、その年の3月31日において、改定後の標準報酬月額等級の最高等級に該当する被保険者数の同日における被保険者総数に占める割合が □E□ を下回ってはならない。

選択肢

①6月1日　　　②8月1日　　　③9月1日　　　④10月1日
⑤100分の0.25　⑥100分の0.5　⑦100分の0.75　⑧100分の1
⑨総報酬額　　　⑩総報酬額の総額
⑪その額から健康保険法第153条及び第154条の規定による国庫補助額を控除した
⑫その額から特定納付金を控除した
⑬その額に健康保険法第153条及び第154条の規定による国庫補助額を加算した
⑭その額に特定納付金を加算した　　⑮調整保険料率　　⑯特定保険料率
⑰標準報酬月額の総額　　　　　　⑱標準報酬月額の平均額
⑲標準保険料率　　　　　　　　　⑳付加保険料率

Aは法156条1項1号、B・Cは法160条14項、D・Eは法40条2項。

1　一般保険料額の計算の基礎となる一般保険料率とは、次の(1)**基本保険料率**と(2)**特定保険料率**とを合算した率をいいます。

（1）**基本保険料率**……保険給付、保健事業等に充てるための保険料に係る率
　　⇒「一般保険料率−特定保険料率」を基準として、保険者が定めます。

（2）**特定保険料率**……前期高齢者納付金等、後期高齢者支援金等、流行初期医療確保拠出金等に充てるための保険料に係る率

　　⇒「各年度において保険者が納付すべき各種納付金等の額の合算額÷当該年度における当該保険者が管掌する被保険者の**総報酬額の総額**の見込額」を基準として、保険者が定めます。

　　上記の「各種納付金等の額」とは、前期高齢者納付金等、後期高齢者支援金等、流行初期医療確保拠出金等の額（協会管掌健康保険及び日雇特例被保険者の保険においては、その額から**国庫補助額を控除**した額）等のことです。

2　標準報酬月額等級の上限の弾力的変更は、毎年**3月31日**における標準報酬月額等級の最高等級に該当する被保険者数の被保険者総数に占める割合が**100分の1.5を超える**場合において、その状態が継続すると認められるときに、その年の**9月1日**から、政令で、行うことができます。ただし、その年の3月31日において、改定後の標準報酬月額等級の最高等級に該当する被保険者数の同日における被保険者総数に占める割合が**100分の0.5**を**下回ってはなりません**。

7
章

健
康
保
険
法

基本まとめ　保険料額の算定

被保険者に関する各月の保険料額は、被保険者の区分に応じて、次のとおりです。

被保険者の区分		保険料額
介護保険の被保険者	第1号被保険者	一般保険料額
	第2号被保険者	一般保険料額＋介護保険料額
介護保険の被保険者以外の被保険者		一般保険料額
（健康保険組合の特定被保険者）		一般保険料額＋介護保険料額[※1]
承認健康保険組合の介護保険第2号被保険者である被保険者（特定被保険者を含む。）		一般保険料額＋特別介護保険料額[※2]

※1：規約で定めるところにより、この合算額とすることができる。
※2：厚生労働大臣の承認を受けた場合に、この合算額とすることができる。

傷病手当金と休業（補償）等給付

本法の規定による傷病手当金と労災保険法の規定による休業（補償）等給付は、次の点が異なります。

	傷病手当金	休業（補償）等給付
待期期間	連続した3日間	通算した3日間
支給額	1日につき「支給開始日の属する月以前の直近の継続した12ヵ月間の各月の標準報酬月額の平均額の30分の1」×3分の2（原則）	1日につき「給付基礎日額」×100分の60
支給期間	支給開始日から通算して1年6ヵ月間	治ゆ又は死亡するまで支給

基本まとめ　資格喪失後の死亡と出産に関する給付の支給額

資格喪失後に支給される埋葬料又は出産育児一時金の支給額は、被保険者であった者を保護する目的から、**在職時と同額**となっています。

死亡	埋葬料	一律5万円
	埋葬費	埋葬料の金額の範囲内で埋葬に要した費用に相当する金額
出産	出産育児一時金	1児につき48万8,000円 ※産科医療補償制度に加入する病院等で出産したときは、上記の額に3万円を超えない範囲内で保険者が定める額（現在1万2,000円）を加算

第 **8** 章

国民年金法

年金法を制する者は本試験を制します!

被保険者（1）

過令3

難易度 普　重要度

国民年金法の被保険者に関する次の記述のうち、誤っているものはどれか。

A　第3号被保険者が、外国に赴任する第2号被保険者に同行するため日本国内に住所を有しなくなったときは、第3号被保険者の資格を喪失する。

B　老齢厚生年金を受給する66歳の厚生年金保険の被保険者の収入によって生計を維持する55歳の配偶者は、第3号被保険者とはならない。

C　日本の国籍を有しない者であって、出入国管理及び難民認定法の規定に基づく活動として法務大臣が定める活動のうち、本邦において1年を超えない期間滞在し、観光、保養その他これらに類似する活動を行うものは、日本国内に住所を有する20歳以上60歳未満の者であっても第1号被保険者とならない。

D　第2号被保険者の被扶養配偶者であって、観光、保養又はボランティア活動その他就労以外の目的で一時的に海外に渡航する日本国内に住所を有しない20歳以上60歳未満の者は、第3号被保険者となることができる。

E　昭和31年4月1日生まれの者であって、日本国内に住所を有する65歳の者（第2号被保険者を除く。）は、障害基礎年金の受給権を有する場合であっても、特例による任意加入被保険者となることができる。なお、この者は老齢基礎年金、老齢厚生年金その他の老齢又は退職を支給事由とする年金たる給付の受給権を有していないものとする。

A　✕　法7条1項3号、9条2号・6号、則1条の3第2号。第3号被保険者の資格を喪失しません。日本国内に住所を有しなくなっても、その理由が「外国に赴任する**第2号被保険者に同行するため**」であるときは、「**日本国内に生活の基礎がある**」と認められ、引き続き第3号被保険者の要件（第2号被保険者の**被扶養配偶者**であること）に該当します。したがって、設問の者は、引き続き第3号被保険者の**資格を有します**（資格を喪失しません）。

B　〇　法7条1項2号・3号、法附則3条。設問の厚生年金保険の被保険者は、**65歳以上**で老齢厚生年金（老齢給付等に該当）を受給しているため、第2号被保険者ではありません。したがって、その配偶者は、「第2号被保険者の被扶養配偶者」ではないため、第3号被保険者と**なりません**。

C　〇　法7条1項1号、則1条の2第2号。日本国内に住所を有する20歳以上60歳未満の者であっても、「国民年金法の適用を除外すべき**特別の理由**がある者として厚生労働省令で定める者」は、第1号被保険者となりません。設問の「日本の国籍を有しない者であって〜本邦において**1年を超えない**期間滞在し、**観光、保養**その他これらに類似する活動を行うもの」は、「厚生労働省令で定める者」に該当するため、第1号被保険者と**なりません**。

D　〇　法7条1項3号、則1条の3第3号。日本国内に住所を有していなくても、「**日本国内に生活の基礎がある**者として厚生労働省令で定める者」は、他の要件を満たせば、第3号被保険者となることができます。設問の「観光、保養又はボランティア活動その他**就労以外の目的**で**一時的**に海外に渡航する」者は、「**日本国内に生活の基礎がある**」と認められ、第3号被保険者となることが**できます**。

E　〇　平16法附則23条1項。**昭和40年4月1日以前生まれ**の日本国内に住所を有する**65歳以上70歳未満**の者であって、老齢基礎年金、老齢厚生年金その他の老齢又は退職を支給事由とする年金たる給付（**老齢給付等**）の**受給権を有していない**ものは、特例による任意加入被保険者となることができます。障害基礎年金の受給権を有しているか否かは問われません。

8章

国民年金法

解答　**A**

被保険者（2）

予想

難易度 普　重要度 Ｂ

被保険者に関する次の記述のうち、誤っているものはどれか。

A　第１号被保険者である者が厚生年金保険法に基づく老齢給付等を受けることができる者に該当するに至った場合において、その者がこれに該当するに至らなかったならば納付すべき保険料を、その該当するに至った日の属する月以降の期間について前納しているときは、その該当するに至った日において、任意加入被保険者となるための申出をしたものとみなす。

B　国民年金法附則第５条に規定する任意加入被保険者（原則による任意加入被保険者）及び特例による任意加入被保険者は、いずれも、付加保険料を納付する者となることができない。

C　日本国内に住所を有する60歳以上65歳未満の者（第２号被保険者等でないものとする。）が、20歳から60歳までの480ヵ月のすべてについて第１号被保険者として保険料を全額納付していたときは、この者は、任意加入被保険者となることができない。

D　厚生年金保険の被保険者の資格を取得した18歳の者は、その日に、国民年金の第２号被保険者の資格を取得する。

E　日本国籍を有し、日本国内に住所を有しない40歳の任意加入被保険者が、日本国内に住所を有するに至ったときは、その者は、その日に、任意加入被保険者の資格を喪失し、かつ、第１号被保険者の資格を取得する。

A ○ 法附則6条。設問の者は、厚生年金保険法に基づく**老齢給付等**を受けることができる者に該当するに至ったことにより、第1号被保険者の**適用除外**となります。この者が、設問のように、適用除外となった日の属する月以降の期間について保険料を**前納**しているときは、**任意加入被保険者**となるための申出をしたものと**みなし**、第1号被保険者の適用除外となった日以後は、任意加入被保険者となります。

B × 法附則5条9項、平6法附則11条9項、平16法附則23条9項。**原則による任意加入被保険者**は、付加保険料を納付する者となることが**できます**。付加保険料を納付する者となることができないのは、特例による任意加入被保険者です。

C ○ 法5条1項、法附則5条5項4号。設問の者は、20歳から60歳までの間の保険料納付済期間を480ヵ月有しており、**老齢基礎年金の額**に反映される月数を合算した月数が480あることになります。この者は、65歳から満額の老齢基礎年金を受給することができるため、任意加入被保険者となることができません。

D ○ 法7条1項2号、8条4号。第2号被保険者には、年齢要件はありません。したがって、**厚生年金保険の被保険者**の資格を取得した者は、その年齢にかかわらず、**第2号被保険者**となります。第2号被保険者の資格の取得日は、厚生年金保険の被保険者の**資格を取得した日**です。

E ○ 法7条1項1号、8条2号、法附則5条8項1号。日本国内に住所を有しない40歳の任意加入被保険者が「**日本国内に住所を有する**に至ったこと」は、任意加入被保険者の資格喪失事由であり、かつ、第1号被保険者の資格取得事由です。この場合の第1号被保険者の資格取得日は、日本国内に住所を有するに**至った日**です。また、この場合の任意加入被保険者の資格喪失日は、原則として翌日ですが、設問のように、その日にさらに**被保険者の資格を取得**したときは、**その日**が資格喪失日となります。

8章

国民年金法

解答　**B**

被保険者（3）

過平29

難易度 普　重要度 B

任意加入被保険者及び特例による任意加入被保険者の資格の取得及び喪失に関する次の記述のうち、誤っているものはどれか。

A　日本国籍を有する者で、日本国内に住所を有しない65歳以上70歳未満の特例による任意加入被保険者は、日本国籍を有しなくなった日の翌日（その事実があった日に更に国民年金の被保険者資格を取得したときを除く。）に任意加入被保険者の資格を喪失する。

B　日本国内に住所を有する65歳以上70歳未満の特例による任意加入被保険者は、日本国内に住所を有しなくなった日の翌日（その事実があった日に更に国民年金の被保険者資格を取得したときを除く。）に任意加入被保険者の資格を喪失する。

C　日本国籍を有する者で、日本国内に住所を有しない20歳以上65歳未満の任意加入被保険者が、厚生年金保険の被保険者資格を取得したときは、当該取得日に任意加入被保険者の資格を喪失する。

D　日本国内に住所を有する65歳以上70歳未満の特例による任意加入被保険者が保険料を滞納し、その後、保険料を納付することなく2年間が経過したときは、その翌日に任意加入被保険者の資格を喪失する。

E　日本国籍を有する者で、日本国内に住所を有しない20歳以上65歳未満の者（第2号被保険者及び第3号被保険者を除く。）が任意加入被保険者の資格の取得の申出をしたときは、申出をした日に任意加入被保険者の資格を取得する。

A　○　平6法附則11条8項2号、平16法附則23条8項2号。設問の任意加入被保険者は、**日本国籍を有しなくなったときは、その日の翌日**に、任意加入被保険者の資格を喪失します。なお、日本国籍を有しなくなった日にさらに被保険者の資格を取得したときは、その日に、任意加入被保険者の資格を喪失します。

B　○　平6法附則11条7項1号、平16法附則23条7項1号。設問の任意加入被保険者は、**日本国内に住所を有しなくなったときは、その日の翌日**に、任意加入被保険者の資格を喪失します。なお、日本国内に住所を有しなくなった日にさらに被保険者の資格を取得したときは、その日に、任意加入被保険者の資格を喪失します。

C　○　法附則5条5項2号。任意加入被保険者が**厚生年金保険の被保険者資格を取得したとき**は、その者は、**その日**に（同時に）、第2号被保険者の資格を取得します。この場合は、資格の重複を避けるため、その日に、任意加入被保険者の資格を喪失します。

D　×　平6法附則11条7項2号、平16法附則23条7項2号。設問の任意加入被保険者は、保険料を滞納し、**督促状による指定の期限**までにその保険料を**納付しないとき**に、任意加入被保険者の資格を喪失します（**翌日**喪失）。設問の2年が経過したことにより資格を喪失するのは、日本国内に住所を有しない任意加入被保険者です。

E　○　法附則5条3項。任意加入被保険者の資格の取得日は、厚生労働大臣に**資格取得の申出をしたその日**です。この点は、すべての任意加入被保険者（原則及び特例）に共通です。

8章
国民年金法

解答　D

被保険者期間

予想

難易度 普　重要度 **B**

被保険者期間に関する次の記述のうち、正しいものはどれか。

A　平成17年4月1日生まれの者が20歳に達したことにより初めて被保険者の資格を取得したときは、令和7年4月以後の月が、被保険者期間に算入される。

B　令和7年3月3日に第1号被保険者の資格を取得した者が、同年3月10日に日本国内に住所を有しなくなった場合、この月は、被保険者期間に算入されない。

C　第1号被保険者から第2号被保険者への種別の変更があった場合には、当該種別の変更があった月について第1号被保険者としての保険料がすでに納付されているときであっても、当該月は、第2号被保険者であった月とみなされる。

D　第1号被保険者としての被保険者期間であって、保険料4分の1免除の規定によりその4分の1の額につき納付することを要しないものとされた保険料（納付することを要しないものとされた4分の1の額以外の4分の3の額につき納付されたものに限る。）に係るものは、納付することを要しないものとされた4分の1の額の保険料を追納した被保険者期間を含め、保険料4分の1免除期間となる。

E　第1号被保険者としての被保険者期間であって、産前産後期間の保険料の免除の規定により保険料を納付することを要しないものとされた期間は、保険料全額免除期間となる。

A　✕　法8条1号、11条1項、昭36.4.7年国発33号。令和7年4月以後ではなく、令和7年**3月**以後の月です。被保険者期間には、被保険者の**資格を取得**した日の属する**月**からその資格を喪失した日の前月までが算入されます。設問の者が被保険者の資格を取得するのは、20歳に達した日である令和7年3月31日ですので、**令和7年3月以後**の月が、被保険者期間に算入されます。

B　✕　法9条2号、11条2項。被保険者期間に**算入されます**。第1号被保険者が日本国内に住所を有しなくなったときは、その資格を喪失します（翌日喪失）。また、被保険者がその資格を取得した日の属する月にその資格を喪失したときは、その月は、1ヵ月として被保険者期間に**算入されます**。したがって、令和7年3月は、被保険者期間に算入されます。

C　〇　法11条の2。被保険者の種別に変更があった月は、**変更後の種別**の被保険者であった月とみなされます。設問のように、種別の変更があった月について、第1号被保険者としての保険料がすでに納付されているときであっても、当該月は、**変更後**の種別である第2号被保険者であった月とみなされます。なお、この場合は、当該月について納付された保険料は、還付されることとなります。

D　✕　法5条6項。保険料を追納した被保険者期間は**含みません**。免除された保険料を**追納**した期間（追納の規定により納付されたものとみなされる保険料に係る被保険者期間）は、保険料4分の1免除期間ではなく、**保険料納付済期間**となります。

E　✕　法5条1項・3項。**産前産後期間**の保険料の免除の規定により保険料を納付することを要しないものとされた（保険料の納付を免除された）期間は、**保険料納付済期間**となります。保険料全額免除期間ではありません。なお、保険料全額免除期間とは、**法定免除**、**申請全額免除**、**学生納付特例**又は**納付猶予**の規定により保険料の納付を免除された期間（追納した期間を除く。）です。

8章

国民年金法

解答　C

届出（1）

過平29

被保険者の届出等に関する次の記述のうち、誤っているものはどれか。

A　第1号厚生年金被保険者である第2号被保険者の被扶養配偶者が20歳に達し、第3号被保険者となるときは、14日以内に資格取得の届出を日本年金機構に提出しなければならない。

B　第1号厚生年金被保険者である第2号被保険者を使用する事業主は、当該第2号被保険者の被扶養配偶者である第3号被保険者に係る資格の取得及び喪失並びに種別の変更等に関する事項の届出に係る事務の一部を全国健康保険協会に委託することができるが、当該事業主が設立する健康保険組合に委託することはできない。

C　第3号被保険者は、その配偶者が第2号厚生年金被保険者の資格を喪失した後引き続き第3号厚生年金被保険者の資格を取得したときは、14日以内に種別確認の届出を日本年金機構に提出しなければならない。

D　第1号被保険者の属する世帯の世帯主は、当該被保険者に代わって被保険者資格の取得及び喪失並びに種別の変更に関する事項について、市町村長へ届出をすることができる。

E　平成26年4月1日を資格取得日とし、引き続き第3号被保険者である者の資格取得の届出が平成29年4月13日に行われた。この場合、平成27年3月以降の各月が保険料納付済期間に算入されるが、平成26年4月から平成27年2月までの期間に係る届出の遅滞についてやむを得ない事由があると認められるときは、厚生労働大臣にその旨を届け出ることによって、届出日以後、当該期間の各月についても保険料納付済期間に算入される。

A ○ 則1条の4第2項。設問の被扶養配偶者は、20歳に達したときに第3号被保険者の資格を取得します。**第3号被保険者**の資格を取得したときは、その者は、**14日以内**に、届書を**日本年金機構**に提出しなければなりません。

B × 法12条8項。設問の届出に係る事務の一部は、全国健康保険協会に委託することはできず、**健康保険組合に委託**することができます。第3号被保険者に関する届出（届出先は厚生労働大臣）は、その配偶者である第2号被保険者が**第1号厚生年金被保険者**である場合は、原則として、第2号被保険者を使用する**事業主を経由**して行います。この場合において、事業主は、経由に係る事務の一部を、当該事業主が設立する健康保険組合に委託することができます。

C ○ 則6条の3第1項。**種別確認**の届出は、第3号被保険者の配偶者である第2号被保険者について、設問のように、第2号被保険者の資格を有したまま**厚生年金保険**の被保険者の種別に**変更**があったときに、行うものです。この場合は、**14日以内**に、届書を日本年金機構に提出しなければなりません。

D ○ 法12条1項・2項。**第1号被保険者**は、その資格の取得及び喪失並びに種別の変更に関する事項等を、**市町村長**に届け出なければなりません。第1号被保険者の属する世帯の世帯主は、第1号被保険者に代わって、届出をすることができます。

E ○ 法附則7条の3第1項～3項。設問の場合、資格取得の届出が平成29年4月に行われたため、届出が行われた日の属する月の**前々月までの2年間**のうちにある**平成27年3月以降**の各月が、保険料納付済期間に算入されます。また、平成26年4月から平成27年2月までの期間（2年より前の期間）については、届出の遅滞についてやむを得ない**事由**があると認められるときは、その旨の届出（**特例の届出**）をすることができます。特例の届出が行われたときは、届出が行われた**日以後**、当該届出に係る期間は保険料納付済期間に算入されます。

8
章
国民年金法

解答 B

問題 240

届出(2)

予想　　　　　　　　　　　　　　　　　　難易度 普　重要度 B

届出等に関する次の記述のうち、正しいものはどれか。

A　第1号被保険者であった者が厚生年金保険の適用事業所に使用されることになり第2号被保険者となった場合は、その者は、被保険者の種別の変更について、14日以内に、届書を市町村長に提出しなければならない。

B　第1号被保険者は、厚生労働大臣が住民基本台帳法の規定により機構保存本人確認情報の提供を受けることができる者であっても、その氏名を変更したときは、14日以内に、届書を市町村長に提出しなければならない。

C　被保険者又は被保険者であった者が、第3号被保険者としての被保険者期間のうち時効消滅不整合期間について厚生労働大臣に特例の届出をしたときは、当該届出に係る時効消滅不整合期間は、届出が行われた日以後、国民年金法第89条第1項に規定する法定免除の期間とみなされる。

D　障害基礎年金の受給権者は、加算額対象者である18歳に達する日以後の最初の3月31日までの間にある子が国民年金法施行令第4条の6に定める障害の状態に該当するに至ったときは、14日以内に、届書を日本年金機構に提出しなければならない。

E　寡婦年金の受給権者は、婚姻をしたことによりその受給権が消滅したときは、14日以内に、届書を日本年金機構に提出しなければならない。

A　✕　法附則7条の4、則6条の2第1項。届書を提出する必要は**ありません**。設問は、第1号被保険者から第2号被保険者への種別の変更であり、**第2号被保険者**については、国民年金法に規定する届出を行う必要は**ありません**。国民年金法において、被保険者に関する届出が必要となるのは、第1号被保険者及び第3号被保険者です。

B　✕　則7条1項。届書を提出する必要は**ありません**。被保険者（第1号被保険者及び第3号被保険者）の**氏名変更**の届出は、厚生労働大臣が住民基本台帳法の規定により**機構保存本人確認情報**の提供を受けることができる者については、行う必要が**ありません**。なお、被保険者の**住所変更**の届出についても同様です。

C　✕　法附則9条の4の2第2項。法定免除の期間ではなく、**学生納付特例の期間**とみなされます。つまり、届出に係る**時効消滅不整合期間**は、老齢基礎年金の受給資格期間には算入されますが、老齢基礎年金の額には反映されません。

D　✕　則33条の5第1項。「14日以内に」ではなく、「速やかに」です。設問は、**加算額対象者の障害状態該当の届出**ですが、この届出は、速やかに、届書を日本年金機構に提出することにより行います。なお、国民年金法施行令4条の6に定める障害の状態とは、障害等級**1級**又は**2級**に該当する障害の状態です。

E　〇　則60条の7。設問の**寡婦年金の失権の届出**は、**14日以内**に、行わなければなりません。なお、失権の事由が「65歳に達したこと」又は「死亡したこと」である場合は、寡婦年金の失権の届出は不要です。

8章

国民年金法

解答　E

給付の通則（1）

予想　　　　　　　　　　　　　　　　　　　難易度 普　重要度 B

年金の支給・支払い等に関する次のアからオの記述のうち、誤っているものの組合せは、後記AからEまでのうちどれか。

ア　年金の支払期月ごとの支払額に１円未満の端数が生じたときは、これを切り捨て、毎年３月から翌年２月までの間において切り捨てた金額の合計額（１円未満の端数を生じたときは、これを切り捨てた額）については、これを当該２月の支払期月の年金額に加算する。

イ　給付を受ける権利の裁定は、その権利を有する者の請求に基づいて、厚生労働大臣が行うが、第１号被保険者であった間に初診日がある傷病による障害に係る障害基礎年金を受ける権利の裁定請求の受理及びその請求に係る事実についての審査に関する事務は、市町村長（特別区の区長を含む。）が行う。

ウ　同一人に対して厚生年金保険法による年金たる保険給付（厚生労働大臣が支給するものに限る。以下本肢において同じ。）の支給を停止して年金給付を支給すべき場合において、年金給付を支給すべき事由が生じた日の属する月の翌月以降の分として同法による年金たる保険給付の支払いが行われたときは、その支払われた同法による年金たる保険給付は、年金給付の内払いとみなすことができる。

エ　船舶が沈没し、転覆し、滅失し、若しくは行方不明となった際現にその船舶に乗っていた者若しくは船舶に乗っていてその船舶の航行中に行方不明となった者の生死が３ヵ月間分からない場合又はこれらの者の死亡が３ヵ月以内に明らかとなり、かつ、その死亡の時期が分からない場合には、死亡を支給事由とする給付の支給に関する規定の適用については、その船舶が沈没し、転覆し、滅失し、若しくは行方不明となった日又はその者が行方不明となった日に、その者は、死亡したものとみなす。

オ　老齢基礎年金と厚生年金保険法による障害厚生年金は、その受給権者が65歳以上であれば、併給することができる。

A　（アとイ）　　　B　（アとウ）　　　C　（イとエ）
D　（ウとオ）　　　E　（エとオ）

ア　○　法18条の２。支払期月における年金額の端数処理は、次のとおりです。

　①支払期月（年６回・偶数月）ごとの支払額に**１円未満**の端数が生じたときは、これを**切り捨てる**。

　②毎年**３月**から**翌年２月**までの間において①により切り捨てた金額の合計額（１円未満の端数は切り捨て）については、これを当該２月の支払期月の年金額に**加算**する。

イ　○　法３条３項、16条、令１条の２第３号ハ。給付を受ける権利（受給権）の裁定は、厚生労働大臣が行いますが、裁定に関する事務は、市町村長や日本年金機構が行います。**市町村長が行う事務**（裁定請求の受理等）として、**第１号被保険者であった間に初診日**がある傷病による障害に係る障害基礎年金に係る事務や、20歳前の傷病による障害基礎年金に係る事務などがあります。

ウ　○　法21条３項。厚生年金保険の年金たる保険給付には、厚生労働大臣が支給するものと共済組合等が支給するものがあります。設問の**内払調整**は、**厚生労働大臣**が支給する年金たる保険給付との間でのみ**行われます**。共済組合等が支給する年金たる保険給付は、内払い調整の対象にはなりません。

エ　×　法18条の３。「みなす」ではなく、「**推定する**」です。「推定」とは、ある事実につき仮定することをいい、反証（行方不明者の生存確認等）があれば、推定による法的効果がくつがえります。一方、「みなす」は、たとえ生存が確認されても、原則として、法的効果はくつがえりません。

オ　×　法20条１項。老齢基礎年金と障害厚生年金は、受給権者の年齢にかかわらず、**併給することができません**。

以上から、誤っているものの組合せは、E（エとオ）です。

解答　E

給付の通則 (2)

予想   難易度 **易** 重要度 **A**

給付の通則に関する次の記述のうち、誤っているものはどれか。

A 国民年金の給付を受ける権利は、譲り渡し、担保に供し、又は差し押さえることができない。ただし、年金たる給付を受ける権利を国税滞納処分(その例による処分を含む。)により差し押さえる場合は、この限りでない。

B 年金給付の受給権者が死亡した場合において、死亡した者が遺族基礎年金の受給権者であったときは、その者の死亡の当時当該遺族基礎年金の支給の要件となり、又はその額の加算の対象となっていた被保険者又は被保険者であった者の子は、死亡した受給権者の法律上の子でなくても、未支給年金の支給を請求することができる子とみなす。

C 故意の犯罪行為若しくは重大な過失により、又は正当な理由がなくて療養に関する指示に従わないことにより、障害若しくはその原因となった事故を生じさせ、又は障害の程度を増進させた者の当該障害については、これを支給事由とする給付は、その全部又は一部を行わないことができる。

D 国民年金法第20条第1項に規定するいわゆる1人1年金の原則により支給を停止されている年金給付の同条第2項による支給停止の解除の申請は、いつでも、将来に向かって撤回することができ、回数についても制限は設けられていない。

E 国民年金法第20条の2第1項の規定による年金給付の受給権者による支給停止の申出は、年金給付の全額についてしなければならない。

A　✕　法24条。設問後半の「年金たる給付を受ける権利」とある部分が誤りです。受給権の保護の例外として、**国税滞納処分**（その例による処分を含む。）により**差し押さえる**ことができるのは、**老齢基礎年金、付加年金又は脱退一時金を受ける権利**です。

B　◯　法19条2項。たとえば、被保険者の死亡により妻と子が遺族基礎年金の受給権者となった場合で、子が妻の法律上の子ではないケース等が該当します。この妻が死亡した場合は、本来であれば、この子は妻の子でないため、妻の死亡による未支給年金の請求権者とはなりませんが、設問の規定により、当該**妻の子**とみなされ、当該子は、未支給年金の支給を**請求**することが**できます**。

C　◯　法70条。**故意の犯罪行為**若しくは**重大な過失**により、又は正当な理由がなくて**療養に関する指示に従わない**ことにより、障害若しくはその原因となった事故を生じさせ、又は障害の程度を増進させた者は、**相対的給付制限**の対象となります。この場合の給付制限の内容は、当該障害を支給事由とする給付について、「その**全部又は一部を行わないことができる**」とされています。

D　◯　法20条4項。いわゆる「選択替え」についてです。選択替えに、**回数の制限はありません**。いつでも、何回でも、することができます。

E　◯　法20条の2第1項。支給停止の申出は、**全額**についてする必要があります。なお、この支給停止の申出は、いつでも、**将来に向かって**撤回することができます。

8章 国民年金法

受給権の保護と公課の禁止

禁止事項	例外
譲渡	例外なし
担保提供	
差押え	老齢基礎年金、付加年金又は脱退一時金を受ける権利を国税滞納処分（その例による処分を含む。）により差し押さえることが可能
公課	老齢基礎年金及び付加年金については課税の対象

解答　A

年金額等の自動改定

予想

難易度 **難**　重要度 **C**

年金額等の自動改定に関する次の記述のうち、誤っているものはどれか。なお、本問において、「基準年度」とは、受給権者が65歳に達した日の属する年度の初日の属する年の3年後の年の4月1日の属する年度のことである。

A 政府は、少なくとも5年ごとに、保険料及び国庫負担の額並びに国民年金法による給付に要する費用の額その他の国民年金事業の財政に係る収支についてその現況及び財政均衡期間における見通しを作成しなければならない。

B 国民年金法第16条の2第1項に規定する「調整期間」とは、年金たる給付（付加年金を除く。）の額を調整する期間である。

C 調整期間でない期間における基準年度以後改定率（基準年度以後において適用される改定率）は、物価変動率を基準として改定するが、物価変動率が名目手取り賃金変動率を上回るときは、名目手取り賃金変動率を基準として改定する。

D 調整期間において、基準年度前に適用される改定率は、原則として、算出率を基準として改定する。算出率は、名目手取り賃金変動率に、調整率に当該年度の前年度の特別調整率を乗じて得た率を乗じて得た率である。

E 調整期間において、基準年度前に適用される改定率の改定の基準となる算出率については、所定の方法により計算した率が1を上回るときは、1とする。

A　〇　法４条の３第１項。政府は、**少なくとも５年ごとに**、財政の現況及び見通しを作成しなければなりません。「財政の現況及び見通し」とは、**国民年金事業の財政に係る収支**についてその**現況**及び**財政均衡期間における見通し**をいいます。なお、「財政均衡期間」は、財政の現況及び見通しが作成される年以降**おおむね100年間**です。

B　〇　法16条の２第１項。調整期間においては、**マクロ経済スライド**を適用することにより給付の額を調整（抑制）しますが、調整の対象となるのは、**付加年金以外**の年金たる給付です。

C　〇　法27条の３第１項。基準年度**前**において適用される改定率は**名目手取り賃金変動率**を基準として改定し、基準年度**以後**において適用される改定率は**物価変動率**を基準として改定します。ただし、**物価変動率**が名目手取り賃金変動率を**上回る**場合は、基準年度前であるか基準年度以後であるか（受給権者の年齢）を問わず、**名目手取り賃金変動率**を基準として改定します。

D　〇　法27条の４第１項。（基準年度前に係る）算出率は、「**名目手取り賃金変動率×（調整率×前年度の特別調整率）**」による率です。このうち、調整率は、「被保険者数の減少率×平均余命の伸び率」による率であり、調整率を乗じることにより、年金額の伸びを抑制します。また、前年度の特別調整率は、前年度のマクロ経済スライドで、年金額に反映することができなかった部分（未調整分）に係る率です。前年度の特別調整率を乗じることにより、未調整分（キャリーオーバー分）をその年度の年金額に反映し、年金額を抑制します。

E　✕　法27条の４第１項。「１を上回るとき」ではなく、「１を下回るとき」です。調整期間において、名目手取り賃金が上昇している場合は、算出率を基準として改定率を改定することにより、マクロ経済スライドを適用し、年金額の伸びを**抑制**します。ただし、算出率が**１を下回る**と、名目手取り賃金が上昇しているのに年金額が引下げとなってしまうため、これを防止するために、算出率の**下限が１**とされています。

8章
国民年金法

問題 244

老齢基礎年金（1）

予想

難易度 普　重要度 A

老齢基礎年金に関する次の記述のうち、誤っているものはどれか。

A　国民年金の被保険者期間が任意加入被保険者としての5年の保険料納付済期間のみである者が、7年の合算対象期間を有する場合、この者が65歳に達したときは、老齢基礎年金が支給される。

B　昭和35年5月生まれの女性が、昭和60年改正前の国民年金法の規定により任意加入していた期間のうち保険料を納付していなかった期間は、合算対象期間に算入される。

C　寡婦年金の支給を受けていた者は、老齢基礎年金の支給繰下げの申出をすることができる。

D　老齢基礎年金の受給権者であって、66歳に達した日後75歳に達する日前に遺族厚生年金の受給権を取得した者が、75歳に達した日に老齢基礎年金の支給繰下げの申出をした場合には、66歳に達した日において、当該支給繰下げの申出があったものとみなされる。

E　昭和35年6月生まれの女性が老齢基礎年金の受給権を取得した当時、その者の夫であって老齢厚生年金の受給権者であるものによって生計を維持していた場合であっても、当該老齢厚生年金の額の計算の基礎となる厚生年金保険の被保険者期間の月数が150であるときは、当該老齢基礎年金の額に振替加算は行われない。

A　○　法26条、法附則9条1項。設問の者は、保険料納付済期間、保険料免除期間及び**合算対象期間**を合算した期間を**10年以上**有しているため、老齢基礎年金の受給資格期間を満たしています。したがって、**65歳**に達したときは、老齢基礎年金の受給権が発生します。

B　○　平24法附則11条1項。「昭和60年改正前の国民年金法の規定により任意加入していた期間」とは、旧国民年金法における**任意加入被保険者**の期間です。この期間のうち、保険料を**納付しなかった**20歳以上**60歳未満**の期間は、合算対象期間に算入されます。昭和35年5月生まれの設問の女性は、新国民年金法の施行日である昭和61年4月1日において60歳未満です。

C　○　法28条1項。寡婦年金の受給権は65歳に達したときに**消滅**するため、寡婦年金の支給を受けていた者は、所定の要件を満たせば、老齢基礎年金の支給繰下げの申出をすることができます。老齢基礎年金の支給繰下げの申出をすることができないのは、①**65歳**に達したときに**他の年金たる給付**の受給権者であったとき、又は②**65歳**に達した日から**66歳**に達した日までの間において**他の年金たる給付**の受給権者となったときです。

D　×　法28条2項1号。「66歳に達した日」ではなく、「遺族厚生年金の受給権を取得した日」に、支給繰下げの申出があったものとみなされます。66歳に達した日後**75歳**に達する日前に他の年金たる給付（遺族厚生年金等）の受給権者となった者が老齢基礎年金の支給繰下げの申出をしたときは、**他の年金たる給付**（設問では遺族厚生年金）**を支給すべき事由**が生じた日に、支給繰下げの申出があったものと**みなされます**。

E　○　昭60法附則14条1項1号。設問の老齢基礎年金の額に振替加算が行われるためには、夫（配偶者）の**老齢厚生年金**について、その額の計算の基礎となる被保険者期間の月数が**240以上**でなければなりません。当該月数が150である設問の場合は、老齢基礎年金の額に振替加算は行われません。

8章

国民年金法

解答　D

老齢基礎年金（2）

予想

難易度 普　重要度 A

老齢基礎年金に関する次の記述のうち、正しいものはどれか。

A　老齢基礎年金の額に振替加算が加算されている場合において、当該老齢基礎年金の受給権者が配偶者である老齢厚生年金の受給権者と離婚したときは、振替加算は加算されなくなる。

B　昭和35年7月生まれで、国民年金の被保険者期間を有さず、合算対象期間を10年以上有する妻が65歳に達した場合において、65歳に達した当時障害等級2級の障害厚生年金の受給権者である夫によって生計を維持していたときは、当該妻に、振替加算に相当する額の老齢基礎年金が支給される。

C　老齢基礎年金の支給を繰り下げた場合の振替加算の額は、政令で定める額を加算した額となる。

D　65歳に達した日に老齢基礎年金の受給権を取得しなかった者が、65歳以後に保険料納付済期間を有するに至ったことにより老齢基礎年金の受給権を取得した場合、この者は、当該老齢基礎年金の支給繰下げの申出をすることができない。

E　老齢基礎年金の支給繰上げの請求は、老齢厚生年金の支給繰上げの請求をすることができる場合であっても、老齢厚生年金の支給繰上げの請求と同時に行う必要はない。

A　✕　参考：昭60法附則14条〜16条。設問のような規定はありません。振替加算は、加算が行われた老齢基礎年金の受給権者が配偶者と離婚したことを理由として、加算されなくなったり、その支給が停止されたりすること**はありません**。なお、振替加算が行われた後に配偶者が死亡したときも、同様です。

B　〇　昭60法附則15条１項・３項。設問の妻は、保険料納付済期間及び保険料免除期間（学生納付特例及び納付猶予による期間を除く。）を有していないため、本来であれば、老齢基礎年金は支給されません。ただし、**合算対象期間**のみで受給資格期間を満たし、かつ、振替加算の要件を満たしているため、例外的に、**振替加算のみ**の老齢基礎年金が支給されます。

C　✕　昭60法附則14条、15条。加算した額となりません。老齢基礎年金の支給を繰り下げた場合は、振替加算は繰下げによる老齢基礎年金の支給開始と**同時**に行われますが、振替加算の額は増額**されません**。

D　✕　昭60法附則18条５項。支給繰下げの申出をすることが**できます**。設問のように、65歳に達した後に老齢基礎年金の受給権を取得した場合は、その**受給権を取得**した日から起算して１年を**経過**した日前に当該老齢基礎年金の請求をしていなければ、老齢基礎年金の支給繰下げの申出をすることができます。

E　✕　法附則９条の２第２項。同時に行わなければなりません。老齢基礎年金の**支給繰上げ**の請求は、老齢厚生年金の支給繰上げの請求をすることができる場合は、**老齢厚生年金**の支給繰上げの請求と同時に行わなければなりません。なお、これに対し、老齢基礎年金の支給繰下げの申出と老齢厚生年金の支給繰下げの申出は、同時に行う必要はありません。

8章　国民年金法

解答　B

老齢基礎年金（3）

過令元 変更D・E

難易度 **難**　重要度 **B**

国民年金法に関する次の記述のうち、誤っているものはどれか。

A　学生納付特例の期間及び納付猶予の期間を合算した期間を10年以上有し、当該期間以外に被保険者期間を有していない者には、老齢基礎年金は支給されない。なお、この者は婚姻（婚姻の届出をしていないが、事実上婚姻関係と同様の事情にある場合も含む。）したことがないものとする。

B　日本国籍を有している者が、18歳から19歳まで厚生年金保険に加入し、20歳から60歳まで国民年金には加入せず、国外に居住していた。この者が、60歳で帰国し、再び厚生年金保険に65歳まで加入した場合、65歳から老齢基礎年金が支給されることはない。なお、この者は婚姻（婚姻の届出をしていないが、事実上婚姻関係と同様の事情にある場合も含む。）したことがなく、上記期間以外に被保険者期間を有していないものとする。

C　老齢厚生年金を受給中である67歳の者が、20歳から60歳までの40年間において保険料納付済期間を有しているが、老齢基礎年金の請求手続きをしていない場合は、老齢基礎年金の支給の繰下げの申出をすることで増額された年金を受給することができる。なお、この者は老齢基礎年金及び老齢厚生年金以外の年金の受給権を有していたことがないものとする。

D　67歳の男性（昭和40年4月1日以前生まれ）が有している保険料納付済期間は、第2号被保険者期間としての8年間のみであり、それ以外に保険料免除期間及び合算対象期間を有していないため、老齢基礎年金の受給資格期間を満たしていない。この男性は、67歳から70歳に達するまでの3年間についてすべての期間、国民年金に任意加入し、保険料を納付することができる。

E　障害基礎年金を受給中である66歳の女性（昭和41年4月1日以前生まれで、第2号被保険者の期間は有していないものとする。）は、67歳の配偶者により生計を維持されており、女性が65歳に達するまで当該配偶者の老齢厚生年金には配偶者加給年金額が加算されていた。この女性について、障害等級が3級程度に軽減したため、受給する年金を障害基礎年金から老齢基礎年金に変更した場合、老齢基礎年金と振替加算が支給される。

A　〇　法26条。**保険料納付済期間又は保険料免除期間**（学生納付特例及び納付猶予に係る期間を除く。）**を有していない者**には、老齢基礎年金は支給されません。なお、設問の者は婚姻をしたことがないため、振替加算だけの老齢基礎年金も支給されません。

B　〇　法26条、昭60法附則8条4項・5項9号。設問の者の厚生年金保険の加入期間及び国外に居住していた期間は、すべて**合算対象期間**です。**保険料納付済期間又は保険料免除期間**（学生納付特例及び納付猶予による期間を除く。）を**有していない**ため、老齢基礎年金は支給されません。

C　〇　法28条。老齢基礎年金の支給繰下げの申出は、老齢厚生年金の支給繰下げの申出と**同時に行う必要はない**ため、老齢厚生年金を受給中である設問の者は、老齢基礎年金の支給の繰下げの申出をすることができます。支給の繰下げの申出をすることにより、増額された老齢基礎年金を受給することができます。

D　✕　法26条、平6法附則11条6項3号、平16法附則23条6項3号。67歳から70歳に達するまでの3年間のすべてについて、任意加入し、保険料を納付することができるのではありません。設問の者は、**任意加入**して保険料を**2年間**納付した時点で、老齢基礎年金の**受給資格期間を満たし**、特例による任意加入被保険者の**資格を喪失**します。つまり、任意加入及び保険料の納付は、2年間が限度です。

E　〇　昭60法附則14条1項、16条1項、経過措置令28条。設問の女性は、**65歳**に達した時点で振替加算の要件を満たしており、その**権利が発生**しています。その後障害基礎年金の支給が停止され、老齢基礎年金を受給する場合は、当該**老齢基礎年金の額に振替加算**が加算されます。

8章 国民年金法

解答　D

障害基礎年金（1）

予想

難易度 **普**　重要度 **Ⓐ**

障害基礎年金に関する次の記述のうち、正しいものはどれか。

A　傷病に係る初診日において65歳未満の被保険者である者について、当該初診日の前日において、当該初診日の属する月の前々月までの被保険者期間に係る保険料納付済期間と保険料免除期間とを合算した期間が当該被保険者期間の3分の2に満たない場合であって、当該初診日の属する月の前々月までの1年間がすべて保険料全額免除期間であるときは、障害基礎年金に係る保険料納付要件を満たすこととされない。なお、当該初診日は令和8年4月1日前にあるものとする。

B　障害認定日において障害等級に該当する程度の障害の状態になかった者が、同日後65歳に達する日の前日までの間において、当該傷病により障害等級に該当する程度の障害の状態に該当するに至った場合には、その者は、65歳に達した日以後においても障害基礎年金の支給を請求することができる。

C　障害等級1級の障害基礎年金の額は、障害等級2級の障害基礎年金の額の100分の120に相当する額である。

D　障害基礎年金の受給権者によって生計を維持しているその者の配偶者（65歳未満の者に限る。）又は子（18歳に達する日以後の最初の3月31日までの間にある子及び20歳未満であって障害等級に該当する障害の状態にある子に限る。）があるときは、当該障害基礎年金の額に一定の額が加算される。

E　障害等級3級の障害厚生年金の受給権者（障害等級1級又は2級に該当したことはないものとする。）の障害の程度が増進し、初めて障害等級2級に該当する程度の障害の状態に該当するに至った場合において、65歳に達する日の前日までの間に当該受給権者からの請求に基づき障害厚生年金の額が改定されたときは、そのときに、事後重症による障害基礎年金の支給の請求があったものとみなされる。

A　×　法30条1項ただし書き、昭60法附則20条1項。保険料納付要件を満たすこととされます。障害基礎年金に係る保険料納付要件については、**初診日の前日**において、次の①**原則**又は②**特例**のいずれかの要件を満たすことが必要です。設問の場合は、①**原則**の要件を満たしませんが、②**特例**の要件を満たします。

①原則	初診日の属する月の**前々月**までの被保険者期間のうち、保険料納付済期間と保険料免除期間とを合算した期間が**3分の2以上**であること。
②特例	初診日が**令和8年4月1日前**にある場合には、初診日の属する月の**前々月**までの**1年間**のうちに、保険料納付済期間及び保険料免除期間以外の**被保険者期間**（保険料の未納期間）**がないこと**。ただし、初診日において**65歳以上**の者には、この特例は**適用しない**。

B　×　法30条の2第1項。65歳に達した日以後において、請求することはできません。設問は、**事後重症**による障害基礎年金について問うていますが、この障害基礎年金は、65歳に達する日の前日までに**請求**することが必要です。

C　×　法33条2項。「100分の120」ではなく、「100分の125」です。障害等級2級の障害基礎年金の額は、「**780,900円×改定率**（100円未満四捨五入）」による額であり、障害等級1級の額は、「2級の額×100分の125」による額です。

D　×　法33条の2第1項。配偶者があるときに、障害基礎年金の額に一定の額が加算される旨の規定はありません。障害基礎年金の額に一定の額が加算されるのは、受給権者によって**生計を維持している**その者の子（18歳に達する日以後の**最初の3月31日**までの間にある子及び**20歳未満**であって**障害等級（1級又は2級）**に該当する障害の状態にある子に限る。）があるときに限られます。

E　○　法30条の2第4項。設問の場合は、障害厚生年金の額が改定（3級→2級）されたときに、事後重症による障害基礎年金の支給の**請求があったものとみなされます**（65歳前に額が改定されることが必要）。つまり、この場合の障害基礎年金については、受給権者からの請求は不要です。

8章

国民年金法

解答　E

障害基礎年金（2）

予想　　　　　　　　　　　　　　　　　　難易度 普　重要度 B

障害基礎年金に関する次のアからオまでの記述のうち、誤っているものの組合せは、後記AからEまでのうちどれか。

ア 傷病に係る初診日において20歳未満であった者が、障害認定日以後の20歳に達した日において障害等級に該当する程度の障害の状態にあるときは、その者については、20歳に達した日において、20歳前の傷病による障害基礎年金の受給権が発生する。

イ 傷病に係る初診日において、日本国籍を有し、日本国内に住所を有しない60歳以上65歳未満の任意加入被保険者であった者に対しては、当該傷病について障害基礎年金が支給されることはない。

ウ いわゆる基準障害による障害基礎年金が支給されるためには、基準傷病に係る初診日の前日において、保険料納付要件を満たしていなければならない。

エ 障害基礎年金の受給権者に対してさらに障害基礎年金を支給すべき事由が生じたときは、前後の障害を併合した障害の程度による障害基礎年金が支給され、従前の障害基礎年金の受給権は消滅する。

オ 傷病に係る初診日から起算して1年6ヵ月を経過した日までの間において、その傷病が治っていない場合は、その傷病が治った日（その症状が固定し治療の効果が期待できない状態に至った日を含む。）が障害認定日となる。

A （アとウ）　　　B （アとエ）　　　C （イとウ）

D （イとオ）　　　E （エとオ）

ア　○　法30条の４第１項。20歳前の傷病による障害基礎年金（当然支給型）は、次に掲げる日において障害等級に該当する程度の障害の状態にある場合に、その日において受給権が発生します。つまり、①「20歳に達した日」又は②「障害認定日」のいずれか遅い日において、受給権が発生することとなります。設問はこのうちの①に該当します。

①障害認定日以後に20歳に達したとき → 20歳に達した日

②障害認定日が20歳に達した日後であるとき → 障害認定日

イ　×　法30条１項１号。設問の者に対しても、障害基礎年金が支給されることがあります。障害基礎年金が支給されるためには、初診日において、次の①又は②のいずれかに該当していることが必要です（**初診日要件**）。設問の者は、初診日において任意加入被保険者であり、①に該当しているため、初診日要件を満たします。

①被保険者であること。

②被保険者であった者であって、**日本国内に住所を有し、かつ、60歳以上65歳未満**であること。

ウ　○　法30条の３第２項。基準障害による障害基礎年金が支給されるためには、**基準傷病**について、**初診日要件**及び**保険料納付要件**を満たす必要があります。一方、基準傷病以外の傷病については、これらの要件を満たす必要はありません。

エ　○　法31条。障害基礎年金の受給権者に対してさらに障害基礎年金を支給すべき事由が生じたときは、**併給の調整（併合認定）**により、**前後の障害を**併合した障害の程度による障害基礎年金が支給されます。併合認定が行われた場合には、**従前**の障害基礎年金の受給権は**消滅**します。

オ　×　法30条１項。設問の場合は、初診日から起算して１年６ヵ月を経過した日が障害認定日となります。障害認定日は、次の①又は②のいずれかです。傷病が治っていない場合は、①の「１年６ヵ月を経過した日」が障害認定日となります。

①初診日から起算して１年６ヵ月を経過した日

②上記①の期間内にその**傷病が治った**場合は、その**治った日**（その症状が固定し治療の効果が期待できない状態に至った日を含む。）

以上から、誤っているものの組合せは、D（イとオ）です。

解答　D

障害基礎年金（3）

予想

難易度 易　重要度 Ⓐ

障害基礎年金に関する次の記述のうち、正しいものはどれか。

A　20歳前の傷病による障害基礎年金の受給権者が、受給権取得当時は子を有していなかったが、その後婚姻し、婚姻した配偶者の子（6歳）と養子縁組をした。この場合、当該子が受給権者によって生計を維持していても、当該障害基礎年金の額に子に係る加算額は加算されない。

B　障害基礎年金は、その受給権者が当該傷病による障害について労働者災害補償保険法の規定による障害補償年金を受けることができるときは、6年間、その支給が停止される。

C　厚生労働大臣は、障害基礎年金の受給権者について、その障害の程度を診査し、その程度が従前の障害等級以外の障害等級に該当すると認めるときは、障害基礎年金の額を改定することができるが、この改定は、受給権者が65歳に達した日以後においては、することができない。

D　障害基礎年金の受給権は、受給権者が、厚生年金保険法第47条第2項に規定する障害等級に該当する程度の障害の状態に該当しなくなった日から起算して当該障害等級に該当する程度の障害の状態に該当することなく3年を経過したときであっても、当該3年を経過した日において65歳未満であるときは、消滅しない。

E　基準障害による障害基礎年金及び20歳前の傷病による障害基礎年金は、受給権者が日本国内に住所を有しないときは、その期間、その支給が停止される。

A　✕　法33条の2第1項。子に係る加算額は加算されます。障害基礎年金の子に係る加算額は、受給権者によって生計を維持しているその者の子（年齢要件等を満たす子）があるときに、加算されます。設問のように、**受給権**取得後に養子縁組によって**生計を維持**することとなった子も、加算の対象となります。また、子に係る加算額の加算は、20歳前の傷病による障害基礎年金についても、行われます。

B　✕　法36条1項。設問の場合は、その支給は停止されません。障害基礎年金が**6年間**支給停止となるのは、**同一の傷病**による障害について、**労働基準法の規定**による**障害補償**を受けることができるときです。

C　✕　法34条1項。厚生労働大臣の診査による額の改定においては、受給権者の**年齢**は限定されていません。厚生労働大臣は、受給権者の**年齢を問わず**、障害基礎年金の**額を改定**することができます。障害基礎年金の額の改定の規定において、受給権者の年齢が限定されているのは、その他障害による受給権者の改定請求です。

D　○　法35条3号。厚生年金保険法に規定する障害等級（1級～**3級**）に該当することなく3年を経過しても、**65歳に達する**までは、障害基礎年金の受給権は消滅しません。

E　✕　法36条の2第1項4号。基準障害による障害基礎年金は、受給権者が日本国内に住所を有しなくても、支給を停止されません。「日本国内に住所を有しないこと」という支給停止事由は、**20歳前の傷病**による障害基礎年金に特有のものです。

基本まとめ

20歳前の傷病による障害基礎年金に特有の支給停止事由

①恩給法に基づく年金たる給付、**労災保険法**の規定による年金たる給付等を受けることができるとき
②**刑事施設、労役場**等に拘禁され、又は、**少年院**等に収容されているとき
③日本国内**に住所を有しない**とき
④受給権者の**前年の所得**が、政令で定める額を超えるとき

解答　D

8章

国民年金法

遺族基礎年金（1）

過平28 変更A

難易度 普　重要度 A

国民年金の給付に関する次の記述のうち、誤っているものはどれか。

A　被保険者である妻が死亡した場合には、一定の要件を満たす子のある55歳未満の夫にも、遺族基礎年金が支給される。なお、妻は遺族基礎年金の保険料納付要件を満たしているものとする。

B　被保険者、配偶者及び当該夫婦の実子が1人いる世帯で、被保険者が死亡し配偶者及び子に遺族基礎年金の受給権が発生した場合、その子が直系血族又は直系姻族の養子となったときには、子の有する遺族基礎年金の受給権は消滅しないが、配偶者の有する遺族基礎年金の受給権は消滅する。

C　子に対する遺族基礎年金は、原則として、配偶者が遺族基礎年金の受給権を有するときは、その間、その支給が停止されるが、配偶者に対する遺族基礎年金が国民年金法第20条の2第1項の規定に基づき受給権者の申出により支給停止されたときは、子に対する遺族基礎年金は支給停止されない。

D　20歳前傷病による障害基礎年金は、その受給権者が刑事施設等に拘禁されている場合であっても、未決勾留中の者については、その支給は停止されない。

E　受給権者が子3人であるときの子に支給する遺族基礎年金の額は、780,900円に改定率を乗じて得た額に、224,700円に改定率を乗じて得た額の2倍の額を加算し、その合計額を3で除した額を3人の子それぞれに支給する。

A　○　法37条1項1号、37条の2第1項1号。遺族基礎年金に係る遺族の範囲は、死亡した被保険者等の「**配偶者**又は子」です。このうち配偶者（夫及び妻）については、「子のある配偶者」であることが要件とされますが、**年齢要件はありません**。したがって、要件を満たせば、55歳未満の夫にも、遺族基礎年金が支給されます。

B　○　法39条3項3号、40条1項・2項。子の有する遺族基礎年金の受給権は、子が「直系血族又は直系姻族の養子」となっても**消滅しません**。また、設問の場合の「直系血族又は直系姻族」は、受給権者の配偶者ではないため、子が「**配偶者以外**の者の養子」となったことになります。「配偶者以外の者の養子」となったことは、配偶者に支給する遺族基礎年金の減額改定事由に該当し、「**すべての子**が減額改定事由のいずれかに該当」したこととなるため、配偶者の有する遺族基礎年金の受給権は**消滅します**。

C　○　法41条2項。配偶者と子が遺族基礎年金の受給権を有するときは、原則として、**子に対する**遺族基礎年金の支給が停止されます。ただし、配偶者に対する遺族基礎年金が当該配偶者（受給権者）の**申出**（又は所在不明）によりその支給を停止されたときは、子に対する遺族基礎年金の支給は**停止されません**。

D　○　法36条の2第1項2号、則34条の4、平17保発0329003号・庁保発0329003号。20歳前の傷病による障害基礎年金は、受給権者が**刑事施設**等に拘禁されているときは、その間、その支給が停止されます。ただし、この支給停止が行われるのは、「懲役、禁錮等の刑の執行のため刑事施設に拘置されている場合」等であり、設問のように**未決勾留中**である場合は、支給停止は行われません。

E　×　法39条の2第1項。加算する額は、「**224,700円**に改定率を乗じて得た額と74,900円に改定率を乗じて得た額とを合算した額」です。つまり、受給権者が子3人であるときは、「780,900円×改定率＋224,700円×改定率＋74,900円×改定率」による額が遺族基礎年金の総額となり、この総額を3で**除して**得た額が、3人の子それぞれに支給されます。

8章 国民年金法

解答　E

遺族基礎年金（2）

予想

難易度 易　重要度 A

遺族基礎年金に関する次の記述のうち、正しいものはどれか。

A　保険料納付済期間と保険料免除期間とを合算した期間が25年以上である者が死亡したときは、その者が老齢基礎年金の受給権者でなくても、遺族基礎年金の支給にあたり、保険料納付要件は問われない。

B　老齢基礎年金及び老齢厚生年金の支給を受けている67歳の厚生年金保険の被保険者（保険料納付済期間及び合算対象期間を合算した期間を13年有し、これ以外に被保険者期間を有していないものとする。）が死亡した場合、所定の遺族に遺族基礎年金が支給される。

C　子に対する遺族基礎年金は、生計を同じくするその子の父又は母がある場合であっても、当該父又は母が同一の支給事由に基づく遺族基礎年金の受給権を有しないときは、その支給を停止されない。

D　遺族基礎年金の受給権を取得した夫が60歳未満であるときは、当該遺族基礎年金は、夫が60歳に達するまで、その支給を停止される。

E　配偶者が遺族基礎年金の受給権を取得した当時胎児であった子が生まれたときは、その子は、配偶者がその権利を取得した当時、遺族の範囲に属し、かつ、その者と生計を同じくした子とみなし、その生まれた日の属する月から、遺族基礎年金の額を改定する。

A　〇　法37条4号。設問の者の死亡は**長期要件**に該当するため、保険料納付要件は**問われません**。なお、保険料納付済期間と保険料免除期間とを合算した期間が**25年**以上である老齢基礎年金の受給権者が死亡したときも、保険料納付要件は問われません。

B　×　法37条。遺族基礎年金は支給されません。設問の死亡した者は、遺族基礎年金の**支給要件**（死亡した者の要件）のいずれにも**該当しない**ためです。なお、設問の者は、厚生年金保険の被保険者ですが、65歳以上で老齢給付等の受給権を有しているため、国民年金の被保険者（第2号被保険者）ではありません（「被保険者の死亡」に該当しない。）。

C　×　法41条2項。支給を停止されます。子に対する遺族基礎年金は、**生計を同じくするその子の父又は母**があるときは、その間、その支給が停止されます。ここでいう「父又は母」は、「遺族基礎年金の受給権者である子」の父又は母という意味であり、死亡した被保険者等の配偶者である必要はありません。また、この父又は母が遺族基礎年金の受給権を有しているか否かも問われません。

D　×　参考：法41条の2。設問のような規定はありません。夫に対する遺族基礎年金の支給が、夫の年齢を理由として停止されることはありません。

E　×　法39条2項。その生まれた日の「属する月」からではなく、「属する**月の翌月**」から、遺族基礎年金の額を改定（増額改定）します。

8
章

国民年金法

基本まとめ　遺族基礎年金の支給要件（死亡した者の要件）

短期要件	①被保険者が、死亡したとき ②被保険者であった者で、日本国内に住所を有し、かつ、**60歳以上65歳未満**であるものが、死亡したとき	**保険料納付要件が問われる。**
長期要件	③老齢基礎年金の**受給権者**（保険料納付済期間と保険料免除期間とを合算した期間が25年以上である者に限る。）が、死亡したとき ④保険料納付済期間と保険料免除期間とを合算した期間が25年以上である者が、死亡したとき	**保険料納付要件は問われない。**

解答　A

遺族基礎年金（3）

予想

難易度 **普**　重要度 **B**

遺族基礎年金に関する次の記述のうち、誤っているものはどれか。

A　18歳に達する日以後の最初の3月31日までの間にあるか又は20歳未満であって障害等級に該当する障害の状態にある子であっても、現に婚姻をしている子は、遺族基礎年金を受けることができる遺族とならない。

B　配偶者に支給する遺族基礎年金は、その額の加算の対象となっている子が2人いる場合において、そのうちの1人がその子の祖父母の養子となったときは、減額改定される。

C　子の有する遺族基礎年金の受給権は、子が日本国内に住所を有しなくなったことにより消滅することはない。

D　遺族基礎年金の受給権を取得した当時は障害等級に該当する障害の状態になかった子が、その後負傷し、18歳に達した日以後の最初の3月31日が終了したときに障害等級に該当する障害の状態にあるときは、18歳に達した日以後の最初の3月31日が終了しても、遺族基礎年金の受給権は消滅しない。

E　配偶者が遺族基礎年金の受給権を有することにより子に対する遺族基礎年金の支給が停止されている場合において、配偶者に障害基礎年金の受給権が発生し、配偶者が障害基礎年金の受給を選択したときは、子に対する遺族基礎年金の支給停止は解除される。

A　○　法37条の２第１項２号。遺族基礎年金を受けることができる子は、被保険者等の死亡の当時その者によって**生計を維持**し、かつ、次の①②のいずれの要件にも該当するものです。設問の現に婚姻をしている子は、②に該当しないため、遺族基礎年金を受けることができる遺族となりません。

①**18歳に達する日以後の最初の３月31日**までの間にあるか又は**20歳未満**であって**障害等級**（１級又は２級）に該当する障害の状態にあり、かつ、

②**現に婚姻をしていないこと。**

B　○　法39条３項３号。設問の場合は、配偶者に支給する遺族基礎年金の**減額改定事由**である「**子が配偶者以外の者の養子**（届出をしていないが、事実上養子縁組関係と同様の事情にある者を含む。）となったとき」に該当するため、減額改定されます。なお、減額改定されるのは、養子となった日の属する月の**翌月**からです。

C　○　法40条１項・３項。遺族基礎年金の受給権は、受給権者が日本国内に住所を有しなくなったことにより消滅することはありません。

D　○　法40条３項２号。子の有する遺族基礎年金の受給権は、18歳に達した日以後の最初の３月31日が終了しても、**障害等級**（１級又は２級）に該当する**障害の状態**にあるときは、**消滅しません**。この障害の状態については、受給権取得当時から該当している必要はありません。なお、この場合は、障害の状態にある限り、20歳に達するまで遺族基礎年金の支給を受けることができます。

E　×　法41条２項。解除されません。**配偶者が遺族基礎年金の受給権を有する**場合には、設問のように「併給調整」によりその支給が停止となるときであっても、その間、**子に対する遺族基礎年金の支給は停止**されます。なお、これに対し、配偶者に対する遺族基礎年金が「本人の申出又は所在不明」により支給停止となるときは、子に対する遺族基礎年金の支給は停止されません（支給停止が解除される。）。

解答　E

付加年金、寡婦年金

予想

難易度 易　重要度 B

付加年金及び寡婦年金に関する次の記述のうち、誤っているものはどれか。

A　付加年金は、付加保険料に係る保険料納付済期間を有する者が老齢基礎年金、厚生年金保険法による老齢厚生年金その他の老齢又は退職を支給事由とする年金たる給付であって政令で定める給付の受給権を取得したときに、その者に支給される。

B　付加年金は、受給権者が老齢基礎年金の支給繰下げの申出を行ったときは、当該申出の属する月の翌月から支給が開始され、老齢基礎年金と同じ増額率で増額される。

C　老齢基礎年金の支給がその全額につき停止されている間は、付加年金の支給も停止され、老齢基礎年金の受給権が消滅したときは、付加年金の受給権も消滅する。

D　死亡した夫が、障害基礎年金の受給権を有したことがある場合であっても、実際にその支給を受けたことがないときは、他の要件を満たす限り、寡婦年金の受給権が発生する。

E　寡婦年金の受給権は、受給権者である妻が、特別支給の老齢厚生年金の受給権を取得したときは消滅しないが、繰上げ支給の老齢基礎年金の受給権を取得したときは消滅する。

A　×　法43条。「厚生年金保険法による老齢厚生年金その他の老齢又は退職を支給事由とする年金たる給付であって政令で定める給付」とある部分が誤りです。付加年金は、**老齢基礎年金の受給権を取得したとき**に支給されるものであって、それ以外の老齢又は退職を支給事由とする年金たる給付の受給権を取得したときに支給されるものではありません。

B　○　法46条。付加年金は、老齢基礎年金の支給繰下げの申出があったときは、**併せて支給の繰下げ**が行われ、老齢基礎年金と同じ**増額率で増額**されます。なお、老齢基礎年金の支給繰上げの請求があったときは、**併せて支給の繰上げ**が行われ、老齢基礎年金と同じ**減額率で減額**されます。

C　○　法29条、47条、48条。付加年金の支給は、老齢基礎年金がその**全額につき支給を停止**されているときは、その間、停止されます。また、老齢基礎年金及び付加年金の受給権は、受給権者が**死亡した**ときに限り、消滅します（同時に消滅する。）。

D　○　法49条1項。寡婦年金については、支給要件の1つとして、死亡した夫が「老齢基礎年金又は障害基礎年金の**支給を受けたことがないこと**」が求められます。この要件は、死亡した夫が、老齢基礎年金又は障害基礎年金の受給権を有した（受給権者であった）ことがある場合であっても、**現実にその支給を受けたことがない**ときは、満たします。

E　○　法附則9条の2第5項。設問後半の「繰上げ支給の老齢基礎年金の受給権を取得したとき」は、65歳に達している者と同様の取扱いを受けるため、65歳までの有期年金である寡婦年金の受給権は**消滅します**。一方、設問前半の「特別支給の老齢厚生年金の受給権を取得したとき」は、このような取扱いがないため、寡婦年金の受給権は消滅しません。なお、この場合は、併給の調整により、いずれか一方の年金を選択して受給することとなります（選択しない方の年金は支給停止となる。）。

8章

国民年金法

解答　　A

問題 254

寡婦年金、死亡一時金

予想　　　　　　　　　　　　　　　　　　　　難易度 普　重要度 Ⓑ

寡婦年金及び死亡一時金に関する次の記述のうち、正しいものはどれか。

A　寡婦年金は、当該夫の死亡について、労働基準法の規定による遺族補償が行われるべきものであるときは、支給されない。

B　夫の死亡により死亡一時金の支給を受けることができる妻は、当該夫の死亡について、寡婦年金の支給を受けることはできない。

C　過去に第1号被保険者となったことはないが、任意加入被保険者であったことがある者であって、現に第2号被保険者であるものが死亡したときは、当該死亡に関し、死亡一時金は支給されない。

D　死亡一時金は、死亡した者の死亡日においてその者の死亡により遺族基礎年金を受けることができる者があるときは、当該死亡日の属する月に当該遺族基礎年金の受給権が消滅しても、支給されない。

E　死亡一時金の額は、死亡日の属する月の前月までの第1号被保険者としての被保険者期間に係る死亡日の前日における保険料納付済期間の月数、保険料4分の1免除期間の月数の4分の3に相当する月数、保険料半額免除期間の月数の2分の1に相当する月数及び保険料4分の3免除期間の月数の4分の1に相当する月数を合算した月数に応じて、12万円から32万円までの範囲で定められた額である。

A　✕　法52条。設問の場合は、死亡日から**6年間**、支給が**停止**されます。つまり、死亡日から6年が経過すれば、寡婦年金は支給されます。遺族基礎年金と共通する支給停止事由です。

B　✕　法52条の6。寡婦年金の支給を受けることもできます。夫の死亡により死亡一時金と寡婦年金の支給を受けることができる妻は、その妻の**選択により**、死亡一時金と寡婦年金のいずれか**一方**の支給を受けることができます。

C　✕　法52条の2第1項、法附則5条9項等。設問の死亡に関しては、任意加入被保険者であった期間において所定の保険料納付に係る要件を満たしていれば、死亡一時金は**支給されます**。死亡一時金の保険料の納付に係る要件は、**第1号被保険者**（任意加入被保険者を**含む**。）としての被保険者期間で満たす必要がありますが、死亡したときに第2号被保険者であっても、過去の第1号被保険者及び任意加入被保険者としての被保険者期間で要件を満たすことがあります。

D　✕　法52条の2第2項1号。死亡一時金は**支給されます**。死亡した者の死亡日においてその者の死亡により**遺族基礎年金**を受けることができる者があるときは、原則として、死亡一時金は支給されません（遺族基礎年金を優先）。ただし、**死亡日の属する月**に当該遺族基礎年金の受給権が消滅したときは、遺族基礎年金の支給期間となる月がなく、結果的に遺族基礎年金が支給されないため、死亡一時金が**支給されます**。

E　〇　法52条の4第1項。死亡一時金の額は、死亡日の属する月の**前月**までの第1号被保険者としての被保険者期間に係る死亡日の**前日**における**保険料の納付実績月数**（「保険料**納付済**期間の月数＋保険料**4分の1免除**期間の月数×4分の3＋保険料**半額免除**期間の月数×2分の1＋保険料**4分の3免除**期間の月数×4分の1」による月数）に応じて、定められています。その額の範囲は、12万円〜32万円です。

基本まとめ　## 死亡に関する給付の調整のまとめ

| 死亡一時金 | と | 寡婦年金 | ➡ | 一方を選択（他方は支給しない） |

死亡一時金 と **寡婦年金** ➡ 一方を選択（他方は支給しない）

遺族基礎年金 と **寡婦年金** ➡ 一方を選択（併給の調整により、他方は支給停止）

遺族基礎年金 と **死亡一時金** ➡ 死亡一時金は支給しない

解答　E

8章　国民年金法

第1号被保険者の独自給付等

過令2

難易度 易　重要度 A

国民年金法に関する次の記述のうち、正しいものはどれか。

A　被保険者又は受給権者が死亡したにもかかわらず、当該死亡についての届出をしなかった戸籍法の規定による死亡の届出義務者は、30万円以下の過料に処せられる。

B　第1号被保険者としての被保険者期間に係る保険料納付済期間を6か月以上有する日本国籍を有しない者（被保険者でない者に限る。）が、日本国内に住所を有する場合、脱退一時金の支給を受けることはできない。

C　障害基礎年金の受給権者が死亡し、その者に支給すべき障害基礎年金でまだその者に支給しなかったものがあり、その者の死亡の当時その者と生計を同じくしていた遺族がその者の従姉弟しかいなかった場合、当該従姉弟は、自己の名で、その未支給の障害基礎年金を請求することができる。

D　死亡した被保険者の子が遺族基礎年金の受給権を取得した場合において、当該被保険者が月額400円の付加保険料を納付していた場合、当該子には、遺族基礎年金と併せて付加年金が支給される。

E　夫が老齢基礎年金の受給権を取得した月に死亡した場合には、他の要件を満たしていても、その者の妻に寡婦年金は支給されない。

A　✕　法114条4号。「30万円以下の過料」ではなく、「**10万円以下の過料**」です。被保険者又は受給権者の死亡については、戸籍法の規定による死亡の届出義務者が届出の義務を負います。この届出をしなかったときの罰則は、10万円以下の過料です。

B　○　法附則9条の3の2第1項1号。脱退一時金の支給要件（保険料納付済期間等の月数が6ヵ月以上であること等）を満たしている者であっても、**日本国内に住所を有するとき**は、その者は、脱退一時金の支給を請求することができません。

C　✕　法19条1項。従姉弟は**4親等**の親族であるため、未支給の障害基礎年金の支給を請求することはできません。未支給年金の支給を請求することができるのは、受給権者の死亡の当時その者と**生計を同じく**していた「**配偶者、子、父母、孫、祖父母、兄弟姉妹**又はこれらの者以外の3親等内の親族」です。

D　✕　法20条1項、43条。付加年金は支給されません。付加年金は、**老齢基礎年金と併せて支給される**ものであり、遺族基礎年金と併せて支給されることはありません。付加年金は、付加保険料に係る保険料納付済期間を有する者が**老齢基礎年金の受給権を取得したとき**に、その者に支給されます。

E　✕　法18条1項、29条、49条1項。他の要件を満たしていれば、寡婦年金は支給されます。寡婦年金は、死亡した夫が「**老齢基礎年金の支給を受けたことがあるとき**」は支給されませんが、設問では、老齢基礎年金の受給権を取得した月に死亡しているため、死亡した夫は、老齢基礎年金の支給を受けたことがありません。

8章

国民年金法

解答　B

給付全般（1）

予想　　　　　　　　　　　　　　　　　　　　　　　　難易度 普　重要度 B

国民年金の給付に関する次の記述のうち、正しいものはどれか。

A　保険料納付済期間が360ヵ月、平成21年4月以後の保険料半額免除期間が120ヵ月である者（これ以外の被保険者期間はないものとする。）に支給される老齢基礎年金の額は、780,900円に改定率を乗じて得た額に、420を480で除して得た数を乗じて得た額である。

B　繰下げ支給の老齢基礎年金の額に係る増額率は、1,000分の7に当該老齢基礎年金の受給権を取得した日の属する月から当該老齢基礎年金の支給の繰下げの申出をした日の属する月の前月までの月数（当該月数が60を超えるときは、60）を乗じて得た率である。

C　振替加算が行われた老齢基礎年金は、その受給権者が厚生年金保険法による年金たる保険給付（老齢厚生年金にあっては、その額の計算の基礎となる被保険者期間の月数が240以上であるものに限る。）の支給を受けることができるときは、その間、振替加算に相当する部分の支給が停止される。

D　付加年金の額は、200円に改定率を乗じて得た額（その額に50銭未満の端数が生じたときは、これを切り捨て、50銭以上1円未満の端数が生じたときは、これを1円に切り上げるものとする。）に付加保険料に係る保険料納付済期間の月数を乗じて得た額である。

E　日本国籍を有しない者に対する脱退一時金については、その者が最後に被保険者の資格を喪失した日（同日において日本国内に住所を有していた者にあっては、同日後初めて、日本国内に住所を有しなくなった日）から起算して2年を経過しているときは、他の要件を満たしていても、その支給を請求することはできない。

A　×　法27条。「420」ではなく、「450」を480で除して得た数を乗じて得た額です。老齢基礎年金の額の計算において、平成21年4月以後の**保険料半額免除期間**は、原則として、その月数の**4分の3**に相当する月数（設問の場合は、120ヵ月の4分の3に相当する月数である90ヵ月）が計算の基礎となります。したがって、設問の場合は、保険料納付済期間の月数（360ヵ月）と合わせて、450ヵ月が年金額の計算の基礎となります。

B　×　令4条の5第1項。設問は、カッコ内の記述が誤りです。増額率は、**1,000分の7**に当該老齢基礎年金の受給権を取得した日の属する**月から**当該老齢基礎年金の支給の繰下げの申出をした日の属する月の**前月まで**の月数（当該月数が120を超えるときは、120）を乗じて得た率です。つまり、繰下げ月数の上限は120ヵ月です。

C　×　昭60法附則16条1項、経過措置令28条。振替加算に相当する部分の支給が停止されるのは、老齢基礎年金の受給権者が、**障害基礎年金、障害厚生年金**その他の障害を支給事由とする年金給付の支給を受けることができるときです。なお、振替加算は、老齢基礎年金の受給権者が、**老齢厚生年金**（その額の計算の基礎となる被保険者期間の月数が**240以上**であるものに限る。）その他の老齢又は退職を支給事由とする給付を受けることができるときは、行われません。

D　×　法44条。付加年金の額の計算において、改定率を乗じる措置はありません。付加年金の額は、**200円**に**付加保険料に係る保険料納付済期間の月数**を乗じて得た額です。

E　○　法附則9条の3の2第1項3号。次のいずれかに該当するときは、脱退一時金の支給を請求することはできません。設問は、このうちの③に該当します。

①**日本国内に住所を有する**とき。

②**障害基礎年金**その他政令で定める給付の受給権を有したことがあるとき。

③最後に**被保険者の資格を喪失した日**（同日において日本国内に住所を有していた者にあっては、同日後初めて、**日本国内に住所を有しなくなった日**）から起算して**2年を経過**しているとき。

8
章

国
民
年
金
法

解答　　E

給付全般（2）

過令元 変更D

難易度 普　重要度 B

国民年金法に関する次の記述のうち、誤っているものはどれか。

A　被保険者（産前産後期間の保険料免除及び保険料の一部免除を受ける者を除く。）が保険料の法定免除の要件に該当するに至ったときは、当該被保険者の世帯主又は配偶者の所得にかかわらず、その該当するに至った日の属する月の前月からこれに該当しなくなる日の属する月までの期間に係る保険料は、既に納付されたものを除き、納付することを要しない。

B　死亡一時金を受けることができる遺族が、死亡した者の祖父母と孫のみであったときは、当該死亡一時金を受ける順位は孫が優先する。なお、当該祖父母及び孫は当該死亡した者との生計同一要件を満たしているものとする。

C　65歳に達し老齢基礎年金の受給権を取得した者であって、66歳に達する前に当該老齢基礎年金を請求しなかった者が、65歳に達した日から66歳に達した日までの間において障害基礎年金の受給権者となったときは、当該老齢基礎年金の支給繰下げの申出をすることができない。

D　昭和37年4月2日以後生まれの者が、63歳に達した日の属する月に老齢基礎年金の支給繰上げの請求をした場合において、当該支給繰上げによる老齢基礎年金の額の計算に係る減額率は、9.6％である。

E　死亡日の前日において死亡日の属する月の前月までの第1号被保険者としての被保険者期間に係る保険料納付済期間を5年と合算対象期間を5年有する夫が死亡した場合、所定の要件を満たす妻に寡婦年金が支給される。なお、当該夫は上記期間以外に第1号被保険者としての被保険者期間を有しないものとする。

A ○ 法89条1項。法定免除を受けるにあたり、免除事由に該当する必要があるのは被保険者**本人のみ**であり、世帯主又は配偶者の所得等は影響しません。また、法定免除により保険料が免除される期間は、免除事由に該当するに至った日の属する**月の前月から**これに該当しなくなる日の属する**月まで**の期間です。

B ○ 法52条の3第1項・2項。死亡一時金を受けることができる遺族の範囲及び順位は、死亡した者の死亡の当時その者と**生計を同じくしていた**①**配偶者**、②**子**、③**父母**、④**孫**、⑤**祖父母**、⑥**兄弟姉妹**です。祖父母と孫とでは、孫が優先します。

C ○ 法28条1項。老齢基礎年金の支給繰下げの申出は、老齢基礎年金の受給権を有する者が、**65歳に達したとき**に、**他の年金たる給付**（次の①②の年金給付）の受給権者であったとき、又は65歳に達した日から66歳に達した日までの間において**他の年金たる給付**の受給権者となったときは、することができません。
①付加年金以外の国民年金の年金給付（**障害基礎年金**、遺族基礎年金）
②厚生年金保険法による年金たる保険給付（老齢を支給事由とするものを除く。）

D ○ 令12条1項。支給繰上げによる老齢基礎年金の額の計算に係る減額率は、昭和37年4月2日以後生まれの者については、「**1,000分の4**（0.4%）× 支給繰上げを請求した日の属する**月から**65歳に達する日の属する月の**前月まで**の月数」により計算します。設問の者は、上記の月数が24であるため、「0.4%×24ヵ月」により、減額率は9.6%となります。

E × 法49条1項。設問の夫は、保険料納付済期間を5年しか有していないため、寡婦年金は支給されません。寡婦年金が支給されるためには、死亡した夫について、第1号被保険者（原則による任意加入被保険者を含む。）としての「**保険料納付済期間と保険料免除期間**」とを合算した期間が**10年以上**であることが必要です。**合算対象期間**は、この10年以上に**含まれません**。

8章

国民年金法

解答　E

給付全般（3）

過令5

難易度 普　重要度 A

国民年金法に関する次のアからオの記述のうち、正しいものの組合せは、後記AからEまでのうちどれか。

ア　20歳前傷病による障害基礎年金は、受給権者の前年の所得が、その者の所得税法に規定する同一生計配偶者及び扶養親族の有無及び数に応じて、政令で定める額を超えるときは、その年の10月から翌年の9月まで、その全部又は3分の1に相当する部分の支給が停止される。

イ　障害の程度が増進したことによる障害基礎年金の額の改定請求については、障害の程度が増進したことが明らかである場合として厚生労働省令で定める場合を除き、当該障害基礎年金の受給権を取得した日又は国民年金法第34条第1項の規定による厚生労働大臣の障害の程度の診査を受けた日から起算して1年を経過した日後でなければ行うことができない。

ウ　65歳以上の場合、異なる支給事由による年金給付であっても併給される場合があり、例えば老齢基礎年金と遺族厚生年金は併給される。一方で、障害基礎年金の受給権者が65歳に達した後、遺族厚生年金の受給権を取得した場合は併給されることはない。

エ　配偶者の有する遺族基礎年金の受給権は、生計を同じくする当該遺族基礎年金の受給権を有する子がいる場合において、当該配偶者が国民年金の第2号被保険者になったときでも、当該配偶者が有する遺族基礎年金の受給権は消滅しない。

オ　老齢基礎年金を受給している者が、令和5年6月26日に死亡した場合、未支給年金を請求する者は、死亡した者に支給すべき年金でまだその者に支給されていない同年5月分と6月分の年金を未支給年金として請求することができる。なお、死亡日前の直近の年金支払日において、当該受給権者に支払うべき年金で支払われていないものはないものとする。

A　（アとウ）　　　B　（アとエ）　　　C　（イとエ）
D　（イとオ）　　　E　（ウとオ）

ア　×　法36条の３第１項。設問は「３分の１」とある部分が誤りです。20歳前の傷病による障害基礎年金は、**受給権者の前年の所得が一定の額を超える**ときは、**その年の10月から翌年の９月まで**、その**全部又は２分の１**（子の加算額が加算された障害基礎年金にあっては、子の加算額を控除した額の２分の１）に相当する部分の支給が停止されます。

イ　○　法34条３項。受給権者による障害基礎年金の額の改定請求は、原則として、当該障害基礎年金の**受給権を取得した日**又は厚生労働大臣の**診査を受けた日**から起算して１年を経過した日後でなければ、行うことができません。ただし、受給権者の障害の程度が**増進したことが明らか**である場合として厚生労働省令で定める場合は、前記の１年を経過する前であっても、改定請求を行うことができます。

ウ　×　法20条１項、法附則９条の２の４。設問後半の障害基礎年金と遺族厚生年金も併給されます。受給権者が**65歳以上**である場合には、次の組合せによって、**異なる支給事由**に基づく年金給付が併給されます。設問の前半は①に該当し、後半は③に該当します。

①老齢基礎年金（＋付加年金）＋遺族厚生年金
②障害基礎年金＋老齢厚生年金
③障害基礎年金＋遺族厚生年金

エ　○　参考：法40条。遺族基礎年金は、受給権者が国民年金の**第２号被保険者**となったことを理由として、**失権することはありません**。

オ　×　法18条１項・３項、19条１項、29条等。「同年５月分と６月分」ではなく、「同年６月分」の年金を未支給年金として請求することができます。設問の老齢基礎年金の支給期間は、**死亡日の属する月**である令和５年６月までです。また、死亡日前の直近の年金の支払期月は同年６月であり、その支払日（６月15日）においては、その**前月**までの分である同年４月分と５月分の年金が支払われています。このため、死亡した者に支給すべき年金でまだその者に支給されていないのは、同年６月分の年金であり、これを未支給年金として請求することができることとなります。

以上から、正しいものの組合せは、**C**（イとエ）です。

解答　C

国庫負担、基礎年金拠出金等

予想

難易度 普　重要度 B

費用に関する次の記述のうち、誤っているものはどれか。

A　国庫は、国民年金法第30条の４に規定する20歳前傷病による障害基礎年金の給付に要する費用については、その全額を負担する。

B　国庫は、当分の間、毎年度、付加年金の給付に要する費用の４分の１に相当する額を負担する。

C　国庫は、毎年度、予算の範囲内で、国民年金事業の事務の執行に要する費用を負担する。

D　政府は、政令の定めるところにより、市町村（特別区を含む。）に対し、市町村長（特別区の区長を含む。）が国民年金法又はこれに基づく政令の規定によって行う事務の処理に必要な費用を交付する。

E　第１号被保険者は、国民年金法第88条の２の産前産後期間の保険料の免除の規定により保険料を納付することを要しないこととされる場合には、所定の事項を記載した届書を市町村長（特別区にあっては、区長とする。）に提出しなければならないが、この届出は、出産の予定日の６ヵ月前から行うことができる。

A　× 法85条1項1号・3号。「全額」ではなく、「6割」です。20歳前傷病による障害基礎年金の給付に要する費用については、特別国庫負担が**2割**、原則的な国庫負担が**4割**、合計で**6割**の国庫負担が行われます。

B　○ 昭60法附則34条1項1号。当分の間の措置として、毎年度、次の①②の総額の**4分の1**に相当する額の国庫負担が行われます。
　①**付加年金**の給付に要する費用
　②死亡一時金の額のうち、付加保険料の保険料納付済期間が3年以上ある者が死亡した場合の加算額（8,500円）の給付に要する費用

C　○ 法85条2項。事務の執行に要する費用（事務費）に対する国庫負担は、**毎年度**、予算の範囲内で、行われます。

D　○ 法86条。国民年金事業の事務の一部は、市町村長が行うこととされていることから、その事務の処理に必要な費用（の全額）を、国民年金の保険者である政府が**市町村に対して**交付することとされています。

E　○ 則73条の7第1項・3項。産前産後期間の保険料は、法律上当然に免除され、被保険者からの申請等は必要ありませんが、**届出**（届書の提出）は必要です。届書には、出産の予定日等を記載し、**市町村長**に提出します。この届出は、**出産の予定日の6ヵ月前**から行うことができます。

8章

国民年金法

解答　A

保険料（1）

予想

難易度 普　重要度

保険料に関する次のアからオの記述のうち、正しいものの組合せは、後記 A から E までのうちどれか。

ア 第 2 号被保険者である妻は、第 1 号被保険者である夫の保険料を連帯して納付する義務を負わない。

イ 付加保険料の前納は、6 ヵ月又は年を単位として行うものとされており、これ以外の期間を単位として行うことはできない。

ウ 第 1 号被保険者は、法定免除の事由に該当するに至ったときは、当該事実があった日から14日以内に、所定の事項を記載した届書を市町村長に提出しなければならない。ただし、厚生労働大臣が法定免除の事由に該当するに至ったことを確認したときは、この限りでない。

エ 保険料の申請全額免除の適用を受けるためには、第 1 号被保険者本人のほか、世帯主及び配偶者も免除事由のいずれかに該当する必要があるが、保険料の 4 分の 3 免除、半額免除又は 4 分の 1 免除の適用を受けるためには、第 1 号被保険者本人のみが免除事由のいずれかに該当すれば足りる。

オ 令和 4 年 4 月から令和 5 年 3 月までが保険料半額免除期間であり、令和 6 年 4 月から令和 7 年 3 月までが学生納付特例による保険料全額免除期間である者が、これらの期間の保険料の一部につき追納をするときは、追納は、原則として、平成 6 年 4 月分の保険料から行う。

A　（アとイ）　　　B　（イとエ）　　　C　（ウとオ）
D　（アとウ）　　　E　（エとオ）

ア　✕　法88条3項。設問の妻は、夫の保険料を連帯して納付する義務を負います。**配偶者の一方**は、被保険者たる他方の保険料を**連帯して**納付する義務を負います。この場合の配偶者は、**被保険者であるか否かを問いません**。なお、**世帯主**も、その世帯に属する被保険者の保険料を連帯して納付する義務を負います。この場合の世帯主も、被保険者であるか否かを問いません。

イ　✕　令7条。6ヵ月又は年以外の期間を単位として行うこともできます。保険料の前納は、**6ヵ月又は年**を単位として行うことが原則です。ただし、**厚生労働大臣が定める期間**（2年間など）について、そのすべての保険料をまとめて前納することもできます。この点は、付加保険料の前納についても同様です。

ウ　◯　則75条。**法定免除**の事由に該当したときは、申請等の手続きを要することなく、**法律上当然に**保険料が免除されます。ただし、法定免除の事由に該当するに至ったことについては、厚生労働大臣がそのことを確認したときを除き、届け出なければなりません。この届出は、**14日以内**に、届書を**市町村長**に提出することにより行います。

エ　✕　法90条1項、90条の2第1項～3項。設問は後半の記述が誤りです。保険料の申請全額免除、4分の3免除、半額免除又は4分の1免除のいずれについても、免除の適用を受けるためには、第1号被保険者本人のほか、**世帯主及び配偶者**も免除事由のいずれかに該当する必要があります。

オ　◯　法94条2項。免除された保険料の一部につき追納をするときは、追納は、原則として、①**学生納付特例又は納付猶予**の規定により免除された保険料のうち**先に経過**した月分の保険料から行い、次いで②これ以外の免除規定により免除された保険料のうち先に経過した月分の保険料から行います。したがって、設問の場合は、原則として、学生納付特例の規定により免除された保険料のうち最も先に経過した令和6年4月分の保険料から、追納を行うこととなります。なお、前記①より前に納付義務が生じた前記②の保険料について、先に経過した月分（設問の場合は、令和4年4月分）から追納をすることもできます。

以上から、正しいものの組合せは、**C**（ウとオ）です。

解答　C

保険料 (2)

予想

難易度 **難**　重要度 **B**

保険料に関する次の記述のうち、正しいものはどれか。

A　国民年金法第88条の2に規定する産前産後期間の保険料免除の規定により保険料を納付することを要しないものとされている者は、付加保険料を納付する者となることができない。

B　国民年金法第89条第1項に規定する法定免除の規定により保険料を納付することを要しないものとされている者が、重ねて同法第88条の2に規定する産前産後期間の保険料免除の規定により保険料を納付することを要しないものとされたときは、産前産後期間の保険料免除の規定が適用され、その期間は、法定免除の規定は適用されない。

C　国民年金法第90条第1項に規定する申請全額免除の規定により納付することを要しないものとされた令和4年4月分の保険料を令和7年3月に追納するときは、追納すべき額は、令和4年4月分の保険料の額に政令で定める額を加算した額となる。

D　特定事由に係る特例保険料は、厚生労働大臣の承認を受けた日の属する月前10年以内の期間の各月についてのみ、納付することができる。

E　保険料納付確認団体は、当該団体の構成員その他これに類する者である被保険者からの委託により、当該被保険者に係る保険料が納期限までに納付されていない事実の有無について確認し、当該被保険者に代わって保険料を納付する業務を行う。

A　×　法87条の２第１項。付加保険料を納付する者となることが**できます**。付加保険料を納付する者となることができないのは、次の①～③の者です。産前産後期間は、保険料の納付が免除されますが、その期間中であっても、**付加保険料**を納付することができます。

①**特例**による任意加入被保険者

②**産前産後期間の保険料免除以外**の規定により保険料の全額又は一部の額につき**納付を免除**されている者

③**国民年金基金**の加入員

B　○　法89条１項。つまり、法定免除の規定よりも、**産前産後期間の保険料免除**の規定が**優先**して適用されます。産前産後期間の保険料免除の規定により保険料が免除された期間は、**保険料納付済期間**となり、老齢基礎年金の額の計算において、法定免除の期間（保険料全額免除期間）よりも有利となるためです。

C　×　令10条１項。設問の場合は、追納に係る**加算は行われません**ので、加算した額となりません。免除月の属する年度の**４月１日から起算**して**３年以内**（免除月が３月の場合は翌々年の４月まで）に追納する場合は、追納に係る加算は行われません。設問では、令和４年４月１日から起算して３年以内である令和７年３月に追納をしています。

D　×　法附則９条の４の９第３項。10年以内の期間に限る旨の記述が誤りです。**特例保険料**の納付については、納付することができる期間（遡及可能期間）に**制限はありません**。なお、特定事由とは、法令に基づいて行われるべき処理が行われなかったこと又はその処理が著しく不当であること（行政側の事務処理の誤り等）をいいます。

E　×　法109条の３第２項。被保険者に代わって保険料を納付する業務を行うのではありません。**保険料納付確認団体**は、被保険者からの委託により、当該被保険者に係る保険料が納期限までに納付されていない事実（**保険料滞納事実**）の**有無**について**確認**し、その結果を当該被保険者に**通知**する業務を行います。

8章　国民年金法

解答　B

保険料（3）

過平29

難易度 普　重要度

国民年金法に関する次の記述のうち、誤っているものはどれか。

A　第1号被保険者が保険料を前納した後、前納に係る期間の経過前に第2号被保険者となった場合は、その者の請求に基づいて、前納した保険料のうち未経過期間に係る保険料が還付される。

B　国民年金法第89条第2項に規定する、法定免除の期間の各月につき保険料を納付する旨の申出は、障害基礎年金の受給権者であることにより法定免除とされている者又は生活保護法による生活扶助を受けていることにより法定免除とされている者のいずれであっても行うことができる。

C　保険料の半額を納付することを要しないとされた者は、当該納付することを要しないとされた期間について、厚生労働大臣に申し出て付加保険料を納付する者となることができる。

D　全額免除要件該当被保険者等が、指定全額免除申請事務取扱者に全額免除申請の委託をしたときは、当該委託をした日に、全額免除申請があったものとみなされる。

E　一部の額につき納付することを要しないものとされた保険料については、その残余の額につき納付されていないときは、保険料の追納を行うことができない。

A　○　令9条1項1号ロ。保険料を前納した後、前納に係る期間の経過前に被保険者の**資格を喪失**した場合又は**第2号被保険者**若しくは**第3号被保険者**となった場合は、その者（死亡の場合はその者の相続人）の請求に基づき、前納した保険料のうち**未経過期間**に係るものが**還付**されます。なお、前納に係る期間の保険料につきその全部又は一部の納付が**免除**された場合は、その者の請求に基づき、免除された保険料に係る期間の前納保険料が還付されます。

B　○　法89条2項。被保険者又は被保険者であった者は、**法定免除**の事由に該当する場合であっても、免除されるべき保険料について、これを**納付する旨の申出**をすることができます。この申出は、その者が該当する法定免除の事由を問わず、することができます。なお、この申出があったときは、当該申出のあった期間に係る保険料に限り、法定免除の規定は適用されません。

C　✕　法87条の2第1項・2項。設問の者は、付加保険料を納付する者となることが**できません**。付加保険料の納付は、定額の**保険料を全額納付**した月（追納により納付されたものとみなされた月を除く。）又は**産前産後期間**の保険料免除の規定により保険料の納付を免除された月についてのみ、行うことができます。

D　○　法109条の2第2項。指定全額免除申請事務取扱者は、全額免除要件該当被保険者等（全額免除の事由に該当する被保険者等）の委託を受けて、保険料の**全額免除申請**をすることができます。この委託をしたときは、当該**委託**をした日に、全額免除申請があったものと**みなされます**。

E　○　法94条1項。保険料一部免除に係る保険料の追納を行うことができるのは、免除されない**残余の額が納付**されたときに限られます。したがって、残余の額につき納付されていないときは、保険料の**追納**を行うことが**できません**。

8章

国民年金法

解答　C

保険料（4）

予想

難易度 易　重要度 A

保険料に関する次の記述のうち、正しいものはどれか。

A　保険料の一部の額につき納付することを要しないものとされた被保険者は、納付すべき保険料を前納するには、厚生労働大臣の承認を受けなければならない。

B　前納された保険料について保険料納付済期間又は保険料4分の3免除期間、保険料半額免除期間若しくは保険料4分の1免除期間を計算する場合においては、前納に係る期間の各月の初日が到来したときに、それぞれその月の保険料が納付されたものとみなされる。

C　保険料4分の3免除に係る所得基準は、扶養親族等がない場合は、保険料を納付することを要しないものとすべき月の属する年の前年の所得（1月から6月までの月分の保険料については、前々年の所得）が168万円以下であることである。

D　保険料の追納は、追納に係る厚生労働大臣の承認の日の属する月前10年以内の期間に係る保険料に限り、することができる。

E　65歳に達した日に老齢基礎年金の受給権を取得したが、その請求をしていない67歳の者は、保険料免除の規定（産前産後期間の保険料の免除の規定を除く。）によりその全額又は一部の額につき納付することを要しないものとされた保険料の追納をすることができる。

A　×　法93条1項。承認を受ける必要はありません。保険料の前納は、**保険料の全額**について行うことができるほか、**保険料一部免除**の適用を受ける期間の保険料（免除された額以外の残りの額）や**付加保険料**についても行うことができます。これらの保険料を前納するにあたり、厚生労働大臣の承認を必要とする旨の規定は**ありません**。

B　×　法93条3項。「各月の初日が到来したとき」ではなく、「各月が経過した際」です。前納された保険料について保険料納付済期間等を計算する場合においては、前納に係る期間の**各月が**経過した**際**に、それぞれその月の保険料が納付されたものとみなされます。

C　×　法90条の2第1項1号、令6条の8の2、則77条の2。「168万円以下」ではなく、「88万円以下」です。保険料一部免除に係る所得基準は、扶養親族等がない場合は、次のとおりです。

・4分の3免除……**88万円以下**
・半額免除…………**128万円以下**
・4分の1免除……**168万円以下**

D　○　法94条1項。被保険者又は被保険者であった者は、保険料を追納するためには、**厚生労働大臣の承認**を受けなければなりません。追納することができる保険料は、当該**承認**の日の属する**月前10年以内**の期間に係る保険料に限られます。

E　×　法94条1項。追納をすることができません。**老齢基礎年金の受給権者**は、保険料の追納をすることができる被保険者又は被保険者であった者から**除かれて**います。設問のように、老齢基礎年金の受給権が発生しているがまだ請求（裁定請求）をしていない者も、老齢基礎年金の受給権者であることに変わりはないので、保険料の追納をすることが**できません**。

8章

国民年金法

解答　D

不服申立て、雑則、罰則

予想　　　　　　　　　　　　　　　　難易度 易　重要度 C

国民年金法に関する次の記述のうち、誤っているものはどれか。

A　保険料その他国民年金法の規定による徴収金に関する処分に不服がある者は、社会保険審査官に対して審査請求をすることができる。

B　脱退一時金に関する処分の取消しの訴えは、当該処分についての審査請求に対する社会保険審査会の裁決を経ていなくとも、提起することができる。

C　年金給付を受ける権利に基づき支払期月ごとに支払うものとされる年金給付の支給を受ける権利は、当該年金給付の支給に係る支払期月の翌月の初日から5年を経過したときは、時効によって、消滅する。

D　厚生労働大臣は、必要があると認めるときは、被保険者の資格又は保険料に関する処分に関し、被保険者に対し、出産予定日に関する書類、被保険者若しくは被保険者の配偶者若しくは世帯主若しくはこれらの者であった者の資産若しくは収入の状況に関する書類その他の物件の提出を命じ、又は当該職員をして被保険者に質問させることができる。

E　偽りその他不正な手段により給付を受けた者は、3年以下の懲役又は100万円以下の罰金に処する。

A ○ 法101条1項。設問の処分に不服がある者は、**社会保険審査官**に対して**審査請求**をし、その決定に不服がある者は、**社会保険審査会**に対して**再審査請求**をすることができます。つまり、保険料その他徴収金に関する処分は、二審制の対象です。

B × 法附則9条の3の2第6項、令14条の4。社会保険審査会の裁決を経ていないときは、提起することができません。**脱退一時金**に関する処分に不服がある者は、**社会保険審査会**に対して**審査請求**をすることができますが、この審査請求に対する**社会保険審査会の裁決を経た後**でなければ、その処分の取消しの訴えを（裁判所に）提起することができません。

C ○ 法102条1項。設問の「支払期月ごとに支払うものとされる年金給付の支給を受ける権利」とは、いわゆる**支分権**のことです。支分権は、**支払期月の翌月の初日から5年**を経過したときは、時効によって、消滅します。

D ○ 法106条1項。**被保険者に関する調査命令**等について、正しい記述です。なお、設問の規定によって質問を行う当該職員は、その身分を示す**証票**を携帯し、かつ、関係人の請求があるときは、これを提示しなければなりません。

E ○ 法111条。**不正受給**の場合の罰則についてです。不正受給をした者は、**最重罰**である「**3年以下の懲役又は100万円以下**の罰金」に処せられます。

解答　B

国民年金基金（1）

過平27 改正A　　　　　　　　　　　　　　　難易度 普　重要度 B

国民年金法に関する次の記述のうち、誤っているものはどれか。

A　国民年金基金の加入員が、保険料免除の規定（産前産後期間の保険料免除の規定を除く。）により国民年金保険料の全部又は一部の額について保険料を納付することを要しないものとされたときは、その月の初日に加入員の資格を喪失する。

B　付加保険料を納付する第1号被保険者が国民年金基金の加入員となったときは、加入員となった日に付加保険料の納付の辞退の申出をしたものとみなされる。

C　国民年金基金が支給する一時金は、少なくとも、当該基金の加入員又は加入員であった者が死亡した場合において、その遺族が国民年金法第52条の2第1項の規定による死亡一時金を受けたときには、その遺族に支給されるものでなければならない。

D　国民年金基金は、基金の事業の継続が不能となって解散しようとするときは、厚生労働大臣の認可を受けなければならない。

E　国民年金基金が支給する一時金については、給付として支給を受けた金銭を標準として、租税その他の公課を課すことができる。

A ○ 法127条3項3号。産前産後期間の保険料免除の規定**以外**の規定により**保険料の全額又は一部の額につき納付を免除**されている者は、国民年金基金の加入員となることが**できません**。したがって、国民年金基金の加入員が保険料免除の規定（産前産後期間の保険料免除の規定を除く。）により保険料の全部又は一部の額について保険料を納付することを要しないものとされた（**保険料の納付を免除された**）ときは、その者は、加入員の資格を**喪失**します。この場合の加入員の資格の喪失日は、保険料の納付を**免除された月の初日**です。

B ○ 法87条の2第4項。付加保険料の納付と国民年金基金への加入は、いずれも**老齢基礎年金**の上乗せ給付を受けることを目的とするものであるため、両者を重複して行うことはできません。したがって、付加保険料を納付する者が国民年金基金の加入員となったときは、**加入員となった日**に、「付加保険料を納付する者」でなくなる旨の申出をしたものと**みなされます**。

C ○ 法129条3項。国民年金基金が支給する**死亡**に関する一時金は、**死亡一時金**に上乗せする形で支給されます。

D ○ 法135条1項2号・2項。国民年金基金は、次の理由によって解散します。①又は②の理由により解散しようとするときは、**厚生労働大臣の認可**を受けなければなりません。
①代議員の定数の**4分の3**以上の多数による代議員会の議決
②国民年金基金の事業の**継続の不能**
③厚生労働大臣による解散の命令

E × 法133条による法25条の準用。国民年金基金が支給する一時金について、租税その他の公課を課することは**できません**。国民年金基金が支給する死亡に関する**一時金**については、受給権の保護及び公課の禁止の規定が準用されます。なお、老齢に関する**年金**については、譲り渡し、又は担保に供することはできませんが、差し押さえることができ、また、公課の対象とすることができます。

8章

国民年金法

解答 E

国民年金基金（2）

予想

難易度 **普** 重要度 **B**

国民年金基金（以下「基金」という。）に関する次の記述のうち、正しいものはどれか。

A 基金は、厚生労働大臣の認可を受けて、他の基金と吸収合併をすることができるが、合併をする基金が締結する吸収合併契約について、基金は、代議員会において代議員の定数の4分の3以上の多数により議決しなければならない。

B 基金の役員である監事は、代議員会において、学識経験を有する者及び代議員のうちから、それぞれ1人を選挙する。

C 日本国籍を有する者であって、日本国内に住所を有しない20歳以上65歳未満の任意加入被保険者は、基金の加入員となることができない。

D 基金の加入員の資格を取得した月にその資格を喪失したときは、その月は、1ヵ月として加入員期間に算入される。

E 国民年金基金連合会は、中途脱退者及びその加入員である基金に係る解散基金加入員に対し、年金又は死亡を支給事由とする一時金の支給を行うものとされているが、中途脱退者とは、基金の加入員の資格を喪失した者（当該加入員の資格を喪失した日において当該基金が支給する年金の受給権を有する者を除く。）であって、その者の当該基金の加入員期間が10年に満たないものをいう。

A ✕ 法137条の３、137条の３の３。「４分の３以上」ではなく、「３分の２以上」です。基金は、厚生労働大臣の**認可**を受けて、他の基金と吸収合併をすることができます。合併をする基金は、吸収合併契約を締結しなければなりませんが、基金は、この吸収合併契約について代議員会において代議員の**定数の３分の２以上**の多数により議決しなければなりません。

B 〇 法124条５項。監事は、基金の業務を**監査**します。監事は２人であり、代議員会において、**学識経験を有する者及び代議員**のうちから、それぞれ**１人**を選挙します。

C ✕ 法附則５条12項。基金の加入員となることが**できます**。任意加入被保険者のうち、基金の加入員となることができるのは、次の①又は②に該当するものです。

①日本国内に住所を有する60歳以上65歳未満の者

②日本国籍を有する者であって、日本国内に**住所**を有しない20歳以上65歳未満のもの

D ✕ 法127条４項。設問の月は、加入員期間に算入**されません**。加入員の資格を取得した月にその資格を喪失した者は、その資格を取得した日に**さかのぼって**、**加入員でなかったもの**とみなされるためです。

E ✕ 法137条の15第１項、137条の17第１項、基金令45条１項。「10年」ではなく、「**15年**」です。なお、国民年金基金連合会は、その会員である基金から、中途脱退者の当該基金の加入員期間に係る年金の原価に相当する額の交付を受けたときは、当該交付金を原資として、当該中途脱退者に係る年金又は一時金を支給します。

8章
国民年金法

解答 B

601

国民年金制度全般（1）

過令4

難易度 **普**　重要度 **A**

国民年金法に関する次の記述のうち、正しいものはどれか。

A　20歳未満の厚生年金保険の被保険者は国民年金の第2号被保険者となるが、当分の間、当該被保険者期間は保険料納付済期間として算入され、老齢基礎年金の額に反映される。

B　国民年金法による保険料の納付を猶予された期間については、当該期間に係る保険料が追納されなければ老齢基礎年金の額には反映されないが、学生納付特例の期間については、保険料が追納されなくても、当該期間は老齢基礎年金の額に反映される。

C　基礎年金拠出金の額の算定基礎となる第1号被保険者数は、保険料納付済期間、保険料全額免除期間、保険料4分の3免除期間、保険料半額免除期間及び保険料4分の1免除期間を有する者の総数とされている。

D　大学卒業後、23歳から民間企業に勤務し65歳までの合計42年間、第1号厚生年金被保険者としての被保険者期間を有する者（昭和32年4月10日生まれ）が65歳から受給できる老齢基礎年金の額は満額となる。なお、当該被保険者は、上記以外の被保険者期間を有していないものとする。

E　第1号被保険者又は第3号被保険者が60歳に達したとき（第2号被保険者に該当するときを除く。）は、60歳に達した日に被保険者の資格を喪失する。また、第1号被保険者又は第3号被保険者が死亡したときは、死亡した日の翌日に被保険者の資格を喪失する。

A　× 法7条1項2号、27条、昭60法附則8条4項。当該被保険者期間は、保険料納付済期間として算入されず、老齢基礎年金の額に反映されません。当該被保険者期間は、**第2号被保険者**としての期間のうちの**20歳前**の期間であるため、保険料納付済期間ではなく、**合算対象期間**に算入されます。合算対象期間は、老齢基礎年金の**受給資格期間には算入されます**が、老齢基礎年金の額には反映されません。

B　× 法27条8号、90条の3第1項、平16法附則19条1項・2項・4項、平26法附則14条1項・3項。設問後半の学生納付特例の期間についても、保険料が追納されなければ、老齢基礎年金の額に反映されません。**学生納付特例**及び**納付猶予**による期間は、老齢基礎年金の**受給資格期間には算入されます**が、保険料を追納しない限り、老齢基礎年金の**額には反映されません**。

C　× 令11条の3。設問中の「保険料全額免除期間」は考慮されません。基礎年金拠出金の額の算定基礎となる被保険者は、次のとおりです。設問は、このうちの第1号被保険者について問うています。

　・**第1号被保険者**……保険料**納付済**期間、保険料4分の1免除期間、保険料半額免除期間又は保険料4分の3免除期間を有する者
　・**第2号被保険者**……**20歳以上60歳未満**の者
　・**第3号被保険者**……**すべての者**

D　× 法5条1項、7条1項2号、27条、昭60法附則8条4項。満額とはなりません。設問の者は、23歳から65歳までの42年間、国民年金の第2号被保険者となりますが、当該第2号被保険者としての期間のうち保険料納付済期間に算入されるのは、23歳から60歳までの37年間のみです。したがって、保険料納付済期間が480ヵ月（**40年間**）に満たないため、老齢基礎年金の額は**満額となりません**。

E　○ 法9条1号・3号。設問は、第1号被保険者及び第3号被保険者に共通する資格喪失事由（次の2つ）について問うています。これらについては、資格喪失日の違いに注意してください。

　・**60歳に達したとき** → 当日に資格を喪失する。
　・**死亡したとき** → 翌日に資格を喪失する。

8章

国民年金法

解答　E

国民年金制度全般 (2)

過令6　　　　　　　　　　　　　　　　　　　　　難易度 **易**　重要度 **B**

国民年金法に関する次の記述のうち、正しいものはどれか。

A　被保険者又は被保険者であった者の死亡の当時その者によって生計を維持していた配偶者は、遺族基礎年金を受けることができる子と生計を同じくし、かつ、その当時日本国内に住所を有していなければ遺族基礎年金を受けることができない。なお、死亡した被保険者又は被保険者であった者は保険料の納付要件を満たしているものとする。

B　第2号被保険者である50歳の妻が死亡し、その妻により生計を維持されていた50歳の夫に遺族基礎年金の受給権が発生し、16歳の子に遺族基礎年金と遺族厚生年金の受給権が発生した。この場合、子が遺族基礎年金と遺族厚生年金を受給し、その間は夫の遺族基礎年金は支給停止される。

C　死亡日の前日において死亡日の属する月の前月までの第1号被保険者としての被保険者期間に係る保険料半額免除期間を48月有し、かつ、4分の1免除期間を12月有している者で、所定の要件を満たす被保険者が死亡した場合に、その被保険者の死亡によって遺族基礎年金又は寡婦年金を受給できる者はいないが、死亡一時金を受給できる遺族がいるときは、その遺族に死亡一時金が支給される。

D　国民年金法第30条の3に規定するいわゆる基準障害による障害基礎年金は、65歳に達する日の前日までに、基準障害と他の障害とを併合して初めて障害等級1級又は2級に該当する程度の障害の状態となった場合に支給される。ただし、請求によって受給権が発生し、支給は請求のあった月からとなる。

E　保険料その他この法律の規定による徴収金を滞納する者があるときは、厚生労働大臣は、督促状により期限を指定して督促することができるが、この期限については、督促状を発する日から起算して10日以上を経過した日でなければならない。

A　✕　法37条の2第1項1号。日本国内に住所を有している必要はありません。遺族基礎年金の支給を受けることができる遺族（配偶者及び子）については、いずれも国内居住要件はありません。

B　✕　法41条2項。子の遺族基礎年金は支給停止となり、夫の遺族基礎年金は支給停止となりません。つまり、子が遺族厚生年金を受給し、夫が遺族基礎年金を受給します。子に対する遺族基礎年金は、**配偶者**（設問の場合は夫）が**遺族基礎年金の受給権を有するとき**は、原則として、その間、その**支給が停止されます**。つまり、遺族基礎年金は、**配偶者に対して優先的に支給**されます。なお、設問の場合、遺族厚生年金の受給権は子のみに発生します（夫については、年齢要件を満たしていないため、遺族厚生年金の受給権は発生しない。）が、この場合であっても、遺族基礎年金は夫に対して優先的に支給されます。

C　✕　法52条の2第1項。死亡一時金は支給されません。死亡一時金が支給されるためには、死亡日の前日において死亡日の属する月の前月までの第1号被保険者としての被保険者期間に係る「**保険料納付済期間の月数＋保険料4分の1免除期間の月数×3/4＋保険料半額免除期間の月数×1/2＋保険料4分の3免除期間の月数×1/4**」による月数が**36ヵ月以上**であることが必要です。設問の場合は、この月数が33ヵ月（＝12ヵ月×3/4＋48ヵ月×1/2）であり、この要件を満たしていません。

D　✕　法30条の3第1項・3項。設問は、後半の記述が誤りです。基準障害による障害基礎年金の受給権は、請求によって発生するのではなく、併合して初めて障害等級1級又は2級に該当する程度の障害の状態に該当するに至ったときに（法律上当然に）発生します。また、その支給は、**請求があった月の「翌月から」**開始されます。

E　〇　法96条1項～3項。保険料等を滞納する者があるときは、厚生労働大臣は、期限を指定して、これを**督促することができます**。つまり、国民年金法による督促は、義務ではなく、**任意**です。この督促をしようとするときは、厚生労働大臣が納付義務者に対して、**督促状**を発することとされており、督促状により指定する期限は、**督促状を発する日から起算して10日以上を経過した日**でなければならないとされています。

8章
国民年金法

解答　E

国民年金制度全般（3）

過令5

難易度 **難**　重要度 **C**

国民年金法に関する次の記述のうち、正しいものはどれか。

A　保険料の納付受託者が、国民年金法第92条の5第1項の規定により備え付けなければならない帳簿は、国民年金保険料納付受託記録簿とされ、納付受託者は厚生労働省令で定めるところにより、これに納付事務に関する事項を記載し、及びこれをその完結の日から3年間保存しなければならない。

B　国民年金・厚生年金保険障害認定基準によると、障害の程度について、1級は、例えば家庭内の極めて温和な活動（軽食作り、下着程度の洗濯等）はできるが、それ以上の活動はできない状態又は行ってはいけない状態、すなわち、病院内の生活でいえば、活動範囲がおおむね病棟内に限られる状態であり、家庭内でいえば、活動の範囲がおおむね家屋内に限られる状態であるとされている。

C　被保険者又は被保険者であった者（以下「被保険者等」という。）の死亡の当時胎児であった子が生まれたときは、その子は、当該被保険者等の死亡の当時その者によって生計を維持していたものとみなされるとともに、配偶者は、その者の死亡の当時その子と生計を同じくしていたものとみなされ、その子の遺族基礎年金の受給権は被保険者等の死亡当時にさかのぼって発生する。

D　国民年金法第21条の2によると、年金給付の受給権者が死亡したためその受給権が消滅したにもかかわらず、その死亡の日の属する月の翌月以降の分として当該年金給付の過誤払が行われた場合において、当該過誤払による返還金に係る債権に係る債務の弁済をすべき者に支払うべき年金給付があるときは、その過誤払が行われた年金給付は、債務の弁済をすべき者の年金給付の内払とみなすことができる。

E　国民年金法附則第5条第1項によると、第2号被保険者及び第3号被保険者を除き、日本国籍を有する者その他政令で定める者であって、日本国内に住所を有しない20歳以上70歳未満の者は、厚生労働大臣に申し出て、任意加入被保険者となることができる。

A　○　法92条の５第１項、則72条の７。保険料の納付委託に係る**納付受託者**（国民年金基金等）には、帳簿の備付け及び保存の義務が課せられています。備え付ける帳簿は、**国民年金保険料納付受託記録簿**であり、その保存期間は、その完結の日から**３年間**です。

B　×　昭61.3.31庁保発15号。設問に掲げる状態は、「１級」ではなく、「２級」の障害の程度を示したものです。１級の障害の程度は、例えば、身のまわりのことはかろうじてできるが、それ以上の活動はできない状態又は行ってはいけない状態、すなわち、病院内の生活でいえば、活動の範囲がおおむねベッド周辺に限られる状態であり、家庭内の生活でいえば、活動の範囲がおおむね就床室内に限られる状態であるとされています。

C　×　法37条の２第２項。設問の子の遺族基礎年金の受給権は、「**出生した日**」に発生します。被保険者等の死亡当時にさかのぼって発生するのではありません。被保険者等の死亡の当時胎児であった子が生まれたときは、**将来に向かって**、その子は、被保険者等の死亡の当時その者によって生計を維持していたものとみなされるからです。

D　×　法21条の２。設問の場合は、当該年金給付の支払金の金額を当該過誤払いによる返還金債権の金額に「**充当**」することができます。設問のように、「内払」とみなすことができるのではありません。なお、充当は、返還金債権に係る債務の弁済をすべき者が次の①②のいずれかの者に該当する場合に限り、行うことができます。

①年金給付の受給権者の死亡を支給事由とする**遺族基礎年金**の受給権者

②同一の支給事由に基づく他の遺族基礎年金の受給権者が死亡した場合における**遺族基礎年金**の受給権者

E　×　法附則５条１項３号。「70歳未満」ではなく、「65歳未満」です。なお、日本国籍を有する者であって、日本国内に住所を有しない「65歳以上70歳未満」のものは、**昭和40年４月１日以前**に生まれた者であり、かつ、**老齢給付等の受給権を有しない者**である場合に限り、厚生労働大臣に申し出て、（特例による）任意加入被保険者となることができます。

８章 国民年金法

解答　A

607

国民年金制度全般（4）

予想

難易度 難　重要度 B

国民年金法に関する次の記述のうち、正しいものはどれか。

A　老齢基礎年金の支給繰下げの申出をすることができる者が、70歳に達した日後に当該老齢基礎年金を請求し、かつ、当該請求の際に支給繰下げの申出をしないときは、当該請求をした日の５年前の日（以下「特例みなし日」という。）に支給繰下げの申出があったものとみなされるが、特例みなし日が老齢基礎年金の受給権を取得した日から起算して１年を経過した日前となる場合においては、この限りでない。

B　夫の死亡の当時40歳であった妻に遺族基礎年金及び寡婦年金の受給権が発生し、当該妻は遺族基礎年金の支給を受けていたが、妻が48歳のときに生計を同じくする子がいなくなったことにより遺族基礎年金の受給権が消滅した。この場合、妻は、60歳に達した日の属する月の翌月から、寡婦年金の支給を受けることができる。

C　脱退一時金の額は、基準月の属する年度における保険料の額に２分の１を乗じて得た額に、保険料納付済期間等の月数に応じて６から60までの範囲で政令で定める数を乗じて得た額であるが、付加保険料に係る保険料納付済期間が３年以上であるときは、この額に8,500円が加算される。

D　遺族基礎年金又は死亡一時金は、被保険者又は被保険者であった者の死亡前に、その者の死亡によってこれらの給付の受給権者となるべき者を故意又は重大な過失により死亡させた者には、支給されない。

E　延滞金の額は、納期限の翌日から徴収金完納又は財産差押えの日の前日までの期間の日数に応じて計算するが、延滞金を計算するにあたり、徴収金額に1,000円未満の端数があるときは、その端数は切り捨てる。

A　× 法28条5項、令4年管管発0329第14号。設問は、後半部分が誤りです。老齢基礎年金の支給繰下げの申出をすることができる者が、**70歳に達した日後**に（裁定）請求し、かつ、請求の際に**支給繰下げの申出をしないとき**は、請求をした日の**5年前の日**（特例みなし日）に支給繰下げの**申出があったものとみなされます**（5年前繰下げ申出みなし増額）。支給繰下げの申出は、老齢基礎年金の受給権取得日から起算して1年を経過した日（原則として66歳に達した日）以後でなければ行うことができませんが、5年前繰下げ申出みなし増額については、特例みなし日が**受給権取得日から起算して1年を経過した日前**となる場合においても、**適用されます**。

B　○ 法49条3項。60歳未満の妻に寡婦年金の受給権が発生した場合は、当該寡婦年金は、妻が60歳に達した日の属する月の**翌月**から支給が開始されます。設問のように、同一の死亡により遺族基礎年金を受給していても、その受給権が60歳に達する前に消滅したときは、60歳に達した日の属する月の翌月から、**寡婦年金**の支給を受けることができます。なお、1人1年金の原則により、遺族基礎年金と寡婦年金を同時に受給（併給）することはできません。

C　× 法附則9条の3の2第3項、令14条の3の2。設問は、後半部分が誤りです。脱退一時金の額に、付加保険料の納付に応じた**加算はありません**。付加保険料の納付に応じた加算があるのは、死亡一時金のみです。なお、設問の前半部分は正しい記述であり、脱退一時金の額は、次の計算式による額です。

$$\left(\begin{array}{c}\text{基準月の属する年度}\\\text{における保険料の額}\end{array}\right) \times \text{2分の1} \times \left(\begin{array}{c}\text{保険料納付済期間等の月数に応}\\\text{じて政令で定める数（6～60）}\end{array}\right)$$

D　× 法71条。「故意又は重大な過失により」ではなく、「**故意に**」です。設問の規定は、遺族基礎年金又は死亡一時金の受給権者となるべき者を故意に死亡させた者について適用されます。重大な過失により死亡させた者については適用されません。

E　× 法97条1項・3項。設問後半の「1,000円未満」とある部分が誤りであり、正しくは「**500円未満**」です。延滞金の額を計算する際は、徴収金額の**500円未満**の端数を切り捨てます。なお、計算した延滞金の金額については、50円未満の端数を切り捨てます。また、設問前半は正しい記述であり、延滞金の額の計算の基礎となる日数は、**納期限の翌日**から徴収金完納又は財産差押えの日の**前日**までの期間の日数です。

8章　国民年金法

解答　B

チェック欄

1	2	3

［選択式］届出、国民年金原簿

予想

難易度 **普**　重要度 **B**

次の文中の◯◯の部分を選択肢の中の最も適切な語句で埋め、完全な文章とせよ。

1　老齢基礎年金の受給権者の属する世帯の世帯主　**A**　は、当該受給権者の所在が　**B**　以上明らかでないときは、速やかに、所定の事項を記載した届書を日本年金機構に提出しなければならない。

2　**C**　の受給権者は、その氏名を変更した場合であって氏名変更届の提出を要しないときは、当該変更をした日から14日以内に、氏名の変更の理由等を記載した届書を、日本年金機構に提出しなければならない。

3　厚生労働大臣は、国民年金原簿を備え、これに被保険者の氏名、資格の取得及び喪失、種別の変更、保険料の納付状況、　**D**　その他厚生労働省令で定める事項を記録するものとする。

4　被保険者又は被保険者であった者は、国民年金原簿に記載された自己に係る　**E**　国民年金原簿記録（被保険者の資格の取得及び喪失、種別の変更、保険料の納付状況その他厚生労働省令で定める事項の内容をいう。以下同じ。）が事実でない、又は国民年金原簿に自己に係る　**E**　国民年金原簿記録が記録されていないと思料するときは、厚生労働大臣に対し、国民年金原簿の訂正の請求をすることができる。

選択肢

①3ヵ月　　②指定　　③家族構成　　④その他の親族
⑤特定　　⑥1年　　⑦標準報酬　　⑧6ヵ月
⑨承認　　⑩1ヵ月　　⑪訂正　　⑫基礎年金番号
⑬及び当該受給権者の配偶者　　⑭老齢基礎年金又は付加年金
⑮その他その世帯に属する者　　⑯老齢基礎年金又は障害基礎年金
⑰及び法定代理人　　⑱遺族基礎年金又は寡婦年金
⑲将来の給付の見込み　　⑳障害基礎年金又は遺族基礎年金

　A・Bは則23条1項、Cは則52条の3第1項、60条の7の3第1項、Dは法14条、Eは法14条の2第1項。

1　受給権者の**所在不明**の届出についてです。老齢基礎年金等の年金給付の受給権者の所在が明らかでないときは、**速やかに**、届書を日本年金機構に提出しなければなりません。この届書の提出は、受給権者の属する世帯の**世帯主**その他その**世帯に属する者**が、当該受給権者の所在が1ヵ月**以上**明らかでないときに、行わなければなりません。

2　年金給付の受給権者の**氏名変更**の届出は、厚生労働大臣が住民基本台帳法の規定（住民基本台帳ネットワークシステム）により当該受給権者に係る**機構保存本人確認情報**の提供を受けることができる者については、不要です。氏名変更の届出が不要となる場合に、**氏名変更の理由**について届書を提出しなければならないのは、**遺族基礎年金又は寡婦年金**の受給権者です。

3　国民年金原簿に記録する事項は、被保険者の氏名、資格の取得及び喪失、種別の変更、**保険料の納付状況**、基礎年金番号その他厚生労働省令で定める事項です。

4　国民年金原簿の**訂正の請求**（訂正請求）についてです。訂正請求は、被保険者又は被保険者であった者が、(1) 国民年金原簿に記録された自己に係る**特定国民年金原簿記録**が事実でない、又は (2) 国民年金原簿に自己に係る**特定国民年金原簿記録**が記録されていないと思料するときに、厚生労働大臣に対して行うことができます。

8章
国民年金法

| 解答 | A ⑮その他その世帯に属する者　B ⑩1ヵ月 |
| | C ⑱遺族基礎年金又は寡婦年金　D ⑫基礎年金番号　E ⑤特定 |

問題 272

［選択式］財政の均衡、遺族基礎年金等

過令2

難易度 普　重要度 A

次の文中の □ の部分を選択肢の中の最も適切な語句で埋め、完全な文章とせよ。

1　国民年金法第4条では、「この法律による年金の額は、 A その他の諸事情に著しい変動が生じた場合には、変動後の諸事情に応ずるため、速やかに B の措置が講ぜられなければならない。」と規定している。

2　国民年金法第37条の規定によると、遺族基礎年金は、被保険者であった者であって、日本国内に住所を有し、かつ、 C であるものが死亡したとき、その者の配偶者又は子に支給するとされている。ただし、死亡した者につき、死亡日の前日において、死亡日の属する月の前々月までに被保険者期間があり、かつ、当該被保険者期間に係る保険料納付済期間と保険料免除期間とを合算した期間が D に満たないときは、この限りでないとされている。

3　国民年金法第94条の2第1項では、「厚生年金保険の実施者たる政府は、毎年度、基礎年金の給付に要する費用に充てるため、基礎年金拠出金を負担する。」と規定しており、同条第2項では、「 E は、毎年度、基礎年金の給付に要する費用に充てるため、基礎年金拠出金を納付する。」と規定している。

選択肢

①10年　　　　　　　　　②25年　　　　　　　　　③20歳以上60歳未満
④20歳以上65歳未満　　　⑤60歳以上65歳未満　　　⑥65歳以上70歳未満
⑦改定　　　　　　　　　⑧国民生活の安定　　　　⑨国民生活の現況
⑩国民生活の状況　　　　⑪国民の生活水準　　　　⑫所要
⑬実施機関たる共済組合等　⑭実施機関たる市町村　⑮実施機関たる政府
⑯実施機関たる日本年金機構　⑰是正　　　　　　　⑱訂正
⑲当該被保険者期間の3分の1
⑳当該被保険者期間の3分の2

Ａ・Ｂは法４条、Ｃ・Ｄは法37条、Ｅは法94条の２第２項

1　　国民年金法４条の規定は、年金額の改定に関する基本規定です。同条においては、「**年金の額**は、**国民の生活水準**等の諸事情に著しい変動が生じた場合に、速やかに改定の措置が講ぜられなければならない」旨が規定されています。

2　　被保険者であった者であって、**日本国内**に住所を有し、かつ、**60歳以上65歳未満**であるものが死亡したときは、その者の配偶者又は子に、遺族基礎年金が支給されます。

　　　この死亡について遺族基礎年金が支給されるためには、**保険料納付要件**を満たしていなければなりません。保険料納付要件（原則）は、「死亡した者につき、死亡日の**前日**において、死亡日の属する月の**前々月**までに被保険者期間がある場合には、当該被保険者期間に係る**保険料納付済期間**と**保険料免除期間**とを合算した期間が当該被保険者期間の**３分の２以上**であること」です。つまり、合算した期間が３分の２**未満**であるときは、遺族基礎年金は支給されません。

3　　**基礎年金拠出金**は、基礎年金の給付に要する費用に充てるためのものです。基礎年金拠出金は、厚生年金保険の**実施者たる政府**及び**実施機関たる**共済組合等が、**毎年度**、負担し、又は納付します。

8
章

国民年金法

解答　　Ａ ⑪国民の生活水準　Ｂ ⑦改定　Ｃ ⑤60歳以上65歳未満
　　　　Ｄ ⑳当該被保険者期間の３分の２　Ｅ ⑬実施機関たる共済組合等

問題 273

[選択式] 調整期間、公課の禁止

過令3

難易度 普　重要度 B

次の文中の□□□の部分を選択肢の中の最も適切な語句で埋め、完全な文章とせよ。

1　国民年金法第16条の2第1項の規定によると、政府は、国民年金法第4条の3第1項の規定により財政の現況及び見通しを作成するに当たり、国民年金事業の財政が、財政均衡期間の終了時に　A　ようにするために必要な年金特別会計の国民年金勘定の積立金を保有しつつ当該財政均衡期間にわたってその均衡を保つことができないと見込まれる場合には、年金たる給付（付加年金を除く。）の額（以下本問において「給付額」という。）を　B　するものとし、政令で、給付額を　B　する期間の　C　を定めるものとされている。

2　国民年金法第25条では、「租税その他の公課は、　D　として、課することができない。ただし、　E　については、この限りでない。」と規定している。

選択肢

①遺族基礎年金及び寡婦年金　　　　　②遺族基礎年金及び付加年金
③開始年度　　　　　　　　　　　　　④開始年度及び終了年度
⑤改定　　　　　　　　　　　　　　　⑥給付額に不足が生じない
⑦給付として支給を受けた金銭を基準　⑧給付として支給を受けた金銭を標準
⑨給付として支給を受けた年金額を基準 ⑩給付として支給を受けた年金額を標準
⑪給付の支給に支障が生じない　　　　⑫減額
⑬財政窮迫化をもたらさない　　　　　⑭財政収支が保たれる
⑮終了年度　　　　　　　　　　　　　⑯調整
⑰年限　　　　　　　　　　　　　　　⑱変更
⑲老齢基礎年金及び寡婦年金　　　　　⑳老齢基礎年金及び付加年金

A〜Cは法16条の2第1項、D・Eは法25条。

1　**調整期間**についてです。調整期間は、**年金たる給付（付加年金を除く。）の額**を調整する期間です。政府は、財政の現況及び見通しを作成するにあたり、国民年金事業の**財政**が、**財政均衡期間の終了時に給付の支給に支障が生じないよう**にするために必要な年金特別会計の国民年金勘定の積立金を保有しつつ当該財政均衡期間にわたってその均衡を保つことができないと見込まれる場合に、**調整期間**の開始年度を定めます。なお、調整期間の開始年度は、政令で、**平成17年度**と定められています。

2　給付として支給を受けた金銭を標準として、**租税その他の公課**を課することはできません（公課の禁止）。ただし、例外として、**老齢基礎年金及び付加年金**は、課税の対象となります。

解答　A ⑪給付の支給に支障が生じない　B ⑯調整　C ③開始年度　D ⑧給付として支給を受けた金銭を標準　E ⑳老齢基礎年金及び付加年金

チェック欄

1	2	3

［選択式］障害基礎年金、寡婦年金、情報の提供等

過令4

難易度 普　重要度 B

次の文中の□□□の部分を選択肢の中の最も適切な語句で埋め、完全な文章とせよ。

1　国民年金法第36条第2項によると、障害基礎年金は、受給権者が障害等級に該当する程度の障害の状態に該当しなくなったときは、__A__、その支給を停止するとされている。

2　寡婦年金の額は、死亡日の属する月の前月までの第1号被保険者としての被保険者期間に係る死亡日の前日における保険料納付済期間及び保険料免除期間につき、国民年金法第27条の老齢基礎年金の額の規定の例によって計算した額の__B__に相当する額とする。

3　国民年金法第128条第2項によると、国民年金基金は、加入員及び加入員であった者の__C__ため、必要な施設をすることができる。

4　国民年金法第14条の5では、「厚生労働大臣は、国民年金制度に対する国民の__D__ため、厚生労働省令で定めるところにより、被保険者に対し、当該被保険者の保険料納付の実績及び将来の給付に関する必要な情報を__E__するものとする。」と規定している。

選択肢

①2分の1　　　　②3分の2　　　　③4分の1　　　　④4分の3
⑤厚生労働大臣が指定する期間　　　⑥受給権者が65歳に達するまでの間
⑦速やかに通知　　　　　　　　　　⑧正確に通知
⑨生活の維持及び向上に寄与する　　⑩生活を安定させる
⑪その障害の状態に該当しない間
⑫その障害の状態に該当しなくなった日から3年間
⑬知識を普及させ、及び信頼を向上させる
⑭遅滞なく通知　　⑮福祉を増進する　　⑯福利向上を図る
⑰理解を増進させ、及びその信頼を向上させる
⑱理解を増進させ、及びその知識を普及させる
⑲利便の向上に資する　　　　　　⑳分かりやすい形で通知

Aは法36条2項、Bは法50条、Cは法128条2項、D・Eは法14条の5。

1　障害基礎年金は、受給権者が次のいずれかに該当したときは、その**支給を停止**します。空欄**A**は、(2) の支給停止期間を問うています。

支給停止事由	支給停止期間
(1) **同一の傷病**による障害について、**労働基準法**の規定による**障害補償**を受けることができるとき	**6年間**
(2) 障害等級（1級又は2級）に該当する程度の**障害の状態**に該当しなくなったとき	障害の状態に該当しない間

2　寡婦年金の額は、次の計算式によります。

$$\left.\begin{array}{l}\text{死亡した夫の第1号被保険者期間に}\\\text{基づく老齢基礎年金の額}\end{array}\right\} \times \text{ 4分の3}$$

　　なお、上記計算式中の「第1号被保険者期間に基づく老齢基礎年金の額」は、死亡日の属する月の前月までの第1号被保険者としての被保険者期間に係る死亡日の前日における保険料納付済期間及び保険料免除期間を基礎として計算します。

3　国民年金基金は、その業務の一環として、加入員又は加入員であった者の福祉を増進するため、必要な**施設**をすることができます。いわゆる「福祉施設」と呼ばれるものです。

4　年金個人情報の通知（ねんきん定期便）についてです。厚生労働大臣は、**被保険者**に対し、**保険料納付の実績**及び**将来の給付**に関する必要な情報を分かりやすい形で通知します。具体的には、「ねんきん定期便」により、毎年1回、誕生月に、年金加入期間、保険料納付状況、年金見込額等を通知することとしています。その目的は、年金記録問題等を背景とした国民の公的年金制度に対する不安や不信を払拭するため、国民年金制度に対する国民の理解を増進させ、及びその信頼を向上させることにあります。

8章

国民年金法

解答　A ⑪その障害の状態に該当しない間　B ④4分の3　C ⑮福祉を増進する
　　　　 D ⑰理解を増進させ、及びその信頼を向上させる　E ⑳分かりやすい形で通知

［選択式］保険料の額、付加保険料等

予想

難易度 **易**　重要度 **B**

次の文中の□□□の部分を選択肢の中の最も適切な語句で埋め、完全な文章とせよ。

1　令和7年度に属する月の月分の保険料の額は、 **A** 円に保険料改定率を乗じて得た額である。令和7年度における保険料改定率は、 **B** である

2　第1号被保険者（一定の者を除く。）は、厚生労働大臣に申し出て、その申出をした日の属する月以後の各月につき、前記1の保険料のほか、 **C** 円の付加保険料を納付する者となることができる。

3　付加保険料を納付する者となったものは、いつでも、厚生労働大臣に申し出て、その申出をした日の **D** の各月に係る保険料（すでに納付されたもの及び前納されたものを除く。）につき、付加保険料を納付する者でなくなることができる。

4　毎月の保険料は、 **E** までに納付しなければならない。

選択肢

①16,980 　　②属する月の翌月以後 　　③属する月の前々月以後

④300 　　⑤17,000 　　⑥500

⑦1.030 　　⑧その月の10日 　　⑨属する月以後

⑩翌月末日 　　⑪0.972 　　⑫0.999

⑬その月の末日 　　⑭400 　　⑮17,510

⑯1.045 　　⑰翌月10日 　　⑱200

⑲16,900 　　⑳属する月の前月以後

Aは法87条3項、Bは改定率の改定等に関する政令2条、Cは法87条の2第1項、Dは法87条の2第3項、Eは法91条。

1　保険料の額は、「17,000円×**保険料改定率**」による額（10円未満の端数を四捨五入した額）です。保険料改定率は毎年度改定されますが、令和7年度の保険料改定率は、1.030です。したがって、令和7年度の各月の実際の保険料額は、**17,510円**（＝17,000円×1.030）となります。

2　第1号被保険者は、厚生労働大臣に**申し出る**ことにより、付加保険料を納付する者となることができます。付加保険料の額は、月額**400円**です。

3　付加保険料を納付する者となったものは、いつでも、厚生労働大臣に**申し出る**ことにより、その申出をした日の**属する月の前月以後**の各月に係る付加保険料を納付する者でなくなることができます。たとえば、4月10日に付加保険料を納付する者でなくなる旨の申出をした場合は、その申出をした日の属する月（4月）の前月である3月以後の月分の付加保険料からこれを納付する者でなくなることができるということです。ただし、すでに納付された月及び前納された月に係る付加保険料については、除かれます。

4　毎月の保険料の納期限は、**翌月末日**です。この納期限は、前記1の保険料及び前記2の付加保険料に共通です。

8章
国民年金法

解答　A ⑤17,000　B ⑦1.030　C ⑭400　D ⑳属する月の前月以後　E ⑩翌月末日

問題 276

[選択式] 保険料の免除、保険料の納付

予想　　　　　　　　　　　　　　　　　難易度 普　重要度 A

次の文中の□□□の部分を選択肢の中の最も適切な語句で埋め、完全な文章とせよ。

1　被保険者は、出産の予定日の属する月（以下「出産予定月」という。）の前月（多胎妊娠の場合においては、3ヵ月前）から出産予定月の　A　までの期間に係る保険料は、納付することを要しない。

2　平成28年7月から令和12年6月までの期間において、　B　に達する日の属する月の前月までの被保険者期間がある第1号被保険者又は第1号被保険者であった者であって納付猶予の事由のいずれかに該当するものから申請があったときは、厚生労働大臣は、当該被保険者期間のうちその指定する期間に係る保険料については、　C　ものを除き、これを納付することを要しないものとし、申請のあった日以後、当該保険料に係る期間を保険料全額免除期間に算入することができる。

3　被保険者は、厚生労働大臣に対し、　D　から付与される番号、記号その他の符号を通知することにより、当該　D　をして当該被保険者の保険料を立て替えて納付させることを希望する旨の申出をすることができる。厚生労働大臣は、この申出を受けたときは、その納付が　E　と認められ、かつ、その申出を承認することが保険料の徴収上有利と認められるときに限り、その申出を承認することができる。

選択肢

①翌月	②適正	③50歳
④国民年金事務組合	⑤すでに納付された	⑥有効
⑦納付受託者	⑧55歳	⑨翌々月
⑩追納された	⑪必要	⑫3ヵ月後の月
⑬40歳	⑭前納された	⑮国民年金基金
⑯確実	⑰45歳	⑱指定代理納付者
⑲6ヵ月後の月	⑳すでに納付されたもの及び前納された	

　Aは法88条の2、B・Cは平26法附則14条1項、Dは法92条の2の2第1項、Eは法92条の2の2第2項。

1　**産前産後**期間中の第1号被保険者については、保険料が免除されます。免除される期間は、出産予定月の**前月**（多胎妊娠の場合においては、**3ヵ月前**）から出産予定月の**翌々月**までです。

2　保険料の納付猶予は、**令和12年6月**までの時限措置であり、その対象となるのは、50歳に達する日の属する月の**前月**までの被保険者期間がある第1号被保険者又は第1号被保険者であった者（**50歳未満**の者）です。この者が納付猶予の事由のいずれかに該当し、申請をしたときは、厚生労働大臣が指定する期間に係る保険料が免除されます。ただし、すでに**納付された**保険料は、免除されません。

3　被保険者の保険料を**立て替えて**納付させることができるのは、指定代理納付者です。厚生労働大臣は、被保険者から、指定代理納付者による保険料の納付を希望する旨の申出を受けたときは、その**納付が確実**と認められ、かつ、その申出を承認することが保険料の**徴収上有利**と認められるときに限り、その申出を承認することができます。

8章

国民年金法

解答　A ⑨翌々月　B ③50歳　C ⑤すでに納付された
　　　D ⑱指定代理納付者　E ⑯確実

[選択式] 国民年金基金

予想

難易度 普　重要度 C

次の文中の□□□の部分を選択肢の中の最も適切な語句で埋め、完全な文章とせよ。

1　地域型国民年金基金の地区は、一の都道府県の区域の全部とするが、国民年金法第137条の3の規定による　A　後存続する地域型国民年金基金にあっては、一以上の都道府県の区域の全部とする。

2　国民年金基金の理事は、　B　において互選する。ただし、理事の定数の　C　（　A　によりその地区を全国とした地域型国民年金基金にあっては、2分の1）を超えない範囲内については、　B　会において、国民年金基金の業務の適正な運営に必要な学識経験を有する者のうちから選挙することができる。

3　老齢基礎年金の受給権者に対し国民年金基金が支給する年金の額は、　D　に納付された掛金に係る当該国民年金基金の加入員期間の月数を乗じて得た額を超えるものでなければならない。

4　国民年金基金が支給する一時金の額は、　E　を超えるものでなければならない。

選択肢

①8,500円	②200円	③分割継承
④評議員	⑤3分の2	⑥12,000円
⑦300円	⑧吸収分割	⑨4分の1
⑩400円	⑪代議員	⑫23,000円
⑬執行委員	⑭4分の3	⑮吸収合併
⑯100円	⑰68,000円	⑱3分の1
⑲共同設立	⑳役員	

Aは法118条の２第１項、B・Cは法124条２項、Dは法130条２項、Eは法130条３項。

1 　国民年金基金の地区は、地域型国民年金基金にあっては、一の都道府県の区域の全部とし、職能型国民年金基金にあっては、全国とします。ただし、**吸収合併後存続する地域型国民年金基金**にあっては、**一以上**の都道府県の区域の全部とします。全国国民年金基金は、吸収合併後存続する地域型国民年金基金であり、全国を地区としています。

2 　国民年金基金の役員は、理事及び監事です。このうち、理事は、**代議員**において**互選**されます。ただし、理事の定数の**３分の１**（吸収合併によりその地区を全国とした地域型国民年金基金にあっては、２分の１）を超えない範囲内については、代議員会において、国民年金基金の業務の適正な運営に必要な**学識経験**を有する者のうちから選挙することができます。なお、理事のうち１人を理事長とし、理事が選挙します。

3、4 　国民年金基金は、加入員又は加入員であった者に対し、年金（**老齢**に関する年金）の支給を行い、あわせて加入員又は加入員であった者の**死亡**に関し、一時金の支給を行うものとされています。このうち、老齢に関する年金の額は、「**200円**×国民年金基金の加入員期間の月数」で計算した額を**超える**ものでなければなりません。また、死亡に関する一時金の額は、**8,500円**を**超える**ものでなければなりません。

8章

国民年金法

解答 　A ⑮吸収合併　B ⑪代議員　C ⑱3分の1　D ②200円
　　　　 E ①8,500円

強制被保険者の要件等

種別※	【要件】			【適用除外】
	国籍	国内居住	年齢	
第1号被保険者	不問	必要	20歳以上60歳未満	・老齢給付の受給権者 ・特別の理由のある者
第2号被保険者		不要	不問	・65歳以上の老齢給付等 の受給権者
第3号被保険者		原則必要	20歳以上60歳未満	・特別の理由がある者

※種別の優先順位：①第2号被保険者→②第3号被保険者→③第1号被保険者の順

任意加入被保険者の範囲

	【範囲】
原則※1	①国内居住で20歳以上60歳未満＋厚年の老齢給付等の受給権あり※3 ②国内居住で60歳以上65歳未満※3 ③日本国籍を有し国内居住でない20歳以上65歳未満
特例※2	昭和40年4月1日以前生まれで老齢給付等の受給権なし ＋ ①国内居住で65歳以上70歳未満※3 ②日本国籍を有し国内居住でない65歳以上70歳未満

※1：第2号被保険者又は第3号被保険者に該当する場合には、それらの資格を優先
※2：第2号被保険者に該当する場合には、その資格を優先
※3：特別の理由がある者を除く（適用除外）

ポイント解説

産前産後期間の保険料免除（産前産後免除）

①産前産後免除は、他の免除（法定免除・申請免除）よりも**優先**して適用されます。
②**任意加入被保険者**は、産前産後免除の適用を受けることが**できません**。
③産前産後免除により保険料が免除された期間は、**保険料**納付済**期間**となります。
④産前産後免除の適用を受ける者は、付加保険料**を納付**することができます。
⑤産前産後免除の適用を受ける者は、国民年金基金**の加入員**となることができます。
　また、国民年金基金の加入員が産前産後免除の適用を受けることとなっても、加入員の資格を**喪失しません**。

第**9**章

厚生年金保険法

難しい科目ですがふんばりどころです！

目的、適用等

予想

難易度 **易**　重要度 **C**

厚生年金保険法に関する次の記述のうち、誤っているものはどれか。

A　厚生年金保険は、労働者の老齢、障害又は死亡について、保険給付を行う。

B　適用事業所以外の事業所の事業主は、当該事業所に使用される者（適用除外に該当する者を除く。）の2分の1以上が希望するときは、当該事業所を適用事業所とする旨の申請をしなければならない。

C　厚生労働大臣の権限に係る事務のうち、厚生年金保険原簿の訂正の請求の受理に係る事務は、日本年金機構に行わせるものとされている。

D　厚生年金保険法第32条に規定する同法による保険給付は、老齢厚生年金、障害厚生年金及び障害手当金並びに遺族厚生年金である。

E　適用事業所以外の事業所の事業主は、当該事業所を適用事業所とするためには、厚生労働大臣の認可を受けなければならない。

A　○　法1条。厚生年金保険の保険事故は、**労働者**の老齢、障害**又は死亡**です。なお、厚生年金保険法の目的は、設問の保険給付を行い、労働者及びその遺族の**生活の安定**と**福祉の向上**に寄与することです。

B　×　参考：法6条4項。設問のような規定はありません。事業所に使用される者の希望により、事業主に当該事業所を任意適用事業所とする旨の**申請義務**が発生することは**ありません**。

C　○　法100条の4第1項7号の2。厚生年金保険原簿（年金記録）の訂正の請求の受理に係る事務は、**日本年金機構**に委任されています。したがって、年金記録の訂正の請求は、実際には、日本年金機構に対して行います。

D　○　法32条。厚生年金保険法32条（法本則）に規定する同法による保険給付は、**老齢厚生年金**、**障害厚生年金**及び**障害手当金**並びに**遺族厚生年金**の4種類です。なお、法附則で定める給付として、「脱退」について支給される脱退一時金などがあります。

E　○　法6条3項。適用事業所以外の事業所の事業主は、**厚生労働大臣の認可**を受けて、当該事業所を適用事業所とすることができます。

9章 厚生年金保険法

基本まとめ

任意適用事業所となるための要件と取消しの要件

なるための要件	取消しの要件
①事業所に使用される者の2分の1以上の同意 ②事業主の認可申請 ③厚生労働大臣の**認可**	①事業所に使用される者の4分の3以上の同意 ②事業主の認可申請 ③厚生労働大臣の**認可**

　上記①は、いずれも適用除外事由に該当する者を除きます。また、多数の従業員が希望した場合でも、事業主に申請義務は生じません。

解答　B

適用事業所等

過令元

難易度 普 重要度 B

厚生年金保険法に関する次の記述のうち、正しいものはどれか。

A 常時5人以上の従業員を使用する個人経営の畜産業者である事業主の事業所は、強制適用事業所となるので、適用事業所となるために厚生労働大臣から任意適用事業所の認可を受ける必要はない。

B 個人経営の青果商である事業主の事業所は、常時5人以上の従業員を使用していたため、適用事業所となっていたが、その従業員数が4人になった。この場合、適用事業所として継続するためには、任意適用事業所の認可申請を行う必要がある。

C 常時5人以上の従業員を使用する個人経営のと殺業者である事業主は、厚生労働大臣の認可を受けることで、当該事業所を適用事業所とすることができる。

D 初めて適用事業所（第1号厚生年金被保険者に係るものに限る。）となった事業所の事業主は、当該事実があった日から5日以内に日本年金機構に所定の事項を記載した届書を提出しなければならないが、それが船舶所有者の場合は10日以内に提出しなければならないとされている。

E 住所に変更があった事業主は、5日以内に日本年金機構に所定の事項を記載した届書を提出しなければならないが、それが船舶所有者の場合は10日以内に提出しなければならないとされている。

A　✕　法6条1項・3項。畜産業（農林水産業）は適用業種ではないため、**個人経営**である限り、常時使用する**従業員数にかかわらず、強制適用事業所となりません**。したがって、適用事業所となるためには、厚生労働大臣から任意適用事業所の**認可**を受ける必要があります。

B　✕　法7条。認可申請を行う必要はありません。強制適用事業所が、従業員の減少等によってその要件に該当しなくなったときは、その事業所について、厚生労働大臣から任意適用事業所の**認可があったものとみなされます**。したがって、任意適用事業所の認可申請を行わなくても、適用事業所として継続します。

C　✕　法6条1項1号ト。と殺業は適用業種であるため、個人経営であっても、**常時5人以上**の従業員を使用する場合は、**強制適用事業所となります**。したがって、設問の事業主は、厚生労働大臣の認可を受ける必要はありません。

D　○　則13条1項・4項。設問の新規適用事業所の届出の期限は、原則として**5日以内**、**船舶所有者**にあっては**10日以内**です。

E　✕　則23条1項・4項。船舶所有者の場合は、「10日以内に」ではなく、「**速やかに**」提出しなければなりません。設問は、事業主の氏名等変更届についてですが、この届出の期限は、原則として**5日以内**、船舶所有者にあっては**速やかに**とされています。

9章

厚生年金保険法

解答　D

被保険者（1）

過令2 変更イ

難易度 **難**　重要度 **B**

厚生年金保険法に関する次のアからオの記述のうち、誤っているものの組合せは、後記ＡからＥまでのうちどれか。

ア　特定適用事業所に使用される者は、その１週間の所定労働時間が同一の事業所に使用される通常の労働者の１週間の所定労働時間の４分の３未満であって、厚生年金保険法の規定により算定した報酬の月額が88,000円未満である場合は、厚生年金保険の被保険者とならない。

イ　特定適用事業所に使用される者は、その１か月間の所定労働日数が同一の事業所に使用される通常の労働者の１か月間の所定労働日数の４分の３未満であって、１週間の所定労働時間が20時間未満である場合は、厚生年金保険の被保険者とならない。

ウ　特定適用事業所でない適用事業所に使用される特定４分の３未満短時間労働者は、事業主が実施機関に所定の申出をしない限り、厚生年金保険の被保険者とならない。

エ　特定適用事業所に該当しなくなった適用事業所に使用される特定４分の３未満短時間労働者は、事業主が実施機関に所定の申出をしない限り、厚生年金保険の被保険者とならない。

オ　適用事業所以外の事業所に使用される70歳未満の特定４分の３未満短時間労働者については、厚生年金保険法第10条第１項に規定する厚生労働大臣の認可を受けて任意単独被保険者となることができる。

A　（アとイ）　　**B**　（アとエ）　　**C**　（イとウ）

D　（ウとオ）　　**E**　（エとオ）

ア　○　法12条5号ロ。4分の3基準を満たさない短時間労働者が被保険者となるには、次の①〜④の要件（4要件）をすべて満たす必要があります。設問の者は、このうちの②を満たしていないため、被保険者となりません。

> ①1週間の所定労働時間が20時間以上であること
>
> ②報酬（一定のものを除く。）の月額が88,000円以上であること
>
> ③**学生等**でないこと
>
> ④次のいずれかに該当する事業所に使用されていること
>
> （ア）**特定適用事業所**
>
> （イ）労使合意に基づき実施機関に**申出**をした適用事業所

イ　○　法12条5号イ。設問の者は、4要件（選択肢アの解説参照）のうち、①を満たしてないため、被保険者となりません。

ウ　○　平24法附則17条1項・5項・7項。特定4分の3未満短時間労働者とは、4要件のうち①〜③を満たす者であって、**特定適用事業所以外**の適用事業所に使用されるものをいいます。この者が被保険者となるには、事業主が実施機関に所定の申出（選択肢アの解説④（イ）の申出）をする必要があります。

エ　×　平24法附則17条2項。被保険者となります。設問の者は、当該適用事業所が特定適用事業所である間は、被保険者となります。特定適用事業所が特定適用事業所に**該当しなくなった**場合であっても、当該適用事業所に使用される特定4分の3未満短時間労働者は、これのみをもって被保険者の資格を喪失せず、**引き続き被保険者となります**。なお、この者は、事業主が実施機関に所定の**申出**をすることで資格を喪失します。

オ　×　法12条5号。設問の者は、**適用事業所以外**の事業所に使用されているため、4要件を満たしていません。したがって、**適用除外**に該当し、任意単独被保険者となることができません。

以上から、誤っているものの組合せは、E（エとオ）です。

9章

厚生年金保険法

解答　E

被保険者（2）

過令4

難易度 普　重要度 B

適用事業所に使用される高齢任意加入被保険者（以下本問において「当該被保険者」という。）に関する次の記述のうち、正しいものはどれか。

A 当該被保険者を使用する適用事業所の事業主が、当該被保険者に係る保険料の半額を負担し、かつ、当該被保険者及び自己の負担する保険料を納付する義務を負うことにつき同意をしたときを除き、当該被保険者は保険料の全額を負担するが、保険料の納付義務は当該被保険者が保険料の全額を負担する場合であっても事業主が負う。

B 当該被保険者に係る保険料の半額を負担し、かつ、当該被保険者及び自己の負担する保険料を納付する義務を負うことにつき同意をした適用事業所の事業主は、厚生労働大臣の認可を得て、将来に向かって当該同意を撤回することができる。

C 当該被保険者が保険料（初めて納付すべき保険料を除く。）を滞納し、厚生労働大臣が指定した期限までにその保険料を納付しないときは、厚生年金保険法第83条第1項に規定する当該保険料の納期限の属する月の末日に、その被保険者の資格を喪失する。なお、当該被保険者の事業主は、保険料の半額を負担し、かつ、当該被保険者及び自己の負担する保険料を納付する義務を負うことについて同意していないものとする。

D 当該被保険者の被保険者資格の取得は、厚生労働大臣の確認によってその効力を生ずる。

E 当該被保険者が、実施機関に対して当該被保険者資格の喪失の申出をしたときは、当該申出が受理された日の翌日（当該申出が受理された日に更に被保険者の資格を取得したときは、その日）に被保険者の資格を喪失する。

A　×　法附則４条の３第７項。保険料の納付義務は、「事業主」ではなく、「当該被保険者」が負います。**適用事業所**に使用される高齢任意加入被保険者は、その者の事業主が、保険料の半額負担及び納付の義務を負うことについての同意をしたときを除き、保険料の**全額を負担**し、自己の負担する保険料を**納付する義務**を負います。

B　×　法附則４条の３第８項。「厚生労働大臣の認可」ではなく、「当該被保険者の同意」です。保険料の半額負担及び納付の義務を負うことについての同意をした適用事業所の事業主は、**被保険者の同意を得て**、将来に向かって当該同意を**撤回**することができます。

C　×　法附則４条の３第６項。資格を喪失するのは、「納期限の属する月の末日」ではなく、「納期限の属する月の前月の末日」です。保険料の半額負担及び納付の義務を負うことについての事業主の**同意がない**高齢任意加入被保険者は、保険料（初めて納付すべき保険料を除く。）を**滞納**し、厚生労働大臣が督促状により指定した期限までにその保険料を納付しないときは、当該保険料の**納期限の属する月の前月の末日**に、被保険者の資格を喪失します。

D　×　令６条１項。厚生労働大臣の確認は要しません。適用事業所に使用される高齢任意加入被保険者の資格の取得及び**喪失**（当該事業所に使用されなくなったこと又は適用除外に該当したことによる喪失を除く。）については、厚生労働大臣の**確認を要しません**。

E　○　法附則４条の３第５項３号。適用事業所に使用される高齢任意加入被保険者は、当該被保険者の資格喪失の申出をしたときは、当該**申出が受理された日の翌日**に、被保険者の資格を喪失します。ただし、当該申出が受理された日にさらに被保険者の資格を取得したときは、その日に、被保険者の資格を喪失します。

9章　厚生年金保険法

解答　E

被保険者（3）

予想 　　　　　　　　　　　　　　　難易度 **普**　重要度 **A**

被保険者等に関する次の記述のうち、正しいものはどれか。

A　事業所の内規等により一定期間は試みに使用すると称して雇い入れられた者は、その試みに使用する期間が満了するまでは、被保険者の資格を取得しない。

B　法人の代表者又は業務執行者は、法人から労務の対償として報酬を受けていても、被保険者とならない。

C　第1号厚生年金被保険者が同時に第2号厚生年金被保険者の資格を有するに至ったときは、その日の翌日に、当該第1号厚生年金被保険者の資格を喪失する。

D　被保険者の資格を取得した月にその資格を喪失した場合であって、その月に更に国民年金の第1号被保険者の資格を取得したときは、その月は厚生年金保険の被保険者期間に算入しない。

E　適用事業所以外の事業所に使用される70歳未満の者は、事業主の同意がなくても、保険料の全額を負担する旨を申し出れば、任意単独被保険者となることができる。

A　×　昭26.11.28保文発5177号。設問の者は、**雇入れの**当初から被保険者の資格を取得します。事業所の内規等により一定期間試みに使用される者は、臨時に使用される者と認められないためです。

B　×　昭24.7.28保発74号。被保険者となります。法人の代表者又は業務執行者であっても、法人から**労務の対償**として**報酬**を受けている者は、法人に使用される者として被保険者と**なります**。

C　×　法18条の２第２項。「その日の翌日」ではなく、「その日」です。**第１号厚生年金被保険者**が同時に第２号厚生年金被保険者、第３号厚生年金被保険者又は第４号厚生年金被保険者の資格を有するに至ったときは、その日に、当該第１号厚生年金被保険者の**資格を喪失**します。

D　○　法19条２項。被保険者の資格を取得した月にその資格を喪失したときは、その月を１ヵ月として厚生年金保険の被保険者期間に算入します（原則）。ただし、その月に更に次の①②の資格を取得した場合は、厚生年金保険の被保険者期間に**算入しません**。設問は、②に該当します。

①（厚生年金保険の）**被保険者**の資格

　⇒　更に取得した資格について厚生年金保険の被保険者期間に算入します。

②**国民年金の被保険者**（第２号被保険者を除く。）の資格

　⇒　国民年金のみの被保険者期間に算入します。

E　×　法10条。事業主の同意がないときは、任意単独被保険者となることが**できません**。適用事業所以外の事業所に使用される70歳未満の者は、**事業主の同意**を得た上で、厚生労働大臣の**認可**を受けて、任意単独被保険者となることができます。

9 章

厚生年金保険法

解答　D

届出等（1）

予想

難易度 普　重要度 **A**

第１号厚生年金被保険者、第１号厚生年金被保険者に係る事業主、第１号厚生年金被保険者期間に基づく保険給付の受給権者等が行う届出に関する次の記述のうち、誤っているものはどれか。

A　障害厚生年金の受給権者であって、その障害の程度の診査が必要であると認めて厚生労働大臣が指定したものは、当該障害厚生年金の額の全部につき支給が停止されているときを除き、厚生労働大臣が指定した年において、指定日までに、指定日前３ヵ月以内に作成されたその障害の現状に関する医師又は歯科医師の診断書を日本年金機構に提出しなければならない。

B　老齢厚生年金の受給権者は、加給年金額対象者である配偶者が65歳に達したことにより加給年金額対象者でなくなったときは、10日以内に、所定の事項を記載した届書を日本年金機構に提出しなければならない。

C　厚生労働大臣が受給権者に係る機構保存本人確認情報の提供を受けることができる老齢厚生年金の受給権者が死亡した場合において、当該受給権者の死亡の日から７日以内に当該受給権者に係る戸籍法の規定による死亡の届出をしたときは、厚生年金保険法第98条第４項に規定する受給権者の死亡の届出を行う必要はない。

D　適用事業所に使用される被保険者が70歳に達し、同一の適用事業所に引き続き使用されることにより70歳以上の使用される者の要件に該当するに至った場合であって、その者の標準報酬月額に相当する額が70歳以上の使用される者の要件に該当するに至った日の前日における標準報酬月額と同額であるときは、事業主は、70歳以上被用者該当届及び被保険者資格喪失届を提出する必要はない。

E　適用事業所に使用される高齢任意加入被保険者（厚生労働大臣が住民基本台帳法の規定により機構保存本人確認情報の提供を受けることができる者を除く。）は、その住所を変更したときは、10日以内に、変更前及び変更後の住所その他の所定の事項を記載した届書を日本年金機構に提出しなければならない。

A 〇 則51条の4第1項。障害厚生年金の受給権者に係る**障害の現状に関する届出**です。この届出は、厚生労働大臣が**指定した年**において、指定日までに、その障害の現状に関する医師又は歯科医師の**診断書**を日本年金機構に提出することにより、行います。提出する診断書は、**指定日前3ヵ月以内**に作成されたものである必要があります。

B ✕ 則32条。届書を提出する必要はありません。老齢厚生年金の受給権者は、加給年金額対象者が減額改定事由に該当したときは、**10日以内**に、所定の事項を記載した届書を日本年金機構に提出しなければなりません（加給年金額対象者の不該当の届出）。ただし、**年齢要件を満たさなくなったこと**により減額改定事由に該当したものであるときは、この**届出は不要**です。

C 〇 法98条4項、則41条5項・6項。受給権者が死亡したときは、戸籍法の規定による死亡の届出義務者が、10日以内に、その旨を厚生労働大臣に届け出なければなりません（受給権者の死亡の届出）。ただし、厚生労働大臣が当該受給権者に係る**機構保存本人確認情報**の提供を受けることができる受給権者の死亡について、受給権者の死亡の日から**7日以内**に当該受給権者に係る**戸籍法の規定による死亡の届出**をしたときは、上記の受給権者の死亡の届出は**不要**です。

D 〇 則15条の2第1項、22条1項4号。次の①②のいずれにも該当するときは、「70歳以上被用者該当届」及び「被保険者資格喪失届」の提出は**不要**です。
①適用事業所に使用される被保険者が**同一の適用事業所**に引き続き使用されることにより70歳以上の使用される者の要件に該当するに至ったこと。
②その者の標準報酬月額に相当する額が70歳到達前の標準報酬月額と同額であること。

E 〇 則5条の5。適用事業所に使用される**高齢任意加入被保険者**については、自らが住所変更に関する届出義務を負います。この住所変更の届出は、**10日以内**に行わなければなりません。なお、**適用事業所以外の事業所**に使用される高齢任意加入被保険者は、設問の届出義務を負いません。この高齢任意加入被保険者については、事業主がその届出義務を負うため、事業主にその旨を申し出れば足ります。

9章 厚生年金保険法

解答　B

届出等（2）

過令2

難易度 普　重要度 B

厚生年金保険法に関する次の記述のうち、誤っているものはどれか。

A　第1号厚生年金被保険者は、同時に2以上の事業所に使用されるに至ったときは、その者に係る日本年金機構の業務を分掌する年金事務所を選択し、2以上の事業所に使用されるに至った日から5日以内に、所定の事項を記載した届書を日本年金機構に提出しなければならない。

B　厚生労働大臣による被保険者の資格に関する処分に不服がある者が行った審査請求は、時効の完成猶予及び更新に関しては、裁判上の請求とみなされる。

C　厚生年金保険法第27の規定による当然被保険者（船員被保険者を除く。）の資格の取得の届出は、当該事実があった日から5日以内に、厚生年金保険被保険者資格取得届・70歳以上被用者該当届又は当該届書に記載すべき事項を記録した光ディスク（これに準ずる方法により一定の事項を確実に記録しておくことができる物を含む。）を日本年金機構に提出することによって行うものとされている。

D　適用事業所の事業主（船舶所有者を除く。）は、廃止、休止その他の事情により適用事業所に該当しなくなったときは、原則として、当該事実があった日から5日以内に、所定の事項を記載した届書を日本年金機構に提出しなければならない。

E　被保険者又は被保険者であった者の死亡の当時胎児であった子が出生したときは、父母、孫又は祖父母の有する遺族厚生年金の受給権は消滅する。一方、被保険者又は被保険者であった者の死亡の当時胎児であった子が出生したときでも、妻の有する遺族厚生年金の受給権は消滅しない。

A　✕　則1条1項・2項。「5日以内」ではなく、「10日以内」に提出しなければなりません。第1号厚生年金被保険者が同時に2以上の事業所に使用されるに至った場合であって、日本年金機構の業務が**2以上の年金事務所に分掌**されているときは、10日以内に、届書を日本年金機構に提出しなければなりません（**年金事務所の選択**の届出）。なお、同時に2以上の事業所に使用されるに至った場合であって、上記以外のときは、10日以内に、「2以上事業所勤務の届出」を行います。

B　〇　法90条4項。裁判上の請求があると、その事由が終了するまでの間は、時効は完成しません（時効の**完成猶予**）。また、確定判決等により権利が確定したときは、時効はその事由が終了したときから新たにその進行を始めます（時効の**更新**）。**審査請求**が行われたときは、**裁判上の請求**があったときと同様に時効の完成が猶予され、その権利が確定したときは時効が更新されます。

C　〇　則15条1項。当然被保険者（船員被保険者を除く。）の**資格取得の届出**は、当該事実があった日から**5日以内**に、届書又は光ディスクを日本年金機構に提出することによって行います。

D　〇　則13条の2第1項。廃止等の事情により適用事業所に該当しなくなった場合に適用事業所の事業主（船舶所有者を除く。）が提出する届書（**適用事業所全喪届**）の提出期限は、当該事実のあった日から**5日以内**です。

E　〇　法63条。設問の胎児であった子が出生したときは、その子は、出生したときに遺族厚生年金の受給権を取得します。そのため、遺族の順位が「子」より劣後する**父母、孫又は祖父母**の有する遺族厚生年金の受給権は、**消滅します**。一方、胎児であった子が出生したときでも、子と**同順位である妻**の有する受給権は、**消滅しません**。

9
章

厚生年金保険法

解答　A

厚生年金保険原簿の訂正の請求

過平30

難易度 難　重要度 C

厚生年金保険法の規定による厚生年金保険原簿の訂正の請求に関する次の記述のうち、誤っているものはどれか。

A　第2号厚生年金被保険者であった者は、その第2号厚生年金被保険者期間について厚生労働大臣に対して厚生年金保険原簿の訂正の請求をすることができない。

B　第1号厚生年金被保険者であった老齢厚生年金の受給権者が死亡した場合、その者の死亡により遺族厚生年金を受給することができる遺族はその死亡した者の厚生年金保険原簿の訂正の請求をすることができるが、その者の死亡により未支給の保険給付の支給を請求することができる者はその死亡した者の厚生年金保険原簿の訂正の請求をすることができない。

C　厚生労働大臣は、訂正請求に係る厚生年金保険原簿の訂正に関する方針を定めなければならず、この方針を定めようとするときは、あらかじめ、社会保障審議会に諮問しなければならない。

D　厚生労働大臣が行った訂正請求に係る厚生年金保険原簿の訂正をしない旨の決定に不服のある者は、厚生労働大臣に対して行政不服審査法に基づく審査請求を行うことができる。

E　厚生年金基金の加入員となっている第1号厚生年金被保険者期間については、厚生労働大臣に対して厚生年金保険原簿の訂正の請求をすることができる。

A　○　法31条の3。**厚生労働大臣**に対する厚生年金保険原簿の訂正請求は、**第1号厚生年金被保険者**であり、又はあった者がすることができます。第2号・第3号・第4号厚生年金被保険者であり、又はあった者には、この訂正請求の規定は適用されないため、これらの者は、設問の請求をすることができません。

B　×　法28条の2第2項。未支給の保険給付の支給を請求することができる者も、厚生年金保険原簿の訂正の請求をすることができます。第1号厚生年金被保険者であり、又はあった者が**死亡**した場合においては、**未支給の保険給付の請求権者又は遺族厚生年金**を受けることができる遺族が、厚生年金保険原簿の訂正の請求をすることができます。

C　○　法28条の3。**厚生労働大臣**は、訂正請求に係る厚生年金保険原簿の**訂正に関する方針**を定めなければなりません。また、厚生労働大臣は、この方針を定め、又は変更しようとするときは、あらかじめ、**社会保障審議会**に諮問しなければなりません。

D　○　法91条の2、行政不服審査法2条、4条。設問の決定についての不服は、厚生年金保険法に規定する不服申立ての対象となりません。したがって、**行政不服審査法**に基づき、**厚生労働大臣**に対して審査請求をすることができます。

E　○　法28条の2第1項、則11条、89条3号。厚生年金保険原簿の訂正の請求は、**特定厚生年金保険原簿記録**が事実でないと思料するとき等に、することができます。この特定厚生年金保険原簿記録とは、第1号厚生年金被保険者の資格の取得及び喪失の年月日、標準報酬その他厚生労働省令で定める事項の内容をいいます。厚生労働省令で定める事項として、「被保険者の種別及び**厚生年金基金の加入員であるかないかの区別**」などがあり、厚生年金基金の加入員となっている第1号厚生年金被保険者期間について、厚生労働大臣に対して厚生年金保険原簿の訂正の請求をすることができます。

9章

厚生年金保険法

解答　B

標準報酬（1）

予想

難易度 普　重要度 A

標準報酬月額等に関する次の記述のうち、誤っているものはどれか。

A　標準報酬月額が第1級となるのは、被保険者の報酬月額が9万3,000円未満である場合である。

B　厚生年金保険の標準報酬月額の決定又は改定は、被保険者の種別に応じて、実施機関が行う。

C　ある年の4月10日に育児休業を終了し、標準報酬月額について育児休業等を終了した際の改定が行われる被保険者については、その年の定時決定は行われない。

D　厚生年金保険法第23条第1項のいわゆる随時改定は、被保険者が休職による休職給を受けることとなったため、その者の標準報酬月額の基礎となった報酬月額に比べて、著しく高低を生じた場合においても、行われる。

E　ある月に被保険者が受けた賞与額が110万5,650円であるときは、その月における標準賞与額は、当該年度においてその被保険者がそれまでに受けた賞与額にかかわらず、110万5,000円と決定される。

A　〇　法20条1項。標準報酬月額は、被保険者の報酬月額に基づき決定又は改定されます。標準報酬月額の**第1級**は**8万8,000円**であり、被保険者の報酬月額が**9万3,000円未満**である場合に、第1級に該当します。

B　〇　法21条1項等。厚生年金保険においては、**実施機関**が標準報酬月額の決定又は改定を行います。なお、健康保険においては、保険者等がこれを行います。

C　〇　法21条3項、23条の2第2項。定時決定は、次の①又は②者については、その年に限り、行われません。設問の被保険者は、7月（育児休業等**終了日の翌日**から起算して**2ヵ月**を経過した日の属する月の**翌月**）から育児休業等を終了した際の改定が行われるため、このうちの②に該当します。

①6月1日から7月1日までの間に被保険者の資格を取得した者

②随時改定、育児休業等を終了した際の改定又は産前産後休業を終了した際の改定の規定により7月から9月までのいずれかの月から標準報酬月額を改定され、又は改定されるべき被保険者

D　✕　法23条1項、昭36.1.26保発4号。設問の場合には、随時改定は行われません。随時改定が行われるにあっては、昇給又は降給により**固定的賃金に変動**があったことが必要です。この固定的賃金の変動には、ベースアップ又はベースダウン及び賃金体系の変更による場合等を含みますが、**休職による休職給**を受けた場合は**含まない**ものとされています。

E　〇　法24条の4第1項。標準賞与額は、その月に被保険者が受けた賞与額に基づき、**1,000円未満の端数を切り捨てて**、決定されます。したがって、設問の場合の標準賞与額は、1,000円未満の650円を切り捨てて、110万5,000円となります。なお、厚生年金保険の標準賞与額については、**1ヵ月あたり150万円**が上限額とされています。

解答　D

標準報酬（2）

予想

標準報酬月額等に関する次の記述のうち、正しいものはどれか。なお、本問において「養育期間の標準報酬月額の特例」とは、厚生年金保険法第26条に規定する3歳に満たない子を養育する被保険者等の標準報酬月額の特例をいう。

A　毎年3月31日における全被保険者の標準報酬月額を平均した額の100分の150に相当する額が標準報酬月額等級の最高等級の標準報酬月額を超える場合において、その状態が継続すると認められるときは、その翌年の4月1日から、健康保険法に規定する標準報酬月額の等級区分を参酌して、政令で、当該最高等級の上に更に等級を加える標準報酬月額の等級区分の改定を行うことができる。

B　定時決定の算定対象月のうちの一部の月について一時帰休による休業手当等が支払われ、標準報酬月額の決定の際に一時帰休の状態が解消していない場合は、休業手当等が支払われた月のみで標準報酬月額を決定する。

C　超過勤務手当の支給単価や支給割合が変更された場合は、随時改定の対象となる。

D　養育期間の標準報酬月額の特例において、平均標準報酬額の計算の基礎となる標準報酬月額とみなされる従前標準報酬月額は、子を養育することとなった日の属する月の前月において被保険者でない場合は、当該月前2年以内における被保険者であった月のうち直近の月の標準報酬月額となる。

E　養育期間の標準報酬月額の特例の適用を受けるための申出は、3歳に満たない子を養育し、又は養育していた被保険者を使用する事業主が行う。

A　✕　法20条2項。「100分の150」及び「その翌年の4月1日」とする記述が誤りであり、正しくは、「100分の200」及び「その年の9月1日」です。設問の標準報酬月額の上限の弾力的変更は、「**毎年3月31日**における全被保険者の標準報酬月額を平均した額の**100分の200**に相当する額が標準報酬月額等級の最高等級の標準報酬月額を**超える**場合において、その状態が継続すると認められるとき」に、その年の**9月1日**から、行うことができます。

B　✕　令5.6.27事務連絡。休業手当等が支払われた月のみで決定するのではありません。たとえば、定時決定の対象月である4・5・6月のうち、4・5月は通常の給与の支払いを受けて6月のみ一時帰休による休業手当等が支払われ、標準報酬月額の決定の際に一時帰休の状態が解消していない場合は、6月分は**休業手当等を含めて**報酬月額を算定した上で、**4・5・6月**の報酬月額を平均して標準報酬月額を決定します。

C　〇　令5.6.27事務連絡。超過勤務手当の支給単価や支給割合の変更は、**賃金体系の変更**であり、**固定的賃金の変動**に該当します。したがって、他の要件を満たせば、随時改定が行われます。なお、単に超過勤務の時間に増減があったために超過勤務手当の額が増減した場合は、随時改定の対象となりません。

D　✕　法26条1項。「2年以内」ではなく、「1年以内」です。従前標準報酬月額は、子を養育することとなった日の属する**月の前月**の標準報酬月額です。ただし、当該前月に被保険者でない場合は、その**月前1年以内**における被保険者であった月のうち直近の月の標準報酬月額となります。

E　✕　法26条1項。申出は、「事業主」ではなく、「被保険者又は被保険者であった者」が行います。3歳に満たない子を養育し、又は養育していた**被保険者又は被保険者であった者**が実施機関に**申出**をしたときは、特例の対象期間内にある各月のうち、その標準報酬月額が従前標準報酬月額を下回る月については、**従前標準報酬月額**を平均標準報酬額の計算の基礎となる標準報酬月額とみなします。

9章　厚生年金保険法

解答　C

645

保険給付の通則（1）

予想　　　　　　　　　　　　　　　　　　　　　　　難易度 普　重要度 B

保険給付の通則に関する次の記述のうち、正しいものはどれか。

A　同一人に対して国民年金法による年金たる給付の支給を停止して共済組合が支給する年金たる保険給付を支給すべき場合において、年金たる保険給付を支給すべき事由が生じた月の翌月以後の分として国民年金法による年金たる給付の支払いが行われたときは、その支払われた国民年金法による年金たる給付は、年金たる保険給付の内払いとみなすことができる。

B　年金たる保険給付の受給権者が死亡したためその受給権が消滅したにもかかわらず、その死亡の日の属する月の翌月以後の分として当該年金たる保険給付の過誤払いが行われた場合において、当該過誤払いによる返還金債権に係る債務の弁済をすべき者に支払うべき老齢厚生年金があるときは、当該老齢厚生年金の支払金の金額を当該過誤払いによる返還金債権の金額に充当することができる。

C　年金は、その支給を停止すべき事由が生じたときは、その事由が生じた月からその事由が消滅した月までの間は、支給しない。

D　保険給付を受ける権利を裁定する場合又は保険給付の額を改定する場合において、保険給付の額に5円未満の端数が生じたときは、これを切り捨て、5円以上10円未満の端数が生じたときは、これを10円に切り上げるものとする。

E　年金の支払期月である毎年2月、4月、6月、8月、10月及び12月における支払額に1円未満の端数が生じたときは、これを切り捨てるが、毎年3月から翌年2月までの間に切り捨てた金額の合計額（1円未満の端数が生じたときは、これを切り捨てた額）については、これを当該翌年2月の支払期月の年金額に加算するものとする。

A　×　法39条3項。設問の場合は、内払いとみなすことは**できません**。**国民年金法**による年金たる給付と厚生年金保険法の年金たる保険給付との間では、厚生年金保険法の年金たる保険給付が「**厚生労働大臣が支給**するもの」であるときに限り、**内払い**とみなすことができます。共済組合が支給する年金たる保険給付との間では、この調整は行われません。

B　×　法39条の2、則89条の2。老齢厚生年金の支払金の金額を充当することは**できません**。過誤払いによる返還金債権の金額に充当することができるのは、次の者に支払うべき**遺族厚生年金**の支払金の金額のみです。

　①A年金が過誤払いされた場合

　　⇒A年金の受給権者の死亡を支給事由とする**遺族厚生年金**の受給権者

　②受給権者が2人以上いた遺族厚生年金が過誤払いされた場合

　　⇒当該遺族厚生年金の**他の受給権者**（死亡した者以外の受給権者）

C　×　法36条2項。支給しない（支給を停止する）のは、「支給を停止すべき事由が生じた月の**翌月から**」その事由が消滅した**月まで**です。「支給を停止すべき事由が生じた月から」ではありません。

D　×　法35条1項。設問のように10円未満の端数を四捨五入するのではなく、**1円未満の端数を四捨五入**します。つまり、保険給付の額に**50銭未満**の端数が生じたときは、これを切り捨て、**50銭以上1円未満**の端数が生じたときは、これを1円に切り上げます。

E　○　法36条3項、36条の2。年金は、原則として、毎年2月、4月、6月、8月、10月及び12月の6期（支払期月）に、それぞれその前月分までを支払います。この支払期月における端数処理は、**1円未満**の端数を**切り捨てる**ことにより行います。これにより毎年3月から翌年2月までの間に切り捨てた金額の合計額は、当該**翌年2月**の支払期月の年金額に**加算**します。

9章

厚生年金保険法

解答　E

保険給付の通則（2）

予想

難易度 普　重要度 Ⓐ

保険給付の通則に関する次の記述のうち、誤っているものはどれか。

A　保険給付の受給権者が死亡し、未支給の保険給付がある場合において、当該受給権者の死亡の当時その者と生計を同じくしていた者が当該受給権者の姪のみであるときは、当該姪は、自己の名で、その未支給の保険給付の支給を請求することができる。

B　事故が第三者の行為によって生じた場合において、受給権者が当該第三者から同一の事由について損害賠償を受けたときは、政府等は、損害賠償と保険給付との調整をすることができるが、損害賠償額に医療費が含まれている場合、その医療費は保険給付との調整の対象とならない。

C　被保険者であった63歳の夫が死亡し、その妻（61歳）が当該死亡を支給事由とする遺族厚生年金と寡婦年金の受給権を取得した場合は、当該妻は、遺族厚生年金と寡婦年金とを併給することができる。

D　障害等級2級に該当し、障害厚生年金と障害基礎年金を受給している者が、65歳に達して老齢厚生年金と老齢基礎年金の受給権を取得した場合は、その者は、障害厚生年金と老齢基礎年金とを併給することはできないが、障害基礎年金と老齢厚生年金とを併給することができる。

E　障害手当金として支給を受けた金銭を標準として、租税その他の公課を課することはできない。

A　○　法37条1項。未支給の保険給付の支給を請求することができる遺族の範囲は、受給権者の死亡の当時その者と**生計を同じく**していたその者の**配偶者**、**子**、**父母**、**孫**、**祖父母**、**兄弟姉妹**又はこれらの者以外の3親等内の親族です。姪は3親等の親族であり、設問では生計を同じくしていた者が姪のみであるため、当該**姪**が、自己の名で、未支給の保険給付の支給を**請求**することが**できます**。

B　○　法40条2項、平27年管管発0930第6号。第三者の行為によって生じた事故について、受給権者が先に第三者から損害賠償を受けたときは、政府等は、その損害賠償の**価額の限度**で、**保険給付をしない**ことができます。この調整の対象となるのは、損害賠償額から慰謝料、**医療費**、葬祭費などを除いた生活補償費相当額です。損害賠償額に含まれている医療費は、調整の対象と**なりません**。

C　×　法38条1項。**遺族厚生年金**と寡婦年金は、同一の死亡を支給事由とするものであっても、併給することは**できません**。

D　○　法38条1項、法附則17条。障害厚生年金と老齢基礎年金は、受給権者の年齢を問わず併給することができませんが、**障害基礎年金**と老齢厚生年金は、受給権者が**65歳**に達していれば併給することが**できます**。

E　○　法41条2項。**租税その他の公課**は、保険給付として支給を受けた金銭を標準として、課することが**できません**（公課の禁止）。この公課の禁止の例外とされているのは老齢厚生年金であり、**障害手当金**については、原則どおり、租税その他の公課を課することが**できません**。

9
章

厚生年金保険法

ポイント解説

支給事由の異なる年金で併給することが可能な組合せ

支給事由の異なる年金であっても、次の年金については、いずれも受給権者が65歳に達している場合に限り、併給されます。
　①**老齢基礎年金**+**遺族厚生年金**
　②**障害基礎年金**+**老齢厚生年金**
　③**障害基礎年金**+**遺族厚生年金**

解答　**C**

保険給付の制限等

予想

難易度 普　重要度 B

保険給付の制限等に関する次の記述のうち、正しいものはどれか。

A　被保険者が精神疾患のために自殺した場合は、厚生年金保険法第73条の2の規定により、その死亡に係る遺族厚生年金の全部又は一部が支給されない。

B　障害厚生年金の受給権者が、故意若しくは重大な過失により、又は正当な理由がなくて療養に関する指示に従わないことにより、その障害の程度を増進させたときは、その者の障害の程度が現に該当する障害等級以下の障害等級に該当するものとして、厚生年金保険法第52条第1項の規定による障害厚生年金の額の改定を行うことができる。

C　厚生年金保険法第38条の2の規定による年金たる保険給付の支給停止の申出は、同一の支給事由に基づく国民年金の年金たる給付の支給停止の申出と同時に行わなければならない。

D　保険料を徴収する権利が時効によって消滅した場合であっても、当該保険料に係る被保険者であった期間に係る被保険者の資格の取得について、厚生年金保険法第31条第1項の規定による確認の請求があった後に、保険料を徴収する権利が時効によって消滅したものであるときは、当該保険料に係る被保険者であった期間に基づく保険給付は行われる。

E　第1号厚生年金被保険者期間に基づく保険給付の受給権者が、正当な理由がなくて、厚生年金保険法第98条第3項の規定による現況の届出をせず、又は書類その他の物件を提出しないときは、保険給付の額の一部の支給を停止することができる。

A　×　法73条の２、昭35.10.6保険発123号。設問の場合は、給付制限の対象外
であり、遺族厚生年金は（全部）支給されます。**自殺**による死亡については、遺
族厚生年金の**給付制限は行われません**。

B　×　法74条。設問のように障害の程度を**増進させたとき**は、障害の程度が増進
したことによる障害厚生年金の**額の改定**（増額改定）を行わないことができます。
なお、設問と同様の事由により障害の**回復を妨げた**ときは、その者の障害の程度
が現に該当する障害等級以下の障害等級に該当するものとして、障害厚生年金
の**額の改定**（減額改定）を行うことができます。

C　×　参考：法38条の２、則30条の５の２等。設問のような規定はありません。
同一の支給事由に基づく厚生年金保険の年金たる保険給付と国民年金の年金た
る給付の受給権を有する者が支給停止の申出をする場合には、**両方**について申出
をするか、いずれか**一方のみ**について申出をするか、**任意に選択することができ
ます**。

D　○　法75条。保険料を徴収する権利が時効によって消滅したときは、原則とし
て、当該保険料に係る被保険者であった期間に基づく保険給付は行われません。
ただし、当該被保険者であった期間に係る被保険者の資格の取得について、①
事業主の**届出**、②被保険者又は被保険者であった者からの**確認の請求**又は③**原
簿の訂正の請求**があった後に、保険料を徴収する権利が時効によって消滅した
ものであるときは、当該保険料に係る被保険者であった期間に基づく**保険給付は**
行われます。

E　×　法78条１項。「保険給付の額の一部の支給を停止することができる」では
なく、「保険給付の**支払いを一時差し止めることができる**」です。正当な理由が
なくて、**現況の届出をせず**、又は書類その他の物件を提出しない受給権者に対し
て行うことができるのは、保険給付の**支払いの一時差止め**です。

9章
厚生年金保険法

解答　D

年金額等の自動改定

予想

難易度 難　重要度 B

保険給付の額の改定等に関する次のアからオの記述のうち、正しいものの組合せは、後記AからEまでのうちどれか。

ア 調整率は、公的年金被保険者総数の変動率に、平均余命の伸び率である0.997を乗じて得た率である。

イ 老齢厚生年金及び障害厚生年金の加給年金額に係る改定率の改定は、これらの年金の受給権者が68歳に達する日の属する年度以後にあるときであっても、68歳に達する日の属する年度前にある受給権者と同様の基準によって行う。

ウ 調整期間において、68歳に達する日の属する年度前にある受給権者に係る再評価率の改定は、名目手取り賃金変動率が1以上であるときは、原則として、「名目手取り賃金変動率×(調整率×修正率)」による率を基準として行う。

エ 68歳に達する日の属する年度前にある受給権者に係る再評価率の改定は、調整期間にあるか否かにかかわらず、名目手取り賃金変動率が1を下回り、かつ、物価変動率が名目手取り賃金変動率を上回る場合には、物価変動率を基準として行う。

オ 財政の現況及び見通しに係る財政均衡期間は、財政の現況及び見通しが作成される年以降おおむね50年間である。

A　（アとイ）　　　B　（イとウ）　　　C　（ウとエ）

D　（エとオ）　　　E　（アとオ）

ア　○　法43条の４第１項等。「**公的年金被保険者総数の変動率**」とは、被保険者
数の減少率のことであり、少子化を表した指標といえます。また、「**平均余命の**
伸び」は、高齢化を表した指標といえます。これらは、年金財政にとってマイナ
スとなる要素であり、調整期間においては、これらを反映させた調整率を保険給
付の額の改定基準に加えることにより、保険給付の**額を調整**します。

イ　○　法44条２項等。加給年金額は、毎年度、**改定率**を改定することによって改
定されます。改定率の改定の基準は、本来、68歳到達年度前の者（新規裁定者）
と68歳到達年度以後の者（既裁定者）とで異なりますが、加給年金額に係る改
定率は、受給権者の**年齢を問わず**、新規裁定者に用いられる基準（原則として、
名目手取り賃金変動率）によって改定されます。

ウ　×　法43条の４第１項。「修正率」とある部分が誤りであり、正しくは、「**前年**
度の特別調整率」です。調整期間における再評価率の改定は、受給権者が68歳
に達する日の属する年度前にある（新規裁定者である）ときは、原則として、
「**名目手取り賃金変動率×（調整率×前年度の特別調整率）**」による率を基準と
して行います。なお、上記により計算した率（当該率が１を下回るときは、１）
を、**算出率**といいます。

エ　×　法43条の２第１項、43条の４第４項。設問の場合に基準となるのは、「物
価変動率」ではなく、「名目手取り賃金変動率」です。受給権者が68歳に達する
日の属する年度前にある（新規裁定者である）場合の再評価率の改定は、**名目**
手取り賃金変動率が１を下回り、かつ、**物価変動率が名目手取り賃金変動率を**
上回る場合には、調整期間であっても、**名目手取り賃金変動率を基準として行**
います。

オ　×　法２条の４第２項。50年間ではなく、100年間です。財政の現況及び見通
しとは、①厚生年金保険事業の財政に係る**収支**についての現況及び②**財政均衡**
期間における見通しをいいます。財政均衡期間とは、財政の現況及び見通しが作
成される年以降おおむね**100年間**とされています。

以上から、正しいものの組合せは、**A（アとイ）**です。

9
章

厚生年金保険法

解答　**A**

老齢厚生年金（1）

予想

難易度 普　重要度 A

老齢厚生年金に関する次の記述のうち、正しいものはどれか。

A　昭和39年5月1日生まれの女子が、厚生年金保険の被保険者期間として第1号厚生年金被保険者期間のみ18年有している場合は、原則として、63歳から、報酬比例部分のみの特別支給の老齢厚生年金が支給される。

B　特別支給の老齢厚生年金に係るいわゆる坑内員・船員の特例は、被保険者でなく、かつ、坑内員たる被保険者であった期間と船員たる被保険者であった期間とを合算した期間が15年以上である者に、適用される。

C　平成15年4月以後の被保険者期間に係る報酬比例部分の額は、原則として、当該期間の平均標準報酬額の1,000分の7.125に相当する額に、当該被保険者期間の月数を乗じて得た額である。

D　老齢厚生年金を受給している65歳以上の者が基準日である9月1日においてその前日以前の日から引き続き被保険者である場合は、基準日の属する月前の被保険者であった期間を老齢厚生年金の額の計算の基礎とするものとして、基準日の属する月の翌月から、老齢厚生年金の額が改定される。

E　老齢厚生年金を受給している65歳以上の被保険者がその被保険者の資格を喪失し、かつ、被保険者となることなくして被保険者の資格を喪失した日から起算して1ヵ月を経過したときは、その被保険者の資格を喪失した月前における被保険者であった期間を老齢厚生年金の額の計算の基礎とするものとして、資格を喪失した日から起算して1ヵ月を経過した日の属する月の翌月から、老齢厚生年金の額が改定される。

A　×　法附則8条、8条の2第2項。「63歳から」ではなく、「64歳から」です。**昭和33年**4月2日から**昭和41年**4月1日までの間に生まれた民間の女子については、原則として、生年月日に応じて61歳～64歳から**報酬比例部分**のみの特別支給の老齢厚生年金が支給されます。このうち、**昭和39年**4月2日から**昭和41年**4月1日までの間に生まれた者についての支給開始年齢は、64歳です。

B　×　法附則9条の4第1項。「被保険者でなく」とする記述が誤りです。坑内員・船員と特例が適用されるために、被保険者の資格を喪失している必要は**ありません**。坑内員・船員の特例は、当該特例の対象となる生年月日にある者が、次の①②の要件をいずれも満たしているときに、適用されます。

　①**坑内員**たる被保険者であった期間と**船員**たる被保険者であった期間とを合算した期間が15年以上であること。

　②老齢基礎年金の**受給資格期間**を満たしていること。

C　×　法43条1項、平12法附則20条1項。「1,000分の7.125」ではなく、「1,000分の5.481」です。報酬比例部分の額は、平成15年4月以後の期間については、原則として、「**平均標準報酬額**×**1,000分の5.481**×**被保険者期間の月数**」による額です。なお、平成15年4月前の期間については、原則として、「**平均標準報酬月額**×**1,000分の7.125**×被保険者期間の月数」による額です。

D　○　法43条2項。在職定時改定について、正しい記述です。在職定時改定は、老齢厚生年金の受給権者が**毎年9月1日**（基準日）において**被保険者である**場合（基準日に被保険者の資格を取得した場合を除く。）に、行われます。この場合は、基準日の属する**月前**の被保険者であった期間を老齢厚生年金の額の計算の基礎として、**基準日の属する月の翌月**から、年金の額が改定されます。

E　×　法43条3項。「1ヵ月を経過した日の属する月の翌月から」ではなく、「1ヵ月を経過した日の属する月から」です。設問の退職時改定は、被保険者である老齢厚生年金の受給権者が被保険者の**資格を喪失**し、かつ、被保険者となることなくして**1ヵ月を経過**したときに、行われます。この場合は、被保険者の資格を喪失した**月前**における被保険者であった期間を老齢厚生年金の額の計算の基礎として、資格を喪失した日から起算して**1ヵ月を経過**した日の属する月から、年金の額が改定されます。

9章

厚生年金保険法

解答　D

問題 293

老齢厚生年金 (2)

過令6

難易度 **普** 重要度 **A**

次の記述のうち、老齢厚生年金の支給繰下げの申出をすることができないものはいくつあるか。

なお、いずれも、老齢厚生年金の支給繰下げの申出に係るその他の条件を満たしているものとする。

ア 老齢厚生年金の受給権を取得したときに障害厚生年金の受給権者であった者。

イ 老齢厚生年金の受給権を取得したときに遺族厚生年金の受給権者であった者。

ウ 老齢厚生年金の受給権を取得したときに老齢基礎年金の受給権者であった者。

エ 老齢厚生年金の受給権を取得したときに障害基礎年金の受給権者であった者。

オ 老齢厚生年金の受給権を取得したときに遺族基礎年金の受給権者であった者。

A 一つ

B 二つ

C 三つ

D 四つ

E 五つ

ア〜オ　法44条の3第1項。老齢厚生年金の支給繰下げの申出の要件を満たしている者であっても、その者が老齢厚生年金の**受給権を取得したときに**他の年金たる給付の**受給権者であった**とき、又は受給権を取得した日から**1年を経過した日までの間**において他の年金たる給付の**受給権者となった**ときは、支給繰下げの申出をすることができません。ここでいう「他の年金たる給付」は、次の①②です。

> ①**厚生年金保険**の他の年金たる保険給付
> ②**国民年金**の年金たる給付（**老齢基礎年金**、付加年金及び**障害基礎年金を除く。**）

　設問のア〜オのうち、アの**障害厚生年金**とイの**遺族厚生年金**は①に該当し、オの**遺族基礎年金**は②に該当するため、アイオの者は、支給繰下げの申出をすることが**できません**。

　一方、ウの老齢基礎年金とエの障害基礎年金は①②のいずれにも該当しない（②のカッコ書きで除かれている）ため、ウエの者は、支給繰下げの申出をすることが**できます**。

以上から、申出をすることができないものは三つであるため、正解は**C**です。

9章

厚生年金保険法

解答　C

老齢厚生年金（3）

過令3

難易度 普　重要度 B

厚生年金保険法に関する次の記述のうち、誤っているものはどれか。

A　障害等級２級に該当する程度の障害の状態であり老齢厚生年金における加給年金額の加算の対象になっている受給権者の子が、17歳の時に障害の状態が軽減し障害等級２級に該当する程度の障害の状態でなくなった場合、その時点で加給年金額の加算の対象から外れ、その月の翌月から年金の額が改定される。

B　老齢厚生年金の受給権者の子（15歳）の住民票上の住所が受給権者と異なっている場合でも、加給年金額の加算の対象となることがある。

C　厚生年金保険法附則第８条の２に定める「特例による老齢厚生年金の支給開始年齢の特例」の規定によると、昭和35年８月22日生まれの第１号厚生年金被保険者期間のみを有する女子と、同日生まれの第１号厚生年金被保険者期間のみを有する男子とでは、特別支給の老齢厚生年金の支給開始年齢が異なる。なお、いずれの場合も、坑内員たる被保険者であった期間及び船員たる被保険者であった期間を有しないものとする。

D　厚生年金保険法附則第８条の２に定める「特例による老齢厚生年金の支給開始年齢の特例」の規定によると、昭和35年８月22日生まれの第４号厚生年金被保険者期間のみを有する女子と、同日生まれの第４号厚生年金被保険者期間のみを有する男子とでは、特別支給の老齢厚生年金の支給開始年齢は同じである。

E　脱退一時金の額の計算に当たっては、平成15年３月31日以前の被保険者期間については、その期間の各月の標準報酬月額に1.3を乗じて得た額を使用する。

A　×　法44条4項9号。「その時点」では、加給年金額の加算の対象から外れません。加給年金額の加算の対象となっている子（障害等級1級又は2級に該当する程度の障害の状態にある子）が、障害等級1級又は2級に該当しなくなったとしても、18歳に達する日以後の最初の**3月31日**（18歳**年度末**）までの間にあるときは、引き続き加給年金額の加算の**対象となります**。なお、この場合は、その後障害等級1級又は2級に該当することなく18歳年度末が終了すると、加給年金額の加算の対象から外れ、その月の翌月から年金の額が改定されます。

B　○　平23年発0323第1号。老齢厚生年金の加給年金額に係る生計維持関係の認定要件は、「受給権者と**生計を同じくし**（生計同一）、厚生労働大臣の定める金額（年収850万円又は所得年額655万5,000円）以上の収入を将来にわたって有すると認められる者以外のもの等であること」です。このうち「生計同一」については、認定対象者の住民票上の住所が受給権者と異なっていても、「現に**起居を共に**し、かつ、消費生活上の**家計を一つ**にしていると認められるとき」等は、生計同一と認められます。

C　○　法附則8条の2第1項・2項。第1号厚生年金被保険者期間のみを有する者に支給される特別支給の老齢厚生年金は、男子と女子でその支給開始年齢が**異なります**。支給開始年齢は、設問の女子は**62歳**、設問の男子は**64歳**です。

D　○　法附則8条の2第1項。第2号～第4号厚生年金被保険者期間を有する女子に支給される特別支給の老齢厚生年金の支給開始年齢は、男子に支給されるものと同じです。設問の場合の支給開始年齢は、いずれも**64歳**です。

E　○　平12法附則22条1項。脱退一時金の額は、被保険者であった期間の平均標準報酬額を基礎として計算します。**平成15年3月31日以前**（総報酬制導入前）は、標準賞与額というものがないため、平均的な賞与額を考慮した乗率である**1.3**を各月の標準報酬月額に乗じることにより、賞与額を平均標準報酬額に反映させます。

9章

厚生年金保険法

解答　A

老齢厚生年金（4）

予想

難易度 難　重要度 B

老齢厚生年金に関する次の記述のうち、誤っているものはどれか。

A　65歳から支給される老齢厚生年金の受給権者が前月以前の月に属する日から引き続き被保険者である日が属する月において、その者の総報酬月額相当額と基本月額との合計額が支給停止調整額を超えるときは、その月の分の老齢厚生年金について、総報酬月額相当額と基本月額との合計額から支給停止調整額を控除して得た額の2分の1に相当する額の支給が停止される。

B　65歳から支給される老齢厚生年金の額に繰下げ加算額が加算されている場合において、在職老齢年金の仕組みにより繰下げ加算額の除く老齢厚生年金の額の全部の支給が停止されるときは、繰下げ加算額の支給も停止される。

C　在職老齢年金の仕組みによって65歳から支給される老齢厚生年金の額の一部の支給が停止されている者について、標準報酬月額が改定されたときは、改定後の標準報酬月額に基づいて在職老齢年金の仕組みによる支給停止額が再計算され、標準報酬月額の改定が行われた月から、支給停止額が変更される。

D　特別支給の老齢厚生年金は、その受給権者が雇用保険法の規定により基本手当に係る求職の申込みをしたときは、当該求職の申込みがあった月の翌月から、当該基本手当の受給期間が経過した月又は所定給付日数に相当する日数分の基本手当の支給を受け終わった月までの各月において、その支給を停止する。

E　特別支給の老齢厚生年金と雇用保険法の規定による高年齢雇用継続基本給付金との調整は、当該老齢厚生年金の受給権者に係る標準報酬月額がみなし賃金日額に30を乗じて得た額の100分の75に相当する額以上であるときは、行われない。

A ○ 法46条１項。在職老齢年金の仕組みにより支給停止となる額は、「**（総報酬月額相当額＋基本月額－支給停止調整額）×２分の１**」による額です。設問は60歳代後半の在職老齢年金についてですが、支給停止となる額の計算式は、60歳代前半の在職老齢年金及び70歳以上の在職老齢年金においても同様です。

B × 法46条１項。繰下げ加算額の支給は停止されません。在職老齢年金の仕組みにより老齢厚生年金が全額支給停止される場合であっても、**繰下げ加算額**は支給を**停止**されません。なお、経過的加算額についても同様です。

C ○ 法46条１項。在職老齢年金の仕組みによる支給停止は、**その月**の老齢厚生年金について、**その月**における総報酬月額相当額と基本月額に基づいて行われます。したがって、**標準報酬月額が改定**されたときは、その改定された月から総報酬月額相当額が変動するので、**その月から**、在職老齢年金の仕組みによる支給停止額が変更されます。

D ○ 法附則11条の５による法附則７条の４の準用。特別支給の老齢厚生年金（又は繰上げ支給の老齢厚生年金）と基本手当との調整による老齢厚生年金の支給停止は、基本手当に係る求職の申込みがあった月の**翌月**から、次のいずれかに該当するに至った**月**までの各月について、行われます。
①当該基本手当の受給期間が**経過**したとき。
②**所定給付日数**に相当する日数分の基本手当の支給を受け終わったとき。

E ○ 法附則11条の６第６項１号。高年齢雇用継続基本給付金は、支給対象月に支払われた賃金の額がみなし賃金日額に30を乗じて得た額の**100分の75**以上であるときは、支給されません。設問の**調整を行わない**とする規定は、これに対応するものです。

ポイント解説

基本月額

　基本月額とは、**老齢厚生年金**の額（加給年金額、経過的加算額及び繰下げ加算額を**除く**。）を**12で除して得た額**（年金月額）のことです。経過的加算額と繰下げ加算額を除くのは、60歳代後半及び70歳以上の在職老齢年金制度に特有の取扱いです。

解答　B

9章 厚生年金保険法

障害厚生年金（1）

予想

難易度 易　重要度 A

障害厚生年金に関する次の記述のうち、誤っているものはどれか。

A 傷病に係る初診日において被保険者であり、かつ、初診日の前日において保険料納付要件を満たす者が、当該被保険者の資格を喪失した後の障害認定日においてその傷病により障害等級に該当する程度の障害にあるときは、その者に障害厚生年金が支給される。

B 老齢基礎年金及び老齢厚生年金を繰り上げて受給している者は、いわゆる事後重症による障害厚生年金の支給を請求することができない。

C いわゆる基準障害による障害厚生年金は、基準障害と他の障害とを併合して、初めて、障害等級の3級に該当する程度の障害の状態に該当することとなっても、支給されない。

D 障害厚生年金の給付事由となった障害について障害基礎年金を受けることができない場合において、障害厚生年金の額が国民年金法第33条第1項に規定する障害基礎年金の額に4分の3を乗じて得た額に満たないときは、当該4分の3を乗じて得た額が障害厚生年金の額とされる。

E 障害厚生年金の額については、当該障害厚生年金の支給事由となった障害に係る初診日の属する月後における被保険者であった期間は、その計算の基礎とされない。

A　○　法47条１項。設問の者は、**初診日要件、障害認定日要件**及び**保険料納付要件**をすべて満たしているので、原則的な支給要件による障害厚生年金が支給されます。上記の要件のうち障害認定日要件は、「障害認定日において障害等級に該当する程度の障害にあること」であり、障害認定日に被保険者であるか否かは問われません。

B　○　法附則16条の３第１項。事後重症による障害厚生年金の規定は、**繰上げ支給の老齢厚生年金**の受給権者又は**繰上げ支給の老齢基礎年金**の受給権者には、**適用されません**。したがって、設問の者は、事後重症による障害厚生年金の支給を請求することができません。なお、この者には、基準障害による障害厚生年金の規定も適用されません。

C　○　法47条の３第１項。基準障害による障害厚生年金は、基準障害と他の障害とを併合して、初めて、**障害等級の１級又は２級**に該当する程度の障害の状態に該当するに至ったときに、支給されます。障害等級３級に該当しても、基準障害による障害厚生年金は支給されません。

D　○　法50条３項。障害厚生年金の最低保障額について、正しい記述です。障害厚生年金の給付事由となった障害について**障害基礎年金を受けることができない**場合（障害等級３級に該当する場合など）であって、障害厚生年金の額が最低保障額に**満たない**ときは、最低保障額が障害厚生年金の額とされます。最低保障額は、「**障害等級２級の障害基礎年金の額**（国民年金法33条１項に規定する障害基礎年金の額）×４分の３」による額です。

E　×　法51条。「初診日」ではなく、「障害認定日」です。障害厚生年金の額の計算の基礎とされないのは、当該障害厚生年金の支給事由となった障害に係る**障害認定日の属する月後**における被保険者であった期間です。言い換えれば、障害認定日が属する月までの期間が、年金額の計算の基礎となります。

9章　厚生年金保険法

解答　E

障害厚生年金（2）

過平27 改正B・D

難易度 普　重要度 B

障害厚生年金に関する次の記述のうち、正しいものはどれか。

A 障害等級２級の障害厚生年金と同一の支給事由に基づく障害基礎年金の受給権者が、国民年金の第１号被保険者になり、その期間中に初診日がある傷病によって国民年金法第34条第４項の規定による障害基礎年金とその他障害との併合が行われ、当該障害基礎年金が障害等級１級の額に改定された場合には、障害厚生年金についても障害等級１級の額に改定される。

B 63歳の障害等級３級の障害厚生年金の受給権者（受給権を取得した当時から引き続き障害等級１級又は２級に該当したことはなかったものとする。）が、老齢基礎年金を繰上げ受給した場合において、その後、当該障害厚生年金に係る障害の程度が増進したときは、65歳に達するまでの間であれば実施機関に対し、障害の程度が増進したことによる障害厚生年金の額の改定を請求することができる。

C 障害等級３級の障害厚生年金の受給権者（受給権を取得した当時から引き続き障害等級１級又は２級に該当したことはなかったものとする。）について、更に障害等級２級に該当する障害厚生年金を支給すべき事由が生じたときは、前後の障害を併合した障害の程度による障害厚生年金が支給され、従前の障害厚生年金の受給権は消滅する。

D 40歳の障害厚生年金の受給権者が実施機関に対し障害の程度が増進したことによる年金額の改定請求を行ったが、実施機関による診査の結果、額の改定は行われなかった。このとき、その後、障害の程度が増進しても当該受給権者が再度、額の改定請求を行うことはできないが、障害厚生年金の受給権者の障害の程度が増進したことが明らかである場合として厚生労働省令で定める場合については、実施機関による診査を受けた日から起算して１年を経過した日以後であれば、再度、額の改定請求を行うことができる。

E 障害等級３級の障害厚生年金の支給を受けていた者が、63歳の時に障害の程度が軽減したためにその支給が停止された場合、当該障害厚生年金の受給権はその者が65歳に達した日に消滅する。

A　○　法52条の2第2項。設問では、障害等級2級の障害基礎年金及び障害厚生年金の受給権者である者について、**国民年金の第1号被保険者であるとき**（厚生年金保険の被保険者でないとき）に、**その他障害**が発生しています。この場合は、障害基礎年金のみについてその他障害との併合による額の改定が行われますが、同時に、**併合された障害の程度**に応じて、**障害厚生年金の額が改定**されます。

B　×　法52条2項・7項、法附則16条の3第2項。老齢基礎年金を繰り上げ受給した場合は、65歳に達する前であっても、障害の程度が増進したことによる障害厚生年金の額の改定を請求することができません。次の①②の者は、障害の程度が増進したことによる障害厚生年金の**額の改定請求**をすることが**できません**。設問の受給権者は、②に該当します。

①**65歳以上**で、**当初から3級**の障害厚生年金の受給権者である者

②**繰上げ支給の老齢基礎年金**の受給権者で、**当初から3級**の障害厚生年金の受給権者である者

C　×　法48条。設問の場合は、前後の障害を併合した障害の程度による障害厚生年金は支給されません。つまり、**併合認定は行われません**。また、**従前の障害厚生年金の受給権は消滅しません**。併合認定は、設問のように、従前の障害が**当初から3級**である場合は、**行われません**。

D　×　法52条2項・3項。実施機関による診査の結果、額の改定が行われなかった場合に、「その後、障害の程度が増進しても、再度、額の改定請求を行うことはできない」とする旨の規定はありません。この場合は、①実施機関の診査を受けた日から起算して**1年を経過した日後**であるか、又は②障害厚生年金の受給権者の障害の程度が**増進したことが明らか**である場合として厚生労働省令で定める場合であれば、再度、額の改定請求を行うことができます。

E　×　法53条2号。設問の場合は、65歳に達した日においては、受給権は**消滅しません**。65歳に達した日において、3級に該当しなくなった日から起算して**3年を経過していない**ためです。

9章

厚生年金保険法

解答　A

障害厚生年金及び障害手当金

予想　　　　　　　　　　　　　　　　　　　難易度 **難**　重要度 **C**

障害厚生年金及び障害手当金に関する次の記述のうち、正しいものはどれか。

A　疾病にかかり、又は負傷し、かつ、その傷病に係る初診日において被保険者であった者であって、障害認定日において障害等級に該当する程度の障害の状態になかったものが、同日後65歳に達する日の前日までの間にその傷病により障害等級に該当する程度の障害の状態となったときは、その者は、65歳に達した日以後であっても、事後重症による障害厚生年金の支給を請求することができる。

B　障害の程度が障害等級の１級又は２級に該当する者に支給する障害厚生年金について、その受給権者がその権利を取得した日の翌日以後にその者によって生計を維持しているその者の65歳未満の配偶者を有するに至ったことにより加給年金額を加算することとなったときは、当該配偶者を有するに至った日の属する月から、障害厚生年金の額が改定される。

C　障害等級２級の障害厚生年金の支給を受けていた者が、障害等級に該当する程度の障害の状態に該当しなくなり、当該障害厚生年金の支給を停止された。その後、この者にその他障害が発生し、65歳に達する日の前日までの間に、当該障害厚生年金の支給事由となった障害とその他障害とを併合した障害の程度が障害等級２級に該当するに至ったときは、障害厚生年金の支給停止が解除される。

D　疾病にかかり、又は負傷し、その傷病に係る初診日において被保険者であった者がある場合であっても、その者が当該初診日において日本国内に住所を有していなかったときは、障害手当金は支給されない。

E　障害手当金に係る障害の程度を定めるべき日において障害厚生年金の受給権者である者には、その者が障害等級に該当する程度の障害の状態に該当しなくなったため７年前から当該障害厚生年金の支給を停止され、現にその支給が停止されているときであっても、障害手当金は支給されない。

A　✕　法47条の２第１項。65歳に達した日以後は、請求することが**できません。**事後重症による障害厚生年金は、障害認定日に障害等級（１級～３級）に該当しなかった場合であって、障害認定日後65歳に達する日の**前日**までの間に当該傷病により障害等級（１級～３級）に該当する程度の障害の状態に該当するに至ったときに、その支給を請求することができます。請求は、その期間内（65歳に達する日の**前日までの間**）にしなければなりません。

B　✕　法50条の２第３項。配偶者を有するに至った日の属する「月から」ではなく、その「翌月から」です。障害厚生年金（障害等級１級又は２級に限る。）については、設問のように、**受給権取得後**に受給権者によって生計を維持する配偶者を有することとなった場合でも、当該配偶者に係る加給年金額が加算されます。この場合は、配偶者を有するに至った日の属する月の**翌月から**、障害厚生年金の額が（増額）改定されます。

C　○　法54条２項。設問の「**その他障害との併合による支給停止の解除**」は、**65歳**に達する日の前日までの間に、その他障害を併合した障害の程度が障害等級１級又は２級に該当するに至ったときに、行われます。なお、当初から３級の障害厚生年金については、この「その他障害との併合による支給停止の解除」の規定は適用されません。

D　✕　法55条１項。初診日において日本国内に住所を有していたか否かは**問われません。**障害手当金は、疾病にかかり、又は負傷し、その傷病に係る**初診日において**被保険者であった者が、当該初診日から起算して**5年**を経過する日までの間におけるその傷病の**治った**日において、その傷病により政令で定める程度の障害の状態にある場合に、その者に支給されます。

E　✕　法56条１号。障害手当金は**支給されます。**障害の程度を定めるべき日において**障害厚生年金**の受給権者であっても、最後に障害等級に該当する程度の障害の状態（障害状態）に該当しなくなった日から起算して障害状態に該当することなく**３年**を経過し、**現に**障害状態に該当しない者には、他の要件を満たせば、障害手当金が支給されます。

9
章

厚生年金保険法

解答　C

遺族厚生年金（1）

予想

難易度 **易** 重要度 **B**

遺族厚生年金に関する次のアからオの記述のうち、正しいものの組合せは、後記 A から E までのうちどれか。

ア 保険料納付済期間と保険料免除期間とを合算した期間が25年以上である被保険者が死亡したときは、その遺族が遺族厚生年金を請求したときに別段の申出をした場合を除き、保険料納付済期間と保険料免除期間とを合算した期間が25年以上である者の死亡のみに該当し、被保険者の死亡には該当しないものとみなす。

イ 被保険者又は被保険者であった者の死亡の当時その者によって生計を維持していた母が55歳未満である場合は、障害等級の1級又は2級に該当する障害の状態にあっても、当該母は、遺族厚生年金を受けることができる遺族とされない。

ウ 被保険者が令和8年4月1日前に65歳未満で死亡した場合は、死亡日の前日において、当該死亡日の属する月の前々月までの1年間のうちに保険料納付済期間及び保険料免除期間以外の国民年金の被保険者期間がなければ、遺族厚生年金に係る保険料納付要件を満たすものとされる。

エ 被保険者期間の月数が300以上である被保険者が死亡し、その配偶者に遺族厚生年金が支給される場合において、当該配偶者が65歳以上で老齢厚生年金の受給権を有しないときは、当該遺族厚生年金の額は、死亡した被保険者の被保険者期間を基礎として老齢厚生年金の額の計算の規定の例により計算した額となる。

オ 中高齢寡婦加算額が加算された遺族厚生年金の受給権者である妻が65歳に達した場合において、当該妻が国民年金の老齢基礎年金の受給権を取得しないときは、65歳に達した後も、引き続き遺族厚生年金の額に中高齢寡婦加算額が加算される。

A （アとイ）　　　B （イとウ）　　　C （ウとエ）

D （エとオ）　　　E （アとオ）

ア ✕ 法58条2項。**被保険者の死亡**のみに該当し、保険料納付済期間と保険料免除期間とを合算した期間が25年以上である者の死亡には該当しないものとみなします。設問の死亡した者は、短期要件（被保険者の死亡）と長期要件（保険料納付済期間と保険料免除期間とを合算した期間が25年以上である者の死亡）の両方に該当しています。この場合は、遺族が遺族厚生年金を請求したときに別段の申出をしない限り、**短期要件**のみに該当し、長期要件には該当しないものとみなします。

イ 〇 法59条1項。**夫、父母及び祖父母**が遺族厚生年金を受けることができる遺族となるためには、「生計維持要件＋年齢要件（**55歳以上**であること）」を満たす必要があります。障害の有無は関係ありません。したがって、55歳未満である設問の母は、遺族厚生年金を受けることができる遺族とされません。

ウ 〇 昭60法附則64条2項。保険料納付要件の特例についてです。この特例（いわゆる1年要件）は、死亡日が**令和8年4月1日前**であり、かつ、死亡日において**65歳未満**であるときに、適用されます。

エ ✕ 法60条1項。設問の場合の遺族厚生年金の額は、「死亡した被保険者の被保険者期間を基礎として**老齢厚生年金**の額の計算の規定の例により計算した額の**4分の3**に相当する額」となります。

オ ✕ 法62条1項。設問の場合であっても、中高齢寡婦加算は妻が65歳に達すると打ち切られます。中高齢寡婦加算額が加算される期間は、妻が**40歳以上65歳未満**である期間に限られます。妻が老齢基礎年金の受給権を取得しなくても、中高齢寡婦加算は65歳までとなります。

以上から、正しいものの組合せは、B（イとウ）です。

9
章
厚生年金保険法

解答　B

遺族厚生年金（2）

予想

難易度 **普**　重要度 **A**

遺族厚生年金に関する次の記述のうち、誤っているものはどれか。

A　令和5年10月に被保険者の資格を喪失した者が、被保険者であった令和5年6月に初診日がある傷病により令和7年8月に死亡した場合であって、保険料納付要件を満たすときは、その者の遺族に遺族厚生年金が支給される。

B　被保険者の死亡によりその者の35歳の妻と10歳の子が遺族厚生年金及び遺族基礎年金の受給権を取得した場合において、その後、子の年齢に係る失権事由により当該子の有する遺族基礎年金の受給権が消滅したときは、当該妻に対する遺族厚生年金の額に中高齢寡婦加算が行われる。

C　老齢厚生年金の受給権者であって、その額の計算の基礎となる被保険者期間の月数が360であるものが死亡し、その妻（昭和30年4月10日生まれ）が70歳で遺族厚生年金の受給権を取得したときは、当該遺族厚生年金に経過的寡婦加算額が加算される。

D　死亡した被保険者又は被保険者であった者の祖父母は、当該被保険者又は被保険者であった者の配偶者、子、父母又は孫が遺族厚生年金の受給権を取得したときは、遺族厚生年金を受けることができる遺族とされない。

E　被保険者である夫が死亡したことにより、その妻及び子（当該妻の子であるものとする。）が遺族厚生年金の受給権者となった場合において、その後当該妻が婚姻をし、当該子が妻と婚姻をした者の養子となったときは、当該妻及び子の有する遺族厚生年金の受給権は、いずれも消滅する。

A　〇　法58条1項2号。設問の者（被保険者であった者）は、被保険者であった間に**初診日**がある傷病により、当該初診日から起算して**5年**を経過する日前に死亡しています。したがって、保険料納付要件を満たすときは、所定の遺族に遺族厚生年金が支給されます。

B　〇　法62条1項。中高齢寡婦加算に係る妻の要件は、次の①又は②のいずれかに該当することです。

①遺族厚生年金の受給権を取得した当時**40歳以上65歳**未満であること。

②40歳に**達した当時**死亡した夫の子で遺族基礎年金の受給権者である子と**生計を同じ**くしていたこと。

　設問の場合には、子の有する遺族基礎年金の受給権が消滅したときに、妻は**40歳以上**（43歳前後）であるため、前記②に該当します。したがって、妻に対する遺族厚生年金の額に、中高齢寡婦加算が行われます。

C　〇　昭60法附則73条1項、同別表第9。経過的寡婦加算額は、**昭和31年4月1日以前**に生まれた妻が、次の①又は②に該当する場合に加算されます。設問の妻は、②に該当するため、遺族厚生年金に経過的寡婦加算額が加算されます。

①**中高齢寡婦加算額**が加算された遺族厚生年金の受給権者が**65歳**に達したとき。

②遺族厚生年金の受給権を取得した当時**65歳以上**であったとき（夫の死亡が**長期要件**に該当する場合は、夫の被保険者期間の月数が**240以上**であるときに限る。）。

D　〇　法59条2項。遺族厚生年金を受けることができる遺族の順位は、①**配偶者と子**、②**父母**、③**孫**、④**祖父母**の順です。したがって、**祖父母**は、先順位者である**配偶者**、**子**、**父母**又は**孫**が遺族厚生年金の受給権を取得したときは、遺族厚生年金を受けることができる遺族とされません。なお、同様に、父母は、配偶者又は子が、孫は、配偶者、子又は父母が遺族厚生年金の受給権を取得したときは、それぞれ遺族厚生年金を受けることができる遺族とされません。

E　×　法63条1項。子の有する遺族厚生年金の受給権は、**消滅しません**。設問の子からみて、妻と婚姻をした者は、直系姻族に該当します。受給権者が**直系血族**又は**直系姻族**の養子となっても、遺族厚生年金の受給権は消滅しません。なお、妻の有する遺族厚生年金の受給権は、**婚姻をした**ことにより、消滅します。

9章　厚生年金保険法

解答　E

遺族厚生年金（3）

過令5

難易度 **普**　重要度 **B**

遺族厚生年金に関する次の記述のうち、誤っているものはどれか。

A　夫の死亡による遺族厚生年金を受給している者が、死亡した夫の血族との姻族関係を終了させる届出を提出した場合でも、遺族厚生年金の受給権は失権しない。

B　夫の死亡による遺族基礎年金と遺族厚生年金を受給していた甲が、新たに障害厚生年金の受給権を取得した。甲が障害厚生年金の受給を選択すれば、夫の死亡当時、夫によって生計を維持されていた甲の子（現在10歳）に遺族厚生年金が支給されるようになる。

C　船舶が行方不明となった際、現にその船舶に乗っていた被保険者若しくは被保険者であった者の生死が3か月間分からない場合は、遺族厚生年金の支給に関する規定の適用については、当該船舶が行方不明になった日に、その者は死亡したものと推定される。

D　配偶者と離別した父子家庭の父が死亡し、当該死亡の当時、生計を維持していた子が遺族厚生年金の受給権を取得した場合、当該子が死亡した父の元配偶者である母と同居することになったとしても、当該子に対する遺族厚生年金は支給停止とはならない。

E　被保険者又は被保険者であった者の死亡の当時、その者と生計を同じくしていた配偶者で、前年収入が年額800万円であった者は、定期昇給によって、近い将来に収入が年額 850万円を超えることが見込まれる場合であっても、その被保険者又は被保険者であった者によって生計を維持していたと認められる。

A ○ 法63条1項、昭26.4.19保文発1170号。遺族厚生年金の失権事由に、「死亡した夫の血族との姻族関係が終了したとき」といったものはありません。したがって、設問の届出を提出した場合でも、再婚等の事実のない限り、配偶者であることに変わりはないため、遺族厚生年金の受給権は**消滅**（失権）**しません**。

B ✕ 法66条1項。甲が障害厚生年金の受給を選択しても、甲の子に遺族厚生年金は支給されません（子に対する遺族厚生年金の支給停止は解除されない。）。配偶者（設問の場合には、甲）と子が遺族厚生年金の受給権を有する場合において、**子に対する遺族厚生年金の支給停止が解除**されるのは、配偶者に対する遺族厚生年金が、次の①～③のいずれかにより**支給を停止**されている間です。設問の場合は、甲が障害厚生年金の受給を選択することにより、遺族厚生年金（及び遺族基礎年金）の支給が停止されますが、これは①～③のいずれにも該当しません。

①（夫が）**60歳未満**であること。

②**子のみが遺族基礎年金**の受給権を有すること。

③**所在不明**であること。

C ○ 法59条の2。船舶が行方不明となった際、現にその船舶に乗っていた被保険者又は被保険者であった者の生死が**3ヵ月**間分からない場合は、死亡の推定の規定が適用されます。この場合には、当該船舶が**行方不明となった日**に、その者は死亡したものと推定されます。

D ○ 法64条、66条1項、67条1項。子に対する遺族厚生年金は、母と同居することとなったことにより**支給停止となることはありません**。なお、子に対する「遺族基礎年金」は、生計を同じくするその子の父又は母があるときは、その間、その支給が停止されます。

E ○ 平23年発0323第1号。遺族厚生年金の遺族に係る生計維持関係の認定については、被保険者等の死亡日において、①生計同一要件及び②**収入要件**を満たす場合に、死亡した被保険者等と**生計維持関係**があるものと認定されます。前年の収入が年額850万円未満である者は、近い将来に収入が年額850万円を超えることが見込まれるか否かにかかわらず、②の収入要件を満たします。また、①の生計同一要件も満たしているため、生計を維持していたと認められます。

9章
厚生年金保険法

解答 **B**

問題 302

脱退一時金

予想

難易度 普　重要度 C

脱退一時金に関する次の記述のうち、正しいものはどれか。

A　厚生労働大臣による脱退一時金に関する処分に不服がある者は、社会保険審査官に対して審査請求をし、その決定に不服がある者は、社会保険審査会に対して再審査請求をすることができる。

B　障害厚生年金の受給権を有したことがある者は、すでにその受給権が消滅していても、脱退一時金の支給を請求することができない。

C　脱退一時金を受ける権利を、国税滞納処分により差し押さえることはできない。

D　脱退一時金の額の計算に係る支給率とは、最終月の属する年の前年10月の保険料率（最終月が1月から8月までの場合にあっては、前々年10月の保険料率）に4分の3を乗じて得た率に、被保険者であった期間に応じて政令で定める数を乗じて得た率をいう。

E　国民年金法に規定する脱退一時金の支給を受けることができる者は、厚生年金保険法に規定する脱退一時金の支給を請求することができない。

A　×　法附則29条6項。厚生労働大臣による脱退一時金に関する処分に不服がある者は、**社会保険審査会**に対して**審査請求**をすることができます。設問のような二審制ではなく、一審制の対象となります。

B　○　法附則29条1項2号。**障害厚生年金**その他政令で定める保険給付の受給権を**有したことがある**ときは、脱退一時金の支給を請求することはできません。受給権を有したことがあるか否かが基準であり、受給権が消滅していても、脱退一時金の支給を請求することはできません。

C　×　法41条1項、令14条。差し押さえることができます。保険給付を受ける権利は、譲り渡し、担保に供し、又は差し押さえることができません（受給権の保護）。このうち、差押え禁止の例外として、**老齢厚生年金**又は脱退一時金を受ける権利は、国税滞納処分（その例による処分を含む。）により**差し押さえること**ができます。

D　×　法附則29条4項。「4分の3」ではなく、「2分の1」です。脱退一時金の額は、「平均標準報酬額（再評価なし）×支給率」による額です。この場合の支給率とは、最終月（最後に被保険者の資格を喪失した日の属する月の前月）の属する年度の**前年の10月の保険料率**に2分の1を乗じて得た率に、**政令で定める数**を乗じて得た率をいいます。なお、その率に小数点以下1位未満の端数があるときは、これを四捨五入します。また、支給率は、最終月が1月から8月までの場合は、前々年10月の保険料率を用いて、計算します。

E　×　法附則29条1項。設問のような規定はありません。**国民年金**の脱退一時金の支給を受けることができる者であっても、所定の要件を満たせば、**厚生年金保険**の脱退一時金の支給を請求することが**できます**。

解答　B

9章 厚生年金保険法

保険給付全般（1）

過令元

難易度 **普** 重要度 **B**

厚生年金保険法に関する次の記述のうち、正しいものはどれか。

A 夫の死亡により、前妻との間に生まれた子（以下「夫の子」という。）及び後妻に遺族厚生年金の受給権が発生した。その後、後妻が死亡した場合において、死亡した後妻に支給すべき保険給付でまだ後妻に支給しなかったものがあるときは、後妻の死亡当時、後妻と生計を同じくしていた夫の子であって、後妻の死亡によって遺族厚生年金の支給停止が解除された当該子は、自己の名で、その未支給の保険給付の支給を請求することができる。

B 障害等級2級に該当する障害の状態にある子に遺族厚生年金の受給権が発生し、16歳のときに障害等級3級に該当する障害の状態になった場合は、18歳に達した日以後の最初の3月31日が終了したときに当該受給権は消滅する。一方、障害等級2級に該当する障害の状態にある子に遺族厚生年金の受給権が発生し、19歳のときに障害等級3級に該当する障害の状態になった場合は、20歳に達したときに当該受給権は消滅する。

C 老齢厚生年金と雇用保険法に基づく給付の調整は、特別支給の老齢厚生年金又は繰上げ支給の老齢厚生年金と基本手当又は高年齢求職者給付金との間で行われ、高年齢雇用継続給付との調整は行われない。

D 被保険者期間が6か月以上ある日本国籍を有しない者は、所定の要件を満たす場合に脱退一時金の支給を請求することができるが、かつて、脱退一時金を受給した者が再入国し、適用事業所に使用され、再度、被保険者期間が6か月以上となり、所定の要件を満たした場合であっても、再度、脱退一時金の支給を請求することはできない。

E 被保険者又は被保険者であった者の死亡の当時胎児であった子が出生したときは、その妻の有する遺族厚生年金に当該子の加給年金額が加算される。

A　○　法37条1項・2項。遺族厚生年金の受給権者である妻が死亡したことにより未支給の保険給付があるときは、その者の死亡の当時その者と**生計を同じくしていた被保険者等の子**であって、その者の死亡によって遺族厚生年金の**支給の停止が解除**されたものは、**死亡した妻の子とみな**されます。この規定により、設問の子は、（後妻の法律上の子でなくても）未支給の保険給付の支給を請求することができます。

B　×　法63条2項1号・2号。設問後半の場合は、**障害等級3級**に該当する障害の状態になった19歳のときに、遺族厚生年金の受給権は**消滅します**。20歳に達したときに消滅するのではありません。

C　×　法附則7条の4、7条の5、11条の5、11条の6。「高年齢求職者給付金」と「高年齢雇用継続給付」の記述が逆です。設問の調整は、特別支給の老齢厚生年金又は繰上げ支給の老齢厚生年金と**基本手当**又は**高年齢雇用継続給付**との間で行われ、高年齢求職者給付金との調整は行われません。

D　×　法附則29条。設問後半が誤りです。かつて、脱退一時金を受給した者であっても、所定の要件を満たした場合には、**再度**、脱退一時金の支給を**請求することができます**。

E　×　法59条3項。遺族厚生年金に加給年金額を加算する旨の規定はありません。設問の場合は、将来に向かって、その子は、被保険者等の死亡の当時その者によって**生計を維持していた子**とみなされます。つまり、その子は、出生した日から遺族厚生年金の受給権を取得します。

9
章

厚生年金保険法

解答　A

保険給付全般（2）

予想

難易度 **普** 重要度 **A**

保険給付に関する次の記述のうち、誤っているものはどれか。

A 昭和37年6月に生まれた女子が、特別支給の老齢厚生年金の受給権を取得した当時において、被保険者でなく、かつ、その者の第1号厚生年金被保険者期間が44年以上であるときは、報酬比例部分と定額部分とを合算した額の特別支給の老齢厚生年金が支給される。

B 昭和37年8月に生まれた一般の女子であって、第1号厚生年金被保険者期間を10年以上有し、かつ、国民年金の任意加入被保険者でないものが60歳に達したときは、この者は、63歳に達する前に、老齢厚生年金の支給繰上げの請求をすることができる。

C 障害等級3級に該当して障害厚生年金の受給権を取得した者が、受給権取得後に婚姻をした。その後、障害の程度が増進し障害等級2級に該当するに至った場合において、当該障害厚生年金の受給権者によって生計を維持している配偶者が65歳未満であるときは、当該障害厚生年金の額に配偶者に係る加給年金額が加算される。

D 遺族厚生年金の中高齢寡婦加算の額は、国民年金法第38条に規定する遺族基礎年金の額に4分の3を乗じて得た額であり、当該乗じて得た額に50円未満の端数が生じたときは、これを切り捨て、50円以上100円未満の端数が生じたときは、これを100円に切り上げるものとされている。

E 老齢厚生年金の額に配偶者に係る加給年金額が加算されている場合において、当該配偶者が国民年金法による障害基礎年金の受給権を有するときは、その障害基礎年金の全額について支給が停止されていても、その間、老齢厚生年金の配偶者に係る加給年金額に相当する部分の支給が停止される。

A　〇　法附則9条の3第1項、20条2項。設問の者は、**長期加入者**の特例に該当します。本来であれば、設問の者については、63歳から**報酬比例部分**のみの特別支給の老齢厚生年金が支給され、定額部分は支給されません。しかし、長期加入者の特例に該当する場合は、63歳から**報酬比例部分**と**定額部分**とを合算した額の特別支給の老齢厚生年金が支給されます。

B　〇　法附則8条の2第2項、13条の4第1項。**報酬比例部分**のみの特別支給の老齢厚生年金の支給開始年齢（特例支給開始年齢）が61歳から64歳までである者は、60歳以後**特例支給開始年齢**に達する前に、老齢厚生年金の支給繰上げの請求をすることができます。設問の者の特例支給開始年齢は、**63歳**です。なお、設問の者は、被保険者期間（保険料納付済期間）を**10年**以上有しているので、老齢厚生年金の受給資格期間を満たしています。

C　〇　法50条の2第1項・3項。障害厚生年金の加給年金額は、障害等級**1級**又は**2級**の障害厚生年金に加算されます。また、加給年金額の対象者は、「受給権者によって**生計を維持している**65歳未満の**配偶者**」です。したがって、設問のように、3級の障害厚生年金の受給権取得後に婚姻し、その後2級に増進したときは、障害等級2級の障害厚生年金の額に配偶者に係る加給年金額が加算されます。

D　〇　法62条1項。中高齢寡婦加算の額は、「**遺族基礎年金**の額（基本額）×4分の3」による額です。また、端数処理は、**100円**未満の端数を四捨五入することにより行います。

E　×　法46条6項、令3条の7。老齢厚生年金（又は障害厚生年金）の加給年金額の対象者である配偶者が次のいずれかの年金たる給付の支給を受けることができるときは、その間、当該配偶者に係る加給年金額の支給が停止されます。ただし、障害を支給事由とする給付については、その**全額**について**支給を停止**されているときは、加給年金額の支給は**停止されません**。

①**老齢厚生年金**（その年金額の計算の基礎となる被保険者期間の月数が**240**以上であるものに限る。）

②**障害厚生年金**、国民年金法による**障害基礎年金**

③その他の政令で定める老齢、退職又は障害を支給事由とする年金たる給付

9章 厚生年金保険法

解答　E

合意分割制度及び3号分割制度（1）

予想   難易度 **普** 重要度 **B**

合意分割及び3号分割に関する次の記述のうち、正しいものはどれか。なお、「合意分割」とは、厚生年金保険法第3章の2に規定する離婚等をした場合における特例をいい、「3号分割」とは、同法第3章の3に規定する被扶養配偶者である期間についての特例をいう。

A 　合意分割に係る標準報酬改定請求は、離婚等をしたときから3年を経過するまでの間に、行うことができる。

B 　合意分割において請求すべき按分割合は、第1号改定者及び第2号改定者それぞれの対象期間標準報酬総額の合計額に対する第2号改定者の対象期間標準報酬総額の割合を超え2分の1以下の範囲内で定められなければならない。

C 　3号分割の対象となる特定期間に係る被保険者期間については、特定期間の初日の属する月はこれに算入し、特定期間の末日の属する月はこれに算入しないが、特定期間の初日と末日が同一の月に属するときは、その月は1ヵ月として特定期間に係る被保険者期間に算入する。

D 　老齢厚生年金の受給権者について、3号分割により標準報酬の改定又は決定が行われたときは、改定又は決定後の標準報酬を老齢厚生年金の額の計算の基礎として、離婚等をした日の属する月の翌月から、年金の額を改定する。

E 　振替加算が加算されている老齢基礎年金の受給権者（老齢厚生年金の受給権を有しているものとする。）について3号分割が行われ、老齢厚生年金の額の計算の基礎となる被保険者期間の月数が被扶養配偶者みなし被保険者期間を含めて240以上となっても、引き続き老齢基礎年金に振替加算が加算される。

A　✕　法78条の2第1項。3年ではなく、2年です。合意分割に係る標準報酬改定請求は、離婚等をしたときから2年を経過したとき等は、行うことができません。

B　◯　法78条の3第1項。たとえば、対象期間標準報酬総額が、第1号改定者7,000万円、第2号改定者3,000万円である場合は、請求すべき按分割合は、10分の3（30％）を超え2分の1（50％）以下の範囲内で定められなければなりません。

C　✕　令3条の12の12。特定期間の初日と末日が同一の月に属するときは、その月は、特定期間に係る被保険者期間に算入しません。なお、設問前半の記述は正しく、特定期間に係る被保険者期間には、特定期間の初日の属する月から特定期間の末日の属する月の前月までが算入されます。

D　✕　法78条の18第1項。年金の額の改定は、「離婚等をした日の属する月の翌月から」ではなく、「（3号分割の）請求があった日の属する月の翌月から」行われます。

E　✕　法78条の14第4項、昭60法附則14条1項ただし書き、経過措置令25条。設問の場合は、振替加算は加算されなくなります。振替加算の調整（振替加算を行わない場合）に係る老齢厚生年金の額の計算の基礎となる期間（240月以上）には、被扶養配偶者みなし被保険者期間が含まれるためです。なお、被扶養配偶者みなし被保険者期間の取扱いは、合意分割による離婚時みなし被保険者期間の取扱いと同じです。

9章　厚生年金保険法

解答　B

合意分割制度及び3号分割制度（2）

過平29

難易度 **難** 重要度 **C**

厚生年金保険法に関する次の記述のうち、誤っているものはどれか。なお、本問における合意分割とは、厚生年金保険法第78条の2に規定する離婚等をした場合における標準報酬の改定の特例をいう。

A　障害厚生年金の額の計算の基礎となる被保険者期間に係る標準報酬が、合意分割により改定又は決定がされた場合は、改定又は決定後の標準報酬を基礎として年金額が改定される。ただし、年金額の計算の基礎となる被保険者期間の月数が300月に満たないため、これを300月として計算された障害厚生年金については、離婚時みなし被保険者期間はその計算の基礎とされない。

B　厚生年金保険法第78条の14の規定によるいわゆる3号分割の請求については、当事者が標準報酬の改定及び決定について合意している旨の文書は必要とされない。

C　離婚時みなし被保険者期間は、特別支給の老齢厚生年金の定額部分の額の計算の基礎とはされない。

D　離婚が成立したが、合意分割の請求をする前に当事者の一方が死亡した場合において、当事者の一方が死亡した日から起算して1か月以内に、当事者の他方から所定の事項が記載された公正証書を添えて当該請求があったときは、当事者の一方が死亡した日の前日に当該請求があったものとみなされる。

E　第1号改定者及び第2号改定者又はその一方は、実施機関に対して、厚生労働省令の定めるところにより、標準報酬改定請求を行うために必要な情報の提供を請求することができるが、その請求は、離婚等が成立した日の翌日から起算して3か月以内に行わなければならない。

A　○　法78条の10第2項。障害厚生年金の受給権者について、合意分割による標準報酬の改定又は決定が行われたときは、改定又は決定後の標準報酬を計算の基礎として、障害厚生年金の**額が改定**されます。ただし、いわゆる**300月みなし**が適用されている障害厚生年金については、離婚時みなし被保険者期間は計算の基礎とされません。

B　○　法78条の14第1項、則78条の19第2項。3号分割制度は、**被扶養配偶者**の請求により特定被保険者の標準報酬の**2分の1**を分割する制度です。この請求に関し、特定被保険者及び被扶養配偶者の**合意**は要件ではなく、**合意**している旨の文書は必要とされません。

C　○　法附則17条の10。離婚時みなし被保険者期間は、**報酬比例**の年金額の計算の基礎とされますが、設問のとおり、特別支給の老齢厚生年金の**定額部分**の計算の基礎と**されません**。したがって、定額部分が支給されるべき特別支給の老齢厚生年金の受給権者であっても、その者の厚生年金保険の被保険者期間が離婚時みなし被保険者期間のみである場合は、定額部分の額がゼロとなるため、定額部分は支給されません。

D　○　令3条の12の7。離婚後、当事者の一方が死亡した場合において、死亡日から**1ヵ月以内**に当事者の他方から所定の方法により合意分割の請求（標準報酬改定請求）があったときは、当事者の一方が死亡した日の**前日**に当該請求があったものとみなされます。

E　×　法78条の4第1項。情報の提供の請求について、設問後半のような期限の定めはありません。なお、情報の提供の請求は、標準報酬改定請求後又は離婚等をしたときから**2年**を経過した後は、することができません。

解答　E

被保険者の種別に関する規定

予想　　　　　　　　　　　　　　　難易度 普　重要度 B

2以上の種別の被保険者であった期間を有する者の特例に関する次の記述のうち、誤っているものはどれか。なお、この問において「2以上の種別の被保険者であった期間を有する者」とは「第1号厚生年金被保険者期間、第2号厚生年金被保険者期間、第3号厚生年金被保険者期間又は第4号厚生年金被保険者期間のうち2以上の被保険者の種別に係る被保険者であった期間を有する者」をいう。

A　2以上の種別の被保険者であった期間を有する者が老齢厚生年金の受給権を取得した場合、加給年金額の加算の要件である老齢厚生年金の額の計算の基礎となる被保険者期間の月数は、その者の2以上の種別の被保険者であった期間に係る被保険者期間を合算した月数による。

B　2以上の種別の被保険者であった期間を有する者が、当該老齢厚生年金の支給繰下げの申出を行う場合は、2以上の種別の被保険者であった期間に基づくすべての老齢厚生年金について、同時に支給繰下げの申出を行わなければならない。

C　障害厚生年金の受給権者であって、当該障害に係る障害認定日において2以上の種別の被保険者であった期間を有する者に係る当該障害厚生年金の額については、その者の2以上の被保険者の種別に係る被保険者であった期間を合算し、一の期間に係る被保険者期間のみを有するものとみなして、障害厚生年金の額を計算する。

D　2以上の種別の被保険者であった期間を有する者であって、保険料納付済期間と保険料免除期間とを合算した期間が25年以上であるものが死亡した場合において、その者の遺族が一の種別の被保険者期間に基づく遺族厚生年金の支給を受けるときは、他の種別の被保険者期間に基づく遺族厚生年金の支給が停止される。

E　2以上の種別の被保険者であった期間を有する者が、そのうち一の種別の被保険者期間について厚生年金保険法第78条の2第1項の規定によるいわゆる合意分割に係る標準報酬の改定又は決定の請求をするときは、同時に、他の種別の被保険者期間についての当該請求をしなければならない。

A ○ 法78条の27、令3条の13第1項。老齢厚生年金の額に加給年金額が加算されるためには、当該老齢厚生年金の額の計算の基礎となる**被保険者期間の月数が240以上**なければなりません。2以上の種別の被保険者であった期間を有する者については、この被保険者期間の月数の要件を満たすか否かは、**2以上の種別**の被保険者期間であった期間に係る被保険者期間を**合算**した**月数**で判断します。

B ○ 法78条の28第2項。老齢厚生年金の**支給繰下げの申出**は、2以上の種別の被保険者であった期間を有する場合、2以上の種別の被保険者であった期間に基づく**老齢厚生年金のすべて**について、同時に行わなければなりません。なお、支給繰上げの請求も、2以上の種別の被保険者であった期間に基づく**老齢厚生年金のすべて**について、**同時**に行わなければなりません。

C ○ 法78条の30。2以上の種別の被保険者であった期間を有する者について当該**障害厚生年金の額**を計算する場合は、その者の2以上の被保険者の種別に係る被保険者であった期間を合算します。

D × 法78条の22、78条の32第2項。支給は停止されません。設問の場合に支給される遺族厚生年金は、**長期要件**による**遺族厚生年金**です。2以上の種別の被保険者であった期間を有する者が死亡した場合の長期要件による遺族厚生年金の受給権は、被保険者の**種別**ごとに発生します。被保険者の種別ごとに受給権が発生した2以上の遺族厚生年金は、併給することができます。

E ○ 法78条の35第1項。**合意分割**による標準報酬の改定又は決定の**請求**は、2以上の種別の被保険者であった期間を有する者については、すべての種別の被保険者期間について同時に行わなければなりません。なお、3号分割による標準報酬の改定及び決定の請求についても同様です。

解答 D

保険料（1）

予想

難易度 **普**　重要度 **B**

第1号厚生年金被保険者に係る保険料等に関する次の記述のうち、正しいものはどれか。

A　任意単独被保険者は、保険料の全額を負担し、自己の負担する保険料を納付する義務を負うものとされている。

B　被保険者が厚生年金保険法第6条第1項第3号に規定する船舶に使用され、かつ、同時に船舶以外の適用事業所に使用される場合においては、船舶所有者以外の事業主のみが当該被保険者に係る保険料の半額を負担し、当該保険料及び当該被保険者の負担する保険料を納付する義務を負うものとされている。

C　厚生労働大臣は、納入の告知をした保険料額が当該納付義務者が納付すべき保険料額を超えていることを知ったとき、又は納付した保険料額が当該納付義務者が納付すべき保険料額を超えていることを知ったときは、その超えている部分に関する納入の告知又は納付を、その納入の告知又は納付の日の翌日から3ヵ月以内の期日に納付されるべき保険料について納期を繰り上げてしたものとみなすことができる。

D　厚生労働大臣が納付義務者に対して発する督促状は、当該納付義務者が、健康保険法第180条の規定によって督促を受ける者であるときは、同法同条の規定による督促状に併記して、発することができる。

E　保険料を滞納する者があるときは、繰上徴収の規定により保険料を徴収する場合であっても、厚生労働大臣は、期限を指定して、これを督促しなければならない。

A　✕　法82条１項・２項。任意単独被保険者に係る保険料は、当該任意単独被保険者及び事業主がそれぞれその**半額を負担**し、**事業主**が納付義務を負います。任意単独被保険者が全額を負担し、納付する義務を負うのではありません。なお、任意単独被保険者に係る毎月の保険料は、翌月末日までに、納付しなければなりません。

B　✕　令４条４項。「船舶所有者以外の事業主のみ」ではなく、「船舶所有者のみ」です。被保険者が同時に船舶と船舶以外の適用事業所に使用される場合には、**船舶所有者のみ**が当該被保険者に係る保険料の**半額負担**及び**納付**の義務を負います。

C　✕　法83条２項。「３ヵ月以内」ではなく、「**６ヵ月以内**」です。厚生労働大臣は、次の①又は②の場合には、その超えている部分に関する納入の告知又は納付を、その納入の告知又は納付の日の翌日から**６ヵ月以内の期日に納付されるべき保険料**について納期を繰り上げてしたものとみなすことができます。

　①**納入の告知**をした**保険料額**が当該納付義務者が納付すべき保険料額を超えていることを知ったとき。

　②**納付した保険料額**が当該納付義務者が納付すべき保険料額を超えていることを知ったとき。

D　〇　法86条３項。保険料等を滞納する者に対する督促は、厚生労働大臣が**督促状を発する**ことにより行います。この督促状は、納付義務者が、健康保険法の規定によって督促を受ける者であるときは、**健康保険**の督促状に併記して、発することができます。

E　✕　法86条１項。**繰上徴収**の規定により保険料を徴収する場合は、督促は**不要**です。つまり、督促をすることなく、保険料を滞納する者について滞納処分を行うことができます。

解答　D

保険料（2）

過令4

難易度 **難**　重要度 **C**

次のアからオの記述のうち、厚生年金保険法第85条の規定により、保険料を保険料の納期前であっても、すべて徴収することができる場合として正しいものの組合せは、後記AからEまでのうちどれか。

ア　法人たる納付義務者が法人税の重加算税を課されたとき。

イ　納付義務者が強制執行を受けるとき。

ウ　納付義務者について破産手続開始の申立てがなされたとき。

エ　法人たる納付義務者の代表者が死亡したとき。

オ　被保険者の使用される事業所が廃止されたとき。

A　（アとウ）　　　B　（アとエ）　　　C　（イとウ）

D　（イとオ）　　　E　（ウとオ）

ア～オ　法85条。厚生年金保険法85条は、**保険料の繰上徴収**について規定しています。保険料は、次に掲げる場合においては、**納期前**であっても、すべて徴収することができます。

(1)　納付義務者が、次のいずれかに該当する場合

①国税、地方税その他の公課の滞納によって、**滞納処分**を受けるとき。

②強制執行を受けるとき。

③**破産手続開始の決定**を受けたとき。

④**企業担保権の実行手続の開始**があったとき。

⑤**競売の開始**があったとき。

(2)　法人たる納付義務者が、**解散**をした場合

(3)　被保険者の使用される事業所が、**廃止**された場合

(4)　被保険者の使用される船舶について**船舶所有者の変更**があった場合、又は当該船舶が**滅失**し、**沈没**し、若しくは**全く運航に堪えなくなる**に至った場合

以上から、納期前であっても保険料をすべて徴収することができる場合として正しいものの組合せは、D（イとオ）です。

9章　厚生年金保険法

解答　D

チェック欄

1	2	3

雑則等

予想

難易度 難　重要度 C

雑則及び罰則に関する次の記述のうち、誤っているものはどれか。

A 障害手当金を受ける権利は、これを行使することができる時から5年を経過したときは、時効によって、消滅する。

B 実施機関は、必要があると認めるときは、年金たる保険給付の受給権者に対して、その者の身分関係、障害の状態その他受給権の消滅、年金額の改定若しくは支給の停止に係る事項に関する書類その他の物件の提出を命じ、又は当該職員をしてこれらの事項に関し受給権者に質問させることができる。

C 実施機関は、必要があると認めるときは、障害等級に該当する程度の障害の状態にあることにより、年金たる保険給付の受給権を有し、又は加給年金額の対象になっている子に対して、その指定する医師の診断を受けるべきことを命じ、又は当該職員をしてこれらの者の障害の状態を診断させることができる。

D 厚生労働大臣は、第1号厚生年金被保険者に係る被保険者の資格、標準報酬、保険料又は保険給付に関する決定に関し、必要があると認めるときは、適用事業所等の事業主に対して、文書その他の物件を提出すべきことを命じ、又は当該職員をして事業所に立ち入って関係者に質問し、若しくは帳簿、書類その他の物件を検査させることができる。

E 第1号厚生年金被保険者を使用する事業主が、正当な理由がなくて、被保険者の資格の取得若しくは喪失又は報酬月額若しくは賞与額に関する事項について届出をせず、又は虚偽の届出をしたときは、30万円以下の罰金に処せられる。

A　○　法92条１項。**保険給付**を受ける権利は、一時金である障害手当金も含め、５年を経過したときに、時効によって消滅します。

B　○　法96条１項。受給権者に関する調査についてです。保険給付の適正を保持するために、実施機関は、年金たる保険給付の**受給権者**に対して、所定の書類その他の**物件の提出**を命じ、又は当該職員をして**質問**させることができます。

C　○　法97条１項。診断命令についてです。年金たる保険給付の適正を保持するために、実施機関は、障害の状態にあるため年金たる保険給付の**受給権を有する者**又は加給年金額の対象になっている**子**に対して、医師の**診断**を受けるべきことを命じ、又は当該職員をして障害の状態を診断させることができます。

D　○　法100条１項。立入検査等についてです。立入検査等は、厚生労働大臣が「被保険者の資格、標準報酬、保険料又は保険給付に関する決定」に関し、必要があると認めるときに、行うことができます。

E　×　法102条１項１号。「30万円以下の罰金」ではなく、「６ヵ月以下の懲役又は50万円以下の罰金」です。事業主が、正当な理由がなくて、**被保険者資格の得喪・報酬月額等**に関する事項について届出をせず、又は虚偽の届出をしたときは、**６ヵ月以下の懲役**又は**50万円以下の罰金**に処せられます。

横断チェック

国民年金法と厚生年金保険法の時効のまとめ

	消滅時効が２年のもの	消滅時効が５年のもの
国民年金	①保険料その他徴収金を徴収し、又はその還付を受ける権利 ②死亡一時金を受ける権利	年金給付を受ける権利
厚生年金	**保険料**その他徴収金を徴収し、又はその還付を受ける権利	保険給付を受ける権利 **保険給付の返還を受ける権利**

解答　E

9章　厚生年金保険法

厚生年金保険制度全般（1）

過平30

難易度 普　重要度 Ⓐ

厚生年金保険法に関する次の記述のうち、正しいものはどれか。

A 　任意適用事業所を適用事業所でなくするための認可を受けようとするときは、当該事業所に使用される者の３分の２以上の同意を得て、厚生労働大臣に申請することとされている。なお、当該事業所には厚生年金保険法第12条各号のいずれかに該当し、適用除外となる者又は特定４分の３未満短時間労働者に該当する者はいないものとする。

B 　厚生年金保険法第78条の14第１項の規定による３号分割標準報酬改定請求のあった日において、特定被保険者の被扶養配偶者が第３号被保険者としての国民年金の被保険者の資格（当該特定被保険者の配偶者としての当該資格に限る。）を喪失し、かつ、離婚の届出はしていないが当該特定被保険者が行方不明になって２年が経過していると認められる場合、当該特定被保険者の被扶養配偶者は３号分割標準報酬改定請求をすることができる。

C 　第１号厚生年金被保険者が月の末日に死亡したときは、被保険者の資格喪失日は翌月の１日になるが、遺族厚生年金の受給権は死亡した日に発生するので、当該死亡者の遺族が遺族厚生年金を受給できる場合には、死亡した日の属する月の翌月から遺族厚生年金が支給される。

D 　障害厚生年金及び当該障害厚生年金と同一の支給事由に基づく障害基礎年金の受給権者が60歳に達して特別支給の老齢厚生年金の受給権を取得した場合、当該障害厚生年金と当該特別支給の老齢厚生年金は併給されないのでどちらか一方の選択になるが、いずれを選択しても当該障害基礎年金は併給される。

E 　障害等級２級に該当する障害厚生年金の受給権者が更に障害厚生年金の受給権を取得した場合において、新たに取得した障害厚生年金と同一の傷病について労働基準法第77条の規定による障害補償を受ける権利を取得したときは、一定の期間、その者に対する従前の障害厚生年金の支給を停止する。

A　✕　法8条2項。3分の2以上ではなく、**4分の3以上**の同意です。任意適用事業所を適用事業所でなくするための要件は、次の①～③です。

①事業所に使用される者（適用除外となる者を除く。）の**4分の3以上の同意**を得ること。

②事業主が認可申請をすること。

③**厚生労働大臣の認可**を受けること。

B　✕　法78条の14第1項、則78条の14第2号イ。「2年」ではなく、「3年」が経過していると認められる場合です。3号分割制度における「離婚等」には、被扶養配偶者が国民年金の第3号被保険者の資格を喪失し、かつ、離婚の届出はしていないが特定被保険者が行方不明となって**3年が経過**していると認められる場合等も含まれます。

C　○　法14条1号、36条1項、58条1項。設問のポイントは、次の点です。

①被保険者が死亡したときは、その**翌日**に、被保険者の資格を喪失します。

②遺族厚生年金の受給権は、被保険者等が**死亡した日**に発生します。

③年金の支給は、支給すべき事由が生じた（受給権が発生した）**月の翌月から**始めます。

D　✕　法38条1項、法附則17条。特別支給の老齢厚生年金を選択したときは、障害基礎年金は**併給されません**。厚生年金保険と国民年金の間において、異なる支給事由に基づく年金の併給は、一定の組合せにつき、受給権者が**65歳に達し**ている場合に**限り**、認められます。特別支給の老齢厚生年金は、**65歳未満の者**に支給されるものです。

E　✕　法49条2項。設問の場合は、一定の期間、従前の障害厚生年金を**支給します**。その支給を停止するのではありません。障害厚生年金の併合認定が行われるべき場合において、新たに取得した障害厚生年金が労働基準法の規定による**障害補償**を受けることができるために6年間支給を停止すべきものであるときは、その停止すべき期間（一定の期間）、その者に対して従前の障害厚生年金を**支給します**。

9章

厚生年金保険法

解答　C

厚生年金保険制度全般（2）

過令5

難易度 難　重要度 B

厚生年金保険法に関する次のアからオの記述のうち、正しいものはいくつあるか。

ア 被保険者期間を計算する場合には、月によるものとし、被保険者の資格を取得した月からその資格を喪失した月の前月までをこれに算入する。

イ 厚生年金保険の適用事業所で使用される70歳以上の者であっても、厚生年金保険法第12条各号に規定する適用除外に該当する者は、在職老齢年金の仕組みによる老齢厚生年金の支給停止の対象とはならない。

ウ 被保険者が同時に2以上の事業所に使用される場合における各事業主の負担すべき標準賞与額に係る保険料の額は、各事業所についてその月に各事業主が支払った賞与額をその月に当該被保険者が受けた賞与額で除して得た数を当該被保険者の保険料の額に乗じて得た額とされている。

エ 中高齢寡婦加算が加算された遺族厚生年金の受給権者である妻が、被保険者又は被保険者であった者の死亡について遺族基礎年金の支給を受けることができるときは、その間、中高齢寡婦加算は支給が停止される。

オ 経過的寡婦加算が加算された遺族厚生年金の受給権者である妻が、障害基礎年金の受給権を有し、当該障害基礎年金の支給がされているときは、その間、経過的寡婦加算は支給が停止される。

A 一つ

B 二つ

C 三つ

D 四つ

E 五つ

ア　○　法19条１項。被保険者期間の計算は、**月を単位**として行います。被保険者期間には、被保険者の資格を**取得した月**からその資格**を喪失した月**の前月までを算入します。

イ　○　法46条１項、則10条の４。在職老齢年金の仕組みが適用される「70歳以上の使用される者」とは、「**適用事業所に使用される70歳以上の者であって、適用除外に該当しないもの**」です。適用除外に該当する者は、70歳以上で適用事業所に使用されても、「70歳以上の使用される者」ではなく、**在職老齢年金**の仕組みによる老齢厚生年金の支給停止の**対象**となりません。

ウ　×　令４条２項。「当該被保険者の保険料の額に乗じて」ではなく、「当該被保険者の保険料の半額に乗じて」です。保険料は、被保険者及び事業主がそれぞれその半額を負担します。被保険者が同時に２以上の事業所に使用される場合は、**事業主負担分**である**保険料の半額**を、賞与額の合算額に対する各事業主が支払った賞与額の**割合に応じて**、各事業主がそれぞれ負担します。

エ　○　法65条。中高齢寡婦加算は、遺族厚生年金の受給権者である中高齢の妻が遺族基礎年金を受けることができない（子がない）場合に、遺族基礎年金を受けることができる（子がある）妻との年金額の格差を是正するために加算されるものです。したがって、遺族厚生年金の支給事由となった被保険者等の死亡について**遺族基礎年金**の支給を**受ける**ことができるときは、遺族基礎年金の支給を優先し、その間、**中高齢寡婦加算**の支給は**停止**されます。

オ　○　昭60法附則73条１項。経過的寡婦加算は、65歳以上の妻が遺族厚生年金と老齢基礎年金とを併給する場合に、65歳以降に年金額が減少することがないよう、**昭和31年４月１日以前**生まれの妻に対する遺族厚生年金に加算されるものです。したがって、妻に**障害基礎年金**（その額は定額）が支給され、障害基礎年金と遺族厚生年金とを併給する場合は、65歳以降に年金額が減少することはないため、その間、**経過的寡婦加算**の支給は**停止**されます。

以上から、正しいものは四つであるため、正解はＤです。

9章

厚生年金保険法

解答　Ｄ

厚生年金保険制度全般（3）

予想

難易度 **普**　重要度 **A**

厚生年金保険法に関する次の記述のうち、正しいものはどれか。

A　昭和61年4月1日から平成3年3月31日までの第3種被保険者であった期間につき被保険者期間を計算する場合には、厚生年金保険法第19条第1項及び第2項によって計算した期間に3分の4を乗じて得た期間をもって厚生年金保険の被保険者期間とする。

B　第1号厚生年金被保険者に係る保険料の納付義務者の住所若しくは居所が国内にないため、又はその住所及び居所がともに明らかでないため、公示送達の方法によって保険料の督促が行われた場合であっても、当該督促に係る保険料額に基づいて計算した延滞金が徴収される。

C　報酬比例部分のみの特別支給の老齢厚生年金の支給開始年齢が63歳である者が、60歳に達した日に当該老齢厚生年金の支給繰上げの請求をした。この者は、当該請求をした日以後引き続き被保険者であったが、62歳に達した日にその資格を喪失した。その後被保険者の資格を取得することなく1ヵ月が経過したときは、被保険者の資格を喪失した月前における被保険者であった期間を計算の基礎として、当該老齢厚生年金の額が改定される。

D　遺族厚生年金の受給権を取得した当時30歳未満である妻が当該遺族厚生年金と同一の支給事由に基づく国民年金法による遺族基礎年金の受給権を取得しないときは、当該遺族厚生年金の受給権は、妻が30歳に達したときに、消滅する。

E　被保険者の死亡により配偶者と子が遺族厚生年金の受給権を取得した場合において、当該死亡について配偶者が国民年金法による遺族基礎年金の受給権を有さず、子が当該遺族基礎年金の受給権を有するときは、その間、配偶者に対する遺族厚生年金の支給が停止される。

A ✕ 昭60法附則47条4項。「3分の4」ではなく、「5分の6」です。**第3種被保険者**であった期間について被保険者期間を計算する場合には、次の期間を厚生年金保険の被保険者期間とします。なお、以下の「実期間」とは、原則的な計算方法による被保険者期間（厚生年金保険法19条1項及び2項によって計算した期間）のことです。

①**昭和61年3月31日**までの期間

　⇒ 実期間×**3分の4**

②昭和61年4月1日から**平成3年3月31日**までの期間

　⇒ 実期間×**5分の6**

③平成3年4月1日以後の期間

　⇒ 実期間（特例なし）

B ✕ 法87条1項3号。督促が**公示送達**の方法で行われたときは、延滞金は徴収**されません**。

C ✕ 法附則15条の2。設問の1ヵ月を経過したときには、老齢厚生年金の額は改定**されません**。報酬比例部分のみの特別支給の老齢厚生年金の支給開始年齢（特例支給開始年齢）が61歳～64歳である者が老齢厚生年金の支給を繰り上げた場合は、**特例支給開始年齢に達する**前は、退職時改定は行われません。この者については、特例支給開始年齢に達したときに、被保険者の資格を喪失しているか否かを問わず、その**翌月**から、老齢厚生年金の額が改定されます。

D ✕ 法63条1項5号イ。受給権は、「当該遺族厚生年金の受給権を取得した日から起算して**5年**を経過したとき」に、消滅します。「妻が30歳に達したとき」ではありません。30歳未満の妻の有する遺族厚生年金の受給権は、次の①又は②に該当した日から起算して**5年**を経過したときは、消滅します。

①同一の支給事由に基づく遺族基礎年金の受給権を取得しない（子がない妻である）とき …… **遺族厚生年金の受給権を取得**した日

②30歳に到達する日前に同一の支給事由に基づく遺族基礎年金の受給権が消滅したとき …… **遺族基礎年金**の受給権が**消滅**した日

E ◯ 法66条2項。**配偶者**に対する遺族厚生年金は、同一の死亡について、配偶者が遺族基礎年金の受給権を有さず、**子が遺族基礎年金の受給権を有する**ときは、その間、その支給が停止されます。

9 章

厚生年金保険法

解答 E

問題 314

[選択式] 定義、費用、適用

過令3　　　　　　　　　　　　　　難易度 普　重要度 B

次の文中の □ の部分を選択肢の中の最も適切な語句で埋め、完全な文章とせよ。

1　厚生年金保険法における賞与とは、賃金、給料、俸給、手当、賞与その他いかなる名称であるかを問わず、労働者が労働の対償として受ける全てのもののうち、□ A □ 受けるものをいう。

2　厚生年金保険法第84条の3の規定によると、政府は、政令で定めるところにより、毎年度、実施機関（厚生労働大臣を除く。以下本問において同じ。）ごとに実施機関に係る □ B □ として算定した金額を、当該実施機関に対して □ C □ するとされている。

3　厚生年金保険法第8条の2第1項の規定によると、2以上の適用事業所（□ D □ を除く。）の事業主が同一である場合には、当該事業主は、□ E □ 当該2以上の事業所を1の事業所とすることができるとされている。

選択肢

①2か月を超える期間ごとに　　　　　②3か月を超える期間ごとに
③4か月を超える期間ごとに　　　　　④拠出金として交付
⑤国又は地方公共団体　　　　　　　　⑥厚生年金保険給付費等
⑦厚生労働大臣に届け出ることによって、
⑧厚生労働大臣の確認を受けることによって、
⑨厚生労働大臣の承認を受けて、　　　⑩厚生労働大臣の認可を受けて、
⑪交付金として交付　　　　　　　　　⑫執行に要する費用等
⑬事務取扱費等　　　　　　　　　　　⑭船舶
⑮その事業所に使用される労働者の数が政令で定める人数以下のもの
⑯特定適用事業所　　　　　　　　　　⑰特別支給金として支給
⑱納付金として支給　　　⑲予備費等　　⑳臨時に

　Aは法3条1項4号、B・Cは法84条の3、D・Eは法8条の2第1項。

1　賞与の定義についてです。「賞与」とは、賃金、給料、俸給、手当、賞与その他いかなる名称であるかを問わず、労働者が**労働の対償**として受けるすべてのもののうち、**3か月を超える**期間ごとに受けるものをいいます。

2　政府は、政令で定めるところにより、**毎年度**、実施機関（厚生労働大臣を除く。以下同じ。）ごとに実施機関に係る**厚生年金保険給付費等**として算定した金額を、当該実施機関に対して**交付金として交付**します。厚生労働大臣を除く実施機関とは、共済組合等のことです。なお、厚生年金保険給付費等とは、厚生年金保険法の規定による保険給付に要する費用として政令で定めるものその他これに相当する給付として政令で定めるものに要する費用のことです。

3　適用事業所の一括についてです。船舶**以外**の2以上の適用事業所の**事業主が同一**である場合には、当該事業主は、**厚生労働大臣の承認**を受けて、当該2以上の事業所を一の適用事業所とすることができます。なお、2以上の船舶の船舶所有者が同一である場合には、当該2以上の船舶は、法律上当然に一の適用事業所とします。

9章
厚生年金保険法

STEP UP

「3ヵ月を超える期間ごとに受けるもの」とは

　年間を通じ**4回以上支給されるもの以外**のものを指します。つまり、年間の支給回数が3回以下のものです。就業規則等の定めによって**年4回以上支給されるもの**については、たとえ名称が「賞与」であっても、**報酬**に該当します。

解答	A ②3か月を超える期間ごとに　B ⑥厚生年金保険給付費等　C ⑪交付金として交付　D ⑭船舶　E ⑨厚生労働大臣の承認を受けて、

[選択式] 付帯事業、届出

予想　　　　　　　　　　　　　　　　　難易度 **普**　重要度 **C**

次の文中の□□□の部分を選択肢の中の最も適切な語句で埋め、完全な文章とせよ。

1　政府等は、厚生年金保険事業の円滑な実施を図るため、厚生年金保険に関し、次に掲げる事業を行うことができる。

(1)　 A を行うこと。

(2)　被保険者、受給権者その他の関係者（以下本問において「被保険者等」という。）に対し、相談その他の援助を行うこと。

(3)　被保険者等に対し、被保険者等が行う手続きに関する情報その他の被保険者等の B に資する情報を提供すること。

2　政府等は、厚生年金保険事業の実施に必要な事務（ C の負担及び納付に伴う事務を含む。）を円滑に処理し、被保険者等の B に資するため、電子情報処理組織の運用を行うものとする。

3　第1号厚生年金被保険者期間に基づく老齢厚生年金の受給権者の D は、当該受給権者の所在が E 以上明らかでないときは、速やかに、所定の事項を記載した届書を日本年金機構に提出しなければならない。

選択肢

①14日　　　　　　　　　②告知及び連携

③属する世帯の世帯主その他その世帯に属する者

④福祉の増進　　　　　　⑤国庫負担金　　　　　　⑥教育及び広報

⑦制度の理解　　　　　　⑧3ヵ月　　　　　　　　⑨配偶者

⑩利便の向上　　　　　　⑪事務費拠出金　　　　　⑫6ヵ月

⑬基礎年金拠出金　　　　⑭連絡及び調整　　　　　⑮属する世帯の世帯主

⑯生活の安定　　　　　　⑰1ヵ月　　　　　　　　⑱3親等内の親族

⑲調査及び分析　　　　　⑳保険給付費分担金

A・Bは法79条1項、Cは法79条2項、D・Eは則40条の2第1項。

1、2　厚生年金保険の**付帯事業**として、政府等（政府及び共済組合等）は、厚生年金保険事業の円滑な実施を図るため、厚生年金保険に関し、次に掲げる事業を行うことができます。

(1) **教育及び広報**を行うこと。

(2) 被保険者、受給権者その他の関係者（被保険者等）に対し、**相談その他の援助**を行うこと。

(3) 被保険者等に対し、被保険者等が行う手続きに関する情報その他の被保険者等の**利便の向上**に資する**情報を提供**すること。

　　また、政府等は、厚生年金保険事業の実施に必要な事務（**基礎年金拠出金**の負担及び納付に伴う事務を含む。）を円滑に処理し、被保険者等の**利便の向上**に資するため、**電子情報処理組織の運用**を行うものとされています。

　　この付帯事業（厚生年金保険事業の円滑な実施を図るための措置）の内容は、国民年金の付帯事業（国民年金事業の円滑な実施を図るための措置）の内容とほぼ同じです。

3　第1号厚生年金被保険者期間に基づく年金たる保険給付の受給権者の所在が明らかでない場合は、**受給権者の所在不明の届出**を行わなければなりません。この受給権者の所在不明の届出は、受給権者の**属する世帯の**世帯主その他その世帯に属する者が、年金たる保険給付の受給権者の所在が**1ヵ月以上**明らかでないときに、速やかに、届書を日本年金機構に提出することによって行います。

9
章

厚生年金保険法

解答　A ⑥教育及び広報　B ⑩利便の向上　C ⑬基礎年金拠出金
　　　　D ③属する世帯の世帯主その他その世帯に属する者　E ⑰1ヵ月

［選択式］ 老齢厚生年金

予想

難易度 普　重要度 B

次の文中の □□□ の部分を選択肢の中の最も適切な語句で埋め、完全な文章とせよ。

1　老齢厚生年金の額等の計算の基礎となる平均標準報酬額とは、被保険者期間の計算の基礎となる各月の　A　に、　B　を乗じて得た額の総額を、当該被保険者期間の月数で除して得た額をいう。

2　昭和21年4月2日以後に生まれた者に支給する老齢厚生年金の定額部分の額を計算するにあたり、計算の基礎となる被保険者期間の月数が　C　を超えるときは、これを　C　とする。

3　老齢厚生年金の配偶者に係る加給年金額に加算される特別加算額は、当該老齢厚生年金の受給権者が　D　生まれであるときに、最も多い額となる。

4　繰上げ支給の老齢厚生年金と雇用保険の基本手当との調整により、8ヵ月分の老齢厚生年金の支給が停止された者について、基本手当の支給を受けた日とみなされる日数が150であるときは、直近の　E　について老齢厚生年金の支給停止が解除される。

選択肢

① 2ヵ月　　　　　② 300　　　　　　③ 再評価率　　　　　④ 3ヵ月

⑤ 420　　　　　　⑥ 調整率　　　　　⑦ 4ヵ月　　　　　　⑧ 444

⑨ 改定率　　　　　⑩ 5ヵ月　　　　　⑪ 480　　　　　　　⑫ 算出率

⑬ 昭和9年4月1日以前　　　　　　⑭ 標準報酬月額

⑮ 昭和9年4月2日以後　　　　　　⑯ 標準報酬月額と標準賞与額

⑰ 昭和18年4月1日以前　　　　　　⑱ 報酬月額

⑲ 昭和18年4月2日以後　　　　　　⑳ 報酬月額と賞与額

A・Bは法43条1項、Cは法附則9条の2第2項1号、Dは昭60法附則60条2項、Eは法附則7条の4第3項。

1　**平均標準報酬額**とは、被保険者期間の計算の基礎となる各月の標準報酬月額と標準賞与額に再評価率を乗じて得た額の総額を、当該被保険者期間の月数で除して得た額をいいます。平均標準報酬額は、**総報酬制**が導入された**平成15年4月1日以後**の期間について、報酬に比例して計算される年金給付の額（報酬比例の年金額）の計算の基礎となります。なお、平成15年4月1日前の期間については、**平均標準報酬月額**が報酬比例の年金額の計算の基礎となります。

2　老齢厚生年金の**定額部分**の額の計算の基礎となる被保険者期間の月数には上限があり、受給権者が昭和21年4月2日以後生まれであるときの上限月数は、480です。

3　老齢厚生年金の配偶者に係る加給年金額に加算される**特別加算額**は、受給権者の生年月日に応じた額であり、**受給権者が昭和18年4月2日以後生まれ**であるときに、最も多い額（最高額）となります。

4　設問では、老齢厚生年金と基本手当との調整規定のうち、事後精算について問うています。事後精算によって老齢厚生年金の支給停止が解除となる月数（解除月数）は、次の計算式によります。

解除月数＝**支給停止月数** － （基本手当の支給を受けた日とみなされる日数÷**30**）
※1未満の端数は1に切上げ

　設問をこれにあてはめると、「8 － （150÷30）」により、支給停止が解除となる月数は3ヵ月となります。

ポイント解説

特別加算額

①配偶者ではなく、受給権者の生年月日に応じて額が定められています。
②受給権者が**若い（生年月日が遅い）**ほど、特別加算額は**高い額**となります。
③昭和18年**4月2日以後**生まれの者の特別加算額は、同額かつ**最高額**となります。
④特別加算が行われるのは、**老齢厚生年金の配偶者に係る加給年金額のみ**です。子に係る加給年金額及び障害厚生年金の配偶者に係る加給年金額には、特別加算は行われません。

解答

A ⑯標準報酬月額と標準賞与額　　B ③再評価率　　C ⑪480
D ⑲昭和18年4月2日以後　　E ④3ヵ月

9章
厚生年金保険法

[選択式] 障害厚生年金、遺族厚生年金

予想　　　　　　　　　　　　　　　　　　難易度 **易**　重要度 **B**

次の文中の □□□ の部分を選択肢の中の最も適切な語句で埋め、完全な文章とせよ。

1　厚生年金保険法第47条の3第1項のいわゆる基準障害による障害厚生年金の支給は、 □ A □ から始めるものとする。

2　障害厚生年金の額の計算にあたり、その基礎となる被保険者期間の月数が □ B □ に満たないときは、これを □ B □ とする。

3　障害の程度が障害等級の1級に該当する者に支給する障害厚生年金の額は、厚生年金保険法第50条第1項に定める額の □ C □ に相当する額である。

4　遺族厚生年金は、当該被保険者又は被保険者であった者の死亡について労働基準法の規定による遺族補償の支給が行われるべきものであるときは、死亡の日から □ D □ 間、その支給が停止される。

5　遺族厚生年金（その受給権者が □ E □ に達しているものに限る。）は、その受給権者が老齢厚生年金の受給権を有するときは、当該老齢厚生年金の額に相当する部分の支給が停止される。

選択肢

① 3年	② 55歳	③ 180	④ 100分の125
⑤ 5年	⑥ 65歳	⑦ 240	⑧ 100分の150
⑨ 6年	⑩ 70歳	⑪ 300	⑫ 100分の175
⑬ 8年	⑭ 75歳	⑮ 360	⑯ 100分の200

⑰ 当該障害厚生年金の請求があった月

⑱ 当該障害厚生年金の請求があった月の翌月

⑲ 初めて障害等級の1級又は2級に該当する程度の障害の状態に該当するに至った月

⑳ 初めて障害等級の1級又は2級に該当する程度の障害の状態に該当するに至った月の翌月

Aは法47条の3第3項、Bは法50条1項、Cは法50条2項、Dは法64条、Eは法64条の2。

1　基準障害による障害厚生年金の支給開始時期は、**当該障害厚生年金の請求があった月の翌月**です。初めて障害等級の1級又は2級に該当する程度の障害の状態に該当するに至った日に受給権が発生しますが、支給は、**請求があった月の翌月**から始められます。

2　障害厚生年金の額は、原則として、老齢厚生年金の報酬比例部分の額と同様に計算します。ただし、その計算の基礎となる被保険者期間の月数が**300に満たない**ときは、これを**300として計算**します（300月みなし）。

3　障害厚生年金の額は、受給権者の障害等級に応じて、次の額です。

障害等級	年金額
1級	報酬比例の年金額×100分の125＋配偶者加給年金額
2級	報酬比例の年金額＋配偶者加給年金額
3級	報酬比例の年金額

4　同一の死亡について**労働基準法**の規定による遺族補償の支給が行われるべきものであるときは、遺族厚生年金の支給が停止されますが、支給が停止される期間は、死亡の日から**6年間**です。

5　老齢厚生年金の受給権を有することによって遺族厚生年金の支給が停止されるのは、受給権者が65歳に達している場合です。この場合は、**老齢厚生年金**が優先して支給され、遺族厚生年金は、差額のみが支給されます。

9章

厚生年金保険法

解答　A ⑱当該障害厚生年金の請求があった月の翌月　B ⑪300
C ④100分の125　D ⑨6年　E ⑥65歳

［選択式］合意分割制度等、不服申立て

予想

難易度 **普** 重要度 **B**

次の文中の□□□の部分を選択肢の中の最も適切な語句で埋め、完全な文章とせよ。

1 厚生年金保険法第78条の2第3項によれば、いわゆる合意分割による標準報酬改定請求は、当事者が標準報酬の改定又は決定の請求をすること及び請求すべき　**A**　について合意している旨が記載された　**B**　の添付その他の厚生労働省令で定める方法によりしなければならない。

2 厚生年金保険法第78条の13においては、いわゆる3号分割に関し、被扶養配偶者に対する年金たる保険給付に関しては、被扶養配偶者を有する被保険者が負担した保険料について、当該　**C**　負担したものであるという基本的認識の下に、同法第3章の3に定めるところによる旨が規定されている。

3 厚生労働大臣による被保険者の資格、　**D**　又は保険給付に関する処分に不服がある者は、社会保険審査官に対して審査請求をし、その決定に不服がある者は、社会保険審査会に対して再審査請求をすることができる。

4 厚生年金保険法第90条第1項の規定により社会保険審査官に審査請求をした日から　**E**　以内に決定がないときは、審査請求人は、社会保険審査官が審査請求を棄却したものとみなすことができる。

―― 選択肢 ――

①認定書　　　　　②特定期間　　　　　③標準報酬

④6ヵ月　　　　　⑤按分割合　　　　　⑥被扶養者がその一部を

⑦離婚証明書　　　⑧3ヵ月　　　　　　⑨厚生年金保険原簿の訂正の請求

⑩請求書　　　　　⑪2ヵ月　　　　　　⑫被保険者が単独で

⑬保険料　　　　　⑭改定割合　　　　　⑮被扶養配偶者が共同して

⑯30日　　　　　　⑰公正証書　　　　　⑱滞納処分

⑲対象期間　　　　⑳被保険者及びその者を使用する事業主が分担して

A・Bは法78条の2第3項、Cは法78条の13、Dは法90条1項、Eは法90条3項。

1　合意分割は、当事者（第1号改定者及び第2号改定者）の**合意**により、**按分割合**に基づいて標準報酬を分割する制度です。合意分割による標準報酬改定請求は、次の(1)及び(2)について当事者が**合意**している旨が記載された**公正証書**の添付その他の厚生労働省令で定める方法によりしなければなりません。

(1) 標準報酬の改定又は決定の請求をすること

(2) 請求すべき**按分割合**

2　3号分割は、特定被保険者の標準報酬の**2分の1**を、いわば強制的に被扶養配偶者に分割する制度です。3号分割の制度は、被扶養配偶者を有する**被保険者が負担した保険料**について、当該被扶養配偶者が**共同して負担**したものであるという基本的認識の下に、設けられています。

3　厚生労働大臣による次の処分に不服がある者は、社会保険審査官に対して審査請求をし、その決定に不服がある者は、社会保険審査会に対して再審査請求をすることができます（二審制）。

(1) **被保険者の資格**に関する処分

(2) **標準報酬**に関する処分

(3) **保険給付**に関する処分

4　不服申立てに関しては、迅速な救済を図る観点から、社会保険審査官に審査請求をした日から**2ヵ月以内**に決定がないときは、審査請求人は、社会保険審査官が審査請求を**棄却**したものと**みなす**ことができます。棄却したものとみなすことにより、社会保険審査会に対する審査請求又は裁判所への訴訟の提起が可能となります。

9章

厚生年金保険法

| 解答 | A ⑥按分割合　B ⑰公正証書　C ⑮被扶養配偶者が共同して |
| | D ③標準報酬　E ⑪2ヵ月 |

〔選択式〕**費用**

予想

難易度 **易**　重要度 **B**

次の文中の □□□ の部分を選択肢の中の最も適切な語句で埋め、完全な文章とせよ。

1　積立金の運用は、積立金が厚生年金保険の被保険者から徴収された保険料の一部であり、かつ、将来の保険給付の貴重な財源となるものであることに特に留意し、専ら厚生年金保険の □ A □ のために、長期的な観点から、□ B □ 行うことにより、将来にわたって、厚生年金保険事業の運営の安定に資することを目的として行うものとする。

2　国庫は、毎年度、厚生年金保険の実施者たる政府が負担する基礎年金拠出金の額の □ C □ に相当する額を負担する。

3　産前産後休業をしている第1号厚生年金被保険者が使用される事業所の事業主が、実施機関に申出をしたときは、当該被保険者に係る保険料であってその産前産後休業を開始した日の属する月からその産前産後休業が終了する □ D □ までの期間に係るものの徴収は行わない。

4　厚生年金保険法第88条においては、第1号厚生年金被保険者に係る保険料その他厚生年金保険法の規定による徴収金の先取特権の順位は、□ E □ に次ぐものと規定されている。

選択肢

①3分の2　　　　　　②地方税　　　　　　　　③国税及び労働保険料

④2分の1　　　　　　⑤保険給付の充実　　　　⑥被保険者の利益

⑦3分の1　　　　　　⑧所得税　　　　　　　　⑨国税及び地方税

⑩4分の1　　　　　　⑪財政の健全化　　　　　⑫受給権者の所得の確保

⑬安全かつ効率的に　　　　⑭慎重かつ細心の注意を払って

⑮日が属する月の前月　　　⑯日が属する月

⑰専門的な知見に基づいて　⑱柔軟かつ積極的に

⑲日の翌日が属する月の前月　⑳日の翌日が属する月

A・Bは法79条の2、Cは法80条1項、Dは法81条の2の2第1項、Eは法88条。

1 　積立金の運用の目的は、将来にわたって、厚生年金保険事業の**運営の安定**に資することです。また、この目的の実現のために、(1)積立金が被保険者から徴収された保険料の一部であり、かつ、将来の保険給付の貴重な財源となるものであることに特に留意すること、(2)専ら**被保険者の利益**のために、長期的な観点から、**安全かつ効率的に**運用を行うことが掲げられています。

2 　政府が負担する基礎年金拠出金に対する国庫負担の割合は、**2分の1**です。なお、共済組合等が納付する基礎年金拠出金及び共済組合等による厚生年金保険事業の事務の執行に要する費用の負担については、共済各法の定めるところによります。

3 　産前産後休業をしている被保険者について保険料を徴収しない（保険料が**免除**される）期間は、産前産後休業を開始した**日の属する月**からその産前産後休業が終了する**日の翌日が属する月の前月**までです。

4 　第1号厚生年金被保険者に係る保険料その他徴収金の先取特権の順位は、国税**及び地方税**に次ぐものとされています。

9
章

厚生年金保険法

| 解答 | A ⑥被保険者の利益　B ⑬安全かつ効率的に　C ④2分の1 |
| | D ⑲日の翌日が属する月の前月　E ⑨国税及び地方税 |

問題 320

［選択式］ 積立金の運用、障害手当金等

過平26

難易度 普　重要度 B

次の文中の ____ の部分を選択肢の中の最も適切な語句で埋め、完全な文章とせよ。

1　年金特別会計の厚生年金勘定の積立金（以下「特別会計積立金」という。）の運用は、厚生労働大臣が、厚生年金保険法第79条の2に規定される目的に沿った運用に基づく納付金の納付を目的として、____A____ に対し、特別会計積立金を ____B____ することにより行うものとする。

2　障害手当金は、疾病にかかり、又は負傷し、その傷病に係る初診日において被保険者であった者が、当該初診日から起算して ____C____ を経過する日までの間におけるその傷病の治った日において、その傷病により政令で定める程度の障害の状態である場合に、その者に支給する。

3　障害手当金の額は、厚生年金保険法第50条第1項の規定の例により計算した額の100分の200に相当する額とする。ただし、その額が障害等級3級の障害厚生年金の最低保障額に ____D____ を乗じて得た額に満たないときは、当該額とする。

4　年金たる保険給付の受給権者が死亡したため、その受給権が消滅したにもかかわらず、その死亡の日の属する月の翌月以後の分として当該年金たる保険給付の過誤払が行われた場合において、当該過誤払による返還金に係る債権に係る債務の弁済をすべき者に支払うべき年金たる保険給付があるときは、厚生労働省令で定めるところにより、当該年金たる保険給付の支払金の金額を当該過誤払による返還金に係る債権の金額 ____E____ ことができる。

選択肢

①1.25　　　　　　②1.5　　　　　　③2　　　　　　④3
⑤1年　　　　　　⑥1年6か月　　　⑦3年　　　　　⑧5年
⑨移管　　　　　　⑩委託　　　　　　⑪寄託　　　　　⑫財務省
⑬資産管理運用機関　⑭と相殺する　　　⑮に充当する
⑯日本年金機構　　⑰に補填する
⑱年金積立金管理運用独立行政法人　　⑲の内払とみなす　⑳預託

A・Bは法79条の３第１項、Cは法55条１項、Dは法57条、Eは法39条の２。

1　**特別会計積立金**（年金特別会計の厚生年金勘定の積立金）の運用は、厚生労働大臣が、**年金積立金管理運用独立行政法人**に対し、特別会計積立金を**寄託**することによって行うものとされています。なお、積立金には、特別会計積立金のほか、実施機関積立金があります。

2　障害手当金の支給要件の１つとして、「初診日から起算して**５年**を経過する日までの間において傷病が**治ったこと**」があります。

3　障害手当金は一時金として支給され、その額は、３級の障害厚生年金の額（厚生年金保険法50条１項の規定の例により計算した額）の**100分の200**に相当する額です。この額には最低保障額が設けられており、上記により計算した額が次の最低保障額に満たないときは、最低保障額が障害手当金として支給されます。

> **障害手当金の最低保障額 ＝ 障害厚生年金の最低保障額×２**

4　年金の支払調整のうち、**充当**についてです。充当は、「年金たる保険給付の受給権者が**死亡**したためその受給権が消滅したにもかかわらず、その死亡の日の属する月の翌月以後の分として当該年金たる保険給付の**過誤払い**が行われた場合」において、「当該過誤払いによる返還金債権に係る**債務の弁済をすべき者**に支払うべき年金たる保険給付があるとき」に、することができます。

9章

厚生年金保険法

解答	A ⑱年金積立金管理運用独立行政法人　B ⑪寄託　C ⑧５年 D ③２　E ⑮に充当する

老齢厚生年金と障害厚生年金の加給年金額

		老齢厚生年金	障害厚生年金
受給権者の要件		老齢厚生年金の額の計算の基礎となる被保険者期間の月数が240以上であること	障害の程度が障害等級の1級又は2級に該当すること
対象者の要件	受給権取得当時生計を維持していた	65歳未満の配偶者 ①18歳に達する日以後の最初の3月31日（18歳年度末）までの間にある子 ②20歳未満で障害等級の1級又は2級に該当する障害の状態にある子	生計を維持している65歳未満の配偶者
額	配偶者	224,700円×改定率	224,700円×改定率
	子	第1子・2子 224,700円×改定率 第3子以降 74,900円×改定率	
特別加算額		配偶者加給年金額が加算されている場合であって、受給権者が昭和9年4月2日以後生まれのとき	なし
増額改定事由		受給権取得当時胎児であった子が出生したとき	受給権取得後に生計を維持している65歳未満の配偶者を有するに至ったとき
減額改定事由	共通	①死亡したとき ②受給権者による生計維持の状態がやんだとき	①死亡したとき ②受給権者による生計維持の状態がやんだとき ③離婚又は婚姻の取消しをしたとき ④65歳に達したとき（大正15年4月1日以前生まれの者を除く）
	配偶者特有	①離婚又は婚姻の取消しをしたとき ②65歳に達したとき（大正15年4月1日以前生まれの者を除く）	
	子特有	①養子縁組によって受給権者の配偶者以外の者の養子となったとき ②養子縁組による子が、離縁をしたとき ③婚姻をしたとき ④18歳年度末が終了したとき（障害等級の1級又は2級に該当する障害の状態にあるときを除く） ⑤障害等級1級又は2級の障害の状態にある子について、その事情がやんだとき（18歳年度末までの間にあるときを除く） ⑥20歳に達したとき	

社会保険に
関する一般常識

最後の科目です。 がんばりましょう!

国民健康保険法（1）

予想　　　　　　　　　　　　　　　難易度 **易**　重要度 **A**

国民健康保険法に関する次の記述のうち、誤っているものはどれか。

A 　都道府県若しくは市町村（特別区を含む。以下本問において同じ。）又は国民健康保険組合（以下本問において「組合」という。）は、共同してその目的を達成するため、国民健康保険団体連合会を設立することができる。

B 　国民健康保険団体連合会を設立しようとするときは、当該国民健康保険団体連合会の区域をその区域に含む都道府県を統轄する都道府県知事の認可を受けなければならない。

C 　国民健康保険事業の運営に関する事項（国民健康保険法の定めるところにより市町村が処理することとされている事務に係るものであって、保険給付、保険料の徴収その他の重要事項に限る。）を審議させるため、市町村に市町村の国民健康保険事業の運営に関する協議会が置かれる。

D 　市町村及び組合は、被保険者の出産及び死亡に関しては、出産育児一時金の支給又は葬祭費の支給若しくは葬祭の給付を行わなければならない。

E 　保険給付に関する処分（国民健康保険法第9条第2項及び第4項の規定による求めに対する処分を含む。）又は保険料その他同法の規定による徴収金に関する処分に不服がある者は、国民健康保険審査会に審査請求をすることができる。

A　〇　国保法83条１項。国民健康保険団体連合会は、**都道府県**若しくは**市町村**又は**国民健康保険組合**が共同してその目的を達成するため、設立するものです。

B　〇　国保法84条１項。国民健康保険団体連合会を設立するためには、**都道府県知事の認可**を受けなければなりません。

C　〇　国保法11条２項。設問のいわゆる**市町村協議会**は、国民健康保険事業の運営に関する事項（市町村が処理することとされている事務に係る重要事項に限る。）を審議させるため、**市町村**に置かれます。なお、都道府県には、国民健康保険事業の運営に関する事項（都道府県が処理することとされている事務に係る重要事項に限る。）を審議させるため、いわゆる都道府県協議会が置かれます。

D　✕　国保法58条１項。設問の保険給付は、「行わなければならない」という法定必須給付ではありません。出産育児一時金の支給又は葬祭費の支給若しくは葬祭の給付は、**法定任意給付**であり、市町村及び組合が、**条例又は規約**の定めるところにより、行うものとする給付です。ただし、特別の理由があるときは、その全部又は一部を**行わないことができる**とされています。

E　〇　国保法91条１項。次の処分に不服がある者は、**国民健康保険審査会**に審査請求をすることができます。

①**保険給付**に関する処分（被保険者の資格に係る事項を記載した書面の交付等の求めに対する処分を含む。）

②**保険料**その他徴収金に関する処分

10章

社会保険に関する一般常識

解答　D

国民健康保険法（2）

予想　　　　　　　　　　　　　　　　　　　　　　難易度 **難**　重要度 **B**

国民健康保険法に関する次の記述のうち、誤っているものはどれか。

A　国民健康保険法においては、国は、その責務として、国民健康保険事業の運営が健全に行われるよう必要な各般の措置を講ずるとともに、同法の目的の達成に資するため、保健、医療及び福祉に関する施策その他の関連施策を積極的に推進するものとされている。

B　都道府県の区域内に住所を有するに至ったため、都道府県が当該都道府県内の市町村（特別区を含む。以下同じ。）とともに行う国民健康保険（以下「都道府県等が行う国民健康保険」という。）の被保険者の資格を取得した者があるときは、その者の属する世帯の世帯主は、14日以内に、所定の事項を記載した届書を、当該世帯主が住所を有する市町村に提出しなければならない。

C　修学のため一の市町村の区域内に住所を有する被保険者であって、修学していないとすれば他の市町村の区域内に住所を有する他人と同一の世帯に属するものと認められるものは、国民健康保険法の適用については、当該他の市町村の区域内に住所を有するものとみなし、かつ、当該世帯に属するものとみなす。

D　国は、都道府県等が行う国民健康保険について、都道府県及び当該都道府県内の市町村の財政の状況その他の事情に応じた財政の調整を行うため、政令で定めるところにより、都道府県に対して調整交付金を交付する。

E　市町村は、都道府県等が行う国民健康保険事業の適切かつ効率的な実施を図るため、当該市町村の国民健康保険事業の運営に関する方針を定めなければならない。

A　○　国保法4条1項。国民健康保険法においては、国の責務として、①国民健康保険事業の運営が健全に行われるよう**必要な各般の措置**を講ずること、及び②保健、医療及び福祉に関する施策その他の**関連施策を積極的に推進**することが掲げられています。

B　○　国保則2条1項。都道府県等が行う国民健康保険の被保険者の資格を取得した者があるときは、その者の属する世帯の**世帯主**が届出を行います。その届出期限は、資格を取得した日から**14日以内**です。届出先は、当該世帯主が住所を有する**市町村**です。なお、都道府県等が行う国民健康保険の被保険者が、同一の都道府県内の他の市町村の区域内から住所を変更し、市町村の区域内に住所を有するに至ったときも、世帯主が届出を行う必要があります。

C　○　国保法116条。たとえば、X市にある親元の世帯で被保険者となっていた者が、**修学**のために親元を離れY市に住所を有することとなった場合は、設問の規定（修学中の被保険者の特例）により、引き続き**親元の世帯**に属する**被保険者**とされます。また、保険料も、引き続き親元の世帯の世帯主が納付します。

D　○　国保法72条1項。国は、都道府県等が行う国民健康保険の財政の安定化を図るため、**都道府県**に対し、療養の給付等に要する費用等について、所定の割合を負担するほか、**調整交付金**を交付します。なお、調整交付金の額は、療養の給付等に要する費用等については、算定対象額の100分の9に相当する額です。

E　×　国保法82条の2。市町村が設問のような方針を定めなければならない旨の規定はありません。これに対して、**都道府県**は、おおむね**6年**ごとに、都道府県及び当該都道府県内の市町村の国民健康保険事業の運営に関する方針（**都道府県国民健康保険運営方針**）を定めるものとされています。

10章
社会保険に関する一般常識

解答　E

高齢者医療確保法（1）

過令5

難易度 **易**　重要度 **A**

高齢者医療確保法に関する次の記述のうち、正しいものはどれか。

A　都道府県は、年度ごとに、保険者から、後期高齢者支援金及び後期高齢者関係事務費拠出金を徴収する。

B　都道府県は、医療費適正化基本方針に即して、6年ごとに、6年を1期として、当該都道府県における医療費適正化を推進するための計画を定めるものとする。

C　都道府県は、後期高齢者医療の事務（保険料の徴収の事務及び被保険者の便益の増進に寄与するものとして政令で定める事務を除く。）を処理するため、都道府県の区域ごとに当該区域内のすべての市町村が加入する広域連合（以下本問において「後期高齢者医療広域連合」という。）を設けるものとする。

D　市町村は、後期高齢者医療に要する費用に充てるため、保険料を徴収し、後期高齢者医療広域連合に対し納付する。市町村による保険料の徴収については、市町村が老齢等年金給付を受ける被保険者（政令で定める者を除く。）から老齢等年金給付の支払をする者に保険料を徴収させ、かつ、その徴収すべき保険料を納入させる普通徴収の方法による場合を除くほか、地方自治法の規定により納入の通知をすることによって保険料を徴収する特別徴収の方法によらなければならない。

E　都道府県は、被保険者の死亡に関しては、高齢者医療確保法の定めるところにより、葬祭費の支給又は葬祭の給付を行うものとする。ただし、特別の理由があるときは、その全部又は一部を行わないことができる。

A　×　高確法118条１項。後期高齢者支援金等を徴収するのは、「都道府県」ではなく、「**社会保険診療報酬支払基金**」です。**社会保険診療報酬支払基金**は、年度ごとに、**保険者**（都道府県等が行う国民健康保険にあっては、都道府県）から、後期高齢者支援金及び後期高齢者関係事務費拠出金（後期高齢者支援金等）を徴収します。なお、社会保険診療報酬支払基金は、後期高齢者医療広域連合に対して、後期高齢者交付金を交付しますが、この交付金は、上記の後期高齢者支援金をもって充てます。

B　○　高確法９条１項。都道府県医療費適正化計画は、**都道府県**が、医療費適正化基本方針に即して、**６年ごとに、６年を１期**として、定めるものとされています。なお、上記の医療費適正化基本方針は、厚生労働大臣が定めます。

C　×　高確法48条。後期高齢者医療広域連合（広域連合）を設けるのは、「都道府県」ではなく、「市町村」です。**市町村**は、後期高齢者医療の事務（一定の事務を除く。）を処理するため、**都道府県**の区域ごとに当該区域内の**すべての市町村が加入**する**広域連合**を設けるものとされています。

D　×　高確法104条１項、105条、107条１項。設問は、「普通徴収」と「特別徴収」に関する記述が逆です。市町村による保険料の徴収については、**特別徴収**（市町村が**老齢等年金給付**を受ける被保険者（政令で定める者を除く。）から老齢等年金給付の支払いをする者に保険料を徴収させ、かつ、その徴収すべき保険料を納入させることをいう。）の方法による場合を除くほか、**普通徴収**（市町村が、地方自治法の規定により**納入の通知**をすることによって保険料を徴収することをいう。）の方法によらなければなりません。

E　×　高確法86条１項。葬祭費の支給及び葬祭の給付は、「**広域連合**」が、「**条例**」の定めるところにより行うものとされています。「都道府県」が、「高齢者医療確保法」の定めるところにより行うのではありません。なお、設問後半の記述は正しく、特別の理由があるときは、葬祭費の支給及び葬祭の給付の全部又は一部を行わないことができます。

解答　B

問題 324

高齢者医療確保法 (2)

予想　　　　　　　　　　　　　　　　　　難易度 普　重要度 B

高齢者医療確保法に関する次のアからオまでの記述のうち、誤っているものの組合せは、後記 A から E までのうちどれか。

ア 後期高齢者医療広域連合は、厚生労働大臣の定める特定健康診査等基本指針に即し、6年ごとに6年を1期として、特定健康診査等実施計画を定める。

イ 被保険者の疾病又は負傷につき、労働者災害補償保険法の規定による療養補償給付、複数事業労働者療養給付若しくは療養給付を受けることができる場合は、療養の給付又は入院時食事療養費、入院時生活療養費、保険外併用療養費、療養費、訪問看護療養費、特別療養費若しくは移送費の支給は行わない。

ウ 後期高齢者医療広域連合は、条例で定めるところにより、特別の理由がある者に対し、保険料を減免し、又はその徴収を猶予することができる。

エ 偽りその他不正の行為によって後期高齢者医療給付を受けた者があるときは、都道府県は、その者からその後期高齢者医療給付の価額の全部又は一部を徴収することができる。

オ 国は、政令で定めるところにより、後期高齢者医療広域連合に対して、負担対象総額の12分の3に相当する額を負担する。また、国は、後期高齢者医療の財政を調整するため、政令で定めるところにより、後期高齢者医療広域連合に対して負担対象総額の見込額の総額の12分の1に相当する額を調整交付金として交付する。

A　（アとイ）　　　B　（アとエ）　　　C　（イとオ）
D　（ウとエ）　　　E　（ウとオ）

ア ✕　高確法19条。「後期高齢者医療広域連合」ではなく、「保険者」です。厚生労働大臣は、特定健康診査等基本指針を定めます。そして、保険者（都道府県等が行う国民健康保険にあっては、市町村）は、特定健康診査等基本指針に即して、**6年ごとに6年を1期として**、**特定健康診査等実施計画**を定めます。

イ 〇　高確法57条1項。同一の傷病について、**労働者災害補償保険法**の規定による給付や**介護保険法**の規定による給付を受けることができる場合には、高齢者医療確保法に定める**療養の給付等は行いません**。つまり、労働者災害補償保険法の規定による給付や介護保険法の規定による給付を、高齢者医療確保法に定める療養の給付等に優先して行うということです。

ウ 〇　高確法111条。災害により、被保険者の財産について著しい損害を受け、保険料の全部又は一部を（一時的に）納付できないと認められた者など特別の理由がある者の保険料については、**後期高齢者医療広域連合**は、**減額**し、**免除**し、又は保険料の**徴収を猶予**することができます。

エ ✕　高確法59条1項。設問の不正利得の徴収を行うことができるのは、「都道府県」ではなく、「後期高齢者医療広域連合」です。**偽りその他不正の行為**によって後期高齢者医療給付を受けた者があるときは、**後期高齢者医療広域連合**は、その者からその後期高齢者医療給付の価額の全部又は一部を徴収することができます。

オ 〇　高確法93条1項、95条。国は、負担対象総額の12分の3に相当する額を負担（国庫負担）します。さらに、後期高齢者医療の財政を調整するため、**調整交付金**として、負担対象総額の見込額の総額の12分の1に相当する額を交付します。なお、都道府県及び市町村は、負担対象総額の12分の1に相当する額を、それぞれ負担します。

以上から、誤っているものの組合せは、**B**（アとエ）となります。

解答　　**B**

問題 325

船員保険法（1）

過令2 改正A

難易度 普　重要度 B

船員保険法に関する次の記述のうち、誤っているものはどれか。

A 育児休業等をしている被保険者（産前産後休業による保険料免除の適用を受けている被保険者を除く。）を使用する船舶所有者が、厚生労働省令で定めるところにより厚生労働大臣に申出をした場合であって、その育児休業等を開始した日の属する月とその育児休業等が終了する日の翌日が属する月とが異なるときは、その育児休業等を開始した日の属する月からその育児休業等が終了する日の翌日の属する月の前月までの月の当該被保険者に関する保険料は徴収されない。

B 遺族年金を受けることができる遺族の範囲は、被保険者又は被保険者であった者の配偶者（婚姻の届出をしていないが、事実上婚姻関係と同様の事情にある者を含む。）、子、父母、孫、祖父母及び兄弟姉妹であって、被保険者又は被保険者であった者の死亡の当時その収入によって生計を維持していたものである。なお、年齢に関する要件など所定の要件は満たしているものとする。

C 被保険者又は被保険者であった者が被保険者の資格を喪失する前に発した職務外の事由による疾病又は負傷及びこれにより発した疾病につき療養のため職務に服することができないときは、その職務に服することができなくなった日から起算して3日を経過した日から職務に服することができない期間、傷病手当金を支給する。

D 障害年金及び遺族年金の支給は、支給すべき事由が生じた月の翌月から始め、支給を受ける権利が消滅した月で終わるものとする。

E 被保険者が職務上の事由により行方不明となったときは、その期間、被扶養者に対し、行方不明手当金を支給する。ただし、行方不明の期間が1か月未満であるときは、この限りでない。

A　○　船保法118条。育児休業等期間中の保険料免除の規定は、健康保険法及び厚生年金保険法と同様です。船舶所有者が申し出ることにより、設問の育児休業等については、**育児休業等を開始した日の属する月**からその**育児休業等が終了する日の翌日の属する月の前月**までの月の保険料が免除されます。

B　○　船保法35条1項。遺族年金は、労災保険の遺族補償年金又は遺族年金の上乗せ給付であり、遺族の範囲は、遺族補償年金又は遺族年金と同様です。つまり、遺族の範囲は、被保険者又は被保険者であった者の**死亡の当時その収入によって生計を維持**していた配偶者、子、父母、孫、祖父母及び兄弟姉妹となります。なお、妻以外の者にあっては、年齢要件等を満たしている必要があります。

C　×　船保法69条1項。「その職務に服することができなくなった日」から支給します。その日から起算して「3日を経過した日」からではありません。船員保険の傷病手当金には、いわゆる待期期間はない点を押さえておきましょう。なお、支給期間は、支給開始日から**通算して3年間**です。

D　○　船保法41条1項。障害年金及び遺族年金の支給期間は、労災保険の年金たる保険給付の支給期間と同様です。つまり、障害年金及び遺族年金の支給期間は、「**支給すべき事由が生じた月の翌月から支給を受ける権利が消滅した月まで**」になります。

E　○　船保法93条。行方不明手当金は、被保険者が職務上の事由により1ヵ月**以上行方不明**となったときに、被扶養者に対して支給されます。

10章　社会保険に関する一般常識

解答　C

船員保険法（2）

予想

難易度 普　重要度 B

船員保険法に関する次の記述のうち、正しいものはどれか。

A　船舶所有者に使用される被保険者が、後期高齢者医療の被保険者等となったときは、その日から船員保険の被保険者の資格を喪失する。

B　行方不明手当金の額は、1日につき、被保険者が行方不明となった当時の標準報酬日額の3分の2に相当する金額である。

C　船員保険は、健康保険法による全国健康保険協会が管掌する。全国健康保険協会には、船員保険事業に関して船舶所有者及び被保険者（その意見を代表する者を含む。）の意見を聴き、当該事業の円滑な運営を図るため、船員保険協議会が置かれる。

D　全国健康保険協会は、船員保険事業に要する費用（前期高齢者納付金等及び後期高齢者支援金等、介護納付金並びに流行初期医療確保拠出金等の納付に要する費用を含む。）に充てるため、船舶所有者に使用される被保険者に関する保険料を徴収する。

E　被保険者の資格、標準報酬又は保険給付に関する処分に不服がある者は、船員保険審査会に対して審査請求をすることができる。

A　✕　船保法12条。船舶所有者に使用される被保険者（強制被保険者）が、後期高齢者医療の被保険者となった場合であっても、**被保険者の資格は喪失しません**。なお、この場合には、職務上の事由又は通勤に関する保険給付（労災保険の上乗せ給付）は、引き続き船員保険から受けますが、職務外の事由に関する保険給付（健康保険に相当する給付）は後期高齢者医療制度から受けることになります。

B　✕　船保法94条。行方不明手当金の日額は、被保険者が行方不明となった当時の**標準報酬日額に相当する金額**（標準報酬日額の全額）です。標準報酬日額の３分の２に相当する金額ではありません。行方不明手当金のポイントは、次のとおりです。

①支給要件	被保険者が**職務上の事由**により**１ヵ月以上行方不明**となったとき
②支給対象者	**被扶養者**
③支給期間	被保険者が行方不明となった日の翌日から起算して**３ヵ月**を限度
④支給額	１日につき標準報酬日額の全額
⑤報酬との調整	**報酬の額の限度**において支給しない

C　○　船保法４条１項、６条１項。船員保険は、**全国健康保険協会**が管掌します。そして、全国健康保険協会には、船舶保有者及び被保険者の意見を聴き、船員保険事業の円滑な運営を図るため、**船員保険協議会**が置かれます。

D　✕　船保法114条１項。船舶所有者に使用される被保険者（強制被保険者）に関する保険料を徴収するのは、「全国健康保険協会」ではなく、「**厚生労働大臣**」です。なお、疾病任意継続被保険者に関する保険料は、全国健康保険協会が徴収します。

E　✕　船保法138条１項。**被保険者の資格、標準報酬**又は**保険給付**に関する処分に不服がある者は、「**社会保険審査官**」に対して審査請求をすることができます。「船員保険審査会」というものはありません。船員保険法における不服申し立ての仕組みは、**健康保険法と同様**です。

解答　C

介護保険法（1）

過令5

難易度 普　重要度 Ⓐ

介護保険法に関する次の記述のうち、正しいものはどれか。

A 都道府県及び市町村（特別区を含む。以下本問において同じ。）は、介護保険法の定めるところにより、介護保険を行うものとする。

B 「介護保険施設」とは、指定介護老人福祉施設（都道府県知事が指定する介護老人福祉施設）、介護専用型特定施設及び介護医療院をいう。

C 要介護認定は、市町村が当該認定をした日からその効力を生ずる。

D 要介護認定を受けた被保険者は、その介護の必要の程度が現に受けている要介護認定に係る要介護状態区分以外の要介護状態区分に該当すると認めるときは、厚生労働省令で定めるところにより、市町村に対し、要介護状態区分の変更の認定の申請をすることができる。

E 保険給付に関する処分（被保険者証の交付の請求に関する処分及び要介護認定又は要支援認定に関する処分を含む。）に不服がある者は、介護保険審査会に審査請求をすることができる。介護保険審査会の決定に不服がある者は、社会保険審査会に対して再審査請求をすることができる。

A　✕　介保法3条1項。「都道府県」は、介護保険を行いません（介護保険の保険者ではありません。）。介護保険の保険者は、**市町村**（**特別区**を含む。）です。

B　✕　介保法8条25項、48条1項1号。「介護専用型特定施設」ではなく、「介護老人保健施設」です。介護保険法において「介護保険施設」とは、①指定介護老人福祉施設、②**介護老人保健施設**及び③介護医療院をいいます。

C　✕　介保法27条8項。要介護認定は、「その申請のあった日にさかのぼって」その効力を生じます。「市町村が当該認定をした日から」その効力を生ずるのではありません。

D　〇　介保法29条1項。要介護認定を受けた被保険者は、要介護状態区分の**変更の認定の申請**をすることができます。この申請は、介護の必要の程度が現に受けている要介護認定に係る要介護状態区分以外の要介護状態区分に該当すると認めるときに、**市町村**に対して行います。

E　✕　介保法183条1項。設問後半の記述が誤りであり、介護保険審査会の決定に不服があっても、社会保険審査会に再審査請求をすることは**できません**。介護保険の不服申立ては、介護保険審査会に対する**一審制**です。

解答　D

介護保険法（2）

過令元

難易度 普　重要度 B

介護保険法に関する次の記述のうち、誤っているものはどれか。

A　要介護認定は、その申請のあった日にさかのぼってその効力を生ずる。

B　厚生労働大臣又は都道府県知事は、必要があると認めるときは、介護給付等（居宅介護住宅改修費の支給及び介護予防住宅改修費の支給を除く。）を受けた被保険者又は被保険者であった者に対し、当該介護給付等に係る居宅サービス等の内容に関し、報告を命じ、又は当該職員に質問させることができる。

C　居宅介護住宅改修費は、厚生労働省令で定めるところにより、市町村（特別区を含む。以下本問において同じ。）が必要と認める場合に限り、支給するものとする。居宅介護住宅改修費の額は、現に住宅改修に要した費用の額の100分の75に相当する額とする。

D　市町村は、地域支援事業の利用者に対し、厚生労働省令で定めるところにより、利用料を請求することができる。

E　市町村は、基本指針に即して、3年を1期とする当該市町村が行う介護保険事業に係る保険給付の円滑な実施に関する計画を定めるものとする。

A 　〇　介保法27条8項。要介護認定の効力発生の時期は、**申請のあった日**です。申請のあった日に**さかのぼって**効力を生じます。なお、要介護認定は、有効期間内に限り、その効力を有します。

B 　〇　介保法24条2項。介護保険においては、設問の被保険者等に対する報告命令等は、厚生労働大臣又は都道府県知事が、行うことができます。

C 　×　介保法45条2項・3項。「100分の75」ではなく、原則として「100分の90」に相当する額です。介護保険の保険給付（一定のものを除く。）の給付割合は、原則として、**100分の90（利用者負担割合1割）**です。なお、65歳以上で現役並みの所得がある者は3割負担、一定以上の所得がある者は2割負担となります。

D 　〇　介保法115条の45第10項。市町村が行う地域支援事業には、介護予防・日常生活支援総合事業、包括的支援事業などがあります。市町村は、地域支援事業の利用者に対し、**利用料を請求**することができます。

E 　〇　介保法117条1項。市町村は、厚生労働大臣が定める基本指針に即して、**3年を1期**とする当該市町村が行う介護保険事業に係る保険給付の円滑な実施に関する計画（**市町村介護保険事業計画**）を定めます。なお、都道府県は、上記の基本指針に即して、3年を1期とする介護保険事業に係る保険給付の円滑な実施の支援に関する計画（都道府県介護保険事業支援計画）を定めます。

10
章

社会保険に関する一般常識

解答　C

介護保険法（3）

予想

難易度 難　重要度 B

介護保険法に関する次の記述のうち、正しいものはどれか。

A　都道府県は、介護保険事業の運営が健全かつ円滑に行われるよう保健医療サービス及び福祉サービスを提供する体制の確保に関する施策その他の必要な各般の措置を講じなければならない。

B　介護老人保健施設を開設しようとする者は、厚生労働省令で定めるところにより、都道府県知事の指定を受けなければならない。また、当該指定は、6年ごとにその更新を受けなければ、その期間の経過によって、その効力を失う。

C　市町村は、介護報酬の請求に関する審査及び支払いに関する事務を社会保険診療報酬支払基金に委託することができる。

D　普通徴収の方法によって徴収する保険料については、毎月の保険料を翌月末日までに納付しなければならない。

E　居宅介護サービス計画費の額は、指定居宅介護支援の事業を行う事業所の所在する地域等を勘案して算定される指定居宅介護支援に要する平均的な費用の額を勘案して厚生労働大臣が定める基準により算定した費用の額（その額が現に当該指定居宅介護支援に要した費用の額を超えるときは、当該現に指定居宅介護支援に要した費用の額とする。）である。

A　×　介保法5条1項。設問の措置（保健医療サービス及び福祉サービスを提供する体制の確保に関する施策その他の必要な**各般の措置**）を講じなければならないのは、「都道府県」ではなく、「国」です。都道府県は、介護保険事業の運営が健全かつ円滑に行われるように、必要な**助言**及び適切な**援助**をしなければならないとされています。

B　×　介保法94条1項、94条の2第1項。設問中の2箇所にある「指定」が誤りで、正しくは「許可」です。介護老人保健施設を開設しようとする者は、**都道府県知事の許可**を受けなければなりません。また、その許可の有効期間は**6年間**であり、6年ごとに更新を受けなければ、その期間の経過によって、効力を失います。

C　×　介保法41条10項等。「社会保険診療報酬支払基金」ではなく、「国民健康保険団体連合会」です。市町村は、介護報酬の請求に関する**審査及び支払い**に関する事務を国民健康保険団体連合会に委託することができます。

D　×　介保法133条。普通徴収の方法によって徴収する保険料の納期は、当該**市町村の条例**で定めます。翌月末日までと定められているのではありません。

E　○　介保法46条2項。居宅要介護被保険者が指定居宅介護支援を受けたときは、当該指定居宅介護支援に要した費用について、**居宅介護サービス計画費**（いわゆる**ケアプランの作成等**に係る給付）が支給されます。居宅介護サービス計画費の額は、厚生労働大臣が定める基準により算定した費用の額であり、**利用者負担はありません**。

10章　社会保険に関する一般常識

解答　E

社会保険審査官及び社会保険審査会法

予想

難易度 普　重要度 B

社会保険審査官及び社会保険審査会法に関する次の記述のうち、正しいものはどれか。

A　社会保険審査官は、各地方厚生局（地方厚生支局を含む。）に置かれ、健康保険法、船員保険法、厚生年金保険法及び石炭鉱業年金基金法並びに国民年金法の規定による審査請求の事件に限り、これを取り扱うものとされている。

B　審査請求人は、決定があるまでは、いつでも審査請求を取り下げることができるが、審査請求の取下げは、文書でしなければならない。

C　審査請求は、それが原処分に関する事務を処理したものである場合を除き、審査請求人の居住地を管轄する地方厚生局、日本年金機構の従たる事務所、年金事務所又は当該地方厚生局に置かれた社会保険審査官を経由してすることはできない。

D　健康保険法又は厚生年金保険法の規定による審査請求は、被保険者の資格、標準報酬又は保険給付に関する処分があったことを知った日の翌日から起算して2ヵ月を経過したときは、することができない。ただし、正当な事由によりこの期間内に審査請求をすることができなかつたことを疎明したときは、この限りでない。

E　社会保険審査官の任期は3年であるが、社会保険審査官は再任されることができる。

A　✕　社審法1条1項。社会保険審査官は、設問に掲げる事件のほか、年金遅延加算金法の規定による審査請求の事件も取り扱います。社会保険審査官が取り扱う審査請求の事件には、①**健康保険法**、②**船員保険法**、③**厚生年金保険法**及び④**石炭鉱業年金基金法**、⑤**国民年金法**並びに⑥**年金遅延加算金法**の6つの法律の規定によるものがあります。

B　〇　社審法12条の2。審査請求及び再審査請求（審査請求等）の**取下げ**は、審査請求等に対する決定又は裁決があるまでは、**いつでも**することができます。この審査請求等の取下げは、**文書**でする必要があります。これに対して、審査請求等は、**文書又は口頭**ですることができます。

C　✕　社審法5条2項。原処分に関する事務を処理したものでない場合でも、設問の審査請求人の居住地を管轄する地方厚生局等を経由してすることができます。審査請求は、次のものを経由してすることができます。

　　①原処分に関する**事務を処理**した地方厚生局（地方厚生支局を含む。以下同じ。）、日本年金機構の従たる事務所、年金事務所又は健康保険組合等

　　②審査請求人の**居住地を管轄**する地方厚生局、日本年金機構の従たる事務所、年金事務所又は当該地方厚生局に置かれた社会保険審査官

D　✕　社審法4条1項。「2ヵ月」ではなく、「3ヵ月」です。審査請求は、審査請求に関する処分があったことを知った日の翌日から起算して3ヵ月を経過したときは、原則として、することができません。なお、**被保険者**若しくは加入員の資格、**標準報酬**又は標準給与に関する処分に対する審査請求は、原処分があった日の翌日から起算して**2年**を経過したときは、することができません。

E　✕　参考：社審法2条、23条。社会保険審査官に任期の定めは特に**ありません**。一方、**社会保険審査会**の委員長及び委員の任期は、**3年**（補欠の委員長又は委員の任期は、前任者の残任期間）です。また、社会保険審査会の委員長及び委員は、再任されることができます。

10章

社会保険に関する一般常識

解答　B

確定給付企業年金法（1）

予想 | 難易度 **難** 重要度 **C**

確定給付企業年金法に関する次のアからオまでの記述のうち、正しいものの組合せは、後記AからEまでのうちどれか。

ア 常時250人の厚生年金保険の被保険者を使用している厚生年金適用事業所の事業主は、企業年金基金の設立について厚生労働大臣の認可を受けて、基金型企業年金を実施することができる。

イ 確定給付企業年金を実施する厚生年金適用事業所に使用される厚生年金保険の被保険者は、原則として、確定給付企業年金の加入者となるが、ここでいう「厚生年金保険の被保険者」には、厚生年金保険法に規定する第2号厚生年金被保険者及び第3号厚生年金被保険者は含まれない。

ウ 老齢給付金の支給要件に関し、規約において、10年を超える加入者期間を老齢給付金の給付を受けるための要件として定めてはならない。

エ 規約において定める期間以上の加入者期間を有する者は、事業主等に老齢給付金の支給の繰上げの請求をすることができる。

オ 事業主等は、その確定給付企業年金に係る業務の概況について、毎事業年度1回以上、加入者に周知させなければならない。

A （アとウ） B （アとエ） C （イとウ）
D （イとオ） E （エとオ）

ア ✕ 確給法３条１項、12条１項、同令６条。設問の事業主は、基金型企業年金を実施することはできません。厚生年金適用事業所の事業主が企業年金**基金の設立**について**厚生労働大臣の認可**を受けるためには、当該事業所において、**常時300人以上**の加入者となるべき厚生年金保険の被保険者を使用していること、又は使用すると見込まれることが必要です。設問の適用事業所で使用する厚生年金保険の被保険者の数は300人に満たないため、厚生労働大臣の認可を受けることができず、基金型企業年金を実施することはできません。

イ ◯ 確給法２条３項、25条１項。確定給付企業年金法において「厚生年金保険の被保険者」とは、厚生年金保険の被保険者（厚生年金保険法に規定する**第１号厚生年金被保険者又は第４号厚生年金被保険者**に限る。）をいいます。第２号厚生年金被保険者及び第３号厚生年金被保険者は含まれません。

ウ ✕ 確給法36条４項。「10年」ではなく、「20年」です。老齢給付金は、加入者又は加入者であった者が、規約で定める老齢給付金を受けるための要件を満たすこととなったときに、その者に支給されますが、この規約において、**20年を超える加入者期間を老齢給付金**の給付を受けるための要件として定めてはならないものとされています。

エ ✕ 参考：確給法37条１項。支給繰上げの請求をすることはできません。確定給付企業年金法においては、老齢給付金の支給の繰上げについての規定は設けられていません。なお、老齢給付金の支給の要件を満たす者であって老齢給付金の支給を請求していないものは、規約で定めるところにより、事業主等（事業主又は企業年金基金）に当該老齢給付金の支給の繰下げの申出をすることができます。

オ ◯ 確給法73条１項、同則87条１項。事業主等は、確定給付企業年金に係る**業務の概況**について、**加入者に対して**周知させなければなりません。この加入者に対する業務概況の周知は、**毎事業年度１回以上**、行うものとされています。

以上から、正しいものの組合せは、D（**イとオ**）となります。

10章

社会保険に関する一般常識

解答 D

確定給付企業年金法（2）

過令2

難易度 **普**　重要度 **B**

確定給付企業年金法に関する次の記述のうち、正しいものはどれか。

A　加入者である期間を計算する場合には、月によるものとし、加入者の資格を取得した月から加入者の資格を喪失した月までをこれに算入する。ただし、規約で別段の定めをした場合にあっては、この限りでない。

B　加入者は、政令で定める基準に従い規約で定めるところにより、事業主が拠出すべき掛金の全部を負担することができる。

C　年金給付の支給期間及び支払期月は、政令で定める基準に従い規約で定めるところによる。ただし、終身又は10年以上にわたり、毎年1回以上定期的に支給するものでなければならない。

D　老齢給付金の受給権者が、障害給付金を支給されたときは、確定給付企業年金法第36条第1項の規定にかかわらず、政令で定める基準に従い規約で定めるところにより、老齢給付金の額の全部又は一部につき、その支給を停止することができる。

E　老齢給付金の受給権は、老齢給付金の受給権者が死亡したとき又は老齢給付金の支給期間が終了したときにのみ、消滅する。

A ✕ 確給法28条1項。加入員の資格を喪失した月の「前月まで」を算入します。喪失した「月まで」ではありません。その他は、正しい記述です。加入者である期間（加入者期間）は、**月を単位**として計算し、原則として、加入者の資格を**取得した月**から加入者の資格を**喪失した月の前月**までを加入者期間に算入します。

B ✕ 確給法55条2項。加入者は、掛金の「一部」を負担することができます。掛金の全部を負担することはできません。掛金は、**事業主が拠出**することを原則とします。この例外として、**加入者**は、政令で定める基準に従い規約で定めるところにより、**掛金の一部**を負担することができます。

C ✕ 確給法33条。「10年以上」ではなく、「5年以上」です。その他の記述は、正しいものです。年金給付の支給期間等の最低基準として、年金給付は、「**終身又は5年以上にわたり、毎年1回以上定期的に**」支給するものとされています。

D ○ 確給法39条。老齢給付金の支給停止について、正しい記述です。老齢給付金の受給権者が、障害給付金を支給されたときは、**老齢給付金**の額の全部又は一部につき、その**支給を停止**することができます。なお、確定給付企業年金法36条1項の規定とは、老齢給付金の支給要件に関する規定をいいます。

E ✕ 確給法40条。設問に掲げるときのみではありません。老齢給付金の受給権は、次のいずれかに該当することとなったときは、消滅します。設問は、③が欠落しているため、誤りです。
①老齢給付金の受給権者が死亡したとき。
②老齢給付金の支給期間が終了したとき。
③老齢給付金の**全部を一時金として支給**されたとき。

ポイント解説

確定給付企業年金の2つの形態

　労使が合意した年金規約に基づき、企業の事業主と信託会社・生命保険会社等の外部機関が契約を結び当該外部機関において年金資産を管理・運用するものが**規約型**企業年金です。
　その企業とは別の法人格を持った企業年金基金を設立し、当該基金において年金資金を管理・運営するものが**基金型**企業年金です。

10章 社会保険に関する一般常識

解答 ▶ D

確定拠出年金法（1）

過令3

難易度 普　重要度  B

確定拠出年金法に関する次の記述のうち、誤っているものはどれか。

A　企業型年金加入者の資格を取得した月にその資格を喪失した者は、その資格を取得した月のみ、企業型年金加入者となる。

B　企業型年金において、事業主は、政令で定めるところにより、年1回以上、定期的に掛金を拠出する。

C　企業型年金加入者掛金の額は、企業型年金規約で定めるところにより、企業型年金加入者が決定し、又は変更する。

D　国民年金法第7条第1項第3号に規定する第3号被保険者は、厚生労働省令で定めるところにより、国民年金基金連合会に申し出て、個人型年金加入者となることができる。

E　個人型年金加入者期間を計算する場合には、個人型年金加入者の資格を喪失した後、さらにその資格を取得した者については、前後の個人型年金加入者期間を合算する。

A　×　確拠法12条。企業型年金加入者は、原則として、資格取得事由に該当するに至った日（**当日**）に、その資格を取得しますが、同月にその資格を喪失した場合には、資格を取得した日に**さかのぼって加入者**でなかったものとみなされます。つまり、初めから企業型年金加入者の資格を取得しなかったものとみなされます。

B　○　確拠法19条１項。企業型年金の掛金は、**事業主**が拠出することを原則とし、事業主は、**年１回以上**、**定期的**に掛金を拠出します。なお、事業主が拠出する掛金の額は、規約で定めます。

C　○　確拠法19条４項。企業型年金の掛金は、事業主が拠出することが原則ですが、政令で定める基準に従い企業型年金規約で定めるところにより、企業型年金加入者が**自ら掛金を拠出**することができます（**マッチング拠出**）。企業型年金加入者が拠出する掛金の額は、規約で定めるところにより、**企業型年金加入者が決定**し、又は**変更**します。

D　○　確拠法62条１項３号。次の者は、**国民年金基金連合会**に申し出ることにより、個人型年金加入者となることができます。

①国民年金の**第１号被保険者**（保険料免除者を除く。）

②国民年金の**第２号被保険者**（企業型掛金拠出者等を除く。）

③国民年金の**第３号被保険者**

④国民年金の原則による任意加入被保険者のうち、「日本国内に住所を有する60歳以上65歳未満の者」及び「日本国籍を有する者であって、日本国内に住所を有しない20歳以上65歳未満のもの」

E　○　確拠法63条２項。個人型年金加入者期間を計算する場合には、月によるものとし、個人型年金加入者の資格を**取得した月**からその資格を**喪失した月の前月**までをこれに算入します。また、個人型年金加入者の資格を喪失した後、さらにその資格を取得した者については、**前後**の個人型年金加入者期間を合算します。

10章

社会保険に関する一般常識

解答　A

チェック欄

1	2	3

確定拠出年金法（2）

予想

難易度 普　重要度 A

確定拠出年金法に関する次の記述のうち、誤っているものはどれか。

A　厚生年金適用事業所の事業主が、簡易企業型年金を実施するにあたっては、実施する企業型年金の企業型年金加入者の資格を有する者の数が100人以下であることが要件とされている。

B　事業主は、その実施する企業型年金の企業型年金加入者等に対し、これらの者が行う運用の指図に資するため、資産の運用に関する基礎的な資料の提供その他の必要な措置を継続的に講ずるよう努めなければならない。

C　企業型年金の老齢給付金は、年金として支給するが、企業型年金規約でその全部又は一部を一時金として支給することができることを定めた場合には、企業型年金規約で定めるところにより、一時金として支給することができる。

D　国民年金基金連合会は、個人型年金規約の変更（厚生労働省令で定める軽微な変更を除く。）をしようとするときは、その変更について厚生労働大臣の承認を受けなければならない。

E　企業型運用関連運営管理機関等は、対象運用方法を、35以下で、かつ、3以上（簡易企業型年金を実施する事業主から委託を受けて運用関連業務を行う確定拠出年金運営管理機関等にあっては、2以上）で選定し、企業型年金規約で定めるところにより、企業型年金加入者等に提示しなければならない。

A ✕ 確拠法3条5項2号。**簡易企業型年金**を実施することができるのは、実施する企業型年金の企業型年金加入者の資格を有する者の数が**300人以下**であるときです。簡易企業型年金については、設立時に必要な書類等を削減して設立手続を緩和するなどの措置が執られています。

B ○ 確拠法22条1項。確定拠出年金制度は、加入者等が自ら資産運用を行い、その運用結果に基づく給付を将来受け取る仕組みです。そこで、加入者等が適切な資産運用を行うことができるようにするために、**事業主**は、その実施する企業型年金の加入者等に対し、これらの者が行う運用の指図に資するための資産の運用に関する基礎的な資料の提供その他の必要な措置（**投資教育**）を**継続的**に講ずるよう努めなければならないとされています。

C ○ 確拠法35条。確定拠出年金の給付のうち、**老齢給付金**は、年金として支給することを原則とします。ただし、規約で定めるところにより、その**全部又は一部**を**一時金**として支給することもできます。これらの点は、障害給付金についても同様です。

D ○ 確拠法57条1項。個人型年金規約の変更にあたっては、厚生労働大臣の承認が必要です。ただし、一定の軽微な変更については、遅滞なく、これを**届け出**れば足りるものとされています。

E ○ 確拠法23条1項、同令15条の2。運営管理機関等は、加入者等に、運用方法を**3以上**（簡易企業型年金においては2以上）提示しなければなりません。また、提示する運用方法の数は**35以下**でなければなりません。

10章 社会保険に関する一般常識

解答 **A**

チェック欄

1	2	3

社会保険労務士法（1）

過令3

難易度 普　重要度 B

社会保険労務士法に関する次の記述のうち、正しいものはどれか。

A　一般の会社の労働社会保険事務担当者又は開業社会保険労務士事務所の職員のように、他人に使用され、その指揮命令のもとに事務を行う場合は、社会保険労務士又は社会保険労務士法人でない者の業務の制限について定めた社会保険労務士法第27条にいう「業として」行うに該当する。

B　社会保険労務士は、事業における労務管理その他の労働に関する事項及び労働社会保険諸法令に基づく社会保険に関する事項について、裁判所において、補佐人として、弁護士である訴訟代理人とともに出頭し、陳述及び尋問をすることができる。

C　厚生労働大臣は、開業社会保険労務士又は社会保険労務士法人の業務の適正な運営を確保するため必要があると認めるときは、当該開業社会保険労務士又は社会保険労務士法人に対し、その業務に関し必要な報告を求めることができるが、ここにいう「その業務に関し必要な報告」とは、法令上義務づけられているものに限られ、事務所の経営状態等についての報告は含まれない。

D　社会保険労務士法人の事務所には、その事務所の所在地の属する都道府県の区域に設立されている社会保険労務士会の会員である社員を常駐させなければならない。

E　社会保険労務士法人の解散及び清算を監督する裁判所は、当該監督に必要な検査をするに先立ち、必ず厚生労働大臣に対し、意見を求めなければならない。

※以下においては、次の略称を使用します。
コンメンタール…全国社会保険労務士会連合会編『社会保険労務士法詳解』(全国社会保険労務士会連合会. 2008年)

A　✕　コンメンタール436頁参照。設問の場合は、社会保険労務士法27条にいう「業として」行うには該当しません。「業として」行うとは、営業として**自らの責任**において、一定の事務を反復継続的に遂行する場合を指すものと解されています。したがって、他人に使用され、その指揮命令のもとに事務を行う場合は、法27条にいう「業として」行うことに**該当しません**。

B　✕　社労士法2条の2第1項。補佐人としてであっても、「尋問」をすることはできません。社会保険労務士は、事業における労働に関する事項及び社会保険に関する事項について、裁判所において、**補佐人**として、弁護士である訴訟代理人とともに**出頭**し、「陳述」をすることができます。

C　✕　社労士法24条1項、コンメンタール290頁参照。「その業務に関し必要な報告」は、法令上義務づけられているものに限られず、事務所の経営状態等についての報告も**含まれます**。「その業務に関し必要な報告」とは、法令上義務づけられているものであると否とを問わず、開業社会保険労務士及び社会保険労務士法人の社員の**業務に関係する一切の事項**（受託事務の内容、処理経過等、業務に関する諸帳簿、事務所の経営状態等）についての報告をいいます。

D　○　社労士法25条の16。たとえば、社会保険労務士法人の事務所がX県に所在する場合には、X県の区域に設立されている**社会保険労務士会の会員**である社員を、当該事務所に**常駐**させなければなりません。

E　✕　社労士法25条の22の3第2項・3項。設問のように、必ず厚生労働大臣に対し、意見を求めなければならないとする規定はありません。社会保険労務士法人の解散及び清算は、**裁判所の監督**に属しますが、裁判所は、職権で、「**いつでも**」監督に必要な検査をすることができます。なお、解散及び清算を監督する裁判所は、厚生労働大臣に対し、意見を求め、又は調査を嘱託することができます。

10章
社会保険に関する一般常識

解答　D

社会保険労務士法（2）

予想　　　　　　　　　　　　　　　　　　　　　難易度 易　重要度 A

社会保険労務士法に関する次の記述のうち、正しいものはどれか。

A　紛争解決手続代理業務には、紛争解決手続の開始から終了に至るまでの間に和解の交渉を行うことは含まれるが、紛争解決手続により成立した和解における合意を内容とする契約を締結することは含まれない。

B　開業社会保険労務士は、その業務に関する帳簿をその関係書類とともに、帳簿閉鎖の時から2年間保存しなければならないが、開業社会保険労務士でなくなったときは、そのとき以後、帳簿及び関係書類を保存する必要はない。

C　厚生労働大臣は、社会保険労務士が、故意に、真正の事実に反して申請書等の作成、事務代理又は紛争解決手続代理業務を行ったときは、戒告又は失格処分の処分をすることができる。

D　社会保険労務士法人の社員及び使用人は、社会保険労務士でなければならない。

E　懲戒処分により、弁護士、公認会計士、税理士又は行政書士の業務を停止された者で、現にその処分を受けているものは、社会保険労務士の登録を受けることができない。

A　✕　社労士法２条３項。設問後半の契約を締結することも、紛争解決手続代理業務に含まれます。紛争解決手続代理業務には、次の①〜③の事務が含まれます。

①紛争解決手続について**相談に応ずる**こと。

②紛争解決手続の開始から終了に至るまでの間に**和解の交渉**を行うこと。

③紛争解決手続により成立した和解における**合意を内容**とする契約を締結すること。

B　✕　社労士法19条２項。後半が誤りです。開業社会保険労務士でなくなったときも、帳簿及び関係書類は、帳簿閉鎖の時から**２年間保存**しなければなりません。

C　✕　社労士法25条の２第１項。「戒告」ではなく、「**１年以内の業務の停止**」です。社会保険労務士が**故意**に設問の行為をしたときの懲戒処分は、**１年以内の業務の停止又は失格処分**です。なお、相当の注意を怠り設問の行為をしたときの懲戒処分は、戒告又は１年以内の業務の停止です。

D　✕　社労士法25条の８第１項。使用人は、社会保険労務士である必要はありません。社会保険労務士法人の社員は、**社会保険労務士**でなければなりません。一方、社会保険労務士法人の使用人については、社会保険労務士であるか否かは問われません。

E　〇　社労士法14条の７第１号。懲戒処分により、弁護士等の**業務を停止**された者で、現にその処分を受けているものは、**登録拒否事由**に該当するため、社会保険労務士の**登録を受けることができません**。なお、全国社会保険労務士会連合会は、登録の申請者が登録拒否事由に該当する者であると認めたときは、資格審査会の議決に基づき、登録を拒否しなければなりません。

10
章
社会保険に関する一般常識

解答　E

問題 337

社会保険労務士法（3）

過令4 難易度 **易** 重要度 **A**

社会保険労務士法令に関する次の記述のうち、誤っているものはどれか。

A 社会保険労務士が、事業における労務管理その他の労働に関する事項及び労働社会保険諸法令に基づく社会保険に関する事項について、裁判所において、補佐人として、弁護士である訴訟代理人とともに出頭し、行った陳述は、当事者又は訴訟代理人が自らしたものとみなされるが、当事者又は訴訟代理人が社会保険労務士の行った陳述を直ちに取り消し、又は更正したときは、この限りでない。

B 懲戒処分により社会保険労務士の失格処分を受けた者で、その処分を受けた日から3年を経過しないものは、社会保険労務士となる資格を有しない。

C 社会保険労務士法第25条に定める社会保険労務士に対する懲戒処分のうち戒告は、社会保険労務士の職責又は義務に反する行為を行った者に対し、本人の将来を戒めるため、1年以内の一定期間について、社会保険労務士の業務の実施あるいはその資格について制約を課す処分である。

D 社会保険労務士法第25条に定める社会保険労務士に対する懲戒処分の効力は、当該処分が行われたときより発効し、当該処分を受けた社会保険労務士が、当該処分を不服として法令等により権利救済を求めていることのみによっては、当該処分の効力は妨げられない。

E 紛争解決手続代理業務を行うことを目的とする社会保険労務士法人は、特定社会保険労務士である社員が常駐していない事務所においては、紛争解決手続代理業務を取り扱うことができない。

A　〇　社労士法2条の2。社会保険労務士は、事業における労務管理その他の労働に関する事項及び労働社会保険諸法令に基づく社会保険に関する事項について、裁判所において、**補佐人**として、**弁護士である訴訟代理人**とともに出頭し、陳述をすることができます。この陳述は、当事者又は訴訟代理人が**自らした**ものとみなされますが、当事者又は訴訟代理人が当該陳述を直ちに取り消し、又は更正したときは、この限りでありません。

B　〇　社労士法5条3号。**懲戒処分**により社会保険労務士の**失格処分**を受けた者で、その処分を受けた日から**3年を経過しない**ものは、欠格事由に該当し、社会保険労務士となる**資格を有しません**。

C　✕　コンメンタール293頁参照。戒告は、社会保険労務士の職責又は義務に反する行為を行った者に対し、本人の将来を**戒める旨を申し渡す**処分です。戒告を受けた社会保険労務士は、その業務の実施あるいはその資格について制約を受けることになりません。

D　〇　コンメンタール306頁参照。懲戒処分の効力は、**当該処分が行われたとき**より発効するものと解されています。したがって、被処分者である社会保険労務士が、当該処分を不服として法令等（行政不服審査法等）により権利救済を求めている場合であっても、当該処分の効力はそれによって妨げられません。

E　〇　社労士法25条の16の2。社会保険労務士法人の事務所において**紛争解決手続代理業務**を取り扱うためには、当該事務所に特定社会保険労務士である社員が常駐していなければなりません。

10章　社会保険に関する一般常識

解答　C

児童手当法（1）

予想

難易度 易　重要度 B

児童手当法に関する次の記述のうち、誤っているものはどれか。

A　児童手当法第1条においては、児童手当は、父母その他の保護者が子育てについての第一義的責任を有するという基本的認識の下に、児童を養育している者に対して支給する旨が定められている。

B　児童手当を支給すべきでないにもかかわらず、児童手当の支給としての支払いが行われたときは、その支払われた児童手当は、その後に支払うべき児童手当の内払いとみなすことができる。

C　児童手当は、個人受給資格者の前年の所得（1月から5月までの月分の児童手当については、前々年の所得とする。）が、その者の配偶者及び扶養親族の有無及び数に応じて、一定の額以上であるときは、支給されない。

D　児童手当の支給は、受給資格者がその受給資格及び児童手当の額についての認定の請求をした日の属する月の翌月から始め、児童手当を支給すべき事由が消滅した日の属する月で終わるものとされている。

E　市町村長は、受給資格者が、児童手当の支払いを受ける前に、当該児童手当の額の全部又は一部を、学校給食法に規定する学校給食費のうち当該受給資格者に係る児童に関し当該市町村に支払うべきものの支払いに充てる旨を申し出た場合には、当該受給資格者に児童手当の支払いをする際に当該申出に係る費用を徴収することができる。

A 　○　児手法1条。児童手当は、児童を養育している者に対して支給されますが、この支給は、「**父母その他の保護者**が子育てについての**第一義的責任**を有するという基本的認識の下に」行われます。

B 　○　児手法13条。なお、児童手当の額を減額して改定すべき事由が生じたにもかかわらず、その事由が生じた日の属する月の翌月以降の分として減額しない額の児童手当が支払われた場合における当該児童手当の当該減額すべきであった部分についても、同様に、その支払われた児童手当は、その後に支払うべき児童手当の**内払いとみなすことができます**。

C 　×　旧児手法5条。個人受給資格者の所得が一定の額以上であるときに児童手当を支給しないとする規定はない。令和6年10月1日施行の改正により、児童手当に係る**所得制限は撤廃**されている。

D 　○　児手法8条2項。児童手当の支給期間は、受給資格者がその受給資格及び児童手当の額についての**認定の請求**をした日の属する**月の翌月**から児童手当を支給すべき**事由が消滅**した日の属する**月**までです。

E 　○　児手法21条1項。市町村長は、受給資格者から、児童手当の支払いを受ける前に、当該児童手当の額の全部又は一部を**学校給食費**の支払いに充てる旨の**申出**があった場合には、児童手当の支払いをする際に学校給食費を徴収（児童手当から学校給食費を差し引いて徴収）することができます。

10
章

社会保険に関する一般常識

解答　C

児童手当法 (2)

予想

難易度 **普** 重要度 **A**

児童手当法に関する次の記述のうち、正しいものはどれか。

A 就労のため日本国内に住所を有しない父母が、日本国内に住所を有する支給要件児童の生計を維持しているときは、父又は母に対して児童手当が支給される。

B 一般受給資格者（公務員を除く。）は、児童手当の支給を受けようとするときは、その受給資格及び児童手当の額について、住所地（一般受給資格者が未成年後見人であり、かつ、法人である場合にあっては主たる事務所の所在地とする。）の市町村長（特別区の区長を含む。以下同じ。）の認定を受けなければならない。

C 児童手当は、毎年2月、6月及び10月の3期に、それぞれの前月までの分が受給資格者に支払われる。

D 児童手当の支給を受けている者について、児童手当の額が減額することとなるに至った場合における児童手当の額の改定は、その者がその改定後の額につき認定の請求をした日の属する月の翌月から行う。

E 政府は、政令で定めるところにより、市町村（特別区を含む。）に対し、市町村長が支給する児童手当の支給に要する費用のうち被用者の3歳未満児童手当に係る部分に充当させるため、当該費用の全額に相当する額を交付する。この場合において、政府が交付する交付金のうち、その5分の1に相当する額は子ども・子育て支援法に規定する拠出金を、その5分の4に相当する額は同法に規定する子ども・子育て支援納付金（令和7年度においては、子ども・子育て支援特例公債の発行収入金）を原資とする。

A　✕　児手法4条1項1号。設問の場合、父又は母には、児童手当は支給されません。父又は母に児童手当が支給される（父母が受給資格者となる）のは、次の①及び②の要件をいずれも満たす場合です。

①**支給要件児童**を**監護**し、かつ、これと**生計を同じく**すること。

②日本国内に住所を有すること。

B　〇　児手法7条1項。一般受給資格者（公務員を除く。）に係る受給資格及び児童手当の額についての認定は、住所地の**市町村長**が行います。

C　✕　児手法8条4項。児童手当は、毎年「**2月、4月、6月、8月、10月及び12月の6期**」に、それぞれの前月までの分が支払われます。「2月、6月及び10月の3期」ではありません。なお、前支払期月に支払うべきであった児童手当又は支給すべき事由が消滅した場合におけるその期の児童手当は、その支払期月でない月であっても、支払われます。

D　✕　児手法9条3項「その者がその改定後の額につき認定の請求をした日」ではなく、「その事由が生じた日」の属する月の翌月です。児童手当の減額改定は、その**事由が生じた日**の属する月の**翌月**から行います。なお、児童手当の増額改定は、改定後の額につき認定の請求をした日の属する月の翌月から行います。

E　✕　児手法19条1項、同法附則2条2項。設問は、「5分の1」及び「5分の4」とある部分が誤りであり、正しくは、「5分の2」及び「5分の3」です。政府は、市町村に対し、**被用者の3歳未満児童手当**の支給に要する費用の**全額**に相当する額を交付します。この場合において、政府が交付する交付金のうち、その5分の2に相当する額は子ども・子育て支援法に規定する**拠出金**（一般事業主から徴収する拠出金）を、その5分の3に相当する額は同法に規定する**子ども・子育て支援納付金**（令和7年度においては、子ども・子育て支援特例公債の発行収入金）を原資とします。

解答　B

社会保険諸法令（1）

過令4改正E

難易度 **易**　重要度 **B**

社会保険制度の保険料及び給付に関する次の記述のうち、誤っているものはどれか。

A　国民健康保険において、都道府県は、毎年度、厚生労働省令で定めるところにより、当該都道府県内の市町村（特別区を含む。以下本問において同じ。）ごとの保険料率の標準的な水準を表す数値を算定するものとされている。

B　船員保険において、被保険者の行方不明の期間に係る報酬が支払われる場合には、その報酬の額の限度において行方不明手当金は支給されない。

C　介護保険において、市町村は、要介護被保険者又は居宅要支援被保険者（要支援認定を受けた被保険者のうち居宅において支援を受けるもの）に対し、条例で定めるところにより、市町村特別給付（要介護状態等の軽減又は悪化の防止に資する保険給付として条例で定めるもの）を行わなければならない。

D　後期高齢者医療制度において、世帯主は、市町村が当該世帯に属する被保険者の保険料を普通徴収の方法によって徴収しようとする場合において、当該保険料を連帯して納付する義務を負う。

E　後期高齢者医療制度において、後期高齢者医療広域連合は、被保険者が、自己の選定する保険医療機関等について評価療養、患者申出療養又は選定療養を受けたときは、当該被保険者に対し、その療養に要した費用について、保険外併用療養費を支給する。ただし、当該被保険者が特別療養費の支給対象となる間は、この限りでない。

A ○ 国保法82条の３第１項。設問の数値を「**市町村標準保険料率**」といいます。なお、都道府県は、このほか、毎年度、当該都道府県内のすべて市町村の保険料率の標準的な水準を表す数値（都道府県標準保険料率）を算定し、これらの標準保険料率を当該都道府県内の市町村に通知するものとされています。

B ○ 船保法96条。行方不明手当金は、被保険者が**職務上**の事由により**１ヵ月以上**行方不明となったときに、被扶養者に対し、支給されます。ただし、被保険者の行方不明の期間に係る**報酬**が支払われる場合においては、その報酬の額の限度において行方不明手当金は**支給されません**。

C × 介保法18条３号、53条１項、62条。市町村特別給付は、「行わなければならない」ではなく、「行うことができる」という任意給付です。介護保険の保険給付は、次のとおりです。

　①**介護給付**（要介護者が対象）……被保険者の要介護状態に関する保険給付

　②**予防給付**（要支援者が対象）……被保険者の要支援状態に関する保険給付

　③**市町村特別給付**（任意給付）……要介護状態等の軽減又は悪化の防止に資する保険給付として**条例**で定めるもの

D ○ 高確法108条２項。後期高齢者医療制度の保険料の徴収については、①**特別徴収**（年金からの天引きによる徴収）の方法による場合を除くほか、②**普通徴収**（市町村の納入の通知による徴収）の方法によらなければなりません。市町村が被保険者の保険料を普通徴収の方法によって徴収しようとする場合には、世帯主及び**配偶者の一方**は、保険料の**連帯納付義務**を負います。

E ○ 高確法76条１項。後期高齢者医療制度においては、**後期高齢者医療広域連合**が給付を行います。また、被保険者が保険料の滞納により特別療養費の支給対象となる間は、保険外併用療養費等は**支給されません**。国民健康保険法と同様の規定です。

10章

社会保険に関する一般常識

解答　C

社会保険諸法令（2）

予想   難易度 **普**　重要度 **B**

次の記述のうち、正しいものはどれか。

A 　高齢者医療確保法では、地方公共団体は、国民の高齢期における医療に要する費用の適正化を図るための取組みが円滑に実施され、高齢者医療制度の運営が健全に行われるよう必要な各般の措置を講ずるとともに、同法第1条に規定する目的の達成に資するため、医療、公衆衛生、社会福祉その他の関連施策を積極的に推進しなければならないと規定されている。

B 　高齢者医療確保法によれば、後期高齢者医療広域連合の区域内に住所を有する65歳以上75歳未満の者であって、厚生労働省令で定めるところにより、政令で定める程度の障害の状態にある旨の各医療保険の保険者の認定を受けたものは、後期高齢者医療広域連合が行う後期高齢者医療の被保険者となる。

C 　介護保険法において「要介護状態」とは、身体上又は精神上の障害があるために、入浴、排せつ、食事等の日常生活における基本的な動作の全部又は一部について、2ヵ月間にわたり継続して、常時介護を要すると見込まれる状態であって、要介護状態区分のいずれかに該当するもの（要支援状態に該当するものを除く。）をいう。

D 　介護保険法では、介護支援専門員証の有効期間の更新を受けようとする者は、原則として、都道府県知事が行う更新研修を受けなければならないことを規定している。

E 　国民健康保険法では、被保険者が闘争、泥酔又は著しい不行跡によって疾病にかかり、又は負傷したときは、当該疾病又は負傷に係る療養の給付等は、行わないことを規定している。

A　✕　高確法３条。設問の責務は、地方公共団体ではなく、国に課せられています。なお、**地方公共団体**は、高齢者医療確保法の趣旨を尊重し、住民の高齢期における医療に要する費用の適正化を図るための取組み及び高齢者医療制度の運営が適切かつ円滑に行われるよう所要の**施策を実施**しなければならないと規定されています。

B　✕　高確法50条２号。「各医療保険の保険者の認定」ではなく、「当該**後期高齢者医療**広域連合の認定」です。後期高齢者医療の被保険者は、次のとおりです。
①後期高齢者医療広域連合の区域内に住所を有する**75歳以上の者**
②後期高齢者医療広域連合の区域内に住所を有する**65歳以上75歳未満**の者であって、厚生労働省令で定めるところにより、政令で定める程度の障害の状態にある旨の当該**後期高齢者医療広域連合**の認定を受けたもの

C　✕　介保法７条１項、同則３条。２ヵ月間ではなく、**６ヵ月間**です。なお、要介護状態区分は、要介護５から要介護１までの５段階が定められています。

D　○　介保法69条の８第２項。介護支援専門員証の有効期間は５年であり、この有効期間の更新を受けようとする者は、**都道府県知事**が行う**更新研修**を受けなければなりません。なお、現に介護支援専門員の業務に従事しており、かつ、更新研修の課程に相当するものとして都道府県知事が厚生労働省令で定めるところにより指定する研修の課程を修了した者は、更新研修を受ける必要はありません。

E　✕　国保法61条。「行わない」ではなく、「**その全部又は一部を行わないことができる**」です。「闘争、泥酔又は著しい不行跡」によって疾病にかかり、又は負傷したときの給付制限の内容は、健康保険法と同様に、「**全部又は一部**を行わないことができる」とされています。

10章

社会保険に関する一般常識

解答　D

社会保険諸法令（3）

過令6

難易度 **難**　重要度 **B**

社会保険制度の死亡に係る給付に関する次の記述のうち、正しいものはどれか。

A　船員保険の被保険者が職務外の事由により死亡したとき、又は船員保険の被保険者であった者が、その資格を喪失した後6か月以内に職務外の事由により死亡したときは、被保険者又は被保険者であった者により生計を維持していた者であって、埋葬を行った者に対し、埋葬料として、5万円を支給する。

B　市町村（特別区を含む。）及び国民健康保険組合は、国民健康保険の被保険者の死亡に関しては、条例又は規約の定めるところにより、埋葬料として、5万円を支給する。

C　健康保険の日雇特例被保険者が死亡した場合において、その死亡の日の属する月の前2か月間に通算して26日分以上若しくは当該月の前6か月間に通算して78日分以上の保険料がその者について納付されていなくても、その死亡の際その者が療養の給付を受けていたときは、その者により生計を維持していた者であって、埋葬を行うものに対し、埋葬料として、5万円を支給する。

D　健康保険の被保険者が死亡したときに、その者により生計を維持していた者がいない場合には、埋葬を行った者に対し、埋葬料として、5万円を支給する。

E　後期高齢者医療広域連合は、高齢者医療確保法の被保険者の死亡に関しては、条例の定めるところにより、埋葬料として、5万円を支給する。

A　×　船保法72条１項、同令６条。設問は、「**６か月以内**」及び「埋葬を行った者に対し、埋葬料として」とある部分が誤りであり、正しくは、「**３か月以内**」及び「**葬祭を行う者**に対し、**葬祭料として**」です。

B　×　国保法58条１項。設問は、「埋葬料として、５万円を支給する」とある部分が誤りです。市町村（特別区を含む。）及び国民健康保険組合は、国民健康保険の被保険者の死亡に関しては、条例又は規約の定めるところにより、「**葬祭費の支給**又は**葬祭の給付**を行うものとする」とされています。また、葬祭費として支給される額は、条例又は規約で定められるため、必ずしも５万円ではありません。

C　○　健保法136条１項、同令35条。健康保険の日雇特例被保険者に係る埋葬料の支給要件は、次の①〜③の**いずれかに該当**することです。したがって、設問のように①には該当しなくても②に該当するときは、生計を維持していた者であって、埋葬を行うものに対し、埋葬料として、５万円が支給されます。

　①その死亡の日の属する月の前２ヵ月間に通算して26日分以上又は当該月の前６ヵ月間に通算して78日分以上の保険料が納付されていること。

　②その**死亡の際**その者が**療養の給付**又は保険外併用療養費、療養費若しくは訪問看護療養費の支給を**受けていた**こと。

　③その死亡が療養の給付又は保険外併用療養費、療養費若しくは訪問看護療養費の支給を受けなくなった日後３ヵ月以内であったこと。

D　×　健保法100条、同令35条。設問の場合には、「埋葬費」として、「５万円を上限とする実費」を支給します。健康保険の被保険者が死亡したときに、その者により生計を維持していた者がいない場合（**埋葬料の支給を受けるべき者がない**場合）には、埋葬を行った者に対し、**埋葬費**が支給されます。埋葬費の額は、埋葬料の金額（５万円）の範囲内においてその埋葬に要した費用に相当する金額、つまり、**５万円を上限とする実費**です。

E　×　高確法86条１項。設問は、「埋葬料として、５万円を支給する」とある部分が誤りです。後期高齢者医療広域連合は、高齢者医療確保法に規定する後期高齢者医療の被保険者の死亡に関しては、条例の定めるところにより、「**葬祭費の支給**又は**葬祭の給付**を行うものとする」とされています。また、葬祭費として支給される額は、条例で定められるため、必ずしも５万円ではありません。

10章

社会保険に関する一般常識

解答　C

問題 **343**

社会保険の沿革（1）

過令元

難易度 **難**　重要度 **C**

社会保険制度の改正に関する次の①から⑥の記述について、改正の施行日が古いものからの順序で記載されているものは、後記AからEまでのうちどれか。

① 被用者年金一元化により、所定の要件に該当する国家公務員共済組合の組合員が厚生年金保険の被保険者資格を取得した。

② 健康保険の傷病手当金の1日当たりの金額が、原則、支給開始日の属する月以前の直近の継続した12か月間の各月の標準報酬月額を平均した額を30で除した額に3分の2を乗じた額となった。

③ 国民年金第3号被保険者が、個人型確定拠出年金に加入できるようになった。

④ 基礎年金番号を記載して行っていた老齢基礎年金の年金請求について、個人番号（マイナンバー）でも行えるようになった。

⑤ 老齢基礎年金の受給資格期間が25年以上から10年以上に短縮された。

⑥ 国民年金第1号被保険者の産前産後期間の国民年金保険料が免除されるようになった。

A ①→②→③→⑤→④→⑥

B ③→①→②→⑤→⑥→④

C ②→①→④→⑤→③→⑥

D ③→②→①→⑤→⑥→④

E ②→③→①→⑤→⑥→④

① 平24.8.22法律63号。施行日は、**平成27年10月1日**です。**被用者年金の一元化**により、共済組合の組合員が、厚生年金保険の被保険者資格を取得しました。

② 平27.5.29法律31号。施行日は、**平成28年4月1日**です。改正前の額は、標準報酬日額（標準報酬月額の30分の1相当額）に3分の2を乗じた額でした。この改正により、標準報酬月額の12ヵ月平均額を用いることとなりました。

③ 平28.6.3法律66号。施行日は、**平成29年1月1日**です。この改正により、個人型確定拠出年金（確定拠出年金の個人型年金）の加入者の範囲が拡大され、基本的には、すべての国民が個人型年金に加入できるようになりました。

④ 平30.1.31省令10号。施行日は、**平成30年3月5日**です。年金請求（裁定請求）の際の請求書の記載事項の1つである基礎年金番号が、改正により、個人番号又は基礎年金番号に改められました。これにより、個人番号（マイナンバー）で裁定請求を行えるようになりました。

⑤ 平24.8.22法律62号、平28.11.24法律84号。施行日は、**平成29年8月1日**です。この改正により、老齢給付（老齢基礎年金及び老齢厚生年金）の受給資格期間が、25年から**10年に短縮**されました。

⑥ 平28.12.26法律144号。施行日は、**平成31年4月1日**です。この改正により、第1号被保険者の**産前産後期間**について、4ヵ月分（多胎妊娠の場合は6ヵ月分）の保険料が免除されるようになりました。

以上から、改正の施行日が古いものからの順序で記載されているものは、**A**（①→②→③→⑤→④→⑥）です。

10章

社会保険に関する一般常識

解答　A

社会保険の沿革（2）

予想

難易度 普　重要度 B

次の記述のうち、正しいものはどれか。

A　健康保険について、自主自律の運営による保険者機能の強化や、地域の実情を踏まえた取組みの推進を図るため、平成18年10月に国とは切り離された全国単位の公法人である全国健康保険協会を新たな保険者として設立し、都道府県単位の財政運営を基本とすることとした。

B　我が国の社会保障制度は、昭和11年に制定された健康保険法をはじめ、他の先進諸国と同様に、まず労働者（被用者）を対象として発足したが、労働者以外の者にも医療保険の適用範囲を拡大するため、昭和13年に旧国民健康保険法が制定され、戦後の国民皆保険制度の展開の基礎が作られた。

C　国民健康保険は、被用者保険と比べて低所得者の加入者が多い、年齢構成が高く医療費水準が高い、所得に占める保険料負担が重いといった課題を抱えており、財政基盤の安定化が求められていたことから、平成30年度から、国民健康保険の財政運営の責任主体が市町村から都道府県に替わった。

D　現役世代と高齢者の費用負担のルールを明確化するとともに、都道府県単位で全ての市町村が加入する後期高齢者医療広域連合を運営主体とすることにより、運営責任の明確化及び財政の安定化を図る観点から、平成18年4月から後期高齢者医療制度が実施された。

E　深刻化する高齢者の介護問題に対応するため、介護保険法が平成9年に制定され、平成10年4月から施行された。介護保険制度の創設により、介護保険の被保険者は要介護認定を受ければ、原則として費用の1割の自己負担で介護サービスを受けられるようになった。

A　✕　平成19年版厚生労働白書138頁参照。全国健康保険協会が設立されたのは、「平成18年10月」ではなく、「**平成20年10月**」です。

B　✕　平成26年版厚生労働白書13頁参照。我が国最初の社会保険立法である健康保険法が制定されたのは、「昭和11年」ではなく、「**大正11年**」です（全面施行は昭和２年）。なお、旧国民健康保険法は、設問のとおり、昭和13年に制定されました（その後、昭和33年に新国民健康保険法が制定され、昭和36年４月から国民皆保険体制が実現しました。）。

C　◯　平成29年版厚生労働白書98頁参照。**平成30年４月**から、国民健康保険の財政運営の責任主体が市町村から**都道府県**に替わり、安定的な財政運営や効率的な事業の確保など、国保運営に中心的な役割を担い、制度の安定化を目指すこととなりました。

D　✕　平成23年版厚生労働白書75頁参照。後期高齢者医療制度が実施されたのは、「平成18年４月」からではなく、「**平成20年４月**」からです。

E　✕　平成23年版厚生労働白書67頁参照。介護保険法が施行されたのは、「平成10年４月」からではなく、「**平成12年４月**」からです。

解答　C

問題 345

各種統計等

予想

難易度 難　重要度 C

次の記述のうち、正しいものはどれか。

A　令和4年度の社会保障給付費は137兆8,337億円であり、社会保障給付費を「医療」、「年金」、「福祉その他」に分類して総額に占める割合をみると、「医療」及び「年金」がそれぞれ約40％と、ほぼ同じ割合となっている。

B　公的年金被保険者数は、令和4年度末現在で6,744万人となっており、前年度末に比べて14万人増加している。そのうちの国民年金の第1号被保険者数（任意加入被保険者を含む。）は1,405万人となっており、前年度末に比べて26万人減少している。

C　令和5年の我が国の合計特殊出生率は1.26で、過去最低となった。また、年齢（5歳階級）別にみると、最も合計特殊出生率が高いのは、30〜34歳となっている。

D　令和5年10月1日現在の我が国の総人口は約1億2,435万2,000人であり、総人口に占める65歳以上人口の割合は、24.1％となっている。

E　令和3年度の国民医療費は45.4兆円であり、国民医療費の対国内総生産比は、10％を超えている。

A　×　国立社会保障・人口問題研究所「令和4年度社会保障費用統計」参照。「医療」と「年金」は、ほぼ同じ割合となっていません。各々の総額に占める割合は、「医療」が35.4％、「年金」が40.5％であり、**「年金」が「医療」を上回っ**ています。なお、設問の前半は正しい記述です。

B　○　厚生労働省「令和4年度厚生年金保険・国民年金事業の概況」参照。令和4年度末現在の**公的年金被保険者数**は、前年度末に比べて**増加**しています。その内訳をみると、前年度末に比べて、国民年金の**第1号被保険者数**（任意加入被保険者を含む。）及び**第3号被保険者数**が減少している一方で、**厚生年金被保険者数**（国民年金第2号被保険者のほか、65歳以上で老齢又は退職を支給事由とする年金給付の受給権を有する被保険者を含む。）は、**増加**しています。

C　×　厚生労働省「令和5年人口動態統計月報年計（概数）の概況」参照。令和5年の**合計特殊出生率**は、1.20（過去最低）です。年次推移をみると、平成18年から上昇傾向が続いていましたが、平成26年には低下し、平成27年は再び上昇し、平成28年から再び低下しています。なお、設問の後半は正しい記述です。

D　×　総務省統計局「令和5年10月1日現在人口推計結果の概要」参照。総人口に占める65歳以上人口の割合（**高齢化率**）は、**29.1％**となり、過去最高となりました。なお、一般に、高齢化率が7％を超えると「高齢化社会」、14％を超えると「高齢社会」、21％を超えると「超高齢社会」といいます。

E　×　厚生労働省「令和3年度国民医療費の概況」参照。**国民医療費**の対国内総生産比は8.18％であり、10％を超えていません。なお、国民医療費に占める後期高齢者医療費の割合は、おおむね**3分の1**です。

10章
社会保険に関する一般常識

解答　B

問題 **346**

[選択式] 国民健康保険法

予想

難易度 **普** 重要度 **A**

次の文中の ☐ の部分を選択肢の中の最も適切な語句で埋め、完全な文章とせよ。

1 　国民健康保険法は、国民健康保険事業の ☐**A**☐ 運営を確保し、もって ☐**B**☐ 及び国民保健の向上に寄与することを目的とする。

2 　国民健康保険は、被保険者の ☐**C**☐ に関して必要な保険給付を行うものとする。

3 　☐**D**☐ は、安定的な財政運営、市町村の国民健康保険事業の効率的な実施の確保その他の都道府県及び当該都道府県内の市町村の国民健康保険事業の健全な運営について中心的な役割を果たすものとする。

4 　保険料その他国民健康保険法の規定による徴収金を徴収し、又はその還付を受ける権利及び保険給付を受ける権利は、これらを行使することができる時から ☐**E**☐ を経過したときは、時効によって消滅する。

選択肢

①3年	②適正な	③国
④2年	⑤医療制度	⑥疾病、負傷、出産又は死亡
⑦地域社会	⑧5年	⑨都道府県
⑩1年	⑪効率的な	⑫市町村
⑬健全な	⑭社会保障	⑮負傷、疾病、障害又は死亡
⑯有益な	⑰社会保険	⑱都道府県及び当該都道府県内の市町村

⑲業務外の事由による疾病、負傷、出産又は死亡

⑳業務外の事由による負傷、疾病、障害又は死亡

　A・Bは国保法1条、Cは同法2条、Dは同法4条2項、Eは同法110条1項。

1　国民健康保険法の目的は、国民健康保険事業の健全な**運営**を確保し、もって**社会保障**及び**国民保健**の向上に寄与することです。

2　国民健康保険法の保険事故は、被保険者の**疾病、負傷、出産又は死亡**です。この保険事故については、業務上であるか否かは問われません。

3　都道府県の責務として、都道府県及び当該都道府県内の市町村の国民健康保険事業の健全な運営について**中心的な役割**を果たすことが定められています。

4　保険料その他国民健康保険法の規定による徴収金を徴収し、又はその還付を受ける権利及び保険給付を受ける権利が**時効**によって消滅するのは、これらを行使することができる時から**2年**を経過したときです。なお、保険料その他徴収金の徴収の告知又は督促は、時効の更新の効力を生じます。

解答　A ⑬健全な　B ⑭社会保障　C ⑥疾病、負傷、出産又は死亡
　　　　 D ⑨都道府県　E ④2年

［選択式］確定拠出年金法

予想

難易度 普　重要度 B

次の文中の□□□の部分を選択肢の中の最も適切な語句で埋め、完全な文章とせよ。

1　確定拠出年金法は、少子高齢化の進展、高齢期の生活の多様化等の社会経済情勢の変化にかんがみ、個人又は事業主が拠出した資金を個人が　A　運用の指図を行い、高齢期においてその結果に基づいた給付を受けることができるようにするため、確定拠出年金について必要な事項を定め、国民の高齢期における　B　に係る自主的な努力を支援し、もって公的年金の給付と相まって国民の生活の安定と福祉の向上に寄与することを目的とする。

2　確定拠出年金法において「第1号等厚生年金被保険者」とは、厚生年金保険の被保険者のうち第1号厚生年金被保険者又は　C　をいう。

3　企業型年金の事業主掛金の拠出は、企業型年金加入者期間の計算の基礎となる期間につき、企業型掛金拠出単位期間（原則として、　D　までの12ヵ月間）を単位として拠出するものとする。ただし、企業型年金規約で定めるところにより、企業型掛金拠出単位期間を区分して、当該区分した期間ごとに拠出することができる。

4　運用の方法の選定は、その運用から生ずると見込まれる収益の率、収益の変動の可能性その他の収益の性質が　E　ことその他政令で定める基準に従って行われなければならない。

選択肢

①1月から12月　　　　②事業主と共同して　　　　③健康の維持
④12月から翌年11月　　⑤第3号厚生年金被保険者　　⑥類似していない
⑦4月から翌年3月　　　⑧継続して　　　　　　　　⑨異ならない
⑩8月から翌年7月　　　⑪第4号厚生年金被保険者　　⑫雇用の継続
⑬堅実である　　　　　⑭自己の責任において　　　⑮変動しない
⑯尊厳の維持　　　　　⑰第2号厚生年金被保険者　　⑱一時的に
⑲所得の確保
⑳第2号厚生年金被保険者若しくは第3号厚生年金被保険者

A・Bは確拠法1条、Cは同法2条6項、Dは同令10条の2、Eは同法23条2項。

1　確定拠出年金は、個人又は事業主が拠出した資金を**個人が自己の責任におい**
て運用の指図を行い、高齢期においてその**結果**に基づいた給付を受ける制度です。
確定拠出年金法の目的は、国民の高齢期における**所得の確保**に係る**自主的な努**
力を支援し、もって公的年金の給付と相まって国民の生活の安定と福祉の向上
に寄与することです。

2　確定拠出年金法において「**第1号等**厚生年金被保険者」とは、厚生年金保険
の被保険者のうち**第1号厚生年金被保険者**又は**第4号厚生年金被保険者**をいい
ます。企業型年金が実施される厚生年金適用事業所（実施事業所）に使用され
る第1号等厚生年金被保険者は、**企業型年金加入者**となります。

3　企業型年金の掛金は、原則として**事業主**が拠出します。掛金の拠出は、原則
として、**拠出単位期間**を単位として行います。この拠出単位期間とは、原則とし
て、**12月から翌年11月までの12ヵ月間**です。

4　**運用の方法**の選定は、収益の性質が**類似していない**（リスク・リターン特性
が異なる）こと等の基準に従って行われなければなりません。

解答　A ⑭自己の責任において　B ⑲所得の確保　C ⑪第4号厚生年金
被保険者　D ④12月から翌年11月　E ⑥類似していない

〔選択式〕社会保険労務士法

予想　　　　　　　　　　　　　　　難易度 **易**　重要度 **B**

次の文中の　　　　の部分を選択肢の中の最も適切な語句で埋め、完全な文章とせよ。

1　社会保険労務士法は、社会保険労務士の制度を定めて、その業務の適正を図り、もって労働及び社会保険に関する法令の円滑な実施に寄与するとともに、事業の健全な発達と　**A**　に資することを目的とする。

2　全国社会保険労務士会連合会は、社会保険労務士の登録を受けた者が、次のいずれかに該当するときは、　**B**　の議決に基づき、当該登録を取り消すことができる。

(1)　登録を受ける資格に関する重要事項について、告知せず又は不実の告知を行って当該登録を受けたことが判明したとき。

(2)　心身の故障により社会保険労務士の業務を行うことができない者に該当するに至ったとき。

(3)　**C**　以上継続して所在が不明であるとき。

3　社会保険労務士法第15条では、「社会保険労務士は、不正に労働社会保険諸法令に基づく保険給付を受けること、不正に労働社会保険諸法令に基づく保険料の賦課又は徴収を免れることその他労働社会保険諸法令に違反する行為について　**D**　、その他これらに類する行為をしてはならない。」と規定している。

4　前記**3**の規定に違反した者は、　**E**　に処する。

選択肢

①労働委員会　　　　　②2年　　　　　　　③労働者及び使用者の福祉の増進

④助言をし、依頼に応じ　⑤資格審査会　　　⑥援助をし、要求に応じ

⑦100万円以下の罰金　　⑧1年　　　　　　　⑨安定的な労使関係の構築

⑩指示をし、相談に応じ　⑪6ヵ月　　　　　⑫労働者等の福祉の向上

⑬業務の迅速な遂行　　　⑭3年　　　　　　　⑮指導をし、協議に応じ

⑯社会保険審査会　　　　⑰3年以下の懲役又は200万円以下の罰金

⑱社会保障審議会　　　　⑲6ヵ月以下の懲役又は50万円以下の罰金

⑳1年以下の懲役又は100万円以下の罰金

Aは社労士法1条、B・Cは同法14条の9第1項、Dは同法15条、Eは同法32条。

1　社会保険労務士法の目的は、**社会保険労務士**の制度を定めて、その業務の適正を図り、もって労働及び社会保険に関する**法令の円滑な実施**に寄与するとともに、**事業の健全な発達**と労働者等の福祉の向上に資することです。

2　登録の取消しについてです。**全国社会保険労務士会連合会**は、社会保険労務士の登録を受けた者が、次の登録取消事由のいずれかに該当するときは、**資格審査会の議決**に基づき、当該登録を取り消すことができます。

> (1)　登録を受ける資格に関する重要事項について、**告知せず又は不実の告知**を行って当該登録を受けたことが判明したとき。
>
> (2)　**心身の故障**により社会保険労務士の業務を行うことができない者に該当するに至ったとき。
>
> (3)　**2年以上**継続して所在が不明であるとき。

3、4　社会保険労務士は、**不正**に労働社会保険諸法令に基づく**保険給付**を受けること、**不正**に労働社会保険諸法令に基づく**保険料**の賦課又は徴収を免れることその他労働社会保険諸法令に**違反する行為**について指示をし、相談に応じ、その他これらに類する行為をしてはなりません（不正行為の指示等の禁止）。この規定に違反した場合の罰則は、**3年以下の懲役又は200万円以下の罰金**です。

10章 社会保険に関する一般常識

解答　A ⑫労働者等の福祉の向上　B ⑤資格審査会　C ②2年
　　　D ⑩指示をし、相談に応じ　E ⑰3年以下の懲役又は200万円以下の罰金

［選択式］ 社会保険諸法令

難易度 普 重要度 Ⓐ

次の文中の ☐ の部分を選択肢の中の最も適切な語句で埋め、完全な文章とせよ。

1 介護保険法第129条の規定では、市町村又は特別区が介護保険事業に要する費用に充てるため徴収しなければならない保険料は、第1号被保険者に対し、政令で定める基準に従い条例で定めるところにより算定された保険料率により算定された額とされ、その保険料率は、おおむね ☐ A ☐ を通じ財政の均衡を保つことができるものでなければならないとされている。

2 11歳、8歳、5歳の3人の児童を監護し、かつ、この3人の児童と生計を同じくしている日本国内に住所を有する父に支給する児童手当の額は、1か月につき ☐ B ☐ である。

3 確定給付企業年金法第29条第1項では、事業主（企業年金基金を設立して実施する確定給付企業年金を実施する場合にあっては、企業年金基金。）は、次に掲げる給付を行うものとすると規定している。

(1) 老齢給付金

(2) ☐ C ☐

4 確定給付企業年金法第36条の規定によると、老齢給付金は、加入者又は加入者であった者が、規約で定める老齢給付金を受けるための要件を満たすこととなったときに、その者に支給するものとするが、この規約で定める要件は、次に掲げる要件を満たすものでなければならないとされている。

(1) ☐ D ☐ の規約で定める年齢に達したときに支給するものであること。

(2) 政令で定める年齢以上 (1) の規約で定める年齢未満の規約で定める年齢に達した日以後に実施事業所に使用されなくなったときに支給するものであること（規約において当該状態に至ったときに老齢給付金を支給する旨が定められている場合に限る。）。

また、(2) の政令で定める年齢は、 ☐ E ☐ であってはならないとされている。

選択肢

①2年　　②3年

③5年　　④10年

⑤40歳未満　　⑥45歳未満

⑦50歳未満　　⑧55歳以上65歳以下

⑨55歳未満　　⑩60歳以上65歳以下

⑪60歳以上70歳以下　　⑫65歳以上70歳以下

⑬30,000円　　⑭50,000円

⑮60,000円　　⑯35,000円

⑰遺族給付金　　⑱障害給付金

⑲脱退一時金　　⑳特別給付金

速習
レッスン A：記載なし、B：P146、C：P123、D・E：P124　　　解説

　Aは介保法129条3項、Bは児手法6条1項1号、Cは確給法29条1項2号、Dは同法36条2項1号、Eは同法36条3項

1　介護保険制度は、事業計画が3年ごとに見直され、3年を1サイクルとして運営されています。介護保険の保険料率も、**おおむね3年を通じ財政の均衡を保つことができるもの**でなければならないものとされています。

2　児童手当の額は、児童の年齢等に応じて、次のとおりです。設問の父は、3歳以上18歳年度末までの児童を3人有しているため、児童手当の額は、1ヵ月につき、第1子及び第2子について各10,000円、第3子について30,000円、合計50,000円（＝10,000円×2＋30,000円）です。

児童の年齢	児童手当の額	
	第1子・第2子	第3子以降
3歳未満	15,000円	30,000円
3歳以上18歳年度末まで	10,000円	

3　確定給付企業年金の法定給付には、(1) 老齢給付金と (2) 脱退一時金があります。このほか、任意給付として、**障害給付金**及び**遺族給付金**があります。

4　確定給付企業年金の老齢給付金は、加入者等が、規約で定める老齢給付金を受けるための要件を満たすこととなったときに、その者に支給されます。この規約で定める要件は、次の老齢給付金支給開始要件を満たすものでなければなりません。
(1) **60歳以上70歳以下**の**規約で定める年齢**に達したときに支給するものであること。
(2) **50歳以上**前記 (1) の規約で定める年齢未満の規約で定める年齢に達した日以後に実施事業所に使用されなくなったときに支給するものであること（規約においてその旨が定められている場合に限る。）。

解答　A ②3年　B ⑭50,000円　C ⑲脱退一時金
D ⑪60歳以上70歳以下　E ⑦50歳未満

保険者・国等の責務

（1）国民健康保険法

保険者		①**都道府県及び当該都道府県内の市町村** ②**国民健康保険組合**
責務	国	・国民健康保険事業の運営が健全に行われるよう**必要な各般の措置**を講ずること ・法の目的の達成に資するため、保健、医療及び福祉に関する施策その他の**関連施策を積極的に推進**すること
	都道府県	**安定的な財政運営**、市町村の国民健康保険事業の**効率的な実施の確保**その他の都道府県及び当該都道府県内の市町村の国民健康保険事業の健全な運営について中心的な役割を果たすこと　等
	市町村	被保険者の**資格の取得及び喪失**に関する事項、国民健康保険の**保険料の徴収**、**保健事業**の実施その他の国民健康保険事業を適切に実施すること　等

（2）高齢者医療確保法

保険者		医療保険各法の保険者 （後期高齢者医療の実施主体は、**後期高齢者医療広域連合**）
責務	国	・国民の高齢期における医療に要する費用の適正化を図るための取組みが円滑に実施され、高齢者医療制度の運営が健全に行われるよう**必要な各般の措置**を講ずること ・法の目的の達成に資するため、医療、公衆衛生、社会福祉その他の**関連施策を積極的に推進**すること
	地方 公共団体	法の趣旨を尊重し、住民の高齢期における医療に要する費用の適正化を図るための取組み及び高齢者医療制度の運営が適切かつ円滑に行われるよう**所要の施策を**実施すること
	都道府県	住民の高齢期における医療に要する費用の適正化を図るための取組みにおいては、保険者、後期高齢者医療広域連合、医療関係者その他の関係者の協力を得つつ、**中心的な役割**を果たすこと
	保険者	・加入者の高齢期における健康の保持のために必要な事業を**積極的に推進**するよう努めること ・高齢者医療制度の運営が健全かつ円滑に実施されるよう協力すること
	医療の 担い手等	各般の措置、施策及び事業に協力すること

問題 350

［選択式］年金制度の沿革

予想

難易度 普　重要度 C

次の文中の□□□の部分を選択肢の中の最も適切な語句で埋め、完全な文章とせよ。

1　昭和34年に制定された国民年金法に基づき、同年　A　1日から無拠出制の福祉年金の支給に係る規定が施行された。その後、昭和36年4月1日から拠出制の年金制度に係る規定が施行された。

2　国民年金の被保険者としての適用について、国籍要件が撤廃されたのは　B　1日からである。

3　確定拠出年金法は、一部を除き　C　1日から施行された。

4　平成16年の改正により、厚生年金保険法に「離婚等をした場合における特例（以下本問において「合意分割」という。）」及び「被扶養配偶者である期間についての特例（以下本問において「3号分割」という。）」に係る規定が設けられた。合意分割及び3号分割に係る規定は、　D　から施行された。

5　国民年金の老齢基礎年金及び厚生年金保険の老齢厚生年金について、その受給資格期間を従来の25年から10年に短縮する改正規定は、　E　1日から施行された。

選択肢

①いずれも平成20年4月1日
②合意分割は平成19年4月1日から、3号分割は平成20年4月1日
③合意分割は平成19年4月1日から、3号分割は平成21年4月1日
④合意分割は平成18年4月1日から、3号分割は平成20年4月1日

⑤7月　　　　　　　　　　　　⑥9月

⑦11月　　　　　　　　　　　⑧12月

⑨平成30年8月　　　　　　　⑩昭和61年4月

⑪平成13年10月　　　　　　 ⑫昭和57年1月

⑬平成12年10月　　　　　　 ⑭平成30年4月

⑮平成14年10月　　　　　　 ⑯昭和61年1月

⑰平成29年8月　　　　　　　⑱昭和57年4月

⑲平成15年10月　　　　　　 ⑳平成29年4月

　Aは昭34.4.16法律141号、Bは昭56.6.12法律86号、Cは平13.6.29法律88号、Dは平16.6.11法律104号、Eは平24.8.22法律62号、平28.11.24法律84号。

1　**昭和34年**に制定された**国民年金法**は同年11月１日から施行され、**無拠出制の**福祉年金の支給が開始されました。その後、**昭和36年４月１日から全面施行さ**れ、**拠出制の**年金の支給が開始されました。これにより、**国民皆年金体制**が実現しました。

2　国民年金制度は、その制定当初は、日本国民のみを被保険者とする制度でした。この**国籍要件が撤廃**されたのは、**昭和57年１月１日**からです。

3　**確定拠出年金法**が施行されたのは、**平成13年10月１日**です。なお、**確定給付企業年金法**が施行されたのは、**平成14年４月１日**です。

4　離婚等をしたときに**標準報酬を分割**することができるとする厚生年金保険の合意分割及び３号分割に係る規定は、平成16年の改正により設けられました。これらの規定が施行されたのは、**合意分割については平成19年４月１日、３号分割については平成20年４月１日**です。

5　老齢基礎年金及び老齢厚生年金の支給要件の１つとして、「**受給資格期間を満たしていること**」があります。受給資格期間を満たすためには、従来、「保険料納付済期間＋保険料免除期間（＋合算対象期間）」が25年以上必要でしたが、平成29年８月１日から、「保険料納付済期間＋保険料免除期間（＋合算対象期間）」が**10年以上**あれば、受給資格期間を満たすこととされました。

10章

社会保険に関する一般常識

解答　A ⑦11月　B ⑫昭和57年１月　C ⑪平成13年10月　D ②合意分割は平成19年４月１日から、３号分割は平成20年４月１日　E ⑰平成29年８月

目的条文

1．国民健康保険法

この法律は、国民健康保険事業の健全な運営を確保し、もって**社会保障及び国民保健の向上**に寄与することを目的とする。

2．高齢者医療確保法

この法律は、国民の高齢期における適切な医療の確保を図るため、**医療費の適正化を推進するための計画の作成及び保険者**による**健康診査等の実施に関する措置**を講ずるとともに、高齢者の医療について、国民の**共同連帯**の理念等に基づき、前期高齢者に係る保険者間の**費用負担の調整**、後期高齢者に対する**適切な医療の給付等**を行うために必要な制度を設け、もって国民保健の向上及び高齢者の福祉の増進を図ることを目的とする。

3．船員保険法

この法律は、船員又はその被扶養者の**職務外の事由**による疾病、負傷若しくは死亡又は出産に関して保険給付を行うとともに、**労働者災害補償保険による保険給付と併せて**船員の職務上の事由又は通勤による疾病、負傷、障害又は死亡に関して保険給付を行うこと等により、船員の生活の安定と福祉の向上に寄与することを目的とする。

4．介護保険法

この法律は、**加齢**に伴って生ずる心身の変化に起因する疾病等により要介護状態となり、入浴、排せつ、食事等の介護、機能訓練並びに看護及び療養上の管理その他の医療を要する者等について、これらの者が**尊厳を保持し**、その有する能力に応じ自立した日常生活を営むことができるよう、必要な保健医療サービス及び福祉サービスに係る給付を行うため、国民の**共同連帯**の理念に基づき介護保険制度を設け、その行う保険給付等に関して必要な事項を定め、もって国民の保健医療の向上及び福祉の増進を図ることを目的とする。

5．確定給付企業年金法

この法律は、少子高齢化の進展、産業構造の変化等の社会経済情勢の変化にかんがみ、事業主が従業員と給付の内容**を約し**、高齢期において従業員が**その内容に基づいた給付**を受けることができるようにするため、確定給付企業年金について必要な事項を定め、国民の高齢期における所得の確保に係る**自主的な努力を支援**し、もって公的年金の給付と相まって国民の生活の安定と福祉の向上に寄与することを目的とする。

6．確定拠出年金法

この法律は、少子高齢化の進展、高齢期の生活の多様化等の社会経済情勢の変化にかんがみ、個人又は事業主が拠出した資金を**個人が**自己**の責任**において運用の指図を行い、高齢期においてその**結果に基づいた給付**を受けることができるようにするため、確定拠出年金について必要な事項を定め、国民の高齢期における所得の確保に係る**自主的な努力を支援**し、もって公的年金の給付と相まって国民の生活の安定と福祉の向上に寄与することを目的とする。

予想模擬試験

解答・解説

※問題は別冊になっています。

予想模擬試験解答一覧

間違えた問題は、解説をよく読んで理解を深めるとともに、本書の「論点別問題」で関連する内容も併せて復習すると効果的です。

▶ 選択式　解答

【問1】労働基準法及び労働安全衛生法

A	⑭	企業施設に対する管理権
B	④	労働関係の当事者
C	③	社会経済情勢の変動
D	⑩	化学物質管理者
E	⑨	発生した日から14日以内に

【問2】労働者災害補償保険法

A	⑯	診断によって疾病の発生が確定
B	⑥	315,000円
C	④	年度の翌々年度の8月
D	⑪	常時又は随時介護
E	⑳	通常要する費用

【問3】雇用保険法

A	⑦	都道府県知事
B	⑥	求職者給付又は就職促進給付
C	⑯	日以後
D	①	45歳未満
E	⑰	100分の60

【問4】労務管理その他の労働に関する一般常識

A	⑰	通常の労働者との均衡を考慮し
B	⑤	決定するように努めるものとする
C	⑭	女性労働者
D	⑦	就業環境
E	④	300人

【問5】社会保険に関する一般常識

A	①	社会保険審査会
B	⑰	3
C	⑧	35以下で、かつ、3以上
D	⑥	平成12年
E	⑯	平成20年4月

【問6】健康保険法

A	⑮	平均的
B	⑦	特定介護保険施設
C	⑳	490円
D	⑧	3ヵ月
E	⑬	特定健康保険組合

【問7】厚生年金保険法

A	⑱	300
B	⑬	4分の3
C	⑪	被保険者期間が6ヵ月以上
D	⑰	障害厚生年金
E	⑦	2年

【問8】国民年金法

A	⑤	遺族基礎年金又は寡婦年金
B	②	14日以内
C	⑧	昭和41年4月1日まで
D	⑭	65歳
E	⑱	その者の生年月日に応じて政令で定める率

▶ 択一式　解答

■労働基準法及び労働安全衛生法

問題	1	2	3	4	5	6	7	8	9	10
解答	B	A	B	A	D	B	E	D	A	C

■労働者災害補償保険法（徴収法を含む）

問題	1	2	3	4	5	6	7	8	9	10
解答	E	D	C	C	D	A	E	B	E	A

■雇用保険法（徴収法を含む。）

問題	1	2	3	4	5	6	7	8	9	10
解答	C	E	A	B	B	D	E	C	D	C

■労務管理その他の労働及び社会保険に関する一般常識

問題	1	2	3	4	5	6	7	8	9	10
解答	B	E	C	B	A	C	E	D	D	C

■健康保険法

問題	1	2	3	4	5	6	7	8	9	10
解答	E	C	A	C	B	B	D	E	C	B

■厚生年金保険法

問題	1	2	3	4	5	6	7	8	9	10
解答	B	D	B	E	A	C	B	E	C	D

■国民年金法

問題	1	2	3	4	5	6	7	8	9	10
解答	C	A	D	B	A	C	D	A	C	E

【問1】 労働基準法及び労働安全衛生法

解答 A ⑭企業施設に対する管理権　B ④労働関係の当事者　C ③社会経済情勢の変動　D ⑩化学物質管理者　E ⑨発生した日から14日以内に

解説

A：最判 昭52.12.13日黒電報電話局事件、B：労基法1条2項、C：昭22.9.13発基17号、昭63.3.14基発150号、D：安衛則12条の5第1項、E：同則12条の5第3項1号

1　休憩時間中の政治的ビラの配布等について使用者の許可を要することが休憩時間の自由利用を妨げるか否かが問題となった事件において、最高裁判所は、「その時間の自由な利用が企業施設内において行われる場合には、使用者の企業施設に対する管理権の**合理的な行使**として是認される範囲内の適法な規制による制約を免れることはできない。」と判示しました。

2　労働基準法においては、労働条件の原則の1つとして、同法で定める労働条件の基準は**最低のもの**であるから、**労働関係の当事者**は、(1)この**基準を理由として**労働条件を低下させてはならないことはもとより、(2)その向上を図るように**努めなければならない**と明示しています。また、前記(1)については、労働条件の低下が同法の基準を理由としているか否かに重点を置いて判断され、**社会経済情勢の変動**等他に決定的な理由がある場合にはこれに**抵触しません**。

3、4　事業者は、**リスクアセスメント対象物**の製造等を行う事業場ごとに、**化学物質管理者**を選任し、その者に当該事業場における化学物質の管理に係る技術的事項を管理させなければなりません。化学物質管理者は、リスクアセスメント対象物の製造等を行う事業場であれば、業種や規模を問わず、**選任すべき事由が発生した日から14日以内**に選任しなければなりません。

【問2】 労働者災害補償保険法

解答 A ⑯診断によって疾病の発生が確定　B ⑥315,000円　C ④年度の翌々年度の8月　D ⑪常時又は随時介護　E ⑳通常要する費用

解説

A：労災法8条1項、B・C：同則17条、D・E：同法19条の2

1　給付基礎日額は、労働基準法の**平均賃金**に相当する額がこれにあたり、原則として、「算定事由発生日以前**3ヵ月間**の**賃金の総額** ÷ 算定事由発生日以前3ヵ月間

の**総日数**」により算定しますが、この場合の「算定事由発生日」は、次のいずれか
の日となります。
- (1) 負傷又は死亡の原因である**事故が発生**した日
- (2) **診断**によって**疾病の発生が確定**した日

2　葬祭料の額は、通常葬祭に要する費用を考慮して厚生労働大臣が定める金額で
あり、具体的には、次の額のうち、**いずれか高い額**となります。
- (1) 「315,000円＋給付基礎日額の**30日分**」による額（原則）
- (2) 給付基礎日額の**60日分**（最低保障額）

　　この額の計算の基礎となる給付基礎日額については、葬祭料を**遺族補償一時金**
とみなし、**年金給付基礎日額のスライド制**の規定を準用して、スライド制が適用
されます。つまり、算定事由発生日の属する年度の**翌々年度の8月以後**に当該葬
祭料を支給すべき事由が生じた場合に、スライド改定が行われます。

3　介護補償給付は、**月を単位**として支給されますが、その月額は、常時又は随時介
護を受ける場合に通常要する費用を考慮して**厚生労働大臣が定める額**となります。

【問3】 雇用保険法

解答　A ⑦都道府県知事　B ⑥求職者給付又は就職促進給付　C ⑯日以後
　　　　　D ①45歳未満　E ⑰100分の60

解説
A：雇保法2条2項、B・C：同法60条1項、D：同法附則11条の2第1項、E：同法附則11条の
2第3項

1　雇用保険は、**政府**が管掌します。また、雇用保険の事務の一部は、都道府県知
事が行うこととすることができます。

2　就職促進給付に係る給付制限は、**偽りその他不正の行為**により**求職者給付又は
就職促進給付**の支給を受け、又は受けようとした者について行われます。また、こ
の給付制限の対象となる場合には、これらの給付の支給を受け、又は受けようとし
た**日以後**、就職促進給付は支給されません。

3　教育訓練支援給付金は、教育訓練給付対象者であって、**令和9年3月31日以前**
に45歳未満で専門実践教育訓練を開始したものが、当該教育訓練を受けている日
のうち**失業している日**について支給されます。

4　教育訓練支援給付金の額は、**基本手当の日額**に100分の60を乗じて得た額です。

【問4】 労務管理その他の労働に関する一般常識

解答 A ⑰通常の労働者との均衡を考慮し　B ⑤決定するように努めるものとする　C ⑭女性労働者　D ⑦就業環境　E ④300人

解説

A・B：パ労法10条、C・D：均等法11条の3第1項、E：育介法22条の2

1　短時間・有期雇用労働者（通常の労働者と同視すべき短時間・有期雇用労働者を除く。）の賃金の決定に関して、事業主は、**通常の労働者との均衡を考慮し**つつ、短時間・有期雇用労働者の**就業の実態**に関する事項（職務の内容、職務の成果、意欲、能力又は経験等）を勘案し、その**賃金**を決定するように努めるものとするとされています。

2　事業主は、職場において行われるその雇用する**女性労働者**に対する**妊娠、出産等に関する言動**により当該女性労働者の就業環境が害されることのないよう、当該女性労働者からの相談に応じ、適切に対応するために必要な体制の整備その他の**雇用管理上必要な措置**を講じなければなりません。

3　令和7年4月1日施行の改正により、**育児休業の取得状況**（男性の育児休業等の取得割合等）の**公表**を義務づける対象が、常時雇用する労働者数が**300人を超える**事業主に拡大されています。

【問5】 社会保険に関する一般常識

解答 A ①社会保険審査会　B ⑰3　C ⑧35以下で、かつ、3以上　D ⑥平成12年　E ⑯平成20年4月

解説

A・B：社審法27条1項、C：確拠法23条1項、同令15条の2

1　社会保険審査会においては、再審査請求又は審査請求の事件は、原則として、委員長及び委員のうちから、**社会保険審査会が指名**する者**3人**をもって構成する合議体で取り扱うこととされています。

2　確定拠出年金においては、運用関連運営管理機関等が運用の方法（対象運用方法）を選定し、運用の指図を行う加入者等に対して提示します。この運用の方法は、**35以下で、かつ、3以上**（簡易企業型年金を実施する事業主から委託を受けて運用関連業務を行う確定拠出年金運営管理機関等にあっては、**2以上**）の範囲で選定しなければなりません。

3　介護保険制度は、**平成12年**より開始されました（制定は平成9年）。これにより、

老人医療のうち介護に係る部分が介護保険に移行しました。

4 　高齢者の医療の確保に関する法律（**高齢者医療確保法**）は、平成20年４月から施行されています。なお、**後期高齢者**とは、**75歳以上**の者のことです。

【問6】 健康保険法

解答 A ⑮平均的　B ⑦特定介護保険施設　C ⑳490円　D ⑧３ヵ月　E ⑬特定健康保険組合

解説

A・B：健保法85条２項、C：平8.8.16厚告203号、D：健保則168条４項、E：同則168条１項

1 　入院時食事療養費の額は、当該食事療養につき食事療養に要する平均的な費用の額を勘案して**厚生労働大臣が定める基準**により算定した費用の額から、**食事療養標準負担額**を控除した額です。

2 　前記１の食事療養標準負担額とは、平均的な家計における食費の状況及び**特定介護保険施設等**（介護保険法に規定する特定介護保険施設等をいう。）における食事の提供に要する平均的な費用の額を勘案して**厚生労働大臣**が定める額をいい、次表のとおりとなっています。

所得区分			食費／１食
一般所得者	下記以外		490円
	小児慢性特定疾病児童等又は指定難病患者		280円
低所得者Ⅱ	減額申請を行った月以前の12ヵ月以内の入院日数	90日以下	230円
		90日超	180円
低所得者Ⅰ			110円

3 　**特例退職被保険者**となるための申出は、所定の事項を記載した申出書を**特定健康保険組合に提出**することによって行います。また、この申出は、原則として、特例退職被保険者になろうとする者に係る**年金証書等が到達した日の翌日**（被用者年金給付の支給がその者の年齢を事由としてその全額について停止された者については、その停止すべき事由が消滅した日の翌日）から起算して**３ヵ月以内**にしなければなりません。

【問7】厚生年金保険法

解答 A ⑱300　B ⑬4分の3　C ⑪被保険者期間が6ヵ月以上　D ⑰障害厚生年金　E ⑦2年

解説

A：厚年法50条1項、B：同法50条3項、C〜E：同法附則29条1項

1　障害厚生年金の額は、原則として、老齢厚生年金の額の計算の例により計算した額（いわゆる**報酬比例の年金額**）です。これを計算する場合において、当該障害厚生年金の額の計算の基礎となる被保険者期間の月数が300に満たないときは、これを300とします（**300月みなし**）。

2　障害厚生年金の額については、障害厚生年金の給付事由となった障害について国民年金法による**障害基礎年金を受けることができない**場合において、障害厚生年金の額が次の最低保障額に満たないときは、当該最低保障額を障害厚生年金の額とします。

> 最低保障額 ＝ 国民年金の**2級の障害基礎年金の額** × **4分の3**

3　脱退一時金は、**被保険者期間が6ヵ月以上**である**日本国籍を有しない者**（国民年金の被保険者でないものに限る。）であって、老齢厚生年金の受給資格期間を満たしていないものが、その支給を請求することができます。ただし、次のいずれかに該当するときは、請求することができません。

(1) **日本国内に住所を有するとき。**

(2) **障害厚生年金**その他政令で定める保険給付の受給権を有したことがあるとき。

(3) 最後に国民年金の被保険者の資格を喪失した日（同日において日本国内に住所を有していた者にあっては、同日後初めて、日本国内に住所を有しなくなった日）から起算して**2年**を経過しているとき。

【問8】国民年金法

解答 A ⑤遺族基礎年金又は寡婦年金　B ②14日以内　C ⑧昭和41年4月1日まで　D ⑭65歳　E ⑱その者の生年月日に応じて政令で定める率

解説

A・B：国年則52条の3第1項、60条の7の3第1項、C〜E：昭60法附則14条1項

1　年金たる給付の受給権者に係る**氏名変更の届出**は、厚生労働大臣が**機構保存本人確認情報の提供**を受けることができる者については、**不要**です。一方で、遺族基

礎年金又は寡婦年金の受給権者については、氏名変更が婚姻をしたこと等によるものである場合には、その受給権が消滅することから、氏名変更の理由を確認する必要があります。そこで、**遺族基礎年金又は**寡婦年金の受給権者は、その氏名を変更した場合であって、氏名変更の届書の提出を要しないときは、当該変更をした日から**14日以内**に、**氏名変更の理由の届出**をしなければなりません。

2　振替加算は、その対象者である老齢基礎年金の受給権者が、次の(1)～(3)のいずれにも該当する場合に行います。

(1)　**大正15年4月2日から**昭和41年4月1日までの間に生まれた者であること。

(2)　**65歳**に**達した日**において、次の(ア)又は(イ)に該当する配偶者によって**生計を維持**していたこと。

　(ア)　**老齢厚生年金等**（その額の計算の基礎となる期間の月数が**240以上**であるものに限る。）の受給権者

　(イ)　**障害厚生年金等**の受給権者（同一の支給事由に基づく**障害基礎年金**の受給権を有する者に限る。）

(3)　65歳に達した日の前日において、上記(2)の(ア)(イ)の老齢厚生年金等又は障害厚生年金等の加給年金額の計算の基礎となっていたこと。

　また、振替加算の額は、「**224,700円×改定率**（100円未満の端数を四捨五入）×**その者**（振替加算の対象者）の生年月日に応じて政令で定める率」による額です。

労働基準法及び労働安全衛生法

【問1】 解答 B

解説

A ✕　労基法15条1項、同則5条1項・3項・4項。「そのすべてについて」とする記述が誤りです。設問の事項のうち、昇給に関する事項は、**書面の交付等**により明示する**必要はありません**。

B ◯　労基法15条1項、平11.1.29基発45号。

C ✕　労基法15条1項、同則5条1項1号の3。雇入れ直後の就業の場所及び従事すべき業務の明示のみでは足りません。設問の事項については、雇入れ直後の**就業の場所及び従事すべき業務**に加え、これらの変更の範囲についても明示が必要です。

D ✕　労基法16条、昭22.9.13発基17号。実際に生じた損害について賠償を請求することは、法16条に**違反しない**と解されています。

E ✕　労基法17条、昭22.9.13発基17号。明らかに身分的拘束を伴わないものは含まれません。労働することを条件とする前貸しの債権とは、使用者が前貸しの債権を労働者が労働によって取得する賃金と相殺することによってその債権を返済させる目的で貸し付けた前借金等をいいます。つまり、金銭貸借関係と労働関係とが密接に関係し、**身分的拘束を伴う**ものです。したがって、**明らかに身分的拘束を伴わない**と認められるものは、労働することを条件とする前貸しの債権には**含まれない**と解されています。

【問2】 解答 A

解説

A ✕　最判 平15.10.10フジ興産事件。最高裁判所では、就業規則が法的規範としての性質を有するものとして**拘束力を生ずる**ためには、その内容を適用を受ける事業場の労働者に**周知させる手続き**が採られていることを要すると判示しました。

B ◯　労基法89条1号、昭63.1.1基発1号。フレックスタイム制を採用する場合には、コアタイム（労働者が労働しなければならない時間帯）やフレキシブルタイム（労働者がその選択により労働することができる時間帯）を設けることができます。これらに関する事項は、就業規則の絶対的必要記載事項の1つである**始業及び終業の時刻に関する事項**に該当するため、**就業規則**に定めておかなければなりま

せん。

C ○ 労基法89条。就業規則の作成及び届出の義務が課せられているのは、**常時10人以上の労働者を使用する**使用者です。ここでいう「常時10人以上の労働者を使用する」とは、時として使用する労働者の数が10人未満となることはあっても、常態として**10人以上の労働者を使用している**ことをいいます。したがって、設問のように、繁忙期等において臨時に労働者を雇い入れることによって一時的に10人以上の労働者を使用する場合は、「常時10人以上の労働者を使用する」こととはなりません。

D ○ 労基法107条1項。

E ○ 労基法114条。付加金の支払い命令の対象となるのは、①解雇予告手当、②休業手当、③割増賃金、④年次有給休暇中の賃金の4種類に限られ、**通常の賃金は対象外**です。

【問3】 解答▶ B

解説

A ○ 昭23.4.19基収1397号。休日を振り替えるためには、①就業規則等において休日の振替を必要とする場合には休日を振り替えることができる旨の**規定を設け**、②これによって休日を振り替える前にあらかじめ**振り替えるべき日を特定**することが必要です。

B ✕ 労基法38条1項、昭23.5.14基発769号。事業主を異にする場合も含まれます。労働時間は、**事業場を異にする**場合（**事業主を異にする**場合も**含む**。）においても、労働時間に関する規定の適用については**通算**します。

C ○ 労基則12条の4第4項。1年単位の変形労働時間制においては、労働日数並びに1日及び1週間の労働時間に限度が定められています。このうち労働時間については、対象期間の長短にかかわらず、**1日について10時間**、**1週間について52時間**が限度となります。

D ○ 労基法38条の4第1項4号・4項、同則24条の2の5。企画業務型裁量労働制に係る労使委員会の決議を届け出た使用者には、決議の有効期間の始期から起算して**6ヵ月以内に1回**、及び**その後1年以内ごとに1回**、一定の定期報告が義務づけられています。報告すべき内容は、次の①～③の事項です。

①対象労働者の労働時間の状況

②対象労働者の**健康及び福祉を確保**するための措置の実施状況

③対象労働者の同意及びその撤回の実施状況

E ○ 労基法41条、同別表第1。

【問4】 解答 A

解説

ア ✕ 労基法39条1項・2項。「14労働日」ではなく、「**16労働日**」です。設問の労働者は、令和3年4月1日（雇入れの日）から令和7年9月30日までの**4年6ヵ月**継続勤務しています。したがって、この労働者に対して付与される年次有給休暇の日数は、**16労働日**です。

イ 〇 昭63.3.14基発150号。継続勤務とは、**労働契約の存続期間**（在籍期間）をいいます。したがって、定年退職後も引き続き再雇用されている労働者について、年次有給休暇の付与要件に係る継続勤務の期間を算定する場合には、原則として、その者の**退職前後の勤務年数を通算**します。

ウ ✕ 労基法39条7項。「年次有給休暇が付与されるすべての労働者に対して」とする記述が誤りです。設問の規定（**付与義務**）の対象となるのは、**10労働日以上**の年次有給休暇が付与される労働者です。

エ 〇 労基法39条5項。

オ 〇 労基法39条9項、同則25条2項、平21基発0529001号。時間単位年休として与えた時間に係る（1時間あたりの）賃金は、「**基準となる賃金額÷時間単位年休取得日の所定労働時間数**」の金額としなければなりません。また、この場合の**基準となる賃金額**は、日単位による取得の場合について選択したものと同様としなければなりません。

以上から、誤っているものの組合せは、**A**（アとウ）です。

【問5】 解答 D

解説

A ✕ 労基法10条、昭22.9.13発基17号。後半の記述が誤りです。通達では、「使用者」とは、労働基準法各条の義務についての履行の責任者をいい、その認定は、部長、課長等の形式にとらわれることなく、各事業において、本法各条の義務について実質的に一定の**権限を与えられているか否か**によります。このような権限が与えられておらず、**単に上司の命令の伝達者**にすぎない者は、使用者とみなされないとされています。

B ✕ 労基法3条。「性別」は含まれていません。法3条（均等待遇）で禁止する差別的取扱いの理由は、労働者の国籍、**信条又は社会的身分**の3つに限定されています。

C ✕ 労基法4条、119条1号。罰則は**適用されます**。具体的には、違反者は、6

ヵ月以下の懲役又は30万円以下の罰金に処せられます。

D ○ 労基法5条、昭22.9.13発基17号。

E × 労基法116条2項、昭63.3.14基発150号。設問の者は家事使用人に該当せず、労働基準法が適用されます。いわゆる家政婦などの**家事使用人**には労働基準法は**適用されません**が、個人家庭における家事を事業として請け負う者（家政婦派遣会社等）に雇われて、その指揮命令の下に、当該家事を行う者は**家事使用人には該当**しないとされています。したがって、この者には、労働基準法が**適用されます**。

【問6】 解答 B

解説

A ○ 労基法24条1項、昭63.3.14基発150号。

B × 労基法26条。「100分の80」ではなく、「100分の60」です。設問の場合には、使用者は、労働者に休業手当を支払わなければなりません。休業手当の額は、休業1日について、当該労働者の**平均賃金**の100分の60以上の額とされています。

C ○ 最判 昭62.7.17ノース・ウエスト航空事件。最高裁判所は、休業手当の制度は、労働者の**生活保障**という観点から設けられたものであり、法26条の「使用者の責に帰すべき事由」とは、債権者の故意、過失又は信義則上これと同視すべきものに限定された民法536条2項の「債権者ノ責ニ帰スヘキ事由」よりも**広く**、使用者側に起因する**経営、管理上の障害を含む**ものと判示しました。

D ○ 労基法37条1項、割賃令、昭22.11.21基発366号。

E ○ 労基法37条5項、昭23.2.20基発297号。割増賃金の基礎から除外する通勤手当とは、労働者の通勤距離又は通勤に要する実際の費用に応じて算定されるものと解されています。設問の実際の通勤距離によらない**一定額の部分**は、ここでいう通勤手当に該当しないため、割増賃金の基礎となる賃金に**算入しなければなりません**。

【問7】 解答 E

解説

A ○ 労基法60条2項。児童の1日における労働時間の限度は、**修学時間を通算**して、**7時間**とされています。すなわち、「7時間－修学時間」によって計算された時間が、児童の1日における労働時間の限度となります。したがって、設問のように、児童を使用する日が日曜日など修学時間のない日であるときは、その日についての労働時間の限度は、7時間となります。

B ○ 労基法67条1項、昭36.1.9基収8996号。

C ○ 労基則6条の2第1項。

D ○ 労基法20条1項。解雇予告手当を支払うことなく解雇する場合の予告期間は、**解雇予告日の翌日**から起算して30日間です。設問の場合には、解雇の予告日の翌日（令和7年6月2日）から起算して30日目となるのは「同年**7月1日**」ですので、7月1日をもって解雇することができます。

E × 労基法19条1項。解雇することはできません。使用者は、労働者が**業務上**負傷し、又は疾病にかかり療養のために**休業する期間**及び**その後30日間**は、その労働者を解雇してはなりません。この解雇制限が解除されるのは、①使用者が法81条の規定により**打切補償**を支払う場合又は②**天災事変**その他やむを得ない事由のために**事業の継続が不可能**となった場合に限られます。労働者の責めに帰すべき事由に基づいて解雇することはできません。

【問8】 解答 D

解説

A × 安衛則44条2項、平10労告88号。「40歳未満のすべての者」とする記述が誤りです。40歳未満の者のうち**35歳の者**については、原則として、腹囲の検査を**省略することができません**。

B × 安衛則52条の13第2項。「10年間」ではなく、「**5年間**」保存しなければなりません。

C × 安衛則45条の2第1項。「派遣期間の長短にかかわらず」とする記述が誤りです。**海外派遣労働者**の健康診断は、派遣期間が**6ヵ月以上**の場合に行わなければならないものです。

D ○ 安衛則52条の3第1項・3項。なお、**産業医**は、長時間労働に関する面接指導の対象となる労働者に対して、設問の申出を行うよう**勧奨**することができます。

E × 安衛法66条の7第1項。設問の保健指導は、「行わなければならない」ではなく、「行うように**努めなければならない**」とされています。

【問9】 解答 A

解説

ア ○ 安衛法10条1項・2項、同令2条1号。**建設業**の事業場の事業者は、その使用する労働者が常時**100人以上**の場合には、総括安全衛生管理者を選任しなければなりません。また、総括安全衛生管理者は、当該事業場においてその事業の実施を**統括管理**する者であれば足り、他に資格等を有する者である必要はありません。

イ ○ 安衛則15条1項。**産業医**には、その職務として作業場等の巡視が義務づけ

られており、その頻度については、少なくとも**毎月1回**とされています。ただし、事業者から、毎月1回以上、一定の情報が提供されている場合であって、事業者の同意を得ているときは、少なくとも**2ヵ月に1回**、作業場等を巡視すればよいものとされています。

ウ ✕ 参考：安衛法12条の2、昭63.9.16基発601号の1。設問は、「常に作業場等を巡視するとともに」とある部分が誤りです。安全衛生推進者の職務として、作業場等の巡視を義務づける規定は存在しません。なお、安全衛生業務について権限と責任を有する者の指揮を受けて当該業務を担当するという点は、正しい記述です。

エ ✕ 安衛法12条1項、同令4条、同則7条1項3号イ。第2種衛生管理者免許のみを有する者を衛生管理者として選任することはできません。設問の**清掃業**の事業場の事業者は、**第2種衛生管理者免許以外**の衛生管理者免許（第1種衛生管理者免許若しくは衛生工学衛生管理者免許）又は所定の資格を有する者（医師、歯科医師、労働衛生コンサルタント等）のうちから衛生管理者を選任しなければなりません。

オ ✕ 安衛則6条1項。設問は、「少なくとも毎週1回」とある部分が誤りです。**安全管理者**には、その職務として作業場等の巡視が義務づけられていますが、巡視の頻度については、特に定められておらず、**常に**（常時）**作業場等を巡視**するものと解されています。

以上から、正しいものの組合せは、A（アとイ）です。

【問10】 解答 C

解説

A ◯ 昭47.9.18基発602号。

B ◯ 安衛法59条1項、同則35条。雇入れ時及び作業内容変更時の安全衛生教育については、原則として、**すべての業種**において、**すべての労働者**（臨時雇用の者**も含む**。）を対象として、業務に関する安全又は衛生のための必要な事項について、教育を行わなければなりません。ただし、教育事項の全部又は一部に関し十分な知識及び技能を有していると認められる労働者については、その事項を省略することは可能です。

C ✕ 安衛法30条の2第1項。**製造業の元方事業者**が講じなければならないのは、作業間の連絡及び調整を行うことに関する措置その他必要な措置です。「協議組織の設置及び運営」に関する措置を講じる必要はありません。なお、特定元方事業者は、協議組織の設置及び運営を行うことに関する措置等を講じなければなりません。

D　〇　安衛法57条の3第1項。**通知対象物**を取り扱う事業者は、当該物による**危険性又は有害性等を**調査しなければなりません。この危険性又は有害性等の調査は、業種や事業場の規模を問わず、行わなければなりません。

E　〇　安衛法25条。

労働者災害補償保険法（労働保険の保険料の徴収等に関する法律を含む。）

【問1】 解答 E

解説

A ✕ 労災法7条2項。「業務の性質を有するものも含めて」とする記述が誤りです。通勤とは、労働者が、就業に関し、次の①～③に掲げる移動を、**合理的な経路及び方法**により行うことをいい、**業務の性質を有するものを除く**ものとされています。設問の移動は、②に該当しますが、業務の性質を有する場合には、通勤には**該当しません。**

①**住居**と**就業の場所**との間の往復

②厚生労働省令で定める**就業の場所**から**他の就業の場所への移動**

③上記①に掲げる往復に先行し、又は後続する**住居間の移動**（厚生労働省令で定める要件に該当するものに限る。）

B ✕ 昭25.5.9基収32号。通勤災害となりません。事業主が提供する通勤専用のバスは、**事業場の施設**と認められるため、この利用に起因して災害が発生した場合には、それが当該施設に起因していることの証明がなされる限り、**業務起因性**が認められ、**業務上の災害**となります。

C ✕ 労災法7条3項、同則8条、昭62.3.30発労徴23号・基発174号。自動車教習所に立ち寄り教習を受ける行為は、日常生活上必要な行為に**該当しません。**したがって、当該教習を受け終え、合理的な経路に復したとしても、その後の移動は、通勤に**該当しません。**

D ✕ 昭49.5.27基収1371号。通勤災害となりません。被災労働者が自宅に向かった行為は、その目的からみて、就業との**関連性がない**個人的な行為（**私的行為**）に該当するためです。

E 〇 昭49.4.9基収314号。アパートについては、**自室の外戸**（ドア）が住居と通勤経路との境界となるため、自室の外にある階段で発生した事故は、**通勤経路上で**発生した災害と認められます。したがって、通勤災害となります。

【問2】 解答 D

解説

A 〇 特支則2条。特別支給金は、保険給付の上乗せ分として支給されますが、①療養（補償）等給付、②介護（補償）等給付、③葬祭料等（葬祭給付）及び④二次健康診断等給付と関連して支給されることはありません。

B 〇 特支則12条。休業特別支給金の額を算定する際に、特別給与の額は用いま

せんが、**休業特別支給金**の最初の支給申請の際に、**特別給与の総額**についての**届出**を義務づけています。

C ○ 特支則4条3項。

D × 特支則5条2項。労働者の収入によって生計を維持していたものに**限られません**。遺族特別支給金の支給を受けることができる遺族は、「労働者の配偶者（いわゆる内縁関係にあった者を含む。）、子、父母、孫、祖父母及び兄弟姉妹」です。つまり、**生計を維持していなかった者**も、遺族特別支給金の支給を受けることができる**遺族となります**。

E ○ 特支則13条2項。**遺族特別年金**は、遺族補償年金前払一時金が支給されたことにより、遺族補償年金の支給を停止すべき事由が生じた場合であっても、**支給されます**。

【問3】 解答▶C

解説

A ○ 労災則14条2項。同一の事由により障害が2以上残った場合であって、1つの障害を除いた**他のすべて**の障害の障害等級が**第14級**であるときは、これらの障害の中で最も**重い方**の障害等級をもって全体の障害等級とします。したがって、設問の場合の（全体の）障害等級は、**第8級**となります。

B ○ 労災則14条3項。併合繰上げによる障害等級の決定方法は、次の①〜③のとおりです。また、障害が3以上残った場合には、そのうちの1番目と2番目に重い障害をもって障害等級の併合の処理を行います。設問の2つの場合（「第5級及び第8級」、「第5級、第7級及び第13級」）は、いずれも②に該当するため、（全体の）障害等級は、**第3級**となります。

①**第13級以上の障害が2以上**：**重い方**の障害等級を**1級**繰上げ
②**第8級以上の障害が2以上**：**重い方**の障害等級を**2級**繰上げ
③**第5級以上の障害が2以上**：**重い方**の障害等級を**3級**繰上げ

C × 労災法15条の2。設問の取扱い（**障害等級の変更**）の対象となるのは、障害補償年金を受ける労働者です。障害補償一時金を受ける労働者は対象となりません。

D ○ 労災法附則58条5項による同法16条の9第1項の準用。

E ○ 労災法附則58条1項。

793

【問4】 解答 C

ア ○ 昭23.6.1基発1458号。就業時間前後や昼休み等の休憩時間中に事業場施設内にいる場合は、事業主の支配下・管理下にありますが、実際に業務に従事していないため、一般的には業務起因性は認められません。ただし、そのような時間中に発生した災害が当該**施設・設備**や**管理状況等に起因**するものである場合には、**業務起因性**が認められます。設問の火傷は、作業開始前に発生したものですが、事業場設備である暖房装置の利用に起因して発生したものですから、業務起因性が認められ、**業務上**の災害と認められます。

イ × 昭24.12.15基収4028号。業務上の災害とは認められません。坑内労働者Yの行為は、社宅への延焼防止のためとはいえ、本来、Yが行うべき業務ではなく、**業務起因性は認められない**ためです。

ウ × 昭34.5.19基収3034号。設問の負傷は、業務上の災害とは認められません。日雇労働者が、公共職業安定所等でその日の作業の紹介を受けた後に、紹介先に向かう途中で被った災害については、**業務遂行性と業務起因性**のいずれも**認められない**ためです。なお、設問の場合には、通勤災害と認められる可能性があります。

エ ○ 令5基発0901第2号。業務による心理的負荷の強度は、業務による心理的負荷評価表（評価表）を指標として、「強」、「中」、「弱」の3段階で評価され、総合評価が「**強**」と判断される場合に、**業務上の疾病**と認定される要件を満たすものとされます。当該評価表に示す「具体的出来事」の1つとしていわゆる**カスタマーハラスメント**があり、設問の場合は、総合評価が「強」となります。

オ ○ 労基則35条、同則別表第1の2。

以上から、正しいものは三つであるため、正解は**C**です。

【問5】 解答 D

A ○ 労災法13条2項。

B ○ 労災則12条1項。療養の給付を受けようとする場合の請求は、**指定病院等を経由して所轄労働基準監督署長**に対して行います。なお、療養の費用の支給を受けようとする場合の請求は、**直接**所轄労働基準監督署長に対して行います。

C ○ 労災則18条の2第2項。**傷病の状態等に関する届書**は、被災労働者の負傷又は疾病が療養の開始後**1年6ヵ月**を経過した日において**治っていない**ときに、同日以後**1ヵ月以内**に、当該被災労働者に提出させるものです。なお、所轄労働基

準監督署長は、この届書に基づいて、傷病補償年金の支給決定をするか、引き続き休業補償給付を支給するかを判断します。

D　×　昭27.8.8基収3208号。待期期間に算入されません。業務上の負傷又は疾病が発生した日（被災当日）が休業補償給付に係る**待期期間**（休業日数）に算入されるか否かについては、次の①②のように取り扱われます。設問は、このうちの②について問うています。

①傷病が所定労働時間内に発生した場合……算入される。

②傷病が**所定労働時間外**（残業時間中）に発生した場合……**算入されない**。

E　○　労災法14条１項。

【問6】 解答 A

解説

A　○　労災法27条、同則18条の18、安衛則51条の２第２項１号。二次健康診断を受けた労働者から当該二次健康診断の結果を証明する書面の提出を受けた事業者は、二次健康診断の結果についての**医師等からの意見聴取**を行わなければなりません。この医師等からの意見聴取は、当該書面の提出を受けた日から**２ヵ月以内**に、行うものとされています。

B　×　労災法16条の２第２項。厚生労働省令で定める障害の状態にあった子とは**みなされません**。労働者の死亡の当時胎児であった子が出生したときは、将来に向かって、その子は、**労働者の死亡の当時**その収入によって**生計を維持していた子**とみなされます。ただし、障害の状態について、厚生労働省令で定める障害の状態にあった子とみなす旨の規定はありません。

C　×　労災法附則60条１項、昭40法附則43条３項。請求することができます。遺族補償年金を受ける権利を有する遺族（受給権者）は、設問のいわゆる**若年停止**者であっても、遺族補償年金前払一時金の支給を**請求することができます**。

D　×　労災法12条の２、同則10条の２。充当することはできません。充当の対象となる保険給付は、**受給権者**（設問の場合は、遺族補償年金の受給権者）の死亡に関して支給される保険給付に**限られ**ます。障害補償年金は、遺族補償年金の受給権者の死亡に関して支給される保険給付ではないため、充当の対象と**なりません**。

E　×　参考：労災法11条４項。設問のような規定は存在しません。なお、未支給の保険給付を受けるべき同順位者が**２人以上**あるときは、その１人がした請求は、**全員**のためその**全額**につきしたものとみなされ、その１人に対してした支給は、全員に対してしたものとみなされます。

【問7】 解答 E

A ○ 労災法33条6号・7号。海外派遣者が特別加入するためには、**派遣元**である日本国内の事業が有期事業で**ないこと**が必要です。

B ○ 労災法35条1項、同則46条の22の2。設問に掲げる者については、住居と就業の場所との間の往復状況を考慮して、**通勤の実態がない**者として取り扱われるため、**通勤災害**に関する保険給付は**支給されません**。

C ○ 労災法31条1項3号、昭47.9.30基発643号。事業主が**故意又は重大な過失**により生じさせた**業務災害**の原因である事故について保険給付が行われた場合には、事業主からの費用徴収の対象となります。この場合の徴収額は、「保険給付の額×100分の30」に相当する額です。

D ○ 労災法32条。

E × 労災法12条の2の2第1項、平11.9.14基発545号。設問の業務上の精神障害による自殺は、結果の発生を意図した**故意には該当しない**ものとされます。したがって、業務起因性が認められて、業務災害として**保険給付が行われる**ことがあります。

【問8】 解答 B

A ○ 徴収則9条。下請負事業の分離に係る下請負人の事業の規模要件は、①概算保険料の額が**160万円以上**又は②請負金額が**1億8,000万円以上**であることです。

B × 徴収則8条、昭47.11.24労徴発41号。設問後半の場合には、提出期限経過後に申請する（認可申請書を提出する）ことができます。設問の認可申請書の提出期限（本来の提出期限）は、労災保険に係る**保険関係が成立した日の翌日から起算して10日以内**ですが、この期限内に提出することができなかった理由が次の①②等に該当するときは、「やむを得ない理由」があるものとして、本来の**提出期限後**であっても当該認可申請書を提出することができます。

①天災その他の不可抗力等の客観的理由があるとき。

②**請負方式の特殊性**から事業開始前に下請負契約が成立しないとき。

C ○ 徴収法7条2号。有期事業の一括の対象となる有期事業とは、**事業の期間が予定される事業**のことをいいますが、その予定される事業期間の長短については、特に制限はありません。

D ○ 徴収法7条5号、同則6条2項1号。有期事業の一括の対象となる事業は、**建設の事業**又は立木の伐採の**事業**に限定されています。設問の「土木、建築その

他の工作物の建設、改造、保存、修理、変更、破壊若しくは解体若しくはその準備の事業」とは、建設の事業のことです。

E　○　徴収法9条、同則10条1項。継続事業の一括に関し、一括の対象となる事業について**地域を制限**する規定は**ありません**。

【問9】 解答 E

解説

A　×　徴収法13条、14条1項、14条の2第1項。特別加入保険料（第1種特別加入保険料、第2種特別加入保険料及び第3種特別加入保険料）は、**労災保険のみ**に係る保険料です。

B　×　徴収法12条3項。厚生労働大臣が考慮する事情として、「過去3年間の二次健康診断等給付に要した費用の額」が欠落しています。非業務災害率は、過去3年間の①**複数業務要因災害**に係る災害率、②**通勤災害**に係る災害率、③二次健康診断等給付に要した費用の額及び④厚生労働省令で定めるところにより算定された**複数事業労働者**に係る給付基礎日額を用いて算定した保険給付の額⑤その他の事情を考慮して厚生労働大臣が定めます。

C　×　参考：徴収法19条4項。設問の場合において、確定保険料申告書の修正を求めるものとする規定はありません。事業主が提出した確定保険料申告書の**記載に誤りがある**と認めるときは、政府は、**確定保険料の額を決定**し（認定決定を行い）、これを事業主に**通知**することとされています。

D　×　徴収法27条1項・2項。「5日以上」ではなく、「10日以上」です。労働保険料その他労働保険徴収法の規定による徴収金を納付しない者があるときは、政府は、期限を指定して**督促しなければなりません**（義務）。この督促は、納付義務者に対して**督促状**を発することにより行いますが、督促状により指定すべき期限は、**督促状を発する日から起算して10日以上経過した日**でなければなりません。

E　○　徴収法19条6項、同則36条1項。

【問10】 解答 A

解説

ア　○　徴収則27条。保険年度の中途である6月15日に保険関係が成立した継続事業については、①6月15日から**11月30日**までを最初の期、②12月1日から翌年3月31日までを第2期として、概算保険料の延納が認められます。また、この場合の最初の期分の概算保険料の納期限は、保険関係が成立した日から**50日以内**（翌日起算）です。

イ 〇 徴収法12条3項。

ウ × 徴収法20条1項、同則35条1項。設問中の「かつ」を「又は」とすると、正しい記述となります。建設の事業については、当該事業の**確定保険料**の額が**40万円以上又は請負金額**が**1億1,000万円以上**である場合に、有期事業のメリット制の適用の対象とされます。

エ × 徴収法11条3項、同則12条4号、15条。設問の事業については、「**厚生労働大臣**が定める**平均賃金**に**相当する額**×それぞれの労働者の**使用期間の総日数**」によって算定された額を賃金総額とします。

オ × 昭24.10.5基災収5178号。その**保険年度中**に使用した労働者に支払うことが具体的に**確定した賃金**であれば、その保険年度内に現実に支払われていないものも**含まれます**。たとえば、3月中に賃金締切日があるが、4月1日以後に支払われる賃金や、その保険年度中に支払われるべき賃金で未払いのもの等も、確定保険料の算定基礎となる賃金総額に含まれます。

　以上から、正しいものの組合せは、**A**（アとイ）です。

雇用保険法（労働保険の保険料の徴収等に関する法律を含む。）

【問1】 解答 C

解説

A × 雇保法14条2項、行政手引50103。通算することができません。過去にすでに受給資格等の決定を受けたことがある場合には、当該受給資格等に係る**離職の日以前**の被保険者であった期間は、被保険者期間を計算する場合において、通算することが**できません**。当該受給資格に基づいて基本手当等を受給したか否かは**問われません**。

B × 行政手引21454。現実に労働した日に限られません。賃金支払基礎日数に算入される「賃金の支払いの基礎となった日」には、現実に労働した日のほか、労働基準法26条の規定による**休業手当**が支給された場合における当該休業手当の支給の対象となった日、同法39条の規定による**年次有給休暇**がある場合における当該休暇の日等も**含まれます**。

C ○ 雇保法13条1項、同則18条5号、行政手引50152。設問では、引き続き30日以上賃金の支払いを受けることができなかった理由として、「**3歳未満の子の育児**」が挙げられています。算定対象期間の延長は、このような理由であっても認められますが、これについては、管轄公共職業安定所長が**やむを得ないと認めた**ものでなければなりません。

D × 雇保法20条2項、同則31条の2第1項。「4年」ではなく、「2年」です。**求職の申込みをしないことを希望する期間の限度**が、1年とされているためです。

E × 雇保法20条3項。いずれかを選択するのではありません。設問の場合には、**前の受給資格**に基づく基本手当は**支給されません**。つまり、**新たに取得**した受給資格に基づく基本手当のみを受給することができます。

【問2】 解答 E

解説

A ○ 雇保法38条1項、平22厚労告154号。短期雇用特例被保険者とは、被保険者であって、**季節的に雇用**されるもののうち、次の①及び②の**いずれにも該当しない者**（日雇労働被保険者を除く。）をいいます。設問の者は、雇用される期間が4ヵ月であるため、①に該当し、短期雇用特例被保険者となりません。

①4ヵ月以内の期間を定めて雇用される者

②1週間の所定労働時間が**20時間以上30時間未満**である者

B ○ 雇保法43条2項。日雇労働被保険者は、①**前2ヵ月の各月**において18日以

上同一の事業主の適用事業に雇用された場合又は②同一の事業主の適用事業に**継続して31日以上**雇用された場合には、一般被保険者等に切り替えられます。ただし、**公共職業安定所長の認可**を受けたときは、引き続き、日雇労働被保険者となることができます。

C　○　行政手引20351。株式会社の**代表取締役**（法人の代表者）は、雇用される労働者に該当しないため、被保険者と**なりません**。

D　○　行政手引20352。日本国に在住する**外国人**であって、適用事業に雇用されるものは、原則として、国籍（無国籍を含む。）を問わず、**被保険者となります**。ただし、外国公務員及び外国の失業補償制度の適用を受けていることが立証された者は、被保険者となりません。

E　×　行政手引20352。設問の者は、被保険者となります。長期欠勤している労働者については、**雇用関係が存続**する限り、賃金の支払いを受けているか否かにかかわらず、**被保険者となります**。

【問3】 解答 A

解説

A　×　雇保法28条2項。設問の場合には、**広域延長給付が優先**して行われ、その間は、全国延長給付は行われません。

B　○　雇保法23条1項2号イ・3号イ。設問前半の者（基準日において40歳の者）に係る所定給付日数は**270日**であり、設問後半の者（基準日において50歳の者）に係る所定給付日数は**330日**です。

C　○　雇保法22条3項2号。

D　○　雇保法37条の3第1項。

E　○　雇保法37条の4第1項1号。高年齢求職者給付金の額は、算定基礎期間に応じて次のように定められています。
　①算定基礎期間が**1年未満**の場合…基本手当の日額の**30日分**に相当する額
　②算定基礎期間が**1年以上**の場合…基本手当の日額の**50日分**に相当する額

【問4】 解答 B

解説

A　○　雇保法56条の3第1項1号、3項1号。再就職手当の額は、職業に就いた日の前日における基本手当の支給残日数に応じ、次の①②の額です。
　①支給残日数が所定給付日数の**3分の1以上3分の2未満**
　　⇒基本手当日額×支給残日数×10分の6

②支給残日数が所定給付日数の**3分の2以上**

⇒基本手当日額×支給残日数×10分の7

B　×　雇保法56条の3第3項1号。「10分の3」ではなく、「10分の2」です。就業促進定着手当の上限額は、「基本手当日額×支給残日数×10分の2」による額です。

C　○　雇保法56条の3第1項2号。

D　○　雇保則99条1項。

E　○　雇保則100条の7。

【問5】 解答 B

解説

A　×　雇保則101条の22第1項。設問の場合においても、他の要件を満たす限り、育児休業給付金は支給されます。被保険者が**就業をしている**日がある支給単位期間については、公共職業安定所長が①就業をしていると認める**日数が**10日以下であること又は②就業をしていると認める**時間が**80時間以下であることの**いずれか**を満たしていれば、育児休業給付金の支給対象となります。設問は②を満たしているため、他の要件を満たす限り、育児休業給付金が支給されます。

B　○　雇保法61条の7第5項。

C　×　雇保法61条の7第7項。「100分の67」ではなく、「100分の80」に相当する額以上であるときです。育児休業をした被保険者に賃金が支払われた場合において、当該賃金の額が「休業開始時賃金日額×支給日数×100分の80」に相当する額**以上**であるときは、当該賃金が支払われた支給単位期間については、育児休業給付金**は支給されません**。

D　×　雇保法61条の4第4項、同法附則12条。「30歳以上45歳未満」ではなく、「45歳以上60歳未満」です。「休業開始時賃金日額」とは、被保険者を受給資格者とみなし、介護休業給付金の支給に係る介護休業を開始した日の前日を離職の日とみなして算定した**賃金日額に相当する額**のことです。この額の上限額については、45歳以上60歳未満の受給資格者に係る**賃金日額の上限額**が適用されます。

E　×　雇保法61条の4第1項。「休業を開始した日前1年間にみなし被保険者期間が通算して6ヵ月以上」ではなく、「休業を開始した日前**2年間にみなし被保険者期間**が通算して12ヵ月以上」です。

【問6】 解答▶D

解説

ア ○ 雇保法60条の2第1項。教育訓練給付対象者とは、次のいずれかに該当する者です。

①教育訓練を**開始した日**（以下「基準日」という。）に**一般被保険者**又は**高年齢被保険者**である者

②上記①以外の者であって、**基準日**が当該基準日の直前の一般被保険者又は高年齢被保険者でなくなった日から厚生労働省令で定める**期間内**（原則として、**1年以内**）にあるもの

イ ○ 雇保法60条の2第4項、同則101条の2の8第1項2号。専門実践教育訓練に係る教育訓練給付金（いわゆる追加給付に係るものを除く。）の額は、支給単位期間ごとに「受講費用の額×**100分の50**」により算定した額ですが、その上限額は、合計額については**120万円**、連続する2支給単位期間（年間）については**40万円**とされています。

ウ ○ 雇保則101条の2の11の2第1項。設問の者（**特定一般教育訓練**受講予定者）は、特定一般教育訓練を開始する日の**14日前**までに、受給資格確認票を管轄公共職業安定所の長に提出して、受給資格の確認を受けなければなりません。

エ ✕ 雇保法60条の2第5項、同則101条の2の9。「8,000円」ではなく、「**4,000円**」です。特定一般教育訓練給付金など教育訓練給付金は、次のいずれかに該当するときは、支給されません。

①教育訓練給付金の額として算定された額が**4,000円を超えない**とき。

②教育訓練給付対象者が**基準日前3年以内に教育訓練給付金の支給を受けたこと**があるとき。

オ ✕ 雇保則101条の2の12第4項。「同年4月30日まで」ではなく、「**同年9月30日まで**」です。**専門実践教育訓練**に係る教育訓練給付金の**支給単位期間**は、当該専門実践教育訓練の受講開始日から**6ヵ月ごと**に区分した期間をいいます。したがって、受講開始日が「令和7年4月1日」である場合の最初の支給単位期間は、令和7年4月1日から同年**9月30日**までの期間となります。

以上から、誤っているものの組合せは、**D**（エとオ）です。

【問7】 解答▶E

解説

A ✕ 雇保法10条の4第1項。納付することを命ずることができる金額は、支給を

受けた基本手当の額の３倍ではなく、**２倍に相当する額以下**の金額です。

B　×　雇保法40条３項。「１年を経過する日」ではなく、「**６ヵ月を経過する日**」までです。**特例一時金**の支給を受けようとする特例受給資格者は、離職の日の翌日から起算して**６ヵ月を経過する日**（受給期限日）までに、公共職業安定所に出頭し、**求職の申込み**をした上、**失業**していることについての**認定**を受けなければなりません。

C　×　雇保法13条３項、同則19条の２第１号、36条７号の２、行政手引50305、50305-2。設問の者は、特定理由離職者ではなく、特定受給資格者に該当します。特定理由離職者とは、特定受給資格者以外の者であって、所定のやむを得ない理由により離職した者をいいます。設問のように、労働契約の**更新があることが明示**され、**更新の確約がある者**は、**特定受給資格者**に該当するため、特定理由離職者には該当しません。

D　×　雇保法46条。基本手当の支給が優先されるわけではありません。設問の場合は、その者が、基本手当の支給を受けたときはその支給の対象となった日については日雇労働求職者給付金を支給せず、日雇労働求職者給付金の支給を受けたときはその支給の対象となった日については基本手当を支給しないとされています。つまり、その者の**選択**により、いずれか**一方**が支給されます。

E　○　雇保法66条１項４号。

【問8】 解答 C

解説

A　×　徴収法３条。保険関係成立日は、労災保険の適用事業が**開始された日**です。開始された日の翌日ではありません。

B　×　徴収則77条。「その事業の種類にかかわらず」という記述が誤りです。**労災保険関係成立票**を掲げなければならないのは、労災保険に係る保険関係が成立している事業のうち建設の**事業**に係る事業主のみです。

C　○　整備法５条３項。いわゆる**擬制任意適用事業**についてです。ここでは、①該当するに至った日の翌日に**任意加入の認可**があったとみなされること、②特に**手続きを要しないこと**がポイントです。

D　×　整備法８条２項１号。「４分の３以上」ではなく、「**過半数**」の同意を得れば足ります。

E　×　整備法５条２項。設問の場合には、労災保険の加入に係る申請をしなければなりません。**労災保険暫定任意適用事業**の事業主は、その事業に使用される労働者の**過半数**が希望するときは、労災保険の加入に係る申請をしなければなりません。

【問9】 解答 D

解説

A ○ 報奨金則2条。

B ○ 徴収則67条2項。

C ○ 徴収則65条。

D × 徴収法33条1項、同則62条2項。小売業を主たる事業とする事業主は、常時使用する労働者数が**50人以下**でなければ、労働保険事務組合に労働保険事務の処理を委託することができません。労働保険事務組合に労働保険事務の処理を委託することができるのは、次表に該当する事業主です。

事業の種類	規模（常時使用する労働者数）
①金融業、保険業、不動産業、小売業	50人以下
②卸売業、サービス業	100人以下
上記①②以外の事業（原則）	300人以下

E ○ 徴収法33条1項。労働保険事務組合に委託することのできない労働保険事務は、次のとおりです。

①印紙保険料に関する事務

②労災保険及び雇用保険の**保険給付**に関する請求等に係る事務

③**雇用保険二事業**に係る事務

【問10】 解答 C

解説

A ○ 徴収法23条1項。

B ○ 徴収則38条2項1号。設問の事業主が**保険関係成立届**と**同時**に提出する**概算保険料申告書**は、次の届書のいずれかと併せて提出する場合には、**年金事務所、所轄労働基準監督署長**又は所轄公共職業安定所長を経由して提出することができます。

①健康保険法及び厚生年金保険法の新規適用届

②雇用保険法の**適用事業所設置届**

C × 徴収法15条1項。納期限は、「同年（令和7年）5月21日」です。「同年5月20日」ではありません。**保険年度の中途で保険関係が成立**した継続事業（一括有期事業を含む。）に係る概算保険料の申告・納期限は、保険関係が成立した日から50日以内（翌日起算）です。したがって、設問の場合には、令和7年4月1日の翌日（4月2日）から起算して50日目にあたる同年**5月21日**が概算保険料の申

告・納期限となります。

D　○　徴収法15条１項、同則24条１項。継続事業（一括有期事業を含む。）における概算保険料の額は、原則として、その保険年度に使用するすべての労働者に係る賃金総額の見込額を用いて算定します。ただし、当該保険年度の賃金総額の見込額が、直前の保険年度に使用したすべての労働者に係る賃金総額（以下「前保険年度の賃金総額」という。）の**100分の50以上100分の200以下**である場合は、**前保険年度の賃金総額**を用いて算定します。設問の場合は、令和７年度の賃金総額の見込額（2,600万円）が、令和６年度の賃金総額（5,000万円）の100分の50以上100分の200以下の範囲内にあるため、令和７年度の概算保険料の額は、令和６年度の賃金総額である**5,000万円**を用いて計算します。

E　○　徴収法21条１項。

労務管理その他の労働及び社会保険に関する一般常識

【問1】 解答 B

解説

A　×　労契法14条、平24基発0810第2号。移籍型出向は含まれません。使用者が労働者に出向を命ずることができる場合であっても、当該**出向の命令**が、出向を命ずる必要性、対象労働者の選定に係る事情その他の事情に照らして、その**権利を濫用**したものと認められる場合には、当該命令は**無効**となります。この場合の「出向」とは、**在籍型出向**のことをいいます。

B　○　労契法3条1項、平24基発0810第2号。労働契約法3条1項は、労働契約を締結し、又は変更するにあたっては、労働契約の締結当事者である労働者及び使用者の対等の立場における合意によるべきという**労使対等の原則**を規定しています。

C　×　派遣法35条の3。設問中の「派遣先の事業所その他派遣就業の場所ごとの業務」という記述が誤りです。派遣元事業主が禁止されているのは、「派遣先の事業所その他派遣就業の場所における**組織単位ごとの業務**」について、**3年**を超える期間継続して**同一の派遣労働者**に係る労働者派遣（所定のものを除く。）を行うことです。

D　×　派遣法30条、同則25条の2。「講ずるように努めなければならない」（努力義務）ではなく、「**講じなければならない**」（義務）です。

E　×　労総法30条の2第1項。「常時使用する労働者の数が50人を超えるとき」とする記述が誤りです。事業主は、常時使用する**労働者の数を問わず**、設問のいわゆる**パワーハラスメント**のないよう、雇用管理上必要な措置を**講じなければなりません**。

【問2】 解答 E

解説

A　○　最判 平元.12.14三井倉庫港運事件。

B　○　労組法27条2項。

C　○　個別紛争法6条1項、7条1項・2項、個別労働関係紛争解決促進法7条1項の人数を定める政令。

D　○　最賃法9条2項・3項。地域別最低賃金は、地域における①労働者の**生計費**、②労働者の**賃金**、③**通常の事業の賃金支払能力**を考慮して定められなければなりません。このうち、労働者の生計費を考慮するにあたっては、労働者が健康で文

化的な最低限度の生活を営むことができるよう、**生活保護に係る施策との整合性**に配慮するものとされています。

E ✕ 最賃法4条1項、6条1項。最低のものによる額以上の賃金を支払うことでは足りません。労働者が**2以上の最低賃金の適用を受ける場合**は、最低賃金額のうち**最高のもの**が適用されます。

【問3】 解答 ▶ C

解説

ア ○ 職安法33条1項・4項。**無料職業紹介事業者**については、求職者に紹介することができる職業に**制限はありません**。したがって、設問の労働組合は、建設業務に就く職業を求職者に紹介することができます。

イ ✕ 障雇法43条2項、同令9条、令5令附則3条1項。「100分の2.7」ではなく、「100分の2.5」です。令和7年度における障害者雇用率は、以下のとおりです。設問は①について問うています。

①**一般事業主**……………………100分の2.5
②国・地方公共団体……………100分の2.8
③特殊法人等……………………100分の2.8
④都道府県教育委員会等………100分の2.7

ウ ✕ 障雇法43条4項・5項、70条、同令10条、同則6条の2、33条、令5厚労告228号、平6労告12号。「4人」ではなく、「3.5人」です。実雇用障害者数の算定にあたり、対象障害者は、次表のとおりカウントします。設問では、週所定労働時間が12時間、24時間及び35時間の重度身体障害者である労働者をそれぞれ1人ずつ雇用していますので、「0.5人＋1人＋2人」により、**3.5人**とカウントします。

所定労働時間 対象障害者		30時間以上	20時間以上 30時間未満	10時間以上 20時間未満
身体障害者 知的障害者	重度	2人	1人	0.5人
	重度以外	1人	0.5人	－
精神障害者		1人	0.5人 (当分の間は1人)	0.5人

エ ○ 高雇法16条、同則6条の2。

オ ○ 高雇法20条1項。

以上から、誤っているものの組合せは、**C（イとウ）**です。

【問4】 解答 B

A ○ 育介法16条の6第2項。事業主に引き続き雇用された期間が6ヵ月未満の労働者について、介護休暇の取得の申出を拒むことができるとする規定はありません。引き続き雇用された期間が**6ヵ月に満たない**労働者から、**介護休暇**を取得するための申出があったときは、事業主は、当該申出を**拒むことはできません**。

B × 育介法16条の2第1項。「10労働日」及び「20労働日」とある部分が誤りであり、正しくは、「5労働日」及び「10労働日」です。子の看護等休暇は、**小学校第3学年修了前の子**を養育する労働者が、その事業主に申し出ることにより、一の年度において5労働日（その養育する小学校第3学年修了前の子が**2人以上**の場合にあっては、**10労働日**）を限度として取得することができます。

C ○ 育介法16条の8第1項。**子を養育する労働者のうち、所定外労働の制限の対象となる労働者は、「小学校就学の始期に達するまでの子を養育する労働者」**です。

D ○ 育介法10条。

E ○ 育介法2条4号、同則3条。

【問5】 解答 A

A ○ 社労士法5条3号・6号。

B × 社労士法25条の8第2項1号。社員となることはできません。次の者は、社会保険労務士法人の社員となることができません。

①懲戒処分により社会保険労務士の業務の停止の処分を受け、当該**業務の停止の期間を経過しない者**

②社会保険労務士法人が解散又は業務の停止を命ぜられた場合において、その処分の日**以前30日内**にその社員であった者でその処分の日から**3年**（業務の停止を命ぜられた場合にあっては、当該業務の停止の期間）を経過しないもの

C × 社労士法25条の16。他の事務所にも、常駐させなければなりません。社会保険労務士法人の事務所には、その事務所の所在地の属する都道府県の区域に設立されている**社会保険労務士会の会員である社員を常駐**させなければなりません。2以上の事務所を設ける場合にあっては、**すべての事務所**にこのような社員を常駐させなければなりません。

D × 社労士法2条1項3号、27条。設問の業務（3号業務）は、社会保険労務士又は社会保険労務士法人でない者であっても、行うことができます。社会保険労

務士の業務は、1号業務、2号業務及び3号業務に分けることができますが、このうち社会保険労務士の**独占業務**とされているのは、**1号業務及び2号業務**であり、3号業務は独占業務とされていません。

E ✕ 社労士法25条、25条の2第2項。失格処分を受けることはありません。厚生労働大臣は、社会保険労務士が、**相当の注意を怠り**、真正の事実に反して申請書等の作成を行ったときは、**戒告又は1年以内の業務の停止**の処分をすることができます。

【問6】 解答 C

解説

A ✕ 介保法27条8項、同則38条1項。要介護認定は、その「申請のあった日の属する月の初日」ではなく、「**申請のあった日**」にその効力を生じます。また、要介護認定の有効期間は、次の①②を合算した期間（効力を生じた日が月の初日である場合は、②の期間）となります。

①要介護認定が効力を生じた日から当該日が属する月の末日までの期間

②**6ヵ月間**（市町村が介護認定審査会の意見に基づき特に必要と認める場合にあっては、**3ヵ月間から12ヵ月間**までの範囲内で月を単位として市町村が定める期間（6ヵ月間を除く。））

B ✕ 介保法41条4項1号、49条の2。支給される額の割合は、「**100分の70**」となることもあります。居宅介護サービス費の額は、原則として、居宅サービスにつき算定した費用の額の100分の90相当額（**利用者負担1割**）です。ただし、第1号被保険者で①現役並みの所得がある者については、100分の70相当額（利用者負担3割）、②一定以上の所得がある者については、100分の80相当額（利用者負担2割）となります。

C ◯ 介保法123条1項2号。

D ✕ 介保法15条2項、同令6条1項。任期は、「3年」ではなく、「**2年**（委員の任期を2年を超え3年以下の期間で市町村が条例で定める場合にあっては、当該条例で定める期間）」です。

E ✕ 介保法41条1項、53条1項、70条1項、115条の2第1項。指定介護予防サービス事業者の指定も、**都道府県知事**が行います。

【問7】 解答 E

解説

A ✕ 確定拠出法62条1項2号。個人型年金加入者となることができます。国民

年金の被保険者のうち次の者は、**国民年金基金連合会に申し出て**、個人型年金加入者となることができます。

加入者となることができる者	種類
第1号被保険者（保険料免除者を除く。）	**第1号加入者**
第2号被保険者（企業型掛金拠出者等を除く。）	**第2号加入者**
第3号被保険者	**第3号加入者**
任意加入被保険者のうち次の者 ①日本国内に住所を有する60歳以上65歳未満の者 ②日本国籍を有し、日本国内に住所を有しない20歳以上65歳未満の者	**第4号加入者**

B　✕　確定給付法43条。**厚生年金保険法**に規定する**1級、2級及び3級の障害等級**のうち政令で定めるものの範囲内でなければなりません。国民年金法に規定する1級及び2級の障害等級ではありません。

C　✕　確定給付法30条1項。「事業主」ではなく、「企業年金基金」が裁定します。確定給付企業年金の給付を受ける権利に係る裁定は、受給権者の請求に基づいて、事業主等（**規約型**企業年金にあっては**事業主**、**基金型**企業年金にあっては**企業年金基金**）が行います。

D　✕　確定給付法55条1項。「月1回以上」ではなく、「年1回以上」です。確定給付企業年金を実施する厚生年金適用事業所の**事業主**は、給付に関する事業に要する費用に充てるため、規約で定めるところにより、**年1回以上**、**定期的**に掛金を拠出しなければなりません。

E　○　確定拠出法28条、73条、同法附則2条の2第1項、3条1項。確定拠出年金の給付は、**老齢給付金**、**障害給付金**及び**死亡一時金**の3つです。ただし、**当分の間**の措置として、一定の要件に該当する者に**脱退一時金**も支給しています。

【問8】 解答 D

解説

ア　✕　国保法17条1項。「市町村長」ではなく、「**都道府県知事**」の**認可**です。

イ　✕　国保法58条1項。「出産手当金の支給」ではなく、「**出産育児一時金の支給**」です。設問は、国民健康保険の保険給付のうち、いわゆる**法定任意給付**についてです。条例又は規約の定めるところにより**行うものとする**（特別の理由があるときを除く。）とされている給付は、出産育児一時金の支給、**葬祭費**の支給又は**葬祭の給付**です。

ウ　✕　国保則2条1項。「10日以内」ではなく、「**14日以内**」です。

エ ✕　国保法76条の3第1項。必ず普通徴収の方法によらなければならないとする記述が誤りです。市町村による保険料の徴収については、**特別徴収**（年金からの天引きによる徴収）の方法による場合を除くほか、**普通徴収**の方法によらなければならないものとされています。

オ ◯　国保法6条10号。

以上から、誤っているものは四つであるため、正解はDです。

【問9】　解答▶D

解説

A ◯　高確法69条1項。

B ◯　高確法95条。

C ◯　高確法124条の4第1項。社会保険診療報酬支払基金（**支払基金**）は、出産育児一時金等の支給に要する費用の**一部**に充てるため、**保険者**に対して、出産育児交付金を**交付**します。なお、出産育児交付金は、支払基金が後期高齢者医療広域連合から徴収する**出産育児支援金**をもって充てます。

D ✕　高確法50条1号、51条。設問の者が被保険者とならない旨の規定はありません。後期高齢者医療の被保険者とならない（適用除外）者は、次の①又は②に該当する者です。

　①**生活保護法**による**保護**を受けている世帯（その保護を停止されている世帯を除く。）に属する者

　②上記①のほか、後期高齢者医療の適用除外とすべき特別の理由がある者で厚生労働省令で定めるもの（住民基本台帳法に規定する外国人住民以外の外国人等）

E ◯　高確法128条1項、129条。

【問10】　解答▶C

解説

A ◯　船保法4条1項、6条1項。船員保険を管掌するのは、**全国健康保険協会**です。また、**船員保険協議会**は、船員保険事業の円滑な運営を図るために、全国健康保険協会に置かれます。

B ◯　船保法31条、93条。行方不明手当金は、被保険者（疾病任意継続被保険者を除く。）が職務上の事由により**1ヵ月以上行方不明**となったときに、**被扶養者**に対して支給されます。

C ✕　船保法14条6号。後期高齢者医療の被保険者等となったときは、その日（**当**

日）に、その資格を喪失します。その日の翌日ではありません。

D　○　児手法3条1項。児童手当法における「児童」とは、「18歳に達する日以後の最初の3月31日までの間にある者」であって、①日本国内に住所を有するもの又は②留学等の理由により日本国内に住所を有しないものをいいます。

E　○　児手法8条4項。児童手当の支払期月は、毎年2月、4月、6月、8月、10月及び12月の6期であり、この支払期月に、それぞれの前月までの分が支払われます。なお、前支払期月に支払うべきであった児童手当又は支給すべき事由が消滅した場合におけるその期の児童手当は、その支払期月でない月であっても支払われます。

健康保険法

【問1】 解答 E

解説

ア ○ 健保法55条3項。健康保険法の規定による療養の給付等の疾病又は負傷に関する保険給付は、**同一の疾病又は負傷**について、**介護保険法**の規定によりこれらに相当する給付を受けることができる場合には、**行われません。**

イ ○ 健保法61条。

ウ ○ 健保法58条1項・2項。保険者は、不正行為に加担した事業主にも責任があるものとして、**保険給付を受けた者に連帯**して、不正利得に係る徴収金を納付すべきことを命ずることができます。

エ × 健保法119条、昭26.5.9保発37号。「おおむね30日間」ではなく、「おおむね10日間」を基準として制限が行われます。

オ × 健保法117条。全部を行わないこともできます。被保険者が闘争、泥酔又は著しい不行跡により給付事由を生じさせたときは、当該給付事由に係る保険給付は、その**全部又は一部**を行わないことが**できます。**

以上から、誤っているものの組合せは、E（エとオ）です。

【問2】 解答 C

解説

A ○ 健保法3条7項1号、昭52.4.6保発9号・庁保発9号。被扶養者としての認定対象者が、**60歳以上**の者であって、被保険者と**同一の世帯に属している**場合の認定基準は、次の①②のいずれにも該当することです。設問の母は、この基準を満たしているため、被扶養者と認められます。
①認定対象者の年間収入が**180万円未満**であること。
②認定対象者の年間収入が被保険者の年間収入の**2分の1未満**であること。

B ○ 健保法3条7項2号。配偶者の孫は、**3親等内の親族**（2親等の姻族）に該当します。したがって、被保険者と**同一の世帯**に属し、主としてその被保険者により**生計を維持**していれば、被扶養者と認められます。

C × 健保法45条1項。設問の場合の標準賞与額は、6月が200万円、12月が250万円、翌年3月が100万円と決定されます。健康保険の標準賞与額については、**年度**（毎年4月1日から翌年の3月31日まで）**における累計額の上限が573万円**であり、年度における累計額が573万円を超えることとなる場合には、当該累計額が

573万円となるようその月の標準賞与額が決定され、その年度においてその月の翌月以降に受ける賞与の標準賞与額は零（０円）となります。設問の場合には、年度累計額は550万円となり、上限額である573万円に達していません。したがって、標準賞与額は、６月が200万円、12月が250万円、翌年３月が100万円と決定されます。

D ○ 健保法３条２項。

E ○ 昭36.1.26保発４号。

【問３】 解答 A

解説

A × 健保法16条２項、同令10条３項。健康保険組合の規約の変更（一定の事項に係るものを除く。）の議事は、**組合会議員の定数の３分の２以上の多数**で決します。「出席した組合会議員の過半数」で決するのではありません。

B ○ 健保法17条。

C ○ 健保法28条１項・２項、同令30条１項。健康保険事業の収支が均衡しない健康保険組合であって、政令で定める要件に該当するものとして厚生労働大臣の指定を受けたものを**指定健康保険組合**といいます。指定健康保険組合は、**健全化計画**を定め、**厚生労働大臣の承認**を受けなければなりません。

D ○ 健保法７条の11第３項・４項。全国健康保険協会の理事の任命は、**理事長**が行います。理事を任命した理事長は、**遅滞なく**、これを**厚生労働大臣に届け出る**とともに、**公表**しなければなりません。

E ○ 健保法７条の30。全国健康保険協会の各事業年度に係る業績評価は、**厚生労働大臣**が行います。厚生労働大臣は、この業績評価を行ったときは、**遅滞なく**、全国健康保険協会に対し、評価の結果を**通知**するとともに、これを**公表**しなければなりません。

【問４】 解答 C

解説

A × 健保法42条１項２号。**日、時間、出来高又は請負**によって報酬が定められる者の被保険者の資格取得時の標準報酬月額は、原則として、被保険者の資格を取得した月前１ヵ月間に、当該事業所で、**同様の業務**に従事し、かつ、**同様の報酬**を受ける者が受けた報酬の額を平均した額を報酬月額として決定されます。

B × 健保法41条１項、昭36.1.26保発４号。設問の事業所においては、３月20日締切分、４月20日締切分及び５月20日締切分の賃金が、定時決定に係る報酬月額

の算定の基礎となります。定時決定の対象となる7月1日前「3ヵ月間に受けた報酬」とは、**現実にその3ヵ月間に受けた報酬**を指します。たとえば、設問の事業所のように、3月20日締切分（2月21日から3月20日までの間に提供された労働）の賃金を4月5日に支払う場合には、これを4月に受けた報酬として取り扱います。したがって、設問の事業所においては、**3月20日締切分、4月20日締切分、5月20日締切分**の賃金が、4月、5月、6月の3ヵ月間に受けた報酬となり、これらが定時決定に係る報酬月額の算定の基礎となります。

C　○　昭36.1.26保発4号等。随時改定が行われるためには、**固定的賃金が変動**していなければなりません。残業手当は、非固定的賃金に該当するため、これが変動したのみでは、随時改定の対象とはなりません。

D　×　健保法43条の2第2項。「1ヵ月」ではなく、「2ヵ月」を経過した日の属する月の翌月からです。育児休業等を終了した際の改定は、育児休業等終了日の翌日から起算して**2ヵ月を経過した日の属する月の翌月**から、行われます。なお、有効期間の終期については、正しい記述です。

E　×　健保法43条1項、昭36.1.26保発4号。随時改定は行われません。第49級の標準報酬月額に該当する者について昇給等が行われ、報酬月額が「**1,415,000円以上**」となった場合は、**実質的に2等級以上の差**が生じたものとして、随時改定（第49級から第50級への改定）が行われます。設問の場合は、昇給後の報酬月額が1,355,000円であり、これに該当しません。

【問5】 解答 B

解説

A　○　昭24.7.28保発74号。法人の代表者又は業務執行者は、法人から**労務の対償**として報酬を受けていれば、法人に使用される者として**被保険者となります**。

B　×　健保法39条1項。「事業所を任意適用事業所とすることについての厚生労働大臣の認可があった場合の被保険者の資格の取得」は、保険者等の確認を要します。保険者等の確認を要しないのは、次の①②です。

①事業所を任意適用事業所でなくすることについての厚生労働大臣の認可（**任意適用事業所の取消しの認可**）があった場合の被保険者の資格の**喪失**

②**任意継続被保険者**（特例退職被保険者を含む。）の資格の**取得及び喪失**

C　○　昭24.7.7職発921号。労働組合の専従役職員となった被保険者については、労働組合法の規定により、報酬の支給が禁止されます。したがって、従前の事業主に使用される者ではなくなるため、従前の事業主との関係においては被保険者の資格を喪失します。この者は、当該労働組合が適用事業所であれば、**労働組合に使**

用される者として**被保険者となります**。

D　○　健保法3条1項5号。

E　○　健保法3条1項8号。

【問6】 解答 B

解説

A　×　健保法161条1項。設問のような規定はありません。一般の被保険者に係る保険料額は、被保険者及び被保険者を使用する事業主が、それぞれその2分の1を負担します。協会管掌健康保険においては、この負担割合を変更することはできません。なお、健康保険組合は、規約で定めるところにより、**事業主の負担**すべき一般保険料額又は介護保険料額の負担の割合を**増加**することができます。

B　○　健保法160条10項。

C　×　健保法48条、同則25条1項。「同月末日」ではなく、「同月10日」です。事業主は、毎年7月1日現に使用する被保険者（その年の定時決定を行わない者を除く。）について、**報酬月額算定基礎届**（定時決定に係る届出）を、**7月10日まで**に提出しなければなりません。

D　×　健保則1条の2第1項、2条1項。全国健康保険協会を選択しようとするときの提出先が誤りです。**全国健康保険協会**を選択しようとするときは、**厚生労働大臣**（実際には日本年金機構）に届書を提出することによって行います。なお、これ以外は正しい記述です。

E　×　健保法156条3項。保険料徴収の対象となるのは、令和7年6月までです。**前月から引き続き**被保険者である者がその資格を喪失した場合においては、**その月分の保険料は徴収されません**。したがって、設問の者が被保険者の資格を喪失した令和7年7月は保険料徴収の対象とはならず、令和7年6月までが保険料徴収の対象となります。

【問7】 解答 D

解説

A　○　健保法102条1項。任意継続被保険者の出産については、出産手当金は**支給されません**。また、一般の被保険者の資格を喪失した際に出産手当金の支給を受けているか、又は受けることができる状態にある場合は、資格喪失後の継続給付としての出産手当金の支給対象となりますが、設問は任意継続被保険者の資格を取得（一般の被保険者の資格を喪失）してから10ヵ月後の出産であるため、継続給付としての出産手当金が支給される可能性もありません。

B ○ 健保法100条1項、昭2.7.14保理2788号、昭7.4.25保規129号。埋葬料は、被保険者が死亡したときに、その者により**生計を維持していた者**であって、**埋葬を行うもの**に対し、支給されます。この「生計を維持していた者」については、生計を維持していた事実があれば足り、同居又は別居の別は問いません。

C ○ 健保法88条1項、同則67条。

D × 健保法99条4項、昭26.1.24保文発162号。支給期間の起算日は、「6月1日」です。「5月23日」ではありません。傷病手当金の支給期間は、同一の傷病等に関し、その支給を始めた**日**から**通算して1年6ヵ月間**です。設問では、傷病手当金の支給が6月1日から始められているため、傷病手当金の支給期間は、6月1日から通算して1年6ヵ月間となります。

E ○ 健保法103条1項。

【問8】 解答 E

解説

A × 昭26.10.16保文発4111号。療養の給付は行われます。被保険者の**資格取得が適正**である限り、その資格取得前の疾病又は負傷に対しても、保険給付（療養の給付等）は行われます。

B × 健保法68条2項。「病床を有しているか否かを問わず」とある部分が誤りです。設問は、保険医療機関等の指定の自動更新についてですが、この自動更新の対象となるのは、保険医療機関（病院及び**病床を有する診療所**を除く。）又は保険薬局であって厚生労働省令で定めるもの（いわゆる個人開業医・個人薬局等）です。病床を有する診療所は、指定の自動更新の対象となりません。

C × 健保法36条1号、昭27.10.3保文発5383号。「死亡日の属する月の翌月から」ではなく、「死亡日の翌日から」です。家族療養費等の被扶養者に関する保険給付は、**被保険者に対して支給**されるものです。したがって、被保険者が死亡してその資格を喪失したときは、保険給付を受ける者がいなくなるため、その**死亡した日の翌日**（資格喪失日）から、家族療養費の支給は打ち切られます。

D × 昭59.9.29保険発74号・庁保険発18号。支給回数は通算されます。高額療養費の多数回該当に関し、支給回数が通算されないのは、**保険者が変わった場合**です。設問では、前後がいずれも協会管掌健康保険の被保険者であり、保険者が同じであるため、支給回数は**通算されます**。

E ○ 健保令42条1項3号。

【問9】 解答 C

解説

ア × 健保法63条2項1号、85条の2第1項。「一般病床又は療養病床」ではなく、「療養病床」です。**特定長期入院被保険者**とは、療養病床に入院する被保険者であって、**65歳に達する日の属する月の翌月以後**であるものをいいます。この特定長期入院被保険者が保険医療機関等のうち自己の選定するものから、電子資格確認等により、被保険者であることの確認を受け、療養の給付と併せて受けた**生活療養**に要した費用について、**入院時生活療養費**が支給されます。

イ × 保険医療機関及び保険医療養担当規則5条の4第1項。患者申出療養を行う場合も、あらかじめ、患者に対し、その内容及び費用に関して説明を行い、その同意を得なければなりません。保険医療機関は、評価療養、患者申出療養又は選定療養を行うにあたっては、**あらかじめ**、①患者に対して内容及び費用の**説明**を行い、②患者の**同意**を得なければなりません。

ウ ○ 昭56.2.25保険発10号・庁保険発2号。

エ ○ 健保則82条2項。

オ × 昭26.5.1保文発1346号。再び継続給付を受けることはできません。傷病手当金の継続給付を受けている者が、一旦**労務可能**となり傷病手当金が不支給となった場合には、完全治ゆであるか否かにかかわらず、その時点で当該**傷病手当金の支給が終了**します。その後さらに労務不能となっても、当該傷病手当金の支給は復活しません。

以上から、誤っているものは三つであるため、正解は**C**です。

【問10】 解答 B

解説

A × 健保法152条1項。健康保険組合に対して交付する国庫負担金の算定の基準となるのは、各健康保険組合における「**被保険者数**」です。「被保険者の総報酬額の平均額」ではありません。

B ○ 健保令43条の2第1項。高額介護合算療養費の支給対象となるのは、計算期間（前年8月1日から7月31日までの期間）中に健康保険と介護保険の**両方**において**自己負担**があった世帯です。したがって、設問のように、介護サービス利用者負担額及び介護予防サービス利用者負担額がともに零である場合には、高額介護合算療養費は支給されません。

C × 保険医療機関及び保険医療養担当規則9条。保存期間は、帳簿及び書類そ

の他の記録については**3年間**、患者の診療録については**5年間**です。

D　×　健保法193条1項、昭30.9.7保険発199号。起算日は、「労務に服さなかった日ごとにその翌日」です。「労務に服さなかった日の属する月の翌月1日」ではありません。出産手当金を受ける権利は、**労務に服さなかった日ごと**に発生します。したがって、消滅時効の起算日は、権利が発生する日である労務に服さなかった日ごとに、**その翌日**となります。

E　×　健保法105条1項。「一般の被保険者であった期間が引き続き1年以上であったときに限り」とする記述が誤りです。資格喪失後の死亡に関する給付は、次のいずれかに該当する場合に、行われます。設問は③についてですが、③の場合には、資格喪失前の被保険者であった期間の長短（引き続き1年以上であったか否か）は問われません。

①傷病手当金又は出産手当金の**継続給付を受けている者**が死亡したとき。

②傷病手当金又は出産手当金の継続給付を受けていた者が、その給付を**受けなくなった日後3ヵ月以内**に死亡したとき。

③（上記①②以外の）被保険者であった者がその**資格を喪失した日後3ヵ月以内**に死亡したとき。

厚生年金保険法

【問1】 解答 B

解説

A　×　厚年法78条の14第1項。「第1号被保険者又は第3号被保険者」ではなく、「第3号被保険者」です。3号分割制度における特定被保険者及び被扶養配偶者の定義は、以下のとおりです。

・特定被保険者……**被保険者又は被保険者であった者**をいう。

・被扶養配偶者……特定被保険者の配偶者として国民年金の**第3号被保険者に該当していたもの**をいう。

B　○　厚年令3条の12の12。特定期間に係る被保険者期間には、特定期間の初日の属する**月**から特定期間の末日の属する**月の前月**までの期間が算入されます。ただし、特定期間の初日と末日が**同一の月**に属するときは、その月は、特定期間に係る被保険者期間に**算入しません**。

C　×　厚年法78条の2第1項、同則78条の2第1項。第2号改定者が国民年金の任意加入被保険者であった期間についても、標準報酬改定請求をすることができます。

D　×　厚年法78条の4。標準報酬改定請求後は、設問の情報の提供を請求することができません。合意分割制度に係る当事者又はその一方は、実施機関に対し、標準報酬改定請求を行うために必要な情報（対象期間標準報酬総額、按分割合の範囲、これらの算定の基礎となる期間等）の提供を請求することができます。ただし、この請求は、①当該請求が**標準報酬改定請求後**に行われた場合、②離婚等から**2年を経過したとき**、③以前に情報の提供を受けた日の翌日から起算して**3ヵ月を経過していない場合**（一定の場合を除く。）は、することができません。

E　×　厚年法42条、78条の6第3項、78条の11等。65歳から支給される（原則支給の）老齢厚生年金の支給を受けることができます。**離婚時みなし被保険者期間**は、原則支給の老齢厚生年金の支給要件となる被保険者期間から**除かれていません**。したがって、設問の者は、厚生年金保険の被保険者期間を1ヵ月以上（60ヵ月）有し、かつ、老齢基礎年金の受給資格期間を満たしているので、65歳から、原則支給の老齢厚生年金の支給を受けることができます。

【問2】 解答 D

解説

A　×　厚年法65条の2。支給は停止されません。受給権者が60歳に達するまでの

期間、遺族厚生年金の支給が停止される（若年停止となる）のは、**夫、父母**又は**祖父母**に対する遺族厚生年金です。妻に対する遺族厚生年金が、若年停止となることはありません。なお、夫に対する遺族厚生年金については、同一の死亡について、夫が遺族基礎年金の受給権を有するときは、夫が60歳未満であっても、若年停止となりません。

B　✕　厚年法63条１項５号イ。「妻が30歳に達したとき」ではなく、「当該遺族厚生年金の受給権を取得した日から起算して５年を経過したとき」です。**30歳未満の妻**の有する遺族厚生年金の受給権は、次の①②の区分に従い、それぞれに掲げる日から起算して５年を経過したときに、消滅します。設問は、①についてです。

①子のない妻……遺族厚生年金の受給権を**取得**した日

②30歳に到達する日前に**遺族基礎年金**の受給権が消滅した妻……遺族基礎年金の受給権が**消滅**した日

C　✕　厚年法63条１項３号。受給権は消滅しません。遺族厚生年金の受給権は、受給権者が**直系血族及び直系姻族以外**の者の養子となったときは、消滅します。祖父母は直系血族であるため、祖父母の養子となっても、子の有する遺族厚生年金の受給権は、消滅しません。

D　〇　厚年法63条２項２号。障害等級１級又は２級に該当する障害の状態にある子の有する遺族厚生年金の受給権は、18歳に達する日以後の最初の３月31日が終了しても消滅せず、その後、次の①②のいずれかに該当するに至ったときに、消滅します。設問の子は、19歳のときに障害等級３級となり、①に該当するため、受給権が消滅します。

①障害等級１級又は２級に該当する**障害の状態がやんだとき**。

②20歳に達したとき。

E　✕　厚年法66条２項。支給が停止されます。配偶者に対する遺族厚生年金は、同一の死亡について、配偶者が**遺族基礎年金の受給権を有しない**場合であって子が当該**遺族基礎年金の受給権を有する**ときは、その間、その支給が停止されます（子に全額支給）。なお、子に対する遺族厚生年金が当該子の所在不明によりその支給を停止されている間は、配偶者に対する遺族厚生年金の支給は停止されません。

【問３】　解答▶B

解説

A　〇　厚年法附則９条の２第２項１号、平16法附則36条１項等。

B　✕　厚年法附則７条の５第１項。支給が停止される額は、「9,000円」ではなく、「6,000円」です。設問の場合は、標準報酬月額がみなし賃金日額に30を乗じて得

た額の100分の50（＝15万円÷30万円）となり、**100分の64未満**であることから、その月分の老齢厚生年金の額について、標準報酬月額に100分の4を乗じて得た額が支給停止となります。したがって、支給停止となる額は、6,000円（＝15万円×100分の4）です。

C ○ 厚年法43条1項、昭60法附則59条1項、同別表第7。

D ○ 厚年法附則11条の5による法附則7条の4の準用、同令6条の4。特別支給の老齢厚生年金と基本手当との調整が行われる場合は、調整対象期間に属する各月について、老齢厚生年金の支給が停止されます。この支給停止の例外として、**基本手当の支給を受けた日とみなされる日**及びこれに**準ずる日**（待期期間又は給付制限期間に属する日）が1日もない月については、調整対象期間であっても、老齢厚生年金の支給は停止されません。給付制限期間に属する日が1日でもあれば例外に該当しないため、設問のように給付制限期間であることにより基本手当が支給されない月についても、老齢厚生年金の支給は停止されます。

E ○ 厚年法附則7条の4第3項。事後精算は、次の計算式による数（支給停止解除月数）が1以上であるときに、その数に相当する月数分の直近の各月について行われます。

> 支給停止月数 － （基本手当の支給を受けた日とみなされる日数÷30）
> ※（　）内の計算式の1未満の端数は1に切上げ

設問をこれにあてはめると、「5 －（100÷30）＝1」となります。事後精算により、年金停止月（老齢厚生年金の支給が停止された月）のうち、直近の1ヵ月について、老齢厚生年金の支給停止が行われなかったものとみなされます（さかのぼって支給停止が解除される。）。

【問4】 解答▶E

解説

A ○ 厚年法14条3号。

B ○ 厚年法18条の2第2項。

C ○ 厚年法9条、12条1項1号。

D ○ 厚年法6条1項1号、昭18.4.5保発905号。

E × 厚年法6条3項・4項。「適用除外となる者を含めて」とする記述が誤りです。適用事業所以外の事業所の事業主が、当該事業所を適用事業所（任意適用事業所）とするためには、当該事業所に使用される者（**適用除外に該当する者を除く。**）の2分の1以上の同意を得た上で、厚生労働大臣の認可を受けなければなりません。

【問5】 解答 A

解説

ア ○ 厚年法28条の2第1項。

イ ○ 厚年法43条1項、平12法附則20条1項。平成15年4月以後の期間とは、総報酬制導入後の期間であり、この期間については、**標準報酬月額**及び標準賞与額に基づいて、**平均標準報酬額**を計算します。

ウ × 厚年法100条の6第3項。滞納処分等をしたときの報告先は、**厚生労働大臣**です。納付義務者の居住地又はその者の財産所在地の市町村ではありません。

エ × 厚年法81条の2の2第1項。「5月分まで」ではなく、「4月分まで」です。産前産後休業期間中の保険料の免除は、当該休業を**開始した日の属する月**から当該休業が**終了する日の翌日が属する月**の前月までの期間につき行われます。したがって、設問の場合は、2月から**4月**までの各月に係る保険料が免除されます。

オ × 厚年法100条の10第1項4号。裁定を日本年金機構に行わせるものとはされていません。保険給付を受ける権利の裁定に係る事務は、事務の委託の規定により、日本年金機構に行わせるものとされていますが、当該委託される事務からは、**裁定は除かれています**。

以上から、正しいものの組合せは、**A（アとイ）**です。

【問6】 解答 C

解説

A ○ 厚年法85条4号。

B ○ 厚年法84条1項。

C × 厚年法82条3項、同令4条4項。設問の場合には、**船舶所有者**が、被保険者に係る**保険料の半額を負担**し、当該保険料及び当該被保険者の負担する保険料を**納付する義務**を負います。船舶所有者以外の事業主は、保険料を負担する必要はなく、保険料を納付する義務も負いません。

D ○ 厚年法83条1項。保険料を全額自己負担する高齢任意加入被保険者に係る保険料の納期限は、**翌月末日**です。厚生年金保険の保険料の納期限は、第4種被保険者に係るもの（その月の10日）を除き、**翌月末日**です。

E ○ 厚年法83条2項。

【問7】 解答 B

解説

A ○ 厚年法54条。

B × 厚年法52条1項・7項。改定は、受給権者が60歳以上であっても、行われます。実施機関による改定の規定が適用されないのは、**65歳以上の者**（又は繰上げ支給の老齢基礎年金の受給権者）であって、かつ、障害等級が**当初から3級**であるものについてです。

C ○ 厚年法50条の2第1項。

D ○ 厚年法47条の3第2項。基準障害による障害厚生年金が支給されるためには、**基準傷病**について、**初診日要件**及び**保険料納付要件**を満たしていなければなりません。

E ○ 厚年法47条1項。

【問8】 解答 E

解説

A ○ 厚年法46条1項、昭60法附則62条1項。

B ○ 厚年法附則9条の2第1項。特別支給の老齢厚生年金の受給権者であって、次の①②のいずれにも該当するものは、障害者の特例の適用を請求することができます。このうちの①については、障害等級に該当する程度の障害の状態にあれば足り、障害厚生年金の受給権者である必要はありません。

①傷病により**障害等級（3級以上）**に該当する障害の状態にあること。

②**被保険者でないこと**（資格を喪失していること）。

C ○ 厚年法43条3項。退職時改定は、資格を喪失した日から起算して1ヵ月を**経過した日の属する月**から行われます。ただし、この「1ヵ月を経過した日」は、事業所に使用されなくなったこと等により資格を喪失した場合には、**その日**（事業所に**使用されなくなった日**等）から起算します。したがって、設問の場合は、事業所に使用されなくなった日である3月31日から起算して1ヵ月を経過した日（4月30日）の属する月である4月から、年金額が改定されます。

D ○ 厚年法46条6項、同令3条の7。

E × 厚年法44条1項等。加算されます。老齢厚生年金の額に加給年金額が加算されるためには、老齢厚生年金の額の計算の基礎となる被保険者期間の月数が240以上であることが必要です。老齢厚生年金の受給権者がその権利を取得した当時、その額の計算の基礎となる被保険者期間の月数が240未満であった場合であっても、その後、在職定時改定又は退職時改定により当該月数が240以上となるに至ったと

きは、**240以上となるに至った当時**に生計を維持する加給年金額対象者があれば、そのときから、加給年金額が**加算されます**。

【問9】 解答 C

解説

A ✕ 厚年法55条1項。障害手当金は支給されます。障害手当金は、傷病に係る**初診日において被保険者**であった者が、当該初診日から起算して**5年を経過する日**までの間におけるその傷病が**治った日**において、その傷病により政令で定める程度の障害の状態にある場合に、その者に支給されます。

B ✕ 厚年法58条1項2号。遺族厚生年金は支給されません。被保険者であった者が死亡した場合に、遺族厚生年金が支給されるためには、保険料納付要件に加え、次の①及び②をいずれも満たさなければなりません。設問の場合には、①は満たしていますが、死亡日である「令和7年12月10日」は初診日である「令和2年4月15日」から5年を経過しているため、②を満たしておらず、遺族厚生年金は支給されません。

①被保険者であった間に**初診日がある傷病**により死亡したこと。

②初診日から起算して**5年を経過する日前**に死亡したこと。

C ◯ 厚年法65条。

D ✕ 厚年法附則29条4項。設問は、保険料率に2分の1を乗じていない点が誤りです。支給率は、最終月の属する年の前年（又は前々年）10月の保険料率に2分の1を乗じて得た率に、被保険者であった期間に応じて**政令で定める数**（6～60）を乗じて得た率です。

E ✕ 厚年法74条。設問の事由により障害の程度を増進させたときは、障害厚生年金の額の**増額改定を行わないことができます**。減額改定を行うことができるのではありません。

【問10】 解答 D

解説

A ✕ 厚年法附則29条6項。「社会保険審査官」ではなく、「社会保険審査会」に対して審査請求を行うことができます。

B ✕ 厚年法78条の33第1項。「障害認定日」ではなく、「初診日」です。障害厚生年金の支給要件を満たした者が2以上の種別の被保険者であった期間を有する場合は、初診日における**被保険者の種別**により、その種別に応じた実施機関（厚生労働大臣又は共済組合等）が、当該障害厚生年金を支給します。

C ✕ 厚年法78条の27。加給年金額は加算されます。老齢厚生年金の加給年金額の加算に係る要件（被保険者期間の月数が**240以上**）に該当するか否かを判断する場合は、2以上の種別に係る被保険者期間を**合算します**。設問の場合、被保険者期間は合算して30年（360月）となるため、加給年金額は**加算されます**。

D ◯ 厚年法27条、同則19条の2の2第1項。産前産後休業を終了した際の標準報酬月額の改定は、**被保険者の申出**に基づいて行われますが、報酬月額の変更については、事業主が届出の義務を負います。この報酬月額変更届は、船舶所有者以外の事業主の場合は、**速やかに**、提出しなければなりません。

E ✕ 厚年則22条1項3号。提出する必要はありません。適用事業所以外の事業所に使用される高齢任意加入被保険者が、①厚生労働大臣の**認可**又は②老齢（退職）年金の**受給権取得**により資格を喪失した場合には、被保険者資格喪失届の提出は不要です。

国民年金法

【問1】 解答 C

解説

A ✕ 国年法37条。設問の場合、所定の要件に該当する配偶者又は子があれば、遺族基礎年金は支給されます。設問の者は、保険料納付済期間を20年、保険料免除期間を10年有しており、**保険料納付済期間と保険料免除期間とを合算した期間が25年以上です**。この者が死亡した場合は、保険料納付要件を問わず、所定の遺族に遺族基礎年金が支給されます。

B ✕ 国年法5条7項、37条の2第1項。後半が誤りです。遺族基礎年金を受けることができる子は、死亡した被保険者等の**法律上の子**（実子又は養子）に**限られます**。届出をしていないが事実上養子縁組関係と同様の事情にあった者は、遺族基礎年金を受けることができる子となりません。

C ◯ 国年法37条、昭60法附則20条2項、平6法附則11条1項等。設問の場合は、**保険料納付要件を満たさない**ため、遺族基礎年金は支給されません。設問は「被保険者の死亡」であることから、遺族基礎年金が支給されるためには、保険料納付要件を満たさなければなりません。設問の者は、原則の保険料納付要件（3分の2要件）を満たしておらず、また、特例による任意加入被保険者（**65歳以上**）であるため、特例の保険料納付要件は適用されません。

D ✕ 国年法39条の2第2項。「増減を生じた日の属する月から」ではなく、「増減を生じた日の属する月の翌月から」です。子に遺族基礎年金が支給されている場合において、受給権を有する子の数に増減を生じたときは、年金額の計算に係る支給総額及び子の数が変わるため、遺族基礎年金の額を改定します。この年金額の改定は、子の数に**増減を生じた**日の属する**月の翌月**から行います。

E ✕ 国年法41条の2第2項。設問の支給停止の解除の申請は、**いつでも、**することができます。

【問2】 解答 A

解説

ア ✕ 国年法7条1項3号、8条5号、同法附則5条8項3号、同則1条の3第2号。7月11日ではなく、7月10日（婚姻をした日）に、任意加入被保険者の資格を喪失し、第3号被保険者の資格を取得します。任意加入被保険者が強制被保険者の要件に該当したときは、**その日**に、当該強制被保険者の資格を取得し、任意加入被保険者の資格を喪失します。設問の者は、婚姻をした令和7年7月10日

に第３号被保険者の要件に該当するため、上記の資格の取得及び喪失は、婚姻を した当日となります。

イ ○ 平16法附則23条１項。設問の者は、国民年金の被保険者期間が第２号被保 険者としての保険料納付済期間８年のみであるため、**老齢給付等の受給権を有して いません**。また、**昭和40年４月１日以前**生まれで、日本国内に住所を有する**65歳 以上70歳未満**の者です。したがって、厚生労働大臣に**申し出て**、**特例による任意 加入被保険者**となることができます。

ウ × 国年法附則５条５項４号。65歳に達するまで継続して保険料を納付するこ とはできません。原則による任意加入被保険者は、老齢基礎年金の額に反映される 月数を合算した月数が**480に達した**ときは、その資格を**喪失します**。設問の者は、 60歳までに保険料納付済期間が38年（456月）あり、任意加入被保険者として保険 料を２年（24月）納付すれば、上記の月数が480に達します。480に達したとき（62 歳のとき）に任意加入被保険者の資格を喪失するため、65歳に達するまで継続して 任意加入被保険者として保険料を納付することはできません。

エ ○ 国年法７条１項２号、８条４号。

オ ○ 国年法７条１項１号、８条２号。

以上から、誤っているものの組合せは、A（アとウ）です。

【問３】 解答 D

解説

A × 国年法35条２号。受給権は消滅しません。障害基礎年金の受給権は、厚生 年金保険法に規定する**障害等級（１級～３級）に該当する程度の障害の状態にな い者**が、**65歳に達したとき**（65歳に達した日において、当該障害の状態に該当し なくなった日から起算して**３年を経過していないときを除く**。）は、消滅します。 設問の者は、依然として障害等級３級に該当する程度の障害の状態にあるため、当 該障害の状態にある限り、受給権は消滅しません。

B × 国年法33条の２第１項・２項。子に係る加算額が再び加算されます。障害 基礎年金の額に係る子の加算は、受給権者によって**生計を維持**しているその者の子 （①**18歳に達する日以後の最初の３月31日**までの間にある子及び②**20歳未満**であ って**障害等級**に該当する障害の状態にある子に限る。）があれば、行われます。こ の要件に該当するか否かは、**随時に判断**されます。設問の子は、前記①に該当しな くなった後に、改めて前記②に該当したため、再び加算の対象となります。

C × 国年法34条４項。額の改定を請求することはできません。設問の者には、そ

の他障害が発生していますが、その他障害による改定請求をすることができるのは、当該**その他障害の障害認定日以後**65歳に達する日の前日までの間に限られます。

D　○　国年法30条の4第1項。**初診日において20歳未満であった者**が、**20歳に達した日**（障害認定日が20歳に達した日後であるときは、障害認定日）において、障害等級に該当する程度の障害の状態にあるときは、その者に障害基礎年金（当然支給型の20歳前の傷病による障害基礎年金）が**支給されます**。設問の者はこれに該当するため、裁定請求時の年齢にかかわらず、障害基礎年金が支給されます。

E　×　国年法30条1項。受給権は発生します。障害基礎年金の受給権は、初診日要件、障害認定日要件及び保険料納付要件を満たす者に発生します。初診日要件とは、初診日において、次のいずれかに該当することです。設問の者は、このうちの②に該当します。また、設問の者は、障害認定日要件及び保険料納付要件も満たしています。

①**被保険者**であること。

②被保険者であった者であって、**日本国内に住所を有し**、かつ、**60歳以上65歳未満**であること。

【問4】 解答 B

解説

A　×　国年法27条4号・5号。「480から保険料納付済期間の月数を控除して得た月数」とする記述が誤りです。平成21年4月以後の保険料半額免除期間の月数のうち、4分の3に相当する月数が老齢基礎年金の額の計算の基礎とされるのは、「480から**保険料納付済期間の月数**及び**保険料4分の1免除期間の月数**を合算した月数を控除して得た月数」です。つまり、「480－（保険料納付済期間の月数＋保険料4分の1免除期間の月数）」までの月数は**4分の3**と評価し、これを超える月数は**4分の1**と評価します。

B　○　国年法26条。老齢基礎年金は、次の①〜③の要件をすべて満たす者に支給されます。設問の者は、保険料納付済期間と保険料免除期間とを合算した期間を12年有し（②の要件を満たし）、かつ、①③の要件も満たしています。

①保険料納付済期間又は保険料免除期間（学生納付特例及び納付猶予による期間を除く。）を有すること。

②**保険料納付済期間**と**保険料免除期間**とを合算した期間が**10年以上**ある（受給資格期間を満たしている）こと。

③**65歳に達した**こと。

C　×　昭60法附則8条5項10号。「昭和57年3月31日まで」ではなく、「昭和56年

12月31日まで」です。昭和36年4月1日から昭和56年12月31日までの期間は、日本国内に住所を有していても、日本国籍を有しない者は、被保険者としての適用を除外され、任意加入することもできませんでした。このため、その期間は合算対象期間とされます。

D ✕ 国年法29条。日本国内に住所を有しなくなっても、老齢基礎年金の受給権は消滅しません。老齢基礎年金の受給権が消滅するのは、受給権者が**死亡**したときのみです。

E ✕ 国年法28条1項。支給繰下げの申出をすることができます。老齢基礎年金の支給繰下げの申出をすることができないのは、①**65歳に達した**ときに障害基礎年金等の**他の年金たる給付**の受給権者であった者及び②65歳に達した日から**66歳に達した日までの間**において**他の年金たる給付**の受給権者となった者です。設問の障害基礎年金は、65歳に達したときにその受給権が消滅しているため、上記①②に該当せず、老齢基礎年金の支給繰下げの申出をすることができます。

【問5】 解答 A

解説

A ✕ 国年法20条1項、同法附則9条の2の4。併給することができます。受給権者が**65歳以上**である場合は、異なる支給事由に基づく年金であっても、次の①〜③の組合せの年金は併給することができます。
①老齢基礎年金（＋付加年金） ＋ 遺族厚生年金
②障害基礎年金 ＋ 老齢厚生年金
③**障害基礎年金 ＋ 遺族厚生年金**

B ◯ 国年法18条1項。年金給付の支給は、支給すべき**事由が生じた日の属する月の翌月**から始められます。設問の場合、遺族基礎年金を支給すべき事由が生じた日（受給権発生日）は、死亡日である令和7年4月30日ですので、その支給は、同年5月から始められます。

C ◯ 国年法19条1項。

D ◯ 国年法73条。

E ◯ 国年法89条1項。法定免除の事由に該当するに至ったときは、その該当するに至った日の属する**月の前月**からこれに該当しなくなる日の属する**月まで**の期間に係る保険料の納付が免除されます。設問では、障害基礎年金の受給権者となって法定免除の事由に該当したのが令和7年3月ですので、保険料は、その前月である令和7年2月分から免除されます。

【問6】 解答 C

解説

A ○ 国年法43条、46条1項、同法附則9条の2第3項。

B ○ 国年法44条。

C × 国年法52条の6。設問の場合は、その者の**選択**により、死亡一時金と寡婦年金のうち、**いずれか一方が支給**され、他方は支給されません。寡婦年金が優先されるのではありません。

D ○ 国年法52条の2第1項。

E ○ 国年法49条1項。

【問7】 解答 D

解説

A ○ 国年令10条1項。保険料の追納において、追納に係る加算が行われないのは、免除月の属する年度の**4月1日から起算して3年以内**（免除月が3月の場合は翌々年の4月まで）に追納する場合です。設問では、免除月のすべてが令和4年度に属し、令和4年4月1日から起算して3年以内である令和7年3月末日までに追納するため、追納に係る加算は行われません。

B ○ 国年法93条3項。

C ○ 国年則23条1項。

D × 国年法17条1項。設問の場合の端数処理は、「**50銭未満の端数**が生じたときは、これを**切り捨て**、50銭以上1円未満の端数が生じたときは、これを1円に**切り上げる**」ことにより行います。

E ○ 国年法25条。

【問8】 解答 A

解説

A ○ 平21.12.28厚労告529号。申請によって保険料が免除される「厚生労働大臣が指定する期間」は、「申請のあった日の属する月の**2年2ヵ月**（保険料の納期限から2年を経過したものを**除く**。）前の月から当該申請のあった日の属する年の**翌年6月**（申請月が1月〜6月の場合はその年の6月）までの期間のうち必要と認める期間」です。令和7年7月10日に免除の申請をした場合をこれにあてはめると、「令和5年6月から令和8年6月まで」となります。2年2ヵ月前の月である令和5年5月は、免除の申請をした時点で保険料の納期限から2年を経過しています。

B × 国年法90条の3第1項、同令6条の9。設問の第1号被保険者は、学生納付

特例の適用を受けることができます。学生納付特例において、免除事由に該当しなければならないのは、**学生等である第１号被保険者等**のみであり、世帯主等が免除事由に該当しているか否かは**問われません。**

C　✕　国年法94条の３第２項、同令11条の３。保険料納付済期間を有する者のみではありません。保険料４分の１免除期間、保険料半額免除期間又は保険料４分の３免除期間を有する者も含まれます。基礎年金拠出金の額の算定にあたり、その算定の基礎となる当該年度における被保険者の総数は、次の者を基礎として計算します。

> ・第１号被保険者：**保険料納付済期間、保険料４分の１免除期間、保険料半額免除期間又は保険料４分の３免除期間を有する者**
> ・第２号被保険者：**20歳以上60歳未満**の者
> ・第３号被保険者：**すべての者**

D　✕　国年法85条１項１号。設問の基礎年金に、「寡婦年金」は含まれません。国庫は、毎年度、第１号被保険者に係る基礎年金給付費（特別国庫負担額を除いた費用）の**２分の１**に相当する額を負担します。基礎年金給付費とは、**老齢基礎年金、障害基礎年金**及び**遺族基礎年金**の給付に要する費用のことであり、寡婦年金の給付に要する費用は含まれていません。

E　✕　国年法85条１項１号・３号。「100分の50」ではなく、「100分の60」です。**20歳前の傷病による障害基礎年金**の給付に要する費用については、その**100分の60**（原則的な国庫負担100分の40＋特別国庫負担100分の20）に相当する額を国庫が負担します。

【問9】 解答 C

解説

A　◯　国年令４条。

B　◯　国年法16条の２第１項。

C　✕　国年法７条１項２号・３号、同法附則３条。設問の妻は、第３号被保険者とはなりません。第３号被保険者となるためには、**第２号被保険者の被扶養配偶者**である必要があります。設問の夫は、66歳で在職老齢年金の受給権者であることから、第２号被保険者としての適用を**除外されます。**したがって、設問の妻は、「第２号被保険者の被扶養配偶者」に該当しないため、第３号被保険者とはなりません。

D　◯　国年令12条の４。昭和37年４月２日以後生まれの者に係る減額率は、「1,000分の４×支給繰上げを請求した日の属する月から65歳に達する日の属する月の前

月までの月数」により計算されます。

E　○　国年法27条の３第１項。

【問10】 解答 E

解説

A　○　国年法116条１項、127条１項。

B　○　国年法127条１項。

C　○　国年法128条１項。

D　○　国年法127条３項３号。国民年金基金の加入員が**保険料の全額又は一部の額につき納付を免除**された場合の加入員の資格喪失日は、当該保険料を免除された月の初日です。

E　×　国年法129条２項。規約で定める年齢に達したときに消滅させることはできません。老齢基礎年金の受給権者に対し国民年金基金が支給する年金（老齢に関する年金）は、当該**老齢基礎年金の受給権の消滅**事由以外の事由によって、その受給権を消滅させるものであってはなりません。

— MEMO —

《予想模擬試験　解答用紙》

【選択式】

労働基準法及び労働安全衛生法
A ①②③④⑤⑥⑦⑧⑨⑩⑪⑫⑬⑭⑮⑯⑰⑱⑲⑳
B ①②③④⑤⑥⑦⑧⑨⑩⑪⑫⑬⑭⑮⑯⑰⑱⑲⑳
C ①②③④⑤⑥⑦⑧⑨⑩⑪⑫⑬⑭⑮⑯⑰⑱⑲⑳
D ①②③④⑤⑥⑦⑧⑨⑩⑪⑫⑬⑭⑮⑯⑰⑱⑲⑳
E ①②③④⑤⑥⑦⑧⑨⑩⑪⑫⑬⑭⑮⑯⑰⑱⑲⑳

労働者災害補償保険法
A ①②③④⑤⑥⑦⑧⑨⑩⑪⑫⑬⑭⑮⑯⑰⑱⑲⑳
B ①②③④⑤⑥⑦⑧⑨⑩⑪⑫⑬⑭⑮⑯⑰⑱⑲⑳
C ①②③④⑤⑥⑦⑧⑨⑩⑪⑫⑬⑭⑮⑯⑰⑱⑲⑳
D ①②③④⑤⑥⑦⑧⑨⑩⑪⑫⑬⑭⑮⑯⑰⑱⑲⑳
E ①②③④⑤⑥⑦⑧⑨⑩⑪⑫⑬⑭⑮⑯⑰⑱⑲⑳

雇 用 保 険 法
A ①②③④⑤⑥⑦⑧⑨⑩⑪⑫⑬⑭⑮⑯⑰⑱⑲⑳
B ①②③④⑤⑥⑦⑧⑨⑩⑪⑫⑬⑭⑮⑯⑰⑱⑲⑳
C ①②③④⑤⑥⑦⑧⑨⑩⑪⑫⑬⑭⑮⑯⑰⑱⑲⑳
D ①②③④⑤⑥⑦⑧⑨⑩⑪⑫⑬⑭⑮⑯⑰⑱⑲⑳
E ①②③④⑤⑥⑦⑧⑨⑩⑪⑫⑬⑭⑮⑯⑰⑱⑲⑳

労務管理その他の労働に関する一般常識
A ①②③④⑤⑥⑦⑧⑨⑩⑪⑫⑬⑭⑮⑯⑰⑱⑲⑳
B ①②③④⑤⑥⑦⑧⑨⑩⑪⑫⑬⑭⑮⑯⑰⑱⑲⑳
C ①②③④⑤⑥⑦⑧⑨⑩⑪⑫⑬⑭⑮⑯⑰⑱⑲⑳
D ①②③④⑤⑥⑦⑧⑨⑩⑪⑫⑬⑭⑮⑯⑰⑱⑲⑳
E ①②③④⑤⑥⑦⑧⑨⑩⑪⑫⑬⑭⑮⑯⑰⑱⑲⑳

社 会 保 険 に 関 す る 一 般 常 識
A ①②③④⑤⑥⑦⑧⑨⑩⑪⑫⑬⑭⑮⑯⑰⑱⑲⑳
B ①②③④⑤⑥⑦⑧⑨⑩⑪⑫⑬⑭⑮⑯⑰⑱⑲⑳
C ①②③④⑤⑥⑦⑧⑨⑩⑪⑫⑬⑭⑮⑯⑰⑱⑲⑳
D ①②③④⑤⑥⑦⑧⑨⑩⑪⑫⑬⑭⑮⑯⑰⑱⑲⑳
E ①②③④⑤⑥⑦⑧⑨⑩⑪⑫⑬⑭⑮⑯⑰⑱⑲⑳

健 康 保 険 法
A ①②③④⑤⑥⑦⑧⑨⑩⑪⑫⑬⑭⑮⑯⑰⑱⑲⑳
B ①②③④⑤⑥⑦⑧⑨⑩⑪⑫⑬⑭⑮⑯⑰⑱⑲⑳
C ①②③④⑤⑥⑦⑧⑨⑩⑪⑫⑬⑭⑮⑯⑰⑱⑲⑳
D ①②③④⑤⑥⑦⑧⑨⑩⑪⑫⑬⑭⑮⑯⑰⑱⑲⑳
E ①②③④⑤⑥⑦⑧⑨⑩⑪⑫⑬⑭⑮⑯⑰⑱⑲⑳

厚 生 年 金 保 険 法
A ①②③④⑤⑥⑦⑧⑨⑩⑪⑫⑬⑭⑮⑯⑰⑱⑲⑳
B ①②③④⑤⑥⑦⑧⑨⑩⑪⑫⑬⑭⑮⑯⑰⑱⑲⑳
C ①②③④⑤⑥⑦⑧⑨⑩⑪⑫⑬⑭⑮⑯⑰⑱⑲⑳
D ①②③④⑤⑥⑦⑧⑨⑩⑪⑫⑬⑭⑮⑯⑰⑱⑲⑳
E ①②③④⑤⑥⑦⑧⑨⑩⑪⑫⑬⑭⑮⑯⑰⑱⑲⑳

国 民 年 金 法
A ①②③④⑤⑥⑦⑧⑨⑩⑪⑫⑬⑭⑮⑯⑰⑱⑲⑳
B ①②③④⑤⑥⑦⑧⑨⑩⑪⑫⑬⑭⑮⑯⑰⑱⑲⑳
C ①②③④⑤⑥⑦⑧⑨⑩⑪⑫⑬⑭⑮⑯⑰⑱⑲⑳
D ①②③④⑤⑥⑦⑧⑨⑩⑪⑫⑬⑭⑮⑯⑰⑱⑲⑳
E ①②③④⑤⑥⑦⑧⑨⑩⑪⑫⑬⑭⑮⑯⑰⑱⑲⑳

【択一式】

労働基準法及び労働安全衛生法
	A	B	C	D	E
1	○	○	○	○	○
2	○	○	○	○	○
3	○	○	○	○	○
4	○	○	○	○	○
5	○	○	○	○	○
	A	B	C	D	E
6	○	○	○	○	○
7	○	○	○	○	○
8	○	○	○	○	○
9	○	○	○	○	○
10	○	○	○	○	○

労働者災害補償保険法（徴収法を含む）
	A	B	C	D	E
1	○	○	○	○	○
2	○	○	○	○	○
3	○	○	○	○	○
4	○	○	○	○	○
5	○	○	○	○	○
	A	B	C	D	E
6	○	○	○	○	○
7	○	○	○	○	○
8	○	○	○	○	○
9	○	○	○	○	○
10	○	○	○	○	○

雇 用 保 険 法（徴収法を含む）
	A	B	C	D	E
1	○	○	○	○	○
2	○	○	○	○	○
3	○	○	○	○	○
4	○	○	○	○	○
5	○	○	○	○	○
	A	B	C	D	E
6	○	○	○	○	○
7	○	○	○	○	○
8	○	○	○	○	○
9	○	○	○	○	○
10	○	○	○	○	○

労務管理その他の労働及び社会保険に関する一般常識
	A	B	C	D	E
1	○	○	○	○	○
2	○	○	○	○	○
3	○	○	○	○	○
4	○	○	○	○	○
5	○	○	○	○	○
	A	B	C	D	E
6	○	○	○	○	○
7	○	○	○	○	○
8	○	○	○	○	○
9	○	○	○	○	○
10	○	○	○	○	○

健 康 保 険 法
	A	B	C	D	E
1	○	○	○	○	○
2	○	○	○	○	○
3	○	○	○	○	○
4	○	○	○	○	○
5	○	○	○	○	○
	A	B	C	D	E
6	○	○	○	○	○
7	○	○	○	○	○
8	○	○	○	○	○
9	○	○	○	○	○
10	○	○	○	○	○

厚 生 年 金 保 険 法
	A	B	C	D	E
1	○	○	○	○	○
2	○	○	○	○	○
3	○	○	○	○	○
4	○	○	○	○	○
5	○	○	○	○	○
	A	B	C	D	E
6	○	○	○	○	○
7	○	○	○	○	○
8	○	○	○	○	○
9	○	○	○	○	○
10	○	○	○	○	○

国 民 年 金 法
	A	B	C	D	E
1	○	○	○	○	○
2	○	○	○	○	○
3	○	○	○	○	○
4	○	○	○	○	○
5	○	○	○	○	○
	A	B	C	D	E
6	○	○	○	○	○
7	○	○	○	○	○
8	○	○	○	○	○
9	○	○	○	○	○
10	○	○	○	○	○

切取線

《予想模擬試験　解答用紙》

【選択式】

労働基準法及び労働安全衛生法

A ①②③④⑤⑥⑦⑧⑨⑩⑪⑫⑬⑭⑮⑯⑰⑱⑲⑳
B ①②③④⑤⑥⑦⑧⑨⑩⑪⑫⑬⑭⑮⑯⑰⑱⑲⑳
C ①②③④⑤⑥⑦⑧⑨⑩⑪⑫⑬⑭⑮⑯⑰⑱⑲⑳
D ①②③④⑤⑥⑦⑧⑨⑩⑪⑫⑬⑭⑮⑯⑰⑱⑲⑳
E ①②③④⑤⑥⑦⑧⑨⑩⑪⑫⑬⑭⑮⑯⑰⑱⑲⑳

労働者災害補償保険法

A ①②③④⑤⑥⑦⑧⑨⑩⑪⑫⑬⑭⑮⑯⑰⑱⑲⑳
B ①②③④⑤⑥⑦⑧⑨⑩⑪⑫⑬⑭⑮⑯⑰⑱⑲⑳
C ①②③④⑤⑥⑦⑧⑨⑩⑪⑫⑬⑭⑮⑯⑰⑱⑲⑳
D ①②③④⑤⑥⑦⑧⑨⑩⑪⑫⑬⑭⑮⑯⑰⑱⑲⑳
E ①②③④⑤⑥⑦⑧⑨⑩⑪⑫⑬⑭⑮⑯⑰⑱⑲⑳

雇　用　保　険　法

A ①②③④⑤⑥⑦⑧⑨⑩⑪⑫⑬⑭⑮⑯⑰⑱⑲⑳
B ①②③④⑤⑥⑦⑧⑨⑩⑪⑫⑬⑭⑮⑯⑰⑱⑲⑳
C ①②③④⑤⑥⑦⑧⑨⑩⑪⑫⑬⑭⑮⑯⑰⑱⑲⑳
D ①②③④⑤⑥⑦⑧⑨⑩⑪⑫⑬⑭⑮⑯⑰⑱⑲⑳
E ①②③④⑤⑥⑦⑧⑨⑩⑪⑫⑬⑭⑮⑯⑰⑱⑲⑳

労務管理その他の労働に関する一般常識

A ①②③④⑤⑥⑦⑧⑨⑩⑪⑫⑬⑭⑮⑯⑰⑱⑲⑳
B ①②③④⑤⑥⑦⑧⑨⑩⑪⑫⑬⑭⑮⑯⑰⑱⑲⑳
C ①②③④⑤⑥⑦⑧⑨⑩⑪⑫⑬⑭⑮⑯⑰⑱⑲⑳
D ①②③④⑤⑥⑦⑧⑨⑩⑪⑫⑬⑭⑮⑯⑰⑱⑲⑳
E ①②③④⑤⑥⑦⑧⑨⑩⑪⑫⑬⑭⑮⑯⑰⑱⑲⑳

社　会　保　険　に　関　す　る　一　般　常　識

A ①②③④⑤⑥⑦⑧⑨⑩⑪⑫⑬⑭⑮⑯⑰⑱⑲⑳
B ①②③④⑤⑥⑦⑧⑨⑩⑪⑫⑬⑭⑮⑯⑰⑱⑲⑳
C ①②③④⑤⑥⑦⑧⑨⑩⑪⑫⑬⑭⑮⑯⑰⑱⑲⑳
D ①②③④⑤⑥⑦⑧⑨⑩⑪⑫⑬⑭⑮⑯⑰⑱⑲⑳
E ①②③④⑤⑥⑦⑧⑨⑩⑪⑫⑬⑭⑮⑯⑰⑱⑲⑳

健　康　保　険　法

A ①②③④⑤⑥⑦⑧⑨⑩⑪⑫⑬⑭⑮⑯⑰⑱⑲⑳
B ①②③④⑤⑥⑦⑧⑨⑩⑪⑫⑬⑭⑮⑯⑰⑱⑲⑳
C ①②③④⑤⑥⑦⑧⑨⑩⑪⑫⑬⑭⑮⑯⑰⑱⑲⑳
D ①②③④⑤⑥⑦⑧⑨⑩⑪⑫⑬⑭⑮⑯⑰⑱⑲⑳
E ①②③④⑤⑥⑦⑧⑨⑩⑪⑫⑬⑭⑮⑯⑰⑱⑲⑳

厚　生　年　金　保　険　法

A ①②③④⑤⑥⑦⑧⑨⑩⑪⑫⑬⑭⑮⑯⑰⑱⑲⑳
B ①②③④⑤⑥⑦⑧⑨⑩⑪⑫⑬⑭⑮⑯⑰⑱⑲⑳
C ①②③④⑤⑥⑦⑧⑨⑩⑪⑫⑬⑭⑮⑯⑰⑱⑲⑳
D ①②③④⑤⑥⑦⑧⑨⑩⑪⑫⑬⑭⑮⑯⑰⑱⑲⑳
E ①②③④⑤⑥⑦⑧⑨⑩⑪⑫⑬⑭⑮⑯⑰⑱⑲⑳

国　民　年　金　法

A ①②③④⑤⑥⑦⑧⑨⑩⑪⑫⑬⑭⑮⑯⑰⑱⑲⑳
B ①②③④⑤⑥⑦⑧⑨⑩⑪⑫⑬⑭⑮⑯⑰⑱⑲⑳
C ①②③④⑤⑥⑦⑧⑨⑩⑪⑫⑬⑭⑮⑯⑰⑱⑲⑳
D ①②③④⑤⑥⑦⑧⑨⑩⑪⑫⑬⑭⑮⑯⑰⑱⑲⑳
E ①②③④⑤⑥⑦⑧⑨⑩⑪⑫⑬⑭⑮⑯⑰⑱⑲⑳

【択一式】

労働基準法及び労働安全衛生法

	A	B	C	D	E
1	○	○	○	○	○
2	○	○	○	○	○
3	○	○	○	○	○
4	○	○	○	○	○
5	○	○	○	○	○
6	○	○	○	○	○
7	○	○	○	○	○
8	○	○	○	○	○
9	○	○	○	○	○
10	○	○	○	○	○

労働者災害補償保険法（徴収法を含む）

	A	B	C	D	E
1	○	○	○	○	○
2	○	○	○	○	○
3	○	○	○	○	○
4	○	○	○	○	○
5	○	○	○	○	○
6	○	○	○	○	○
7	○	○	○	○	○
8	○	○	○	○	○
9	○	○	○	○	○
10	○	○	○	○	○

雇　用　保　険　法（徴収法を含む）

	A	B	C	D	E
1	○	○	○	○	○
2	○	○	○	○	○
3	○	○	○	○	○
4	○	○	○	○	○
5	○	○	○	○	○
6	○	○	○	○	○
7	○	○	○	○	○
8	○	○	○	○	○
9	○	○	○	○	○
10	○	○	○	○	○

労務管理その他の労働及び社会保険に関する一般常識

	A	B	C	D	E
1	○	○	○	○	○
2	○	○	○	○	○
3	○	○	○	○	○
4	○	○	○	○	○
5	○	○	○	○	○
6	○	○	○	○	○
7	○	○	○	○	○
8	○	○	○	○	○
9	○	○	○	○	○
10	○	○	○	○	○

健　康　保　険　法

	A	B	C	D	E
1	○	○	○	○	○
2	○	○	○	○	○
3	○	○	○	○	○
4	○	○	○	○	○
5	○	○	○	○	○
6	○	○	○	○	○
7	○	○	○	○	○
8	○	○	○	○	○
9	○	○	○	○	○
10	○	○	○	○	○

厚　生　年　金　保　険　法

	A	B	C	D	E
1	○	○	○	○	○
2	○	○	○	○	○
3	○	○	○	○	○
4	○	○	○	○	○
5	○	○	○	○	○
6	○	○	○	○	○
7	○	○	○	○	○
8	○	○	○	○	○
9	○	○	○	○	○
10	○	○	○	○	○

国　民　年　金　法

	A	B	C	D	E
1	○	○	○	○	○
2	○	○	○	○	○
3	○	○	○	○	○
4	○	○	○	○	○
5	○	○	○	○	○
6	○	○	○	○	○
7	○	○	○	○	○
8	○	○	○	○	○
9	○	○	○	○	○
10	○	○	○	○	○

切取線

著者紹介

ユーキャン社労士試験研究会

本会は、ユーキャン社労士通信講座で、教材の制作や添削・質問指導、講義を担当している現役講師の中から、選りすぐりの精鋭が集まり結成されました。通信講座で蓄積したノウハウを活かし、分かりやすい書籍作りのために日々研究を重ねています。

■ 常深 孝英 （監修）

ユーキャン社労士試験研究会主宰。平成10年から社労士の受験指導を始める。講義・執筆では「分かりやすさ」の追求に余念がなく、毎年多くの学習者を合格に導いている。

■ 窪田 信一郎

平成16年から社労士の受験指導を始める。理系出身の特性を生かし、論理的で無駄のない講義と、執筆ぶりに定評がある。実務面にも強い。

■ 中岡 勇二

平成16年から社労士の受験指導を始める。理解度に応じた的確な指導に定評があるが、本書の執筆でもその能力を遺憾なく発揮している。

■ 原沢 徹

平成20年から社労士の受験指導を始める。誠実な人柄と受講生の立場に立った懇切丁寧な解説は、講義の場でも分かりやすいと支持されている。

■ 中丸 知子

平成19年から社労士の受験指導を始める。質問指導の経験を豊富に有し、優しく丁寧な指導に定評がある。明るく前向きになれる講義も人気が高い。

■ 近藤 眞理子

平成16年から社労士の受験指導を始める。法律事務所での実務経験を活かした法律を読み解く力と鋭い出題予想に定評がある。

■ 濱田 寿剛

平成21年から社労士の受験指導を始める。受験指導に対する真摯で真面目な姿勢と、気さくな語り口調で分かりやすい講義には定評がある。

似顔絵制作：kenji

本文デザイン：荒川　浩美（ことのはデザイン）

●法改正・正誤等の情報につきましては、下記「ユーキャンの本」ウェブサイト内「追補（法改正・正誤）」をご覧ください。
　　https://www.u-can.co.jp/book/information

●本書の内容についてお気づきの点は
　・「ユーキャンの本」ウェブサイト内「よくあるご質問」をご参照ください。
　　https://www.u-can.co.jp/book/faq
　・郵送・FAX でのお問い合わせをご希望の方は、書名・発行年月日・お客様のお名前・ご住所・FAX 番号をお書き添えの上、下記までご連絡ください。
　　【郵送】〒 169-8682　東京都新宿北郵便局郵便私書箱第 2005 号
　　　　「ユーキャン学び出版　社労士資格書籍編集部」係
　　【FAX】03-3378-2232
　　◎より詳しい解説や解答方法についてのお問い合わせ、他社の書籍の記載内容等に関しては回答いたしかねます。

●お電話でのお問い合わせ・質問指導は行っておりません。

2025年版　ユーキャンの 社労士　過去&予想問題集

2006年 2月20日　初　版　第 1 刷発行	編　者	ユーキャン社労士試験研究会
2024年10月25日　第20版　第 1 刷発行	発行者	品川泰一
	発行所	株式会社 ユーキャン 学び出版
		〒 151-0053
		東京都渋谷区代々木1-11-1
		Tel 03-3378-1400
	組　版	有限会社 中央制作社
	発売元	株式会社 自由国民社
		〒 171-0033
		東京都豊島区高田3-10-11
		Tel 03-6233-0781（営業部）

印刷・製本　望月印刷株式会社

—

2025 年版

ユーキャンの

社労士

過去&予想問題集

= 予想模擬試験 =

[問題編]

予想模擬試験

　予想模擬試験は、国家試験と同じ選択式8問、択一式70問で構成しています。時間配分を意識し、本試験をイメージして問題を解いてみましょう。

　実際の試験時間は以下のとおりです。

　　　選択式　　1時間20分
　　　択一式　　3時間30分

　実際の問題・解答形式や出題傾向を把握し、それに慣れておくことはとても重要です。また、間違えた問題については必ず復習し、再度チャレンジしてください。

　解答解説は本体の巻末（P777〜）に掲載しています。予想模擬試験終了後、採点と弱点補強のために、ご活用ください。

【法令等略記凡例】

本模擬試験問題文中においては、下表左欄の法令名等を右欄に示す略称により記載しています。

法令等名称	法令等略称
労働者災害補償保険法	労災保険法
労働者災害補償保険	労災保険
労働保険の保険料の徴収等に関する法律	労働保険徴収法
短時間労働者及び有期雇用労働者の雇用管理の改善等に関する法律	パートタイム・有期雇用労働法
雇用の分野における男女の均等な機会及び待遇の確保等に関する法律	男女雇用機会均等法
育児休業、介護休業等育児又は家族介護を行う労働者の福祉に関する法律	育児・介護休業法
労働者派遣事業の適正な運営の確保及び派遣労働者の保護等に関する法律	労働者派遣法
労働施策の総合的な推進並びに労働者の雇用の安定及び職業生活の充実等に関する法律	労働施策総合推進法
個別労働関係紛争の解決の促進に関する法律	個別労働関係紛争解決促進法
障害者の雇用の促進等に関する法律	障害者雇用促進法
高年齢者等の雇用の安定等に関する法律	高年齢者雇用安定法
高齢者の医療の確保に関する法律	高齢者医療確保法

予想模擬試験
選択式試験問題

1 解答は、巻末の解答用紙をご利用ください。

2 各問ごとに、正解と思う語句に付されている番号を解答用紙の所定の欄に1つ表示してください。

〈得点表〉

【選択式】

選択式では各科目60％以上、合計で70％以上の正解率を目指しましょう。

労働基準法及び労働安全衛生法	／5
労働者災害補償保険法	／5
雇用保険法	／5
労務管理その他の労働に関する一般常識	／5
社会保険に関する一般常識	／5
健康保険法	／5
厚生年金保険法	／5
国民年金法	／5

合　計	／40

労働基準法及び労働安全衛生法

[問 1] 次の文中の □ の部分を選択肢の中の最も適切な語句で埋め、完全な文章とせよ。

1 最高裁判所は、休憩時間中の政治的ビラの配布等について使用者の許可を要することが、労働基準法第34条第3項に定める休憩時間の自由利用を妨げるか否かが問題となった事件において、次のように判示した。「休憩時間の自由利用といつてもそれは時間を自由に利用することが認められたものにすぎず、その時間の自由な利用が企業施設内において行われる場合には、使用者の □ A □ の合理的な行使として是認される範囲内の適法な規制による制約を免れることはできない。」

2 労働基準法第1条第2項は、労働基準法で定める労働条件の基準は最低のものであるから、□ B □ は、この基準を理由として労働条件を低下させてはならないことはもとより、その向上を図るように努めなければならない旨を定めている。昭和22年9月13日付け発基第17号通達及び昭和63年3月14日付け基発第150号通達によれば、これは、労働条件の低下が労働基準法の基準を理由としているか否かに重点を置いて判断するものであり、□ C □ 等他に決定的な理由がある場合にはこれに抵触するものではないこととされている。

3 事業者は、リスクアセスメント対象物を製造し、又は取り扱う事業場ごとに、□ D □ を選任し、その者に当該事業場における労働安全衛生規則第12条の5第1項各号に掲げる化学物質の管理に係る技術的事項を管理させなければならない。

4 前記3による □ D □ の選任は、□ D □ を選任すべき事由が □ E □ 行わなければならない。

労働者災害補償保険法

[問 2] 次の文中の□□の部分を選択肢の中の最も適切な語句で埋め、完全な文章とせよ。

1 労災保険法第8条第1項によれば、給付基礎日額は、労働基準法第12条の平均賃金に相当する額とする。この場合において、同条第1項の平均賃金を算定すべき事由の発生した日は、業務災害、複数業務要因災害又は通勤災害について、負傷若しくは死亡の原因である事故が発生した日又は A した日とする。

2 葬祭料の額は、 B に給付基礎日額（労災保険法第8条第1項の算定事由発生日の属する C 以後に当該葬祭料を支給すべき事由が生じた場合にあっては、当該葬祭料を同法第16条の6第1項第1号の遺族補償一時金とみなして同法第8条の4の規定を適用したときに得られる給付基礎日額に相当する額。以下同じ。）の30日分を加えた額（その額が給付基礎日額の60日分に満たない場合には、給付基礎日額の60日分）とする。

3 労災保険法第19条の2は、「介護補償給付は、月を単位として支給するものとし、その月額は、 D を受ける場合に E を考慮して厚生労働大臣が定める額とする。」と定めている。

雇用保険法

[問　3]　次の文中の　□　の部分を選択肢の中の最も適切な語句で埋め、完全な
　　　文章とせよ。

　　1　雇用保険法第2条第2項は、「雇用保険の事務の一部は、政令で定める
　　　ところにより、　A　が行うこととすることができる。」と規定してい
　　　る。

　　2　雇用保険法第60条第1項は、「偽りその他不正の行為により　B　の
　　　支給を受け、又は受けようとした者には、これらの給付の支給を受け、
　　　又は受けようとした　C　、就職促進給付を支給しない。ただし、やむ
　　　を得ない理由がある場合には、就職促進給付の全部又は一部を支給する
　　　ことができる。」と規定している。

　　3　教育訓練支援給付金は、教育訓練給付金対象者であって、令和9年3
　　　月31日以前に専門実践教育訓練を開始したもの（当該教育訓練を開始し
　　　た日における年齢が　D　であるものに限る。）が、当該教育訓練を受け
　　　ている日のうち失業している日について支給する。

　　4　教育訓練支援給付金の額は、基本手当の日額に　E　を乗じて得た額
　　　とする。

```
┌── 選択肢 ─────────────────────────────────
│
│ ①45歳未満                    ②就職促進給付又は教育訓練給付
│
│ ③100分の67                   ④55歳以上
│
│ ⑤健康保険組合                  ⑥求職者給付又は就職促進給付
│
│ ⑦都道府県知事                  ⑧就職促進給付
│
│ ⑨市町村長（特別区の区長を含む。）  ⑩60歳以上
│
│ ⑪失業等給付                   ⑫100分の50
│
│ ⑬日本年金機構                  ⑭100分の80
│
│ ⑮40歳未満                    ⑯日以後
│
│ ⑰100分の60
│
│ ⑱日以後公共職業安定所長の定める期間
│
│ ⑲日以後1ヵ月以上3ヵ月以内の期間で公共職業安定所長の定める期間
│
│ ⑳日以後1ヵ月を超えない範囲内において公共職業安定所長の定める期間
│
└────────────────────────────────────────
```

労務管理その他の労働に関する一般常識

[問　4]　次の文中の　　　の部分を選択肢の中の最も適切な語句で埋め、完全な
　　　文章とせよ。

　　1　パートタイム・有期雇用労働法第10条では、「事業主は、　**A**　つつ、
　　　その雇用する短時間・有期雇用労働者（通常の労働者と同視すべき短時
　　　間・有期雇用労働者を除く。）の職務の内容、職務の成果、意欲、能力又
　　　は経験その他の就業の実態に関する事項を勘案し、その賃金（通勤手当
　　　その他の厚生労働省令で定めるものを除く。）を　**B**　。」とされている。

　　2　男女雇用機会均等法第11条の３第１項では、「事業主は、職場において
　　　行われるその雇用する　**C**　に対する当該　**C**　が妊娠したこと、出産
　　　したこと、労働基準法の規定による産前休業を請求し、又は産前産後休
　　　業をしたことその他の妊娠又は出産に関する事由であって厚生労働省令
　　　で定めるものに関する言動により当該　**C**　の　**D**　が害されることの
　　　ないよう、当該　**C**　からの相談に応じ、適切に対応するために必要な
　　　体制の整備その他の雇用管理上必要な措置を講じなければならない。」と
　　　されている。

　　3　育児・介護休業法第22条の２によれば、常時雇用する労働者の数が
　　　E　を超える事業主は、厚生労働省令で定めるところにより、毎年少
　　　なくとも１回、その雇用する労働者の育児休業の取得の状況として厚生
　　　労働省令で定めるものを公表しなければならない。

①最低賃金との整合性に配慮し　　　　　②短時間労働者

③対人関係　　　　　　　　　　　　　　④300人

⑤決定するように努めるものとする　　　⑥労働者

⑦就業環境　　　　　　　　　　　　　　⑧500人

⑨決定するように配慮しなければならない

⑩就業意欲

⑪決定し、又は変更しなければならない

⑫満18歳以上の労働者

⑬雇用管理の改善等を図り　　　　　　　⑭女性労働者

⑮1,000人　　　　　　　　　　　　　　⑯決定しなければならない

⑰通常の労働者との均衡を考慮し　　　　⑱気分

⑲同種の業務に従事する一般の労働者の賃金水準を踏まえ

⑳100人

社会保険に関する一般常識

[問　5]　次の文中の　□□□　の部分を選択肢の中の最も適切な語句で埋め、完全な
　　　　文章とせよ。

　　1　社会保険審査官及び社会保険審査会法によれば、社会保険審査会は、
　　　社会保険審査会が定める場合を除いて、委員長及び委員のうちから、
　　　　A　が指名する者　B　人をもって構成する合議体で、再審査請求又
　　　は審査請求の事件を取り扱う。

　　2　確定拠出年金法第23条第1項及び同法施行令第15条の2によれば、企
　　　業型運用関連運営管理機関等（簡易企業型年金の実施に係るものを除
　　　く。）は、政令で定めるところにより、対象運用方法を、　C　で選定
　　　し、企業型年金規約で定めるところにより、企業型年金加入者等に提示
　　　しなければならない。

　　3　　D　から始まった介護保険制度では、それまで高齢者福祉と老人医
　　　療の双方に分かれていた介護サービスを、1つの制度として統合した。

　　4　高齢者の医療制度については、75歳以上の後期高齢者等を対象とする
　　　新たな医療制度を設けることとなり、老人保健法を「高齢者の医療の確
　　　保に関する法律」に改め、　E　から施行された。

健康保険法

[問　6]　次の文中の　□　の部分を選択肢の中の最も適切な語句で埋め、完全な
文章とせよ。

1　入院時食事療養費の額は、当該食事療養につき食事療養に要する
　　□A□な費用の額を勘案して厚生労働大臣が定める基準により算定した
　　費用の額（その額が現に当該食事療養に要した費用の額を超えるときは、
　　当該現に食事療養に要した費用の額）から、食事療養標準負担額を控除
　　した額とする。

2　前記1の食事療養標準負担額は、　□A□な家計における食費の状況及
　　び　□B□等における食事の提供に要する　□A□な費用の額を勘案して厚
　　生労働大臣が定める額であり、一般所得者（小児慢性特定疾病児童等又
　　は指定難病患者を除く。）にあっては、1食につき、　□C□である。

3　特例退職被保険者の資格取得に係る申出は、原則として、特例退職被
　　保険者になろうとする者に係る年金証書等が到達した日の翌日（被用者
　　年金給付の支給がその者の年齢を事由としてその全額について停止され
　　た者については、その停止すべき事由が消滅した日の翌日）から起算し
　　て　□D□以内に、所定の事項を記載した申出書を　□E□に提出すること
　　によって行う。

厚生年金保険法

[問　7] 次の文中の ☐ の部分を選択肢の中の最も適切な語句で埋め、完全な文章とせよ。

1　障害厚生年金の額を計算するにあたり、その計算の基礎となる被保険者期間の月数が A に満たないときは、これを A とする。

2　障害厚生年金の給付事由となった障害について国民年金法による障害基礎年金を受けることができない場合において、障害厚生年金の額が国民年金法第33条第1項に規定する障害基礎年金の額に B を乗じて得た額（その額に50円未満の端数が生じたときは、これを切り捨て、50円以上100円未満の端数が生じたときは、これを100円に切り上げるものとする。）に満たないときは、当該額を障害厚生年金の額とする。

3　当分の間、 C である日本国籍を有しない者（国民年金の被保険者でないものに限る。）であって、老齢厚生年金の受給資格期間を満たしていないものは、脱退一時金の支給を請求することができる。ただし、その者が次のいずれかに該当するときは、この限りでない。

　(1)　日本国内に住所を有するとき。

　(2)　 D その他政令で定める保険給付の受給権を有したことがあるとき。

　(3)　最後に国民年金の被保険者の資格を喪失した日（同日において日本国内に住所を有していた者にあっては、同日後初めて、日本国内に住所を有しなくなった日）から起算して E を経過しているとき。

┌─── 選択肢 ────────────────────────────────────
│ ①脱退一時金　　　　　　　　　②3分の2
│ ③65歳未満　　　　　　　　　　④240
│ ⑤1年　　　　　　　　　　　　⑥年金たる保険給付
│ ⑦2年　　　　　　　　　　　　⑧120
│ ⑨5分の6　　　　　　　　　　⑩5年
│ ⑪被保険者期間が6ヵ月以上　　⑫360
│ ⑬4分の3　　　　　　　　　　⑭被保険者期間が60ヵ月未満
│ ⑮2分の1　　　　　　　　　　⑯60歳以上
│ ⑰障害厚生年金　　　　　　　　⑱300
│ ⑲遺族厚生年金　　　　　　　　⑳3年
└──

国民年金法

[問 8] 次の文中の　□　の部分を選択肢の中の最も適切な語句で埋め、完全な文章とせよ。

1　　A　　の受給権者は、その氏名を変更した場合であって、氏名変更に係る届書の提出を要しないときは、当該変更をした日から　B　に、氏名の変更の理由その他の所定の事項を記載した届書を、日本年金機構に提出しなければならない。

2　　老齢基礎年金の額は、受給権者が、大正15年4月2日から　C　の間に生まれた者であって、　D　に達した日において、老齢厚生年金等（その額の計算の基礎となる期間の月数が240以上であるものに限る。以下本問において同じ。）の受給権者又は障害厚生年金等の受給権者（同一の支給事由に基づく障害基礎年金の受給権を有する者に限る。以下本問において同じ。）であるその者の配偶者によって生計を維持していたとき（当該　D　に達した日の前日において当該配偶者がその受給権を有する老齢厚生年金等又は障害厚生年金等の加給年金額の計算の基礎となっていた場合に限る。）は、国民年金法第27条等に定める額に、224,700円に改定率を乗じて得た額（その額に50円未満の端数が生じたときは、これを切り捨て、50円以上100円未満の端数が生じたときは、これを100円に切り上げるものとする。）に　E　を乗じて得た額を加算した額とする。

予想模擬試験
択一式試験問題

1 解答は、巻末の解答用紙をご利用ください。
2 各問ごとに、正解と思うものの符号を解
　答用紙の所定の欄に1つ表示してくださ
　い。

〈得点表〉

労働基準法及び 労働安全衛生法	／10
労働者災害補償保険法（労働保険 の保険料の徴収等に関する法律を含む。）	／10
雇用保険法（労働保険の保険料の徴収 等に関する法律を含む。）	／10
労務管理その他の労働及び 社会保険に関する一般常識	／10
健康保険法	／10
厚生年金保険法	／10
国民年金法	／10

合　計	／70

総　合	／110

労働基準法及び労働安全衛生法

[問　1]　労働基準法に定める労働契約等に関する次の記述のうち、正しいものは
どれか。

A　労働契約の締結に際し、使用者が労働者に対して明示しなければなら
ないこととされている労働条件のうち、「賃金（退職手当等を除く。以下
本問において同じ。）の決定、計算及び支払いの方法、賃金の締切り及び
支払いの時期並びに昇給に関する事項」は、そのすべてについて書面の
交付等により明示しなければならない。

B　労働契約の締結に際し、労働者に対して書面の交付等により明示しな
ければならないこととされている労働条件については、使用者は、当該
労働者に適用する部分を明確にして就業規則を労働契約の締結の際に交
付することとしても差し支えないものとされている。

C　労働契約の締結に際し、労働者に対して書面の交付等により明示しな
ければならないこととされている労働条件のうち、「就業の場所及び従事
すべき業務に関する事項」については、雇入れ直後の就業の場所及び従
事すべき業務を明示すれば足りる。

D　労働基準法第16条では、使用者が、労働契約の不履行について違約金
を定め、又は損害賠償額を予定する契約をすることを禁じているが、損
害賠償額を予定せず、実際に生じた損害について賠償を請求することも、
同条に違反すると解されている。

E　労働基準法第17条では、使用者が、前借金その他労働することを条件
とする前貸しの債権と賃金を相殺することを禁じているが、この「労働
することを条件とする前貸しの債権」には、労働者が使用者から人的信
用に基づいて受ける金融、弁済期の繰上げ等で明らかに身分的拘束を伴
わないものが含まれる。

[問　2]　労働基準法に関する次の記述のうち、誤っているものはどれか。

A　就業規則が法的規範としての性質を有するものとして拘束力を生ずる
ためには、その作成及び届出が適正に行われていることで足り、その内
容を適用を受ける事業場の労働者に周知させる手続きが採られているこ
とまでは要しないとするのが最高裁判所の判例である。

B　始業及び終業の時刻に関する事項は、就業規則のいわゆる絶対的必要記載事項であるが、使用者が、労働基準法第32条の3に定めるフレックスタイム制を採用する場合において、コアタイムやフレキシブルタイムを設けるときは、これらを始業及び終業の時刻に関する事項として、就業規則に定めておかなければならない。

C　常時使用する労働者の数は7人であるが、繁忙期等においては臨時に3人の労働者を雇い入れることとしている事業場の使用者は、就業規則の作成及び行政官庁への届出の義務を負わない。

D　使用者は、日々雇い入れられる者のみを使用する場合には、労働者名簿を当該事業場において調製する必要はない。

E　裁判所は、割増賃金を支払わなかった使用者に対して、労働者の請求により、使用者が支払わなければならない金額についての未払金のほか、これと同一額の付加金の支払いを命ずることができるが、通常の賃金を支払わなかった使用者に対しては、労働者の請求があったとしても、未払金のほかに、これと同一額の付加金の支払いを命ずることはできない。

[問　3]　労働基準法に定める労働時間等に関する次の記述のうち、誤っているものはどれか。

A　就業規則において休日の振替を必要とする場合には休日を振り替えることができる旨の規定を設けている事業場であっても、休日を振り替えるためには、使用者は、あらかじめ振り替えるべき日を特定しなければならない。

B　労働時間は、事業場を異にする場合においても、労働時間に関する規定の適用については通算するが、ここでいう「事業場を異にする場合」には、事業主を異にする場合は含まれない。

C　1年単位の変形労働時間制における労働時間の限度は、対象期間の長短にかかわらず、1日について10時間、1週間について52時間とされている。

D　使用者は、企画業務型裁量労働制の対象業務に従事させる労働者の労働時間の状況に応じた当該労働者の健康及び福祉を確保するための措置を講じなければならず、その実施状況を労使委員会の決議の有効期間の始期から起算して6ヵ月以内に1回、及びその後1年以内ごとに1回、所轄労働基準監督署長に報告しなければならない。

E　農業又は水産の事業に従事する者については、労働基準法第4章、第6章及び第6章の2で定める労働時間、休憩及び休日に関する規定は、適用しない。

[問　4]　労働基準法に定める年次有給休暇に関する次のアからオまでの記述のうち、誤っているものの組合せは、後記AからEまでのうちどれか。

ア　令和3年4月1日に入社し、その後同一の事業場において継続勤務している労働者（労働基準法第39条第3項に定めるいわゆる比例付与の対象となる者を除く。）であって、令和6年10月1日から令和7年9月30日までの1年間において全労働日の8割以上出勤したものについては、令和7年10日1日において14労働日の年次有給休暇の権利が発生する。

イ　年次有給休暇の付与要件に係る継続勤務の期間を算定するにあたり、例えば、定年退職による退職者を引き続き嘱託等として再雇用している場合には、退職と再雇用との間に相当期間が存し、客観的に労働関係が断続していると認められるときを除き、その者の退職前後の勤務年数を通算する。

ウ　使用者は、年次有給休暇が付与されるすべての労働者に対して、年次有給休暇の日数のうち5日については、基準日から1年以内の期間に、労働者ごとにその時季を定めることにより与えなければならない。

エ　使用者は、事業の正常な運営を妨げる場合を除き、年次有給休暇を労働者の請求する時季に与えなければならない。

オ　就業規則により、年次有給休暇の期間について平均賃金を支払うこととしている事業場においては、使用者は、労働基準法第39条第4項に定めるいわゆる時間単位年休として与えた時間については、平均賃金をその日の所定労働時間数で除して得た額の賃金を当該時間に応じ支払わなければならない。

A （アとウ）　　　　B （イとウ）　　　　C （イとエ）
D （アとオ）　　　　E （エとオ）

[問　5]　労働基準法に関する次の記述のうち、正しいものはどれか。

　　A　労働基準法で使用者とは、事業主又は事業の経営担当者その他その事業の労働者に関する事項について、事業主のために行為をするすべての者をいうが、同法各条の義務について権限が与えられておらず、単に上司の命令の伝達者にすぎない者も使用者とみなされる。

　　B　労働基準法第3条は、労働条件についての差別的取扱いを禁止しているが、同条で禁止する差別的取扱いは、労働者の国籍、信条、性別又は社会的身分を理由とするものである。

　　C　労働基準法第4条は、賃金について、労働者が女性であることを理由とする差別的取扱いを禁止しているが、これに違反した者に対して、罰則は適用されない。

　　D　労働基準法第5条は、「使用者は、暴行、脅迫、監禁その他精神又は身体の自由を不当に拘束する手段によつて、労働者の意思に反して労働を強制してはならない。」と規定しているが、「脅迫」とは、労働者に恐怖心を生じさせる目的であれば、必ずしも積極的言動によって示す必要はなく、暗示する程度でも該当する。

　　E　個人家庭における家事を事業として請け負う者に雇われて、その指揮命令の下に当該家事を行う者は家事使用人に該当し、この者について労働基準法は適用されない。

[問　6]　労働基準法に定める賃金に関する次の記述のうち、誤っているものはどれか。

　　A　使用者が、賃金を、労働者の親権者その他の法定代理人に支払うことは、賃金の直接払いを定める労働基準法第24条第1項違反となるが、これを使者に支払うことは差し支えない。

　　B　使用者の責めに帰すべき事由による休業の場合においては、使用者は、休業期間中当該労働者に、その平均賃金の100分の80以上の手当を支払わなければならない。

C 労働基準法第26条（休業手当）の「使用者の責に帰すべき事由」と民法第536条第2項の「債権者ノ責ニ帰スヘキ事由」との異同、広狭について、労働基準法第26条（休業手当）の「使用者の責に帰すべき事由」とは、取引における一般原則たる過失責任主義とは異なる観点をも踏まえた概念というべきであって、民法第536条第2項の「債権者ノ責ニ帰スヘキ事由」よりも広く、使用者側に起因する経営、管理上の障害を含むものと解するのが相当であるとするのが、最高裁判所の判例である。

D 法定休日の労働が1日8時間を超える場合であっても、その超える部分が深夜業に該当しないときは、当該超える部分に係る割増賃金率は、3割5分以上の率で足りる。

E 割増賃金の基礎となる賃金には、通勤手当は算入しないが、通勤手当のうち一定額までは実際の通勤距離にかかわらず一律に支給する場合には、当該一定額の部分は、割増賃金の基礎となる賃金に算入しなければならない。

[問 7] 労働基準法に関する次の記述のうち、誤っているものはどれか。

A 使用者が行政官庁の許可を受けていわゆる演劇子役として児童を使用する場合において、演劇子役として使用する日が日曜日など修学時間のない日であるときは、当該児童に係るその日の労働時間の限度は、7時間である。

B 生後満1年に達しない生児を育てる女性は、休憩時間のほか、1日2回各々少なくとも30分、その生児を育てるための時間を請求することができるが、1日の労働時間が4時間である女性の育児時間は、1日1回、少なくとも30分で足りるものとされている。

C 労働基準法第41条第2号に規定する監督又は管理の地位にある者は、原則として、労使協定の締結当事者である労働者の過半数を代表する者となることができない。

D 使用者が、令和7年6月1日に労働者に解雇の予告をした場合には、何ら手当を支払うことなく、当該労働者を、同年7月1日をもって解雇することができる。

E 使用者は、業務上負傷し、療養のために休業する期間及びその後30日間にある労働者であっても、当該労働者の責めに帰すべき事由に基づく場合には、当該労働者を解雇することができる。

［問 8］ 労働安全衛生法に定める健康診断等に関する次の記述のうち、正しいものはどれか。

A 定期健康診断における腹囲の検査は、40歳未満のすべての者について、医師が必要でないと認めるときは、省略することができる。

B 事業者は、心理的な負担の程度を把握するための検査を受けた労働者の同意を得て、当該検査を行った医師等から当該労働者の検査の結果の提供を受けた場合には、当該検査の結果に基づき、当該検査の結果の記録を作成して、これを10年間保存しなければならない。

C 事業者は、労働者を本邦外の地域に派遣しようとするときは、派遣期間の長短にかかわらず、あらかじめ、当該労働者に対し、所定の項目について、医師による健康診断を行わなければならない。

D 労働安全衛生法第66条の8第1項に定めるいわゆる長時間労働に関する面接指導は、その対象となる労働者の申出により行うものとされており、事業者は、労働者から当該申出があったときは、遅滞なく、これを行わなければならない。

E 事業者は、いわゆる一般健康診断の結果、特に健康の保持に努める必要があると認める労働者に対し、医師又は保健師による保健指導を行わなければならない。

［問 9］ 労働安全衛生法に定める安全衛生管理体制に関する次のアからオまでの記述のうち、正しいものの組合せは、後記AからEまでのうちどれか。

ア 常時150人の労働者を使用する建設業の事業場の事業者は、総括安全衛生管理者を選任しなければならないが、当該事業場においてその事業の実施を統括管理する者であれば、他に資格等を有しない者であっても、その者を総括安全衛生管理者に選任することができる。

イ 産業医は、少なくとも毎月1回、作業場等を巡視し、作業方法又は衛生状態に有害のおそれがあるときは、直ちに、労働者の健康障害を防止するため必要な措置を講じなければならないが、事業者から、毎月1回以上、一定の情報の提供を受けている場合であって、事業者の同意を得ているときは、少なくとも2ヵ月に1回、作業場等を巡視すれば足りる。

ウ 安全衛生推進者は、常に作業場等を巡視するとともに、安全衛生業務について権限と責任を有する者の指揮を受けて当該業務を担当する。

エ　常時70人の労働者を使用する清掃業の事業場の事業者は、衛生管理者
　　を選任しなければならないが、第2種衛生管理者免許を有する当該事業
　　場の労働者であれば、他に資格等を有しない者であっても、その者を衛
　　生管理者に選任することができる。

オ　安全管理者は、少なくとも毎週1回、作業場等を巡視し、設備、作業
　　方法等に危険のおそれがあるときは、直ちに、その危険を防止するため
　　必要な措置を講じなければならない。

A（アとイ）　　　　B（アとウ）　　　　C（イとエ）

D（ウとオ）　　　　E（エとオ）

[問　10]　労働安全衛生法に関する次の記述のうち、誤っているものはどれか。

A　労働安全衛生法で定める安全衛生教育の実施に要する時間は労働時間
　　と解されるので、当該教育が法定労働時間外に行われた場合には、当然
　　割増賃金が支払われなければならない。

B　雇入れ時の安全衛生教育は、すべての業種の事業場において、臨時に
　　使用される労働者を含むすべての労働者に対して行わなければならない
　　とされているが、教育事項の全部又は一部に関し十分な知識及び技能を
　　有していると認められる労働者については、当該事項についての教育を
　　省略することができる。

C　製造業に属する事業（特定事業を除く。）の元方事業者は、その労働者
　　及び関係請負人の労働者の作業が同一の場所において行われることによ
　　って生ずる労働災害を防止するため、協議組織の設置及び運営を行うこ
　　とに関する措置その他必要な措置を講じなければならない。

D　労働安全衛生法第57条の2第1項の通知対象物を取り扱う事業者は、
　　業種や事業場の規模にかかわらず、当該物による危険性又は有害性等を
　　調査しなければならない。

E　事業者は、労働災害発生の急迫した危険があるときは、直ちに作業を
　　中止し、労働者を作業場から退避させる等必要な措置を講じなければな
　　らない。

労働者災害補償保険法
（労働保険の保険料の徴収等に関する法律を含む。）

[問　1]　通勤及び通勤災害に関する次の記述のうち、正しいものはどれか。

 A　労働者が、就業に関し、厚生労働省令で定める就業の場所から他の就業の場所への移動を、合理的な経路及び方法により行うことは、業務の性質を有するものも含めて、通勤に該当する。

 B　労働者が、事業主が提供する通勤専用のバスに乗車しようとしたところ、当該バスが突然動いたため、負傷した。本件は、通勤災害となる。

 C　労働者が、通勤の途中において、自動車教習所に立ち寄り教習を受ける行為は、労災保険法施行規則第8条に規定する日常生活上必要な行為に該当するため、当該教習を受け終え、合理的な経路に復した後の移動は、通勤に該当する。

 D　マイカー通勤をしている労働者が、昼休み時間を利用して勤務先で食事をとった後、近くの歯科医院へ治療に来ていた妻子を自宅まで送ろうとして、いつも利用している通勤経路を通って妻子の待っている場所に向かう途中、電車と衝突して死亡した。本件は、通勤災害となる。

 E　労働者が、出社するため、アパートの2階の自室を出て階段を降りるとき、下から2段目のところで、靴のかかとが階段にひっかかって転倒し、負傷した。本件は、通勤災害となる。

[問　2]　労災保険法の特別支給金に関する次の記述のうち、誤っているものはどれか。

 A　特別支給金が二次健康診断等給付と関連して支給されることはない。

 B　休業特別支給金の支給を受けようとする者は、当該休業特別支給金の支給の申請の際に、所轄労働基準監督署長に、事業主の証明を受けた特別給与の総額を記載した届書を提出しなければならない。

 C　傷病特別支給金の支給を受けた者に対する障害特別支給金は、原則として、当該傷病特別支給金に係る傷病が治ったときに身体に障害があり、当該障害の該当する障害等級に応ずる障害特別支給金の額がすでに支給を受けた傷病特別支給金の額を超えるときに限り、その者の申請に基づき、当該超える額に相当する額が支給される。

D　遺族特別支給金の支給を受けることができる遺族は、労働者の配偶者（婚姻の届出をしていないが、事実上婚姻関係と同様の事情にあった者を含む。）、子、父母、孫、祖父母及び兄弟姉妹であって、労働者の死亡の当時その収入によって生計を維持していたものに限られる。

E　労働者の業務上の死亡に関し、遺族補償年金前払一時金が支給されたことにより、遺族補償年金の支給が停止されている場合であっても、遺族特別年金の支給は停止されない。

[問　3]　労災保険の保険給付に関する次の記述のうち、誤っているものはどれか。

A　同一の業務災害により、障害等級第8級及び第14級に該当する2つの身体障害が残った場合の障害補償給付に係る障害等級は、第8級である。

B　同一の業務災害により、障害等級第5級及び第8級に該当する2つの身体障害が残った場合の障害補償給付に係る障害等級と、障害等級第5級、第7級及び第13級に該当する3つの身体障害が残った場合の障害補償給付に係る障害等級は、いずれも第3級である。

C　障害補償給付を受ける労働者の当該障害の程度が自然経過的に増進し、又は軽減したため、新たに他の障害等級に該当するに至った場合には、新たに該当するに至った障害等級に応ずる障害補償給付が支給され、その後は、従前の障害補償給付は支給されない。

D　障害補償年金の受給権者である労働者を故意に死亡させた者は、当該死亡に係る障害補償年金差額一時金を受けることができる遺族とされない。

E　障害補償年金差額一時金の額は、障害等級に応じた一定の額に基づいて算定されるが、この一定の額が給付基礎日額の1,340日分を超えることはない。

[問　4]　業務災害に関する次の記述のうち、正しいものはいくつあるか。

ア　労働者Xは、事業場に出勤後、作業開始までの間、休憩室に事業主が冬期、特に設けてある暖房装置を囲んで、他の労働者とともにいつものように暖をとっていたところ、他の労働者が暖房装置の火力を強くしたため、着ていた衣服に火が燃え移って火傷した。本件負傷は業務上の災害と認められる。

イ　社宅に居住している坑内労働者Yは、台風のため当該社宅近くの大木が折れ、付近の高圧電線上に落下し、落下した枯木と高圧電線とがショートして火を発しているのを発見したので、現場近くに散乱している木片を取り除き社宅への延焼を防止しようとして現場に駆けつけたところ、地上の高圧電線が強風にあおられ、これに接触して死亡した。本件死亡は業務上の災害と認められる。

ウ　日雇労働者Zは、公共職業安定所の窓口において、その日の作業として、当該公共職業安定所から約5キロメートルの所にある工事現場での作業の紹介を受け、自転車で当該工事現場に向かう途中、前方から進行してきたトラックを避けようとして、乗っていた自転車のハンドル操作を誤り、道路上に転倒して負傷した。本件負傷は業務上の災害と認められる。

エ　「心理的負荷による精神障害の認定基準」（令和5年9月1日付け基発0901第2号）によれば、対象疾病の発病前おおむね6ヵ月の間に、顧客等から、人格や人間性を否定するような言動を反復・継続するなどして執拗に受けていた場合、心理的負荷の総合評価は「強」と判断される。

オ　業務上の疾病の範囲は、労働基準法施行規則別表第1の2に掲げられている。

A　一つ

B　二つ

C　三つ

D　四つ

E　五つ

[問　5]　労災保険の保険給付に関する次の記述のうち、誤っているものはどれか。

A　療養補償給付たる療養の給付の範囲は、労災保険法第13条第2項各号に規定されているもののうち、政府が必要と認めるものに限られている。

B　療養補償給付たる療養の給付を受けようとする者は、所定の事項を記載した請求書を、当該療養の給付を受けようとする指定病院等を経由して所轄労働基準監督署長に提出しなければならない。

C 所轄労働基準監督署長は、業務上の事由により負傷し、又は疾病にかかった労働者の当該負傷又は疾病が療養の開始後1年6ヵ月を経過した日において治っていないときは、同日以後1ヵ月以内に、当該労働者から所定の事項を記載した傷病の状態等に関する届書を提出させるものとする。

D ある労働者が残業時間中に業務上の事由により負傷し、当該残業時間の一部分について労働することができなかった。この場合において、その負傷した当日は、休業補償給付に係る待期期間に算入される。

E 労働者が業務上の負傷又は疾病による療養のため所定労働時間のうちその一部分についてのみ労働する日又は賃金が支払われる休暇（以下本肢において「部分算定日」という。）に係る休業補償給付の額は、原則として、給付基礎日額から部分算定日に対して支払われる賃金の額を控除して得た額の100分の60に相当する額である。

[問 6] 労災保険に関する次の記述のうち、正しいものはどれか。

A 二次健康診断を受けた労働者から当該二次健康診断の実施の日から厚生労働省令で定める期間内に当該二次健康診断の結果を証明する書面の提出を受けた事業者は、当該書面の提出を受けた日から2ヵ月以内に、二次健康診断の結果について医師等の意見を聴かなければならない。

B 業務上の事由による労働者の死亡の当時胎児であった子が厚生労働省令で定める障害の状態をもって出生したときは、将来に向かって、その子は、労働者の死亡の当時その収入によって生計を維持し、かつ、厚生労働省令で定める障害の状態にあった子とみなされる。

C 遺族補償年金を受ける権利を有する遺族であって、60歳未満であることを理由として当該遺族補償年金の支給を停止されているものは、その支給を停止されている間、遺族補償年金前払一時金の支給を請求することができない。

D 遺族補償年金を受ける権利を有する者が死亡したためその支給を受ける権利が消滅したにもかかわらず、その死亡の日の属する月の翌月以後の分として当該遺族補償年金の過誤払いが行われた場合において、当該過誤払いによる返還金債権に係る債務の弁済をすべき者に支払うべき障害補償年金があるときは、当該障害補償年金の支払金の金額を当該過誤払いによる返還金債権の金額に充当することができる。

E　未支給の保険給付を受けるべき同順位者が2人以上あるときは、これらの者は、そのうち1人を未支給の保険給付の請求及び受領についての代表者に選任しなければならない。

[問　7]　労災保険に関する次の記述のうち、誤っているものはどれか。

A　海外派遣者の特別加入は、派遣元である日本国内の事業が事業の期間が予定されているいわゆる有期事業である場合は、認められない。

B　特別加入制度において、自動車を使用して行う旅客又は貨物の運送の事業又は原動機付自転車若しくは自転車を使用して行う貨物の運送の事業を労働者を使用しないで行うことを常態とする者については、通勤災害に関する保険給付は支給されない。

C　政府は、事業主が故意又は重大な過失により生じさせた業務災害の原因である事故について保険給付を行ったときは、労働基準法の規定による災害補償の価額等の限度で、その保険給付の額に相当する額に100分の30を乗じて得た額を、当該事業主から徴収する。

D　国庫は、予算の範囲内において、労災保険事業に要する費用の一部を補助することができる。

E　労働者が自殺により死亡した場合は、業務上の精神障害によって、正常の認識、行為選択能力が著しく阻害され、又は自殺行為を思いとどまる精神的な抑制力が著しく阻害されている状態で自殺が行われたと認められるときであっても、「故意」による死亡であるとして、保険給付は行われない。

[問　8]　労働保険徴収法に関する次の記述のうち、誤っているものはどれか。なお、本問において、「有期事業の一括」とは労働保険徴収法第7条の規定により二以上の事業を一の事業とみなすことをいい、「継続事業の一括」とは同法第9条の規定により二以上の事業について成立している保険関係の全部又は一部を一の保険関係とすることをいう。

A　労働保険徴収法第8条第2項の規定に基づき、下請負人をその請負事業の事業主とする認可を受けるためには、当該下請負人の請負に係る事業について、概算保険料の額が160万円以上又は請負金額が1億8,000万円以上であることが必要である。

B　労働保険徴収法第8条第2項の規定に基づき、下請負人をその請負事業の事業主とする認可を受けようとする元請負人及び下請負人は、労災保険に係る保険関係が成立した日の翌日から起算して10日以内に、下請負人を事業主とする認可申請書を所轄都道府県労働局長に提出しなければならないが、請負方式の特殊性から事業開始前に下請負契約が成立せず、当該申請書の提出期限が経過したときは、当該認可を受けるための申請をすることはできない。

C　労働保険徴収法第7条第2号では、有期事業の一括の要件の1つとして、「それぞれの事業が、事業の期間が予定される事業（以下「有期事業」という。）であること」を定めているが、ここでいう有期事業については、予定される事業の期間の長短に関して特に制限はない。

D　有期事業の一括が行われるためには、それぞれの事業が、労災保険に係る保険関係が成立している事業のうち、土木、建築その他の工作物の建設、改造、保存、修理、変更、破壊若しくは解体若しくはその準備の事業であり、又は立木の伐採の事業であることが必要である。

E　事業主が同一人である二以上の継続事業は、それぞれの事業が、同一の都道府県労働局の管轄区域又はこれと隣接する都道府県労働局の管轄区域内で行われるものでなくても、継続事業の一括の対象となる。

[問　9]　労働保険徴収法に関する次の記述のうち、正しいものはどれか。

A　労働保険料のうち、特別加入保険料は、労災保険及び雇用保険に係る保険料である。

B　労災保険率に含まれる「非業務災害率」は、労災保険法の適用を受けるすべての事業の過去3年間の複数業務要因災害に係る災害率、通勤災害に係る災害率及び厚生労働省令で定めるところにより算定された複数事業労働者に係る給付基礎日額を用いて算定した保険給付の額その他の事情を考慮して厚生労働大臣が定める。

C　政府は、事業主が所定の期限までに提出した確定保険料申告書の記載に誤りがあると認めるときは、当該事業主に対して、確定保険料申告書の修正を求めるものとされている。

D　労働保険料を納付しない者があるときは、政府は、納付義務者に対して期限を指定した督促状を発することにより、督促しなければならないが、督促状により指定すべき期限は、督促状を発する日から起算して5日以上経過した日でなければならない。

E　すでに納付した概算保険料の額が、確定保険料の額を超えるときは、事業主は、確定保険料申告書を提出する際に、又は労働保険徴収法第19条第4項の規定により政府が決定した確定保険料の額の通知を受けた日の翌日から起算して10日以内に、その超える額の還付を請求することができる。

[問　10]　労働保険徴収法に関する次のアからオまでの記述のうち、正しいものの組合せは、後記AからEまでのうちどれか。

ア　納付すべき概算保険料の額が40万円以上である継続事業であって、保険関係が成立した日が6月15日であるものの事業主は、保険関係が成立した日から11月30日までを最初の期として、当該概算保険料について延納の申請をすることができ、その最初の期分の概算保険料を保険関係が成立した日から50日以内に納付しなければならない。

イ　継続事業のメリット制により引き上げ、又は引き下げられた労災保険率は、連続する3保険年度中の最後の保険年度に属する3月31日の属する保険年度の次の次の保険年度から適用される。

ウ　建設の事業が有期事業のメリット制の適用を受けるためには、当該事業の確定保険料の額が40万円以上であって、かつ、請負金額が1億1,000万円以上であることが必要である。

エ　労災保険に係る保険関係が成立している水産動植物の採捕又は養殖の事業であって、賃金総額を正確に算定することが困難なものについては、その漁獲量等に労務費率を乗じて得た額を賃金総額とする。

オ　継続事業に係る確定保険料の算定基礎となる賃金総額には、その保険年度中に使用した労働者に支払うことが具体的に確定した賃金であっても、その保険年度内に現実に支払われていないものは含まれない。

A（アとイ）　　　B（アとオ）　　　C（イとエ）
D（ウとエ）　　　E（ウとオ）

雇用保険法
（労働保険の保険料の徴収等に関する法律を含む。）

[問　1]　基本手当に関する次の記述のうち、正しいものはどれか。

 A　被保険者期間を計算する場合において、最後に被保険者となった日前に、当該被保険者が受給資格の決定を受けたことがある場合であっても、基本手当を受給していないときは、当該受給資格に係る離職の日以前における被保険者であった期間は、被保険者期間に通算することができる。

 B　被保険者期間の計算において考慮される賃金支払基礎日数に算入される「賃金の支払いの基礎となった日」は、現実に労働した日に限られる。

 C　3歳未満の子の育児により引き続き30日以上賃金の支払いを受けることができなかった被保険者については、管轄公共職業安定所長がやむを得ないと認めた場合に限り、当該賃金の支払いを受けることができなかった日数を2年に加算した期間が算定対象期間となるが、その上限は、4年である。

 D　60歳以上の定年に達したことにより離職した者（所定給付日数は150日であるものとする。）について、受給期間の延長が認められた場合には、その者に係る受給期間は、原則の受給期間である1年にその者が求職の申込みをしないことを希望する期間に相当する期間を合算した期間となるが、当該合算した期間の上限は、4年である。

 E　受給資格（以下本肢において「前の受給資格」という。）を有する者が受給期間内に新たに受給資格を取得したときは、前の受給資格と新たに取得した受給資格のいずれかを選択し、その選択した受給資格に基づく基本手当を受給することができる。

[問　2]　雇用保険の被保険者に関する次の記述のうち、誤っているものはどれか。

 A　4ヵ月の期間を定めて季節的に雇用される者は、1週間の所定労働時間が30時間以上である場合であっても、短期雇用特例被保険者とならない。

 B　日雇労働被保険者が前2ヵ月の各月において18日以上同一の事業主の適用事業に雇用された場合において、公共職業安定所長の認可を受けたときは、その者は、引き続き、日雇労働被保険者となることができる。

C　株式会社の代表取締役は、その実態として、従業員が従事する業務と同一の業務に従事することを常態とする者であっても、被保険者とならない。

D　日本国に在住する外国人であって、適用事業に雇用されるものは、外国公務員及び外国の失業補償制度の適用を受けていることが立証された者を除き、国籍を問わず、被保険者となる。

E　私傷病により長期に欠勤し、賃金の支払いを受けていない労働者は、雇用関係が存続していても、被保険者とならない。

[問　3]　雇用保険制度に関する次の記述のうち、誤っているものはどれか。

A　全国延長給付を受けている受給資格者について広域延長給付が行われることとなった場合であっても、広域延長給付は、全国延長給付が終わった後でなければ、行われない。

B　算定基礎期間が20年である特定受給資格者に係る所定給付日数は、基準日における年齢が40歳である者と50歳である者とでは、後者の方が60日多い。

C　基本手当の所定給付日数を判断する際の算定基礎期間には、過去に支給を受けた基本手当の受給資格に係る離職の日以前の被保険者であった期間は通算されない。

D　高年齢求職者給付金は、高年齢被保険者が失業した場合において、算定対象期間（原則として、離職の日以前1年間）に被保険者期間が通算して6ヵ月以上であったときに、支給される。

E　算定基礎期間が1年以上である高年齢受給資格者に支給される高年齢求職者給付金の額は、原則として、当該高年齢受給資格者を受給資格者とみなして基本手当の日額に関する規定を適用した場合にその者に支給されることとなる基本手当の日額の50日分である。

[問　4]　就職促進給付に関する次の記述のうち、誤っているものはどれか。

A　再就職手当は、厚生労働省令で定める安定した職業に就いた受給資格者であって、その職業に就いた日の前日における基本手当の支給残日数が当該受給資格に基づく所定給付日数の3分の1以上であるものに支給されるが、その額は、基本手当日額に支給残日数に相当する日数に10分の6（支給残日数が所定給付日数の3分の2以上である者にあっては、10分の7）を乗じて得た数を乗じて得た額である。

B　就業促進定着手当の額については、基本手当日額に支給残日数に相当する日数に10分の3を乗じて得た数を乗じて得た額が上限額となる。

C　厚生労働省令で定める安定した職業に就いた受給資格者（当該職業に就いた日の前日における基本手当の支給残日数が当該受給資格に基づく所定給付日数の3分の1未満である者に限る。）であって、身体障害者その他の就職が困難な者として厚生労働省令で定めるものが、所定の要件を満たすときは、常用就職支度手当の支給を受けることができる。

D　広域求職活動費の支給を受けようとする受給資格者は、公共職業安定所の指示による広域求職活動を終了した日の翌日から起算して10日以内に、求職活動支援費（広域求職活動費）支給申請書を管轄公共職業安定所の長に提出しなければならない。

E　求職活動関係役務利用費の額は、保育等サービスの利用のために負担した費用の額（求人者との面接等をした日にあっては15日分又は求職活動関係役務利用費対象訓練を受講した日にあっては60日分を限度とし、かつ、1日あたり8,000円を限度とする。）に100分の80を乗じて得た額である。

[問　5]　雇用保険制度に関する次の記述のうち、正しいものはどれか。

A　育児休業給付金に係る支給単位期間に就業をした被保険者について、公共職業安定所長が就業をしていると認める時間が70時間であった。この場合であっても、当該支給単位期間における公共職業安定所長が就業をしていると認める日数が12日であれば、当該支給単位期間については、育児休業給付金は支給されない。

B　育児休業給付金に係る「支給単位期間」とは、当該育児休業給付金の支給に係る休業をした期間を、当該休業を開始した日又は各月においてその日に応当し、かつ、当該休業をした期間内にある日（その日に応当する日がない月においては、その月の末日。以下本肢において「休業開始応当日」という。）から各翌月の休業開始応当日の前日（当該休業を終了した日の属する月にあっては、当該休業を終了した日）までの各期間に区分した場合における当該区分による一の期間をいう。

C　育児休業給付金の支給に係る休業を開始した被保険者に当該被保険者を雇用している事業主から支給単位期間に賃金が支払われた場合において、当該賃金の額が休業開始時賃金日額に支給日数を乗じて得た額の100分の67に相当する額以上であるときは、当該賃金が支払われた支給単位期間については、育児休業給付金は支給されない。

D　介護休業をした被保険者に当該被保険者を雇用している事業主から支給単位期間に賃金が支払われなかった場合における介護休業給付金の額は、一支給単位期間について、休業開始時賃金日額に支給日数を乗じて得た額の100分の40（当分の間は、100分の67）に相当する額であるが、この場合の休業開始時賃金日額の算定にあたり、その上限額については、受給資格に係る離職の日において30歳以上45歳未満である受給資格者に係るものが適用される。

E　介護休業給付金は、被保険者が、厚生労働省令で定めるところにより、対象家族を介護するための休業をした場合において、原則として、当該休業を開始した日前1年間にみなし被保険者期間が通算して6ヵ月以上であったときに、支給単位期間について支給される。

[問　6]　教育訓練給付に関する次のアからオまでの記述のうち、誤っているものの組合せは、後記AからEまでのうちどれか。

ア　教育訓練給付対象者とは、①教育訓練を開始した日（以下本肢において「基準日」という。）に一般被保険者又は高年齢被保険者である者、②前記①に掲げる者以外の者であって、基準日が当該基準日の直前の一般被保険者又は高年齢被保険者でなくなった日から厚生労働省令で定める期間内にあるもののいずれかに該当する者である。

イ　専門実践教育訓練（長期専門実践教育訓練を除く。）を現に受けている
者に係る当該専門実践教育訓練に係る教育訓練給付金の額（合計額）は、
120万円を超えるときは、120万円となる。

ウ　教育訓練給付対象者であって、特定一般教育訓練に係る教育訓練給付
金の支給を受けようとするものは、当該特定一般教育訓練を開始する日
の14日前までに、教育訓練給付金及び教育訓練支援給付金受給資格確認
票に所定の書類を添えて、管轄公共職業安定所の長に提出しなければな
らない。

エ　特定一般教育訓練に係る教育訓練給付金の額として算定された額が
8,000円を超えないときは、当該特定一般教育訓練に係る教育訓練給付金
は、支給されない。

オ　専門実践教育訓練を令和7年4月1日に開始した被保険者について、
当該専門実践教育訓練に係る教育訓練給付金の支給申請手続における最
初の支給単位期間は、令和7年4月1日から同年4月30日までの期間と
なる。

A（アとイ）　　　　B（イとウ）　　　　C（ウとエ）
D（エとオ）　　　　E（アとオ）

[問　7]　雇用保険制度に関する次の記述のうち、正しいものはどれか。

A　偽りその他不正の行為により基本手当の支給を受けた者がある場合に
は、政府は、その者に対して、支給した基本手当の全部又は一部を返還
することを命ずることができ、また、厚生労働大臣の定める基準により、
当該偽りその他不正の行為により支給を受けた基本手当の額の3倍に相
当する額以下の金額を納付することを命ずることができる。

B　特例一時金の支給を受けようとする特例受給資格者は、離職の日の翌
日から起算して1年を経過する日までに、公共職業安定所に出頭し、求
職の申込みをした上、失業していることについての認定を受けなければ
ならない。

C　期間の定めのある労働契約の締結に際して当該労働契約が更新される
ことが明示され、更新の確約があった場合において、労働者が当該労働
契約の更新を希望していたが、これが更新されなかったことにより離職
した者は、特定理由離職者に該当する。

D　日雇労働求職者給付金の支給を受けることができる者が基本手当の受給資格者である場合には、基本手当の支給が優先される。

E　雇用保険法第66条第1項によれば、国庫は、育児休業給付については、これに要する費用の8分の1を負担する。

[問　8]　労働保険徴収法に基づく保険関係等に関する次の記述のうち、正しいものはどれか。

A　労災保険に係る保険関係は、労災保険の適用事業が開始された日の翌日に成立する。

B　労災保険に係る保険関係が成立している事業に係る事業主は、その事業の種類にかかわらず、労災保険関係成立票を見やすい場所に掲げなければならない。

C　労災保険の適用事業に該当する事業が、その使用する労働者数の減少等により労災保険暫定任意適用事業に該当するに至ったときは、その翌日に、その事業につき労災保険の加入に係る厚生労働大臣の認可があったものとみなされる。

D　労災保険に係る保険関係が成立している労災保険暫定任意適用事業の事業主が、当該保険関係の消滅の申請をする場合には、当該事業に使用される労働者の4分の3以上の同意を得なければならない。

E　労災保険暫定任意適用事業の事業主は、その事業に使用される労働者（船員保険法第17条の規定による船員保険の被保険者を除く。）のすべてが希望する場合であっても、労災保険の加入に係る申請をする必要はない。

[問　9]　労働保険事務組合に関する次の記述のうち、誤っているものはどれか。

A　労働保険事務組合は、報奨金の交付を受けようとするときは、所定の事項を記載した申請書を、10月15日までにその主たる事務所の所在地を管轄する都道府県労働局長に提出しなければならない。

B　労働保険事務組合の主たる事務所の所在地を管轄する都道府県労働局長は、労働保険事務組合の認可の取消しがあったときは、その旨を、当該労働保険事務組合に労働保険事務の処理を委託している事業主に通知しなければならない。

C　労働保険事務組合は、労働保険事務組合認可申請書に記載された事項に変更を生じた場合には、その変更があった日の翌日から起算して14日以内に、その旨を記載した届書をその主たる事務所の所在地を管轄する都道府県労働局長に提出しなければならない。

D　卸売業を主たる事業とする事業主及び小売業を主たる事業とする事業主については、いずれも、常時使用する労働者の数が100人以下でなければ、労働保険事務組合に労働保険事務の処理を委託することができない。

E　労働保険事務組合は、印紙保険料に関する事務については、事業主からの委託を受けて処理することができない。

[問　10]　労働保険徴収法に関する次の記述のうち、誤っているものはどれか。

A　事業主は、日雇労働被保険者に賃金を支払うつどその者に係る印紙保険料を納付しなければならない。

B　一元適用事業であって、労働保険事務組合に労働保険事務の処理を委託していない継続事業（一括有期事業を除く。）の事業主が保険関係成立届と同時に提出する概算保険料申告書は、これらの届書を雇用保険法の適用事業所設置届と併せて提出する場合には、年金事務所、所轄労働基準監督署長又は所轄公共職業安定所長を経由して提出することができる。

C　令和7年4月1日に保険関係が成立した継続事業の事業主は、令和7年度の概算保険料を、同年5月20日までに納付しなければならない。

D　継続事業において、令和7年度に使用するすべての労働者に係る賃金総額の見込額が2,600万円であり、令和6年度に使用したすべての労働者に係る賃金総額が5,000万円である場合には、5,000万円を用いて、令和7年度の概算保険料の額を算定する。

E　政府は、事業主が認定決定された確定保険料又はその不足額を納付しなければならない場合には、原則として、その納付すべき額（その額に1,000円未満の端数があるときは、その端数は、切り捨てる。）に100分の10を乗じて得た額の追徴金を徴収する。

労務管理その他の労働及び社会保険に関する一般常識

[問　1]　労働関係法規に関する次の記述のうち、正しいものはどれか。

A　労働契約法第14条においては、権利濫用に該当する出向命令の効力について規定しているが、同条の「出向」には、いわゆる在籍型出向のみならず、いわゆる移籍型出向も含まれる。

B　当事者の合意により契約が成立し、又は変更されることは、契約の一般原則であるが、個別の労働者及び使用者の間には、現実の力関係の不平等が存在しているため、労働契約法第3条第1項においては、労使対等の原則を規定し、労働契約の基本原則を確認している。

C　労働者派遣法によれば、派遣元事業主は、派遣先の事業所その他派遣就業の場所ごとの業務について、3年を超える期間継続して同一の派遣労働者に係る労働者派遣（所定のものを除く。）を行ってはならない。

D　労働者派遣法によれば、派遣先の事業所その他派遣就業の場所における同一の組織単位の業務について継続して3年間当該労働者派遣に係る労働に従事する見込みがある特定有期雇用派遣労働者を雇用する派遣元事業主は、派遣先に対し、特定有期雇用派遣労働者に対して労働契約の申込みをすることを求めること等のいわゆる雇用安定措置のいずれかを講ずるように努めなければならない。

E　労働施策総合推進法によれば、事業主は、常時使用する労働者の数が50人を超えるときは、職場において行われる優越的な関係を背景とした言動であって、業務上必要かつ相当な範囲を超えたものによりその雇用する労働者の就業環境が害されることのないよう、当該労働者からの相談に応じ、適切に対応するために必要な体制の整備その他の雇用管理上必要な措置を講じなければならない。

[問　2]　労働関係法規に関する次の記述のうち、誤っているものはどれか。

A　ユニオン・ショップ協定のうち、ユニオン・ショップ協定を締結している労働組合（以下本肢において「締結組合」という。）以外の他の労働組合に加入している者及び締結組合から脱退し、又は除名されたが、他の労働組合に加入し、又は新たな労働組合を結成した者について使用者の解雇義務を定める部分は、無効と解すべきであるとするのが、最高裁判所の判例である。

B 労働組合法によれば、労働委員会は、使用者が労働組合法第7条（不当労働行為）の規定に違反した旨の申立てが、行為の日（継続する行為にあってはその終了した日）から1年を経過した事件に係るものであるときは、これを受けることができない。

C 個別労働関係紛争解決促進法の規定による紛争調整委員会は、都道府県労働局に置かれ、3人以上36人以内の委員をもって組織されるが、当該委員は、学識経験を有する者のうちから、厚生労働大臣が任命する。

D 最低賃金法によれば、地域別最低賃金は、地域における労働者の生計費及び賃金並びに通常の事業の賃金支払能力を考慮して定められなければならないが、労働者の生計費を考慮するにあたっては、労働者が健康で文化的な最低限度の生活を営むことができるよう、生活保護に係る施策との整合性に配慮するものとされている。

E 最低賃金法によれば、労働者が2以上の最低賃金の適用を受ける場合には、使用者は、当該労働者に対し、2以上の最低賃金額のうち最低のものによる額以上の賃金を支払えば足りる。

[問 3] 労働関係法規に関する次のアからオまでの記述のうち、誤っているものの組合せは、後記AからEまでのうちどれか。

ア 職業安定法によれば、無料の職業紹介事業に係る厚生労働大臣の許可を受けた労働組合は、建設業務に就く職業を求職者に紹介することができる。

イ 障害者雇用促進法によれば、令和7年度における一般事業主（特殊法人を除く。）に係る法定雇用障害者数の算定の基礎に用いる障害者雇用率は、100分の2.7である。

ウ 障害者雇用促進法における障害者の雇用義務に関し、雇用障害者数の算定にあたっては、重度身体障害者である3人の労働者を常時雇用し、それぞれの週所定労働時間が12時間、24時間及び35時間である場合（通常の労働者の週所定労働時間は40時間であるものとする。）は、実雇用障害者数は4人とカウントする。

エ 高年齢者雇用安定法によれば、事業主は、同一の事業所において、1ヵ月以内の期間に、その雇用する高年齢者等のうち5人以上の者が解雇により離職する場合には、あらかじめ、その旨を公共職業安定所長に届け出なければならない。

オ　高年齢者雇用安定法によれば、事業主は、労働者の募集及び採用をする場合において、やむを得ない理由により一定の年齢（65歳以下のものに限る。）を下回ることを条件とするときは、求職者に対し、当該理由を示さなければならない。

A（アとイ）　　　　B（アとオ）　　　　C（イとウ）
D（ウとエ）　　　　E（エとオ）

[問　4]　育児・介護休業法に関する次の記述のうち、誤っているものはどれか。

A　事業主は、引き続き雇用された期間が6ヵ月に満たない労働者から、介護休暇を取得するための申出があったときは、その雇用された期間が6ヵ月に満たないことを理由として、当該申出を拒むことができない。

B　9歳に達する日以後の最初の3月31日までの間にある子（以下本肢において「小学校第3学年修了前の子」という。）を養育する労働者は、その事業主に申し出ることにより、一の年度において10労働日（その養育する小学校第3学年修了前の子が2人以上の場合にあっては、20労働日）を限度として、子の看護等休暇を取得することができる。

C　事業主は、小学校就学の始期に達するまでの子を養育する労働者（一定の労働者を除く。）が当該子を養育するために請求した場合においては、事業の正常な運営を妨げるときを除き、所定労働時間を超えて労働させてはならない。

D　事業主は、労働者が育児休業申出等をし、又は育児休業をしたことを理由として、当該労働者に対して解雇その他不利益な取扱いをしてはならない。

E　介護休業の申出に係る「対象家族」とは、配偶者（婚姻の届出をしていないが、事実上婚姻関係と同様の事情にある者を含む。以下同じ。）、父母、子、祖父母、兄弟姉妹及び孫並びに配偶者の父母をいう。

[問　5]　社会保険労務士法に関する次の記述のうち、正しいものはどれか。

A　懲戒処分により社会保険労務士の失格処分を受けた者及び社会保険労務士の登録の取消しの処分を受けた者は、いずれも、その処分を受けた日から3年を経過するまでは、社会保険労務士となる資格を有しない。

B　社会保険労務士である者は、懲戒処分により社会保険労務士の業務の停止の処分を受け、当該業務の停止の期間を経過しない者であっても、社会保険労務士法人の社員となることができる。

C　社会保険労務士法人が2以上の事務所を設ける場合において、その主たる事務所には、社会保険労務士会の会員である社員を常駐させなければならないが、他の事務所には、社会保険労務士会の会員である社員を常駐させる必要はない。

D　社会保険労務士又は社会保険労務士法人でない者は、他人の求めに応じ報酬を得て、事業における労務管理その他の労働に関する事項について相談に応じ、又は指導することを業として行ってはならない。

E　社会保険労務士に対する懲戒処分には、戒告、1年以内の業務の停止、失格処分の3種があるが、社会保険労務士が、相当の注意を怠り、真正の事実に反して申請書等の作成を行った場合は、失格処分を受けることがある。

[問　6]　介護保険法に関する次の記述のうち、正しいものはどれか。

A　要介護認定は、その申請のあった日の属する月の初日にさかのぼってその効力を生じ、その有効期間は、6ヵ月間（市町村又は特別区（以下本問において単に「市町村」という。）が介護認定審査会の意見に基づき特に必要と認める場合にあっては、3ヵ月間から12ヵ月間までの範囲内で月を単位として市町村が定める期間（6ヵ月間を除く。））となる。

B　要介護認定を受けた第1号被保険者が居宅サービスを受けたときは、政令で定めるところにより算定したその者の所得の額に応じて、当該居宅サービスにつき算定した費用の額の100分の90又は100分の80に相当する額が居宅介護サービス費として支給される。

C　都道府県は、政令で定めるところにより、市町村に対し、介護給付（介護保険施設及び特定施設入居者生活介護に係るものに限る。）及び予防給付（介護予防特定施設入居者生活介護に係るものに限る。）に要する費用の額について、その100分の17.5に相当する額を負担する。

D　介護認定審査会の委員は、要介護者等の保健、医療又は福祉に関する学識経験を有する者のうちから、市町村長（特別区にあっては、区長。以下同じ。）が任命するが、その任期は3年である。

E　指定居宅サービス事業者の指定は、居宅サービスの種類及び当該居宅サービスの種類に係る居宅サービス事業を行う事業所ごとに都道府県知事が行い、指定介護予防サービス事業者の指定は、介護予防サービスの種類及び当該介護予防サービスの種類に係る介護予防サービス事業を行う事業所ごとに市町村長が行う。

[問　7]　確定給付企業年金法及び確定拠出年金法に関する次の記述のうち、正しいものはどれか。

A　確定拠出年金法によれば、国民年金の第2号被保険者は、個人型年金加入者となることができない。

B　確定給付企業年金法によれば、障害給付金の支給の対象となる障害の状態は、国民年金法に規定する1級及び2級の障害等級のうち政令で定めるものの範囲内でなければならない。

C　確定給付企業年金法によれば、基金型企業年金を実施する場合において、給付を受ける権利は、その権利を有する者の請求に基づいて、事業主が裁定する。

D　確定給付企業年金法によれば、確定給付企業年金を実施する厚生年金適用事業所の事業主は、給付に関する事業に要する費用に充てるため、規約で定めるところにより、月1回以上、定期的に掛金を拠出しなければならない。

E　確定拠出年金の給付は、老齢給付金、障害給付金及び死亡一時金であるが、当分の間、確定拠出年金法に定める一定の要件に該当する者は、脱退一時金の支給を請求することができる。

[問　8]　国民健康保険法に関する次の記述のうち、誤っているものはいくつあるか。

ア　国民健康保険組合を設立しようとするときは、主たる事務所の所在地の市町村長の認可を受けなければならない。

イ　市町村（特別区を含む。以下本問において同じ。）及び国民健康保険組合は、被保険者の出産及び死亡に関しては、条例又は規約の定めるところにより、出産手当金の支給又は葬祭費の支給若しくは葬祭の給付を行うものとする。ただし、特別の理由があるときは、その全部又は一部を行わないことができる。

ウ 都道府県の区域内に住所を有するに至ったため、当該都道府県が当該都道府県内の市町村とともに行う国民健康保険（以下本問において「都道府県等が行う国民健康保険」という。）の被保険者の資格を取得した者があるときは、その者の属する世帯の世帯主は、10日以内に、届書を、当該世帯主が住所を有する市町村に提出しなければならない。

エ 市町村による保険料の徴収については、必ず普通徴収（市町村が世帯主に対し、納入の通知をすることによって保険料を徴収することをいう。）の方法によらなければならない。

オ 都道府県の区域内に住所を有する者であっても、国民健康保険組合の被保険者であるものは、当該都道府県等が行う国民健康保険の被保険者とならない。

A 一つ

B 二つ

C 三つ

D 四つ

E 五つ

[問 9] 高齢者医療確保法に関する次の記述のうち、誤っているものはどれか。

A 後期高齢者医療広域連合は、災害その他の厚生労働省令で定める特別の事情がある被保険者であって、保険医療機関等に一部負担金を支払うことが困難であると認められるものに対し、一部負担金を減額し、その支払いを免除し、又は保険医療機関等に対する支払いに代えて一部負担金を直接に徴収することとし、その徴収を猶予する措置を採ることができる。

B 国は、後期高齢者医療の財政を調整するため、政令で定めるところにより、後期高齢者医療広域連合に対して、負担対象総額の見込額の総額の12分の1に相当する額の調整交付金を交付する。

C 社会保険診療報酬支払基金は、出産育児一時金等の支給に要する費用の一部に充てるため、保険者に対して、出産育児交付金を交付する。

D 後期高齢者医療広域連合の区域内に住所を有する75歳以上の者であっても、厚生年金保険法による老齢厚生年金、国民年金法による老齢基礎年金その他の老齢を支給事由とする年金たる給付の受給権を有しないものは、当該後期高齢者医療広域連合が行う後期高齢者医療の被保険者とならない。

E 後期高齢者医療給付に関する処分に不服がある者は、各都道府県に置かれた後期高齢者医療審査会に審査請求をすることができる。

[問 10] 船員保険法及び児童手当法に関する次の記述のうち、誤っているものはどれか。

A 船員保険は、健康保険法による全国健康保険協会が、管掌する。船員保険事業に関して船舶所有者及び被保険者（その意見を代表する者を含む。）の意見を聴き、当該事業の円滑な運営を図るため、全国健康保険協会に船員保険協議会を置く。

B 船員保険法によれば、被保険者（疾病任意継続被保険者を除く。）が職務上の事由により1ヵ月以上行方不明となったときは、被扶養者に対し、行方不明手当金を支給する。

C 船員保険法によれば、疾病任意継続被保険者は、後期高齢者医療の被保険者等となったときは、その日の翌日から、その資格を喪失する。

D 児童手当法において「児童」とは、18歳に達する日以後の最初の3月31日までの間にある者であって、日本国内に住所を有するもの又は留学その他の内閣府令で定める理由により日本国内に住所を有しないものをいう。

E 児童手当法によれば、児童手当は、原則として、毎年2月、4月、6月、8月、10月及び12月の6期に、それぞれの前月までの分が支払われる。

健康保険法

[問　1]　健康保険法に関する次のアからオまでの記述のうち、誤っているものの組合せは、後記AからEまでのうちどれか。

ア　被保険者に係る療養の給付又は入院時食事療養費、入院時生活療養費、保険外併用療養費、療養費、訪問看護療養費、家族療養費若しくは家族訪問看護療養費の支給は、同一の疾病又は負傷について、介護保険法の規定によりこれらに相当する給付を受けることができる場合には、行われない。

イ　保険給付を受ける権利は、譲り渡し、担保に供し、又は差し押さえることができない。

ウ　偽りその他不正の行為によって保険給付を受けた者がある場合において、事業主が虚偽の報告又は証明をしたため、その保険給付が行われたものであるときは、保険者は、当該事業主に対し、保険給付を受けた者に連帯してその給付の価額の全部又は一部についての徴収金を納付すべきことを命ずることができる。

エ　保険者は、被保険者又は被保険者であった者が、正当な理由なしに療養に関する指示に従わないときは、保険給付の一部を行わないことができるが、この場合の療養の給付の制限期間は、おおむね30日間を基準とすることとされている。

オ　被保険者が闘争、泥酔又は著しい不行跡によって給付事由を生じさせたときは、当該給付事由に係る保険給付は、その一部を行わないことができるが、その全部を行わないことはできない。

A（アとイ）　　　　B（アとエ）　　　　C（イとウ）
D（ウとオ）　　　　E（エとオ）

[問　2]　健康保険法に関する次の記述のうち、誤っているものはどれか。

A　被保険者と同一の世帯に属する63歳の母（日本国内に住所を有しているものとする。）は、その年間収入が150万円であって、かつ、被保険者の年間収入の2分の1未満である場合は、被扶養者と認められる。

B　被保険者の配偶者の孫（日本国内に住所を有しているものとする。）は、その被保険者と同一の世帯に属し、主としてその被保険者により生計を維持するものであるときは、被扶養者と認められる。

C　被保険者が、ある年度において、6月に200万円、12月に250万円、翌年3月に100万円の賞与を受けた場合には、その者の標準賞与額は、6月及び12月が150万円、翌年3月が100万円と決定される。

D　適用事業所に使用される日雇労働者であって、任意継続被保険者であるものは、厚生労働大臣の承認を受けて、日雇特例被保険者とならないことができる。

E　随時改定を行うべき場合において、昇給が遡及したため、それに伴う差額支給によって報酬月額に変動が生じたものであるときは、保険者算定による随時改定が行われる。

[問　3]　保険者に関する次の記述のうち、誤っているものはどれか。

A　健康保険組合の規約の変更（厚生労働省令で定める事項に係るものを除く。以下本肢において同じ。）は、厚生労働大臣の認可を受けなければ、その効力を生じない。当該規約の変更に係る組合会の議事は、出席した組合会議員の過半数で決し、可否同数のときは、議長が決する。

B　健康保険組合が設立された適用事業所（以下「設立事業所」という。）の事業主及びその設立事業所に使用される被保険者は、当該健康保険組合の組合員とする。また、当該被保険者は、当該設立事業所に使用されなくなったときであっても、任意継続被保険者であるときは、なお当該健康保険組合の組合員とする。

C　健康保険事業の収支が均衡しない健康保険組合であって、政令で定める要件に該当するものとして厚生労働大臣の指定を受けたものは、当該指定の日の属する年度の翌年度を初年度とする3ヵ年間の健全化計画を定め、厚生労働大臣の承認を受けなければならず、当該承認を受けたときは、当該承認に係る健全化計画に従い、その事業を行わなければならない。

D　全国健康保険協会の理事は、理事長が任命する。理事長は、理事を任命したときは、遅滞なく、厚生労働大臣に届け出るとともに、これを公表しなければならない。

E　厚生労働大臣は、全国健康保険協会の事業年度ごとの業績について、評価を行わなければならず、評価を行ったときは、遅滞なく、全国健康保険協会に対し、当該評価の結果を通知するとともに、これを公表しなければならない。

[問　4]　標準報酬月額に関する次の記述のうち、正しいものはどれか。

A　日、時間、出来高又は請負によって報酬が定められる者が、被保険者の資格を取得した場合には、原則として、被保険者の資格を取得した月前1ヵ月間に、その地方で、同様の業務に従事し、かつ、同様の報酬を受ける者が受けた報酬の額を報酬月額として、標準報酬月額を決定する。

B　賃金締切日を毎月20日、支払日を翌月5日としている事業所の標準報酬月額の定時決定においては、4月20日締切分、5月20日締切分及び6月20日締切分の賃金が、報酬月額の算定の基礎となる。

C　残業時間の増加に伴って残業手当が増加したことにより3ヵ月間の報酬の月平均額が上昇した場合であっても、基本給などの固定的賃金に変動がなければ、随時改定の対象とならない。

D　育児休業等を終了した際の改定によって改定された標準報酬月額は、育児休業等終了日の翌日から起算して1ヵ月を経過した日の属する月の翌月からその年の8月（当該翌月が7月から12月までのいずれかの月である場合は、翌年の8月）までの各月の標準報酬月額とされる。

E　第49級の標準報酬月額に該当する者について昇給が行われ、当該昇給が行われた月以後3ヵ月間（各月とも、報酬支払基礎日数は17日以上であったものとする。）に受けた報酬による報酬月額が1,355,000円となった場合には、随時改定が行われる。

[問　5]　被保険者に関する次の記述のうち、誤っているものはどれか。

A　法人の代表者又は業務執行者であって、法人から労務の対償として報酬を受けているものは、被保険者となる。

B　被保険者の資格の取得及び喪失は、保険者等の確認によってその効力を生ずるが、事業所を任意適用事業所とすることについての厚生労働大臣の認可があった場合の被保険者の資格の取得及び事業所を任意適用事業所でなくすることについての厚生労働大臣の認可があった場合の被保険者の資格の喪失は、保険者等の確認を要しない。

C　被保険者が、その使用されている事業所の労働組合の専従役職員となった場合は、その者は、従前の事業主との関係においては被保険者の資格を喪失し、労働組合に使用される者としてのみ被保険者となることができる。

D 臨時的事業の事業所に当初は6ヵ月間使用される予定であった者が、業務の都合により継続して6ヵ月を超えて使用されるに至ったとしても、この者は、被保険者とならない。

E 国民健康保険組合が行う国民健康保険の被保険者である者が、健康保険の適用事業所に使用されることとなった場合であっても、厚生労働大臣、健康保険組合又は共済組合の承認を受けたときは、国民健康保険の被保険者であるべき期間に限り、その者は、健康保険の被保険者とならない。

[問 6] 健康保険法に関する次の記述のうち、正しいものはどれか。

A 全国健康保険協会が管掌する健康保険の適用事業所の事業主及び当該適用事業所に使用される被保険者は、それぞれ保険料額の2分の1を負担するが、当該適用事業所に使用される被保険者の過半数で組織する労働組合があるときはその労働組合、被保険者の過半数で組織する労働組合がないときは被保険者の過半数を代表する者の同意を得て、事業主の負担すべき一般保険料額又は介護保険料額の負担の割合を増加することができる。

B 厚生労働大臣は、都道府県単位保険料率が、当該都道府県における健康保険事業の収支の均衡を図る上で不適当であり、全国健康保険協会が管掌する健康保険の事業の健全な運営に支障があると認めるときは、全国健康保険協会に対し、相当の期間を定めて、当該都道府県単位保険料率の変更の認可を申請すべきことを命ずることができる。

C 事業主は、毎年7月1日現に使用する被保険者（その年の定時決定を行わない者を除く。）の報酬月額に関し、同月末日までに、健康保険被保険者報酬月額算定基礎届を日本年金機構又は健康保険組合に提出しなければならない。

D 被保険者（日雇特例被保険者を除く。以下同じ。）は、同時に2以上の事業所に使用される場合において、保険者が2以上あるときは、その被保険者の保険を管掌する保険者を選択しなければならない。当該選択は、同時に2以上の事業所に使用されるに至った日から10日以内に、所定の事項を記載した届書を全国健康保険協会を選択しようとするときは全国健康保険協会に、健康保険組合を選択しようとするときは健康保険組合に提出することによって行う。

E　令和5年10月1日に適用事業所に使用され、継続して被保険者であった者が令和7年7月30日付で同事業所を退職し、同年7月31日に被保険者の資格を喪失した。この場合には、同年7月までが保険料徴収の対象となる。

［問　7］　保険給付に関する次の記述のうち、誤っているものはどれか。

　　A　一般の被保険者の資格を喪失して任意継続被保険者となった者が、任意継続被保険者の資格を取得してから10ヵ月後に出産した場合は、当該出産について出産手当金は支給されない。

　　B　被保険者が死亡し、その者により生計を維持していた子が埋葬を行うべき者である場合は、その死亡の当時、当該子が修学のために死亡した者と別居の状態にあっても、当該子に対し、埋葬料が支給される。

　　C　訪問看護療養費の支給対象となる被保険者は、疾病又は負傷により、居宅において継続して療養を受ける状態にある者であって、主治の医師が、病状が安定し、又はこれに準ずる状態にあり、かつ、居宅において看護師等が行う療養上の世話及び必要な診療の補助を要すると認めたものに限られる。

　　D　業務外の事由による疾病のために労務不能となり、令和7年5月20日から5月22日までの3日間で傷病手当金に係る待期期間を満たした被保険者が、5月20日から同月末日まで年次有給休暇を取得したため、傷病手当金の支給が同年6月1日から始められた。この傷病手当金の支給期間は、同年5月23日から通算して1年6ヵ月間となる。

　　E　傷病手当金の支給を受けている者であって、同一の傷病につき厚生年金保険法による障害厚生年金又は障害手当金の支給を受けていないものが、出産手当金の支給要件を満たすこととなった場合には、出産手当金の額が傷病手当金の額より少ないときを除き、出産手当金が支給される期間、傷病手当金は支給されない。

［問　8］　健康保険法に関する次の記述のうち、正しいものはどれか。

　　A　被保険者の資格取得前の事故による疾病又は負傷について被保険者の資格取得後に療養を受ける場合は、療養の給付は行われない。

B　診療所である保険医療機関については、病床を有しているか否かを問わず、当該保険医療機関の指定の効力を失う日前6ヵ月から同日前3ヵ月までの間に、別段の申出がないときは、指定の更新の申請があったものとみなされる。

C　家族療養費が支給されている場合において、被保険者が死亡したときは、死亡日の属する月の翌月から、家族療養費の支給が打ち切られる。

D　協会管掌健康保険の被保険者であった者が、その資格を喪失後、再度協会管掌健康保険の被保険者の資格を取得した場合は、高額療養費の多数回該当に関し、従前の被保険者であった間の支給回数と新たに取得した被保険者である間の支給回数は通算されない。

E　70歳未満で療養のあった月の標準報酬月額が53万円以上83万円未満の被保険者に係る高額療養費算定基準額は、167,400円と、療養に要した費用の額から558,000円を控除した額に100分の1を乗じて得た額との合算額であり、多数回該当の場合にあっては、93,000円である。

[問　9]　保険給付に関する次の記述のうち、誤っているものはいくつあるか。

ア　入院時生活療養費の支給対象となる特定長期入院被保険者とは、一般病床又は療養病床に入院する被保険者であって、65歳に達する日の属する月の翌月以後であるものをいう。

イ　保険外併用療養費に関し、保険医療機関は、評価療養又は選定療養を行うにあたっては、あらかじめ、患者に対し、その内容及び費用に関して説明を行い、その同意を得なければならないが、患者申出療養を行うにあたっては、内容及び費用の説明をあらかじめ行う必要はない。

ウ　海外において療養を受け、現に海外にある被保険者からの療養費の支給申請は、原則として事業主等を経由して行わせ、その受領は事業主等が代理して行い、保険者から国外への送金は行わないこととされている。

エ　移送費の支給申請書には、医師又は歯科医師の意見書及び移送に要した費用の額を証する書類を添付しなければならない。

オ　資格喪失後の傷病手当金の継続給付を受けていた者が、保険診療を受けつつ一旦稼働して傷病手当金が不支給となり、その後さらに労務に服することができない状態となった場合は、当該傷病手当金の支給期間内であれば、再び傷病手当金の継続給付を受けることができる。

A　一つ

B　二つ

C　三つ

D　四つ

E　五つ

[問　10]　健康保険法に関する次の記述のうち、正しいものはどれか。

A　健康保険組合に対して交付する国庫負担金は、各健康保険組合における被保険者の総報酬額の平均額を基準として、厚生労働大臣が算定する。

B　高額介護合算療養費は、計算期間において介護保険法の規定による介護サービス利用者負担額及び介護予防サービス利用者負担額がともに零である場合は、支給されない。

C　保険医療機関は、療養の給付の担当に関する帳簿及び書類その他の記録をその完結の日から２年間保存しなければならない。ただし、患者の診療録にあっては、その完結の日から４年間保存しなければならない。

D　出産手当金を受ける権利は、労務に服さなかった日の属する月の翌月１日から起算して２年を経過したときは、時効によって消滅する。

E　一般の被保険者であった者が被保険者の資格を喪失した日後３ヵ月以内に死亡した場合には、一般の被保険者であった期間が引き続き１年以上であったときに限り、資格喪失後の死亡に関する給付が行われる。

厚生年金保険法

[問　1]　厚生年金保険法に関する次の記述のうち、正しいものはどれか。なお、本問における合意分割制度とは、厚生年金保険法第3章の2に規定する「離婚等をした場合における特例」に係る制度をいい、3号分割制度とは、同法第3章の3に規定する「被扶養配偶者である期間についての特例」に係る制度をいう。

　　A　3号分割制度における「特定被保険者」とは、被保険者又は被保険者であった者をいい、「被扶養配偶者」とは、当該特定被保険者の配偶者として国民年金の第1号被保険者又は第3号被保険者に該当していたものをいう。

　　B　3号分割制度における特定期間に係る被保険者期間については、特定期間の初日の属する月はこれに算入し、特定期間の末日の属する月はこれに算入しない。特定期間の初日と末日が同一の月に属するときは、その月は、特定期間に係る被保険者期間に算入しない。

　　C　合意分割制度による標準報酬改定請求は、第1号改定者と第2号改定者の婚姻期間のうち、第2号改定者が国民年金の任意加入被保険者であった期間については、することができない。

　　D　合意分割制度に係る当事者又はその一方は、標準報酬改定請求後であっても、必要の限度において、実施機関に対し、対象期間標準報酬総額、按分割合の範囲その他の標準報酬改定請求を行うために必要な情報の提供を請求することができる。

　　E　合意分割制度による離婚時みなし被保険者期間を60ヵ月有する者であって、離婚時みなし被保険者期間以外の厚生年金保険の被保険者期間を有しないものは、老齢基礎年金の受給資格期間を満たしていても、65歳から支給される老齢厚生年金の支給を受けることができない。

[問　2]　遺族厚生年金に関する次の記述のうち、正しいものはどれか。

　　A　被保険者が死亡したことにより58歳の妻が遺族厚生年金の受給権を取得した場合であって、当該妻が当該被保険者又は被保険者であった者の死亡について国民年金法による遺族基礎年金の受給権を有しないときは、当該妻に対する遺族厚生年金は、妻が60歳に達するまでの期間、その支給が停止される。

B　遺族厚生年金の受給権を取得した当時28歳である妻が当該遺族厚生年金と同一の支給事由に基づく国民年金法による遺族基礎年金の受給権を取得しないときは、当該妻の有する遺族厚生年金の受給権は、妻が30歳に達したときに、消滅する。

C　被保険者が死亡したことにより遺族厚生年金の受給権を取得した子が、その後祖父母の養子となったときは、当該子の有する遺族厚生年金の受給権は、消滅する。

D　被保険者が死亡し、障害等級2級に該当する障害の状態にある子が遺族厚生年金の受給権を取得した場合において、当該子が19歳のときにその障害の状態が障害等級3級に該当することとなったときは、当該子の有する遺族厚生年金の受給権は、消滅する。

E　配偶者に対する遺族厚生年金は、当該被保険者又は被保険者であった者の死亡について、配偶者が国民年金法による遺族基礎年金の受給権を有しない場合であって子が当該遺族基礎年金の受給権を有するときであっても、その支給が停止されることはない。

[問　3]　老齢厚生年金に関する次の記述のうち、誤っているものはどれか。

A　昭和21年4月2日以後に生まれた者に支給される老齢厚生年金の定額部分の額は、1,628円に国民年金法第27条に規定する改定率を乗じて得た額（所定の端数処理をして得た額）に被保険者期間の月数を乗じて得た額であり、当該被保険者期間の月数が480を超えるときは、これを480として計算する。

B　繰上げ支給の老齢厚生年金と雇用保険法の規定による高年齢雇用継続基本給付金との調整による支給停止が行われる場合において、老齢厚生年金の受給権者に係る標準報酬月額が15万円であり、同法の規定によるみなし賃金日額に30を乗じて得た額が30万円であるときは、その月分の老齢厚生年金の額について、9,000円の支給が停止される。

C　平成15年4月1日以後の被保険者期間のみを有する者に支給するいわゆる報酬比例による老齢厚生年金の額（厚生年金保険法第43条第1項に規定する額）は、被保険者であった全期間の平均標準報酬額の1,000分の5.481に相当する額に被保険者期間の月数を乗じて得た額であるが、1,000分の5.481とあるのは、昭和21年4月1日以前に生まれた者については、生年月日に応じて読み替えるものとされている。

D　雇用保険の基本手当との調整により特別支給の老齢厚生年金の支給が停止されるべき調整対象期間においては、基本手当に係る給付制限期間であることにより基本手当が支給されない月であっても、その月分の老齢厚生年金の支給は停止される。

E　繰上げ支給の老齢厚生年金と雇用保険の基本手当との調整による調整対象期間が終了した場合において、年金停止月の数が5ヵ月、基本手当の支給を受けた日とみなされる日の数が100日であるときは、年金停止月のうち、直近の1ヵ月について、老齢厚生年金の支給停止が行われなかったものとみなされる。

[問　4]　厚生年金保険法に関する次の記述のうち、誤っているものはどれか。

A　任意適用事業所の事業主が当該事業所を適用事業所でなくすることの厚生労働大臣の認可を受けたときは、当該事業所に使用される被保険者は、当該認可があった日の翌日に、被保険者の資格を喪失する。

B　第1号厚生年金被保険者が同時に第2号厚生年金被保険者の資格を有するに至ったときは、その日に、当該第1号厚生年金被保険者の資格を喪失する。

C　船舶所有者に臨時に使用される70歳未満の船員は、2ヵ月以内の期間を定めて使用される者であって、当該定めた期間を超えて使用されることが見込まれないものであっても、その使用される当初から被保険者となる。

D　常時5人の従業員を使用する個人経営の物の販売の事業所は、従業員のうちに被保険者の適用除外事由に該当する者がいても、強制適用事業所となる。

E　適用事業所以外の事業所の事業主が、当該事業所を適用事業所とするためには、適用除外となる者を含めて当該事業所に使用されるすべての者の2分の1以上の同意を得た上で、厚生労働大臣の認可を受けなければならない。

[問 5] 厚生年金保険法に関する次のアからオまでの記述のうち、正しいものの組合せは、後記AからEまでのうちどれか。

ア 第1号厚生年金被保険者であり、又はあった者は、厚生年金保険原簿に記録された自己に係る第1号厚生年金被保険者の資格の取得及び喪失の年月日が事実でないと思料するときは、厚生労働大臣に対し、厚生年金保険原簿の訂正の請求をすることができる。

イ 平均標準報酬額とは、平成15年4月以後の被保険者期間について、その計算の基礎となる各月の標準報酬月額と標準賞与額に、それぞれ再評価率を乗じて得た額の総額を、当該被保険者期間の月数で除して得た額をいう。

ウ 日本年金機構は、滞納処分等をしたときは、速やかに、その結果を納付義務者の居住地又はその者の財産所在地の市町村に報告しなければならない。

エ 令和7年2月10日から同年5月15日まで産前産後休業をした第1号厚生年金被保険者に係る保険料は、その者を使用する事業所の事業主の申出により、同年2月分から5月分までが免除される。

オ 厚生労働大臣は、厚生年金保険法第33条に規定する保険給付を受ける権利の裁定に係る事務のうち、当該裁定を日本年金機構に行わせるものとされている。

A （アとイ）　　　　B （アとエ）　　　　C （イとウ）
D （ウとオ）　　　　E （エとオ）

[問 6] 厚生年金保険法に関する次の記述のうち、誤っているものはどれか。

A 第1号厚生年金被保険者に係る保険料は、被保険者の使用される船舶が滅失し、沈没し、又は全く運航に堪えなくなるに至った場合においては、納期前であっても、すべて徴収することができる。

B 事業主は、被保険者に対して通貨をもって報酬を支払う場合においては、被保険者の負担すべき前月の標準報酬月額に係る保険料（被保険者がその事業所又は船舶に使用されなくなった場合においては、前月及びその月の標準報酬月額に係る保険料）を報酬から控除することができる。

C　被保険者が同時に二の適用事業所に使用される場合において、当該二の適用事業所のうち一が船舶で他が船舶以外の事業所であるときは、船舶所有者以外の事業主が当該被保険者に係る保険料の半額を負担し、当該保険料及び当該被保険者の負担する保険料を納付する義務を負う。

D　適用事業所に使用される高齢任意加入被保険者であって、保険料の全額を負担し、納付する義務を負うものに係る保険料の納期限は、翌月末日である。

E　厚生労働大臣は、納入の告知をした保険料額が当該納付義務者が納付すべき保険料額を超えていることを知ったときは、その超えている部分に関する納入の告知を、その納入の告知の日の翌日から６ヵ月以内の期日に納付されるべき保険料について納期を繰り上げてしたものとみなすことができる。

[問　7]　障害厚生年金に関する次の記述のうち、誤っているものはどれか。

A　障害厚生年金は、受給権者が日本国内に住所を有しないことを理由として、その支給を停止されることはない。

B　実施機関は、障害厚生年金の受給権者について、その障害の程度を診査し、その程度が従前の障害等級以外の障害等級に該当すると認めるときは、その程度に応じて、障害厚生年金の額を改定することができるが、この改定は、受給権者が60歳以上であるときは、行われない。

C　障害厚生年金の受給権を取得した当時は障害等級３級に該当していたが、障害の程度が増進して障害等級２級に該当するに至った場合において、障害等級２級に該当するに至った当時その者によって生計を維持している65歳未満の配偶者があるときは、障害等級２級の障害厚生年金の額に加給年金額が加算される。

D　厚生年金保険法第47条の３に規定するいわゆる基準障害による障害厚生年金は、基準傷病に係る初診日の前日において保険料納付要件を満たしていない場合は、支給されない。

E　障害認定日は、初診日から起算して１年６ヵ月を経過した日であるが、その期間内に傷病が治った日（その症状が固定し治療の効果が期待できない状態に至った日を含む。以下同じ。）があるときは、その治った日が障害認定日となる。

[問　8]　老齢厚生年金に関する次の記述のうち、誤っているものはどれか。

　　　A　経過的加算額及び繰下げ加算額が加算されている老齢厚生年金について在職老齢年金制度が適用され、報酬比例部分の額の全部の支給が停止されるべき場合であっても、経過的加算額及び繰下げ加算額の支給は停止されない。

　　　B　老齢厚生年金の額に係るいわゆる障害者の特例は、特別支給の老齢厚生年金の受給権者が、被保険者でなく、かつ、傷病により障害等級に該当する程度の障害の状態にあれば、障害厚生年金の受給権者でなくとも、その適用を請求することができる。

　　　C　厚生年金保険法第43条第3項の規定による老齢厚生年金の額の改定（退職時改定）が行われるべき場合において、ある年の3月31日をもって事業所に使用されなくなったことにより被保険者の資格を喪失した者については、老齢厚生年金の額の改定は、その年の4月から行われる。

　　　D　配偶者に係る加給年金額が加算された老齢厚生年金については、加算の対象である配偶者が、障害厚生年金の支給を受けることができるときは、その間、当該配偶者に係る加給年金額に相当する部分の支給が停止される。

　　　E　加給年金額は、老齢厚生年金の受給権者がその権利を取得した当時において、その額の計算の基礎となる被保険者期間の月数が240未満であったときは、その後当該月数が240以上となっても、加算されない。

[問　9]　厚生年金保険法に関する次の記述のうち、正しいものはどれか。

　　　A　障害手当金は、傷病が治った日においてその傷病により政令で定める程度の障害の状態にあっても、その治った日が当該傷病に係る初診日から起算して5年を経過する日前であるときは、支給されない。

　　　B　被保険者の資格を令和6年4月20日に喪失した被保険者であった者が、被保険者であった令和2年4月15日が初診日である傷病により令和7年12月10日に死亡した場合には、保険料納付要件を満たす限り、その者の遺族に遺族厚生年金が支給される。

　　　C　中高齢寡婦加算額が加算された遺族厚生年金は、その受給権者である妻が当該遺族厚生年金と同一の支給事由による遺族基礎年金の支給を受けることができるときは、その間、中高齢寡婦加算額に相当する部分の支給が停止される。

D　脱退一時金の額の計算に係る支給率は、最終月の属する年の前年10月の保険料率（最終月が1月から8月までの場合にあっては、前々年10月の保険料率）に、被保険者であった期間に応じて政令で定める数を乗じ得た率である。

E　障害厚生年金の受給権者が、故意若しくは重大な過失により、又は正当な理由がなくて療養に関する指示に従わないことにより、その障害の程度を増進させたときは、従前の障害等級以下の障害等級に該当するものとして、障害厚生年金の額の減額改定を行うことができる。

[問　10]　厚生年金保険法に関する次の記述のうち、正しいものはどれか。

A　厚生労働大臣による脱退一時金に関する処分に不服がある者は、社会保険審査官に対して審査請求をすることができる。

B　2以上の種別の被保険者であった期間を有する者に係る障害厚生年金の支給に関する事務は、当該障害に係る障害認定日における被保険者の種別に応じて、厚生年金保険法第2条の5第1項各号に定める実施機関が行う。

C　65歳に達して老齢厚生年金の受給権を取得した者の被保険者期間が、15年の第1号厚生年金被保険者期間と15年の第4号厚生年金被保険者期間であるときは、加給年金額対象者の要件に該当する配偶者又は子がいても、当該老齢厚生年金の額に、加給年金額は加算されない。

D　産前産後休業を終了した際の報酬月額変更の届出は、船舶以外の事業所にあっては、事業主が、速やかに、被保険者からの申出書に所定の事項を記載した届書を日本年金機構に提出することによって行う。

E　適用事業所以外の事業所に使用される高齢任意加入被保険者が、老齢又は退職を支給事由とする年金たる給付の受給権を取得し、被保険者の資格を喪失したときは、当該事業所の事業主は、5日以内に、被保険者資格喪失届を日本年金機構に提出しなければならない。

国民年金法

[問　1]　遺族基礎年金に関する次の記述のうち、正しいものはどれか。

A　日本国内に住所を有する被保険者でない者であって、保険料納付済期間を20年、保険料免除期間を10年有するものが63歳で死亡した場合、死亡した者につき、死亡日の前日において、当該死亡日の属する月の前々月以前における直近の被保険者期間に係る月までの1年間のうちに保険料納付済期間及び保険料免除期間以外の被保険者期間があるときは、当該死亡について、遺族基礎年金は支給されない。

B　遺族基礎年金を受けることができる配偶者には、婚姻の届出をしていないが事実上婚姻関係と同様の事情にあった者を含み、子には、届出をしていないが事実上養子縁組関係と同様の事情にあった者を含む。

C　特例による任意加入被保険者が令和8年4月1日前に死亡し、当該死亡日の前日において死亡日の属する月の前々月までに被保険者期間があり、かつ、当該被保険者期間に係る保険料納付済期間と保険料免除期間とを合算した期間が当該被保険者期間の3分の2に満たないときは、当該死亡を支給事由とする遺族基礎年金は支給されない。

D　子のみが遺族基礎年金の受給権を有する場合において、遺族基礎年金の受給権を有する子の数に増減を生じたときは、増減を生じた日の属する月から、遺族基礎年金の額を改定する。

E　1年以上その所在が不明であったため、遺族基礎年金の受給権を有する子の申請によって遺族基礎年金の支給を停止された妻は、当該子の申請があった日から起算して1年を経過した日後でなければ、その支給停止の解除を申請することができない。

[問　2]　被保険者に関する次のアからオまでの記述のうち、誤っているものの組合せは、後記AからEまでのうちどれか。

ア　日本国内に住所を有しない30歳の任意加入被保険者が、外国に赴任している第2号被保険者と令和7年7月10日に婚姻し、主として当該第2号被保険者の収入により生計を維持し、当該第2号被保険者に同行する者となったときは、この者は、同年7月11日に、任意加入被保険者の資格を喪失し、第3号被保険者の資格を取得する。

イ　昭和34年8月10日生まれで、日本国籍を有さず、過去に国民年金の被保険者となったことがない者が、58歳のときに初めて日本国内に住所を有することとなり、同時に第2号被保険者の資格を取得した。この者が66歳で当該第2号被保険者の資格を喪失し、資格喪失後も引き続き日本国内に住所を有するときは、厚生労働大臣に申し出て、特例による任意加入被保険者となることができる。

ウ　60歳までの国民年金の被保険者期間が38年であり、このすべてが保険料納付済期間である者が、60歳から任意加入被保険者となった場合、この者は、65歳に達するまで継続して任意加入被保険者として保険料を納付することができる。

エ　日本国内に住所を有する18歳の者が、令和7年4月1日に厚生年金保険の適用事業所に使用され、かつ、厚生年金保険の被保険者の適用除外事由に該当しないときは、この者は、同日に、第2号被保険者の資格を取得する。

オ　被保険者でなく、日本国籍を有しない40歳の者が、令和7年6月25日に日本国内に住所を有するに至った場合において、第2号被保険者又は第3号被保険者に該当しないときは、この者は、同日に、第1号被保険者の資格を取得する。

A（アとウ）　　　　B（イとウ）　　　　C（イとエ）

D（アとオ）　　　　E（エとオ）

[問　3]　障害基礎年金に関する次の記述のうち、正しいものはどれか。

A　障害基礎年金の受給権は、その受給権者が61歳のときに、障害の状態が厚生年金保険法に規定する障害等級3級に該当する程度に軽減し、障害等級3級に該当したまま65歳に達したときは、65歳に達したときに、消滅する。

B　子に係る加算額が加算されていた障害基礎年金について、当該子（受給権者の子であり、受給権者が障害基礎年金の受給権を取得した日から引き続き、受給権者によって生計を維持しているものとする。）について18歳に達した日以後の最初の3月31日が終了したため、当該加算額が加算されなくなった。この場合には、その後当該子が19歳で障害等級2級に該当する障害の状態になったときであっても、当該障害基礎年金の額に子に係る加算額は加算されない。

C　障害等級2級の障害基礎年金の受給権者について、新たに厚生年金保険法に規定する障害等級3級に該当する程度の障害が発生し、新たな障害に係る障害認定日である66歳のときに従前の障害と新たな障害とを併合した障害の程度が障害等級1級に該当した。この者は、厚生労働大臣に対し、障害基礎年金の額の改定を請求することができる。

D　初診日において、日本国内に住所を有し、かつ、14歳であった者（被保険者ではないものとする。）について、当該初診日から起算して1年6ヵ月を経過した日には、その障害の程度が障害等級に該当しなかったが、その後障害の程度が増進し、18歳で障害等級2級に該当し、以後、障害等級2級の障害の状態が継続している。この場合には、この者が65歳に達した後に裁定請求をしても、障害基礎年金が支給される。

E　初診日において、日本国内に住所を有し、かつ、64歳であった者について、65歳で老齢基礎年金の受給権を取得した後の障害認定日において、その障害の程度が障害等級2級に該当した。この者が20歳から60歳までの全期間について、第1号被保険者として保険料を納付していたときであっても、この者に障害基礎年金の受給権は発生しない。

［問　4］　老齢基礎年金に関する次の記述のうち、正しいものはどれか。

A　老齢基礎年金の額を計算する場合において、平成21年4月以後の保険料半額免除期間の月数は、480から保険料納付済期間の月数を控除して得た月数について、その4分の3に相当する月数を計算の基礎とし、当該控除して得た月数を超える月数について、その4分の1に相当する月数を計算の基礎とする。

B　第3号被保険者としての被保険者期間に係る保険料納付済期間を5年、第1号被保険者としての被保険者期間に係る法定免除による保険料全額免除期間を7年有する者が65歳に達したときは、その者に老齢基礎年金が支給される。

C　昭和36年5月1日以後国籍法の規定により20歳に達した日の翌日から65歳に達した日の前日までの間に日本国籍を取得した者が、日本国内に住所を有していた期間のうち、昭和36年4月1日から昭和57年3月31日までの20歳以上60歳未満の期間（いわゆる被用者年金制度の加入期間を除く。）は、合算対象期間とされる。

D　老齢基礎年金の受給権は、受給権者が日本国内に住所を有しなくなったときは、消滅する。

E　障害基礎年金の支給を受けていたが、障害の程度が軽減したことにより当該障害基礎年金が支給停止となり、さらに65歳に達してその受給権が消滅した者は、老齢基礎年金の支給繰下げの申出をすることができない。

[問　5]　国民年金法に関する次の記述のうち、誤っているものはどれか。

A　障害基礎年金の受給権者が、67歳のときに遺族厚生年金の受給権を取得した場合は、当該障害基礎年金と当該遺族厚生年金とを併給することができない。

B　令和7年4月30日に死亡した者に係る遺族基礎年金の支給は、同年5月から始められる。

C　年金給付の受給権者が死亡した場合において、死亡した受給権者の死亡の当時その者と生計を同じくしていた者が死亡した受給権者の甥のみであったときは、当該甥は、自己の名で、当該受給権者の死亡に係る未支給の年金の支給を請求することができる。

D　受給権者が、正当な理由がなくて、国民年金法第105条第3項の規定による届出をせず、又は書類その他の物件を提出しないときは、年金給付の支払いを一時差し止めることができる。

E　第1号被保険者が令和7年3月31日に障害基礎年金の受給権を取得した場合は、法定免除の規定により、同年2月以後の月分の保険料が免除される。

[問　6]　給付に関する次の記述のうち、誤っているものはどれか。

A　老齢基礎年金の繰上げ支給又は繰下げ支給を受ける者に対して付加年金が支給されるときは、当該付加年金も、老齢基礎年金と同様に繰り上げ、又は繰り下げて支給される。

B　付加保険料に係る保険料納付済期間を10ヵ月有する者に支給される付加年金の額は、2,000円である。

C　死亡一時金の支給を受けることができる者が、同一の死亡について寡婦年金を受けることができるときは、その者には寡婦年金が支給され、死亡一時金は支給されない。

D　死亡した者が老齢基礎年金又は障害基礎年金の支給を受けたことがあるときは、その死亡に関して、死亡一時金は支給されない。

E　寡婦年金は、死亡した夫が障害基礎年金の受給権者であったことがあるときでも、実際にその支給を受けたことがなければ、支給される。

[問　7]　国民年金法に関する次の記述のうち、誤っているものはどれか。

A　令和4年7月から令和5年1月までの月分について免除された保険料を令和7年3月末日までに追納する場合は、追納に係る加算は行われない。

B　前納された保険料について保険料納付済期間又は保険料4分の3免除期間、保険料半額免除期間若しくは保険料4分の1免除期間を計算する場合においては、前納に係る期間の各月が経過した際に、それぞれその月の保険料が納付されたものとみなされる。

C　老齢基礎年金の受給権者の属する世帯の世帯主その他その世帯に属する者は、当該受給権者の所在が1ヵ月以上明らかでないときは、速やかに、所定の事項を記載した届書を日本年金機構に提出しなければならない。

D　年金給付を受ける権利を裁定する場合又は年金給付の額を改定する場合において、年金給付の額に5円未満の端数が生じたときは、これを切り捨て、5円以上10円未満の端数が生じたときは、これを10円に切り上げるものとする。

E　租税その他の公課は、老齢基礎年金及び付加年金を除き、給付として支給を受けた金銭を標準として、課することができない。

[問　8]　国民年金法に関する次の記述のうち、正しいものはどれか。

A　申請全額免除の事由に該当する者が令和7年7月10日に免除の申請をした場合、厚生労働大臣が指定する免除期間（保険料が免除される期間）は、令和5年6月から令和8年6月までの期間のうち必要と認める期間である。

B　学生等である第1号被保険者の前年の所得が128万円以下であっても、世帯主の前年の所得が128万円を超えるときは、当該第1号被保険者は、学生納付特例による保険料免除の適用を受けることができない。

C　基礎年金拠出金の算定の基礎となる当該年度における被保険者の総数は、第1号被保険者にあっては、保険料納付済期間を有する者のみを基礎として計算する。

D　国庫は、毎年度、第1号被保険者に係る基礎年金の給付に要する費用（国民年金法第85条第1項第2号及び第3号に掲げる額を除く。）の2分の1に相当する額を負担するが、ここでいう基礎年金とは、老齢基礎年金、障害基礎年金、遺族基礎年金及び寡婦年金をいう。

E　国庫は、毎年度、国民年金法第30条の4に規定する20歳前の傷病による障害基礎年金の給付に要する費用の100分の50（特別国庫負担の割合である100分の20を含む。）に相当する額を負担する。

[問　9]　国民年金法に関する次の記述のうち、誤っているものはどれか。

A　第3号被保険者に関し、主として第2号被保険者の収入により生計を維持することの認定は、健康保険法、国家公務員共済組合法、地方公務員等共済組合法及び私立学校教職員共済法における被扶養者の認定の取扱いを勘案して日本年金機構が行う。

B　政府は、国民年金事業の財政が、財政均衡期間の終了時に給付の支給に支障が生じないようにするために必要な積立金を保有しつつ、当該財政均衡期間にわたってその均衡を保つことができないと見込まれる場合には、年金たる給付（付加年金を除く。）の額を調整するものとする。

C　66歳の夫が厚生年金保険の在職老齢年金の受給権者であり、その58歳の妻（日本国内に住所を有するものとする。）が主として当該夫の収入により生計を維持している場合、当該妻は、第3号被保険者となる。なお、当該妻は、第2号被保険者及び国民年金法施行規則第1条の2各号のいずれにも該当しないものとする。

D　昭和37年4月2日以後生まれの者に係る繰上げ支給の老齢基礎年金の額に係る減額率は、1,000分の4に当該年金の支給の繰上げを請求した日の属する月から65歳に達する日の属する月の前月までの月数を乗じて得た率である。

E　受給権者が65歳に達した日の属する年度の初日の属する年の3年後の年の4月1日の属する年度以後において適用される改定率の改定については、調整期間でない場合は、原則として、物価変動率を基準とする。

[問 10] 国民年金基金に関する次の記述のうち、誤っているものはどれか。

  A 産前産後期間の保険料免除の規定により保険料を納付することを要しないものとされている者であっても、国民年金基金の加入員となることができる。

  B 現に地域型国民年金基金の加入員である者は、職能型国民年金基金に係る事業又は業務に従事することとなった場合であっても、当該職能型国民年金基金の加入員となることはできない。

  C 国民年金基金は、加入員又は加入員であった者に対し、年金の支給を行い、あわせて加入員又は加入員であった者の死亡に関し、一時金の支給を行うものとする。

  D 国民年金基金の加入員である第1号被保険者が、障害基礎年金の受給権者となったことにより保険料を納付することを要しないものとされたときは、この者は、当該保険料を納付することを要しないものとされた月の初日に、加入員の資格を喪失する。

  E 老齢基礎年金の受給権者に対し国民年金基金が支給する年金の受給権は、当該老齢基礎年金の受給権が消滅したときに消滅するほか、国民年金基金が規約で定める年齢に達したときに消滅させることができる。

《予想模擬試験　解答用紙》

【選択式】

労働基準法及び労働安全衛生法
A	①②③④⑤⑥⑦⑧⑨⑩⑪⑫⑬⑭⑮⑯⑰⑱⑲⑳
B	①②③④⑤⑥⑦⑧⑨⑩⑪⑫⑬⑭⑮⑯⑰⑱⑲⑳
C	①②③④⑤⑥⑦⑧⑨⑩⑪⑫⑬⑭⑮⑯⑰⑱⑲⑳
D	①②③④⑤⑥⑦⑧⑨⑩⑪⑫⑬⑭⑮⑯⑰⑱⑲⑳
E	①②③④⑤⑥⑦⑧⑨⑩⑪⑫⑬⑭⑮⑯⑰⑱⑲⑳

労働者災害補償保険法
A	①②③④⑤⑥⑦⑧⑨⑩⑪⑫⑬⑭⑮⑯⑰⑱⑲⑳
B	①②③④⑤⑥⑦⑧⑨⑩⑪⑫⑬⑭⑮⑯⑰⑱⑲⑳
C	①②③④⑤⑥⑦⑧⑨⑩⑪⑫⑬⑭⑮⑯⑰⑱⑲⑳
D	①②③④⑤⑥⑦⑧⑨⑩⑪⑫⑬⑭⑮⑯⑰⑱⑲⑳
E	①②③④⑤⑥⑦⑧⑨⑩⑪⑫⑬⑭⑮⑯⑰⑱⑲⑳

雇　用　保　険　法
A	①②③④⑤⑥⑦⑧⑨⑩⑪⑫⑬⑭⑮⑯⑰⑱⑲⑳
B	①②③④⑤⑥⑦⑧⑨⑩⑪⑫⑬⑭⑮⑯⑰⑱⑲⑳
C	①②③④⑤⑥⑦⑧⑨⑩⑪⑫⑬⑭⑮⑯⑰⑱⑲⑳
D	①②③④⑤⑥⑦⑧⑨⑩⑪⑫⑬⑭⑮⑯⑰⑱⑲⑳
E	①②③④⑤⑥⑦⑧⑨⑩⑪⑫⑬⑭⑮⑯⑰⑱⑲⑳

労務管理その他の労働に関する一般常識
A	①②③④⑤⑥⑦⑧⑨⑩⑪⑫⑬⑭⑮⑯⑰⑱⑲⑳
B	①②③④⑤⑥⑦⑧⑨⑩⑪⑫⑬⑭⑮⑯⑰⑱⑲⑳
C	①②③④⑤⑥⑦⑧⑨⑩⑪⑫⑬⑭⑮⑯⑰⑱⑲⑳
D	①②③④⑤⑥⑦⑧⑨⑩⑪⑫⑬⑭⑮⑯⑰⑱⑲⑳
E	①②③④⑤⑥⑦⑧⑨⑩⑪⑫⑬⑭⑮⑯⑰⑱⑲⑳

社　会　保　険　に　関　す　る　一　般　常　識
A	①②③④⑤⑥⑦⑧⑨⑩⑪⑫⑬⑭⑮⑯⑰⑱⑲⑳
B	①②③④⑤⑥⑦⑧⑨⑩⑪⑫⑬⑭⑮⑯⑰⑱⑲⑳
C	①②③④⑤⑥⑦⑧⑨⑩⑪⑫⑬⑭⑮⑯⑰⑱⑲⑳
D	①②③④⑤⑥⑦⑧⑨⑩⑪⑫⑬⑭⑮⑯⑰⑱⑲⑳
E	①②③④⑤⑥⑦⑧⑨⑩⑪⑫⑬⑭⑮⑯⑰⑱⑲⑳

健　康　保　険　法
A	①②③④⑤⑥⑦⑧⑨⑩⑪⑫⑬⑭⑮⑯⑰⑱⑲⑳
B	①②③④⑤⑥⑦⑧⑨⑩⑪⑫⑬⑭⑮⑯⑰⑱⑲⑳
C	①②③④⑤⑥⑦⑧⑨⑩⑪⑫⑬⑭⑮⑯⑰⑱⑲⑳
D	①②③④⑤⑥⑦⑧⑨⑩⑪⑫⑬⑭⑮⑯⑰⑱⑲⑳
E	①②③④⑤⑥⑦⑧⑨⑩⑪⑫⑬⑭⑮⑯⑰⑱⑲⑳

厚　生　年　金　保　険　法
A	①②③④⑤⑥⑦⑧⑨⑩⑪⑫⑬⑭⑮⑯⑰⑱⑲⑳
B	①②③④⑤⑥⑦⑧⑨⑩⑪⑫⑬⑭⑮⑯⑰⑱⑲⑳
C	①②③④⑤⑥⑦⑧⑨⑩⑪⑫⑬⑭⑮⑯⑰⑱⑲⑳
D	①②③④⑤⑥⑦⑧⑨⑩⑪⑫⑬⑭⑮⑯⑰⑱⑲⑳
E	①②③④⑤⑥⑦⑧⑨⑩⑪⑫⑬⑭⑮⑯⑰⑱⑲⑳

国　民　年　金　法
A	①②③④⑤⑥⑦⑧⑨⑩⑪⑫⑬⑭⑮⑯⑰⑱⑲⑳
B	①②③④⑤⑥⑦⑧⑨⑩⑪⑫⑬⑭⑮⑯⑰⑱⑲⑳
C	①②③④⑤⑥⑦⑧⑨⑩⑪⑫⑬⑭⑮⑯⑰⑱⑲⑳
D	①②③④⑤⑥⑦⑧⑨⑩⑪⑫⑬⑭⑮⑯⑰⑱⑲⑳
E	①②③④⑤⑥⑦⑧⑨⑩⑪⑫⑬⑭⑮⑯⑰⑱⑲⑳

切取線

【択一式】

労働基準法及び労働安全衛生法
	A	B	C	D	E
1	○	○	○	○	○
2	○	○	○	○	○
3	○	○	○	○	○
4	○	○	○	○	○
5	○	○	○	○	○
	A	B	C	D	E
6	○	○	○	○	○
7	○	○	○	○	○
8	○	○	○	○	○
9	○	○	○	○	○
10	○	○	○	○	○

労働者災害補償保険法（徴収法を含む）
	A	B	C	D	E
1	○	○	○	○	○
2	○	○	○	○	○
3	○	○	○	○	○
4	○	○	○	○	○
5	○	○	○	○	○
	A	B	C	D	E
6	○	○	○	○	○
7	○	○	○	○	○
8	○	○	○	○	○
9	○	○	○	○	○
10	○	○	○	○	○

雇　用　保　険　法（徴収法を含む）
	A	B	C	D	E
1	○	○	○	○	○
2	○	○	○	○	○
3	○	○	○	○	○
4	○	○	○	○	○
5	○	○	○	○	○
	A	B	C	D	E
6	○	○	○	○	○
7	○	○	○	○	○
8	○	○	○	○	○
9	○	○	○	○	○
10	○	○	○	○	○

労務管理その他の労働及び社会保険に関する一般常識
	A	B	C	D	E
1	○	○	○	○	○
2	○	○	○	○	○
3	○	○	○	○	○
4	○	○	○	○	○
5	○	○	○	○	○
	A	B	C	D	E
6	○	○	○	○	○
7	○	○	○	○	○
8	○	○	○	○	○
9	○	○	○	○	○
10	○	○	○	○	○

健　康　保　険　法
	A	B	C	D	E
1	○	○	○	○	○
2	○	○	○	○	○
3	○	○	○	○	○
4	○	○	○	○	○
5	○	○	○	○	○
	A	B	C	D	E
6	○	○	○	○	○
7	○	○	○	○	○
8	○	○	○	○	○
9	○	○	○	○	○
10	○	○	○	○	○

厚　生　年　金　保　険　法
	A	B	C	D	E
1	○	○	○	○	○
2	○	○	○	○	○
3	○	○	○	○	○
4	○	○	○	○	○
5	○	○	○	○	○
	A	B	C	D	E
6	○	○	○	○	○
7	○	○	○	○	○
8	○	○	○	○	○
9	○	○	○	○	○
10	○	○	○	○	○

国　民　年　金　法
	A	B	C	D	E
1	○	○	○	○	○
2	○	○	○	○	○
3	○	○	○	○	○
4	○	○	○	○	○
5	○	○	○	○	○
	A	B	C	D	E
6	○	○	○	○	○
7	○	○	○	○	○
8	○	○	○	○	○
9	○	○	○	○	○
10	○	○	○	○	○